10|18

12, avenue d'Italie — Paris XIIIe

Du même auteur
dans la collection 10/18

L'ÉLÈVE ET AUTRES NOUVELLES, n° 147
LA REDEVANCE DU FANTÔME, n° 836
CE QUE SAVAIT MAISIE, n° 1401
DAISY MILLER, n° 2127
RETOUR À FLORENCE, n° 2128
L'AUTRE MAISON, n° 2129
LA SOURCE SACRÉE, n° 2195
REVERBERATOR, n° 2196
UNE VIE À LONDRES, n° 2211
VACANCES ROMAINES (tome 1), n° 2283
L'AUTOMNE À FLORENCE (tome 2), n° 2284
LE MENTEUR, n° 2312
LES DÉPOUILLES DE POYNTON, n° 2440
LE SENS DU PASSÉ, n° 2475
ESQUISSES PARISIENNES, n° 2503
JULIA BRIDE, n° 2552
LE CHAPERON, n° 2635
WASHINGTON SQUARE, n° 2729

PORTRAIT DE FEMME

PAR

HENRY JAMES

Traduit de l'anglais
par Claude BONNAFONT

10 18

« Domaine étranger »
dirigé par Jean-Claude Zylberstein
LIANA LEVI

Si vous désirez être régulièrement tenu au courant de nos publications, écrivez-nous en nous précisant le titre de l'ouvrage dans lequel est insérée cette annonce ainsi que votre âge :
Éditions 10/18
12, avenue d'Italie
75627 Paris Cedex 13

Titre original :
The Portrait of a Lady

ISBN 2-264-02489-5

1

La vie offre peu de moments plus agréables, dans certaines circonstances, que l'heure consacrée à la cérémonie du thé. Et dans ces circonstances, que l'on participe ou non à la collation – ce dont certains s'abstiennent toujours –, le moment en soi est exquis. Celles que j'ai à l'esprit en débutant ce simple récit formaient un cadre admirable pour ce divertissement innocent. Les accessoires de la petite fête avaient été disposés sur la pelouse d'un vieux manoir anglais au moment que j'appellerais l'apogée d'un magnifique après-midi d'été ; une bonne part s'en était écoulée, mais ce qui en restait s'annonçait de la plus belle et de la plus rare qualité. Le crépuscule ne tomberait pas avant plusieurs heures mais le flot de lumière estivale commençait à décliner, l'air s'était adouci et les ombres s'étiraient sur le gazon dru et souple. Elles s'allongeaient lentement, cependant, et la scène exprimait le sentiment de loisirs à venir qui est peut-être la source principale de jouissance d'une pareille scène à pareille heure. En certaines occasions, le cinq à huit représente une petite éternité ; en l'occurrence, ce laps de temps ne pouvait être qu'une éternité de plaisir. Sans appartenir au sexe supposé fournir les zélateurs habituels de la cérémonie du thé, les personnes en cause savouraient paisiblement ce plaisir. Droites et anguleuses, les ombres projetées sur la pelouse parfaite étaient celles d'un homme âgé, assis au fond d'un fauteuil d'osier, près d'une table basse où l'on avait servi le thé, et de deux personnages plus jeunes qui allaient et venaient devant lui, en causant à bâtons rompus. Le vieux monsieur tenait à la main une tasse de couleurs vives, anormalement grande et d'un modèle différent du reste du service. Il disposait de son contenu avec beaucoup de circonspection et pressait longuement la tasse contre son menton, le visage tourné vers la maison. Ses compagnons avaient terminé leur thé ou se désintéressaient du privilège offert; ils déambulaient en fumant des cigarettes. De temps à autre, l'un d'eux, lorsqu'il passait devant lui, observait avec une certaine insistance le vieux monsieur; ignorant cette attention, celui-ci gardait les yeux posés sur la façade rouge chaud de sa demeure. L'architecture de l'édifice qui s'élevait au-delà de la pelouse justifiait une telle considération et constituait l'élément le plus caractéristique du tableau spécifiquement anglais que j'ai tenté d'esquisser.

Le manoir se dressait sur une petite colline, dominant une rivière qui n'était autre que la Tamise, à quelque quarante miles de Londres. Ponctuée de pignons, la longue façade de brique rouge, dont le temps et les intempéries avaient déployé toutes les fantaisies pictoriales pour en embellir et en affiner la teinte, présentait à la pelouse ses plaques de lierre, ses faisceaux de cheminées et ses fenêtres emmitouflées dans les plantes grimpantes. La maison avait un nom et une histoire; le vieux gentleman qui prenait son thé vous la relatait avec délices : édifiée au temps d'Édouard VI, elle avait offert l'hospitalité pendant une nuit à la grande Élisabeth, dont l'auguste personne s'était étendue sur un lit magnifique, immense et terriblement anguleux, qui constituait toujours le principal ornement des chambres à coucher; elle avait été très meurtrie et dégradée durant les campagnes de Cromwell, puis très agrandie et remise en état sous la Restauration; pour finir, après avoir été remaniée et défigurée au XVIIIe siècle, elle était passée sous la garde vigilante d'un habile banquier américain dont, à l'origine, le mobile essentiel, lorsqu'il l'avait achetée, était qu'en raison de circonstances trop compliquées pour qu'on les expose ici elle représentait une très belle affaire; il l'avait acquise en pestant contre sa laideur, sa vétusté, ses incommodités, et à présent, au bout de vingt ans, conscient de la véritable passion esthétique qu'elle lui inspirait, il connaissait tous ses charmes et vous aurait indiqué l'endroit où vous placer pour les voir combinés tous ensemble, ainsi que l'heure précise où les ombres de ses diverses saillies – qui tombaient si doucement sur le mur de brique chaud et massif – atteignaient la bonne longueur. De plus, il aurait pu citer la plupart des propriétaires et des occupants successifs de la maison, dont plusieurs avaient connu la célébrité, avec toutefois la conviction discrète que la dernière phase de sa destinée n'était pas la moins honorable. La façade de la maison tournée vers le coin de pelouse qui nous intéresse n'avait pas d'entrée; celle-ci était située dans une autre partie du bâtiment. L'intimité régnait sur ce lieu et le vaste tapis de gazon qui couvrait le sommet de la colline semblait prolonger un somptueux intérieur. Immobiles, les grands chênes et les hêtres répandaient une ombre aussi drue que celle de rideaux de velours; autour de la partie de la pelouse meublée comme un salon de sièges capitonnés et de tapis aux riches coloris, des livres et des journaux parsemaient le gazon. La pelouse proprement dite s'interrompait au point où le terrain commençait à s'incliner vers la rivière, mais la promenade jusqu'au bord de l'eau n'en était pas moins charmante.

Le vieux gentleman assis près de la table basse était arrivé d'Amérique trente ans plus tôt; il avait apporté avec lui, dominant tout son bagage, sa physionomie américaine. Non content de l'avoir apportée, il l'avait entretenue dans un état parfait, de telle sorte qu'il aurait pu la ramener en toute confiance dans son pays natal, en cas de nécessité. A présent, toutefois, il était évident qu'il ne se déplacerait plus; ses voyages étaient terminés et il prenait le repos qui précède le grand repos. Une expression de pénétration placide animait son visage étroit et glabre, aux traits réguliers. C'était un visage où le champ des jeux de physionomie était limité, ce qui rendait d'autant plus méritoire son air de sagacité satisfaite. Il semblait dire que le vieux monsieur avait réussi son existence, tout en murmurant aussi que son succès, loin d'être excessif et de susciter la jalousie, avait comporté sur bien des points le caractère inoffensif de l'échec. Il avait sûrement acquis une grande expérience des hommes, mais une simplicité presque rustique nuançait le léger sourire qui jouait sur sa joue large et creuse, éclairant ses yeux pleins d'humour, lorsqu'il finit par déposer avec lenteur et précaution sa grande tasse sur la table. Il était habillé avec goût, d'un tissu noir finement gratté, mais un châle entourait ses genoux et ses pieds s'enfonçaient dans d'épaisses pantoufles brodées. Couché sur l'herbe au pied de son siège, un beau chien collie regardait le visage de son maître presque aussi tendrement que le maître contemplait la physionomie plus magistrale encore de la maison ; un petit terrier hirsute et affairé partageait entre les autres gentlemen ses assiduités désordonnées.

L'un d'eux, un homme de trente-cinq ans remarquablement bâti, avait une physionomie aussi sûrement britannique que celle du vieux monsieur que je viens d'esquisser était étrangère ; son visage étonnamment beau, coloré, clair et franc, aux traits fermes et nets, aux yeux gris lumineux, se parait d'une belle barbe châtain. Cet heureux homme jouissait d'une apparence brillante, exceptionnelle – celle d'un tempérament propice fécondé par une grande civilisation – qui, au premier coup d'œil, aurait suscité l'envie de quiconque. Il portait bottes et éperons, comme s'il avait mis pied à terre après une longue randonnée, et un chapeau blanc qui paraissait trop grand pour lui ; il avait les mains derrière le dos et l'une d'elles, une grande main blanche bien modelée, froissait une paire usagée de gants en peau de chien.

Son compagnon, qui arpentait la pelouse à son côté, était d'un modèle tout différent ; très susceptible d'éveiller une curiosité empreinte de gravité, il n'aurait jamais, contrairement à l'autre, suscité chez quelqu'un l'envie instinctive d'être à sa place. Grand, maigre, frêle et mal charpenté, il avait un visage laid et blafard, spirituel et charmant, pourvu, à défaut d'en être orné, de maigres moustaches et de favoris épars. Il semblait intelligent et maladif, combinaison rien moins qu'heureuse, et portait une veste de velours brun. Il avait les mains dans ses poches et la façon même dont il les y tenait révélait une habitude invétérée. Sa démarche était traînante et incertaine ; il était mal assuré sur ses jambes. Ainsi que je l'ai dit, chaque fois qu'il passait devant le vieux monsieur, il posait les yeux sur lui ; à cet instant, grâce au rapprochement des deux visages, il était facile de voir qu'ils étaient père et fils. Le père finit par rencontrer le regard de son fils auquel il répondit par un doux sourire.

– Je me sens très bien, dit-il.

– Avez-vous bu votre thé ? demanda son fils.

– Oui, avec grand plaisir.

– Voulez-vous que je vous resserve ?

Le vieux gentleman s'interrogea tranquillement :

– Rien ne presse, je vais voir… dit-il avec un accent américain perceptible.

– N'avez-vous pas froid ? reprit le fils.

Le père se frotta doucement les jambes.

– Eh bien, je n'en sais rien. Je ne peux le dire avant de le sentir.

– Il faudrait peut-être que quelqu'un le sente pour vous, repartit le jeune homme en riant.

– J'espère qu'il y aura toujours quelqu'un qui me comprendra ! Comprenez-vous ce que je ressens, Lord Warburton ?

– Oh ! oui, admirablement ! répondit avec vivacité le gentleman interpellé sous ce nom. J'aurais tendance à dire que vous semblez merveilleusement bien.

– Je pense qu'il en est ainsi, sur de nombreux points. A vrai dire, à force de me trouver bien depuis tant d'années, je crois que j'ai fini par m'y habituer et ne m'en aperçois plus, répondit le vieux monsieur en baissant les yeux sur son châle vert qu'il serra sur ses genoux.

– C'est l'ennui du bien-être, fit Lord Warburton. On ne s'en avise qu'après l'avoir perdu.

– J'ai idée que nous sommes plutôt exigeants, fit son compagnon.

– Oh oui, sans aucun doute, nous sommes exigeants, murmura Lord Warburton.

Les trois hommes gardèrent le silence un moment; debout, les deux plus jeunes considéraient leur aîné qui demanda un peu plus de thé.

– J'ai l'impression que ce châle vous gêne, reprit Lord Warburton, tandis que son compagnon remplissait la tasse de son père.

– Non, père doit garder son châle ! se récria l'homme au veston de velours. Ne lui mets pas de pareilles idées en tête.

– Il appartient à ma femme, dit le vieux gentleman avec simplicité.

– Oh ! si vous avez des raisons sentimentales ! fit Lord Warburton avec un geste d'excuse.

– J'imagine que je devrai le lui rendre quand elle reviendra, poursuivit le vieillard.

– Je vous en prie, n'en faites rien. Vous le garderez pour couvrir vos pauvres vieilles jambes.

– Ne dis pas de mal de mes jambes, protesta le vieux monsieur. Je parie qu'elles valent les tiennes.

– Vous avez toute liberté de dénigrer les miennes ! repartit son fils en lui donnant son thé.

– Eh oui, nous sommes deux canards boiteux, nous n'avons rien à nous envier.

– Merci infiniment pour le canard. Comment est votre thé ?

– Un peu chaud.

– Cela passe généralement pour une qualité.

– Alors, il est plein de mérite, murmura gentiment le vieux gentleman. Lord Warburton, j'ai là un très bon garde-malade.

– N'est-il pas un peu empoté ? demanda Sa Seigneurie

– Pas du tout, si l'on considère que lui-même est invalide ! C'est un très bon infirmier... que mon garde-malade. Je l'appelle mon garde-malade parce que lui-même est malade.

– Allons, papa, allons ! protesta le jeune homme disgracié.

– Mais enfin, tu l'es ; je voudrais bien qu'il n'en soit rien. Mais j'imagine que tu n'y peux rien.

– Je pourrais essayer de ne pas l'être ; c'est une idée, dit le jeune homme.

– Avez-vous jamais été malade, Lord Warburton ? s'enquit le père.

Lord Warburton réfléchit un moment.

– Oui, monsieur, une seule fois. Dans le golfe Persique.

– Il se moque de vous, papa ! fit l'autre jeune homme. C'est une plaisanterie.

– Il y a tant de façons de plaisanter de nos jours, acquiesça le père avec sérénité. Quoi qu'il en soit, Lord Warburton, vous n'avez pas la mine d'un malade.

– Il est dégoûté de la vie ; il vient de me le dire et s'étendait dangereusement sur le sujet, intervint l'ami de Lord Warburton.

– Est-ce vrai, monsieur ? demanda gravement le vieux gentleman.

– Dans l'affirmative, votre fils ne m'apporterait aucune consolation. C'est un pitoyable interlocuteur, un cynique. On dirait qu'il ne croit à rien.

– Autre forme de plaisanterie ! commenta l'individu taxé de cynisme.

– C'est à cause de sa triste santé, expliqua le père à Lord Warburton. Elle pèse sur son esprit et assombrit sa vision des choses ; il semble croire qu'il n'a jamais eu de chance. Mais tout cela est très théorique, vous savez, et ne semble pas altérer ses humeurs. Je l'ai rarement vu autrement que réconfortant... tel qu'il est en ce moment. Il me remonte souvent.

Le jeune homme ainsi décrit tourna les yeux vers Lord Warburton et se mit à rire :

– S'agit-il d'une apologie rayonnante ou d'une accusation de légèreté ? Aimeriez-vous que je mette mes théories en pratique, papa ?

– Seigneur ! Nous verrions de drôles de choses ! s'écria Lord Warburton.

– J'espère que tu n'as pas adopté ce ton-là ! dit le vieux monsieur.

– Le ton de Warburton est pire que le mien ; il dit s'ennuyer. Personnellement, je ne m'ennuie jamais. Je trouve la vie bien trop intéressante.

– Trop intéressante ! Tu ne devrais pas la laisser aller jusque-là.

– Ici, jamais je ne m'ennuie, déclara Lord Warburton. On a chez vous des conversations qui sortent de l'ordinaire.

– S'agit-il d'un nouveau type de plaisanterie ? s'enquit le vieux gentleman. Vous n'avez aucune excuse pour vous ennuyer où que ce soit. Quand j'avais votre âge, je ne savais même pas ce qu'était l'ennui.

– Vous avez dû vous développer très tard.

– Non, je me suis développé très tôt, et c'est justement la raison. A vingt ans, j'étais déjà très avancé. Je travaillais d'arrache-pied. Vous ne vous ennuieriez pas si vous aviez quelque chose à faire; mais vous autres, jeunes gens, êtes tous trop désœuvrés. Vous pensez trop à vos plaisirs. Vous êtes trop exigeants, trop indolents et trop riches.

– Allons! protesta Lord Warburton, vous n'êtes pas en position d'accuser vos semblables d'être trop riches!

– Vous voulez dire parce que je suis banquier?

– Pour cette raison, si vous voulez, et parce que vous disposez, si je ne me trompe, de moyens illimités.

– Mon père n'est pas très riche, plaida charitablement l'autre jeune homme. Il a donné des sommes colossales.

– C'est donc qu'elles lui appartenaient, repartit Lord Warburton. Où trouver meilleure preuve de la fortune de votre père? Un bienfaiteur public ne devrait pas accuser les autres d'être trop enclins au plaisir.

– Mon père apprécie beaucoup le plaisir... des autres.

Le vieux monsieur secoua la tête.

– Je n'ai pas la prétention d'avoir contribué en quoi que ce soit à l'amusement de mes contemporains.

– Cher père, vous êtes trop modeste.

– Voici une façon de plaisanter, monsieur, fit Lord Warburton.

– Jeunes gens, vous plaisantez trop. Sortis des plaisanteries, vous êtes démunis de tout.

– Heureusement, les gens plaisanteront toujours plus, remarqua le jeune homme disgracié.

– Je ne le crois pas; je crois que la situation devient plus sérieuse et vous, jeunes gens, vous en apercevrez un jour.

– Alors le sérieux croissant de la situation multipliera les occasions de plaisanter.

– Et les plaisanteries deviendront lugubres, fit le vieux monsieur. Je suis persuadé que de grands changements s'annoncent qui n'iront pas tous dans le bon sens.

– Je suis pleinement d'accord avec vous, monsieur, déclara Lord Warburton. Je suis sûr, moi aussi, que des bouleversements et des événements singuliers se préparent. C'est pourquoi je trouve si difficile de suivre votre conseil. Vous souvenez-vous m'avoir dit l'autre jour que je devrais « me saisir » de quelque chose ? On hésite à se saisir d'une chose qui peut vous claquer entre les doigts dans la seconde qui suit.

– Tu devrais te saisir d'une jolie femme, dit son compagnon. Lord Warburton fait de son mieux pour tomber amoureux, ajouta-t-il à l'adresse de son père en guise d'explication.

– Les jolies femmes peuvent aussi vous filer entre les doigts, s'écria Lord Warburton.

– Non, non, elles tiendront bon, déclara le vieux gentleman, elles ne seront pas affectées par les mouvements sociaux et politiques auxquels je songe.

– Vous voulez dire qu'on ne les supprimera pas ? Très bien. Alors, je vais en chercher une dès que possible et me l'attacher autour du cou comme une bouée de sauvetage.

– Les femmes nous sauveront, reprit le vieux monsieur, les meilleures, j'entends, car j'établis une différence entre elles. Choisissez-en une bonne, épousez-la et votre vie prendra beaucoup plus d'intérêt.

Le silence passager qui suivit témoigna peut-être de la considération des interlocuteurs pour la magnanimité de ces dires car ni le fils ni l'ami du vieux monsieur n'ignorait que son expérience matrimoniale n'avait pas été heureuse. Cependant, ainsi qu'il l'avait dit, il faisait une différence et ses paroles étaient peut-être l'aveu d'une erreur personnelle ; mais, naturellement, aucun des deux jeunes gens n'était en situation de faire observer que, selon toute apparence, la dame de son choix ne faisait pas partie des meilleures.

– Si j'épouse une femme intéressante, je serai captivé : est-ce bien ce que vous dites ? demanda Lord Warburton. Contrairement à ce que prétend votre fils, je ne suis pas un fanatique du mariage, mais on ne peut savoir ce qu'une femme intéressante pourrait faire de moi.

– J'aimerais voir l'idée que tu te fais d'une femme intéressante, dit son ami.

– Cher ami, tu ne peux voir des idées, surtout lorsqu'elles planent dans l'éther aussi haut que les miennes. Si je pouvais voir la mienne, je serais déjà bien avancé.

– Eh bien, vous pouvez tomber amoureux de qui vous plaira, exception faite de ma nièce ! dit le vieux monsieur.

Son fils éclata de rire.

– Lord Warburton va considérer cela comme une provocation ! Mon cher père, voilà trente ans que vous vivez au milieu d'Anglais ; vous avez saisi bon nombre des choses qu'ils disent mais vous ignorez toujours celles qu'ils taisent !

– Je dis ce qui me plaît, rétorqua le vieux monsieur tout à fait serein.

– Je n'ai pas l'honneur de connaître votre nièce, dit Lord Warburton. Il me semble que c'est la première fois que j'entends parler d'elle.

– C'est une nièce de ma femme. Mrs Touchett l'amène en Angleterre.

– Ma mère a passé l'hiver en Amérique, expliqua le jeune Mr Touchett, nous attendons son retour. Elle nous a écrit qu'elle s'est découvert une nièce qu'elle a invitée à l'accompagner ici.

– Je vois, c'est très aimable à elle, dit Lord Warburton. Cette jeune fille est-elle intéressante ?

– Nous en savons à peine plus que vous à son sujet ; ma mère n'est pas entrée dans les détails. La plupart du temps, elle communique avec nous par télégrammes et les siens sont plutôt hermétiques. On dit que les femmes ne savent pas rédiger les dépêches, mais ma mère est passée maître dans l'art de la contraction : FATIGUÉE AMÉRIQUE, CHALEUR ÉPOUVANTABLE, REVIENS ANGLETERRE AVEC NIÈCE, PREMIER BATEAU, CABINE CONVENABLE. Voilà le type de message qui nous arrive d'elle. En fait, c'est le dernier qui nous soit parvenu. Un autre l'avait précédé où figurait, je crois, la première allusion à cette nièce : CHANGÉ HÔTEL, TRÈS MAUVAIS, CONCIERGE INSOLENT, ADRESSE CI-DESSOUS. RECUEILLI FILLE SŒUR, MORTE AN DERNIER, PARS POUR EUROPE, DEUX SŒURS, PARFAITE INDÉPENDANCE. Mon père et moi sommes perplexes ; le texte semble pouvoir s'accommoder de nombreuses interprétations.

– Il en ressort au moins une chose très claire, dit le vieux monsieur : elle a semoncé vertement le concierge de l'hôtel.

– Je n'en suis même pas sûr puisqu'il lui avait fait quitter les lieux. Nous avons d'abord pensé que la sœur en question pourrait être celle du concierge, mais le mot nièce, qui vient plus loin, semble indiquer qu'il s'agit d'une de mes tantes. Ensuite, nous nous sommes demandé de qui les deux autres sœurs sont sœurs ; il s'agit probablement de deux des filles de ma tante décédée. Maintenant, qui jouit d'une « parfaite indépendance » et en quel sens faut-il entendre ce terme ? Le point n'est pas encore élucidé. L'expression s'applique-t-elle plus spécialement à la jeune personne que ma mère a adoptée ou concerne-t-elle également ses sœurs ? Faut-il l'entendre dans un sens moral ou financier ? Veut-elle dire que leurs parents les ont laissées à l'aise ou qu'elles ne veulent être astreintes à aucune obligation ? Ou encore, tout simplement, qu'elles n'en font qu'à leur tête ?

– Peut-être y a-t-il d'autres interprétations possibles mais la dernière est très plausible, fit remarquer Mr Touchett.

– Vous en jugerez par vous-même, fit Lord Warburton. Quand Mrs Touchett doit-elle arriver ?

– Là, nous sommes dans les ténèbres : dès qu'elle aura trouvé une cabine convenable. Il se peut qu'elle l'attende encore mais il se peut aussi qu'elle ait déjà débarqué en Angleterre.

– Dans ce cas, elle vous aurait probablement télégraphié.

– Elle ne télégraphie jamais quand on pourrait s'y attendre, mais toujours à l'improviste, dit Mr Toutchett. Elle aime tomber sur moi sans préavis, dans l'idée qu'elle me trouvera en faute. Jusqu'à présent, elle n'y est jamais parvenue mais cela ne l'a pas découragée.

– C'est le côté indépendant de ma mère, la caractéristique familiale dont elle parle, repartit son fils, dont le jugement sur ce point était plus bienveillant. Si intrépide que soit le caractère de ces jeunes personnes, le sien est un défi. Elle aime s'occuper de ses propres affaires et ne se fie à l'aide de quiconque. Elle m'attribue aussi peu d'utilité qu'à un timbre-poste sans gomme et ne m'aurait jamais pardonné si j'avais été assez présomptueux pour aller à sa rencontre à Liverpool.

– Veux-tu au moins me faire savoir quand ta cousine doit arriver ? demanda Lord Warburton.

– A la seule condition que j'ai formulée : vous ne devez pas vous éprendre d'elle, intervint Mr Touchett.

– Je trouve que vous y allez fort ! M'estimez-vous indigne d'elle ?

– C'est justement parce que je vous trouve trop bien que je n'aimerais pas qu'elle vous épouse. J'espère qu'elle n'est pas venue ici pour chercher un mari. Quantité de jeunes filles le font, comme s'il n'y avait pas de bons maris là-bas. D'ailleurs, elle est probablement fiancée ; à ma connaissance, les jeunes Américaines sont généralement fiancées. De plus, rien ne m'assure après tout que vous feriez un mari remarquable.

– Elle est très probablement fiancée, répondit l'hôte de Mr Touchett. J'ai connu beaucoup de jeunes Américaines qui toutes l'étaient, mais, croyez-moi, je n'ai jamais observé que cela fît la moindre différence. Par ailleurs, ferais-je moi-même un bon mari ? Je n'en suis pas plus sûr. Il faudrait essayer.

– Faites tous les essais que vous voudrez mais pas avec ma nièce, dit en souriant Mr Touchett dont l'opposition à cette idée relevait surtout de l'humour.

– Après tout, renchérit Lord Warburton, elle ne vaut peut-être pas la tentative.

2

Pendant ce plaisant échange entre ses compagnons, Ralph Touchett s'était un peu écarté, de la démarche traînante qui lui était habituelle, les mains dans les poches, son turbulent petit terrier sur les talons. Le visage tourné vers la maison mais ses yeux songeurs baissés vers le gazon, il faisait depuis quelques instants l'objet d'une observation attentive de la part d'une personne soudainement apparue sous le vaste portail et que lui-même n'avait pas aperçue. La conduite du petit chien éveilla son attention; il avait bondi devant lui en poussant une volée de jappements aigus, où l'expression de bienvenue l'emportait sensiblement sur celle de la méfiance. La personne ainsi mise en question était une jeune fille; elle parut comprendre sur-le-champ l'accueil de la petite bête qui courait à fond de train, s'arrêtait à ses pieds et, relevant la tête, aboyait de plus belle; sans une hésitation elle se baissa, saisit le terrier à deux mains et l'éleva à hauteur de son visage tandis qu'il poursuivait son accueil volubile. Entre-temps, son maître avait pu le rejoindre et constater que la nouvelle amie de Bunchie était une longue jeune fille dans une robe noire; à première vue, elle semblait jolie. Elle était tête nue, comme si elle habitait la maison, ce qui intrigua le fils de son propriétaire qui ne connaissait que trop bien la nécessité d'écarter les visiteurs en raison de l'état de santé de son père. Cependant, les deux autres gentlemen avaient aperçu la nouvelle venue.

– Dieu du ciel, qui est cette inconnue? demanda Mr Touchett.

– Peut-être la nièce de Mrs Touchett, suggéra Lord Warburton, la jeune indépendante. A sa façon de manipuler le chien, je le croirais volontiers.

Le collie, à son tour, s'était laissé distraire; agitant doucement la queue, il trottinait vers la jeune fille, demeurée sous le portail.

– Mais alors, où est ma femme ? murmura Mr Touchett.

– Je suppose que cette jeune personne a dû l'abandonner quelque part ; sans doute une manifestation d'indépendance.

Souriante, la jeune fille s'adressait à Ralph, sans lâcher le terrier :

– Ce petit chien est-il à vous, monsieur ?

– Il y a un instant, il m'appartenait mais vous avez subitement adopté envers lui les manières caractéristiques d'un propriétaire.

– Ne pourrions-nous le partager ? demanda-t-elle. Il est si charmant.

Ralph la regarda un instant. Elle était étonnamment jolie.

– Gardez-le tout entier, répondit-il.

La jeune fille semblait avoir grande confiance en elle ainsi qu'en autrui, mais cette générosité fougueuse la fit rougir.

– Je ferais bien de vous dire que je suis probablement votre cousine, annonça-t-elle en reposant le chien à terre. Tiens ! En voilà un autre, ajouta-t-elle vivement en voyant approcher le collie.

– Probablement ! s'exclama le jeune homme en riant. Je croyais le fait établi ! Êtes-vous arrivée avec ma mère ?

– Oui, il y a une demi-heure.

– Elle vous a déposée avant de repartir ?

– Non, elle s'est rendue droit dans sa chambre et m'a demandé de vous dire, si je vous voyais, que vous devez aller la trouver à sept heures moins le quart.

Le jeune homme consulta sa montre.

– Merci beaucoup ; je n'y manquerai pas.

Puis, regardant sa cousine :

– Vous êtes très bienvenue ; je suis ravi de vous voir.

Elle regardait autour d'elle, son interlocuteur, les deux chiens, les deux gentlemen sous les arbres et le beau décor environnant, d'un œil qui révélait une claire perception des choses :

– Je n'ai jamais rien vu d'aussi ravissant que cet endroit. J'ai fait le tour de la maison ; c'est un enchantement.

– Je regrette que vous soyez là depuis si longtemps sans que nous l'ayons su.

– Votre mère m'a dit qu'en Angleterre on arrive sans cérémonie, si bien que cela m'a paru naturel. Un de ces gentlemen est-il votre père ?

– Oui, le plus âgé ; celui qui est assis, répondit Ralph.

– Je me doutais que ce n'était pas l'autre, dit la jeune fille en riant. Qui est cet autre ?

– Un de nos amis, Lord Warburton.

– Oh ! j'espérais tant qu'il y aurait un lord ! C'est exactement comme dans les romans... Adorable créature ! enchaîna-t-elle sans transition en se baissant pour ramasser le petit chien.

Immobile sur les lieux de leur rencontre, elle ne manifestait pas l'intention de s'avancer vers Mr Touchett ou de lui parler, et comme elle s'attardait près du seuil, mince et charmante, son interlocuteur se demanda si elle attendait que le vieux monsieur vînt lui présenter ses hommages. Les jeunes Américaines étaient habituées à se voir traiter avec beaucoup d'égards et le télégramme semblait suggérer que sa cousine était fière. Ralph le lisait, d'ailleurs, sur son visage.

– Voudriez-vous venir faire la connaissance de mon père ? proposa-t-il. Il est âgé, infirme et ne quitte pas son fauteuil.

– Oh ! le pauvre homme, je suis navrée ! s'écria la jeune fille en s'avançant aussitôt. J'avais cru comprendre, d'après ce que m'a dit votre mère, qu'il était plutôt... d'une activité excessive.

Ralph Touchett resta un moment silencieux.

– Ma mère ne l'a pas vu depuis un an.

– Il dispose d'un lieu ravissant pour se reposer. Allons-y, petit coquin !

– C'est un vieux domaine qui nous est cher, fit le jeune homme en jetant un coup d'œil sur sa cousine.

– Comment s'appelle-t-il ? demanda-t-elle, en reportant son attention sur le chien.

– Qui ça ? Mon père ?

– Oui, fit gaiement la jeune fille, mais ne lui dites pas que je vous l'ai demandé.

Ils étaient arrivés près du siège du vieux Mr Touchett qui se leva lentement pour se présenter.

– Ma mère est arrivée, annonça Ralph, et voici Miss Archer.

Le vieillard posa les deux mains sur les épaules de la jeune fille, la regarda un moment avec une extrême bienveillance, puis l'embrassa galamment.

– C'est pour moi un grand plaisir de vous voir ici, mais j'aurais aimé que vous nous ayez donné une chance de vous accueillir.

– Mais nous avons été reçues ! protesta la jeune fille. Il y avait au moins une douzaine de domestiques dans le hall. Et une vieille personne nous a fait sa révérence à la grille.

– Nous pouvons faire mieux... quand on nous avertit ! repartit le vieux gentleman, qui souriait en se frottant les mains et hocha doucement la tête. Mais Mrs Touchett n'aime pas les accueils démonstratifs.

– Elle est allée immédiatement dans sa chambre.

– Oui, et elle s'y est enfermée. C'est ce qu'elle fait toujours. Enfin, j'espère que je la verrai la semaine prochaine, répondit le mari de Mrs Touchett en réintégrant lentement son siège.

– Avant cela, dit Miss Archer. Elle va descendre à huit heures pour le dîner. Sept heures moins le quart, n'oubliez pas ! ajouta-t-elle avec un sourire à l'adresse de Ralph.

– Que va-t-il se passer à sept heures moins le quart ?

– Je vais voir ma mère, expliqua Ralph.

– Heureux homme ! commenta le vieux monsieur avant d'ajouter, s'adressant à la nièce de sa femme : Asseyez-vous, je vous en prie ; vous allez prendre un peu de thé.

– On m'en a porté dans ma chambre dès mon arrivée, répondit la jeune fille. Je suis désolée que vous soyez mal portant, ajouta-t-elle, les yeux posés sur son vénérable hôte.

– Oh ! je suis un vieil homme, ma chère ; mon temps est venu d'être vieux. Cela me fera du bien de vous avoir ici.

De nouveau, elle regardait autour d'elle : la pelouse, les grands arbres, les roseaux, la Tamise argentée, l'antique et belle demeure ; tout en se livrant à ce tour d'horizon, elle y situait ses compagnons grâce à une faculté d'observation concevable chez une jeune fille manifestement intelligente et stimulée par la situation. Elle s'était assise et avait écarté le petit terrier; posées sur ses genoux, ses mains blanches croisées ressortaient sur sa robe noire; la tête était droite, les yeux brillaient et la souple silhouette se tournait de côté et d'autre, au rythme vif de ses perceptions. Ses impressions étaient nombreuses; son sourire clair et tranquille les reflétait en totalité :

– Je n'ai jamais rien vu d'aussi beau, dit-elle.

– Oui, c'est une belle vue, admit Mr Touchett. Je sais l'effet qu'elle produit pour l'avoir moi-même éprouvé. Mais vous êtes très belle, vous aussi, ajouta-t-il avec une courtoisie dénuée de familiarité et la certitude heureuse que son âge avancé lui valait le privilège de dire de telles choses, même à de jeunes personnes qui auraient pu s'en alarmer.

Il serait superflu d'essayer de savoir à quel point cette jeune fille s'inquiéta; toutefois, elle se leva aussitôt, les joues colorées d'une rougeur qui n'était pas une réfutation.

– Bien sûr, je suis jolie ! répliqua-t-elle avec un rire bref. De quand date votre manoir ? De l'époque élisabéthaine ?

– Des premiers Tudor, dit Ralph Touchett.

Elle se tourna vers lui et le regarda :

– Des premiers Tudor ? C'est merveilleux. J'imagine qu'il y en a beaucoup d'autres.

– Il n'y en a pas de beaucoup plus beaux.

– Ne dis pas cela, mon fils, protesta Mr Touchett. Il n'en est pas de plus beau.

– Le mien est très beau; je crois même, à certains égards, supérieur à celui-ci, intervint Lord Warburton, qui ne s'était pas encore mêlé à la conversation mais avait gardé un œil attentif sur Miss Archer.

Il s'inclina légèrement en souriant. Ses manières envers les femmes étaient parfaites. La jeune fille y fut aussitôt sensible; elle n'avait pas oublié qu'il s'agissait de Lord Warburton.

– J'aimerais beaucoup vous le montrer, ajouta-t-il.

– Ne le croyez pas, s'écria le vieux gentleman. N'y allez pas. C'est une misérable vieille baraque, sans comparaison possible avec Gardencourt.

– Je ne sais… Je ne peux en juger, dit la jeune fille en souriant à Lord Warburton.

Ralph Touchett se désintéressait de la discussion ; debout, les mains dans les poches, il paraissait avoir très envie de renouer la conversation avec cette cousine fraîchement découverte.

– Vous aimez beaucoup les chiens ? s'enquit-il, conscient que, pour un homme intelligent, c'était là une piètre entrée en matière.

– Oui, beaucoup.

– Vous pouvez garder le fox, vous savez, poursuivit-il gauchement.

– Je le garderai avec plaisir tant que je resterai ici.

– Alors, ce sera longtemps, j'espère.

– Vous êtes très aimable. Je n'en sais rien. Ma tante doit en décider.

– Je règlerai ce point avec elle… à sept heures moins le quart, déclara Ralph en regardant à nouveau sa montre.

– En tout cas, je suis heureuse d'être ici, dit la jeune fille.

– Je doute que vous appréciiez que l'on décide pour vous de vos affaires.

– Oh ! si ! Lorsque l'on décide selon mes désirs !

– Dans le cas présent, c'est moi qui règlerai tout à ma convenance, dit Ralph. Il est inconcevable que nous n'ayons pas fait connaissance plus tôt.

– J'étais là-bas ; vous n'aviez qu'à venir me voir.

– Qu'entendez-vous par là-bas ?

– Aux États-Unis : à New York, à Albany et dans plusieurs autres villes américaines.

– Je suis allé là-bas. J'ai fait le tour des États-Unis, sans jamais vous rencontrer. Je ne comprends pas…

Miss Archer eut une brève hésitation.

– C'est à cause d'un désaccord entre votre mère et mon père. Il est survenu après la mort de ma mère, quand j'étais enfant. C'est pour cela que nous pensions ne jamais faire votre connaissance.

– Je n'épouse pas toutes les querelles de ma mère, à Dieu ne plaise ! s'écria le jeune homme qui poursuivit d'un ton plus grave : Vous avez perdu votre père récemment ?

– Oui, il y a plus d'un an. Depuis, ma tante a été très bonne pour moi. Elle est venue me voir et a suggéré que je l'accompagne en Europe.

– Je vois, dit Ralph, elle vous a adoptée.

– Adoptée ?

La jeune fille ouvrit de grands yeux, elle rougit à nouveau et une expression fugitive de chagrin assombrit son visage, provoquant l'inquiétude de son interlocuteur. Il avait mal mesuré l'effet de ses paroles. Cependant, Lord Warburton, qui semblait désireux de se rapprocher de Miss Archer, arrivait en flânant vers les deux cousins et elle posa sur lui ses yeux agrandis.

– Non, elle ne m'a pas adoptée. Je ne suis pas candidate à l'adoption.

– Je vous demande infiniment pardon, murmura Ralph. Je voulais dire… je voulais…

Il ne savait trop ce qu'il voulait dire.

– Vous voulez dire qu'elle me protège. Oui, elle aime protéger les gens. Elle a été très bonne pour moi. Seulement, ajouta la jeune fille avec le désir ardent de bien se faire comprendre, je tiens beaucoup à ma liberté.

– Est-ce de Mrs Touchett que vous parlez ? demanda le vieux monsieur du fond de son fauteuil. Venez ici, ma chère, et dites-moi ce que vous savez d'elle. Je suis toujours reconnaissant d'avoir de ses nouvelles.

La jeune fille hésita de nouveau ; elle souriait :

– Elle est vraiment très bienveillante, répondit-elle, avant de s'approcher de son oncle dont sa réponse avait excité la gaieté.

Resté seul près de Ralph Touchett, Lord Warburton lui dit après un instant :

– Tu demandais à connaître tout à l'heure l'idée que je me fais d'une femme intéressante. La voici !

3

Mrs Touchett était certainement dotée de singularités nombreuses dont son comportement, lorsqu'elle revint chez son mari après une longue absence, était un bon exemple. Elle avait une façon personnelle de conduire toutes ses activités et l'on ne saurait plus simplement décrire un personnage qui, loin d'être dépourvu d'élans généreux, parvenait rarement à donner une impression de douceur. Mrs Touchett pouvait accomplir beaucoup de bien mais ne faisait jamais plaisir. Sa façon d'être, à laquelle elle était très attachée, n'était pas agressive en soi mais simplement et indubitablement différente de celle des autres, et ses manières tranchantes blessaient parfois les personnes sensibles. Cette rude intransigeance se manifesta dans son comportement au cours des premières heures qui suivirent son retour d'Amérique, en des circonstances apparemment propices à ce que son premier geste fût d'échanger avec son mari et son fils des paroles de bienvenue. En de telles occasions, pour des raisons qu'elle estimait excellentes, Mrs Touchett se retirait toujours dans une retraite impénétrable et différait l'instant d'un rituel plus sentimental jusqu'à ce que fût réparé le désordre de sa toilette, avec une minutie d'autant moins nécessaire que ni la beauté ni la vanité ne la justifiaient. Mrs Touchett était une femme âgée, dépourvue de beauté, de grâce et de réelle élégance, mais pénétrée de respect pour ses mobiles personnels. Elle était généralement disposée à s'en expliquer lorsqu'on le lui demandait comme une faveur, et, dans ce cas, ses mobiles s'avéraient totalement différents de ceux qu'on lui avait attribués. Pratiquement, elle vivait séparée de son mari mais ne semblait trouver rien d'anormal à cette situation. Dès le début de leur vie commune, il était clairement apparu qu'ils ne désireraient jamais la même chose au même moment, et cette découverte avait poussé Mrs Touchett à écarter leur désaccord du domaine vulgaire de l'accidentel. Elle fit de son mieux pour ériger son objectif en loi – une apparence beaucoup plus édifiante – en allant vivre à Florence, où elle acheta une maison, laissant son mari gérer la filiale anglaise de sa banque. Cet arrangement, si heureusement défini, lui plaisait beaucoup. Sous ce même jour, il choqua son mari; c'était, dans le cadre d'une place londonienne noyée de brouillard, ce qu'il discernait de plus distinct; il aurait préféré que des dispositions tellement contre nature fussent entourées de plus d'imprécision. Donner son accord pour être en désaccord avait exigé de lui un effort; il était prêt à tomber d'accord sur presque tous les points, hormis celui-là, et ne voyait pour quelle raison l'entente ou la mésentente devait être si terriblement cohérente. Mrs Touchett ne s'autorisait ni regrets ni conjectures, et passait généralement avec son mari un mois par an, au cours duquel elle s'efforçait de le persuader qu'elle avait adopté le bon système. Elle n'éprouvait pas d'attirance pour le style de vie à l'anglaise et mentionnait volontiers les quelques raisons de ce rejet; elles portaient sur des aspects mineurs de cette antique organisation mais, aux yeux de Mrs Touchett, justifiaient amplement son exil. Elle détestait la sauce au pain qui, d'après elle, avait l'apparence du cataplasme et le goût du savon; elle s'élevait contre le fait que les servantes boivent de la bière et, très sourcilleuse quant à la tenue de son linge, assurait que la blanchisseuse britannique n'était pas maîtresse en son art. A intervalles réguliers, elle rendait visite à son pays natal et venait d'y faire un séjour plus prolongé que les précédents.

Elle avait pris sa nièce en main, cela ne faisait pas de doute. Quatre mois environ avant les événements relatés plus haut, par un après-midi pluvieux, cette jeune fille était assise, seule avec un livre. Mentionner son occupation revient à dire que la solitude ne lui pesait pas; son amour pour le savoir avait une vertu fécondante et son imagination était puissante. A l'époque, cependant, sa situation manquait de nouveauté et l'arrivée d'une visiteuse inattendue fit beaucoup pour combler cette faille. La visiteuse n'avait pas été annoncée; la jeune fille finit par l'entendre marcher dans la pièce voisine.

La scène se passait dans une vieille demeure d'Albany[1], une grande maison double et carrée dont une fenêtre du rez-de-chaussée portait une annonce de mise en vente. La maison avait deux entrées ; l'une d'elles, depuis longtemps inutilisée, n'avait jamais été supprimée. Leurs deux larges portes blanches, exactement semblables, étaient cintrées, flanquées de part et d'autre de fenêtres et juchées sur des petits perrons de pierre rouge qui descendaient latéralement jusqu'au trottoir de brique de la rue. Les deux maisons formaient une seule habitation, le mur de séparation ayant été abattu et les pièces reliées. Les très nombreuses salles des étages supérieurs étaient revêtues d'une même peinture jaunâtre que le temps avait plombée. Au troisième étage, une sorte de passage voûté reliait les deux moitiés de la maison ; dans leur enfance, Isabel et ses sœurs l'appelaient le tunnel et, bien qu'il fût court et suffisamment éclairé, il semblait toujours aux yeux de la jeune fille étrange et solitaire, surtout par les après-midi d'hiver. Enfant, elle avait séjourné bien des fois dans la maison, à l'époque où sa grand-mère y vivait. Puis dix ans d'éloignement avaient suivi, avant le retour à Albany qui précéda la mort de son père. Sa grand-mère, la vieille Mrs Archer, pratiquait une hospitalité généreuse, au bénéfice du cercle familial surtout, et les petites filles passaient souvent sous son toit des semaines dont Isabel gardait le plus heureux souvenir. Le mode de vie différait de celui de son foyer par sa libéralité, son abondance et un air de fête permanent ; aux délices d'une discipline enfantine imprécise s'ajoutaient les occasions innombrables d'écouter la conversation des grandes personnes, un plaisir qu'Isabel appréciait infiniment. Les allées et venues n'en finissaient pas ; les fils et les filles de sa grand-mère et leurs enfants bénéficiaient de l'invitation explicite et permanente de venir et de séjourner, si bien que la maison offrait l'apparence trépidante d'une auberge de province, tenue par une aimable vieille hôtesse qui soupirait beaucoup et ne présentait jamais de notes. Bien

1. Albany sur l'Hudson, à 200 kilomètres environ en amont de New York. C'est la capitale de l'État de New York. *(N. d. T.)*

entendu, Isabel ignorait tout des notes d'hôtel mais, dès sa tendre enfance, elle avait trouvé romanesque la maison de sa grand-mère. Derrière la demeure s'étendait une terrasse couverte, équipée d'une balançoire, source d'intérêt palpitant; au-delà, le long jardin qui descendait en pente vers l'écurie recelait des pêchers d'une familiarité à peine croyable. Isabel avait habité chez sa grand-mère à des saisons différentes mais, curieusement, tous ses séjours en avaient conservé un parfum de pêche. De l'autre côté de la rue s'élevait une vieille demeure, dite la Maison hollandaise, une curieuse construction qui datait de la première époque coloniale, faite de brique peinte en jaune et couronnée d'un pignon que l'on signalait aux étrangers; une palissade branlante et plantée de guingois dans la rue la défendait. Elle abritait une école élémentaire pour enfants des deux sexes, tenue ou plutôt négligée par une dame démonstrative dont Isabel gardait deux souvenirs marquants : ses cheveux étaient retenus sur ses tempes par d'étonnants peignes de nuit et elle était veuve d'un personnage important. On avait offert à la petite fille la chance d'asseoir dans cet établissement les fondements de son savoir mais, au soir d'un seul jour de présence, elle s'était élevée contre ses règles et fut autorisée à rester chez elle où, pendant le mois de septembre, par les fenêtres ouvertes de la Maison hollandaise, elle entendit le bourdonnement des voix enfantines qui récitaient la table de multiplication, un épisode où se mêlaient de façon inextricable la jubilation de la liberté et le chagrin de l'exclusion. En fait, les bases de ses connaissances s'établirent dans l'oisiveté de la maison de sa grand-mère; la plupart de ses hôtes lisaient peu et Isabel jouissait du libre usage d'une bibliothèque riche de livres ornés d'un frontispice, qu'elle devait souvent attraper en grimpant sur une chaise. Quand elle avait découvert un volume à son goût – son choix se fondait essentiellement sur le frontispice –, elle l'emportait dans une pièce mystérieuse, contiguë à la bibliothèque, que l'on appelait traditionnellement « le bureau », sans que personne sût pourquoi. A qui avait-il servi ? Quelle avait été son époque glorieuse ? Isabel l'ignora toujours mais il lui suffisait qu'il gardât un écho, une douce odeur de moisi, et qu'il fût terre d'exil pour des meubles anciens dont les infirmités n'étaient pas toujours apparentes, si bien que leur disgrâce semblait imméritée et en faisait des victimes de l'injustice ; à la manière des enfants, elle avait noué avec eux des rapports presque humains et certainement dramatiques. Elle avait surtout confié cent chagrins enfantins au vieux sofa en toile de crin. La pièce devait beaucoup de sa mystérieuse mélancolie au fait qu'elle était accessible par la seconde porte de la maison, celle que l'on avait condamnée et munie de verrous qu'une petite fille particulièrement frêle jugeait impossible de tirer. Elle savait que cette porte immobile et silencieuse ouvrait sur la rue ; si les fenêtres latérales n'avaient pas été bouchées par du papier vert, elle aurait pu contempler le petit perron brun et les briques usées du trottoir. Mais elle ne souhaitait pas regarder dehors, pour ne pas compromettre l'idée qu'elle s'était forgée du domaine étrange et invisible, situé de l'autre côté, un lieu qui devenait, au gré de son imagination d'enfant et selon ses humeurs, terre de délices ou de terreur.

Isabel était assise dans ce « bureau » lors de l'après-midi mélancolique et printanier que je viens d'évoquer. A cette époque, elle disposait de toute la maison pour choisir une pièce à sa convenance et elle avait élu la plus désolée. Elle n'avait jamais ouvert la porte verrouillée, ni retiré des fenêtres latérales le papier vert, remplacé par d'autres mains ; et ne s'était pas davantage assurée qu'une rue banale s'étendait au-delà. Une pluie aigre et froide tombait pesamment ; le printemps lançait à la patience son appel, cynique et mensonger, semblait-il à Isabel qui accordait le moins d'attention possible aux traîtrises du cosmos : les yeux rivés sur son livre, elle s'efforçait de fixer son esprit. Elle s'était avisée depuis peu de son penchant pour le vagabondage et s'était fermement ingéniée à mettre militairement cet esprit au pas, à l'entraîner à marcher, s'arrêter, reculer afin qu'il accomplît à son commandement des manœuvres plus délicates. Elle lui avait donné ce jour-là ses instructions pour une marche, vite devenue pénible progression, sur les plaines sablonneuses d'une histoire de la pensée allemande. Elle prit soudain conscience d'un pas désaccordé à sa propre allure intellectuelle : elle écouta un instant et se rendit compte qu'on marchait dans la bibliothèque attenante au bureau. Elle crut d'abord reconnaître le pas de quelqu'un dont elle attendait la visite puis décela presque aussitôt qu'il s'agissait de la démarche d'une femme, une inconnue : rien de commun avec le visiteur éventuel. Le caractère investigateur et expérimentaliste de ce pas portait à croire qu'il ne s'arrêterait pas avant le seuil du bureau; de fait, l'encadrement de la porte fut bientôt occupé par une dame qui s'y figea et regarda fixement notre héroïne. C'était une personne âgée, sans attraits particuliers, vêtue d'un ample imperméable; certains traits de son visage exprimaient la violence.

– Est-ce toujours là que vous vous tenez? questionna-t-elle, le regard posé sur l'amas hétéroclite de sièges et de tables.

– Non, pas lorsque j'ai des visites, répondit Isabel, qui se leva pour recevoir l'intruse.

Elle la dirigea vers la bibliothèque sans que la visiteuse cessât son inspection.

– Il me semble que vous disposez de beaucoup d'autres pièces, plutôt en meilleur état. Mais tout est terriblement usé.

– Êtes-vous venue voir la maison? demanda Isabel. La domestique va vous la montrer.

– Renvoyez-la, je ne veux pas acheter. Elle a dû partir à votre recherche et se promène là-haut; elle ne m'a pas paru bien intelligente. Vous feriez mieux de lui dire que ce n'est pas la peine.

Visiblement surprise, la jeune fille hésitait lorsque ce censeur inopiné décréta brusquement :

– Je suppose que vous êtes une des filles.

Isabel lui trouvait des façons réellement bizarres :

– Cela dépend de qui vous parlez.

– De feu Mr Archer et de ma pauvre sœur.

– Ah, fit lentement Isabel, alors vous êtes notre extravagante tante Lydia!

– Ah! c'est ainsi que votre père vous disait de m'appeler! Je suis votre tante Lydia mais je ne suis pas extravagante; je n'ai pas d'hallucinations. Laquelle des filles êtes-vous?

– La plus jeune des trois, et je m'appelle Isabel.

– Je sais, les autres sont Lilian et Edith. Êtes-vous la plus jolie ?

– Je n'en ai pas la moindre idée.

– Moi, je crois que si.

Et c'est ainsi que tante et nièce devinrent amies. Des années plus tôt, après la mort de sa sœur, la tante s'était disputée avec son beau-frère dont elle avait critiqué la façon d'élever ses trois filles. Mr Archer, qui était d'humeur vive, lui avait demandé de se mêler de ses affaires et elle l'avait pris au mot. Pendant des années, elle s'était abstenue de toute relation avec lui et, après sa mort, elle n'avait pas adressé un mot à ses filles, élevées à l'égard de leur tante dans une irrévérence que le propos d'Isabel venait de trahir. La conduite présente de Mrs Touchett était, comme toujours, parfaitement délibérée. Elle devait aller en Amérique afin de surveiller ses placements – dont son mari, malgré sa situation financière prestigieuse, n'avait rien à savoir – et profiterait de l'occasion pour s'enquérir de la condition de ses nièces. Inutile d'écrire puisqu'elle n'aurait accordé aucune valeur à des informations obtenues par correspondance ; elle ne croyait jamais qu'à ce qu'elle avait vu de ses yeux. Isabel s'aperçut néanmoins que sa tante en savait beaucoup à leur propos : sur les mariages de ses sœurs aînées, sur le fait que leur pauvre père avait laissé très peu d'argent, mais que la maison d'Albany, dont il avait hérité, devait être vendue à leur profit ; enfin, elle n'ignorait pas que le mari de Lilian, Edmund Ludlow, s'était chargé de l'affaire, ce pourquoi le jeune couple, venu à Albany pendant la maladie de Mr Archer, y demeurait pour l'instant et séjournait avec Isabel dans la vieille maison.

– Combien en attendez-vous ? demanda Mrs Touchett, après avoir examiné sans enthousiasme le grand salon où la jeune fille l'avait introduite et fait asseoir.

– Je n'en ai pas la moindre idée.

– C'est la deuxième fois que vous me faites cette réponse, répliqua sa tante. Vous n'avez pourtant pas l'air idiote.

– Je ne suis pas idiote mais je ne comprends rien aux histoires d'argent.

– Bien sûr, avec la façon dont on vous a élevées ! Comme si vous hériteriez de millions. A propos, de combien avez-vous hérité ?

– Réellement, je ne saurais vous le dire. Il faut questionner Edmund et Lilian. Ils doivent rentrer dans une demi-heure.

– A Florence, on trouverait cette maison bien vilaine, reprit Mrs Touchett, mais ici, je crois pouvoir dire qu'elle se vendra un bon prix. Il devrait vous rester à chacune une somme importante. En plus de ce que vous devez avoir par ailleurs ; il est vraiment extraordinaire que vous l'ignoriez. La maison est bien située ; on l'abattra probablement pour construire une rangée de boutiques. Je me demande d'ailleurs pourquoi vous ne le feriez pas vous-mêmes ; vous pouriez tirer un gros bénéfice de la location des boutiques.

Isabel ouvrit de grands yeux ; l'idée de louer des boutiques était pour elle inattendue.

– J'espère que l'on n'abattra pas la maison, dit-elle ; je l'aime tant !

– Je ne vois pas pourquoi vous l'aimez tellement ; votre père y est mort.

– Oui, mais je ne l'en aime pas moins, répliqua curieusement la jeune fille. J'aime les endroits où des choses sont arrivées, y compris des choses tristes. Beaucoup de gens sont morts ici et la maison a été pleine de vie.

– Est-ce là ce que vous entendez par pleine de vie ?

– Je veux dire chargée de l'expérience, des sentiments et des chagrins de ceux qui l'ont habitée. Et pas seulement de leurs chagrins car j'y fus très heureuse dans mon enfance.

– Si vous aimez les maisons où des événements se sont produits, en particulier des décès, vous devriez aller à Florence. J'y habite un vieux palais où trois personnes furent assassinées, trois personnages connus ; sans compter tous les autres dont j'ignore le nombre.

– Un vieux palais ? répéta Isabel.

– Oui, ma chère. Rien à voir avec cette maison, qui est très bourgeoise.

Isabel s'émut, car elle avait toujours infiniment apprécié la maison de sa grand-mère. Mais d'une sorte d'émotion qui la conduisit à dire :

– J'aimerais beaucoup aller à Florence.

– Eh bien, si vous êtes très sage, si vous faites ce que je vous dis de faire, je vous y emmènerai, déclara Mrs Touchett.

L'émotion de la jeune fille s'accrut; elle rougit un peu et sourit silencieusement à sa tante.

– Je ne crois pas pouvoir promettre de faire tout ce que vous me direz.

– Non, vous n'en donnez pas l'impression. Vous aimez agir à votre guise et j'aurais mauvaise grâce à vous en blâmer.

– Et pourtant, se reprit la jeune fille au bout d'un instant, pour aller à Florence, je promettrais presque n'importe quoi !

Edmund et Lilian tardaient à rentrer et Mrs Touchett conversa une heure d'affilée avec sa nièce qui lui trouva une personnalité intéressante et singulière; mais avant tout, une personnalité, la première sans doute qu'Isabel eût jamais rencontrée. Elle était aussi excentrique que la jeune fille se l'était toujours imaginée. Jusqu'à présent, lorsqu'elle entendait qualifier les gens d'excentriques, elle se les figurait blessants ou inquiétants; le mot avait toujours évoqué pour elle quelque chose de grotesque, et même de sinistre. Mais sa tante en faisait une question d'ironie brillante et légère, de comédie, qui amena Isabel à se demander si le sens commun – elle n'avait connu que lui jusqu'alors – avait jamais présenté autant d'intérêt. Personne encore ne l'avait autant captivée que cette petite dame aux lèvres minces, aux yeux brillants, d'allure étrangère, dont les manières distinguées rachetaient l'apparence insignifiante et qui, assise là dans son vieil imperméable, parlait des cours d'Europe avec une familiarité impressionnante. Mrs Touchett n'était pas frivole mais elle ne reconnaissait à personne un rang social supérieur au sien et, jugeant les grands de ce monde d'une façon qui disait cette conviction, elle fut satisfaite de constater l'impression ainsi produite sur un esprit candide et sensible. Isabel avait dû d'abord satisfaire à bon nombre de questions et, selon toute apparence, ce fut grâce à ses réponses que Mrs Touchett se fit une bonne opinion de son intelligence. Mais ensuite, ce fut le tour de la jeune fille d'interroger longuement, et les réponses de sa tante, quelle que fût leur tournure, étaient matière à profonde réflexion. Mrs Touchett attendit le retour de son autre nièce aussi longtemps qu'elle l'estima raisonnable mais, à six heures, Mrs Ludlow n'ayant pas reparu, elle s'apprêta au départ.

– Votre sœur doit être une terrible bavarde. Est-ce une habitude chez elle de rester aussi longtemps dehors ?

– Vous êtes restée loin de chez vous presque aussi longtemps qu'elle, répondit Isabel. Peut-être a-t-elle quitté la maison un instant avant votre arrivée.

Mrs Touchett regarda sa nièce sans irritation, appréciant, semblait-il, l'audace de la repartie et disposée à être aimable.

– Peut-être n'a-t-elle pas une aussi bonne excuse que la mienne. Quoi qu'il en soit, dites-lui de venir me voir ce soir à cet affreux hôtel. Elle peut se faire accompagner de son mari si elle le désire, mais il est inutile qu'elle vous amène. J'aurai tout le temps de vous voir par la suite.

4

Mrs Ludlow, l'aînée des trois sœurs, était tenue pour la plus raisonnable ; on lui attribuait d'ordinaire l'esprit pratique, à Edith la beauté, et à Isabel la supériorité intellectuelle. Mrs Keyes, la deuxième, était l'épouse d'un officier du génie et, comme elle ne joue aucun rôle dans notre histoire, il suffit d'ajouter qu'elle était réellement très jolie et fit l'ornement des garnisons, souvent situées dans des régions rustiques de l'Ouest où, à son profond chagrin, son mari fut successivement affecté. Lilian avait épousé un avocat new-yorkais, jeune homme à la voix sonore, plein d'enthousiasme pour sa profession. Un mariage guère plus brillant que celui d'Edith, mais, d'après leur entourage, Lilian était tellement moins jolie que ses sœurs qu'elle pouvait remercier le Ciel d'avoir trouvé un mari. Elle était d'ailleurs très heureuse ; mère de deux petits garçons impérieux et maîtresse d'un triangle de grès, introduit de force dans la Cinquante-troisième rue, elle semblait vivre ce nouvel état comme une audacieuse libération. Petite et trapue, elle n'aurait pu prétendre à l'élégance mais, à défaut de majesté, on lui concédait de la présence ; de plus, elle avait gagné depuis son mariage, disait-on, et les deux certitudes au monde dont elle était ardemment convaincue étaient la force d'argumentation de son mari et l'originalité d'Isabel. « Je n'ai jamais rivalisé avec Isabel. Ç'aurait été trop de temps perdu », avait-elle souvent dit ; néanmoins, elle la regardait avec un peu d'envie et l'observait comme un épagneul maternel guetterait un lévrier exubérant. « Je veux la voir bien mariée. C'est tout ce que je demande », confiait-elle souvent à son mari.

– Pour ma part, j'avoue que je n'aurais guère envie de l'épouser, répondait Edmund Ludlow, du ton parfaitement audible qui était le sien.

– Tu dis cela par esprit de contradiction, je le sais; tu prends toujours le contrepied de tout. Je ne vois pas ce que tu lui reproches, mis à part son originalité excessive.

– Justement, je n'aime pas les originaux, je préfère les traductions, avait un jour répliqué Mr Ludlow. Isabel est écrite en langue étrangère. Je ne la comprends pas. Elle devrait épouser un Arménien, ou un Portugais.

– C'est bien ce dont j'ai peur, s'écriait Lilian, qui croyait Isabel capable de tout.

Lilian écouta avec grand intérêt de la bouche de sa sœur le récit de l'apparition de Mrs Touchett et se prépara à satisfaire aux ordres de sa tante. Il n'est rien demeuré des propos d'Isabel, mais ils inspirèrent sûrement la réflexion que Lilian fit à son mari alors qu'ils s'apprêtaient à sortir :

– J'espère de tout cœur qu'elle se montrera généreuse envers Isabel. Manifestement, elle s'est entichée d'elle.

– Que voudrais-tu qu'elle fasse pour ta sœur? demanda Edmund Ludlow. Qu'elle lui offre un gros cadeau?

– Bien sûr que non! Je ne parle pas de cadeau. Mais elle pourrait s'intéresser à Isabel, sympathiser avec elle. C'est exactement le genre de femme faite pour l'apprécier. Elle a beaucoup fréquenté la société en Europe et lui en a longuement parlé. Tu m'as toujours dit que tu trouvais à Isabel l'air d'une étrangère.

– Et tu attends de ta tante qu'elle procure à ta sœur un peu de sympathie étrangère. Crois-tu vraiment qu'Isabel en manque ici?

– Quoi qu'il en soit, il faut qu'elle aille en Europe, affirma Mrs Ludlow. Isabel est faite pour cela.

– Et si je comprends bien, tu veux que la vieille dame l'y emmène.

– Elle le lui a proposé. Elle meurt d'envie d'emmener Isabel. Mais moi, ce que je veux, c'est qu'une fois là-bas, elle la fasse bénéficier de tous les avantages possibles. Je suis sûre que nous n'avons qu'une chose à faire : lui donner sa chance.

– Sa chance de quoi?

– De se développer.

– Dieu du Ciel ! s'exclama Edmund Ludlow, j'espère qu'elle ne va pas se développer encore plus !

– Si je ne savais pas que tu dis cela pour le plaisir de discuter, je le prendrais très mal, repartit sa femme. Tu sais très bien que tu aimes Isabel.

Un instant plus tard, tout en brossant son chapeau, le jeune homme demanda plaisamment à sa belle-sœur :

– Savez-vous que je vous aime ?

– Je m'en moque éperdument ! s'écria la jeune fille, dont le ton et le sourire, pourtant, démentaient la hauteur du propos.

– La visite de Mrs Touchett lui a tourné la tête ! commenta sa sœur.

Mais Isabel s'éleva avec beaucoup de sérieux contre cette accusation :

– Tu ne dois pas dire cela, Lily ; je n'en tire aucun orgueil.

– Je suis sûre qu'il n'y a pas de danger de ce côté, fit Lilian conciliante.

– Il n'y a aucune fierté à tirer de la visite de Mrs Touchett.

– Halte-là ! s'exclama Ludlow, la voilà plus fière que jamais !

– Si jamais je le deviens, dit la jeune fille, ce sera pour une meilleure raison.

Fière ou non, elle se sentait différente, comme si quelque chose lui était arrivé. Laissée à elle-même le temps de cette soirée, elle s'installa d'abord sous la lampe, les mains vides, sans se soucier de ses occupations habituelles. Puis elle se leva et arpenta le salon avant de parcourir l'étage d'une chambre à l'autre, avec une préférence pour les recoins où s'estompait la faible lumière des lampes. Elle était agitée, inquiète ; par moments, elle tremblait un peu. L'importance réelle de l'événement était hors de proportion avec son apparence ; un changement s'était vraiment produit dans sa vie. Ce qu'il entraînerait dans son sillage était encore très vague, mais Isabel se trouvait dans une situation qui valorise toute modification. Elle désirait laisser le passé derrière elle ; en son for intérieur, elle rêvait de prendre un nouveau départ. Ce désir n'était d'ailleurs pas né des circonstances présentes ;

familier comme le bruit de la pluie sur les vitres, il l'avait déjà conduite à de multiples recommencements. Elle s'assit dans un coin sombre du paisible salon et ferma les yeux, non qu'elle souhaitât s'abandonner à un oubli somnolent mais, au contraire, parce qu'elle avait l'impression d'avoir les yeux trop largement ouverts et voulait dominer le sentiment de voir trop de choses à la fois. Comme de coutume, son imagination s'activait de façon ridicule; affrontée à une porte fermée, elle aurait bondi par la fenêtre. Isabel n'avait pas l'habitude de la tenir sous les verrous et, lors des moments décisifs où elle se serait félicitée de pouvoir user de son seul jugement, elle payait la rançon des encouragements excessifs accordés à sa faculté de voir sans juger. En cet instant, inspiré par le sentiment que l'heure du changement avait sonné, un cortège d'images de ce qu'elle laisserait derrière elle se formait progressivement. Les années, les heures de sa vie refluaient vers elle et, pendant un long moment, dans la quiétude rompue par le seul tic-tac de la grosse pendule de bronze, elle les passa en revue. C'était une vie très heureuse et elle avait eu beaucoup de chance : telle était la vérité qui s'imposait avec le plus de vigueur. Elle avait eu la meilleure part et, dans un monde où la condition de tant de gens ne suscite pas l'envie, c'était un privilège de n'avoir jamais rien connu de particulièrement déplaisant. Il apparut même à Isabel que les désagréments avaient trop manqué à son expérience, car elle avait tiré de ses connaissances littéraires l'idée que la souffrance est souvent source d'intérêt et même de formation. Son père l'en avait toujours préservée, son père si beau et tant aimé, qui avait toujours nourri une vive aversion pour le moindre chagrin. C'était un grand bonheur d'avoir été sa fille; Isabel en ressentait même de l'orgueil. Depuis sa mort, il lui semblait discerner qu'il avait offert à ses enfants l'aspect le plus beau de sa personne, sans être aussi bien parvenu à en refouler le plus laid, ni dans la pratique ni dans ses aspirations. Mais la tendresse d'Isabel n'en était que plus grande; il était même à peine pénible d'avoir à l'imaginer trop généreux, trop bienveillant et trop indifférent face à des considérations sordides. Bien des gens avaient estimé qu'il poussait trop loin cette indifférence, à commencer par tout ceux auxquels il devait de l'argent. Isabel n'avait jamais été clairement informée de leur opinion, mais le lecteur apprendra peut-être avec intérêt que, tout en reconnaissant à feu Mr Archer une tête d'une beauté remarquable et des manières captivantes – « Il s'arrangeait toujours pour capter quelque chose », disait l'un d'eux –, ils lui reprochaient d'avoir fait piètre usage de sa vie. Il avait dilapidé une fortune considérable, manifesté un goût déplorable pour le plaisir et passait pour un joueur invétéré. Quelques personnes particulièrement acerbes allaient jusqu'à dire qu'il n'avait pas élevé ses filles. Elles n'avaient pas reçu d'éducation suivie, ni joui d'un foyer stable ; à la fois gâtées et négligées, elles étaient confiées à des bonnes ou à des institutrices, généralement très médiocres, ou envoyées dans des écoles peu sérieuses, tenues par des Françaises, dont on les retirait en larmes au bout d'un mois. Cette façon de voir aurait indigné Isabel : de son point de vue personnel, elle avait eu beaucoup de chance. Y compris lorsque son père avait laissé pendant trois mois ses filles à Neufchatel, aux soins d'une *bonne*[1] française, laquelle s'était fait enlever par un aristocrate russe qui résidait dans leur hôtel. Loin de se sentir effrayée ou humiliée par cette situation irrégulière, Isabel avait ressenti cet incident de sa onzième année comme un épisode romanesque d'une éducation libérale. Son père considérait l'existence avec une largeur de vue dont son agitation et même l'incohérence épisodique de sa conduite avaient été la preuve, rien de plus. Il souhaitait que, dès l'enfance, ses filles découvrissent le monde, le plus possible ; dans cet objectif, il leur avait fait traverser trois fois l'Atlantique avant qu'Isabel eût atteint quatorze ans, sans leur laisser jamais plus de quelques mois pour examiner le sujet proposé ; ce régime avait aiguisé la curiosité de notre héroïne sans lui permettre de l'assouvir. Elle était bien placée pour prendre le parti de son père car elle était, du trio, celle qui compensait le mieux tous les désagéments dont il ne parlait pas. Pendant ses der-

1. Les mots en italique sont en français ou en italien dans le texte.

niers jours, son empressement à prendre congé d'un monde où la difficulté d'agir selon son bon plaisir semblait croître avec les années avait été sensiblement tempéré par la douleur d'être séparé de son intelligente, sa brillante et remarquable fille. Avant cela, lorsque les voyages en Europe avaient cessé, il avait continué d'accorder à ses filles quantité de faveurs, et s'il avait été gêné par des affaires d'argent, rien n'avait troublé leur croyance spontanée en l'existence de ressources considérables.

Isabel, qui dansait pourtant très bien, n'avait pas souvenir d'avoir été un brillant sujet du cercle chorégraphique de New York; sa sœur Edith, de l'avis général infiniment plus séduisante, incarnait le succès de façon si criante qu'Isabel ne pouvait nourrir aucune illusion sur les atouts dont elle-même disposait, non plus que sur l'ampleur de ses aptitudes à folâtrer, à sautiller et à pouffer de rire avec le succès désiré. Sur vingt personnes, dix-neuf, et Isabel était du nombre, déclaraient Edith infiniment plus jolie que sa sœur, mais la vingtième, à l'opposé, s'amusait de l'esthétique fruste des précédentes. Au tréfonds de sa nature, Isabel abritait un désir de plaire encore plus insatiable que celui de sa sœur, mais les profondeurs secrètes de l'âme de cette jeune fille étaient un lieu peu fréquenté, dont les communications avec la surface étaient interceptées par des forces multiples et capricieuses. Sous ses yeux, des cohortes de jeunes gens venaient admirer sa sœur, mais, pour la plupart, ils avaient peur d'elle et croyaient qu'une préparation spéciale était indispensable pour pouvoir parler avec elle. Sa réputation de lectrice assidue drapait autour d'elle le manteau nébuleux qui distingue la déesse dans les poèmes épiques; elle était censée engendrer des sujets de causerie ardus et maintenir la conversation à basse température. La pauvre Isabel aimait qu'on la trouvât intelligente mais détestait passer pour pédante, si bien qu'elle lisait en secret et, malgré son excellente mémoire, se gardait de toute allusion ostentatoire. Assoiffée de connaissances, elle préférait sincèrement à la page imprimée les autres sources d'information, et son immense curiosité de la vie tenait perpétuellement en alerte son regard étonné. Elle portait en elle une forte vitalité et jouissait profondément de sentir la continuité entre les mouvements de son âme et l'agitation du monde. C'est pourquoi elle aimait contempler les grandes foules et les vastes paysages, lire des récits de guerre ou de révolution et regarder des tableaux historiques; à l'égard de ceux-ci, elle avait souvent et consciemment commis le solécisme de passer sur leur déficience picturale par amour pour leur sujet. Elle n'était encore qu'une petite fille au temps de la guerre de Sécession, mais elle avait vécu mois après mois cette longue période dans un état d'excitation passionnée, au point d'éprouver parfois une confusion extrême à se sentir presque également émue par la bravoure de l'une et de l'autre armées. Bien entendu, la circonspection des jeunes mondains méfiants n'était jamais allée jusqu'à faire d'Isabel une proscrite dans la société; le nombre de jeunes gens dont le cœur, lorsqu'ils l'approchaient, battait seulement juste assez vite pour leur rappeler qu'ils avaient aussi une tête, l'avait préservée du châtiment suprême propre à son sexe et à son âge. Elle avait reçu tout ce qu'une jeune fille peut avoir : tendresse, admiration, bonbons, bouquets, sentiment de bénéficier de tous les avantages du monde où elle vivait, bals nombreux, abondance de robes neuves, le *Spectator* de Londres, les publications récentes, la musique de Gounod, les poèmes de Browning et la prose de George Eliot.

Toutes ces choses, dont sa mémoire jouait à présent, prenaient la forme d'une multitude de scènes et de personnages. Des faits oubliés lui revenaient tandis qu'elle en perdait de vue beaucoup d'autres, longtemps tenus pour essentiels; comme si elle avait manié un kaléidoscope, instrument dont le mouvement fut enfin stoppé par l'arrivée de la domestique qui annonçait un gentleman du nom de Caspar Goodwood. Ce jeune Bostonien pur sang connaissait Miss Archer depuis un an et, comme il la tenait pour la plus belle jeune femme de son époque, selon la règle évoquée plus haut, il avait condamné sans nuance cette époque insensée. Il écrivait de temps à autre à Isabel et lui avait adressé tout récemment une lettre de New York. Elle s'était dit qu'il était très possible qu'il vînt et, tout au long de cette journée pluvieuse, elle l'avait vaguement attendu. A présent qu'elle le savait là, elle se sentait peu désireuse de le recevoir. C'était le plus beau jeune homme qu'elle eût rencontré et, de fait, un homme splendide ; il lui inspirait un sentiment très rare et très élevé de respect qu'elle n'avait jamais ressenti à ce point pour personne. On disait beaucoup autour d'eux qu'il souhaitait l'épouser mais, bien entendu, c'était leur affaire. On peut au moins affirmer qu'il avait fait le voyage de New York à Albany dans le seul but de la voir, après avoir appris à New York, où il séjournait et espérait la rencontrer, qu'elle se trouvait encore dans la capitale de l'État. Isabel retarda de quelques minutes le moment de l'accueillir et tourna dans la pièce, assaillie par un sentiment nouveau de la complexité des choses. Elle finit pourtant par se décider et le trouva debout près de la lampe. Il était grand, fort et un peu raide ; il était aussi maigre et brun ; pas du tout romantique mais du style beau ténébreux. Sa physionomie sollicitait secrètement l'attention qu'elle récompensait pour peu que l'on fût sensible au charme de ses yeux d'une fixité remarquable et d'une nuance bleue plus souvent associée aux teints clairs, et d'une mâchoire légèrement anguleuse, censée révéler la détermination. Isabel conclut ce soir-là qu'elle annonçait la détermination ; malgré cela, une demi-heure plus tard, Caspar Goodwood, arrivé plein d'espoir et de résolution, reprit le chemin de son logement avec les sentiments d'un homme vaincu. Il convient d'ajouter qu'il n'était pas homme à s'incliner devant une défaite.

5

Ralph Touchett était philosophe ; ce fut néanmoins avec une vive impatience qu'à sept heures moins le quart il frappa à la porte de sa mère. Même les philosophes ont leurs préférences et il faut admettre que, de ses parents, son père était celui qui répondait le mieux à son sentiment de la douceur du lien filial. Son père, il se l'était souvent dit, était plus maternel ; sa mère, en revanche, était paternelle et même, pour céder à l'argotisme de l'époque, paternaliste. Elle n'en éprouvait pas moins beaucoup d'amour pour son unique enfant et avait toujours insisté pour qu'il passât trois mois de l'année avec elle. Ralph rendait pleine justice à son affection et savait que, dans ses pensées comme dans son existence minutieusement organisée à grand renfort de serviteurs, son tour venait aussitôt après ses motifs prioritaires de préoccupation, les degrés variables de ponctualité de ceux qui exécutaient ses volontés. Il trouva sa mère déjà prête pour le dîner ; elle l'embrassa sans quitter ses gants et le fit asseoir près d'elle sur le sofa. Elle s'enquit scrupuleusement de la santé de son mari comme de celle du jeune homme, puis, ayant reçu de l'une et de l'autre un compte rendu peu brillant, elle exprima sa conviction croissante qu'il était sage de sa part de ne pas s'exposer au climat anglais. Elle pourrait, elle non plus, ne pas y résister. Ralph sourit à l'idée que sa mère pourrait ne pas résister à quoi que ce fût mais se garda de lui rappeler que le mal dont lui-même souffrait n'était pas dû au climat anglais qu'il évitait en s'éloignant une bonne partie de l'année.

Il était tout petit garçon lorsque son père, Daniel Tracy Touchett, natif de Rutland, dans l'État de Vermont, s'installa en Angleterre en qualité d'associé minoritaire d'une banque dont, une dizaine d'années plus tard, il avait acquis la majorité des parts. Daniel Touchett envisagea dès lors de résider définitivement dans ce pays d'adoption dont il s'était fait dès l'abord une idée simple, raisonnable et commode. Mais, ainsi qu'il se le disait à lui-même, il n'avait pas l'intention de se « désaméricaniser », ni le désir d'enseigner à son fils unique cet art subtil. Il avait si aisément résolu le problème de vivre en Angleterre, assimilé mais non converti, qu'il lui semblait aussi simple qu'après sa mort son héritier légitime reprît la vieille banque grise à la vive lumière des méthodes américaines. Pour intensifier cette lumière, il eut soin de l'envoyer faire ses études dans son pays natal. Ralph passa plusieurs trimestres dans une école américaine et obtint un diplôme dans une université, elle aussi américaine; lorsqu'il revint, son père, frappé par l'influence excessive exercée par l'Amérique, l'envoya à Oxford où il passa trois ans. Oxford digéra le trop-plein d'Harvard et Ralph devint enfin suffisamment anglais. Son adaptation extérieure aux mœurs du milieu environnant n'en était pas moins le masque sous lequel un esprit très épris de son indépendance, rebelle aux idées imposées et naturellement enclin à l'aventure et à l'ironie, s'accordait une liberté de jugement absolue. Il commença par être un jeune homme plein de promesses; à Oxford, il se distingua, pour le plus grand bonheur de son père, et l'on disait autour de lui qu'il était navrant que l'éventualité d'une carrière fût exclue pour un garçon si intelligent. Il aurait pu faire cette carrière s'il était retourné dans son pays – ce point demeure pourtant incertain – et, même si Mr Touchett avait consenti à se séparer de lui, ce qui ne fut pas le cas, Ralph aurait trouvé dur de mettre à jamais un désert aquatique entre lui-même et le vieux monsieur qu'il considérait comme son meilleur ami. Ralph n'aimait pas seulement son père; il l'admirait; il appréciait les occasions de l'observer. Pour lui, Daniel Touchett était un homme de génie, et bien que Ralph n'eût pas les aptitudes voulues pour accéder aux mystères de la finance, il se fit un devoir d'en apprendre assez sur la question pour pouvoir apprécier le rôle éminent joué par son père. Ce n'était cependant pas cet aspect qu'il goûtait le plus chez son père, mais la belle surface ivoirine, polie par l'atmosphère anglaise, que le vieux monsieur avait opposée aux tentatives de pénétration. Daniel Touchett n'était allé ni à Harvard ni à Oxford et c'était bien sa faute s'il avait mis entre les mains de son fils les clefs de la critique moderne. Ralph, dont la tête foisonnait d'idées que son père n'avait jamais soupçonnées, avait une grande estime pour l'originalité du banquier. A tort ou à raison, les Américains sont réputés pour l'aisance avec laquelle ils s'adaptent aux conditions de vie à l'étranger, mais Mr Touchett avait fait des limites de sa malléabilité la meilleure cause de son succès. Il avait gardé dans leur fraîcheur la plupart des empreintes du moule originel; son accent, son fils le constatait toujours avec plaisir, demeurait celui des régions luxuriantes de la Nouvelle-Angleterre. A la fin de sa vie, il avait acquis dans son domaine richesse et maturité; il alliait une habileté consommée à une légère tendance à fraterniser, et sa situation sociale, dont il ne s'était jamais soucié, avait la ferme perfection du fruit sur l'arbre. Faute d'imagination, peut-être, et de ce que l'on appelle le sens de l'histoire, sa conscience était hermétiquement fermée à la plupart des impressions que le mode de vie anglais suscite fréquemment chez les étrangers cultivés. Il n'avait jamais perçu certaines nuances, jamais adopté certaines habitudes, jamais sondé certaines obscurités. Du jour où il aurait voulu explorer ces dernières, l'estime que lui portait son fils aurait diminué.

Après avoir quitté Oxford, Ralph avait voyagé deux ans avant de se retrouver perché sur un haut tabouret dans la banque de son père. Les responsabilités et les honneurs liés à de telles situations ne se mesurent pas, je crois, à la hauteur du tabouret, qui dépend d'autres considérations : Ralph, en effet, avait de très longues jambes, aimait rester debout et même marcher quand il travaillait. Toutefois, malgré lui, il ne consacra qu'une très brève période à cet exercice car, dix-huit mois plus tard environ, il prit conscience qu'il était sérieusement malade. Il avait attrapé un rhume violent; l'affection se fixa sur ses poumons et y introduisit un affreux désordre. Il abandonna son travail pour appliquer à la lettre la désolante injonction de prendre soin de lui. Il commença par traiter ce devoir par le mépris; il lui semblait que ce n'était pas lui qu'il soignait mais un individu sans intérêt et peu concerné, avec lequel lui-même n'avait rien en commun. L'individu, cependant, gagnait à être connu et Ralph finit par développer à son endroit une tolérance teintée de mauvaise grâce et même un respect secret. L'infortune crée d'étranges associations et le jeune homme, sentant qu'il avait un enjeu dans l'affaire – sa réputation d'homme sensé –, consacra à ce déplaisant emploi une somme d'attention dont il fut dûment pris note et qui eut au moins pour effet de garder en vie le pauvre diable. Un de ses poumons commença de guérir; l'autre fit mine de suivre l'exemple et Ralph reçut l'assurance qu'il pourrait survivre une douzaine d'hivers s'il se retirait sous les climats où les phtisiques sont majoritaires. Comme il s'était épris de Londres, il maudit cet exil insipide; mais, sans cesser de le maudire, il s'y plia et, progressivement, lorsqu'il sentit ses organes sensibles réconfortés par ces faveurs rébarbatives, il les concéda d'une main plus légère. Il passait les hivers à l'étranger, lézardait au soleil, se calfeutrait à l'intérieur quand le vent soufflait, gardait le lit les jours de pluie et faillit une fois ou deux, après une nuit de neige, ne pas se relever.

Tel un gros gâteau qu'une bonne vieille nourrice aurait glissé dans son premier trousseau d'écolier, un trésor secret d'indifférence l'aidait à se réconcilier avec le sacrifice; de toute façon, dans le meilleur des cas, il était trop malade pour prétendre à autre chose qu'à cette partie ardue. Il se disait aussi que jamais il n'avait ardemment voulu atteindre un objectif précis, si bien qu'il n'avait pas dû renoncer à une brillante carrière. Depuis, cependant, le parfum du fruit défendu flottait autour de lui et lui rappelait que la fièvre de l'action est le plus exquis des plaisirs. Sa vie présente ressemblait à la lecture d'un bon livre dans une mauvaise traduction, pâle divertissement pour un homme qui se sentait les aptitudes d'un excellent linguiste. Il connut de bons et de tristes hivers, et, tant que duraient les premiers, il fut parfois le jouet d'une vision illusoire de guérison. Mais cet espoir se dissipa trois ans avant les événements qui ouvrent cette histoire; cette année-là, il s'était attardé plus que de coutume en Angleterre et le mauvais temps l'avait surpris avant qu'il eût gagné Alger. Arrivé plus mort que vif, il y passa plusieurs semaines entre la vie et la tombe. Sa convalescence fut un miracle et le premier usage qu'il en fit fut de se convaincre que de tels miracles ne se reproduisent pas. Il prit conscience de la proximité de sa dernière heure ; certes, il lui incombait de ne pas l'oublier, mais libre à lui de passer le temps qui l'en séparait de façon aussi agréable que le lui permettait une telle préoccupation. Le simple usage de facultés menacées à brève échéance devint un plaisir raffiné et il lui parut que jamais les joies de la contemplation n'avaient été sondées. Il était loin, le temps où il avait trouvé pénible de renoncer par force à l'idée de se distinguer ; une idée que son imprécision ne rendait pas moins importune et qui, pour avoir dû combattre sur le même terrain des crises stimulantes d'autocritique, n'en avait pas moins été délicieuse. Ses amis le trouvaient à présent plus gai et attribuaient ce changement à la théorie qu'il recouvrerait la santé, ce qui les faisait hocher la tête d'un air entendu. Sa sérénité n'était qu'une touffe de fleurs sauvages, nichée au creux de ses ruines.

Ce fut très probablement la qualité douce et savoureuse de la chose observée pour elle-même qui détermina pour l'essentiel l'éveil rapide de l'intérêt de Ralph pour la venue d'une jeune fille qui n'était manifestement pas insipide. Quelque chose lui disait que, s'il y était disposé, il trouverait là de quoi s'occuper pendant des jours. Il convient d'ajouter d'un trait sommaire que le rêve d'aimer – en ce qu'il se distingue de celui d'être aimé – avait encore une place dans son plan limité. Il s'en était seulement interdit les débordements d'expression. Il ne pourrait d'ailleurs inspirer une passion à sa cousine, pas plus qu'elle ne serait capable, à supposer qu'elle s'y essaie, d'en favoriser chez lui l'éclosion.

– Et maintenant, parlez-moi de cette jeune dame, dit-il à sa mère. Quelles sont vos intentions à son égard ?

Mrs Touchett n'hésita pas :

– Je vais demander à ton père de l'inviter à passer trois ou quatre semaines à Gardencourt.

– Vous n'avez pas besoin de faire tant de cérémonies, dit Ralph. Mon père va l'inviter, cela va de soi.

– Je ne sais pas. C'est ma nièce et non la sienne.

– Grand Dieu, chère mère, quel sens de la propriété! C'est une raison de plus pour lui de l'inviter. Et ensuite, je veux dire au bout de trois mois, car il serait mesquin d'offrir à cette pauvre fille un séjour de quelques semaines, que comptez-vous faire d'elle ?

– J'ai l'intention de l'emmener à Paris et de la faire habiller.

– Bien sûr ! Mais encore ?

– Je l'inviterai à passer l'automne à Florence avec moi.

– Laissons là les détails, chère mère, dit Ralph. J'aimerais savoir ce que vous comptez faire d'elle de façon générale.

– Mon devoir ! déclara Mrs Touchett. J'imagine que tu la plains beaucoup, ajouta-t-elle.

– Non, je ne pense pas que je la plaigne ; elle ne me paraît pas appeler la compassion. Je crois que je l'envie. Avant que j'en sois certain, cependant, éclairez-moi sur la façon dont vous voyez votre devoir.

– Je lui ferai visiter quatre pays d'Europe, en lui laissant le choix de deux d'entre eux, et lui fournirai l'occasion de perfectionner son français, une langue qu'elle possède déjà très bien.

Ralph fronça légèrement les sourcils :

– Même en lui accordant le choix de deux pays, la perspective est aride.

– Sur ce point, on peut faire confiance à Isabel pour l'arroser ! dit Mrs Touchett en riant ; elle est rafraîchissante comme une pluie d'été.

– Vous voulez dire qu'elle est très douée ?

– Très douée, je ne sais pas, mais c'est une fille intelligente, qui a beaucoup de volonté et du tempérament. Elle n'a pas l'intention de s'ennuyer.

– Je le crois volontiers, dit Ralph, avant d'ajouter à brûle-pourpoint : Comment vous entendez-vous toutes les deux ?

– Veux-tu dire par là que je suis ennuyeuse ? Je ne crois pas que ce soit son avis. Certaines jeunes filles me trouvent assommante, je le sais, mais Isabel est trop intelligente pour cela. Je crois que je l'amuse beaucoup. Nous faisons bon ménage parce que je la comprends. Je connais ce genre de fille. Elle est très franche, moi aussi, et nous savons exactement ce que nous pouvons attendre l'une de l'autre.

– Chère mère, chacun sait toujours ce qu'il peut attendre de vous! s'écria Ralph. Vous ne m'avez surpris qu'une fois, c'est aujourd'hui, en me révélant une jolie cousine dont je n'avais jamais soupçonné l'existence.

– Tu la trouves très jolie?

– Très jolie, mais ce n'est pas sa beauté qui m'impressionne. Je suis frappé par son allure générale, celle d'une personnalité. Qui est cette créature rare? Où l'avez-vous découverte? Comment avez-vous fait sa connaissance?

– Je l'ai trouvée par un jour pluvieux dans une vieille maison d'Albany, assise dans une pièce lugubre, lisant un ouvrage indigeste et s'ennuyant à périr. Elle ignorait qu'elle s'ennuyait mais je ne lui ai laissé aucun doute sur ce point et elle m'a semblé très reconnaissante de ce service. Je n'aurais pas dû lui ouvrir les yeux, diras-tu, j'aurais mieux fait de la laisser en paix. Il y a beaucoup de vrai là-dedans, mais j'ai agi en connaissance de cause, avec l'idée qu'elle était faite pour mieux que cela. Il m'est apparu que ce serait un bienfait de l'escorter et de lui faire connaître le monde. Elle pense en savoir beaucoup, comme la plupart des jeunes Américaines, et, comme elles encore, elle s'abuse de façon ridicule. Si tu tiens à le savoir, j'ai pensé qu'elle me ferait honneur. J'aime que l'on ait bonne opinion de moi et, pour une femme de mon âge, il n'y a rien de plus commode, à certains égards, qu'une nièce séduisante. Tu sais que je n'avais pas vu depuis des années les filles de ma sœur dont je jugeais très sévèrement le père. Mais j'ai toujours eu l'intention de faire quelque chose pour elles après qu'il serait parti recevoir sa récompense éternelle. Je me suis assurée de l'endroit où je les trouverais et me suis présentée chez elles sans m'annoncer. Il y a deux autres sœurs, mariées l'une et l'autre; je n'ai vu que l'aînée, dont, soit dit en passant, le mari est très mal élevé. Sa femme, qui s'appelle Lily, a bondi sur mon idée de m'intéresser à Isabel; c'était exactement, dit-elle, ce dont sa sœur avait besoin. Elle en parle comme on parlerait d'un génie en herbe, privé d'encouragement et de protection. Il se peut qu'Isabel soit un génie mais, personnellement, je n'ai pas encore découvert sa spécialité. Mrs Ludlow tenait essentiellement à ce que j'emmène sa sœur en Europe; là-bas, ils considèrent l'Europe comme une terre d'émigration, de salut et de refuge pour le trop-plein de leur population. Isabel, pour sa part, semblait très heureuse de venir et l'arrangement a été facile. La question d'argent a soulevé une petite difficulté car elle semblait répugner à être financièrement mon obligée. Mais elle dispose d'un petit revenu et s'imagine voyager à ses frais.

Ralph avait écouté avec attention ce rapport judicieux qui n'altéra pas son intérêt pour celle qui en était l'objet.

– Si elle a du génie, dit-il, à nous de découvrir sa spécialité. Serait-ce par hasard pour le flirt?

– Je ne le crois pas. A première vue, on pourrait le suspecter mais on aurait tort. De toute façon, je pense que tu auras du mal à te faire d'elle une idée juste.

– Alors Warburton se trompe! jubila Ralph. Il se flatte d'avoir fait cette découverte.

Sa mère hocha la tête :

– Lord Warburton ne la comprendra pas. Inutile pour lui d'essayer.

– Il est très intelligent, dit Ralph, mais il n'est pas mauvais qu'il soit déconcerté une fois de temps en temps.

– Isabel sera enchantée d'intriguer un lord, fit observer Mrs Touchett.

Son fils fronça les sourcils :

– Que peut-elle bien savoir de la noblesse?

– Rien du tout; ce qui intriguera d'autant plus ton ami.

Ralph se mit à rire et regarda par la fenêtre :

– N'allez-vous pas descendre voir mon père? demanda-t-il.

– A huit heures moins le quart, répondit Mrs Touchett.

– Vous avez encore un quart d'heure, précisa Ralph en regardant sa montre. Dites-m'en un peu plus sur Isabel.

Mrs Touchett déclina son invitation et déclara que Ralph devait découvrir par lui-même ce qu'il voulait savoir.

– Je crois qu'elle vous fera honneur, dit celui-ci. Mais ne va-t-elle pas vous causer aussi des soucis?

– J'espère que non mais, si elle m'en donne, je ne reculerai pas pour autant. Je ne recule jamais.

– Je la trouve très naturelle, dit Ralph.

– Les gens naturels ne sont pas les plus gênants.

– Non, dit Ralph, vous en êtes une preuve. Vous êtes extrêmement naturelle et je suis sûr que vous n'avez jamais causé d'ennuis à quiconque. Il faut se donner beaucoup de mal pour cela. Mais, dites-moi, j'y pense tout à coup : Isabel est-elle capable d'être désagréable ?

– Ah ! s'écria sa mère, tu en demandes trop ! Cherche les réponses toi-même !

– Avec tout cela, vous ne m'avez toujours pas dit ce que vous comptez faire, reprit Ralph qui n'avait pas encore épuisé ses questions.

– Faire d'elle ? Tu parles comme s'il s'agissait d'une pièce de calicot ! Je ne ferai absolument rien d'elle mais elle fera tout ce qu'elle souhaite faire. Elle m'en a prévenue.

– Est-ce cela que vous vouliez dire dans votre télégramme, qu'elle est très indépendante ?

– Je ne sais jamais ce que je veux dire dans mes télégrammes, surtout quand je les expédie d'Amérique. La clarté coûte trop cher. Allons voir ton père.

– Il n'est pas encore huit heures moins le quart, dit Ralph.

– Je dois tenir compte de son impatience, répondit Mrs Touchett.

Ralph savait que penser de l'impatience de son père, mais il ne répliqua pas et offrit son bras à sa mère. Ce qui lui permit, tandis qu'ils descendaient ensemble, de l'arrêter un moment à mi-étage sur le palier de l'escalier de chêne, foncé par le temps, un des ornements marquants de Gardencourt.

– Vous n'avez pas l'intention de la marier ? demanda-t-il en souriant.

– La marier ! Je m'en voudrais de lui jouer un pareil tour ! Cela mis à part, elle est parfaitement capable de se marier seule. Elle a tous les atouts voulus.

– Voulez-vous dire que le mari est déjà repéré ?

– Je n'ai rien entendu à propos de mari mais il y a un jeune homme à Boston !

Ralph se remit en marche ; il n'avait pas envie d'entendre parler du jeune homme de Boston.

– Comme dit mon père, elles sont toujours fiancées.

Sa mère l'avait enjoint de satisfaire sa curiosité à la source et il fut bientôt évident que les occasions ne lui manqueraient pas. Il parla longuement avec sa jeune cousine quand on les eut laissés seuls au salon. Venu à cheval de chez lui – il habitait à une dizaine de miles –, Lord Warburton était reparti avant le dîner et, une heure après la fin du repas, Mr et Mrs Touchett, qui semblaient avoir épuisé leur capacité de formalisme, alléguèrent une fatigue justifiée pour se retirer dans leurs appartements respectifs. Le jeune homme passa une heure avec sa cousine, qui avait voyagé une partie de la journée mais ne semblait pas épuisée. En fait, elle était fatiguée ; elle le savait et elle savait aussi qu'elle en pâtirait le lendemain ; mais elle avait l'habitude à cette époque d'aller jusqu'au bout de son énergie et c'était seulement lorsqu'elle n'avait plus la force physique de le dissimuler qu'elle l'avouait. Au moment dont nous parlons, elle pouvait encore jouer d'une hypocrisie subtile ; elle était intéressée ou, selon son expression, elle flottait. Elle pria Ralph de lui montrer les tableaux, très nombreux dans la maison et qu'il avait choisis pour la plupart. Les meilleurs étaient suspendus dans une galerie lambrissée de chêne aux proportions charmantes, terminée à chaque extrémité par un petit salon que d'ordinaire l'on éclairait le soir. La lumière était insuffisante pour mettre les peintures en valeur et l'on aurait pu repousser la visite au lendemain. Ralph hasarda cette proposition mais Isabel parut désappointée ; sans cesser de sourire, elle dit :

– S'il vous plaît, j'aimerais y jeter juste un coup d'œil.

C'était de l'impatience, elle s'en rendait compte et le laissait paraître, mais elle n'y pouvait rien. Elle n'aime pas les conseils, songea Ralph, mais sans irritation car l'empressement de la jeune fille l'amusait et même lui plaisait. Les lampes disposées de loin en loin sur des appliques diffusaient un éclairage imparfait mais suave. La lumière tombait sur des surfaces imprécises, richement colorées, sur la dorure ternie des cadres massifs, et faisait miroiter le parquet ciré de la galerie. Ralph prit un candélabre et s'avança en désignant les tableaux qu'il aimait; Isabel s'inclinait tour à tour devant les toiles et se laissait aller à de légères exclamations, à des murmures. Elle avait manifestement un jugement sûr et un goût inné dont Ralph fut frappé. Bientôt elle s'empara elle aussi d'un chandelier et le promena lentement selon son gré; elle le tenait haut levé et Ralph, à cet instant, s'arrêta au milieu de la pièce, le regard retenu par sa silhouette plus que par les tableaux. En fait, il ne perdait rien à laisser divaguer son regard : dans cette attitude, elle méritait plus d'admiration que la plupart des œuvres d'art. Elle était svelte, longue et légère, indéniablement; en Amérique, pour la distinguer des deux autres Misses Archer, on l'appelait toujours « l'élancée ». Ses cheveux foncés, presque noirs, faisaient l'envie de bien des femmes et ses yeux gris clair, un peu durs peut-être lorsqu'elle était grave, offraient une gamme charmante de concessions. Après qu'ils eurent longé lentement les deux murs de la galerie, Isabel s'écria soudain :

– Eh bien, j'en sais plus à présent que je n'en savais tout à l'heure.

– Apparemment, vous avez une passion pour le savoir, répondit son cousin.

– Oui, je crois. La plupart des jeunes filles sont horriblement ignorantes!

– Je vous vois différente de la plupart des autres jeunes filles.

– Oh, il y en a qui pourraient… n'était la façon dont on leur parle, murmura Isabel qui préférait pour l'instant ne pas trop se confier. Dites-moi, je vous prie, y a-t-il un fantôme ici? reprit-elle pour changer de conversation.

– Un fantôme?

– Un spectre de château, une forme qui apparaît. En Amérique, on appelle cela un fantôme.

– Ici aussi, lorsqu'on en voit.

– Donc vous en voyez. Vous devriez en avoir dans cette vieille maison romanesque.

– Elle n'est pas romanesque, déclara Ralph. Croyez-moi, sinon vous serez déçue. C'est une maison tristement prosaïque. En fait de romanesque, vous y trouverez seulement ce que vous aurez apporté avec vous.

– J'en ai beaucoup apporté et, me semble-t-il, je l'ai apporté au bon endroit.

– Pour le mettre à l'abri, sûrement. Rien ne peut lui arriver ici, entre mon père et moi.

Isabel le regarda un moment :

– N'y a-t-il jamais personne d'autre ici que votre père et vous ?

– Il y a ma mère, naturellement.

– Je connais votre mère ; elle n'a rien de romanesque. Il ne vient personne d'autre ?

– Très peu de gens !

– Je le regrette. J'aime tellement voir du monde.

– Alors nous inviterons tout le comté pour vous distraire, dit Ralph.

– Maintenant, vous vous moquez de moi ! répondit la jeune fille plus gravement. Qui était le gentleman que j'ai vu sur la pelouse quand je suis arrivée ?

– Un voisin de campagne ; il ne vient pas très souvent.

– C'est dommage, il me plaît assez, dit Isabel.

– J'ai pourtant eu l'impression que vous lui aviez à peine parlé, objecta Ralph.

– Peu importe, il me plaît quand même. Et votre père me plaît aussi, infiniment.

– Vous avez cent fois raison. C'est le meilleur des hommes.

– Je le plains d'être souffrant, dit Isabel.

– Il faudra m'aider à le soigner ; vous devez être une bonne garde-malade.

– Je crains que non. On me reproche d'avoir trop de notions théoriques. Vous ne m'avez toujours rien dit à propos du fantôme.

Ralph, cependant, ne tint pas compte de cette remarque.

– Mon père et Lord Warburton vous plaisent. Je suppose que vous aimez aussi ma mère.

– J'aime beaucoup votre mère parce que... parce que..., dit Isabel qui cherchait comment définir les raisons de son affection pour Mrs Touchett.

– Ah, l'on ne sait jamais pourquoi ! s'exclama Ralph en riant.

– Moi je le sais toujours, protesta la jeune fille. C'est parce qu'elle ne demande pas aux gens de l'aimer. Qu'on l'aime ou pas, cela l'indiffère.

– Alors, vous l'adorez par esprit de contradiction ? Eh bien, moi, je tiens beaucoup à ma mère, dit Ralph.

– Je ne vous crois pas. Vous, vous désirez que les gens vous aiment et vous tâchez de les y amener.

– Dieu du ciel, quelle pénétration ! s'écria le jeune homme dont l'effroi n'était pas entièrement feint.

– Je vous aime bien quand même, poursuivit sa cousine. Et la meilleure façon de clore le sujet serait de me montrer le fantôme.

Ralph hocha tristement la tête :

– Je pourrais vous le montrer mais jamais vous ne le verriez. Ce privilège n'est pas accordé à tout le monde et il n'a rien d'enviable. Jamais une personne jeune, heureuse et innocente comme vous ne l'a vu. Il faut avoir souffert pour cela, durement souffert et avoir acquis un triste savoir. Alors seulement les yeux s'ouvrent devant lui. Il y a longtemps que je l'ai vu, conclut Ralph.

– Je viens de vous dire que je suis avide de savoir, répondit Isabel.

– Oui, d'un savoir heureux et agréable. Mais vous n'avez pas souffert et n'êtes pas faite pour souffrir. J'espère que vous ne verrez jamais le fantôme !

Elle l'avait écouté avec attention, le sourire aux lèvres mais le regard empreint de gravité. Il la trouvait charmante mais elle lui parut présomptueuse, ce qui faisait d'ailleurs partie de son charme ; il se demandait ce qu'elle allait répondre.

– Je n'ai pas peur, vous savez, déclara-t-elle, non sans quelque présomption, en effet.

– Vous ne craignez pas de souffrir ?

– Si, j'ai peur de souffrir. Mais je n'ai pas peur des fantômes. Et je trouve que les gens se laissent trop facilement aller à souffrir.

– Ce n'est votre cas, me semble-t-il, dit Ralph en la regardant, les mains dans les poches.

– Je ne pense pas que ce soit un crime, répondit-elle. Il n'est pas absolument nécessaire de souffrir; nous n'avons pas été faits pour cela.

– Vous, sûrement pas.

– Je ne parle pas pour moi, fit-elle en s'écartant légèrement.

– Non, ce n'est pas un crime, admit son cousin. Être fort est méritoire.

– Seulement, si l'on ne souffre pas, les gens disent que vous êtes dur, soupira Isabel.

Ils quittèrent le petit salon où ils étaient revenus après la visite de la galerie et s'attardèrent un moment dans le hall, au pied de l'escalier. Ralph prit dans une niche le bougeoir de la chambre à coucher de sa cousine et le lui tendit.

– Ne vous tracassez pas de ce que disent les gens. Ceux qui souffrent, ils les traitent d'imbéciles. L'essentiel est d'être le plus heureux possible.

Elle le regarda un instant; elle avait pris son bougeoir et posé le pied sur la première marche de l'escalier de chêne.

– C'est pour cela que je suis venue en Europe, pour être aussi heureuse que possible. Bonsoir!

– Bonsoir! Je vous souhaite le succès et serai heureux d'y contribuer.

Elle se détourna; il suivit des yeux sa lente progression. Puis, les mains dans les poches, retourna vers le salon vide.

6

Jeune personne aux théories nombreuses, Isabel Archer était douée d'une imagination remarquablement active. Sa chance avait été de disposer d'un esprit plus aiguisé que la plupart des gens parmi lesquels le sort l'avait placée, de percevoir avec plus d'ampleur les faits qui se déroulaient autour d'elle et de désirer connaître ce qui lui était peu familier. Il est exact qu'aux yeux de ses contemporains elle passait pour extraordinairement profonde, car ces excellentes gens ne refusaient jamais leur admiration à une intelligence dont la portée leur échappait et parlaient d'Isabel comme d'un jeune prodige, réputé avoir lu les auteurs classiques, dans les traductions. Sa tante paternelle, Mrs Varian, avait un jour lancé la rumeur qu'Isabel écrivait un livre ; elle-même vénérait les livres et affirmait que sa nièce se distinguerait dans les lettres. Mrs Varian avait une idée très élevée de la littérature et nourrissait pour elle un type d'estime souvent lié à un sentiment de privation. Sa vaste demeure, célèbre pour son assortiment de tables garnies de mosaïque et ses plafonds décorés, n'avait pas de bibliothèque et contenait en fait de livres une demi-douzaine de romans brochés, posés sur une étagère dans la chambre d'une des demoiselles Varian. Les relations de Mrs Varian avec la littérature se limitaient en fait au *New York Interviewer* et, comme elle le disait très justement, lire l'*Interviewer*, c'était perdre la foi en la culture. Elle avait donc tendance à soustraire l'*Interviewer* au regard de ses filles, qu'elle était déterminée à élever selon les meilleurs principes, et qui ne lisaient rien du tout. Son impression concernant les travaux d'Isabel était tout à fait illusoire ; la jeune fille n'avait jamais tenté d'écrire un livre et ne briguait pas les lauriers de l'écrivain. Elle n'avait ni talent particulier d'expression ni la conscience de soi propre au génie ; elle était seulement persuadée que les gens avaient raison lorsqu'ils la traitaient comme si elle était plutôt supérieure aux autres. Qu'elle le fût ou non, ils avaient raison de l'admirer s'ils l'estimaient telle, car il lui semblait souvent que son esprit fonctionnait plus vite que le leur, ce qui suscitait en elle une impatience aisément prise pour une supériorité. Disons-le dès maintenant : Isabel avait probablement de sérieuses dispositions pour le péché d'amour-propre ; elle explorait souvent et avec complaisance le champ de sa nature ; elle appuyait généralement sur des preuves insuffisantes sa conviction d'avoir raison ; elle se considérait comme digne d'hommages. Néanmoins, ses erreurs et ses illusions étaient souvent telles qu'un biographe désireux de préserver la dignité de son héroïne répugne à les préciser. Ses idées formaient un entrelacs de tracés flous que n'avait jamais corrigé le jugement de gens ayant autorité en la matière. Dans le domaine des opinions, elle avait suivi sa propre voie qui l'avait engagée dans une infinité de zigzags ridicules. Par moments, elle se découvrait dans son tort de façon si grotesque qu'elle s'offrait alors une semaine d'humilité passionnée. Après quoi, elle redressait la tête plus haut que jamais ; car cela ne servait à rien ; son désir d'avoir bonne opinion d'elle-même était insatiable. Selon sa théorie, la vie ne valait d'être vécue qu'à cette seule condition. Il fallait appartenir à l'élite, être conscient de son excellent équilibre – elle ne pouvait s'empêcher de reconnaître que le sien était parfait –, évoluer au royaume de la lumière, de la sagesse naturelle, de l'impulsion heureuse et de l'inspiration élégante et durable. Il était presque aussi superflu de cultiver le doute à l'égard de soi que de l'entretenir envers son meilleur ami ; chacun devait s'efforcer d'être à soi-même son meilleur ami afin de s'offrir, ce faisant, une compagnie de choix. Isabel avait une certaine noblesse d'imagination qui lui rendait beaucoup de bons services et lui jouait de très mauvais tours. Elle passait la moitié de son temps à rêver de beauté, de courage et de magnanimité ; elle avait fermement résolu de voir le monde comme un lieu éclatant, voué à la libre expansion et à l'action irrésistible ; elle estimait qu'il devait être détestable d'avoir honte ou d'avoir peur. Elle entretenait l'espoir infini de ne jamais rien faire de mal. Elle avait si fortement ressenti, après les avoir décelées, de simples indélicatesses qu'elle avait commises dans le domaine des sentiments – dont la découverte la faisait toujours trembler, comme si elle venait d'échapper à un piège susceptible de l'attraper et de l'étouffer – que l'idée qu'elle pourrait un jour blesser quelqu'un lui coupait le souffle. Elle avait toujours pensé que c'était la pire chose qui pût lui arriver. D'une manière générale, lorsqu'elle y réfléchissait, elle n'avait pas d'incertitude sur la nature de ce qui est mal. L'apparence des choses mauvaises ne l'attirait pas et elle savait les reconnaître en les regardant bien en face. Il était mal d'être mesquin, envieux, menteur, cruel; elle avait très peu vu le mal en action dans le monde, mais elle avait vu des femmes qui mentaient et qui cherchaient à se faire mutuellement souffrir. Le spectacle avait excité sa fougue : il semblait indécent de ne pas les mépriser. Évidemment, la fougue vous exposait aux dangers de l'incohérence, celui de laisser flotter le drapeau après la capitulation de la place, une conduite si malhonnête qu'elle en vient presque à déshonorer le drapeau. Mais Isabel, qui ne savait presque rien des feux de salve auxquels les jeunes femmes sont exposées, se flattait que de telles contradictions n'apparaîtraient jamais dans sa conduite. Sa vie serait toujours en harmonie avec l'impression la plus plaisante qu'elle pourrait produire; elle serait ce qu'elle semblait être et semblerait être ce qu'elle était. Parfois, la jeune fille allait jusqu'à souhaiter se trouver un jour dans une situation critique pour s'offrir le plaisir d'être aussi héroïque que les circonstances l'exigeraient. Somme toute, avec son maigre savoir, ses idéaux boursouflés, sa confiance en elle-même à la fois innocente et dogmatique, son caractère tour à tour impérieux et indulgent, son mélange de curiosité et d'exigence, de vivacité et d'indifférence, son désir de faire bon effet et d'être si possible encore mieux que l'effet produit, sa volonté de voir, d'essayer et de savoir, joints à la combinaison d'un esprit délicat comme une flamme intermittente et d'une nature avide et individualiste, soumise à ses humeurs, elle eût été une proie facile pour la critique scientifique si elle n'avait été destinée à éveiller chez le lecteur un élan plus tendre et plus purement tourné vers l'expectative.

Parmi les autres théories qu'elle entretenait, l'une voulait qu'Isabel Archer eût beaucoup de chance d'être indépendante et dût faire de cet état un usage éclairé. Elle n'appelait jamais solitude sa condition présente, et encore moins isolement; pareille description aurait été une faiblesse et, par ailleurs, sa sœur Lily la priait sans cesse de venir habiter chez elle. Isabel avait une amie – elle avait fait sa connaissance peu avant la mort de son père – qui offrait un si bel exemple d'activité utile qu'elle la regardait comme un modèle. Henrietta Stackpole détenait l'avantage d'un talent admiré; elle était parfaitement lancée dans le journalisme et ses lettres à l'*Interviewer*, adressées de Washington, de Newport, des White Mountains[1] et autres lieux, faisaient partout autorité. Isabel, avec assurance, les qualifiait d'« éphémères » mais elle estimait le courage, l'énergie et la bonne humeur de l'écrivain qui, sans parents ni fortune, avait adopté trois enfants d'une sœur veuve et infirme et payait leurs frais de scolarité avec le revenu de ses travaux littéraires. A l'avant-garde du progrès, Henrietta professait des opinions tranchées sur la plupart des sujets; elle avait longtemps caressé le désir d'aller en Europe et d'écrire pour l'*Interviewer* une série de lettres inspirées du point de vue radical[2], entreprise d'autant moins difficile qu'elle savait parfaitement à l'avance quelles seraient ses opinions et les nombreuses critiques auxquelles la plupart des institutions européennes donnaient prise. Quand elle entendit parler du départ d'Isabel, elle souhaita partir, elle aussi, jugeant qu'il serait délicieux de voyager ensemble. Mais elle avait été contrainte de différer ce projet. Elle considérait Isabel comme une créature excep-

---

1. Chaîne nord-sud située dans le New Hampshire, à l'extrême nord-est des États-Unis. *(N. d. T.)*

2. Aux États-Unis, attitude d'esprit inspirée par le passage du rêve agrarien de Jefferson (1801) à la révolution industrielle (Jackson, 1828). Caractérisé chez les démocrates par les réformes sociales, la lutte contre les inégalités, les chances égales pour tous, il se dilua à partir de 1865, ne laissant derrière lui que la méfiance à l'égard du pouvoir fédéral. *(N. d. T.)*

tionnelle dont elle avait parlé à mots couverts dans quelques lettres, sans mentionner le fait à son amie qui n'aurait pas apprécié la chose et ne lisait pas régulièrement l'*Interviewer*. Aux yeux d'Isabel, Henrietta était avant tout la preuve qu'une femme peut se suffire à elle-même et être heureuse. Ses ressources étaient évidentes; mais, quand bien même serait-on dénué de talent journalistique et du flair qui permet, selon les mots de Henrietta, de deviner l'attente du public, on n'était pas obligé d'en conclure que l'on n'avait pas de vocation, aucune disposition généreuse et que l'on devait se résigner à une existence frivole et vide. Isabel était fermement décidée à ne pas sonner creux. A condition d'attendre avec la patience nécessaire, elle finirait par trouver un travail agréable, à sa convenance. Bien entendu, entre autres théories, Isabel disposait d'une collection de points de vue au sujet du mariage. En tête de liste figurait la conviction qu'il est vulgaire de trop y penser et elle priait instamment le Ciel qu'il lui soit épargné de tomber sur ce point dans l'obsession; à moins de fragilité exceptionnelle, pensait-elle, une femme doit être capable de vivre par elle-même, et il lui est parfaitement possible d'être heureuse sans la compagnie d'une personne de l'autre sexe, à l'esprit plus ou moins grossier. Sa prière avait été exaucée; un élément pur et fier qu'elle portait en elle – un élément froid et sec, aurait dit un soupirant éconduit, doué du goût de l'analyse – l'avait préservée jusqu'à ce jour des vaines illusions sur le chapitre des maris possibles. Rares étaient les hommes de sa connaissance qui valaient des investissements ruineux et elle souriait à l'idée que l'un d'eux pût un jour stimuler son espoir et récompenser sa patience. Au fond de son âme, dont c'était la strate ultime, dormait la croyance qu'à la faveur d'une aube propice, un jour elle pourrait se donner entièrement; mais, tout bien considéré, cette image était trop redoutable pour être attrayante. Les pensées d'Isabel voletaient alentour mais s'y attardaient rarement; au bout d'un instant, cela s'achevait en alarme. Il lui semblait souvent qu'elle pensait trop à elle-même; on aurait pu la faire rougir à volonté en la taxant d'égoïsme forcené. Sans cesse elle projetait de se développer, aspirait à la perfection et observait ses progrès. Dans sa suffisance, elle prêtait à sa nature les attributs d'un jardin : parfums, ramures bruissantes, charmilles ombragées et vastes perspectives qui lui faisaient sentir que l'introspection était, après tout, un exercice de plein air et qu'une visite aux profondeurs de l'esprit était inoffensive quand on en remontait avec une brassée de roses. Mais elle était souvent rappelée à l'ordre : le monde portait d'autres jardins que ceux de son âme étonnante ainsi que des lieux innombrables, sans rapport avec les jardins, des espaces lépreux et crépusculaires, chichement plantés de laideur et de lourde misère. Prise dans le courant d'une curiosité payée de retour sur lequel elle flottait depuis quelque temps – il l'avait conduite jusqu'à la belle et vieille Angleterre et pourrait l'entraîner plus loin encore –, elle se blâmait souvent lorsqu'elle pensait à tous les milliers d'êtres moins heureux qu'elle et, pendant un moment, cette pensée faisait paraître immodeste sa belle et pleine conscience d'elle-même. Que devait-on faire de la misère du monde dans un avenir fait d'agrément et conçu pour soi seul ? Reconnaissons que cette question ne la retenait jamais longtemps. Elle était trop jeune, trop pressée de vivre, trop ignorante de la souffrance. Elle en revenait toujours à sa conception qu'une jeune fille, partout tenue pour intelligente, devait commencer par se faire une impression d'ensemble de la vie. Cette expérience s'imposait pour prévenir les erreurs ; une fois qu'elle l'aurait acquise, Isabel pourrait accorder son attention à la détresse des autres.

L'Angleterre fut pour elle une révélation et elle y prenait autant de plaisir qu'un enfant aux pantomimes de Noël. Lors de ses excursions enfantines en Europe, elle avait vu le Continent par la fenêtre d'une nursery. Bien plus que Londres, Paris avait été La Mecque de son père, et les petites filles y furent naturellement exclues d'une bonne part de ses occupations. D'ailleurs, les souvenirs de cette époque s'étaient éloignés, estompés, et le cachet propre au Vieux Monde dont étaient empreintes ses découvertes présentes avait tout le charme de la nouveauté. La demeure de son oncle lui faisait l'effet d'un tableau devenu réalité ; aucun de ses raffinements n'était perdu pour elle et l'opulente perfection de Gardencourt lui révélait un monde et comblait chez elle un besoin. Les grandes pièces basses aux plafonds bruns et aux coins obscurs, les embrasures profondes et les curieuses croisées, la lumière tranquille sur les boiseries sombres et cirées, la verdure intense du parc qui semblait toujours s'introduire furtivement à l'intérieur, le sentiment d'une intimité harmonieuse au cœur d'une propriété – lieu béni où les bruits étaient rares, où la terre amortissait le son des pas et la tiède épaisseur de l'air supprimait la rudesse des contacts et la stridence des voix –, cet ensemble flattait le bon goût qui, chez notre jeune héroïne, jouait un rôle primordial dans la genèse de ses émotions. Elle s'était rapidement liée d'amitié avec son oncle et s'asseyait souvent près de son fauteuil après qu'on l'avait installé sur la pelouse. Il passait des heures en plein air, assis, les mains jointes, comme un génie placide et familier, un dieu lare qui, sa tâche accomplie et son salaire perçu, tentait de s'habituer à des semaines et à des mois faits de jours de congé. Isabel l'amusait plus qu'elle ne le soupçonnait – l'effet qu'elle produisait sur les gens différait souvent de ce qu'elle imaginait – et le vieux gentleman prenait volontiers plaisir à la faire babiller. C'était ainsi qu'il qualifiait sa conversation, très relevée par le piquant propre aux jeunes Américaines, auxquelles le monde tend une oreille plus directement offerte qu'à leurs sœurs étrangères. Comme l'ensemble de ses compatriotes, Isabel avait été encouragée à s'exprimer ; on avait écouté ses remarques et attendu d'elle des émotions, des opinions. Bien sûr, beaucoup de ses opinions offraient peu d'intérêt, beaucoup de ses émotions se dissipaient aussitôt qu'exprimées ; mais elles avaient laissé une trace en lui donnant l'habitude d'avoir l'air au moins de sentir et de penser, et en prêtant à ses paroles, lorsqu'elle était réellement émue, le vif éclat que tant de gens avaient considéré comme un signe de supériorité. Mr Touchett pensait souvent qu'elle lui rappelait sa femme à l'orée de sa vingtième année. C'est parce qu'elle était alors fraîche et naturelle, parce qu'elle comprenait vite et parlait avec spontanéité – autant de traits également propres à sa nièce – qu'il s'était épris de Mrs Touchett. Cependant, il ne parla jamais à sa nièce de cette analogie car, si Mrs Touchett avait un jour ressemblé à Isabel, Isabel n'avait rien de l'actuelle Mrs Touchett. Le vieux monsieur était plein de gentillesse pour sa nièce ; il y avait très longtemps, disait-il, que la maison n'avait abrité une jeune existence, et notre frémissante héroïne, avec sa voix claire et ses gestes vifs, réjouissait ses sens comme l'aurait réjoui le clapotis d'une eau courante. Il voulait lui être agréable et aurait aimé qu'elle lui demandât quelque chose. Mais elle ne demandait rien, si ce n'est qu'il répondît à ses questions, très nombreuses, il est vrai. Son oncle disposait d'une sérieuse réserve de réponses mais l'avidité de sa nièce se manifestait sous une forme qui l'embarrassait parfois. Isabel réclamait d'innombrables précisions sur l'Angleterre, la Constitution britannique, le caractère national anglais, l'état de la politique, les us et coutumes de la famille royale, les traditions de l'aristocratie, la façon de vivre et de penser de ses voisins et, tout en implorant d'être éclairée sur tous ces points, elle voulait savoir s'ils correspondaient aux descriptions qu'en donnaient les livres. Le vieux monsieur la considérait alors un instant, et souriait de son beau sourire teinté d'ironie, tout en lissant le châle posé sur ses genoux.

– Les livres ? lui dit-il un jour ; ma foi, je n'en sais pas grand-chose. C'est Ralph qu'il faut interroger sur ce point. Je me suis toujours informé par moi-même et j'ai obtenu mes renseignements de première main. Je n'ai jamais posé beaucoup de questions ; je me tenais tranquille et j'observais. Bien sûr, j'ai bénéficié d'excellentes occasions, bien supérieures à celles dont disposent généralement les jeunes filles. Contrairement à ce que vous pourriez penser à me voir, je suis naturellement curieux : si attentivement que vous m'observiez, je vous observerai plus intensément encore. J'ai regardé les Anglais pendant plus de trente-cinq ans et n'hésite pas à dire que j'ai recueilli une information importante. A tout prendre, c'est un très beau pays que le leur, plus beau peut-être qu'il n'est réputé l'être chez nous. J'aimerais qu'on y introduise plusieurs améliorations mais, ici, elles ne sont pas encore ressenties comme nécessaires. Quand le besoin d'un changement s'impose au plus grand nombre, ils s'arrangent généralement pour le réaliser, mais ils semblent s'accommoder sans déplaisir excessif de la période d'attente. Je me sens chez moi parmi eux, bien plus que je ne m'y attendais lorsque j'ai débarqué pour la première fois. Je suppose que le succès considérable que j'ai connu y est pour beaucoup. La réussite entraîne naturellement le sentiment d'être chez soi.

– Croyez-vous que si j'ai du succès, je me sentirai chez moi ? demanda Isabel.

– Cela me paraît très probable et vous aurez certainement du succès. Les Anglais aiment beaucoup les jeunes Américaines et leur témoignent une grande amabilité. Mais vous ne devez pas trop vous sentir chez vous.

– Oh, je ne suis pas du tout sûre que l'Angleterre me satisfasse, souligna Isabel d'un ton judicieux. J'aime beaucoup le cadre mais je ne suis pas sûre que j'aimerai les gens.

– Ce sont de braves gens, surtout pour qui les aime.

– Je ne doute pas qu'ils soient bons, répondit Isabel, mais sont-ils agréables en société ? Personne ne me volera ni ne me battra mais auront-ils le désir de m'être agréables ? Voilà ce que j'espère des gens. Je le dis sans hésiter parce que j'ai toujours apprécié cette attitude. Je ne crois pas que les Anglais soient très gentils à l'égard des jeunes filles ; dans les romans, ils ne le sont pas.

– Je ne connais pas les romans, fit Mr Touchett. Je crois qu'on y trouve beaucoup de talent et, j'imagine, peu d'exactitude. Il se trouve qu'une dame, auteur de romans, a séjourné chez nous ; une amie de Ralph qui l'avait invitée. Elle était très assurée et très au courant de tout, mais ce n'était pas le genre de personne au témoignage de qui l'on pouvait se fier. Une imagination libérée, j'imagine ! Après ce séjour, elle a publié un ouvrage de fiction dans lequel elle était censée avoir donné une représentation – du genre caricatural, pourrait-on dire – de mon indigne personne. Je n'ai pas lu l'ouvrage mais Ralph me l'avait passé après en avoir souligné les passages principaux. Elle prétendait avoir décrit ma façon de m'exprimer : américanismes, ton nasillard, notions yankees, bannière étoilée. Eh bien, rien n'était exact ; elle ne pouvait avoir écouté avec attention. Je ne voyais aucune objection à ce qu'elle rapportât mes propos, si cela lui faisait plaisir, mais l'idée qu'elle n'avait pas pris la peine de les écouter me déplaisait. Bien entendu, je parle comme un Américain, je ne saurais parler comme un Hottentot. Quelle que soit ma façon de m'exprimer, je me suis parfaitement fait comprendre ici. Mais je ne parle pas comme le vieux gentleman du roman de cette dame. Ce n'était pas un Américain ; nous n'en aurions pas voulu là-bas, à aucun prix. Je mentionne ce fait juste pour vous montrer que les romans ne sont pas toujours véridiques. Je n'ai pas de fille et mon épouse réside à Florence, si bien que j'ai eu peu d'occasions d'observer les jeunes filles. Il semblerait parfois que, dans le prolétariat, les jeunes femmes ne soient pas très bien traitées ; mais je crois que leur condition est meilleure dans la haute société et même, dans une certaine mesure, dans la bourgeoisie.

– Mon Dieu ! s'exclama Isabel. Combien de classes ont donc les Anglais ? Une cinquantaine ?

– Je n'ai pas souvenir de les avoir jamais comptées. Je ne prête pas grande attention à ces distinctions. Ici, l'avantage d'être américain est que vous n'appartenez à aucune classe.

– Je l'espère bien, dit Isabel. Imaginez que nous appartenions à une classe de la société anglaise !

– Certaines doivent être tout à fait agréables... surtout vers le haut de l'échelle. Mais, pour ma part, je reconnais seulement deux classes : les gens en lesquels j'ai confiance et ceux en lesquels je n'ai pas confiance. Ma chère Isabel, vous appartenez à la première.

– Je vous en suis très reconnaissante, dit rapidement la jeune fille.

Elle acceptait les compliments d'une façon qui semblait parfois assez sèche et donnait l'impression de s'en débarrasser aussi vite que possible. Une façon de faire souvent mal interprétée : on la croyait insensible aux compliments mais, en réalité, elle craignait seulement de laisser voir le plaisir infini qu'ils lui causaient. Dévoiler ce plaisir, c'était trop dévoiler.

– Je suis sûr que les Anglais sont très conventionnels, reprit-elle.

– Ils ont tout soigneusement fixé, admit Mr Touchett. Tout est réglé d'avance et rien n'est laissé à la dernière minute.

– Je n'aime pas que les choses soient si bien arrêtées, déclara la jeune fille. Je préfère l'imprévu.

Son oncle parut égayé par cette ordre de préférence :

– Il est réglé d'avance que vous aurez beaucoup de succès. J'imagine que vous préférez cela !

– Je n'aurai aucun succès si les gens sont trop stupidement conventionnels. Personnellement, je ne le suis pas ; je suis juste le contraire. C'est ce qu'ils n'aimeront pas.

– Non, non, vous vous trompez, protesta le vieux gentleman. Vous ne pouvez dire ce qu'ils aimeront. Ils sont très inconséquents et c'est leur plus grand charme.

– Très bien, dit Isabel, debout devant son oncle, les mains serrées sur la ceinture de sa robe noire et le regard parcourant la pelouse, cela me conviendra parfaitement.

7

Tous deux s'amusaient de temps à autre à discuter de l'attitude du public anglais, comme si la jeune fille avait été en position de le charmer ; en fait, le public anglais restait pour l'instant profondément indifférent à la personne de Miss Archer que le destin avait laissée choir, comme disait son cousin, dans la plus languissante des demeures anglaises. Son oncle, qui souffrait de la goutte, recevait peu et Mrs Touchett, pour n'avoir pas cultivé de relations avec les voisins de son mari, était mal placée pour en attendre les visites. Elle avait cependant une faiblesse : elle aimait recevoir des cartes de visite. Elle trouvait très peu de saveur à ce que l'on appelle les relations mondaines mais rien ne lui plaisait davantage que de découvrir la table du hall couverte de symboliques cartons oblongs. Elle se flattait d'être très équitable et avait maîtrisé l'idée souveraine qu'en ce monde, l'on n'a rien pour rien. Elle n'avait joué aucun rôle dans la société du comté en qualité de maîtresse de Gardencourt et n'était pas en droit d'espérer que le voisinage pointât minutieusement le compte de ses allées et venues. Mais il est possible que cette indifférence l'offensât et que son regret de n'avoir pas réussi à s'imposer dans le voisinage eût été pour beaucoup dans l'amertume de ses allusions au pays adoptif de son mari. Isabel se retrouva dans la situation singulière de défenseur de la Constitution britannique face à sa tante qui s'était fait une habitude de cribler de coups d'épingle cette vénérable institution. Un élan poussait Isabel à retirer ces épingles ; elle n'en redoutait pas grand dommage pour le vieux parchemin coriace mais il lui semblait que sa tante pouvait faire meilleur usage de son acuité intellectuelle. Elle-même était très critique – comme le voulaient son âge, son sexe et son origine – mais elle était aussi très sentimentale et, dans la sécheresse de Mrs Touchett, quelque chose faisait jaillir le flot de son moralisme.

– Dans quelle perspective vous placez-vous? demanda-t-elle un jour à sa tante. Vous devriez en avoir une pour tout critiquer ici comme vous le faites. Étant donné que tout vous déplaisait chez nous, vos critères ne doivent pas être américains. Moi, quand je critique, j'ai les miens ; essentiellement américains.

– Ma chère demoiselle, répondit Mrs Touchett, il existe autant de points de vue au monde qu'il est de gens intelligents. Vous me direz que cela n'en fait pas beaucoup. Mais un point de vue américain, jamais de la vie ! C'est affreusement étriqué ! Grâce à Dieu, mon point de vue est bien à moi.

Isabel trouva cette réponse plus intéressante qu'elle ne voulait l'admettre ; c'était une description assez acceptable de sa propre manière de juger, mais elle aurait paru malsonnante de sa part. Dans la bouche d'une personne moins avancée dans la vie et moins éclairée par l'expérience que ne l'était Mrs Touchett, une telle déclaration aurait senti la vanité, voire l'arrogance. Elle s'y risqua néanmoins avec Ralph, au cours de leurs interminables bavardages dont le ton faisait la part belle à l'extravagance. Son cousin la taquinait souvent et s'était rapidement affirmé face à elle comme un homme qui prend tout à la blague et n'est pas disposé à négliger les privilèges liés à cette attitude. Isabel lui reprochait un manque de sérieux proprement odieux et un persiflage systématique dont il s'était choisi pour première victime. Les maigres capacités de respect dont il disposait se concentraient exclusivement sur son père ; quant au reste, il exerçait indifféremment son esprit sur le fils de son père, les mauvais poumons de ce gentleman, sa vie inutile, sa mère fantasque, ses amis – Lord Warburton, en particulier –, son pays d'adoption, son pays natal et sa charmante cousine nouvellement découverte.

– J'entretiens dans mon antichambre, lui dit-il un jour, un orchestre qui a reçu l'ordre de jouer sans discontinuer et me rend deux précieux services : il empêche les bruits du monde d'atteindre mes appartements privés et fait croire au monde que l'on danse sans cesse chez moi.

De fait, c'était de la musique de danse que l'on entendait sitôt que l'on arrivait à portée de l'orchestre de Ralph et les valses les plus gaies tournoyaient dans l'air. Isabel se sentait souvent irritée par ce baguenaudage perpétuel; elle aurait voulu franchir l'antichambre, comme disait son cousin, et pénétrer dans les appartements privés. Un lieu lugubre, lui avait-il assuré, mais peu lui importait ce propos; elle aurait été heureuse d'entreprendre de le balayer et d'y mettre de l'ordre. Ralph faisait preuve d'une hospitalité mesquine en la laissant piétiner dehors et Isabel le punissait en lui administrant force tapes avec la férule de son esprit jeune et droit. Reconnaissons que cet esprit s'employait souvent à sa propre défense, lorsque son cousin s'amusait à l'appeler Columbia[1], par exemple, ou la taxait d'un patriotisme si ardent qu'il sentait le roussi. Il fit d'elle une caricature qui la représentait sous les traits d'une très jolie femme, drapée à la mode du jour dans les plis du drapeau national. La pire terreur d'Isabel, à cette phase de son développement, était de paraître étroite d'esprit; la deuxième, qui talonnait la première, était de l'être réellement. Elle abondait pourtant sans le moindre scrupule dans le sens de son cousin et prétendait se languir des charmes de sa terre natale. Elle serait aussi américaine qu'il plaisait à Ralph de la considérer et, s'il choisissait d'en rire à ses dépens, elle lui fournirait de quoi s'affairer. Isabel défendait l'Angleterre contre Mrs Touchett mais, lorsque Ralph chantait délibérément ses louanges pour la pousser à bout, selon son expression, Isabel se sentait en mesure de le contrer sur bien des points. En réalité, la qualité de ce petit pays dans sa maturité lui semblait aussi douce que la saveur d'une poire d'octobre et son contentement entretenait la bonne humeur qui lui permettait d'accueillir les taquineries de son cousin et de lui renvoyer la balle. Cette belle humeur faiblissait par moments, non qu'elle s'estimât malmenée mais parce que, tout à coup, elle se sentait navrée pour Ralph. Il lui faisait l'effet de parler à l'aveuglette et sans grande conviction.

---

1. De Christophe Colomb : figure féminine, allégorique et poétique, des États-Unis. *(N. d. T.)*

– Je ne sais ce que vous avez, lui dit-elle un jour, mais je vous soupçonne d'être un fumiste.

– C'est votre droit, répondit Ralph qui n'était pas habitué à s'entendre parler si vertement.

– J'ignore à quoi vous tenez et je crois même que vous ne tenez à rien. Vous ne vous souciez pas réellement de l'Angleterre quand vous en faites l'éloge et pas davantage de l'Amérique quand vous la dénigrez.

– Chère cousine, je ne tiens qu'à vous, dit Ralph.

– Si seulement je pouvais y croire, j'en serais très contente.

– Je l'espère bien ! s'écria le jeune homme.

Isabel aurait pu se fier à ces dernières répliques qui ne l'auraient pas éloignée de la vérité. Ralph pensait beaucoup à sa cousine, sans cesse présente à son esprit. A une période où ses propres pensées lui étaient un fardeau, l'arrivée soudaine d'Isabel, généreusement offerte par le destin et qui ne promettait rien, avait rafraîchi et stimulé ses idées ; elle leur avait donné des ailes et un objectif. Le malheureux Ralph venait de vivre des semaines plongé dans la mélancolie, à l'ombre d'un lourd nuage qui avait assombri sa mine, déjà naturellement grave. Il se rongeait d'anxiété à propos de son père dont la goutte, jusque-là limitée à ses jambes, commençait à gagner des régions plus vitales. Le vieux monsieur avait été gravement malade au printemps et les médecins avaient murmuré à l'oreille de Ralph qu'une nouvelle attaque serait moins facile à maîtriser. Pour l'instant, le patient paraissait soulagé, mais Ralph ne pouvait se défaire du soupçon que ce répit était un subterfuge de l'ennemi qui attendait l'instant d'attaquer en traître. Si la manœuvre réussissait, on ne pourrait espérer une grande résistance. Ralph avait toujours été persuadé que son père lui survivrait : la voix funèbre prononcerait d'abord son propre nom. Le père et le fils avaient toujours été très proches et la perspective de demeurer seul, chargé des dernières bribes d'une existence insipide, semblait amère au jeune homme qui, tacitement, avait toujours compté sur l'aide de son aîné pour tirer le meilleur d'une triste affaire. A l'idée de perdre son grand motif de vivre, Ralph perdait sa seule source d'inspiration. S'ils avaient pu mourir en même temps, tout eût été parfait, mais, privé de l'encouragement de la présence paternelle, aurait-il la patience d'attendre son tour ? Il n'avait pas le sentiment stimulant d'être indispensable à sa mère, qui avait pour règle de ne pas avoir de regrets. Bien sûr, il songeait qu'il était peu charitable à l'égard de son père de souhaiter que, de leur duo, ce fût le membre actif qui souffrît la blessure plutôt que le membre passif ; il ne pouvait oublier non plus que le vieux monsieur avait toujours traité sa prévision de mort précoce de sophisme intelligent qu'il serait ravi d'infirmer dans la mesure où il pourrait mourir le premier. Mais des deux triomphes possibles, celui de réfuter un fils porté au sophisme et celui de se maintenir plus longtemps dans un état dont il jouissait malgré maintes restrictions, Ralph estimait ne pas pécher en souhaitant que le second fût accordé à Mr Touchett.

L'arrivée d'Isabel mit un terme à la perplexité de son cousin confronté à ces beaux sujets de méditation. Elle lui suggéra même qu'il pourrait y avoir une compensation à la peine intolérable de survivre à un père très aimé. Ralph se demanda s'il entretenait de l'« amour » pour cette jeune fille primesautière venue d'Albany mais, tout bien considéré, il conclut par la négative. Une semaine de cousinage le confirma dans cette opinion dont, au fil des jours, il se sentit plus sûr. Lord Warburton ne s'était pas trompé sur le compte d'Isabel ; elle était réellement une jeune personne intéressante. Ralph s'émerveillait que leur voisin l'eût découvert si vite avant d'y voir simplement une nouvelle preuve des talents de son ami qu'il avait toujours beaucoup admirés. Si sa cousine ne devait être pour lui qu'une distraction, Ralph se rendait compte que la distraction était de choix.

« Une personnalité si passionnée, véritable force en action, représente, se disait-il, le plus beau spectacle de la nature et surpasse les chefs-d'œuvre de l'art : un bas-relief grec, un grand Titien ou une cathédrale gothique. Il est très agréable d'être si bien traité quand on y comptait le moins. Jamais je ne m'étais senti plus mélancolique et plus découragé que les jours qui précédèrent sa venue ; jamais je n'avais moins attendu un événement heureux. A l'improviste, la poste me livre un Titien à suspendre au mur et un bas-relief grec pour garnir ma cheminée. On me glisse dans la main la clef d'un superbe édifice que l'on me suggère de parcourir et d'admirer. Mon pauvre garçon, comme tu as été ingrat ! Tu n'as plus qu'à te tenir tranquille. Et finies les jérémiades ! »

Le sentiment qui inspirait ces réflexions était juste mais il n'était pas tout à fait exact que Ralph Touchett eût reçu le chef-d'œuvre clef en main. Sa cousine était une fille très brillante qui exigerait beaucoup de pénétration, mais l'attitude contemplative et critique de Ralph à son égard manquait de discernement. Il contemplait l'édifice de l'extérieur et l'admirait beaucoup ; il regardait par les fenêtres et l'impression produite était celle de proportions harmonieuses. Mais il sentait bien qu'il n'en retirait que des aperçus furtifs et il n'avait pas encore pu s'abriter sous le toit. La porte était close et, parmi les clefs qu'il avait dans sa poche, il était persuadé qu'aucune ne ferait l'affaire. Isabel était intelligente et généreuse, dotée d'une belle et libre nature, mais qu'allait-elle faire d'elle-même ? Cette question était contraire aux règles car elle n'avait pas lieu d'être posée à propos de la majorité des femmes. La plupart des femmes ne faisaient rien d'elles-mêmes ; elles attendaient passivement, dans des attitudes plus ou moins gracieuses, qu'un homme croisât leur route et leur offrît une destinée. Isabel était originale parce qu'elle donnait l'impression d'avoir des projets personnels. « Si jamais elle les réalise, puissé-je être là pour y assister », se disait Ralph.

Le soin de faire les honneurs du pays lui incombait naturellement. Mr Touchett était confiné dans son fauteuil et sa femme avait adopté l'attitude d'une visiteuse rébarbative, si bien que le devoir et l'inclination se combinaient harmonieusement pour tracer devant Ralph sa ligne de conduite. Il n'était pas grand marcheur mais flânait à travers le domaine avec sa cousine ; la persistance du beau temps, que des prévisions lugubres sur le climat anglais avaient dissuadé Isabel d'espérer, favorisait leurs promenades. Pendant les longs après-midi, dont la longueur était à la mesure de son ardeur satisfaite, ils allaient en barque sur la rivière, la chère petite rivière, disait Isabel, dont la rive opposée semblait toujours intégrée au premier plan du paysage. Ou bien ils parcouraient le pays en voiture, dans le phaéton bas et spacieux, monté sur de larges roues, que Mr Touchett avait beaucoup utilisé jadis mais dont il avait maintenant cessé de profiter. Isabel l'adorait. Manipulant les rênes d'une façon que le groom qualifiait de savante, elle ne se lassait pas de conduire les excellents chevaux de son oncle le long des routes sinueuses et des chemins de traverse parsemés de tous les traits campagnards qu'elle avait secrètement espéré découvrir : cottages à colombage et coiffés de chaume, vieilles auberges garnies de treillis et sablées, parcelles anciennes de communaux périmés, échappées sur des parcs déserts, haies touffues du plein été. Lorsqu'ils revenaient à la maison, les jeunes gens y trouvaient généralement le thé servi sur la pelouse; Mrs Touchett ne s'était pas dérobée à la dure nécessité de tendre une tasse à son mari mais, d'ordinaire, les deux époux observaient le silence; le vieux monsieur avait la tête rejetée en arrière et les paupières closes; penchée sur son tricot, son épouse arborait la mine incroyablement profonde de certaines femmes lorsqu'elles observent le mouvement de leurs aiguilles.

Un jour, pourtant, survint un visiteur. Après une promenade sur la rivière, les deux jeunes gens qui revenaient en flânant aperçurent Lord Warburton, assis sous les arbres près de Mrs Touchett et engagé dans une conversation dont, malgré la distance, on percevait aisément le caractère décousu. Il était venu en voiture, muni d'un léger bagage, et s'était invité à dîner et à passer la nuit, comme Mr Touchett et son fils l'en avaient si souvent prié. Une brève entrevue le jour de son arrivée avait suffi à Isabel pour découvrir qu'il lui plaisait; en fait, il avait vivement impressionné la sensibilité de la jeune fille qui, depuis, avait pensé à lui plus d'une fois. Elle espérait bien le revoir, comme elle espérait aussi rencontrer d'autres gens. Gardencourt n'était pas morne et le lieu en soi était incomparable : au fil des jours, son oncle s'affirmait comme un grand-père en or, et Ralph n'avait rien de commun avec les cousins qu'elle avait connus jusqu'alors et dont l'évocation suffisait à l'assombrir. Quant à ses impressions, elles gardaient leur fraîcheur et se renouvelaient trop vite pour laisser place aux temps morts. Mais Isabel avait besoin de se rappeler qu'elle s'intéressait à la nature humaine et qu'à l'origine de son voyage en Europe son grand espoir avait été de rencontrer beaucoup de gens. A maintes reprises, Ralph lui avait dit : «Je m'étonne que vous puissiez y tenir. Vous devriez voir nos voisins et nos amis, car nous en avons quand même quelques-uns, contrairement à ce que vous imaginez» ; il lui avait offert d'inviter «des tas de gens», comme il disait, de lui faire connaître la société anglaise, et elle avait applaudi cet élan d'hospitalité et promis à l'avance de se jeter à corps perdu dans l'arène. Mais, jusqu'à présent, il n'était pas sorti grand-chose de ces propositions et l'on peut confier au lecteur que le jeune homme repoussait l'instant de les mettre à exécution car la tâche de distraire sa compagne lui était infiniment moins pénible que l'appel à une aide étrangère. Isabel lui avait souvent parlé de «spécimens», un mot qui jouait un rôle important dans son vocabulaire, et lui avait laissé entendre son désir de découvrir la société anglaise illustrée par des personnages éminents.

– Tenez, voilà un spécimen, annonça-t-il dès qu'il eut identifié Lord Warburton tandis qu'ils revenaient de la rivière.

– Un spécimen de quoi ?

– De gentleman anglais.

– Vous voulez dire qu'ils sont tous comme lui ?

– Oh ! non, loin de là !

– Alors, il s'agit d'un bon spécimen, dit Isabel car je suis sûre qu'il est sympathique.

– Oui, il est très sympathique. Et il est très riche.

Le riche Lord Warburton serra la main de notre héroïne et s'enquit de sa santé.

– Mais ai-je besoin de le demander, ajouta-t-il, alors que vous venez de ramer ?

– En effet, je viens de ramer, répondit Isabel. Comment le savez-vous ?

– Oh ! Je sais que lui ne rame pas, dit en riant Sa Seigneurie en désignant son ami. Il est trop paresseux !

– Sa paresse s'explique sans peine, dit Isabel en baissant le ton.

– Il trouve toujours de bonnes excuses ! s'écria Lord Warburton sans réprimer son hilarité.

– Mon excuse pour ne pas ramer est que ma cousine rame très bien, dit Ralph. Elle fait tout bien. Elle embellit tout ce qu'elle touche.

– Cela donne envie d'être touché, Miss Archer, déclara Lord Warburton.

– Soyez-le au bon sens du terme, vous ne vous en porterez pas plus mal, repartit Isabel.

Satisfaite d'entendre proclamer que ses talents étaient nombreux, elle était heureusement capable de réfléchir que cette complaisance n'était pas le signe d'un esprit médiocre puisqu'elle excellait dans plusieurs domaines. Son désir d'avoir bonne opinion d'elle-même s'assortissait au moins d'un élément d'humilité : il avait toujours besoin d'être étayé par des preuves.

Lord Warburton passa la nuit à Gardencourt, puis se laissa convaincre d'y rester un jour de plus et, lorsque le second jour parvint à sa fin, il décida de remettre son départ au lendemain. Pendant ce séjour, il adressa beaucoup de ses commentaires à Isabel qui accepta de très bonne grâce cette preuve d'estime. Elle s'aperçut qu'il lui plaisait extrêmement ; la première impression qu'il avait produite sur elle avait été forte mais, au terme d'une soirée passée en sa compagnie, elle ne parvenait toujours pas à le voir comme un héros de roman, sans y trouver d'ailleurs rien de tragique. Elle regagna sa chambre avec un sentiment de bonheur et une perception plus immédiate de félicités possibles. C'est vraiment merveilleux de connaître deux garçons charmants comme ceux-là ! se disait-elle, entendant par « ceux-là » son cousin et l'ami de son cousin. Il faut cependant signaler un incident survenu ce même soir, susceptible à première vue de mettre sa bonne humeur à l'épreuve. Mr Touchett était monté se coucher à neuf heures et demie mais sa femme resta au salon avec les jeunes gens. Elle prolongea sa veille un peu moins d'une petite heure puis se leva et fit observer à Isabel qu'il était temps pour elles de dire bonsoir aux gentlemen. Isabel n'avait aucune envie d'aller se coucher. Cette soirée avait pour elle un petit air de fête et il n'était pas d'usage que les fêtes se terminent si tôt. Sans plus réfléchir, elle répondit avec simplicité :

– Est-ce nécessaire, chère tante ? Je monterai dans une demi-heure.

– Il est impossible que je vous attende, répondit Mrs Touchett.

– C'est inutile que vous m'attendiez ; Ralph allumera ma bougie, dit gaiement Isabel.

– Non, c'est moi qui l'allumerai, Miss Archer ! s'écria Lord Warburton. Si vous m'y autorisez. Je demande seulement que ce ne soit pas avant minuit.

Mrs Touchett fixa sur lui ses petits yeux brillants avant de les reporter froidement sur sa nièce :

– Vous ne pouvez pas rester seule avec ces gentlemen. Vous n'êtes pas... vous n'êtes pas dans votre bienheureuse Albany, ma chère.

Isabel se leva en rougissant :

– Je voudrais y être, dit-elle.

– Voyons, mère ! éclata Ralph.

– Chère Mrs Touchett ! murmura Lord Warburton.

– Ce n'est pas moi qui ai fait votre pays, milord, fit Mrs Touchett avec majesté. Je dois le prendre comme je le trouve.

– Ne puis-je rester avec mon propre cousin ? demanda Isabel.

– J'ignorais que Lord Warburton fût votre cousin.

– Peut-être ferais-je mieux d'aller au lit, suggéra le visiteur. Cela arrangerait tout.

Mrs Touchett jeta autour d'elle un regard de détresse et se rassit :

– Très bien, s'il le faut, je veillerai jusqu'à minuit.

Ralph cependant tendait un bougeoir à sa cousine. Il la surveillait et il lui semblait bien qu'elle était en colère ; un incident ne manquerait pas d'intérêt. Mais s'il espérait un éclat, il fut déçu car la jeune fille se contenta d'un rire léger, d'un bonsoir formulé d'un signe de tête, et se retira, sa tante sur les talons. Personnellement, Ralph se sentait fâché contre sa mère, tout en estimant qu'elle avait raison.

Les deux femmes se séparèrent à la porte de Mrs Touchett. Isabel n'avait rien dit en montant l'escalier.

– Bien sûr, vous êtes vexée que je me sois mêlée de vos affaires, dit Mrs Touchett.

Isabel réfléchit :

– Vexée, non, mais plutôt surprise et terriblement intriguée. Était-il inconvenant que je reste au salon ?

– Absolument. Ici, dans les maisons qui se respectent, passé une certaine heure, les jeunes filles ne peuvent être seules au salon avec les gentlemen.

– Dans ce cas, vous aviez tout à fait raison de me prévenir. Je ne comprends pas cet interdit mais suis très heureuse d'en être informée.

– Je vous préviendrai chaque fois que je vous verrai prendre ce que j'estime être une liberté excessive, répondit sa tante.

– Je vous en remercie, sans m'engager à penser que vos remontrances seront toujours justifiées.

– C'est très vraisemblable. Vous tenez trop à vos propres façons de faire.

– Oui, je crois que j'y tiens beaucoup. Mais je désire néanmoins savoir quelles sont les choses qui ne se font pas.

– Pour les faire ? demanda sa tante.

– Pour choisir, répondit Isabel.

8

Comme elle était amateur d'effets romantiques, Lord Warburton exprima l'espoir qu'elle viendrait un jour visiter sa maison, une demeure ancienne et très curieuse. Il tira de Mrs Touchett la promesse d'amener sa nièce à Lockleigh et Ralph manifesta l'intention d'accompagner les dames, si son père était en état de se passer de lui. Lord Warburton assura également notre héroïne qu'elle recevrait entre-temps la visite de ses sœurs. Isabel était déjà bien renseignée sur leur compte car, pendant leur séjour commun à Gardencourt, elle avait interrogé le jeune homme sur sa famille. Quand l'intérêt d'Isabel était éveillé, elle posait beaucoup de questions et, son interlocuteur étant un causeur infatigable, elle l'avait sondé avec succès.

Il avait quatre sœurs et deux frères, et il avait perdu ses parents. Ces frères et sœurs étaient d'excellentes gens, « pas particulièrement intelligents, précisa-t-il, mais très corrects et très gentils » ; il poussa l'amabilité jusqu'à formuler l'espoir que Miss Archer les connaîtrait un jour. L'un des frères, entré dans les ordres, était vicaire de la cure familiale[1] de Lockleigh, une paroisse lourde et très étendue ; malgré des opinions diamétralement opposées à celles de son frère sur tous les points imaginables, le vicaire était un excellent garçon. Là-dessus, Lord Warburton énuméra certaines opinions que soutenait son frère et dont Isabel, qui les avait souvent entendu exprimer, supposait qu'une large fraction de l'espèce humaine les partageait. Elle pensait en avoir elle-même adopté un bon nombre mais il lui assura qu'elle se trompait du tout au tout ; c'était tout à fait impossible et pure

1. En Angleterre, la noblesse terrienne conserva jusqu'au XIXe siècle le droit de nommer le clergé local, fréquemment choisi parmi les cadets de la famille noble du comté. *(N. d. T.)*

illusion de sa part et, si elle y réfléchissait un moment, elle les trouverait très certainement vides de sens. Elle répondit avoir déjà étudié avec beaucoup d'attention plusieurs des problèmes soulevés et son interlocuteur conclut qu'elle était simplement un nouvel exemple d'un phénomène qui l'avait souvent frappé : de tous les peuples de la planète, les Américains étaient les plus sommairement superstitieux. Tories[1] absolus et fanatiques, ils étaient plus conservateurs que les pires conservateurs. L'oncle et le cousin d'Isabel en apportaient la preuve : beaucoup de leurs opinions étaient proprement médiévales; ils professaient des idées que, de nos jours, le peuple en Angleterre aurait rougi d'avouer. De surcroît, ajouta en riant Lord Warburton, ils ont l'impudence de prétendre en savoir plus long sur les besoins de cette pauvre vieille et absurde Angleterre et sur les périls qui la guettent que moi qui y suis né et qui – à ma grande honte – en possède une bonne tranche. Isabel conclut de ces propos que Lord Warburton était un nouvel aristocrate, réformateur, radical[2] et contempteur des vieux usages. Son autre frère, officier de l'armée des Indes, dissipé et plus têtu qu'un mulet, n'avait rien fait jusqu'à présent que des dettes; Lord Warburton devait à sa qualité de frère aîné le précieux privilège de les payer. «Je crois que je ne paierai plus, déclara l'ami d'Isabel. Il vit monstrueusement mieux que moi, il s'offre des luxes inouïs et se prend pour un gentleman plus racé que je ne suis. Étant un radical cohérent, je suis partisan de l'égalité mais ne vais pas jusqu'à reconnaître la supériorité des cadets.» De ses quatre sœurs, la deuxième et la quatrième étaient mariées, l'une d'elles très bien, la deuxième «comme ci, comme ça», selon son expression. Le mari de

---

1. En politique anglaise : conservateur. Vient de l'irlandais «soutien inconditionnel de la prérogative royale». Le mot garde encore ce sens en 1881 lorsque Henry James rédige cet ouvrage mais glisse vers la connotation «fanatiquement rétrograde». *(N. d. T.)*

2. En politique anglaise, les radicaux sont des libéraux. Rangés derrière Gladstone, ils opposent leurs idées démocratiques au conservatisme impérialiste de la reine Victoria et de Disraeli. Ils reviennent au pouvoir en 1880. *(N. d. T.)*

l'aînée, Lord Haycock, était un très brave garçon mais, hélas, un affreux tory et sa femme, comme toutes les bonnes épouses anglaises, était pire que lui. La deuxième avait épousé un minable gentleman-farmer du Norfolk et, mariée de la veille, elle avait déjà cinq enfants. Tout en faisant part de ces informations et de bien d'autres, Lord Warburton prenait grand soin de préciser chaque détail à l'intention de sa jeune interlocutrice américaine et s'efforçait de lui faire clairement saisir les particularités de la façon de vivre anglaise. Isabel s'amusait de lui voir prendre tant de peine et qu'il lui concédât, apparemment, si peu d'expérience personnelle et d'imagination. « Il me prend pour une barbare qui ignorerait jusqu'à l'usage des fourchettes et des cuillers », songeait-elle ; et lui posait alors des questions naïves pour le plaisir de l'entendre répondre avec sérieux. Puis, après qu'il s'était laissé prendre au piège, elle commentait : « Quel dommage que vous ne puissiez me voir avec mes plumes et mes peintures de guerre ! Si j'avais su combien vous êtes bienveillant à l'égard des pauvres sauvages, j'aurais apporté mon costume tribal. » Lord Warburton avait sillonné les États-Unis et en savait plus long qu'Isabel sur l'Amérique ; il eut la gentillesse de dire que l'Amérique était le plus charmant pays du monde mais les souvenirs qu'il en avait semblaient conforter l'idée que les Américains auraient besoin en Angleterre qu'on leur fournît nombre d'explications. « Si seulement j'avais pu compter sur les vôtres lorsque j'étais en Amérique ! disait-il. J'étais plutôt dérouté dans votre pays ; en fait, j'étais même tout à fait désorienté et, pour mon malheur, les explications ne faisaient que m'empêtrer davantage. Voyez-vous, je crois que l'on me donnait souvent de faux renseignements, exprès ; les Américains sont très forts pour cela. En revanche, vous pouvez vous fier à ce que je vous dis ; je ne vous raconte pas d'histoires ! » On ne pouvait au moins se méprendre sur la qualité de son intelligence, de sa culture et de l'envergure universelle de ses connaissances. Bien qu'il en donnât des aperçus attachants et passionnants, Isabel sentait qu'il ne cherchait pas à se faire valoir par ce biais et, malgré les occasions exceptionnelles qu'il avait rencontrées et dont il s'était saisi pour son plus grand profit, il était à des lieues de s'en glorifier. Il avait profité de ce que la vie offre de meilleur mais ces plaisirs n'avaient pas faussé son sens des proportions. Sa noblesse résultait du mélange d'une riche expérience – si aisément acquise ! – et d'une modestie presque juvénile parfois, dont la saveur douce, salubre et presque tactile ne perdait rien à l'adjonction d'une nuance de bonté sur laquelle on pouvait compter.

– Votre spécimen du gentleman anglais me plaît beaucoup, dit Isabel à Ralph après le départ de Lord Warburton.

– Il me plaît aussi ; je l'aime bien, répondit Ralph. Mais je le plains encore plus.

Isabel lui jeta un coup d'œil oblique :

– Pour moi, son seul défaut justement est qu'on ne trouve pas à le plaindre. Il fait l'effet de tout avoir, de tout savoir et d'être tout ce que l'on peut être !

– Il est sur une mauvaise voie ! insista Ralph.

– Vous parlez de sa santé ?

– Non, pas du tout ! Il est odieusement vigoureux. Je veux dire qu'il occupe une situation élevée dont il joue à tort et à travers. Il ne se prend pas au sérieux.

– Il se prend pour un jocrisse, alors ?

– Bien pis ! Il se considère comme un fraudeur, comme un profiteur.

– Après tout, peut-être en est-il un, dit Isabel.

– Peut-être, encore que, tout bien considéré, je ne le croie pas. Mais, dans ce cas, qu'y a-t-il de plus pitoyable qu'un profiteur conscient de l'être, planté par d'autres mains, profondément enraciné mais qui souffre du sentiment d'être en lui-même une injustice ? À sa place, je me tiendrais aussi solennel qu'une statue de Bouddha. Il occupe une position qui séduit mon imagination : grandes responsabilités, grandes possibilités, grande considération, grande fortune, grand pouvoir et participation naturelle aux affaires publiques d'un grand pays[1]. Mais il se débat en plein chaos, à

1. Pair d'Angleterre, Lord Warburton siège de droit à la Chambre des lords. *(N. d. T.)*

propos de lui-même, de sa position, de son pouvoir et, finalement, de toutes les affaires de ce monde. Il est victime d'une période critique ; il a cessé de croire en lui et ne sait en quoi il pourrait croire. Quand j'essaie de le lui dire – car, si j'étais lui, je sais très bien à quoi je croirais –, il me traite de sectaire repu. Je crois qu'il me prend vraiment pour un abominable Philistin ; il dit que je ne comprends pas mon époque ; je la comprends certainement mieux que lui, qui ne peut ni s'abolir en tant que fléau ni se maintenir en tant qu'institution.

– Il n'a pas l'air si malheureux, fit observer Isabel.

– C'est possible. Mais comme il a beaucoup de goût et de délicatesse, je pense qu'il a souvent des moments pénibles. Mais comment dire d'un être doté de chances telles que les siennes qu'il n'est pas malheureux ? D'ailleurs, je crois qu'il l'est.

– Pas moi, dit Isabel.

– Alors, conclut son cousin, s'il ne l'est pas, il devrait l'être.

Au cours de l'après-midi, elle passa une heure sur la pelouse près de son oncle, installé selon son habitude avec son châle sur les jambes et une grande tasse de thé léger à la main. Au fil de la conversation, il lui demanda ce qu'elle pensait de leur visiteur.

– Je le trouve charmant, répondit vivement Isabel.

– C'est un homme aimable, repartit Mr Touchett, mais je vous conseille de ne pas tomber amoureuse de lui.

– Alors, je ne le ferai pas ; je ne tomberai amoureuse que sur vos conseils. D'ailleurs, ajouta la jeune fille, mon cousin m'a fait une description plutôt triste de Lord Warburton.

– Vraiment ? J'ignore ce qu'il a pu vous en dire, mais rappelez-vous que, chez Ralph, parler est une nécessité.

– Il pense que votre ami est trop subversif... ou pas assez subversif ! Je n'ai pas bien compris lequel des deux, répondit Isabel.

Mr Touchett hocha lentement la tête, sourit et reposa sa tasse.

– Je ne sais pas non plus lequel des deux. Il prend des positions très avancées mais il est tout à fait possible qu'il n'aille pas assez loin. Il semble vouloir se défaire de pas mal de choses mais semble aussi vouloir rester lui-même. J'imagine que c'est naturel mais cela manque de cohérence.

– Je souhaite qu'il reste lui-même, s'écria Isabel. S'il devait disparaître, il manquerait terriblement à ses amis.

– Je parie qu'il nous restera et continuera de distraire ses amis, dit le vieux gentleman. Pour ma part, il me manquerait beaucoup; il m'amuse toujours lorsqu'il vient à Gardencourt et je pense qu'il s'y amuse autant. On voit beaucoup de gens de son style dans la société; c'est la mode du jour. J'ignore ce qu'ils essaient de faire, s'ils cherchent à organiser une révolution. J'espère en tout cas qu'ils l'ajourneront à une date postérieure à mon départ. Voyez-vous, ils veulent tout renverser; mais moi qui suis un gros propriétaire terrien, je ne veux pas être renversé. Jamais je n'aurais traversé l'océan si j'avais imaginé qu'ils allaient se conduire de cette façon, poursuivit Mr Touchett en riant de plus belle. J'ai pris la mer parce que je croyais que l'Angleterre était un pays sûr. S'ils introduisent des réformes considérables, je tiendrais les changements pour une fraude caractérisée. Bien d'autres aussi seraient déçus.

– Et moi, j'espère de toutes mes forces qu'ils feront une révolution, s'exclama Isabel. Je serais ravie d'en voir une.

– Un instant ! Un instant ! implora son oncle avec humour. Je vous ai entendue soutenir tant d'opinions contradictoires… J'ai oublié si vous êtes du côté des anciens ou des modernes.

– Je suis à la frange des deux partis; je crois être un peu à la frange de tout. Dans une révolution bien engagée, je crois que je serais une fière et excellente loyaliste. Ce sont les loyalistes qui inspirent le plus de sympathie et ils ont l'occasion de se conduire de façon exquise… Je veux dire de façon si pittoresque.

– Je ne crois pas comprendre ce que vous entendez par une conduite pittoresque mais il me semble, ma chère, que vous vous comportez toujours ainsi…

– Que vous êtes gentil ! l'interrompit Isabel. Si seulement je pouvais vous croire !

– Je crains, hélas, que l'Angleterre ne vous offre pas dans un avenir proche le plaisir de vous diriger d'un pas gracieux vers la guillotine, reprit Mr Touchett. Si vous voulez voir un déchaînement puissant, il faudra prolonger longtemps votre visite. Autrement dit, quand arrive le moment critique, ces gens n'aiment pas qu'on les prenne au mot.

– De quels gens parlez-vous?

– De Lord Warburton et de ses amis, les radicaux de la haute société. Bien entendu, je n'en connais que l'aspect qui me frappe. Ils parlent beaucoup de changements mais je ne crois pas qu'ils les conçoivent clairement. Vous et moi, n'est-ce pas, savons ce qu'il en est de vivre sous des institutions démocratiques; je m'en suis toujours bien trouvé mais, pour moi, l'habitude remonte à l'enfance. Et puis je ne suis pas lord; vous êtes une lady, ma chère, mais je ne suis pas lord. Je ne crois pas qu'ils comprennent bien ici qu'il s'agit d'une affaire de tous les jours, de toutes les heures; je ne crois pas que beaucoup d'entre eux trouveraient ce mode de vie aussi agréable que le leur. S'ils veulent y goûter, bien entendu, c'est leur affaire, mais je doute qu'ils y mettent beaucoup d'ardeur.

– Vous ne les croyez pas sincères? demanda Isabel.

– Ils veulent paraître sérieux, admit Mr Touchett, mais il semble qu'ils n'aboutissent qu'à des théories. Leurs idées radicales sont une sorte de jeu; ils se sont procuré une distraction, mais ils pourraient avoir des goûts plus grossiers! Ils adorent le luxe et ces idées progressistes représentent leur luxe suprême. Elles assurent leur confort moral sans porter atteinte à leur situation. Ils font grand cas de leur situation; ne vous laissez jamais convaincre du contraire par l'un d'eux car, si vous agissiez sur cette base, vous vous feriez très vite taper sur les doigts.

Isabel suivait avec attention la thèse que son oncle déroulait avec sa précision pittoresque; malgré son ignorance concernant l'aristocratie anglaise, elle la trouvait accordée à l'ensemble de ses impressions sur la nature humaine. Elle éprouva pourtant le besoin d'élever une protestation en faveur de Lord Warburton :

– Je ne crois pas que Lord Warburton soit un fumiste, dit-elle. Peu m'importe ce que sont les autres, mais j'aimerais voir Lord Warburton mis à l'épreuve.

– Le Ciel me délivre de mes amis ! répondit Mr Touchett. Lord Warburton est un très aimable, très charmant jeune homme. Il a cent mille livres de rente. Il possède cinquante mille arpents du sol de cette petite île et mille autres choses encore. Il dispose d'une demi-douzaine de demeures bien à lui et d'un siège au Parlement, comme j'en ai un à ma table. Ses goûts sont raffinés : littérature, art, sciences et charmantes jeunes femmes, mais le plus élégant de tous est sa prédilection pour les idées nouvelles. Elles lui procurent d'intenses plaisirs, peut-être plus que toute autre chose, à l'exception des jeunes femmes. Sa vieille demeure proche de chez nous – comment l'appelle-t-il donc ? Lockleigh, je crois – est très attrayante, mais je ne la crois pas aussi agréable que celle-ci. C'est d'ailleurs sans importance ; il en a tant d'autres. Autant que je puisse en juger, ses opinions ne font de mal à personne et ne lui en font sûrement pas. Et s'il devait y avoir une révolution, il s'en tirerait très aisément. On ne le toucherait pas, on le laisserait tel qu'il est : on l'aime tellement.

– Même s'il le voulait, il ne pourrait être martyr ! soupira Isabel. Quelle pénible situation !

– Il ne sera jamais martyr, à moins que vous ne le fassiez tel, déclara le vieux monsieur.

Isabel secoua la tête ; ç'aurait pu être un peu risible qu'elle le fît avec une pointe de mélancolie :

– Je ne ferai jamais de personne un martyr.

– Et vous n'en serez jamais une, j'espère.

– J'espère que non. Alors, contrairement à Ralph, vous ne plaignez pas Lord Warburton ?

Son oncle la considéra un instant avec une curiosité attendrie :

– Si, après tout, je le plains.

9

Les deux sœurs de Lord Warburton, les demoiselles Molyneux[1], ne tardèrent pas à rendre visite à Isabel qui s'enticha des jeunes dames, auxquelles elle trouva beaucoup de cachet et d'originalité. Mais lorsqu'elle les décrivit en ces termes à son cousin, Ralph déclara que l'épithète «originales» était la moins appropriée qui fût pour qualifier les demoiselles Molyneux, car l'Angleterre recelait cinquante mille autres jeunes femmes qui leur ressemblaient trait pour trait. Privées de cet atout, les visiteuses gardaient celui d'une allure extrêmement douce et timide, et leurs yeux, songeait Isabel, évoquaient des bassins jumeaux, des pièces d'eau ornementales, serties dans des parterres au milieu de géraniums.

«Quoi qu'il en soit, elles ne sont pas morbides», se dit notre héroïne qui voyait là un attrait puissant, car deux ou trois de ses amies d'enfance avaient, hélas, été passibles de ce délit – sans cela, elles eussent été charmantes –, pour ne rien dire des soupçons d'Isabel qui, de temps à autre, craignait chez elle une tendance comparable. Les demoiselles Molyneux n'étaient plus dans la fleur de l'âge mais elles avaient le teint frais, éclatant, et un sourire où l'enfance s'attardait. Leurs yeux, qu'Isabel admirait, étaient en effet ronds, tranquilles, satisfaits, et leurs silhouettes, généreusement arrondies elles aussi, étaient vêtues de jaquettes de loutre. Leur bienveillance était grande, si grande qu'elles étaient presque embarrassées de la montrer, et elles semblaient un peu effrayées devant cette jeune fille venue du bout du monde, à laquelle leurs regards plus que des phrases souhaitèrent la bienvenue. Mais elles firent clairement entendre leur espoir qu'Isabel viendrait déjeuner à

1. Molyneux, le nom de la famille, dénote une origine normande: Warburton est le nom de l'apanage de l'aîné. *(N. d. T.)*

Lockleigh – elles y habitaient avec leur frère –, puis qu'elles la reverraient très souvent. Peut-être même Isabel pourrait-elle passer une nuit à Lockleigh ; on y attendait quelques personnes le 29 ; peut-être aimerait-elle venir à cette occasion.

– Je crains que vous ne trouviez pas chez nous de personnalité remarquable, dit l'aînée des sœurs, mais j'espère que vous nous prendrez comme nous sommes.

– Je vous trouve délicieuses ; vous êtes tout simplement charmantes, répondit Isabel, qui forçait volontiers sur les compliments.

Ses visiteuses rougirent et, après leur départ, son cousin l'avertit qu'en tenant de tels propos à ces pauvres filles, Isabel prenait le risque de leur faire croire qu'elle les mystifiait d'une manière extravagante et désinvolte. Ralph en était sûr : c'était la première fois que les demoiselles Molyneux s'entendaient traiter de « tout simplement charmantes ».

– Je n'y peux rien, répondit Isabel. Je pense qu'il est exquis d'être si tranquille, si raisonnable et satisfaite. J'aimerais être ainsi.

– A Dieu ne plaise ! s'écria Ralph avec ardeur.

– Je veux dire que j'aimerais essayer de les imiter, précisa Isabel. J'ai très envie de les voir chez elles.

Elle eut ce plaisir quelques jours plus tard quand, en compagnie de Ralph et de Mrs Touchett, elle se rendit en voiture à Lockleigh. Elle trouva les demoiselles Molyneux installées dans un salon spacieux – il y en avait plusieurs autres, qu'elle découvrit par la suite –, au milieu d'une vaste étendue de chintz fané ; pour cette occasion, elles s'étaient vêtues de velours noir. Isabel les trouva encore plus attrayantes qu'à Gardencourt et fut plus encore frappée par le fait qu'elles n'avaient rien de morbide. Il lui avait semblé précédemment que, si elles avaient un défaut, c'était un manque de souplesse d'esprit, mais elle constatait à présent qu'elles étaient capables d'émotions profondes. Avant le déjeuner, elle se trouva seule avec elles pendant un moment, à une extrémité de la pièce, tandis qu'à l'autre bout Lord Warburton devisait avec Mrs Touchett.

– Est-il vrai que votre frère est un radical convaincu? demanda Isabel.

Elle savait que c'était vrai, mais la vivacité de son intérêt pour la nature humaine l'incitait à faire parler les demoiselles Molyneux.

– Oh là là! il est à la pointe de l'avant-garde, acquiesça Mildred, la plus jeune des sœurs.

– Néanmoins, il est très sensé, fit remarquer Miss Molyneux.

Isabel observa un moment le maître de maison qui, à l'autre bout du salon, faisait des efforts manifestes pour se rendre agréable à Mrs Touchett. Quant à Ralph, il répondait aux avances résolues d'un des chiens, devant un feu qui n'avait rien d'incongru étant donné la température du mois d'août anglais et les proportions anciennes de la pièce.

– Croyez-vous que votre frère soit sincère? s'enquit Isabel en souriant.

– Oh, il doit certainement l'être! s'exclama vivement Mildred, tandis que sa sœur fixait en silence notre héroïne.

– Pensez-vous qu'il subirait victorieusement l'épreuve?

– L'épreuve?

– Je veux dire, abandonner tout ceci, par exemple.

– Abandonner Lockleigh? dit Miss Molyneux qui retrouva la parole.

– Oui, ainsi que les autres domaines dont j'ignore le nom.

Les deux sœurs échangèrent un regard effaré.

– Vous voulez dire... vous voulez dire à cause de la dépense? demanda la plus jeune.

– Je pense qu'il pourrait louer un ou deux de ses châteaux, dit l'autre.

– Les louer pour rien? insista Isabel.

– Je ne peux imaginer qu'il renonce à ses biens, déclara Miss Molyneux.

– Alors je crains qu'il ne soit un imposteur, répliqua Isabel. Ne croyez-vous pas que la situation soit fausse?

Ses interlocutrices étaient visiblement confondues.

– La situation de mon frère? demanda Miss Molyneux.

– Elle passe pour excellente, dit la cadette. C'est la plus belle du comté.

– Vous devez me trouver très irrévérencieuse, fit observer Isabel. Je suppose que vous admirez votre frère et avez un peu peur de lui.

– Bien sûr ; tout le monde respecte son frère, fit Miss Molyneux avec simplicité.

– Il doit donc être très bon car, à l'évidence, vous êtes toutes les deux merveilleusement bonnes.

– Il est très bon. On ne saura jamais tout le bien qu'il fait.

– Ses compétences sont reconnues, ajouta Mildred, tout le monde s'accorde sur leur diversité.

– Je vois, dit Isabel. Mais, si j'étais lui, je voudrais me battre jusqu'à la mort ; pour l'héritage du passé, je veux dire. Je m'y cramponnerais fermement.

– Je pense qu'il faut être libéral, soutint doucement Mildred. Nous l'avons toujours été, depuis les temps les plus reculés.

– Vous y avez très bien réussi, dit Isabel ; je ne m'étonne pas que vous y teniez. Je vois que vous aimez beaucoup la tapisserie au petit point.

Après le déjeuner, Lord Warburton lui fit les honneurs de la maison. Il allait de soi pour Isabel qu'elle serait pleine de noblesse. L'intérieur avait été sérieusement modernisé et certaines parties parmi les plus belles avaient perdu de leur pureté, mais lorsqu'ils la contemplèrent des jardins – sa puissante masse grise, de la teinte la plus douce, la plus profonde et la plus patinée qui soit, jaillissait d'une large douve aux eaux dormantes –, elle fit sur la jeune visiteuse l'effet d'un château de légende. La journée était fraîche et sans éclat, l'automne avait déjà frappé sa première note et la lumière d'un soleil embué parsemait de traînées indécises les murs dont elle badigeonnait les endroits tendrement choisis où le mal des siècles avait le plus âprement sévi. Le frère de son hôte, le vicaire, était venu pour le déjeuner et Isabel avait bavardé avec lui pendant cinq minutes, temps suffisant pour engager une enquête sur les ecclésiastiques fortunés, puis y renoncer car elle était vaine. Les caractéristiques du vicaire de Lockleigh étaient un grand corps athlétique, une expression candide et naturelle, un appétit vigoureux et une tendance à rire à tort et à travers. Isabel apprit plus tard de la bouche de son cousin qu'avant son ordination le vicaire avait été un lutteur puissant et qu'à l'occasion, dans l'intimité du cercle de famille, il était toujours capable de terrasser un adversaire. Il plut à Isabel qui était d'humeur à tout trouver bien, mais il lui fallut solliciter fortement son imagination pour se le figurer comme une source d'aide spirituelle.

Après le déjeuner, toute la compagnie se rendit dans le parc où Lord Warburton déploya son ingéniosité pour entraîner sa jeune invitée, peu familière des lieux, vers un parcours différent de celui des autres.

– Je souhaite vous montrer Lockleigh comme il convient, c'est-à-dire sérieusement, dit-il, sans que votre attention soit détournée par des bavardages hors de propos.

Lui-même, tout en donnant à Isabel beaucoup d'informations sur la maison, dont l'histoire était très curieuse, ne limitait pas ses propos à l'archéologie et revenait de temps en temps à des sujets plus personnels, à la fois pour la jeune fille et pour lui-même. Mais, finalement, après une pause prolongée, il renoua passagèrement avec le thème qui lui servait de prétexte :

– Je suis très heureux que cette vieille baraque vous plaise. J'aimerais que vous la connaissiez mieux, que vous y séjourniez quelque temps. Mes sœurs vous ont prise en affection. Immensément... Si cela pouvait vous y pousser.

– Je n'ai pas besoin d'encouragements, répondit Isabel, mais je crains de ne pouvoir faire de promesses. Je dépends entièrement des projets de ma tante.

– Pardonnez-moi de vous dire que je n'en suis pas absolument convaincu. Je suis bien sûr que vous pouvez faire tout ce que vous voulez.

– Je regrette de vous avoir donné cette impression, que je ne crois pas très favorable.

– Elle a le mérite de me permettre d'espérer, fit remarquer Lord Warburton.

– D'espérer quoi ? demanda Isabel.

– Vous voir souvent à l'avenir.

– Oh ! pour disposer de ce plaisir, je n'ai pas besoin d'être tellement émancipée.

– Bien sûr. Mais, par ailleurs, je ne crois pas que votre oncle m'aime beaucoup.

– Vous vous trompez lourdement. Je l'ai entendu parler de vous en termes élogieux.

– Je suis heureux que vous ayez parlé de moi, fit Lord Warburton. Néanmoins, je ne pense pas qu'il aimerait me voir trop souvent à Gardencourt.

– Je ne peux répondre des penchants de mon oncle, répondit la jeune fille, bien que je doive en tenir compte le plus possible. Mais, pour ma part, je serais très heureuse de vous voir.

– C'est ce que j'espérais vous entendre dire. J'en suis charmé.

– Vous êtes facile à charmer, milord, dit Isabel.

– N'en croyez rien ! se défendit Lord Warburton, qui se tut un instant avant de reprendre : Mais vous m'avez charmé, Miss Archer.

La vibration indéfinissable de la voix de Lord Warburton fit tressaillir la jeune fille qui la perçut comme un prélude à quelque chose de grave ; elle l'avait déjà entendue et la reconnaissait. Elle ne désirait pas pour le moment que le prélude eût une suite et déclara avec autant d'entrain et de gaieté que le lui permettait un degré appréciable d'agitation :

– Je crains qu'il y ait très peu de chances que je puisse revenir ici.

– Jamais ? demanda Lord Warburton.

– Je n'ai pas dit « jamais » ; cela ferait vraiment mélodramatique.

– Et moi, puis-je venir vous voir un jour de la semaine prochaine ?

– A coup sûr. Rien ne vous en empêche.

– Rien de palpable mais, avec vous, je ne me sens jamais à l'abri. J'ai l'impression que vous jugez constamment les gens.

– Vous n'y perdez pas forcément.

– C'est aimable à vous de le dire mais, en admettant même que j'y gagne, une justice rigide n'est pas ce que je préfère. Mrs Touchett va-t-elle vous emmener à l'étranger ?

– Je l'espère.

– L'Angleterre n'est-elle pas assez bien pour vous ?

– Cette question machiavélique ne mérite pas de réponse. Je veux voir autant de pays qu'il est possible.

– Ainsi, vous pourrez continuer de juger, j'imagine.

– Et aussi d'y trouver plaisir, j'espère.

– Oui, c'est là votre plus grand plaisir. Je n'arrive pas à saisir ce que vous avez en tête. Vous me faites l'effet de poursuivre des buts mystérieux et de vastes desseins.

– Vous êtes très généreux mais je ne suis pas à la hauteur de l'idée que vous vous faites de moi. Qu'y a-t-il de si mystérieux dans un objectif que, tous les ans, cinquante mille de mes compatriotes caressent et mettent ouvertement à exécution : perfectionner leur esprit en voyageant à l'étranger ?

– Vous ne pouvez perfectionner votre esprit, Miss Archer, déclara Lord Warburton. C'est déjà un instrument impressionnant ; il nous regarde de haut et nous méprise.

– Vous mépriser ? Vous vous moquez de moi, dit Isabel d'un ton grave.

– Admettons que vous nous trouviez « originaux », ce qui revient au même. Pour commencer, je refuse d'être traité d'original ; je ne le suis pas du tout et je proteste.

– Cette protestation est une des choses les plus originales que j'ai entendues, répondit Isabel en souriant.

Après un court silence, Lord Warburton reprit :

– Vous ne jugez que de l'extérieur et peu vous importe. La seule chose qui compte pour vous est de vous amuser.

La vibration qu'Isabel avait perçue un instant plus tôt dans sa voix y avait reparu, mêlée cette fois à une touche très nette d'amertume, une amertume si soudaine et tellement irrationnelle que la jeune fille craignit de l'avoir blessé. Elle avait souvent entendu dire que les Anglais sont très excentriques et avait même lu sous la plume d'un auteur naïf qu'ils constituent, au fond, le peuple le plus romantique. Lord Warburton allait-il soudain virer au romantisme et lui faire une scène sous son propre toit, lors de leur troisième rencontre ? Mais elle se rassura vite en songeant à ses manières parfaites que n'avait pas diminuées le fait qu'il avait déjà frôlé les limites du bon goût en exprimant son admiration à une jeune fille qui avait fait confiance à son hospitalité. Elle avait raison d'ailleurs de compter sur ses bonnes manières car, avec un petit rire et sans trace de vibration troublante, il poursuivit :

– Bien entendu, je ne veux pas dire que vous vous amusez à des futilités. Votre choix porte sur de grands sujets : les faiblesses et les infirmités de la nature humaine, la singularité des nations.

– Sur tous ces points, dit Isabel, je trouverais dans mon pays natal de quoi m'occuper une vie entière. Mais nous avons une longue course devant nous et ma tante va bientôt vouloir partir.

Elle se dirigea vers les autres invités et Lord Warburton l'accompagna en silence. Mais, juste avant qu'ils ne rejoignissent le petit groupe, il annonça :

– Je viendrai vous voir la semaine prochaine.

Indéniablement, Isabel avait éprouvé un choc mais, au fur et à mesure qu'il s'apaisait, force lui fut de s'avouer qu'il n'avait pas été si pénible. Néanmoins, elle répondit froidement à cette déclaration :

– A votre gré.

N'en déplaise aux censeurs sévères, cette froideur n'était pas un jeu, ni une manœuvre savamment calculée. Elle provenait d'une certaine crainte.

10

Le lendemain de sa visite à Lockleigh, Isabel reçut une lettre où voisinaient sur l'enveloppe le cachet de la poste de Liverpool et l'écriture nette de Henrietta, rapprochement qui lui causa une vive émotion.

> M'y voici, ma belle amie – *avaient écrit les doigts agiles de Miss Stackpole.* J'ai enfin pu me libérer. Je m'y suis décidée la veille de mon départ de New York, l'*Interviewer* ayant fini par se ranger à mon prix. J'ai fourré quelques affaires dans un sac, comme un vieux journaliste, et pris le tramway pour me rendre au bateau. Où es-tu? Où pouvons-nous nous retrouver? Je suppose que tu visites château sur château et que tu as déjà pris le bon accent. Peut-être même as-tu épousé un lord : j'en arrive presque à le souhaiter car il me faut des introductions dans les hautes sphères et, sur ce point, je compte sur ton aide. L'*Interviewer* demande des révélations à propos de la noblesse. Mes premières impressions sur les gens en général ne sont pas optimistes mais je souhaite en parler avec toi, car, tu le sais, qui que je sois, je ne suis pas superficielle. J'ai aussi quelque chose de très particulier à te dire. Fixe-moi un rendez-vous dès que tu le peux; viens à Londres, que j'aimerais tellement visiter avec toi, ou laisse-moi venir jusqu'à toi, où que tu sois; je le ferai avec plaisir. Tu sais que tout m'intéresse et que je désire voir le plus possible la vie intime des Anglais.

Isabel estima préférable de ne pas montrer cette lettre à son oncle mais lui fit part de son contenu, et, selon son attente, il pressa la jeune fille d'assurer en son nom Miss Stackpole qu'il serait enchanté de la recevoir à Gardencourt.

– Bien qu'elle soit femme de lettres, ajouta-t-il, elle est aussi américaine et je suppose qu'elle ne brossera pas mon portrait, contrairement à l'autre. Elle a déjà vu des gens comme moi.

– Elle n'en a pas vu d'aussi délicieux ! répondit Isabel.

Mais elle n'était pas vraiment rassurée s'agissant de l'avidité littéraire de Henrietta, composante du caractère de son amie qu'elle n'approuvait pas entièrement. Elle écrivit néanmoins à Miss Stackpole qu'elle serait la très bienvenue sous le toit de Mr Touchett, et cette jeune personne au pied léger lui annonça sans perdre de temps son arrivée imminente. Elle s'était rendue à Londres et, de là, elle avait pris le train pour la gare la plus proche de Gardencourt, où Isabel et Ralph l'attendaient sur le quai.

– Vais-je l'aimer ou la détester ? demanda Ralph tandis qu'ils faisaient les cent pas.

– Amour ou antipathie, peu lui importera, dit Isabel. Elle se soucie comme d'une guigne de ce que les hommes pensent d'elle.

– Alors, en tant qu'homme, j'ai tendance à ne pas l'aimer. Ce doit être une sorte de monstre. Est-elle très laide ?

– Non, elle est résolument jolie.

– Une journaliste femme ? Un reporter en jupon ? Je suis curieux de la voir, reconnut Ralph.

– Il est très facile de se moquer d'elle mais beaucoup moins d'avoir autant de courage.

– Je le crois volontiers ; il faut de l'estomac pour se livrer aux délits d'atteinte et de violence sur les personnes. Croyez-vous qu'elle compte m'interviewer ?

– Jamais de la vie ! Elle ne vous trouvera pas assez important.

– Vous verrez, insista Ralph, elle fera parvenir à son journal une description de toute la famille, sans oublier Bunchie !

– Je lui demanderai de ne pas le faire, dit Isabel.

– Donc, vous l'en croyez capable.

– Tout à fait.

– Néanmoins, vous en avez fait votre amie intime.

– Je n'en ai pas fait mon amie intime mais je l'aime en dépit de ses travers.

– Et moi, j'ai peur de la détester en dépit de ses mérites, repartit Ralph.

– Il est probable qu'avant trois jours vous serez amoureux d'elle.

– Et mes lettres d'amour seront publiées dans l'*Interviewer* ! Jamais ! protesta le jeune homme.

Le train arriva sur ces entrefaites et Miss Stackpole, qui en sauta vivement, révéla cette beauté délicate qu'Isabel avait annoncée. Un peu provinciale d'allure, elle était nette et pulpeuse, de taille moyenne ; elle avait un visage plein, une petite bouche, un teint transparent, une masse de boucles brunes et légères ramenées derrière la tête et des yeux particulièrement étonnés et ouverts. Le trait le plus frappant de sa physionomie était la fixité remarquable du regard qui se posait, sans impudence ni défi mais dans l'exercice scrupuleux d'un droit naturel, sur tous les objets qu'il rencontrait. Il s'arrêta de cette façon sur Ralph, un moment saisi par l'allure gracieuse et dégagée de Miss Stackpole, qui laissait entrevoir que la critique serait moins facile qu'il n'avait prévu. Elle arrivait rayonnante dans de frais atours gorge-de-pigeon, et Ralph vit au premier coup d'œil qu'elle était aussi crissante, aussi neuve et aussi complète qu'une première édition avant le pliage. Des pieds à la tête, pas une erreur typographique n'entachait sa silhouette. Elle parlait sur un ton aigu, d'une voix sans chaleur mais claire et sonore ; cependant, lorsqu'elle eut pris place avec ses hôtes dans la voiture de Mr Touchett, Ralph fut surpris de ne pas lui trouver l'horrible style « gros titres » et « caractères gras » de première de couverture auquel il s'était attendu. Elle répondit d'abondance et de façon lumineuse aux questions d'Isabel, puis à celles que le jeune homme y joignit ; plus tard, dans la bibliothèque de Gardencourt, où elle venait de faire la connaissance de Mr Touchett – sa femme avait jugé inutile de paraître –, elle s'appliqua davantage à donner la mesure de sa confiance en ses talents.

– J'aimerais bien savoir si vous vous considérez comme des Américains ou comme des Anglais, déclara-t-elle d'emblée, afin de pouvoir vous parler en conséquence.

– Parlez-nous comme vous voudrez, nous vous en serons reconnaissants, répondit Ralph, magnanime.

Elle fixa sur lui des yeux dont l'expression lui rappela de gros boutons brillants – ils auraient pu attacher le ruban élastique d'un réticule ; et il lui sembla voir sur leur pupille le reflet des objets environnants. Généralement, l'expression d'un bouton n'est pas considérée comme humaine, mais quelque chose dans le regard de Miss Stackpole provoqua chez Ralph, homme au demeurant très modeste, un vague sentiment d'embarras, celui d'être moins secret, moins honorable qu'il n'eût voulu. Ajoutons qu'après quelques jours passés en compagnie de la jeune fille, cette impression s'atténua sensiblement chez Ralph, sans jamais disparaître entièrement.

– Je doute que vous osiez entreprendre de me convaincre que vous êtes un Américain, lui dit-elle.

– Certes non ! Mais je serai anglais, je serai turc pour vous plaire !

– Si vous êtes capable de changer ainsi, grand bien vous fasse ! rétorqua Miss Stackpole.

– Je suis persuadé que vous comprenez tout et que, pour vous, les différences de nationalité ne sont pas un obstacle, poursuivit Ralph.

Miss Stackpole le considéra tranquillement.

– Est-ce aux langues étrangères que vous faites allusion ?

– Les langues sont sans importance. Je parle de l'esprit, du génie des peuples !

– Je ne suis pas sûre de vous comprendre, dit la correspondante de l'*Interviewer*, mais j'espère y parvenir avant mon départ.

– Mon cousin est ce qu'on appelle un cosmopolite, suggéra Isabel.

– Ce qui signifie un peu de tout et pas beaucoup de quoi que ce soit. Pour moi, le patriotisme est comme la charité : il commence par soi-même.

– Mais où commence le chez-soi, Miss Stackpole ? questionna Ralph.

– J'ignore où il commence… mais je sais où il finit. J'en ai vu la fin longtemps avant d'arriver ici.

– N'êtes-vous pas bien ici ? intervint Mr Touchett de sa vieille voix innocente.

– A vrai dire, sir, je n'ai pas encore décidé où je vais m'échouer. Je me sens à l'étroit. J'ai ressenti cette impression pendant tout le trajet de Liverpool à Londres.

– Peut-être étiez-vous dans un wagon bondé ? suggéra Ralph.

– Oui, mais il était bondé d'amis : un groupe d'Américains dont j'avais fait la connaissance sur le bateau, des gens charmants, de Little Rock, Arkansas. Malgré cela, je me sentais oppressée, comme si quelque chose pesait sur moi ; je ne pourrais dire ce que c'est. Dès le début, il m'a semblé que je n'allais pouvoir m'habituer à l'atmosphère. Mais j'imagine que je vais recréer la mienne. C'est la seule chose à faire quand on n'arrive pas à respirer. Les alentours paraissent très séduisants.

– Nous aussi sommes un groupe charmant ! dit Ralph. Attendez un peu et vous verrez.

Miss Stackpole semblait très disposée à attendre et s'apprêtait manifestement à séjourner longuement à Gardencourt.

Le matin, elle se consacrait à ses travaux littéraires, ce qui n'empêchait pas Isabel de passer des heures avec son amie, qui, une fois accomplie sa tâche quotidienne, désapprouvait la solitude qu'elle défiait dans la pratique. Isabel trouva très vite l'occasion de prier Henrietta de renoncer à célébrer dans la presse les agréments de leur séjour commun ; le lendemain de son arrivée, elle découvrit que son amie écrivait pour l'*Interviewer*, de la ravissante écriture nette et lisible qu'elle se rappelait avoir vue sur ses cahiers d'écolière, une lettre intitulée : « Américains et Tudor – Coups d'œil sur Gardencourt. » Avec une parfaite bonne conscience, Miss Stackpole offrit à Isabel de lui lire son article.

– Je ne crois pas que tu puisses faire cela, que tu puisses décrire cette maison, protesta vivement Isabel.

Henrietta considéra son amie :

– Pourquoi ? C'est exactement ce que les gens demandent et le manoir est délicieux.

– Il l'est trop pour paraître dans un journal et mon oncle n'y tient pas.

– Détrompe-toi ! s'écria Henrietta. Après, les gens sont toujours ravis.

– Mon oncle ne sera pas ravi, ni mon cousin, et ils considéreront ta conduite comme une atteinte à leur hospitalité.

Miss Stackpole ne manifesta aucun signe de confusion : elle se contenta d'essuyer sa plume avec soin sur un élégant petit instrument réservé à cet usage et rangea son manuscrit.

– Bien sûr, si tu désapprouves, je ne l'enverrai pas ; mais c'est un beau sujet que je sacrifie.

– Il y a des tas d'autres sujets, ils pullulent dans les alentours. Nous allons faire des promenades en voiture et je te montrerai des vues charmantes.

– Les paysages ne sont pas mon rayon, il me faut un intérêt humain. Tu sais combien je m'intéresse à l'humanité, Isabel, depuis toujours, répondit Miss Stackpole. J'étais juste en train d'introduire ton cousin, le transfuge américain. La demande est très forte en ce moment à propos des transfuges et ton cousin en est un superbe spécimen. Je l'aurais sévèrement rudoyé.

– Il en serait mort ! s'exclama Isabel. Pas de ta sévérité mais de la publicité.

– Dommage ! J'aurais aimé le tuer un peu. Et j'aurais eu plaisir à décrire ton oncle, qui me fait l'effet d'appartenir au type beaucoup plus noble de l'Américain fidèle. C'est un vrai gentleman. Je ne vois pas quelle objection il peut faire à ce que je lui rende hommage.

Ébahie, Isabel contemplait son amie ; elle ne pouvait comprendre qu'une nature, par ailleurs si digne de son estime, pût sombrer dans de tels errements.

– Ma pauvre Henrietta, dit-elle, tu n'as aucune idée de ce qu'est la discrétion.

Henrietta rougit violemment et ses yeux brillants s'embuèrent, ce qui parut plus illogique que jamais à Isabel.

– Tu es très injuste, dit Miss Stackpole avec dignité ; je n'ai jamais écrit une ligne sur moi.

– J'en suis sûre, mais il me semble que l'on peut aussi faire preuve de pudeur à l'égard des autres.

– Jolie formule ! apprécia Henrietta en reprenant sa plume. J'en prends note ; je la replacerai...

Elle était douée d'un caractère excellent ; une demi-heure après l'incident, elle manifestait l'humeur la plus allègre que l'on puisse attendre d'une journaliste en mal de sujet.

– Je me suis engagée à couvrir la vie mondaine, expliqua-t-elle à son amie. Comment puis-je le faire sans modèle? Puisque je ne peux décrire ce domaine, en connais-tu un autre dont je puisse parler?

Isabel promit d'y réfléchir et le lendemain, en causant avec son amie, elle fit allusion à sa visite à Lockleigh, la vieille demeure de Lord Warburton.

– Tu dois m'y conduire! s'écria Miss Stackpole. C'est exactement ce qu'il me faut. J'ai besoin de quelques aperçus sur la noblesse.

– Je ne peux t'y conduire, dit Isabel, mais Lord Warburton doit venir ici et tu pourras le rencontrer et l'observer. Seulement, si tu as l'intention de reproduire ce qu'il dira, je l'en préviendrai.

– Ne fais pas cela! plaida son amie. Je le veux au naturel.

– Un Anglais n'est jamais si naturel que lorsqu'il tient sa langue, déclara Isabel.

Au bout de trois jours, les apparences n'incitaient pas à croire que, selon la prophétie de sa cousine, Ralph fût éperdument épris de la visiteuse, bien qu'il eût passé de longs moments en sa compagnie. Ils flânaient dans le parc, s'asseyaient sous les arbres et, l'après-midi, lorsqu'il faisait bon glisser au fil de la Tamise, Miss Stackpole occupait une place dans la barque où, jusqu'à présent, Ralph n'avait eu qu'une compagne. Sa présence se révélait de certaine façon plus réductible en de tendres particules, contrairement à la crainte de Ralph due au trouble normal de sa perception d'une fusion parfaite avec sa cousine; car la correspondante de l'*Interviewer* excitait sa gaieté, et il avait depuis longtemps décidé qu'un crescendo d'allégresse couronnerait ses jours déclinants. De son côté, Henrietta ne confirmait pas vraiment la déclaration de son amie à propos de son indifférence à l'opinion des hommes; le malheureux Ralph semblait lui faire l'effet d'un problème irritant, qu'il eût été presque immoral de ne pas résoudre.

– Que fait-il pour gagner sa vie? avait-elle demandé à Isabel le soir de son arrivée. Tourner en rond toute la journée, les mains dans les poches?

– Il ne fait rien, sourit Isabel. C'est un gentleman riche de loisirs.

– Et moi je dis que c'est une honte alors que je dois travailler comme un poinçonneur, s'indigna Miss Stackpole. J'aimerais le lui faire sentir.

– Il a une santé pitoyable et n'est absolument pas en état de travailler, expliqua Isabel.

– Allons donc ! Moi, quand je suis malade, je travaille quand même ! riposta son amie.

Plus tard, alors qu'elle sautait dans la barque pour la partie de canotage, Henrietta exprima sans détour à Ralph sa conviction qu'il la détestait et souhaitait la noyer.

– Oh non ! protesta Ralph. J'inflige à mes victimes des tortures plus lentes. Et vous seriez une victime très intéressante.

– Vous me torturez déjà, je l'avoue. Mais je heurte tous vos préjugés, ce qui est une compensation.

– Mes préjugés ? Il n'en est pas un seul dont je puisse me targuer. A vos yeux, c'est de l'indigence intellectuelle.

– Vous devriez en rougir ! Moi, j'en ai de délicieux. Bien sûr, je gâche votre flirt – appelez cela comme vous voudrez – avec votre cousine mais peu m'importe car je lui rends service en vous sortant de votre réserve. Elle verra combien vous êtes inconsistant.

– C'est cela, percez-moi à jour ! s'exclama Ralph. Il y a si peu de gens qui prendraient cette peine.

Miss Stackpole n'épargna, semble-t-il, aucun effort pour mener à bien cette entreprise, recourant, chaque fois que l'occasion s'en présentait, au procédé naturel de l'interrogatoire. Le lendemain, le temps était mauvais et le jeune homme offrit à Henrietta, en guise de distraction, de lui montrer les tableaux. La jeune femme explora en sa compagnie la longue galerie ; il lui signalait au passage les œuvres majeures dont il citait le sujet et l'auteur. Miss Stackpole regarda les toiles en observant un silence parfait, sans émettre la moindre opinion, et Ralph lui sut gré de ne pas se répandre en menues exclamations jubilatoires et prêtes d'avance que prodiguaient souvent les visiteurs de Gardencourt. Cette jeune femme – soyons équitable – répugnait à l'usage des formules conventionnelles; le sérieux et la qualité inventive de sa façon de s'exprimer faisaient songer parfois, en raison de sa lenteur exagérée, à une personne très cultivée parlant une langue étrangère. Ralph Touchett apprit par la suite qu'elle avait assuré la critique d'art dans une revue du Nouveau Monde; apparemment, elle n'avait pas gardé au fond de sa poche la petite monnaie de l'admiration. Au moment où le jeune homme attirait son attention sur un charmant Constable, elle pivota brusquement et le regarda comme s'il était lui-même un tableau :

– Est-ce toujours ainsi que vous passez votre temps? demanda-t-elle.

– Je le passe rarement de façon aussi agréable.

– Allons, vous comprenez très bien ce que je veux dire : sans jamais travailler?

– Je suis le plus paresseux des hommes, répondit Ralph.

Miss Stackpole reporta les yeux sur le Constable et Ralph sollicita son attention en faveur d'un petit Lancret suspendu près de lui : il représentait, au milieu d'un jardin, un gentilhomme vêtu d'un pourpoint rose, d'un haut-de-chausses et d'une collerette; adossé au piédestal d'une statue de nymphe, il jouait de la guitare pour deux dames assises sur le gazon.

– Voilà ce qu'est pour moi le travail idéal, dit-il.

Miss Stackpole se retourna vers lui et posa les yeux sur le tableau, mais il vit néanmoins que le sujet lui avait échappé : elle réfléchissait à un thème autrement sérieux.

– Je ne vois pas comment vous pouvez faire accepter la chose à votre conscience, déclara-t-elle.

– Ma chère demoiselle, je n'ai pas de conscience!

– Eh bien, je vous conseille de vous en forger une. Vous en aurez besoin quand vous retournerez en Amérique.

– Je n'y retournerai probablement jamais.

– Auriez-vous honte de vous y montrer?

Ralph réfléchit avec aux lèvres un doux sourire.

– J'imagine qu'un homme qui n'a pas de conscience ne peut avoir honte.

– Vous ne manquez pas d'aplomb, déclara Henrietta. Trouvez-vous qu'il est honnête de renoncer à votre pays?

– On ne renonce pas à son pays, pas plus qu'on ne renonce à sa grand-mère. L'un et l'autre sont antérieurs à la possibilité de choisir ; ce sont des composantes de l'être qui ne peuvent être éliminées.

– Ce qui signifie, j'imagine, que vous avez essayé de le faire et que vous avez échoué. Que pensent de vous les Anglais ?

– Je fais leur bonheur.

– Bien sûr, vous rampez devant eux !

– Ah ! faites un peu crédit à mon charme naturel ! soupira Ralph.

– Je ne vois pas trace de votre charme naturel. Si vous avez quelque charme, il est artificiel, exclusivement acquis. Vous avez dû faire l'impossible pour en acquérir depuis que vous vivez ici. Je ne dis pas que vous y soyez parvenu. De toute façon, c'est un charme que je n'apprécie pas. Rendez-vous utile d'une façon ou d'une autre ; ensuite, nous en reparlerons.

– Soit, acquiesça Ralph. Dites-moi ce que je dois faire.

– Premier point, rentrez tout droit en Amérique.

– Je vois. Et après ?

– Saisissez-vous de quelque chose.

– Quelle espèce de chose ?

– Tout ce que vous voudrez, pourvu que vous vous y cramponniez. Une idée nouvelle, une grande œuvre.

– Est-il très difficile de s'en saisir ? demanda Ralph.

– Pas si vous y mettez votre cœur.

– Ah ! mon cœur ! répéta Ralph. Si cela dépend de mon cœur !

– N'en auriez-vous pas ?

– Il y a quelques jours encore, j'en avais un ; depuis, je l'ai perdu.

– Vous n'êtes pas sérieux, fit observer Miss Stackpole, c'est là votre problème.

Quelques jours plus tard, cependant, elle voulut bien accorder à Ralph un regain d'attention et attribua cette fois une cause différente à sa mystérieuse perversité.

– Je sais ce qui ne va pas chez vous, Mr Touchett, dit-elle. Vous estimez que vous êtes trop bien pour vous marier.

– C'est ce que je pensais avant de vous connaître, Miss Stackpole, répondit Ralph, et j'ai brusquement changé d'avis.

– Allons donc ! gémit Henrietta.

– Et il m'est apparu que je n'en étais pas digne, dit Ralph.

– Le mariage vous ferait grand bien. De plus, c'est votre devoir !

– Mon Dieu, se lamenta le jeune homme, on a déjà tant de devoirs ! Le mariage en serait-il un, lui aussi ?

– Bien entendu ! Vous l'ignoriez, peut-être ? Le mariage est un devoir pour chacun de nous.

Ralph réfléchit un moment ; il était déçu. Il y avait chez Miss Stackpole quelque chose qu'il commençait à aimer ; il avait l'impression que, sans être une femme charmante, c'était une femme de qualité. Elle manquait de distinction mais, comme disait Isabel, elle était courageuse : elle pénétrait dans la cage aux lions et faisait claquer son fouet comme un dompteur vêtu de paillettes. Jusqu'à ces derniers mots, qui sonnèrent comme une fausse note, il ne l'avait pas crue capable d'artifices vulgaires. Quand une jeune fille en âge de se marier prêche le mariage à un célibataire, l'explication la plus évidente de son comportement n'est pas un élan d'altruisme.

– Il y aurait beaucoup à dire sur le sujet, répondit Ralph.

– Sans doute, mais c'est là l'essentiel. J'avoue qu'il me paraît très personnel de votre part de tourner en rond autour de vous-même, comme si vous estimiez qu'il n'est pas de femme digne de vous. Vous croyez-vous supérieur au reste de l'humanité ? En Amérique, il est d'usage que les gens se marient.

– Si c'est mon devoir, n'est-ce pas aussi le vôtre, par analogie ? demanda Ralph.

Le cristallin des yeux de Miss Stackpole captait le soleil sans qu'elle eût besoin de ciller.

– Avez-vous le fol espoir de trouver une faille dans mon raisonnement ? Il est évident que j'ai le droit de me marier autant que quiconque.

– Alors, je ne dirai pas que cela me chagrine de vous voir célibataire. Cela me ravirait plutôt.

– Une fois de plus, vous n'êtes pas sérieux. Vous ne le serez jamais.

– Croirez-vous que je le suis le jour où je vous dirai que je souhaite abandonner l'habitude de tourner tout seul en rond ?

Miss Stackpole le regarda un instant d'une façon qui semblait annoncer une réponse que l'on aurait pu, techniquement, qualifier d'encourageante. Mais, à la grande surprise de Ralph, cette expression céda soudain la place à un air inquiet et même froissé.

– Non, même pas ! répondit sèchement Henrietta en tournant les talons.

Le soir même, Ralph se confia à Isabel :

– Je n'ai pas conçu de passion pour votre amie, bien que ce matin nous ayons, elle et moi, abordé ce sujet

– Et vous avez dit quelque chose qui lui a déplu, répondit la jeune fille.

Ralph tressaillit :

– S'est-elle plainte de moi ?

– Elle m'a dit qu'il y a quelque chose de très vil dans la façon dont les Européens parlent aux femmes.

– Elle me désigne comme un Européen !

– De la pire espèce. Vous lui auriez dit une chose qu'un Américain n'aurait jamais dite. Mais elle ne me l'a pas répétée.

Ralph s'offrit une cascade de rire :

– Quel extraordinaire mélange que votre Henrietta ! A-t-elle cru que je lui faisais la cour ?

– Non. Je crois que même les Américains font la cour. Mais, apparemment, elle croit que vous vous êtes mépris sur le sens d'un de ses propos et que vous l'avez interprété de façon désobligeante.

– J'ai cru qu'elle me proposait de l'épouser et j'ai accepté. Voyez-vous là quelque chose de désobligeant ?

Isabel sourit :

– C'était désobligeant à mon égard. Je ne veux pas que vous vous mariiez.

– Ma chère cousine, s'exclama Ralph, que puis-je faire entre vous deux ? Miss Stackpole affirme que c'est pour moi un devoir impérieux et qu'il lui revient de veiller à ce que je m'en acquitte.

– Le sens du devoir est profondément ancré en elle, dit gravement Isabel, et il inspire tout ce qu'elle dit. C'est pour cela que je l'aime. Elle pense qu'il est indigne de vous de garder pour vous seul tant de biens. C'est ce qu'elle voulait vous dire. Si vous avez cru qu'elle cherchait à vous séduire, vous vous êtes lourdement trompé.

– Il est vrai que c'était une bizarre façon de s'y prendre mais j'ai vraiment cru qu'elle me faisait des avances. Pardonnez ma perversité !

– Que vous êtes fat. Elle est totalement désintéressée et n'a pas imaginé une seconde que vous lui prêtiez de telles intentions.

– Il faut être très modeste quand on parle avec de telles femmes, répondit Ralph avec humilité. Mais c'est un curieux numéro. Elle est trop personnelle pour une femme qui demande aux autres de ne pas l'être. Elle entre chez vous sans frapper à la porte.

– C'est vrai, admit Isabel, elle n'attache pas assez d'importance à l'existence des heurtoirs; peut-être même les considère-t-elle comme des ornements prétentieux. Elle pense qu'il faut toujours laisser sa porte entrouverte. Mais je persiste à l'aimer.

– Et moi, je persiste à la trouver trop familière, enchaîna Ralph, que le sentiment de s'être doublement mépris sur le compte de Miss Stackpole avait mis mal à l'aise.

– J'ai peur de l'aimer pour la raison qu'elle est un peu vulgaire, reprit Isabel en souriant.

– Elle serait sûrement flattée de l'apprendre.

– Si je voulais le lui dire, je ne l'exprimerais pas sous cette forme. Je lui dirais que, par certains côtés, elle représente « le peuple ».

– Que savez-vous du peuple ? Et qu'en sait-elle ?

– Elle en sait long, justement, et moi juste assez pour sentir qu'elle est une émanation de la grande démocratie, du continent, du pays, de la nation. Je ne dis pas qu'elle résume tout cela, ce serait beaucoup trop exiger d'elle. Mais elle le suggère et l'incarne avec intensité.

– Donc, vous l'aimez pour des raisons patriotiques. Je crains qu'elle ne me déplaise pour ces mêmes raisons.

– Ah ! s'exclama Isabel avec un soupir joyeux, il y a tant de choses que j'aime ! Il suffit qu'une chose me frappe avec une certaine intensité pour que je l'accepte. Je ne voudrais pas trop plastronner mais je crois avoir plus d'une corde à mon arc. J'aime que les gens soient totalement différents de Henrietta, dans le style des sœurs de Lord Warburton, par exemple. Tant que je regarde les sœurs Molyneux, elles me semblent correspondre à une sorte d'idéal. Puis Henrietta débarque et me convainc d'emblée, moins d'ailleurs pour ce qu'elle est que pour ce qui s'accumule derrière elle.

– Vous l'aimez vue de dos, suggéra le jeune homme.

– Henrietta a raison, répondit Isabel, vous ne serez jamais sérieux. J'aime le grand pays souriant et fleuri qui déroule ses rivières et ses prairies pour ne s'arrêter qu'au vert Pacifique. Un parfum puissant, doux et frais et fort s'élève de son sol, dont Henrietta – pardonnez ma comparaison – porte une bouffée dans ses vêtements.

Isabel rougit légèrement en terminant son envolée et cette rougeur ainsi que son ardeur passagère lui allaient si bien que Ralph continua de lui sourire un instant après qu'elle se fut tue.

– Je ne suis pas sûr que le Pacifique soit si vert, dit-il, mais vous débordez d'imagination. Quant à Henrietta, l'odeur d'Avenir qu'elle dégage est proprement renversante !

11

Après cet incident, Ralph se promit de ne plus interpréter de façon tendancieuse les propos de Miss Stackpole, même s'ils lui semblaient frappés d'une vigoureuse touche personnelle. Il considéra qu'aux yeux de la jeune fille les gens étaient des organismes simples et homogènes, et qu'étant pour sa part un représentant très altéré de la nature humaine il n'était pas en droit de traiter avec elle sur un pied de stricte égalité. Il mit en œuvre sa résolution avec beaucoup de tact et, dans les rapports qu'ils renouèrent, la jeune fille ne rencontra plus d'obstacle à l'exercice de son crâne génie pour l'investigation, application pratique habituelle de sa confiance. Appréciée d'Isabel, Henrietta, de son côté, admirait beaucoup le libre jeu de l'intelligence qui, à son sens, faisait de son amie une âme sœur, et l'aisance vénérable de Mr Touchett, dont les allures nobles et dégagées lui semblaient dignes d'estime. Sa situation à Gardencourt aurait été charmante si elle n'avait conçu une méfiance invincible pour la petite dame à laquelle elle s'était d'abord crue obligée de témoigner les égards dus à une maîtresse de maison. Elle découvrait à présent que cette obligation était infiniment légère et que Mrs Touchett ne se souciait guère des faits et gestes de Miss Stackpole. Mrs Touchett l'avait qualifiée devant Isabel d'aventurière et de raseuse, ce qui était vraiment un comble, les premières étant généralement réputées susciter mille frissons; elle avait exprimé sa surprise que sa nièce eût choisi une telle amie, pour ajouter aussitôt que les amis d'Isabel étaient son affaire; personnellement, elle ne s'était jamais engagée à les aimer tous, pas plus qu'elle ne limiterait les relations de la jeune fille à la compagnie des gens qu'elle aimait.

– Si vous ne pouviez voir que des gens qui me plaisent, ma chère, vous auriez peu d'amis, admit franchement Mrs Touchett, et je ne vois pas d'homme ou de femme que j'aime assez pour vous les recommander. Recommander quelqu'un est chose sérieuse. Quant à Miss Stackpole, je ne l'aime pas; elle me déplaît sur toute la ligne; elle parle beaucoup trop fort et vous regarde comme si vous aviez envie de la regarder, ce qui n'est pas le cas. Je suis certaine qu'elle a toujours vécu dans des pensions de famille, dont je déteste les façons et les libertés qu'on y prend. Si vous me demandiez si je préfère mes propres façons, que vous jugez sans doute déplorables, je vous répondrais : « Oui, je les préfère de beaucoup. » Miss Stackpole sait que je déteste la civilisation des pensions de famille et me déteste de la détester, car elle pense que c'est la première au monde. Elle aimerait infiniment plus Gardencourt si c'était une pension de famille. Personnellement, je trouve que Gardencourt s'en rapproche déjà trop! Jamais nous ne nous entendrons, elle et moi. Inutile d'essayer.

Mrs Touchett avait raison de penser que Henrietta Stackpole la jugeait sévèrement, sans en avoir cependant décelé la vraie raison. Deux jours après l'arrivée de la jeune fille, Mrs Touchett avait émis sur les hôtels américains des réflexions désobligeantes qui excitèrent la veine polémique de la correspondante de l'*Interviewer*, laquelle avait expérimenté, dans l'exercice de sa profession, la gamme complète des caravansérails de l'Ouest américain et soutenait que les hôtels de son pays étaient les meilleurs du monde. Mrs Touchett, encore échauffée par ses derniers démêlés dans l'un d'eux, affirma qu'on ne pouvait trouver pire. Fraîchement nanti de bienveillance expérimentale, Ralph suggéra, en vue de ménager une conciliation, que la vérité se situait entre ces deux extrêmes et que les établissements en question pouvaient être décrits comme appartenant à une honnête moyenne. Miss Stackpole rejeta d'un ton méprisant cette intervention. Une honnête moyenne! Vraiment! S'ils n'étaient pas les meilleurs au monde, ils en étaient les pires, mais il n'y avait rien de moyen dans un hôtel américain.

– Nous en jugeons évidemment à partir de points de vue différents, repartit Mrs Touchett. J'aime être traitée comme une personne; vous aimez l'être comme un « groupe de gens ».

– Je ne vois pas ce que vous voulez dire, répondit Henrietta. J'aime que l'on me traite comme une dame américaine.

– Pauvres dames américaines ! s'écria Mrs Touchett en riant. Elles sont les esclaves d'esclaves.

– Elles sont les compagnes d'hommes libres, rétorqua Henrietta.

– Elles sont les compagnes de leurs serviteurs, de la femme de chambre irlandaise et du valet nègre. Elles partagent leur besogne.

– Ainsi, vous appelez « esclaves » les domestiques des foyers américains ! s'indigna Miss Stackpole. Si c'est la façon dont vous désirez les traiter, il n'y a rien d'étonnant à ce que vous n'aimiez pas l'Amérique.

– Faute de bons serviteurs, on est bien malheureux, proféra sereinement Mrs Touchett. En Amérique, les domestiques sont exécrables alors qu'à Florence, j'en ai cinq qui sont parfaits.

– Je ne vois pas pourquoi il vous en faut cinq, ne put s'empêcher de faire remarquer Henrietta. Pour ma part, je n'aimerais pas voir autour de moi cinq personnes en situation servile.

– Je les préfère dans cette situation plutôt que dans certaines autres, affirma Mrs Touchett d'un ton pénétré.

– Chérie, m'aimeriez-vous mieux si j'étais votre maître d'hôtel ? demanda son mari.

– Je ne crois pas. Vous n'auriez pas du tout la *tenue* souhaitable.

– Des compagnes d'hommes libres, j'aime cette expression, Miss Stackpole, intervint Ralph. C'est une belle définition.

– Quand je parle d'hommes libres, sir, je ne pense pas à vous.

Telle fut la récompense que valut à Ralph son compliment. Miss Stackpole était confondue ; elle voyait comme une trahison le jugement porté par Mrs Touchett sur une classe sociale qu'en son for intérieur elle considérait comme une survivance mystérieuse de la féodalité. Cette idée l'oppressait. Ce fut sans doute pour cette raison qu'elle laissa passer quelques jours avant de parler à Isabel :

– Ma chère amie, je me demande si tu deviens infidèle.

– Infidèle ? Infidèle à toi, Henrietta ?

– Non, cela me ferait beaucoup de peine, mais ce n'est pas cela que je veux dire.

– Infidèle à mon pays, alors ?

– J'espère bien que cela n'arrivera jamais ! Dans ma lettre de Liverpool, je t'annonçais que j'avais une chose très précise à te dire et tu ne m'as pas demandé de quoi il s'agissait. Est-ce parce que tu t'en doutes ?

– Me douter de quoi ? Je ne me doute jamais de quoi que ce soit, fit Isabel. A présent, je me souviens de cette phrase mais j'avoue que je l'avais oubliée. Que veux-tu me dire ?

Henrietta parut découragée et son regard fixe trahit sa déception :

– Tu parles comme si tu n'y attachais aucune importance. Tu as changé ; tu penses à autre chose.

– Dis-moi ce que tu veux dire et j'y penserai.

– Y penseras-tu vraiment ? Je voudrais d'abord en être sûre.

– Je ne contrôle pas toujours parfaitement mes pensées mais je ferai de mon mieux, dit Isabel.

Henrietta la dévisagea si longtemps en silence qu'Isabel, à bout de patience, finit par s'écrier :

– Veux-tu dire que tu vas te marier ?

– Pas avant d'avoir vu l'Europe, répliqua Miss Stackpole. Pourquoi ris-tu ? poursuivit-elle. Je veux te dire que Mr Goodwood a pris le même bateau que moi.

– Ah ! répondit Isabel.

– Cette fois, le ton y est. J'ai beaucoup parlé avec lui ; il est venu pour toi.

– Il te l'a dit ?

– Non, il ne m'a rien dit, c'est pour cela que je le sais, répondit finement Henrietta. Il a très peu parlé de toi ; en revanche, je ne m'en suis pas privée.

Isabel attendait. Elle avait légèrement pâli en entendant le nom de Mr Goodwood.

– Je regrette beaucoup que tu l'aies fait, dit-elle enfin.

– Cela me faisait très plaisir et j'ai beaucoup apprécié sa façon d'écouter. J'aurais pu parler longtemps à un tel auditeur ; si tranquille, si tendu ; il buvait mes paroles.

– Que lui as-tu dit sur moi ? reprit Isabel.

– Que tu es la plus merveilleuse créature que je connaisse.

– Je le regrette beaucoup, répéta Isabel. Il pense déjà trop de bien de moi ; il n'a pas besoin d'être encouragé.

– Il se meurt faute d'un mot d'encouragement. Je revois son visage, son air grave et absorbé pendant que je lui parlais. Je n'ai jamais vu un homme laid paraître aussi beau.

– C'est un homme au caractère simple et il n'est pas si laid, dit Isabel.

– Rien ne vaut une grande passion pour rendre un homme plus simple.

– Ce n'est pas une grande passion, j'en suis sûre.

– Tu ne le dirais pas si tu en étais si sûre.

Isabel sourit avec froideur.

– Je le dirai mieux à Mr Goodwood.

– Il t'en donnera bientôt l'occasion, dit Henrietta.

Isabel ne répondit pas à ce propos que son amie avait lancé avec beaucoup d'assurance.

– Il te trouvera changée, reprit cette dernière. Ton nouveau milieu influe sur toi.

– C'est très probable ; tout m'influence.

– Tout, excepté Mr Goodwood ! s'écria Henrietta avec un rire un peu grinçant.

Isabel omit de sourire en retour et reprit bientôt :

– Est-ce lui qui t'a demandé de me parler ?

– Pas exactement. Mais ses yeux me l'ont demandé, et sa poignée de mains quand il m'a dit au revoir.

– Merci de l'avoir fait, dit Isabel avant de se détourner.

– Oui, tu as changé, tu as pris ici de nouvelles idées, continua son amie.

– Je l'espère bien, dit Isabel, il faut découvrir le plus d'idées neuves que l'on peut.

– Sans doute, mais à condition qu'elles ne bousculent pas les anciennes quand celles-ci sont bonnes.

Isabel se retourna vers Miss Stackpole :

– Si tu veux dire que j'ai la moindre idée concernant Mr Goodwood, commença-t-elle…

Mais elle se troubla devant le regard implacable de son amie.

– Ma chérie, tu l'as certainement encouragé.

Isabel parut sur le point de démentir cette accusation mais y renonça aussi vite et admit :

– C'est vrai, je l'ai encouragé.

Puis elle demanda à son amie si Mr Goodwood l'avait mise au courant de ses intentions. C'était une concession à sa curiosité, car il lui déplaisait de discuter de ce sujet et elle trouvait que Henrietta manquait de délicatesse.

– Je l'ai questionné et il m'a dit n'avoir pas l'intention de faire quoi que ce soit, répondit Miss Stackpole. Mais je n'en crois rien ; il n'est pas homme à ne rien faire. C'est un homme d'action, énergique et audacieux. Quoi qu'il arrive, il réagira toujours par l'action et son action sera toujours juste.

– J'en suis convaincue.

Henrietta manquait peut-être de délicatesse, mais Isabel n'en fut pas moins émue par sa déclaration.

– Tu vois, tu t'intéresses à lui ! claironna Miss Stackpole.

– Quoi qu'il fasse, ce sera toujours bien, répéta Isabel. Quand un homme est pétri d'infaillibilité, que lui importe ce que l'autre ressent ?

– Peu lui importe, admettons, mais pour l'autre, cela compte.

– Quoi qu'il en soit, le sujet de cette discussion ne compte pas pour moi, dit Isabel avec un sourire froid.

A présent, son amie était vraiment grave :

– Après tout, déclara-t-elle, cela m'est égal ; tu as changé. Tu n'es plus celle que tu étais il y a quelques semaines et Mr Goodwood s'en apercevra. Je l'attends ici d'un jour à l'autre.

– Alors, j'espère qu'il me détestera, dit Isabel.

– Je n'en crois rien ; pas plus d'ailleurs que je ne l'en crois capable.

Isabel ne réagit pas à cette observation ; elle était inquiète à l'idée que Caspar Goodwood pourrait se présenter à

Gardencourt, comme Henrietta venait de l'en aviser. Elle tenta de se persuader que l'événement était impossible et, un peu plus tard, fit part de cette conviction à son amie. Néanmoins, pendant les deux jours qui suivirent, elle s'attendit constamment à entendre annoncer le jeune homme. Cet état d'alerte pesait sur elle et semblait alourdir l'air, comme si un changement de temps se préparait; l'atmosphère, socialement parlant, avait été si agréable depuis le début de son séjour à Gardencourt qu'une modification ne pourrait que l'altérer. Mais cette incertitude fut bientôt dissipée. Le lendemain, elle se promena dans le parc en compagnie de l'aimable Bunchie; après avoir flâné quelque temps à l'aventure, à la fois nonchalante et agitée, elle s'assit sur un banc, en vue du manoir, sous un hêtre touffu, où sa silhouette gracieuse, dans une robe blanche semée de rubans noirs, se combinait harmonieusement aux ombres mouvantes. Elle s'amusa quelques instants à parler au petit terrier, auquel la proposition d'une propriété indivise entre cousins avait été appliquée aussi impartialement que le permettaient les sympathies capricieuses et volages de l'intéressé. Mais elle s'avisa pour la première fois ce jour-là du caractère limité de l'intellect de Bunchie, dont, jusqu'alors, seule l'étendue l'avait frappée. Il lui parut enfin qu'elle ferait bien de prendre un livre; autrefois, quand elle avait le cœur lourd, elle était capable, grâce à un ouvrage bien choisi, de déplacer le siège de sa conscience vers l'organe de la pure raison. Depuis peu, indéniablement, la luminosité de la littérature semblait s'estomper; malgré l'évocation fugitive de la bibliothèque de Mr Touchett, emplie de la série complète des auteurs dont la collection d'un gentleman ne saurait se passer, elle demeurait inerte et les mains vides, les yeux baissés sur le gazon vert et frais de la pelouse. Sa méditation fut interrompue par l'arrivée d'un domestique qui lui tendit une lettre. L'enveloppe avait été timbrée à Londres et l'adresse, tracée d'une écriture familière, frappa Isabel aussi vivement que l'aurait fait la voix ou le visage de l'expéditeur, déjà si présent à son esprit. Ce document était bref et peut être reproduit en entier.

Chère Miss Archer, je ne sais si vous avez appris ma venue en Angleterre mais, même si vous l'ignorez, elle ne peut vous surprendre. Vous vous souviendrez que, lorsque vous m'avez donné congé voici trois mois à Albany, je ne l'ai pas accepté. J'ai protesté. En fait, vous avez paru admettre cette protestation et admettre que j'avais le droit pour moi. J'étais venu vous voir dans l'espoir que vous me laisseriez vous gagner à ma cause, et j'avais les meilleures raisons d'entretenir cet espoir. Mais vous l'avez déçu ; je vous ai trouvé changée et vous n'avez pas été en mesure de me donner les raisons de ce changement. Vous avez admis être déraisonnable ; ce fut votre seule concession ; elle ne valait d'ailleurs pas cher car tel n'est pas votre caractère. Vous n'êtes pas, vous ne serez jamais arbitraire ou capricieuse. C'est pourquoi je pense que vous me permettrez de vous revoir. Vous m'avez dit que je ne vous déplais pas, et je le crois ; je ne vois d'ailleurs pas pourquoi je vous déplairais. Je penserai toujours à vous ; je ne penserai jamais à une autre. Je suis venu en Angleterre pour la seule raison que vous y êtes ; je n'ai pu rester là-bas après que vous soyez partie : je détestais ce pays car vous n'y étiez plus. Si j'aime celui-ci à présent, c'est parce qu'il vous retient. Je suis déjà allé en Angleterre mais n'y ai jamais trouvé grand plaisir. Ne puis-je venir vous voir une demi-heure ? C'est pour l'instant le vœu le plus cher de votre fidèle

Caspar Goodwood

Isabel lut cette lettre avec une attention si soutenue qu'elle n'entendit pas le bruit d'un pas qui approchait sur la pelouse. Lorsqu'elle releva les yeux, tout en pliant machinalement le feuillet, Lord Warburton était debout devant elle.

12

Elle mit la lettre dans sa poche et, sans manifester le moindre trouble, offrit à son visiteur un sourire de bienvenue avec un sang-froid dont elle s'étonna un peu.

– On m'a dit que vous étiez dans le parc, expliqua Lord Warburton, et comme il n'y avait personne au salon et qu'en réalité c'était vous que je voulais voir, je me suis mis à votre recherche sans plus de façons.

Isabel s'était levée ; elle souhaitait pour l'instant qu'il ne s'assît pas auprès d'elle.

– J'allais justement rentrer.

– N'en faites rien, s'il vous plaît ; on est tellement mieux ici. Je suis venu à cheval de Lockleigh. Il fait un temps délicieux !

Son sourire était particulièrement amical et charmant, et toute sa personne semblait rayonner de la sympathie et de la force qui, d'emblée, avaient charmé la jeune fille. Elles le nimbaient d'un éclat estival.

– Alors, marchons un peu, dit Isabel qui ne pouvait se défaire de l'impression que son visiteur était animé d'une intention précise. Elle espérait, d'un même coup, déjouer cette intention et satisfaire la curiosité qu'elle lui inspirait. Elle en avait déjà eu un brusque aperçu qui, nous le savons, avait provoqué chez elle une certaine inquiétude. Des divers éléments qui composaient ce trouble, certains n'étaient pas déplaisants ; en fait, elle avait passé plusieurs jours à les analyser, puis elle était parvenue à départager les aspects agréables et les côtés pénibles des avances éventuelles de Lord Warburton. Certains lecteurs seront peut-être tentés de croire que notre héroïne était à la fois irréfléchie et excessivement difficile ; mais le second de ces reproches, s'il s'avère fondé, pourrait servir à la disculper de la déconsidération liée au premier. Elle n'était pas désireuse de se convaincre qu'un grand propriétaire foncier – ainsi qu'elle avait entendu désigner Lord Warburton – fût subjugué par ses charmes : une telle déclaration de sa part soulèverait plus de questions qu'elle n'en résoudrait. Elle avait éprouvé devant lui la forte impression qu'il était un « personnage » et s'était employée à étudier l'image qu'entraînait cette idée. Au risque de multiplier les preuves de sa vanité, il faut dire qu'à certains moments, l'admiration éventuelle d'un personnage lui faisait l'effet d'une agression qui n'était pas loin d'un affront mais était à coup sûr un dérangement. Elle n'avait jamais encore rencontré de personnages ; il ne s'en était pas trouvé dans sa vie et sans doute ne s'en trouvait-il pas non plus dans son pays natal. Lors de ses rélexions sur la supériorité individuelle, elle l'avait toujours envisagée comme une qualité fondée sur le caractère et sur l'esprit, sur ce que l'on trouve aimable dans l'âme d'un être et dans sa conversation. Elle-même était une nature – elle ne pouvait l'ignorer –, et, jusqu'à présent, sa vision d'une conscience accomplie était fortement liée à des images morales, à des choses à propos desquelles la question était de savoir si elles plairaient à son âme sublime. Lord Warburton surgissait devant elle, grand, puissant, comme une collection d'attributs et de pouvoirs que cette simple règle ne pouvait évaluer et qui exigeaient une sorte différente d'appréciation que la jeune fille, habituée à juger vite et librement, ne se sentait pas la patience d'accorder. Il semblait lui demander une chose que personne encore n'avait eu la présomption de lui demander. Elle sentait qu'un haut personnage, dont la grandeur tenait à ses biens, à sa situation politique et sociale, avait conçu le dessein de l'entraîner dans le système où il vivait et évoluait, non sans susciter la jalousie. Un instinct, qui n'était pas impérieux mais persuasif, lui disait de résister car, murmurait-il, elle disposait en fait d'un monde et d'une orbite personnels. Il lui souffla d'autres idées encore, qui se contredisaient et se confirmaient en même temps : une jeune fille pouvait faire pis que de se fier à un tel homme et il serait très intéressant d'étudier son système de son point de vue à lui ; par ailleurs, il y aurait évidemment une bonne part de ce système où elle ne verrait que complication de tous les instants et, somme toute, il comportait quelque chose de guindé, quelque chose de stupide qui en ferait un fardeau. De plus, il existait un jeune homme, récemment débarqué d'Amérique, qui n'avait aucun système mais un caractère dont il était inutile qu'Isabel cherchât à se convaincre que l'impression qu'il avait produite sur son esprit était superficielle. La lettre glissée dans sa poche lui rappelait le contraire. Ne souriez pas cependant, je vous le demande à nouveau, de cette simple jeune fille d'Albany qui se demandait si elle allait accepter d'épouser un pair d'Angleterre avant qu'il se fût déclaré, disposée en somme à croire qu'elle pouvait trouver mieux. Sa bonne foi était parfaite et, s'il entrait dans sa sagesse une belle part de folie, ceux qui la jugent sévèrement auront la satisfaction de découvrir ultérieurement qu'elle acquit par la suite une sagesse cohérente, au prix d'une somme de folies qui constituera presque un appel direct à la charité.

Lord Warburton semblait également prêt à marcher, s'asseoir ou se plier à toute autre proposition d'Isabel et l'en assura de son air habituel d'homme particulièrement heureux d'exercer ses vertus mondaines. Pourtant, il n'avait pas la maîtrise de ses émotions, et, tandis qu'il marchait en silence à côté d'Isabel qu'il regardait à la dérobée, ses regards et son rire sans objet trahissaient son embarras. Les Anglais sont le peuple le plus romantique qui soit et Lord Warburton s'apprêtait à en fournir une démonstration. Il allait faire un pas qui étonnerait tous ses amis, heurterait nombre d'entre eux et qui, apparemment, n'avait rien de recommandable. La jeune fille qui foulait le gazon à son côté venait d'un curieux pays d'outre-mer qu'il connaissait bien ; ses ancêtres et ses relations se présentaient à son esprit comme une nébuleuse, exception faite de leur côté générique et, sous ce rapport, ils se montraient aussi différents qu'insignifiants. Miss Archer n'avait ni la fortune ni la forme de beauté qui donnent raison à un homme face à la multitude et Lord Warburton calculait qu'il avait passé environ vingt-six heures en sa compagnie. Il avait récapitulé tous ces arguments : l'aspect contrariant d'une impulsion qui avait refusé de profiter des occasions les plus libérales pour s'effondrer, et le jugement des hommes, tel qu'il se manifeste surtout chez la moitié d'entre eux qui jugent promptement ; il avait considéré ces choses bien en face, puis les avait chassées de ses pensées. Il ne s'en souciait pas plus que du bouton de rose qui ornait sa boutonnière. L'homme qui s'est abstenu sans effort pendant une grande partie de son existence de se rendre désagréable à ses amis a la chance, lorsque cette nécessité s'impose, de ne pas être déconsidéré par des souvenirs irritants.

– Avez-vous fait un trajet agréable ? s'enquit Isabel qui avait noté l'irrésolution de son compagnon.

– Il l'aurait été de toute façon puisqu'il m'amenait ici.

– Vous aimez beaucoup Gardencourt, reprit la jeune fille, de plus en plus sûre qu'il allait en appeler à ses sentiments et soucieuse de ne pas l'y inciter, s'il hésitait, et de garder elle-même son calme, s'il s'engageait.

Elle s'avisa soudain que sa situation était de celles qu'elle aurait estimées profondément romantiques quelques semaines plus tôt : le parc d'un vieux manoir anglais, rehaussé au premier plan par un lord – un « grand seigneur », pensait-elle –, en train de déclarer sa flamme à une jeune femme qui, après un examen attentif, présentait des analogies frappantes avec elle. Mais, bien qu'elle fût à présent l'héroïne de la scène, elle parvenait à peine moins à la regarder de l'extérieur.

– Je me moque de Gardencourt, répondit Lord Warburton. Vous seule m'intéressez.

– Vous me connaissez depuis trop peu de temps pour avoir le droit de dire cela et je ne peux vous prendre au sérieux.

Isabel n'était pas tout à fait sincère en prononçant ces mots car elle ne doutait pas de la sincérité de son interlocuteur. Sa réponse était simplement un tribut au fait, dont elle était très consciente, que les paroles qu'il venait de prononcer auraient suscité la surprise chez le commun des mortels. Du reste, s'il avait fallu plus qu'elle n'en savait déjà pour la convaincre du sérieux de Lord Warburton, le ton sur lequel il répondit aurait pleinement rempli cet office.

– Dans ce domaine, Miss Archer, le droit ne se mesure pas à l'aune du temps ; il est affaire de sentiment. Si je devais attendre trois mois, cela n'y changerait rien ; je ne pourrais être plus sûr de mes intentions que je ne le suis aujourd'hui. Évidemment, je vous ai très peu vue mais mon impression date de l'instant même de notre rencontre. Je n'ai pas perdu de temps, je suis tombé amoureux de vous sur-le-champ. Au premier coup d'œil, comme disent les romans ; je sais à présent qu'il ne s'agit pas d'un vain mot et mon estime pour les romanciers s'en est accrue. Les deux journées passées ici ont décidé de mon sort ; je ne sais si vous vous en êtes aperçue mais j'ai concentré sur vous la plus fervente attention dont je dispose. Pas un de vos propos, pas un de vos gestes n'ont été perdus pour moi. Lorsque vous êtes venue à Lockleigh l'autre jour ou, plus exactement, lorsque vous en êtes partie, j'étais parfaitement sûr de moi. Néanmoins, je me suis obligé à y réfléchir à nouveau et à m'interroger au plus près. Je l'ai fait ; je n'ai fait que cela ces jours-ci. Je ne commets pas d'erreurs dans ce domaine ; je suis un animal très prudent. Je ne m'emballe pas facilement, mais, quand je suis touché, c'est pour la vie. Pour la vie, Miss Archer, pour la vie.

Lord Warburton avait répété ces mots de la voix la plus caressante, la plus tendre et la plus charmante qu'Isabel eût jamais entendue, et posa sur elle des yeux révélateurs d'une passion délibérément épurée de sa partie la plus basse – emportement, violence, déraison – et qui brûlait aussi tranquillement qu'une lampe dans un lieu protégé des vents.

Tandis qu'il parlait, en vertu d'un accord tacite, leur allure s'était ralentie et ils finirent par s'arrêter. Lord Warburton prit la main d'Isabel.

– Lord Warburton, comme vous me connaissez peu ! fit doucement Isabel qui, avec la même douceur, retira sa main.

– Ne me le reprochez pas ! Je suis assez malheureux de ne pas vous connaître mieux ; j'ai tout à y perdre. Mais je veux vous connaître, justement, et il me semble avoir emprunté la meilleure voie pour cela. Si vous devenez ma femme, je vous connaîtrai, et quand je vous dirai le bien que je pense de vous, vous ne serez plus en mesure de m'accuser de le faire par ignorance.

– Si vous me connaissez peu, je vous connais encore moins, dit Isabel.

– Voulez-vous dire que, contrairement à vous, je ne peux rien gagner à être mieux connu ? Bien sûr, c'est très possible. Pourtant, réfléchissez : pour vous parler comme je vous parle, il faut que je sois déterminé à faire de mon mieux pour essayer de vous satisfaire. Vous m'aimez bien un peu, n'est-ce pas ?

– J'ai beaucoup d'amitié pour vous, Lord Warburton, répondit Isabel qui, à ce moment, l'aimait beaucoup.

– Je vous remercie de le dire ; cela prouve que vous ne me considérez pas comme un étranger. Je crois réellement avoir rempli très honorablement tous mes rôles dans la vie et ne vois pas pourquoi je n'en ferais pas de même de celui par lequel je m'offre à vous et qui me tient tellement plus à cœur que les autres. Questionnez les gens qui me connaissent bien ; j'ai des amis qui parleront en ma faveur.

– Je n'ai aucun besoin de l'avis de vos amis, dit Isabel.

– Que vous êtes aimable ! Vous avez confiance en moi ?

– Entièrement, déclara Isabel qui rayonnait intérieurement du plaisir de sentir combien elle disait vrai.

La lueur qui brillait dans les yeux de son interlocuteur fit place à un sourire et il poussa un long soupir joyeux :

– Si vous vous trompez, Miss Archer, que je perde tout ce que je possède !

Elle se demanda s'il entendait par ces mots lui rappeler sa fortune mais, simultanément, elle était certaine qu'il n'en était rien. Il en avait fait table rase, ainsi qu'il l'aurait dit lui-même ; de fait, il pouvait en toute sécurité laisser ce détail au bon souvenir de n'importe quel interlocuteur, en particulier de l'interlocutrice à laquelle il offrait sa main. Isabel avait prié le Ciel de n'être pas trop agitée et, alors même qu'elle écoutait Lord Warburton et se demandait quelle serait la meilleure réponse à faire, son esprit était assez tranquille pour s'abandonner à cette critique très secondaire. Que faut-il répondre ? se demandait-elle. Le premier de ses désirs était que ses propos fussent, si possible, aussi aimables que ceux de Lord Warburton, qui lui avaient transmis une conviction parfaite. Isabel sentait qu'elle avait pris pour lui une importance très grande, encore que mystérieuse.

– Je vous remercie plus que je ne saurais dire de votre demande, répondit-elle enfin. Elle me fait grand honneur.

– Ah, ne dites pas cela ! s'exclama-t-il. Je redoutais des propos de ce genre alors que vous n'avez rien à faire avec cet ordre de choses. Je ne vois pas pourquoi vous me remercieriez alors que c'est moi qui dois vous remercier de m'écouter ; un homme que vous connaissez si peu et qui vous tombe dessus avec une telle énormité ! Bien sûr c'est une question cruciale. Je vous avoue que je préfère la poser plutôt que devoir y répondre. Mais la façon dont vous m'avez écouté, ou du moins le seul fait que vous m'ayez écouté, me donne quelque espoir.

– N'espérez pas trop, dit Isabel.

– Oh ! Miss Archer ! murmura Lord Warburton, souriant à nouveau malgré son sérieux, comme si un tel avertissement pouvait être pris pour un jeu entre beaux esprits, pour un débordement de joie.

– Seriez-vous très surpris si je vous demandais de renoncer à tout espoir ? demanda Isabel.

– Surpris ? Je ne sais ce que vous entendez par ce mot ; ce n'est pas de la surprise que j'éprouverais mais un sentiment bien pire.

Isabel se remit en marche et demeura quelques instants silencieuse.

– Je suis certaine que, si je vous connaissais bien, l'estime très vive que j'ai pour vous ne pourrait que grandir encore. En revanche, je ne suis pas du tout certaine que vous ne seriez pas déçu. Il ne s'agit pas là de fausse modestie mais d'une crainte très sincère.

– Je prends le risque, Miss Archer, répliqua son compagnon.

– Comme vous l'avez dit, la question est cruciale. Et très difficile.

– Bien sûr, je n'attends pas de vous une réponse immédiate. Réfléchissez-y aussi longtemps qu'il vous sera nécessaire. Si l'attente m'assure la victoire, je serai heureux de patienter longtemps. Rappelez-vous seulement qu'en définitive, mon plus cher bonheur dépend de votre réponse.

– Je serais très désolée de vous tenir dans l'incertitude, dit Isabel.

– Ne vous tracassez pas. Je préfère une bonne réponse dans six mois à une mauvaise aujourd'hui.

– Mais il est très probable que, même dans six mois, je ne puisse vous donner la réponse que vous jugez bonne.

– Pourquoi pas ? Puisque vous m'aimez réellement bien ?

– De cela, vous ne devez jamais douter.

– Eh bien ? Je ne vois pas ce que vous demandez de plus !

– Je ne parle pas de ce que je demande, mais de ce que je peux donner. Je ne crois pas que je sois faite pour vous, je ne le crois vraiment pas.

– Ne vous tourmentez pas sur ce point. C'est mon affaire. Vous n'avez pas besoin d'être plus royaliste que le roi.

– Il n'y a pas que cela, reprit Isabel. En fait, je ne suis pas certaine de vouloir me marier.

– Il est très probable que vous n'en avez pas envie. Je suis persuadé que nombre de femmes commencent par éprouver ce sentiment, dit Sa Seigneurie qui, fût-il avéré, n'accordait aucun crédit à cet axiome qu'il énonçait pour tromper son anxiété. Mais elles se laissent souvent persuader.

– Oui, parce qu'elles le veulent bien ! fit Isabel avec un rire léger.

L'assurance de son prétendant s'effondra et, pendant un moment, il regarda Isabel en silence.

– Je crains que ce ne soit ma qualité d'Anglais qui vous fasse hésiter, reprit-il. Je sais que votre oncle est d'avis que vous devriez vous marier dans votre pays.

Isabel reçut cette information avec intérêt. Il ne lui était pas venu à l'esprit que Mr Touchett fût susceptible de débattre de ses projets matrimoniaux avec Lord Warburton.

– Il vous l'a dit ? s'enquit-elle.

– Je me souviens l'avoir entendu faire la remarque. Peut-être parlait-il des Américains en général.

– Lui-même semble avoir trouvé très plaisant de vivre en Angleterre, dit Isabel d'une manière qui aurait pu paraître un peu désobligeante mais exprimait à la fois sa perception sans faille du bonheur apparent de son oncle et sa disposition personnelle à esquiver toute obligation d'envisager les horizons bornés.

Sa réponse rendit espoir à son compagnon qui s'écria avec chaleur :

– Chère Miss Archer, notre vieille Angleterre est un très bon pays, croyez-moi. Et elle sera encore meilleure quand nous l'aurons un peu restaurée !

– Oh non ! pas de replâtrage, Lord Warburton ; laissez-la telle qu'elle est. C'est ainsi que je l'aime.

– Si vous l'aimez, je suis encore plus impuissant à saisir ce que vous objectez à ma proposition.

– Je crains de ne pouvoir vous le faire comprendre.

– Vous pourriez au moins essayer. Je suis raisonnablement intelligent. Avez-vous peur... peur du climat ? Nous pourrions facilement vivre ailleurs. Vous pouvez choisir votre climat : le monde entier s'offre à vous.

Ces mots furent prononcés avec une sincérité généreuse qui évoquait l'étreinte de bras puissants, qui évoquait, venu d'on ne sait quels étranges jardins sous des vents embaumés, un parfum que des lèvres nettes et sensibles soufflaient tout droit vers le visage d'Isabel. Elle aurait à ce moment donné son petit doigt pour éprouver dans sa force et sa simplicité l'élan qui lui eût fait répondre : « Lord Warburton, il m'est impossible de faire mieux en ce monde merveilleux que de m'en remettre avec gratitude à votre loyauté. » Mais, tout en étant éperdue d'admiration devant la chance qui s'offrait, elle s'arrangeait pour reculer dans son ombre la plus épaisse, comme un animal sauvage, prisonnier d'une vaste cage. La sécurité « splendide » qui s'offrait à elle n'était pas la plus grande qu'elle pût concevoir. Ce qu'elle s'avisa finalement de dire fut en fait très différent et remettait simplement à plus tard la nécessité de faire réellement face au dilemme.

– Ne m'en veuillez pas si je vous prie de ne plus aborder ce sujet aujourd'hui.

– Certainement ! Certainement ! s'écria son compagnon. Pour rien au monde, je ne veux vous tourmenter.

– Vous m'avez donné beaucoup à penser et je vous promets de m'en acquitter loyalement.

– C'est tout ce que je vous demande ! Mais rappelez-vous aussi que mon bonheur est entre vos mains. Absolument !

Isabel écouta cette exhortation avec grand respect mais reprit après un instant :

– Je dois vous dire que l'objet de mes réflexions sera la façon dont je vous ferai savoir que ce que vous demandez est impossible, de vous le dire sans vous rendre malheureux.

– Il n'y a aucun moyen d'y parvenir, Miss Archer. Je ne dirai pas qu'en me repoussant vous me tuerez ; je n'en mourrai pas. Mais je ferai pire : je vivrai sans but.

– Vous vivrez pour épouser une femme qui vaudra mieux que moi.

– Ne dites pas cela, je vous en prie, dit gravement Lord Warburton. Ce n'est juste ni pour vous ni pour moi.

– Alors, pour en épouser une qui sera pire.

– S'il y a des femmes qui vous sont supérieures, je préfère les mauvaises. C'est tout ce que je puis dire, poursuivit-il avec le même sérieux. On ne peut expertiser les goûts.

Sa gravité, qu'elle sentait, la gagna et elle le manifesta en le priant à nouveau d'abandonner provisoirement le sujet.

– Je vous en reparlerai moi-même, très prochainement. Peut-être vous écrirai-je.

– Comme vous le souhaitez, répondit-il. Quel que soit le temps que vous prendrez, il me paraîtra long mais j'imagine qu'il faut bien que je m'en accommode.

– Je ne vous ferai pas attendre ; je veux seulement rassembler mes esprits.

Il poussa un soupir mélancolique et la contempla un moment, les mains derrière le dos, en imprimant à son stick de chasse des petites secousses nerveuses.

– Savez-vous que je suis très effrayé par votre remarquable esprit ?

Le biographe de notre héroïne ne peut vraiment dire pourquoi ces mots la firent tressaillir et provoquèrent la rougeur qui embrasa ses joues et dont elle eut conscience. Elle rendit longuement son regard au jeune homme puis, avec un accent qui aurait presque pu en appeler à sa compassion, elle s'exclama curieusement :

– Moi aussi, milord !

Toutefois, la compassion de Lord Warburton ne frémit pas ; ses besoins personnels accaparaient entièrement sa faculté d'apitoiement.

– Soyez bonne ! Soyez bonne ! murmura-t-il.

– Je pense que vous feriez mieux de partir, dit Isabel. Je vous écrirai.

– C'est entendu ; seulement, quoi que vous écriviez, je viendrai vous voir, vous le savez.

Puis il demeura un moment immobile, absorbé dans ses réflexions mais les yeux fixés sur Bunchie qui avait l'air d'avoir compris tout ce que l'on venait de dire et prétendait faire oublier son indiscrétion en simulant un accès de curiosité pour les racines d'un vieux chêne.

– Il y a encore quelque chose, reprit Lord Warburton. Si vous n'aimez pas Lockleigh, si vous craignez l'humidité ou autre chose, rien ne vous obligera à vous en approcher à moins de cinquante miles. D'ailleurs, la maison n'est pas humide ; je l'ai fait examiner de fond en comble ; elle est en parfait état. Mais si elle ne vous plaît pas, n'allez pas imaginer que vous devrez l'habiter. Il n'y a pas la moindre difficulté de ce côté : beaucoup d'autres résidences sont possibles. Il m'a semblé que je devais vous le dire ; tout le monde n'aime pas les douves, vous savez. Au revoir.

– J'adore les douves, dit Isabel. Au revoir.

Il tendit la main et elle lui confia la sienne assez longtemps pour qu'il pût incliner sa belle tête nue et la baiser. Puis il s'éloigna rapidement, sans cesser d'agiter son stick. Il maîtrisait son émotion mais était visiblement bouleversé.

Isabel l'était aussi mais elle n'avait pas été touchée de la façon qu'elle l'avait imaginé. Elle ne se sentait pas affrontée à une grave responsabilité, ni à un choix réellement difficile ; il lui semblait qu'il n'y avait pas eu de choix en la matière. Elle ne pouvait épouser Lord Warburton ; ce projet ne pouvait étayer le parti pris éclairé d'une libre exploration de la vie qu'elle avait conçu jusqu'à présent ou qu'elle était maintenant capable de concevoir. Elle devait le lui écrire et l'en convaincre et ce devoir était relativement simple. Mais elle était troublée, réellement frappée d'émerveillement, par le fait qu'il lui coutât si peu de refuser une « chance » magnifique. Quelles que fussent les réserves possibles, Lord Warburton lui avait offert une occasion rare ; la situation pouvait présenter des désagréments, des éléments restrictifs et contraignants ; elle pouvait se révéler à l'usage comme un antalgique abrutissant mais Isabel ne faisait pas injure à son sexe en estimant que, sur vingt femmes, dix-neuf s'en seraient accommodées sans un serrement de cœur. Pourquoi ne s'imposait-elle pas irrésistiblement à elle ? Qui était-elle et qu'était-elle pour se juger supérieure ? De quelle vision de la vie, de quel destin délibéré, de quelle conception du bonheur disposait-elle qui pourraient se prétendre plus vastes que cette occasion fabuleuse ? Si elle s'y refusait, elle devrait accomplir de grandes actions, elle serait tenue de réaliser quelque chose de plus imposant. La pauvre Isabel ne manquait pas de motifs de se souvenir de temps en temps qu'elle ne devait pas être trop orgueilleuse, et rien n'était plus sincère que son vœu d'être délivrée d'un tel péril : l'isolement et la solitude de l'orgueil évoquaient dans son esprit l'horreur d'un lieu désert. Si c'était l'ingérence de l'orgueil qui l'avait empêchée d'accepter la demande de Lord Warburton, une telle *bêtise* était singulièrement déplacée ; et elle était si consciente de son amitié pour lui qu'elle osait se convaincre que son refus tenait à la douceur même et à l'entendement subtil de sa sympathie. La vérité était qu'Isabel avait beaucoup trop d'amitié pour Lord Warburton pour pouvoir l'épouser ; quelque chose lui disait avec insistance qu'un sophisme entamait la logique brillante de son raisonnement – ainsi qu'il l'avait vu –, même si elle ne pouvait mettre dessus le bout de son petit doigt ; et qu'infliger à un homme qui offrait tant une femme portée à la critique serait un acte parfaitement indigne. Elle lui avait promis de réfléchir à sa demande et, après le départ du jeune homme, lorsqu'elle revint vers le banc où il l'avait trouvée et se plongea dans ses pensées, il aurait pu sembler qu'elle mettait sa promesse à exécution. Il n'en était rien, cependant; Isabel se demandait si elle n'était pas une personne froide, dure, suffisante, et quand elle finit par se lever pour retourner rapidement vers la maison, elle se sentait, comme elle l'avait dit à son ami, réellement effrayée d'elle-même.

13

Ce sentiment la conduisit à parler à son oncle de ce qui venait d'arriver. Elle ne désirait pas demander conseil, elle n'en avait aucune envie, mais souhaitait parler à quelqu'un; elle se sentirait ainsi plus naturelle, plus humaine, et dans cette perspective, son oncle se présentait sous un jour plus attrayant que sa tante ou que son amie Henrietta. Bien entendu, son cousin était un confident possible mais Isabel aurait dû se faire violence pour confier à Ralph ce secret. Le lendemain donc, après le petit déjeuner, elle tenta sa chance. Son oncle ne quittait jamais ses appartements avant l'après-midi mais recevait dans sa chambre ceux qu'il appelait ses intimes. Isabel avait pratiquement sa place dans le groupe ainsi désigné qui comprenait par ailleurs le fils du vieux monsieur, son médecin, son valet de chambre et même Miss Stackpole. Mrs Touchett ne figurait pas sur la liste et c'était un obstacle de moins pour Isabel, qui souhaitait trouver son hôte seul. Il était assis dans un fauteuil mécanique compliqué, devant la fenêtre ouverte de sa chambre qui, orientée à l'ouest, donnait sur le parc et la rivière; journaux et lettres s'empilaient près du fauteuil et lui-même, après une toilette récente et soigneuse, offrait un visage calme et contemplatif, empreint d'une attente bienveillante.

Elle alla droit au but :

– Je pense que je dois vous faire savoir que Lord Warburton m'a demandée en mariage. Je pense que je dois le dire à ma tante mais il m'a semblé préférable de vous en parler d'abord.

Le vieux gentleman n'exprima pas de surprise mais il la remercia de la confiance qu'elle lui témoignait avant de lui demander :

– Cela vous déplairait-il de me dire si vous avez accepté ?

– Je ne lui ai pas encore répondu de façon définitive; j'ai

pris un peu de temps pour y réfléchir car cela me semblait plus respectueux. Mais je n'accepterai pas sa demande.

Mr Touchett ne fit pas de commentaire sur ce point; il avait l'air de penser que, malgré l'intérêt qu'il pouvait prendre à l'affaire du point de vue de l'amitié, il n'avait pas à prendre parti.

– Je vous avais dit que vous auriez du succès ici. Les Américaines sont extrêmement appréciées.

– Très appréciées, en effet, dit Isabel. Mais, au risque de passer pour dénuée de bon goût et ingrate, je ne pense pas que je puisse épouser Lord Warburton.

– Il est évidemment impossible pour un vieil homme de juger en lieu et place d'une jeune fille, répondit son oncle. Je suis heureux que vous ne m'ayez pas demandé mon avis avant d'avoir pris votre décision. Je pense devoir vous dire, ajouta-t-il lentement, mais comme si la chose était de peu d'importance, que je savais tout cela depuis trois jours.

– Vous parlez de l'état d'esprit de Lord Warburton ?

– De ses intentions, comme on dit ici. Il m'a écrit une lettre très aimable pour m'en faire part. Aimeriez-vous voir cette lettre ? demanda Mr Touchett avec obligeance.

– Merci; je ne crois pas en avoir envie. Mais je suis heureuse qu'il vous ait écrit; la correction le voulait et l'on ne peut attendre de lui qu'une parfaite correction.

– J'ai l'impression qu'il vous plaît beaucoup ! déclara Mr Touchett. Vous n'allez pas prétendre le contraire.

– Il me plaît énormément, je le dis sans ambages. Mais, pour l'instant, je n'ai pas envie d'épouser qui que ce soit.

– Vous pensez qu'il en viendra un autre qui vous plaira davantage ? C'est très vraisemblable, dit Mr Touchett, qui semblait vouloir manifester sa bienveillance à la jeune fille en réduisant la portée de sa décision et en lui trouvant des raisons positives.

– Cela me serait bien égal de ne pas en rencontrer d'autre. J'ai bien assez de sympathie pour Lord Warburton, déclara-t-elle, cédant apparemment à l'un de ces brusques revirements grâce auxquels elle alarmait parfois ses interlocuteurs, ou même les indisposait.

Mais son oncle semblait à l'abri de ces deux sortes de réactions :

– C'est un beau type d'homme, reprit-il sur un ton qui aurait pu passer pour celui d'un encouragement. Sa lettre est l'une des plus agréables que j'aie reçues depuis des semaines; une des raisons pour lesquelles elle m'a tant plu est qu'elle ne parle que de vous, à l'exception des lignes consacrées à l'épistolier. Je pense qu'il vous a dit tout cela.

– Il m'aurait dit tout ce que j'aurais pu vouloir lui demander, assura Isabel.

– Mais vous n'étiez pas curieuse.

– Étant donné que j'avais décidé de décliner son offre, ma curiosité eût été oiseuse.

– Vous n'avez pas trouvé cette offre assez séduisante? s'enquit Mr Touchett.

Isabel se tut un moment.

– Je pense que c'est cela, admit-elle. Mais je ne vois pas pourquoi.

– Heureusement, les dames ne sont pas obligées de donner des raisons, dit son oncle. A bien des égards, cette idée est attrayante, mais je ne vois pas pourquoi les Anglais voudraient nous séduire et nous enlever à notre terre natale. Je sais que nous essayons aussi de les attirer chez nous, mais c'est en raison de l'insuffisance de notre population. Ici, vous savez, le pays serait plutôt surpeuplé. Je présume cependant qu'il y a partout de la place pour de charmantes jeunes femmes.

– Il semble que pour vous aussi, il se soit trouvé beaucoup d'espace, dit Isabel dont le regard vagabondait sur le parc et ses jardins d'agrément.

Mr Touchett eut un sourire sagace.

– Ma chère, il y a partout de la place pour celui qui peut payer, dit-il d'un ton pénétré. Je pense parfois que j'ai payé trop cher pour cela. Peut-être que vous aussi pourriez avoir à payer trop cher.

– C'est possible, répondit la jeune fille.

Cette suggestion lui fournit un appui plus précis que ce qu'elle avait tiré de ses propres réflexions et l'association entre la perspicacité clémente de son oncle et son dilemme semblait prouver qu'elle était aux prises avec les émotions naturelles et normales de la vie et non victime d'une ardeur intellectuelle et de vagues ambitions qui, portant au-delà de l'appel si beau de Lord Warburton, visaient une cible indéfinissable et sans doute peu louable. Dans la mesure où l'indéfinissable avait une influence sur le comportement d'Isabel en cet instant critique, ce n'était pas l'idée, fût-elle informulée, d'une union avec Caspar Goodwood ; car, bien qu'elle eût refusé de s'abandonner aux grandes mains calmes et conquérantes de son prétendant anglais, elle était au moins aussi éloignée de consentir au jeune Bostonien la liberté de prendre possession de sa personne. Après avoir lu la lettre de Caspar Goodwood, elle avait cherché refuge dans une position critique à l'égard de son voyage, car l'impression qu'il la dépossédait de son sentiment de liberté jouait un rôle dans l'influence qu'il exerçait sur elle. Sa façon de se dresser devant elle l'indisposait par sa force et son dynamisme excessifs, par la raideur de sa présence. Le risque d'encourir son blâme avait parfois hanté Isabel qui s'était demandée s'il aurait approuvé ce qu'elle faisait, scrupule qu'elle n'avait jamais éprouvé à ce point vis-à-vis de quiconque. Plus qu'aucun homme de sa connaissance, plus que le pauvre Lord Warburton – elle s'était mise à gratifier Sa Seigneurie de cette épithète –, Caspar Goodwood dégageait une énergie qui était le fond de sa nature et dont elle-même avait déjà éprouvé la puissance ; et c'était là que résidait la difficulté. Il n'était nullement question « d'avantages » ; cela tenait à l'esprit qui siégeait dans ses yeux clairs et ardents, tel un gardien infatigable à une fenêtre. Quels que fussent les désirs d'Isabel, il insistait toujours, de tout son poids et de toute sa force ; même lors des contacts quotidiens avec lui, ses partenaires devaient en tenir compte. La perspective d'une liberté réduite déplaisait particulièrement à Isabel alors qu'elle venait d'imprimer un accent très personnel sur son indépendance, en regardant lucidement l'appât miroitant présenté par Lord Warburton avant de s'en détourner. Caspar Goodwood avait parfois semblé se rallier du côté de sa destinée dont il était le fait le plus opiniâtre qu'elle connût ; elle se disait alors qu'elle pourrait l'esquiver pendant un moment mais qu'un jour viendrait où il lui faudrait pactiser avec lui et, ce jour-là, les clauses devraient forcément être favorables au jeune homme. D'instinct, elle avait profité de tout ce qui pourrait l'aider à se soustraire à cette obligation ; cet instinct n'était pas étranger, loin de là, à l'empressement avec lequel elle avait accepté l'invitation de sa tante, survenue alors qu'elle attendait l'arrivée imminente de Mr Goodwood et qui lui fournissait une réponse à la question dont elle était sûre qu'il la lui poserait. Quand elle lui avait dit à Albany, le soir de la visite de Mrs Touchett, ne pouvoir discuter de questions difficiles tant elle était éblouie par l'échappée grandiose vers l'Europe offerte par sa tante, il avait déclaré que ce n'était pas une réponse ; c'était pour en obtenir une meilleure qu'il avait franchi l'océan à sa suite. Se dire *in petto* qu'il était une sorte de destin menaçant suffisait à une jeune femme imaginative, en mesure de considérer comme allant de soi l'essentiel de sa personnalité ; mais le lecteur a droit à une vue plus nette et plus rapprochée.

Propriétaire de filatures de coton bien connues du Massachusetts, le père de Caspar Goodwood avait amassé une fortune considérable dans l'exercice de son industrie. A présent, Caspar dirigeait les ateliers avec un bon sens et un sang-froid grâce auxquels, malgré une concurrence acharnée et des années de stagnation, il avait sauvegardé leur prospérité. Il avait reçu la meilleure part de son instruction à Harvard College où, glaneur nonchalant de savoirs dispersés, il s'était fait en revanche une renommée en qualité de gymnaste et de rameur. Plus tard, il avait appris que l'intelligence la plus subtile peut aussi sauter le cheval d'arçon, souquer, s'entraîner, et même, battant record, s'offrir de rares exploits. Il s'était découvert un œil pénétrant pour les mystères de la mécanique et avait inventé un procédé de filature du coton, déjà largement utilisé et qui portait son nom. Il figurait dans les revues spécialisées de cette industrie florissante, ce dont Caspar avait assuré Isabel en lui montrant dans les colonnes de l'*Interviewer* de New York un article exhaustif sur le brevet

Goodwood, article que Miss Stackpole n'avait pas rédigé, malgré l'attention amicale dont elle avait fait preuve pour les intérêts plus sentimentaux du jeune homme. Il s'enchantait de choses arides et complexes; il aimait organiser, combattre, administrer; il pouvait amener les gens à exécuter ses volontés, à croire en lui, lui frayer la voie et lui donner raison. Cet art de mener les hommes, comme on disait alors, prenait chez lui un appui plus profond, fourni par une ambition hardie bien que latente. Les gens qui le connaissaient bien l'estimaient capable de réalisations plus vastes que la gestion d'une filature de coton; il n'y avait rien de cotonneux chez Caspar Goodwood dont les amis étaient convaincus qu'un jour ou l'autre, ici ou ailleurs, son nom se déploierait en lettres majuscules. Mais, apparemment, il fallait d'abord qu'il fût requis d'affronter une épreuve, sombre, déplaisante et complexe : somme toute, il n'était pas fait pour la paix simpliste et arrogante du gain et du bénéfice, un ordre de choses dont le souffle vital était la réclame envahissante. Isabel l'imaginait volontiers soutenant du haut d'un destrier cabré les tourbillons d'un grand conflit, ceux de la guerre de Sécession, par exemple, qui avait assombri son enfance et l'adolescence du jeune homme.

Quoi qu'il en fût, elle aimait l'idée que, par tempérament et dans les faits, il fût un meneur d'hommes, caractéristique qu'elle préférait à d'autres aspects de sa nature et de son apparence. Elle se souciait comme d'une guigne de la filature et le brevet Goodwood ne parlait pas à son imagination. Isabel ne souhaitait pas que sa virilité fût en rien diminuée mais elle pensait parfois que Caspar serait plus plaisant si son apparence était juste un peu différente. Sa mâchoire était trop forte et trop carrée, sa silhouette trop droite et trop rigide, et ces particularités pouvaient indiquer un manque d'adaptation aux rythmes profonds de la vie. Elle observait aussi avec réserve son habitude de s'habiller toujours de la même manière; non qu'il parût porter indéfiniment les mêmes habits – ses vêtements avaient au contraire l'air d'être trop neufs –, mais ils semblaient tous taillés dans la même pièce et, comme le tissu, leur coupe était tristement banale.

Elle s'était plus d'une fois rappelée à l'ordre : quel grief frivole face à un personnage de cette envergure, avant de modifier le reproche en songeant qu'il n'eût été frivole que si elle avait été amoureuse de lui. N'étant pas éprise de lui, elle pouvait critiquer ses petits travers ainsi que son plus grand défaut que recouvrait l'accusation générale d'être trop sérieux, ou plutôt, puisqu'on ne saurait l'être trop, de le paraître à coup sûr. Il manifestait trop simplement, trop naïvement ses désirs et ses desseins; quand on était seul avec lui, il s'étendait trop sur le même sujet mais, en présence de plusieurs personnes, il parlait trop peu, quel que fût le thème. Néanmoins, il était d'une trempe parfaite, robuste et sans bavure, ce qui était beaucoup; Isabel voyait s'agencer les diverses parties de son être ainsi qu'elle avait vu, dans les musées et sur des tableaux, s'articuler les plaques d'acier magnifiquement incrustées d'or des armures de guerre. Chose étrange : où et quand y avait-il jamais eu, chez Isabel, quelque lien tangible entre ses impressions et ses actes? Caspar Goodwood n'avait jamais correspondu à sa conception de l'homme aimable et c'était à son avis la raison pour laquelle il suscitait si âprement ses critiques. Et pourtant, lorsque Lord Warburton, qui correspondait à cette conception et même en élargissait la portée, demandait son agrément, elle demeurait insatisfaite. Fait étrange, en vérité.

La conscience de son incohérence ne pouvait l'aider à répondre à la lettre de Mr Goodwood et Isabel décida de la laisser quelque temps en souffrance. S'il était déterminé à la persécuter, il en supporterait les conséquences, dont la première serait qu'on lui laisserait percevoir le peu d'agrément que sa venue à Gardencourt causerait à Isabel. Elle y était déjà exposée aux incursions d'un prétendant et, bien qu'il pût être plaisant de se sentir appréciée en des lieux opposés, il y avait quelque indécence à accueillir en même temps deux plaideurs aussi passionnés, même si l'accueil devait consister à les éconduire. Elle ne répondit pas à Mr Goodwood mais, au bout de trois jours, écrivit à Lord Warburton une lettre qui appartient à cette histoire :

Cher Lord Warburton, une réflexion sérieuse et poussée ne m'a pas conduite à modifier mon opinion quant à la question que vous avez eu l'amabilité de me poser l'autre jour. Je ne suis réellement et sincèrement pas en mesure de vous envisager sous le jour d'un compagnon de vie ; ni de songer à votre demeure – à vos nombreuses demeures – comme au domicile permanent de mon existence. Ces choses échappent au raisonnement et je vous prie très instamment de ne pas revenir sur le sujet que nous avons traité de façon exhaustive. Nous voyons notre vie de notre point de vue personnel ; c'est le privilège des plus faibles et des plus humbles d'entre nous, et je ne serai jamais capable de voir la mienne de la façon que vous proposez. Veuillez vous satisfaire de cette réponse et faites-moi la grâce de croire que j'ai consacré à votre proposition l'examen profondément respectueux qu'elle mérite. C'est avec cette grande considération que je demeure sincèrement vôtre

Isabel Archer

Tandis que l'auteur de cette missive prenait la décision de l'envoyer, Henrietta Stackpole prenait une résolution qu'elle exécuta sans hésiter. Elle invita Ralph Touchett à se promener avec elle dans le jardin et, après qu'il y eut consenti avec cet empressement qui semblait toujours témoigner de ses grandes espérances, elle lui déclara qu'elle avait une faveur à lui demander. Il nous faut admettre que ces paroles firent sursauter le jeune homme, car il croyait Miss Stackpole très capable de pousser son avantage. Mais cette inquiétude n'était pas fondée ; s'il estimait clairement l'étendue de son indiscrétion, il n'était pas renseigné sur sa profondeur et il lui présenta très courtoisement ses offres de service. Il avait peur d'elle et le lui dit sur-le-champ :

– Quand vous me regardez d'une certaine façon, mes genoux s'entrechoquent et je perds tous mes moyens ; un tremblement s'empare de moi et tout ce que je demande est la force d'exécuter vos ordres. Vous avez un savoir-faire que je n'ai rencontré chez aucune autre femme.

– Eh bien, répondit Henrietta avec entrain, si j'ignorais encore que vous cherchiez systématiquement à me décontenancer, j'en serais à présent avertie. Bien sûr, ayant été élevée selon des coutumes et des idées toutes différentes, je suis une proie facile ; je n'ai pas l'habitude de vos points de vue arbitraires et jamais en Amérique on ne m'a parlé comme vous m'avez parlé. Chez nous, si un gentleman s'adressait à moi sur ce ton, je ne saurais qu'en penser. Nous prenons les choses avec plus de naturel là-bas et, tout compte fait, nous sommes beaucoup plus simples. Je l'admets ; je suis moi-même très simple. Si vous voulez vous moquer de moi, libre à vous, mais je crois, au total, que je préfère ma place à la vôtre. Je suis contente de mon sort et ne souhaite pas en changer. Des tas de gens m'apprécient telle que je suis ; il est vrai qu'il s'agit de braves, jeunes et libres Américains ! conclut Henrietta qui avait adopté depuis peu le ton de l'innocence désarmée et des généreuses concessions. Je souhaite que vous m'aidiez un peu, poursuivit-elle, et peu m'importe que vous vous divertissiez à mes dépens tant que vous me prêterez votre concours ; je suis même parfaitement d'accord pour que cet amusement soit votre récompense. Je voudrais que vous me secondiez à propos d'Isabel.

– Vous a-t-elle blessée ?

– Si c'était le cas, je ne m'en tourmenterais pas et jamais je ne vous l'aurais dit. En fait, j'ai peur qu'elle ne se nuise à elle-même.

– Je crois que c'est très possible.

Miss Stackpole s'arrêta net au milieu de l'allée et fixa sur Ralph le regard entre tous fatal à son courage :

– J'imagine que cela aussi vous divertirait. Vous avez une façon de dire les choses ! Je n'ai jamais rencontré pareille indifférence !

– A l'égard d'Isabel ? Ah non !

– Vous n'êtes pas amoureux d'elle, j'espère.

– Comment le pourrais-je puisque j'en aime une Autre ?

– C'est vous que vous aimez, c'est vous que vous appelez l'Autre ! déclara Miss Stackpole. Grand bien vous fasse ! Mais si vous voulez être sérieux une fois dans votre vie, c'est l'occasion ; et si vous vous souciez vraiment de votre cousine, c'est le moment de le prouver. Je ne m'attends pas à ce que vous la compreniez, ce serait trop demander. Vous n'en avez d'ailleurs pas besoin pour satisfaire à ma requête. Je fournirai l'intelligence nécessaire.

– J'en serai follement heureux! s'écria Ralph. Je serai Caliban et vous serez Ariel.

– Vous n'avez rien d'un Caliban : vous êtes sophistiqué et Caliban ne l'était pas. Mais je ne parle pas de personnages imaginaires; je parle d'Isabel qui est intensément réelle. Et je tiens à vous dire que je la trouve terriblement changée.

– Depuis votre arrivée, voulez-vous dire?

– Depuis et avant mon arrivée; elle n'est plus ce qu'elle était si merveilleusement là-bas.

– Là-bas? En Amérique?

– Oui, en Amérique. Vous savez sans doute qu'elle en vient. Elle n'y peut rien mais c'est ainsi.

– Vous voulez la ramener à son état antérieur?

– Bien sûr, et j'ai besoin de votre aide.

– Je ne suis que Caliban, dit Ralph; je ne suis pas Prospero.

– Vous teniez assez de Prospero pour faire d'elle ce qu'elle est devenue. Vous avez agi sur Isabel Archer depuis son arrivée ici, Mr Touchett.

– Moi, chère Miss Stackpole? Jamais de la vie. Isabel Archer a agi sur moi; elle agit sur tout le monde. Personnellement, je suis demeuré absolument passif.

– Trop passif alors. Vous feriez mieux de vous secouer un peu et d'être plus attentif. Isabel change de jour en jour, elle dérive tout droit vers la mer. Je l'ai observée et je sais ce que je vois. Elle n'est plus la brillante Américaine qu'elle était. Elle voit les choses à partir de points de vue différents et sous un autre jour, elle se détourne de ses anciens idéaux. Je veux sauver ces idéaux, Mr Touchett, et c'est là que vous faites votre entrée.

– Sûrement pas comme un idéal!

– Sûrement pas! répliqua vivement Henrietta. Je vis dans l'angoisse qu'elle n'épouse un de ces Européens féroces et je veux empêcher pareil malheur.

– Ah, je vois, s'écria Ralph. Et pour empêcher ce malheur, vous voulez que j'intervienne et que je l'épouse.

– Pas exactement ; le remède serait pire que le mal car vous êtes le type même de l'Européen cruel dont je veux la sauver. Non, je voudrais que vous vous intéressiez à une autre personne, un jeune homme qu'elle a beaucoup encouragé précédemment et qu'elle semble aujourd'hui trouver indigne d'elle. C'est un homme très remarquable ; c'est aussi pour moi un très cher ami et j'aimerais beaucoup que vous l'invitiez ici.

Ralph fut très intrigué par cette demande et l'on peut difficilement mettre au crédit d'un esprit vraiment pur le fait qu'il ne pût la considérer d'emblée sous le jour le plus simple. Cette requête avait à ses yeux une allure un peu louche et son erreur provenait de ce qu'il avait peine à croire à la réalité d'une démarche aussi candide que le paraissait la requête de Miss Stackpole. Une jeune femme demandait que l'on procurât à un gentleman, désigné comme son très cher ami, l'occasion de se rendre agréable à une autre jeune femme, dont les pensées s'étaient égarées et dont le charme surpassait celui de la solliciteuse ; Ralph voyait là une anomalie qui, pour l'instant, défiait son habileté d'interprète. Il était plus facile de lire entre les lignes que de suivre le texte, et supposer que Miss Stackpole souhaitait que ce gentleman fût invité à Gardencourt dans son intérêt personnel était moins le signe d'un esprit vulgaire que d'un esprit en proie à la confusion. Ralph fut sauvé de cette faute vénielle par une force que je suis obligé de désigner par le terme d'inspiration. Sans plus de clarté sur le sujet qu'il n'en disposait déjà, il acquit soudain la conviction qu'il serait souverainement injuste à l'égard de la correspondante de l'*Interviewer* de prêter à aucun de ses actes un mobile indigne. Cette conviction pénétra son esprit avec une rapidité extrême ; elle s'enflamma peut-être sous l'effet du pur rayonnement du regard imperturbable de la jeune fille. Il soutint délibérément ce défi pendant un moment, en résistant à un besoin de froncer les sourcils tel celui que l'on éprouve face à une vive lumière.

– Qui est le gentleman dont vous parlez ?

– Mr Caspar Goodwood, un Bostonien. Il s'est montré très galant à l'égard d'Isabel et lui est extrêmement attaché. Il l'a suivie en Angleterre et se trouve pour l'instant à Londres. J'ignore son adresse mais je peux me la procurer.

– Je n'ai jamais entendu parler de lui, dit Ralph.

– Vous ne connaissez sans doute pas la terre entière, j'imagine, et je doute également que lui-même vous connaisse. Ce n'est pas une raison pour qu'Isabel ne l'épouse pas.

Ralph émit un rire ambigu :

– Mais c'est une frénésie chez vous de marier les gens ! Vous rappelez-vous l'autre jour, lorsque vous vouliez m'épouser ?

– J'en ai fini avec cela. Vous ne savez pas comment prendre ce genre d'idées. Mr Goodwood le sait, en revanche ; c'est ce que j'aime en lui. C'est un homme superbe et un parfait gentleman ; Isabel le sait.

– Est-elle très éprise de lui ?

– Si elle ne l'est pas, elle devrait l'être. Il ne vit que pour elle.

– Et vous souhaitez que je l'invite ici ? demanda Ralph songeur.

– Ce serait un beau geste d'hospitalité.

– Caspar Goodwood, reprit Ralph, c'est un nom surprenant.

– Je me moque de son nom ! Il pourrait s'appeller Ezekiel Jenkins, je n'en parlerais pas autrement. De tous les hommes de ma connaissance, il est, à mon avis, le seul digne d'Isabel.

– Vous êtes une amie très dévouée, dit Ralph.

– Bien sûr, je le suis. Et si vous entendez pas là m'écraser de votre mépris, je m'en moque.

– Il n'est pas question de mépris ; j'en suis très impressionné.

– Vous voilà plus sarcastique que jamais, mais je vous conseille de ne pas rire de Mr Goodwood.

– Je vous assure que je suis très sérieux ; vous devez le comprendre, dit Ralph.

Cette fois, Miss Stackpole le comprit :

– Je crois que vous l'êtes, dit-elle. Mais maintenant, vous êtes trop sérieux.

– Vous êtes difficile à contenter.

– Oh ! Vous êtes très sérieux, en effet. Vous n'allez pas inviter Mr Goodwood.

– Je ne sais pas, dit Ralph, je suis capable de toutes les excentricités. Parlez-moi de Mr Goodwood. A quoi ressemble-t-il ?

– Au contraire de ce que vous êtes. Il dirige une filature de coton ; très florissante.

– A-t-il de bonnes manières ?

– D'excellentes manières, dans la tradition américaine.

– Serait-il un membre agréable de notre petit cercle ?

– Je ne pense pas qu'il s'intéresserait beaucoup au petit cercle. Il s'occuperait exclusivement d'Isabel.

– Ma cousine apprécierait-elle ?

– Pas du tout, selon toute vraisemblance. Mais cela lui ferait du bien. Elle retrouverait ses idées.

– Où donc sont-elles ?

– En terre étrangère et autres lieux dénaturés. Il y a trois mois, elle a donné à Mr Goodwood de bonnes raisons de croire qu'il était pour elle un mari possible, et il n'est pas digne d'Isabel de trahir un véritable ami pour la seule raison qu'elle a changé de cadre. J'en ai changé, moi aussi, avec pour seul effet que je tiens plus que jamais à mes vieilles attaches. A mon avis, plus vite Isabel retournera chez nous et mieux cela vaudra. Je la connais assez pour savoir qu'elle ne serait jamais vraiment heureuse ici, et je souhaite qu'elle noue un solide lien américain qui la préservera.

– Ne seriez-vous pas un peu trop pressée ? demanda Ralph. Ne croyez-vous pas que vous devriez lui laisser courir un peu plus longtemps sa chance dans cette pauvre Angleterre ?

– La chance de ruiner une jeune et brillante destinée ? On ne se hâte jamais trop quand il s'agit de sauver de la noyade un être humain très précieux.

– Si je vous comprends bien, vous voulez que je pousse Mr Goodwood par-dessus bord pour la sauver. Savez-vous, ajouta Ralph, que je ne l'ai jamais entendue prononcer son nom ?

Henrietta eut un sourire étincelant :

– Je suis ravie de l'apprendre ; cela prouve qu'elle pense beaucoup à lui.

Ralph parut admettre le bien-fondé de cette réflexion et, sous l'œil de la jeune fille qui l'observait à la dérobée, réfléchit un moment avant de déclarer :

– Si j'invitais Mr Goodwood, ce serait pour me bagarrer avec lui.

– Ne vous y risquez pas ; il l'emporterait sur vous.

– Vous faites manifestement de votre mieux pour que je le haïsse ! Je ne crois vraiment pas pouvoir l'inviter. Je craindrais d'être grossier à son égard.

– Comme vous voulez, répliqua Henrietta. J'ignorais que vous aimiez Isabel, vous aussi.

– Le croyez-vous vraiment ? demanda le jeune homme en levant les sourcils.

– Ce sont les paroles les plus naturelles que je vous aie jamais entendu proférer. Évidemment, je le crois, répondit habilement Miss Stackpole.

– Eh bien, conclut Ralph, je vais l'inviter, pour vous prouver que vous vous trompez. Il sera, bien sûr, convié en raison de votre amitié pour lui.

– Il ne l'entendra pas ainsi et, si vous l'invitez, ce ne sera pas pour me prouver que j'ai tort mais pour vous le prouver à vous !

Les derniers mots de Miss Stackpole, sur lesquels ils se séparèrent, recelaient une part de vérité dont Ralph Touchett fut obligé de convenir ; mais l'acuité de cet aveu implicite en fut tellement émoussée que, tout en soupçonnant qu'il serait plus imprudent de tenir sa promesse que de la rompre, il écrivit à Mr Goodwood un mot de six lignes pour exprimer le plaisir qu'éprouverait Mr Touchett père à ce qu'il se joigne au petit cercle de Gardencourt, dont Miss Stackpole était un membre apprécié. Ayant envoyé sa lettre aux bons soins d'un banquier désigné par Henrietta, il attendit non sans impatience. Il venait d'entendre prononcer pour la première fois le nom de cet impétueux et redoutable personnage, car, lorsque sa mère, dès son arrivée, avait mentionné l'existence en Amérique d'un admirateur de la jeune fille, l'idée lui avait semblé dépourvue de réalité et il n'avait pas pris la peine de poser des questions qui auraient entraîné des réponses vagues ou désagréables. A présent, l'admiration dont sa cousine était l'objet dans son pays natal se concrétisait sous la forme d'un jeune homme qui l'avait suivie jusqu'à Londres, s'occupait d'une filature de coton et dont les manières relevaient de la plus splendide tradition américaine. Ralph avait deux théories à propos de cet intervenant. Soit sa passion était une fiction sentimentale de Miss Stackpole – il y a toujours, au nom de la solidarité du sexe, une entente tacite entre les femmes pour se découvrir ou s'inventer mutuellement des amoureux –, auquel cas il n'était pas à craindre et n'accepterait probablement pas l'invitation; soit il l'accepterait et, dans cette éventualité, témoignerait de trop d'absurdité pour mériter plus de considération. La dernière proposition du raisonnement de Ralph pourrait paraître incohérente mais elle exprimait son intime conviction : si Mr Goodwood s'intéressait à Isabel de la façon sérieuse décrite par Miss Stackpole, il n'aurait aucune envie de se présenter à Gardencourt sur une convocation de cette dame. « Selon cette hypothèse, se disait Ralph, il doit la considérer comme une épine sur la tige de sa rose; et, comme médiatrice, il doit trouver qu'elle manque de tact. »

Deux jours après avoir envoyé son invitation, il reçut un mot très bref de Caspar Goodwood qui l'en remerciait, regrettait que d'autres engagements rendissent impossible une visite à Gardencourt et se rappelait au bon souvenir de Miss Stackpole. Ralph tendit la lettre à Henrietta qui la lut et s'exclama :

– Je n'ai jamais rien entendu d'aussi raide !

– Je crains qu'il ne s'intéresse pas autant que vous le croyez à ma cousine.

– Non, ce n'est pas cela; il y a une raison plus subtile. Il a une nature très profonde mais je la sonderai. J'y suis décidée. Je vais lui écrire pour savoir quelles sont ses intentions.

Le refus que Mr Goodwood avait opposé à ses avances déconcerta vaguement Ralph; après qu'il eut décliné l'invitation à Gardencourt, notre ami lui accorda plus d'importance. Qu'importe que les admirateurs d'Isabel fussent des cerveaux brûlés ou des attardés? se disait-il. N'étant pas mes rivaux, ils sont parfaitement libres d'agir selon leur génie propre. Néanmoins, il était très curieux du résultat de l'enquête annoncée par Miss Stackpole sur les raisons de la raideur de Mr Goodwood, curiosité temporairement insatisfaite car, lorsqu'il demanda trois jours plus tard à Henrietta si elle avait écrit à Londres, elle dut avouer qu'elle l'avait fait sans succès. Mr Goodwood n'avait pas répondu.

– Je pense qu'il y réfléchit, dit-elle. Il fait le tour de toutes les questions ; c'est le contraire d'un impulsif. Mais je suis habituée à recevoir le jour même une réponse à mes lettres.

Là-dessus, à tout hasard, elle soumit à Isabel le projet d'une excursion commune à Londres.

– Pour être franche, fit-elle observer, je ne vois pas grand-chose ici et j'ai impression que toi non plus. Je n'ai même pas vu cet aristocrate – comment s'appelle-t-il donc ? – Lord Warburton. Il a l'air de te laisser terriblement tranquille.

– Lord Warburton doit venir demain, je viens de l'apprendre, répondit son amie qui, en réponse à sa lettre, avait reçu un mot du maître de Lockleigh. Tu auras tout loisir de l'inventorier.

– Pour une lettre, il fera sans doute mon affaire, mais qu'est-ce qu'un article quand on doit en rédiger cinquante ? J'ai décrit tous les environs en m'extasiant sur les vieilles femmes et sur les ânes. Tu as beau dire, un paysage ne fera jamais un article vivant. Je dois retourner à Londres pour y découvrir la vraie vie. J'y ai passé trois jours seulement avant de venir ici. A peine le temps d'une prise de contact.

Lors de son voyage de New York à Gardencourt, Isabel avait encore moins vu la capitale anglaise, et la proposition de Henrietta l'enchanta. Elle était curieuse de découvrir les rouages profonds de Londres qui lui était toujours apparu immense et florissant. Les deux amies échafaudèrent ensemble leurs projets et se perdirent en visions romantiques. Elles descendraient dans une vieille auberge pittoresque, une de celles que Dickens avait décrites, et sillonneraient la ville dans de charmants fiacres anglais. Henrietta était femme de lettres, profession qui présente le grand avantage de vous permettre d'aller partout et de tout faire. Elles dîneraient dans un café avant d'aller au théâtre ; elles hanteraient l'Abbaye et le British Museum et dénicheraient les lieux où le Dr Johnson, Oliver Goldsmith et Joseph Addison avaient vécu. Isabel, dont l'enthousiasme croissait, dévoila ces brillantes perspectives à son cousin qui éclata d'un rire très peu révélateur de la sympathie qu'elle espérait.

– Quel délicieux programme ! s'écria-t-il. Je vous conseille d'aller au Duke's Head, à Covent Garden, un bon endroit, sans cérémonie et à l'ancienne mode. Je pourrais aussi vous faire inscrire à mon club.

– Autrement dit, ce n'est pas convenable ! soupira Isabel. Seigneur ! N'y a-t-il donc rien qui soit convenable ici ? Avec Henrietta, je peux sûrement aller partout. Elle n'est pas gênée par les conventions. Elle a parcouru tout le continent américain et saura bien trouver son chemin dans cette île minuscule.

– Alors, dit Ralph, laissez-moi bénéficier de sa protection pour me rendre en ville avec vous. Je n'aurai peut-être plus jamais l'occasion de voyager dans des conditions aussi sûres.

14

Miss Stackpole était toute disposée à partir immédiatement, mais Isabel, nous l'avons vu, avait été avertie d'une nouvelle visite de Lord Warburton à Gardencourt; elle estimait de son devoir de le rencontrer. Il avait laissé passer quatre ou cinq jours avant de répondre à sa lettre, puis avait écrit un mot bref où il s'annonçait pour le déjeuner le surlendemain. Ce dont témoignaient ce délai et ce sursis toucha la jeune fille en lui rappelant ce qu'elle savait : le désir de Lord Warburton d'être patient, plein d'égards et de ne pas paraître exercer sur elle une pression excessive, considération d'autant plus étudiée qu'elle était sûre qu'il l'aimait réellement. Isabel dit à son oncle qu'elle avait écrit à Lord Warburton et l'informa également que celui-ci avait annoncé sa visite. Le jour dit, le vieux monsieur quitta sa chambre plus tôt que d'habitude et fit son apparition à l'heure du lunch. L'idée de surveiller quoi que ce fût était étrangère à son geste, inspiré par la conviction bienveillante que sa présence parmi les convives pourrait aider à couvrir une double échappée, au cas où Isabel voudrait accorder un nouvel entretien à leur noble visiteur. Lord Warburton arriva de Lockleigh en voiture, accompagné de l'aînée de ses sœurs, initiative probablement dictée par des réflexions du même ordre que celles de Mr Touchett. Les deux visiteurs furent présentés à Miss Stackpole qui, lors du repas, se trouva placée près de Lord Warburton. Isabel, qui était nerveuse et redoutait la perspective d'une nouvelle discussion sur une question qu'il avait abordée beaucoup trop tôt, ne pouvait s'empêcher d'admirer la maîtrise et l'entrain du visiteur qui masquaient pratiquement les symptômes d'une préoccupation dont il était naturel qu'elle la lui attribuât puisqu'elle était due à sa présence. Il ne la regardait pas, ne lui parlait pas, et seul le soin qu'il prenait d'éviter ses regards témoignait de son émotion. Il bavardait d'abondance avec les autres convives et semblait manger avec goût et appétit. Miss Molyneux, qui avait un front lisse de religieuse et portait au cou une grande croix d'argent, était manifestement absorbée par Henrietta Stackpole, et ses yeux, braqués sur elle, suggéraient un conflit entre un détachement profond et un émerveillement envieux. Des deux dames de Lockleigh, c'était la préférée d'Isabel ; un monde de calme héréditaire l'habitait. De plus, Isabel était convaincue que ce front suave et cette croix d'argent se rattachaient à quelque bizarre mystère anglican, une délicieuse résurgence peut-être des étonnantes communautés de chanoinesses. Elle se demandait ce que penserait d'elle Miss Molyneux si elle savait qu'Isabel Archer avait refusé d'épouser son frère, mais la certitude lui vint aussitôt que Miss Molyneux ne le saurait jamais et que Lord Warburton n'abordait jamais avec elle ce genre de sujet. Il l'aimait bien, il était aimable avec elle mais, en définitive, ne lui confiait pas grand-chose. Telle était du moins la théorie d'Isabel ; à table, lorsqu'elle n'était pas mêlée à la conversation, elle s'occupait à bâtir des théories à propos de ses voisins. A son avis, si jamais Miss Molyneux apprenait ce qui s'était passé entre elle et Lord Warburton, elle serait probablement scandalisée par l'incapacité de la jeune fille de se hausser dans la société ; ou plutôt, et ce fut la dernière prise de position de notre héroïne, elle imputerait à la jeune Américaine une juste perception de l'inégalité de rang.

Quel que fût le parti qu'Isabel tirait de la situation, Henrietta Stackpole n'était pas du tout disposée à négliger les chances dont elle était comblée.

– Savez-vous que vous êtes le premier lord que j'aie jamais vu ? déclara-t-elle tout à trac à son voisin. Vous devez me trouver atrocement ignorante.

– Cela vous a évité de voir des hommes très laids, répondit distraitement Lord Warburton dont les regards parcouraient la table.

– Vraiment laids ? On essaie de nous faire croire en Amérique qu'ils sont tous beaux et magnifiques et arborent des couronnes et de merveilleux manteaux.

– Les manteaux et les couronnes sont passés de mode, dit Lord Warburton, comme les tomahawks et les revolvers chez vous.

– J'en suis désolée ; je pense qu'une aristocratie se doit d'être splendide, déclara Henrietta. Si ce n'est pas le cas, que lui reste-t-il ?

– Au mieux, pas grand-chose ! admit son voisin. Voulez-vous une pomme de terre ?

– Je n'aime pas beaucoup les pommes de terre européennes. Je n'aurais pas pu vous distinguer d'un gentleman américain ordinaire.

– Faites comme si j'en étais un, dit Lord Warburton. Je me demande comment vous vous débrouillez sans pommes de terre ; vous devez trouver si peu de choses à manger chez nous.

Pendant un instant, Henrietta ne souffla mot ; il était possible que son voisin ne fût pas sérieux.

– Depuis que je suis ici, je n'ai guère d'appétit, dit-elle enfin, si bien que cela n'a pas d'importance. Je ne peux être d'accord avec vous, vous savez. Je sens que je dois vous le dire.

– Vous n'êtes pas d'accord avec moi ?

– Non. J'imagine que personne ne vous a jamais dit pareille chose, n'est-ce pas ? Je n'approuve pas les lords en tant qu'institution. Je pense que le monde les précède, et de loin.

– Moi aussi. Je ne m'approuve pas du tout moi-même. Parfois, il m'arrive de me demander : quelles objections élèverais-je contre moi si je n'étais pas moi ? Comprenez-vous ? Mais, soit dit en passant, ce n'est pas un mal de ne pas être vaniteux.

– Alors, pourquoi ne pas y renoncer ? s'enquit Miss Stackpole.

– Renoncer à quoi ? demanda Lord Warburton opposant une inflexion suave à l'âpreté de la question.

– Renoncer à être lord.

– Oh ! J'en suis un si petit ! On oublierait réellement toute cette histoire si vous, infortunés Américains, ne cessiez de nous la rappeler. Toutefois, je pense abandonner un de ces jours le peu qui en reste.

– J'aimerais vous voir à l'œuvre! s'écria Henrietta d'un ton menaçant.

– Je vous inviterai à la cérémonie; nous aurons un souper et un bal.

– Personnellement, dit Miss Stackpole, j'aime voir les choses sous tous leurs aspects. Je suis contre l'idée d'une classe privilégiée mais j'aimerais entendre ce que ses représentants ont à dire pour leur défense.

– Sacrément peu, comme vous voyez.

– J'aimerais vous faire parler un peu plus, continua Henrietta, mais vous détournez toujours les yeux. Vous avez peur de rencontrer mon regard. Je crois que vous voulez m'échapper.

– Non, je cherche simplement ces pommes de terre que vous dédaignez.

– Parlez-moi, s'il vous plaît, de cette demoiselle, votre sœur. Je la situe mal. Est-elle une lady?

– C'est une excellente fille.

– Je n'aime pas la façon dont vous dites cela, comme si vous vouliez changer de sujet. Sa position est-elle inférieure à la vôtre?

– Nous n'avons ni l'un ni l'autre une position qui vaille la peine qu'on en parle, mais elle est mieux lotie que moi parce qu'elle n'a aucun de mes embêtements.

– En effet, elle n'a pas l'air d'avoir beaucoup d'ennuis. J'aimerais en avoir aussi peu. Quelles que soient vos autres ressources, vous savez produire des gens paisibles ici.

– Eh oui, dans l'ensemble, nous prenons la vie du bon côté, dit Lord Warburton. Et puis, vous savez, nous sommes très ennuyeux. Nous pouvons être très ennuyeux quand nous nous y mettons.

– Inutile d'essayer! Je ne saurais que dire à votre sœur; elle sort tellement de l'ordinaire! Cette croix d'argent est-elle un emblème?

– Un emblème?

– Un symbole de son rang?

Lord Warburton, dont le regard avait beaucoup vagabondé jusqu'alors, le plongea subitement dans celui de sa voisine.

– En effet, dit-il au bout d'un instant, les femmes tiennent à ce genre de choses. La croix d'argent est toujours portée par la fille aînée d'un vicomte.

Telle fut son innocente revanche pour les quelques occasions où sa crédulité lui avait valu de se fourvoyer en Amérique. Après le lunch, il offrit à Isabel d'aller voir les tableaux de la galerie et, tout en sachant qu'il les avait déjà vus vingt fois, elle s'exécuta sans discuter ce prétexte. Elle avait à présent la conscience très tranquille et même, depuis qu'elle lui avait adressé sa lettre, l'esprit particulièrement léger. Lord Warburton traversa la galerie de bout en bout, le regard fixé sur les toiles et la bouche close. Puis, soudain, il éclata :

– J'espérais que vous ne m'écririez pas de cette façon.

– C'était la seule façon possible, Lord Warburton. Essayez de vous en convaincre.

– Si je pouvais y croire, bien sûr, je vous laisserais tranquille. Mais on ne peut croire rien qu'en le voulant ; et j'avoue ne pas comprendre. Je pourrais comprendre que vous ne m'aimiez pas ; cela, oui, je pourrais le comprendre. Mais quand vous reconnaissez que vous...

– Qu'ai-je donc reconnu ? l'interrompit Isabel en pâlissant légèrement.

– Que vous me considériez comme un brave garçon, n'est-ce pas cela ? Et comme elle ne répondait pas, il poursuivit : Vous semblez ne pas avoir de raison, ce qui me donne à moi un sentiment d'injustice.

– J'ai une raison, Lord Warburton, déclara-t-elle sur un ton tel que le cœur du jeune homme se serra.

– J'aimerais beaucoup la connaître.

– Un jour, je vous la dirai, quand il y aura plus de preuves pour en témoigner.

– Pardonnez-moi de vous dire qu'entre-temps je dois en douter.

– Vous me rendez très malheureuse, dit Isabel.

– Je n'en suis pas fâché ; cela peut vous aider à comprendre ce que je ressens. Voulez-vous être assez bonne pour répondre à une question ?

Isabel n'émit aucun assentiment audible mais, apparemment, il vit dans ses yeux ce qui lui donna le courage de poursuivre :

– Me préférez-vous quelqu'un d'autre ?

– C'est une question à laquelle je préfère ne pas répondre.

– C'est donc que vous aimez ! murmura Lord Warburton avec amertume.

Cette amertume émut Isabel qui cria :

– Vous vous trompez ! Je n'aime personne !

Il se laissa choir sans cérémonie sur un banc où il parut vouloir s'incruster, les coudes calés sur ses genoux et les yeux rivés au sol, comme un homme qui souffre.

– Je ne peux même pas m'en réjouir, dit-il enfin en s'adossant au mur, car cela pourrait être une excuse.

Surprise, elle leva les sourcils :

– Une excuse ? Dois-je présenter une excuse ?

Il ne répondit pas à cette question. Une autre idée lui était venue à l'esprit.

– Est-ce à cause de mes opinions politiques ? Pensez-vous que j'aille trop loin ?

– Je n'ai rien à redire à vos opinions politiques parce que je ne les comprends pas.

– Ce que je pense vous indiffère ! s'écria-t-il en se levant. Cela vous est bien égal.

Isabel alla jusqu'à l'autre extrémité de la galerie où elle demeura un instant immobile, offrant à sa vue son dos charmant, sa svelte silhouette, son long cou blanc, sa tête inclinée et la masse de ses cheveux noirs torsadés. Elle s'était arrêtée devant une petite toile, comme si elle souhaitait l'examiner, et il y avait tant de jeunesse et de liberté dans son attitude que sa souplesse même semblait le narguer. Mais les yeux d'Isabel ne voyaient rien car ils s'étaient soudain emplis de larmes. Quand Lord Warburton la rejoignit, elle avait séché ses larmes mais le visage qu'elle tourna vers lui était pâle et son regard étrange.

– Cette raison que je ne pouvais vous dire, je vais quand même vous la confier. C'est que je ne peux échapper à ma destinée.

– Votre destinée ?

– Vous épouser serait essayer de lui échapper.

– Je ne comprends pas. Pourquoi votre destinée ne serait-elle pas de m'épouser aussi bien que n'importe quoi d'autre ?

– Parce que ce n'est pas ma destinée, dit Isabel de façon très féminine. Je sais que cela ne l'est pas. Ma destinée n'est pas de renoncer... je le sais.

Le pauvre Warburton fixait sur elle des yeux dilatés par la perplexité.

– Pour vous, m'épouser équivaudrait à un renoncement ?

– Pas au sens ordinaire du terme. Ce serait obtenir... obtenir énormément. Mais ce serait aussi renoncer à d'autres possibilités.

– Quel genre de possibilités ?

– Je ne veux pas du tout parler de mariage, répondit Isabel qui retrouvait ses couleurs mais s'arrêta net en baissant les yeux et fronçant les sourcils, comme si toute tentative d'élucider sa pensée s'avérait sans espoir.

– Je ne crois pas qu'il soit présomptueux de ma part de suggérer que vous y gagnerez plus que vous n'y perdrez, fit observer Lord Warburton.

– Je ne peux échapper au malheur, dit Isabel, et vous épouser serait un essai dans ce sens.

– Je ne sais pas si vous allez essayer mais vous devriez certainement, je dois l'admettre en toute impartialité ! s'écria-t-il avec un rire nerveux.

– Je ne dois pas, je ne peux pas ! s'écria la jeune fille.

– Si le malheur vous attire, je ne vois pas pourquoi vous me rendriez semblable à vous. Quels que soient les charmes qu'une vie malheureuse exercent sur vous, pour moi elle n'en a aucun.

– Je n'aspire pas du tout au malheur. Je suis depuis toujours fermement déterminée à être heureuse et j'ai souvent cru que je le serais ; je l'ai dit autour de moi ; questionnez mes amis. Mais, de temps à autre, l'idée me traverse que je ne pourrai jamais être heureuse hors de l'ordinaire ; pas en me dérobant, pas en me détachant.

– En vous détachant de quoi ?

– De la vie. Des dangers et des bonheurs courants, de ce que la plupart des gens connaissent, de ce dont ils souffrent.

Lord Warburton eut un sourire, où affleurait l'espoir, et la prudence tempéra l'ardeur de sa démonstration :

– Chère Miss Archer, je ne vous offre pas de vous dispenser des hasards et des périls de la vie. J'aimerais pouvoir le faire, croyez-moi ! Mais pour qui me prenez-vous, je vous prie ? Le Ciel me pardonne, je ne suis pas l'empereur de Chine. Tout ce que je vous offre, c'est une chance de partager le sort commun sans trop d'inquiétude. Le lot commun ? J'y suis voué, comme les autres. Faites alliance avec moi et je vous promets que vous en aurez votre part. Vous n'aurez à vous détacher de rien, pas même de votre amie, Miss Stackpole.

– Elle n'approuverait sûrement pas, dit Isabel en s'efforçant de sourire et de tirer profit de cette échappatoire, tout en se méprisant de le faire.

– Est-ce de Miss Stackpole que nous parlons ? s'impatienta Sa Seigneurie. Je n'ai jamais vu personne juger de tout sur des bases aussi théoriques.

– A présent, je crois bien que c'est de moi que vous parlez, dit humblement Isabel, avant de se détourner car elle avait vu Miss Molyneux entrer dans la galerie en compagnie de Henrietta et de Ralph.

Non sans appréhension, Miss Molyneux alla vers son frère pour lui rappeler qu'elle devait être rentrée pour l'heure du thé car elle attendait des invités à Lockleigh. Plongé dans ses préoccupations personnelles, il ne l'entendit pas, apparemment, et ne répondit pas, si bien que Miss Molyneux resta figée devant lui comme une dame d'honneur devant une tête couronnée.

– Par exemple ! s'écria Henrietta Stackpole à l'adresse de Miss Molyneux. Moi, si je voulais partir, il faudrait qu'il parte. Si je voulais que mon frère fasse ceci ou cela, il faudrait qu'il s'exécute.

– Oh ! Warburton fait tout ce que l'on veut, répondit Miss Molyneux avec un sourire rapide et timoré. Que de tableaux vous avez ! enchaîna-t-elle en se tournant vers Ralph.

– Ils paraissent nombreux parce qu'ils sont trop serrés, répondit Ralph. En fait, c'est une mauvaise présentation.

– Et moi je trouve cela très joli. Je voudrais que nous ayons une galerie à Lockleigh ; j'aime tant les tableaux, continua Miss Molyneux qui persistait à s'adresser à Ralph, craignant peut-être une nouvelle apostrophe de Miss Stackpole qui semblait à la fois la fasciner et l'épouvanter.

– Oui, les tableaux sont bien commodes, dit Ralph qui semblait plus au courant du style de réflexions qui lui convenait.

– Ils sont très agréables quand il pleut, poursuivit Miss Molyneux. Il a tellement plu ces derniers temps.

– Je suis désolée que vous partiez, Lord Warburton, dit Henrietta. J'aurais voulu vous arracher bien davantage.

– Mais je ne pars pas, répondit Lord Warburton.

– Votre sœur dit qu'il le faut. En Amérique, les gentlemen obéissent aux dames.

– Je crains que nous ayons des invités pour le thé, dit Miss Molyneux en regardant son frère.

– Parfait, ma chère, nous y allons.

– J'espérais que vous alliez faire un peu d'opposition ! s'écria Henrietta. Je voulais savoir comment votre sœur aurait réagi.

– Je ne fais jamais rien, dit la jeune fille.

– J'imagine que, dans votre situation, il vous suffit d'exister. J'aimerais beaucoup vous voir chez vous.

– Il faut que vous reveniez à Lockleigh, dit gracieusement Miss Molyneux à Isabel, ignorant délibérément la réflexion de Miss Stackpole.

Isabel plongea son regard dans les yeux sereins, le temps d'apercevoir dans leur gris profond un reflet de tout ce qu'elle avait rejeté en repoussant Lord Warburton : la paix, la bonté, l'honneur, la fortune, une parfaite sécurité et un isolement total. Elle embrassa Miss Molyneux et lui dit :

– Je crains de ne pouvoir jamais y revenir.

– Jamais ?

– Je pense partir bientôt.

– J'en suis vraiment navrée ! dit Miss Molyneux. C'est très mal de votre part.

Après avoir été témoin de ce bref échange, Lord Warburton s'éloigna pour examiner un tableau. Appuyé contre la rampe de protection, Ralph, les mains dans les poches, l'observait depuis un moment.

– J'aimerais vous voir chez vous, dit Henrietta, subitement surgie au côté de Lord Warburton. Je voudrais avoir avec vous un bon entretien ; il y a énormément de questions que je désire vous poser.

– Je serais ravi de vous recevoir, acquiesça le maître de Lockleigh, mais ne suis pas certain de pouvoir répondre à toutes vos questions. Quand viendrez-vous ?

– Quand Miss Archer voudra bien me conduire. Nous envisageons d'aller à Londres mais nous viendrons d'abord chez vous. Je suis déterminée à obtenir satisfaction.

– Si cela dépend de Miss Archer, je crains que vous n'y parveniez pas. Elle ne reviendra pas à Lockleigh ; l'endroit ne lui plaît pas.

– Elle m'a dit que c'est ravissant ! s'écria Henrietta.

Lord Warburton hésita :

– Néanmoins, elle n'y reviendra pas, répéta-t-il. Vous feriez mieux de venir seule.

Henrietta se raidit et ses grands yeux se dilatèrent.

– Feriez-vous pareille proposition à une dame anglaise ? reprocha-t-elle avec douceur.

– Bien sûr ! A condition qu'elle me plaise, répondit Lord Warburton, surpris.

– Mais vous feriez de votre mieux pour qu'elle ne vous plaise pas assez. Miss Archer ne veut pas revenir chez vous parce qu'elle ne veut pas m'y emmener. Je sais ce qu'elle pense de moi et je suppose que vous partagez son avis : je ne devrais pas introduire des personnes réelles.

Lord Warburton perdit pied ; personne ne l'avait mis au courant de la profession de Miss Stackpole et l'allusion lui échappait totalement.

– Miss Archer a dû vous prévenir ! poursuivit Henrietta.

– Me prévenir ?

– N'est-ce pas pour cela qu'elle s'est isolée ici avec vous ? Pour vous mettre en garde ?

– Certes non, ma chère ! répondit impunément Lord Warburton. Notre entretien n'a pas eu ce caractère solennel.

– Néanmoins, vous étiez prodigieusement sur vos gardes. Je pense que c'est dans votre nature et c'est précisément ce que je voulais étudier. Miss Molyneux ne veut pas non plus se compromettre. Vous, en tout cas, continua Henrietta en s'adressant à Miss Molyneux, vous avez été prévenue, mais, pour vous, ce n'était pas nécessaire.

– J'espère que non, fit Miss Molyneux à tout hasard.

– Miss Stackpole prend des notes, expliqua Ralph d'un ton apaisant. Elle excelle à la satire ; elle nous perce à jour et nous devenons sa matière première.

– Je dois avouer que j'ai rarement disposé d'une telle série de mauvais matériaux ! déclara Henrietta dont le regard passa d'Isabel à Lord Warburton puis de ce gentleman à sa sœur et à Ralph. Il y a quelque chose qui ne va pas ; vous êtes aussi lugubres que si vous aviez reçu une dépêche alarmante.

– Vous êtes très perspicace, Miss Stackpole, dit Ralph à voix basse, avec un signe d'intelligence, tout en dirigeant ses hôtes vers la sortie de la galerie. Nous avons tous quelque chose.

Isabel les suivit ; Miss Molyneux qui, décidément, l'aimait énormément, lui avait pris le bras et marchait auprès d'elle sur le parquet ciré. De l'autre côté d'Isabel, Lord Warburton avançait les mains derrière le dos et les yeux baissés. Après un silence, il demanda :

– Est-il vrai que vous partez pour Londres ?

– Je crois que c'est décidé.

– Quand reviendrez-vous ?

– Dans quelques jours mais pour très peu de temps, vraisemblablement, car je vais à Paris avec ma tante.

– Quand vous reverrai-je ?

– Pas avant longtemps, dit Isabel. Un jour ou l'autre, je l'espère.

– L'espérez-vous vraiment ?

– Je l'espère beaucoup.

Il fit quelques pas en silence puis s'arrêta et lui tendit la main :

– Au revoir.

– Au revoir, dit Isabel.

Miss Molyneux l'embrassa de nouveau et Isabel les laissa partir. Puis, au lieu de rejoindre Henrietta et Ralph, elle se retira dans sa chambre ; c'est là qu'avant le dîner, Mrs Touchett, faisant halte sur le chemin du salon, la trouva.

– Autant vous dire, déclara-t-elle, que votre oncle m'a informée de vos relations avec Lord Warburton.

Isabel réfléchit :

– Des relations ? On ne peut parler de relations. C'est même ce qu'il y a de plus bizarre ; il a dû me voir trois ou quatre fois.

– Pourquoi en avez-vous parlé à votre oncle plutôt qu'à moi ? demanda Mrs Touchett d'une voix égale.

Isabel hésita :

– Parce qu'il connaît mieux Lord Warburton.

– Oui, mais moi, je vous connais mieux.

– Je n'en suis pas sûre, fit Isabel en souriant.

– Moi non plus, après tout. Surtout quand vous me gratifiez de cet air suffisant. On dirait que vous êtes enchantée de vous-même et que vous venez de remporter le grand prix ! Je suppose que vous avez refusé la demande en mariage de Lord Warburton parce que vous espérez faire mieux.

– Ah ! Mon oncle n'a pas dit cela ! s'écria Isabel sans cesser de sourire.

15

Il était convenu que les deux jeunes filles se rendraient à Londres sous l'escorte de Ralph, bien que Mrs Touchett fût très peu favorable à ce programme. C'était exactement, dit-elle, le genre de projet que l'on pouvait attendre de Miss Stackpole, et elle demanda s'il était dans les intentions de la correspondante de l'*Interviewer* d'installer ses amis dans sa pension de famille préférée.

– Peu importe où elle nous fera descendre, pourvu qu'il y ait de la couleur locale, déclara Isabel. C'est ce que nous allons chercher à Londres.

– J'imagine qu'une jeune fille qui vient de refuser un lord anglais peut faire n'importe quoi, répliqua sa tante. Après cela, plus besoin de s'embarrasser de vétilles.

– Auriez-vous aimé que j'épouse Lord Warburton ? s'enquit Isabel.

– Évidemment !

– Je croyais que vous détestiez les Anglais.

– Bien sûr, je les déteste. Raison de plus pour nous servir d'eux.

– Est-ce là votre conception du mariage ?

Poussant l'audace, Isabel fit observer à sa tante qu'elle-même semblait s'être peu servie de Mr Touchett.

– Votre oncle n'est pas un aristocrate anglais, répondit Mrs Touchett. Le serait-il, cela ne m'aurait probablement pas empêchée de fixer ma résidence à Florence.

– Croyez-vous que Lord Warburton aurait pu me rendre meilleure que je ne suis ? demanda vivement la jeune fille. Je ne veux pas dire que je sois trop bien pour m'améliorer. Je veux dire... je veux dire... que je n'aime pas assez Lord Warburton pour l'épouser.

– Alors vous avez bien fait de le refuser, dit Mrs Touchett, de sa voix la plus mince et la plus sèche. J'espère seulement que, lors de la prochaine belle demande que vous recevrez, vous vous arrangerez pour qu'elle corresponde à votre niveau.

– Attendons qu'elle se présente avant d'en parler. J'espère beaucoup ne plus en recevoir pour le moment. Cela me bouleverse complètement.

– Vous n'aurez sans doute plus à les redouter si vous adoptez définitivement la vie de bohème. Toutefois, j'ai promis à Ralph de ne pas critiquer.

– Je ferai tout ce que Ralph estimera correct, répondit Isabel. Je lui fais entièrement confiance.

– Sa mère vous en sait gré ! répondit sa tante avec un rire sec.

– Il me semble en effet qu'elle le peut ! riposta impétueusement Isabel.

Ralph l'avait assurée que leur trio pouvait entreprendre la visite des sites de la métropole sans attenter à la décence, mais Mrs Touchett était d'un autre avis. Comme beaucoup de ses compatriotes qui avaient longtemps vécu en Europe, elle avait complètement perdu son doigté originel en ce domaine et sa réaction hostile à la liberté accordée aux jeunes personnes d'outre-Atlantique, tout à fait admissible en soi, avait dégénéré en scrupules excessifs et dénués de sens. Ralph conduisit à Londres leurs invitées, qu'il installa dans un hôtel tranquille situé dans une rue perpendiculaire à Piccadilly. Il avait d'abord pensé qu'elles pourraient descendre à Winchester Square, la grande et morne maison de son père qui, à cette époque de l'année, gisait ensevelie dans le silence et le brun hollandais[1] ; puis il se dit que, le cuisinier étant à Gardencourt, il n'y aurait personne dans la maison pour préparer les repas, si bien que l'hôtel Pratt devint leur gîte. Pour sa part, Ralph prit ses quartiers à Winchester Square où il disposait d'une « tanière » chère à son cœur ; la cuisine froide, par ailleurs, n'effrayait pas un esprit familier de terreurs plus profondes. En fait, il profi-

1. Nom donné à la toile de lin utilisée à l'époque pour confectionner les housses destinées au mobilier. *(N. d. T.)*

tait largement des ressources de l'hôtel Pratt et commençait la journée par une visite matinale à ses compagnes de voyage, pour qui Mr Pratt en personne, le torse bombé sous un vaste gilet blanc, soulevait la cloche de leurs plats. Ralph réapparaissait, selon son expression, après le petit déjeuner, et le trio établissait son programme de distraction pour la journée. Au mois de septembre, exception faite de l'encrassement dû à la saison précédente, Londres arbore un visage blafard, et le jeune homme, qui adoptait à l'occasion le ton de l'excuse, se crut obligé de déclarer aux jeunes filles qu'il n'y avait personne en ville, déclaration qui déclencha la verve de Miss Stackpole.

– Vous voulez dire, je pense, que l'aristocratie n'y est pas, commenta-t-elle. Je pense pour ma part que voici la meilleure preuve que son absence radicale ne nuirait à personne et je trouve la ville aussi peuplée qu'elle peut l'être. Personne en ville, à l'exception de trois ou quatre millions d'habitants! Comment les désignez-vous déjà? La classe moyenne inférieure? Ils représentent seulement la population de Londres et cela ne compte pas.

Ralph déclara qu'en ce qui le concernait l'aristocratie ne laissait pas de vide que Miss Stackpole ne comblât et qu'il était pour l'instant l'homme le plus satisfait du monde. Il disait la vérité car, dans l'immense ville à moitié vide, les jours languides de septembre recelaient un charme indéniable, tout comme une couche de poussière dissimule une gemme de couleur. Lorsqu'il revint chez lui ce soir-là, dans la maison vide de Winchester Square, après des heures passées en compagnie de ses amies également enthousiastes, il s'attarda dans la grande salle à manger sombre, où la bougie qu'il avait prise au passage sur la table du hall constituait tout l'éclairage. Le square était tranquille; la maison était tranquille; quand il ouvrit une des fenêtres pour aérer la pièce, il entendit le crissement lent des bottes d'un policier solitaire. Son propre pas semblait bruyant et sonore dans la pièce vide; on avait enlevé plusieurs tapis et ses déplacements éveillaient un écho mélancolique. Il s'assit dans un fauteuil : la longue table noire reflétait çà et là l'éclat de la petite bougie, et tous les tableaux, pendus aux murs et uniformément foncés, paraissaient flous et incohérents. Une présence fantomatique survivait aux dîners depuis longtemps avalés et aux propos de table vidés de leur actualité. Cette touche de surnaturel n'était peut-être pas étrangère au fait que Ralph avait lâché la bride à son imagination et qu'il s'était incrusté dans son fauteuil bien au-delà de l'heure à laquelle il aurait dû être couché. Il ne faisait rien, il ne lut même pas le journal du soir. J'ai dit qu'il ne faisait rien et maintiens cette formule en dépit du fait qu'il pensait alors à Isabel. Penser à Isabel ne pouvait être pour lui qu'une vaine démarche, qui ne menait à rien et ne profitait à personne. Jamais sa cousine ne lui avait paru si charmante que pendant ces jours où ils sondaient, à la façon des touristes, les profondeurs et les hauts-fonds de la métropole. Isabel n'était que prémisses, conclusions, émotions; avide de couleur locale, elle la découvrait partout. Elle posait tant de questions qu'il n'y suffisait pas et lançait sur les causes historiques et les effets sociaux des théories intrépides qu'il était également incapable de confirmer ou d'infirmer. Ils avaient parcouru plusieurs fois le British Museum, ainsi que le palais de l'art[1], plus lumineux, qui venait de conquérir une vaste surface d'un faubourg moderne au bénéfice d'antiquités variées; ils avaient passé une matinée à l'Abbaye et, de là, avaient embarqué sur un vapeur à un penny qui les avait conduits à la Tour; ils avaient vu des tableaux, de collections publiques ou privées, et s'étaient assis à maintes reprises sous les grands arbres des jardins de Kensington.

Touriste infatigable, Henrietta jugeait de tout avec plus d'indulgence que Ralph n'avait osé l'espérer. En fait, elle fut souvent déçue et Londres eut à souffrir de son éclatant souvenir des points forts de l'idéal civique américain, mais elle s'accommodait des splendeurs défraîchies de la ville et

1. Il s'agit du Crystal Palace, édifié à Hyde Park à l'occasion de la première Exposition universelle de 1851. Transféré à Sydenham en 1854, il abrita jusqu'à sa disparition un musée et une galerie d'art. *(N. d. T.)*

les soupirs ainsi que les exclamations incongrues qu'elle laissait parfois échapper ne tiraient pas à conséquence et ne laissaient pas de trace. En fait, Henrietta n'était pas dans son élément. «Je n'ai pas de sympathie pour les objets inanimés», confia-t-elle à son amie à la National Gallery. Elle se sentait constamment insatisfaite des aperçus fugaces sur la vie privée qui lui avaient été accordés jusqu'à présent, et les paysages de Turner et les taureaux assyriens étaient un pâle substitut des dîners littéraires où elle avait espéré rencontrer tout ce que la Grande-Bretagne compte de génies et de célébrités.

– Où sont vos hommes en vue? Où sont vos intellectuels, hommes et femmes? s'enquit-elle auprès de Ralph, fichée au milieu de Trafalgar Square, comme si elle avait imaginé ce lieu propice à ce genre de rencontre. En voilà un, au sommet de cette colonne. Lord Nelson, dites-vous. Un lord, lui aussi! N'était-il pas assez grand que vous l'ayez perché là-haut, à cent pieds au-dessus du sol? Mais, tout cela, c'est le passé et je n'ai que faire du passé. Je veux rencontrer les grands esprits d'aujourd'hui. Je ne dirai pas du futur parce que je ne crois pas beaucoup en votre futur.

Le pauvre Ralph comptait peu de grands esprits parmi ses relations, et saisir chaleureusement une célébrité par le revers de sa veste était un privilège dont il avait rarement joui; d'après Miss Stackpole, cet état de choses révélait un manque de hardiesse consternant.

– Si j'étais de l'autre côté de l'Atlantique, déclara-t-elle, je me présenterais et je dirais à la célébrité en question, quelle qu'elle soit, que j'ai beaucoup entendu parler d'elle et suis venue afin de la voir de mes propres yeux. Mais je crois comprendre, à travers vos propos, que cela ne peut se faire ici. Il semble que vous ayez quantité de coutumes dénuées de sens mais aucune de celles qui vous aideraient à aller de l'avant. C'est nous qui sommes en avance, certainement. Je crains de devoir renoncer à tout l'aspect social.

Et bien qu'elle sillonnât la ville munie de son guide et de son crayon, bien qu'elle écrivît pour l'*Interviewer* une lettre sur la Tour – elle y décrivait l'exécution de Lady Jane

Grey[1] –, Henrietta remâchait la triste impression de faillir à sa mission

L'événement qui avait précédé le départ d'Isabel de Gardencourt avait laissé une trace douloureuse dans l'esprit de la jeune fille ; quand elle recevait en plein visage, comme une vague récurrente, le souffle froid de la surprise de son dernier prétendant, elle ne pouvait que se voiler la face jusqu'à ce que l'atmosphère s'éclaircît. Elle n'aurait pu faire moins qu'elle n'avait fait ; ce point était acquis. Mais cette nécessité, tout de même, avait été accomplie de façon aussi disgracieuse qu'un geste physique dans une attitude contrainte et Isabel n'était pas tentée de se féliciter de sa conduite. Néanmoins, à cet orgueil blessé se mêlait un sentiment de liberté ; en lui-même, il était doux et, lorsqu'elle sillonnait la grande ville avec ses compagnons mal assortis, il vibrait parfois et s'épanchait à travers d'étonnantes démonstrations. Lorsqu'elle passait par les jardins de Kensington, elle arrêtait les enfants qui jouaient sur les pelouses, en général les plus misérables ; elle leur demandait leur nom, leur distribuait des pièces de six pence et, s'ils étaient jolis, elle les embrassait. Ralph observait ces curieuses aumônes ; il observait tout ce qu'elle faisait. Un après-midi, pour les distraire, il invita les jeunes filles à prendre le thé à Winchester Square où il arrangea de son mieux la maison en vue de leur visite. Un vieil ami de Ralph, qui était en ville à ce moment-là, avait été invité pour les rencontrer, un aimable célibataire pour qui des échanges spontanés avec Miss Stackpole ne présentaient apparemment ni difficulté ni appréhension. Quadragénaire souriant, solide, onctueux, admirablement habillé et universellement informé, Mr Bantling s'amusait de tout et de rien, et riait à gorge déployée dès que Henrietta ouvrait la bouche ; il lui servit plusieurs tasses de thé, tout en examinant en sa compagnie le volumineux *bric-à-brac* dont Ralph était propriétaire ; puis, lorsque leur hôte proposa d'aller

---

1. Jane Grey (Lady Jane), arrière-petite-fille de Henri VII Tudor, régna neuf jours à l'âge de seize ans ; détrônée par Marie Ire Tudor, sa tante, elle fut décapitée sur l'ordre de celle-ci à l'âge de dix-sept ans en 1554. *(N. d. T.)*

s'installer dans le square pour une *fête champêtre*, il fit plusieurs fois avec elle le tour de l'enclos; au douzième tour de conversation, il se saisit avec chaleur de ses remarques à propos de la vie privée, sujet qui lui inspirait une passion manifeste.

– Je vois, vous avez dû trouver Gardencourt très tranquille. Naturellement, on ne peut pas y faire grand-chose avec la maladie qui rôde. Touchett est très mal, vous savez; les médecins lui ont défendu de séjourner en Angleterre et il n'est revenu que pour s'occuper de son père. Le vieux monsieur souffre d'une demi-douzaine de maux. On parle de goutte mais je sais pertinemment qu'il s'agit d'une maladie organique si avancée que l'on peut s'attendre à le voir disparaître rapidement d'un jour à l'autre. Évidemment, il y a de quoi attrister une maison; je m'étonne qu'ils reçoivent des invités alors qu'ils peuvent faire si peu pour eux. Je crois aussi que Mr Touchett est toujours en froid avec sa femme; elle vit loin de son mari, vous savez, selon votre extraordinaire façon américaine. Si vous voulez voir une maison où il se passe toujours quelque chose, je vous conseille d'aller chez ma sœur, Lady Pensil, dans le Bedfordshire. Je lui écrirai demain et je suis sûr qu'elle sera ravie de vous inviter. Je sais ce qu'il vous faut : une maison où l'on organise des représentations théâtrales, des pique-niques et d'autres distractions du même genre. Ma sœur est exactement ce type de personne, toujours en train de mettre sur pied ceci ou cela, et elle est toujours contente d'avoir chez elle des amis disposés à l'aider. Je suis certain qu'elle va vous inviter par retour du courrier; elle raffole des personnages de marque et des écrivains. Elle écrit, vous savez, mais je n'ai pas lu toutes ses œuvres. Généralement, ce sont des poèmes et je ne suis pas très porté sur la poésie, mis à part celle de Byron. Je suppose que vous faites grand cas de Byron en Amérique, poursuivit Mr Bantling, stimulé par l'attention de Miss Stackpole.

Il introduisait rapidement ses sujets et en changeait très adroitement. Cependant, il gardait de façon très affable l'œil fixé sur la perspective, éblouissante pour Henrietta, de son séjour chez Lady Pensil.

– Je comprends ce que vous voulez : découvrir des divertissements typiquement anglais. Les Touchett ne sont pas du tout anglais, vous savez ; ils ont leurs propres habitudes, leur propre langue, leur propre cuisine et même, je crois, une drôle de religion de leur cru. Le vieux gentleman estime que chasser est scandaleux, m'a-t-on dit. Il faut que vous arriviez chez ma sœur à temps pour la saison théâtrale et je suis convaincu qu'elle sera heureuse de vous confier un rôle. Je suis sûr que vous jouez bien ; je sais que vous êtes très intelligente. Ma sœur a quarante ans et sept enfants, mais elle va jouer le rôle principal. Elle n'est pas belle mais je dois dire en sa faveur qu'elle sait admirablement se faire la tête du rôle. Bien entendu, vous ne serez pas obligée de jouer si vous n'en avez pas envie.

Ainsi s'exprimait Mr Bantling tout en foulant le gazon de Winchester Square, qui, malgré la suie londonienne dont il était saupoudré, invitait à ralentir l'allure. Henrietta trouvait beaucoup d'agrément au florissant célibataire à la voix insouciante, à sa sensibilité aux mérites de la femme et à la gamme splendide de ses suggestions ; elle appréciait aussi la chance qu'il lui offrait.

– Je ne sais pas encore, mais, si votre sœur me le demande, il faudra que j'y aille. Je pense que c'est mon devoir. Rappelez-moi son nom, voulez-vous ?

– Pensil ; c'est un nom bizarre mais c'est un beau nom.

– Pour moi, un nom en vaut un autre. Et quel est son rang ?

– Elle a épousé un baron. C'est un rang très commode. Vous êtes juste noble, mais pas trop.

– Je me demande si elle ne sera pas trop bien pour moi. Et elle habite, m'avez-vous dit, le Bedfordshire.

– Oui, à l'extrémité nord du comté. C'est un pays ennuyeux mais je crois que vous n'y ferez pas attention. J'essayerai d'y faire un tour quand vous y serez.

Ces perspectives plaisaient beaucoup à Miss Stackpole qui regrettait d'avoir à se séparer si vite de l'aimable frère de Lady Pensil. Mais elle avait rencontré la veille dans Piccadilly des amies qu'elle n'avait pas vues depuis un an, les deux

Misses Climber, de Wilmington, Delaware, qui revenaient d'un voyage sur le Continent et s'apprêtaient à rembarquer. Henrietta avait longuement bavardé avec elles sur le trottoir de Piccadilly et, bien que les trois dames eussent parlé en même temps, elles n'avaient pas épuisé leur stock. Elles étaient donc convenues que Henrietta dînerait avec elles le lendemain à six heures, dans leur logement de Jermyn Street, et Henrietta songeait maintenant à son rendez-vous. Avant de partir, elle prit d'abord congé de Ralph Touchett et d'Isabel qui, sur des chaises de jardin à l'autre bout de l'enclos, échangeaient des civilités moins orientées que le colloque pratique de Miss Stackpole et de Mr Bantling. Après avoir fixé l'heure convenable à laquelle Isabel et son amie se retrouveraient à l'hôtel Pratt, Ralph fit observer que Miss Stackpole devait prendre un fiacre. Elle ne pouvait aller à pied jusqu'à Jermyn Street.

– Ce qui veut dire sans doute qu'il n'est pas correct que je me promène seule ! s'écria Henrietta. Dieu tout-puissant ! A quoi suis-je donc réduite !

– Nul besoin que vous partiez seule, s'interposa gaiement Mr Bantling. Je serais ravi de vous accompagner.

– Je voulais simplement dire que vous seriez en retard pour le dîner, expliqua Ralph. Et ces pauvres dames pourraient croire que nous avons, à la dernière minute, refusé de nous séparer de vous.

– Henrietta, tu ferais mieux de prendre un fiacre, dit Isabel.

– Si vous me faites confiance, je vous en trouverai un, proposa Mr Bantling. Nous pouvons marcher un peu jusqu'à ce que nous en croisions un.

– Je ne vois pas pourquoi je ne lui ferais pas confiance. Qu'en penses-tu ? demanda Henrietta à son amie.

– Je ne vois pas ce que Mr Bantling pourrait te faire, répondit obligeamment Isabel. Mais, si tu le souhaites, nous allons vous accompagner jusqu'à ce que vous trouviez une voiture.

– Jamais de la vie ! Nous partons tous les deux. Allons-y, Mr Bantling, et tâchez de me trouver un bon fiacre.

Mr Bantling promit de faire de son mieux et ils s'éloignèrent, laissant Isabel et son cousin dans le square, lentement envahi par un clair crépuscule de septembre. Un calme parfait y régnait; pas une lumière n'illuminait les fenêtres du vaste carré de sombres demeures dont stores et volets étaient clos; les trottoirs déroulaient leurs étendues désertes et, mis à part deux bambins venus d'un taudis voisin, attirés par l'animation inusitée du square et qui passaient la tête entre les barreaux rouillés de la grille, l'objet le plus marquant du lieu était la grosse boîte aux lettres rouge, située à l'angle sud-est.

– Henrietta va lui demander de monter dans le fiacre et d'aller avec elle jusqu'à Jermyn Street, fit observer Ralph qui désignait toujours Miss Stackpole par son prénom.

– C'est bien possible, dit Isabel.

– Non, ce n'est pas cela. C'est Bantling qui lui demandera la permission de grimper dans la voiture.

– Très possible également. Je suis heureuse qu'ils soient bons amis.

– Elle a fait sa conquête. Il la trouve très brillante. Cela peut aller loin.

Isabel médita un moment :

– Henrietta est incontestablement une femme brillante mais je ne crois pas que cela ira loin. Jamais ils ne se connaîtront vraiment. Il n'a pas la moindre idée de ce qu'elle est en réalité, et elle ne le comprend pas mieux.

– L'incompréhension mutuelle est le fondement le plus courant des unions. Encore qu'il ne doive pas être très difficile de comprendre Bob Bantling, répondit Ralph. C'est un organisme assez simple.

– Oui, mais celui de Henrietta l'est encore plus. Et maintenant, je vous prie, que vais-je faire? demanda Isabel regardant le paysage limité du square auquel le jour déclinant prêtait une apparence vaste et saisissante. Je ne pense pas que vous me proposiez, en guise de distraction, une promenade commune en fiacre à travers Londres.

– Pourquoi ne resterions-nous pas ici? A moins que cela ne vous déplaise. Il fait très chaud; nous avons encore une demi-heure de jour et, si vous le permettez, j'allumerais volontiers une cigarette.

– Faites tout ce qu'il vous plaira, dit Isabel, à condition de me distraire jusqu'à sept heures. J'ai l'intention de retourner à l'hôtel pour y savourer un repas simple et solitaire : deux œufs pochés et un muffin.

– Ne puis-je dîner avec vous ? demanda Ralph.

– Non, vous dînerez à votre club.

En flânant, ils avaient regagné leurs chaises au centre du square et Ralph avait allumé une cigarette. Cela lui aurait fait un extrême plaisir de participer au modeste festin qu'elle venait d'évoquer mais, à défaut de cette joie, il aimait le fait qu'elle lui fût interdite. Pour l'instant, il appréciait infiniment d'être seul avec sa cousine, dans l'ombre croissante, au cœur de la ville innombrable, alors que la nuit tombait; il semblait que la jeune fille dépendait de lui et qu'elle était en son pouvoir. Il ne pouvait d'ailleurs exercer ce pouvoir que de façon imprécise; la meilleure manœuvre consistait à se soumettre à ses décisions et il y avait déjà une émotion à le faire.

– Pourquoi ne voulez-vous pas me laisser dîner avec vous ? demanda-t-il après une pause.

– Parce que je n'en ai pas envie.

– Je suppose que vous êtes fatiguée de ma compagnie.

– Je le serai dans une heure. Vous voyez, j'ai le don de prescience.

– D'ici là, je serai exquis ! promit Ralph.

Mais il n'en dit pas plus long et, comme elle ne répondait pas, ils demeurèrent quelque temps plongés dans une quiétude qui semblait démentir la promesse du jeune homme. Sa cousine lui paraissait préoccupée et il s'interrogeait sur l'objet de ses réflexions; deux ou trois sujets lui semblaient plausibles et il finit par demander :

– Votre objection à ma présence ce soir est-elle due au fait que vous attendez un autre visiteur ?

– Un autre visiteur ? dit-elle en tournant vers lui ses beaux yeux clairs. Quel autre visiteur pourrais-je attendre ?

Il n'en avait aucun à suggérer, si bien qu'il ressentit sa question comme aussi sotte que brutale.

– Vous avez beaucoup d'amis que je ne connais pas. Et tout un passé dont je suis exclu de façon très contrariante.

– Vous étiez réservé à mon avenir ! Il faut vous rappeler que mon passé est demeuré outre-Atlantique. Il n'y en a pas trace à Londres.

– Alors, tout est pour le mieux puisque votre avenir est assis à votre côté. C'est un point capital d'avoir son avenir sous la main.

Tout en allumant une autre cigarette, Ralph songeait qu'Isabel voulait probablement dire qu'elle avait appris le départ de Mr Caspar Goodwood pour Paris. Il souffla quelques bouffées avant de reprendre :

– Je viens de vous promettre d'être très amusant ; comme vous le voyez, ma prestation laisse à désirer. En réalité, il est proprement téméraire d'entreprendre de distraire une personne comme vous. Quel cas faites-vous de mes pauvres tentatives ? Vous visez très haut dans ce domaine ! J'aurais dû convoquer un orchestre ou une troupe de saltimbanques.

– Un saltimbanque suffit et vous excellez dans le rôle. Je vous en prie, continuez. Dix minutes de plus et je commence à rire.

– Je suis sérieux, dit Ralph. Vous avez vraiment de grandes exigences.

– Je ne vois pas ce que vous voulez dire. Je ne demande rien.

– Vous n'acceptez rien, dit son cousin.

Isabel rougit et, soudain, il lui sembla deviner ce qu'il voulait dire. Mais pourquoi lui parlerait-il de cela ? Il hésita un instant avant de reprendre.

– Il y a quelque chose que je voudrais beaucoup vous dire. C'est une question que je souhaite vous poser. Il me semble en avoir le droit, parce que la réponse présente pour moi un intérêt particulier.

– Demandez ce que vous voulez, répondit doucement Isabel. J'essaierai de vous satisfaire.

– Alors, j'espère que vous ne m'en voudrez pas de vous dire que Lord Warburton m'a parlé de ce qui s'était passé entre vous.

Isabel réprima un tressaillement et garda les yeux fixés sur son éventail ouvert :

– Fort bien. J'imagine qu'il était naturel qu'il vous le dise.

– Il m'a autorisé à vous le faire savoir. Il garde encore espoir, dit Ralph.

– Encore ?

– Il en avait, du moins, il y a quelques jours.

– Je pense qu'à présent, il n'en a plus, dit la jeune fille.

– J'en suis navrée pour lui ; c'est un si honnête homme.

– Vous a-t-il prié de me parler ?

– Non. Il s'est ouvert à moi parce qu'il ne pouvait faire autrement. Nous sommes de vieux amis et il est profondément déçu. Il m'avait envoyé un mot pour me demander de venir le voir et je me suis précipité à Lockleigh la veille du jour où il est venu déjeuner avec sa sœur. Il avait le cœur très lourd ; il venait de recevoir votre lettre.

– Vous a-t-il montré la lettre ? demanda Isabel, soudain hautaine.

– Bien sûr que non. Mais il m'a dit que c'était un refus. J'en suis navré pour lui, répéta Ralph.

Après un moment de silence, Isabel demanda :

– Savez-vous combien de fois il m'a vue ? Cinq ou six !

– C'est tout à votre honneur.

– Ce n'est pas pour cela que je le dis.

– Alors, pourquoi le dites-vous ? Ce n'est pas pour démontrer que les sentiments du pauvre Warburton étaient superficiels, car je suis bien certain que vous n'en croyez rien.

Isabel était évidemment dans l'incapacité de le nier mais, éludant la réponse, elle déclara :

– Si Lord Warburton ne vous a pas chargé d'en débattre avec moi, vous le faites de façon désintéressée, ou par amour de la controverse.

– Je n'ai aucune envie de discuter avec vous. Je désire vous laisser en paix. Je m'intéresse simplement beaucoup à vos sentiments.

– Mille mercis ! s'écria Isabel avec un rire un peu contraint.

– Bien sûr, vous voulez dire que je me mêle de ce qui ne me regarde pas. Mais pourquoi ne pourrais-je parler avec vous de cette affaire sans vous fâcher ni me sentir moi-même embarrassé ? A quoi bon être votre cousin si je n'en retire quelque privilège ? A quoi bon vous adorer sans espoir de retour, si je n'ai pas quelques compensations ? A quoi bon être malade, invalide et condamné à vivre en simple spectateur de la vie si je ne peux réellement voir le spectacle dont le billet m'a coûté si cher ? Dites-moi, termina Ralph, que sa cousine écoutait à présent avec une attention aiguë, qu'aviez-vous en tête lorsque vous avez refusé la demande de Lord Warburton ?

– Ce que j'avais en tête ?

– Quelle était la logique, la vision de votre situation, qui a dicté une décision si remarquable ?

– Je n'avais pas envie de l'épouser. Est-ce logique ?

– Non, ce n'est pas logique et je le savais déjà. Ce n'est vraiment rien, croyez-moi. Que vous êtes-vous dit à vous-même ? Plus long que cela, certainement.

Isabel réfléchit un moment puis répondit en posant une question bien à elle :

– Pourquoi parlez-vous de décision remarquable ? C'est aussi ce que pense votre mère.

– Warburton est un homme si accompli ; je considère qu'il n'a pas vraiment de défaut. Et puis, comme on dit familièrement ici, ce n'est pas le dernier des aristos. Il a des biens immenses et sa femme serait considérée comme un être supérieur. Il réunit les avantages intrinsèques et extrinsèques.

Isabel regardait son cousin comme si elle essayait de se rendre compte jusqu'où il irait :

– Alors, j'ai refusé sa demande parce qu'il est trop parfait. Moi-même ne le suis pas et il est trop bon pour moi. D'ailleurs, sa perfection m'aurait exaspérée.

– La réponse est plus ingénieuse que sincère, dit Ralph. En réalité, vous estimez qu'il n'est rien au monde de trop parfait pour vous.

– Croyez-vous que je le mérite ?

– Non, mais vous n'en êtes pas moins exigeante, sans l'excuse de penser que vous le méritez. Sur vingt femmes parmi les plus difficiles, dix-neuf se seraient arrangées pour se satisfaire de Warburton. Peut-être ignorez-vous à quel point il a été pourchassé.

– Je ne désire pas le savoir. Mais il me semble qu'un jour où vous me parliez de lui, vous avez signalé des traits surprenants sur son compte.

– J'espère que mes propos n'ont pas influé sur vous, repartit Ralph, car je ne vous ai pas parlé de défauts mais de simples particularités dues à sa situation. Si j'avais su qu'il souhaitait vous épouser, jamais je n'y aurais fait allusion. Je crois vous avoir dit qu'il était plutôt sceptique à propos de sa situation. Il aurait été en votre pouvoir de faire de lui un convaincu.

– Je ne le crois pas. Je ne comprends pas ce dont il s'agit et ne me sens aucune vocation de ce genre. Vous êtes manifestement déçu, ajouta Isabel, gentiment compatissante, en regardant son cousin. Vous auriez aimé que je fasse un tel mariage.

– Absolument pas. Je n'ai aucun désir dans ce domaine. Je n'ai pas la prétention de vous donner de conseils et me contente de vous observer avec le plus profond intérêt.

Isabel soupira sans retenue :

– J'aimerais être aussi intéressante pour moi que je le suis pour vous.

– Une fois de plus, vous n'êtes pas sincère : vous êtes très intéressée par votre personne. Croyez cependant que si vous avez réellement donné à Warburton une réponse définitive, je suis plutôt heureux qu'elle ait été ce qu'elle fut. Je ne veux pas dire bien sûr que j'en sois heureux pour vous, et moins encore pour lui. J'en suis heureux pour mon compte personnel.

– Songeriez-vous à me demander en mariage ?

– Jamais de la vie. Du point de vue dont je parle, ce serait une erreur fatale. Je tuerais le volatile qui me fournit le matériau de mes omelettes inimitables. J'utilise cet animal comme symbole de mes folles illusions. Je veux dire que je vais pouvoir observer, tout frissonnant d'émotion, ce que va faire une jeune fille qui ne veut pas épouser Lord Warburton.

– Votre mère aussi compte là-dessus, dit Isabel.

– Le public sera très nombreux ! Nous suivrons en haletant la suite de votre carrière. Je n'y assisterai pas jusqu'au bout mais j'en verrai probablement les années les plus intéressantes. Bien sûr, si vous épousiez notre ami, vous auriez encore une carrière, très acceptable et même très brillante. Mais, à tout prendre, elle serait un peu prosaïque, définitivement jalonnée d'avance et plutôt dénuée d'imprévu. Vous savez que j'adore l'imprévu et, puisque vous avez conservé votre jeu en main, je compte sur vous pour nous en donner un bel exemple.

– Je ne vous comprends pas bien, dit Isabel, assez cependant pour être en mesure de vous dire que, si vous attendez de moi de grands exemples, quel qu'en soit le domaine, je vous décevrai.

– Vous ne pourrez le faire qu'en vous décevant vous-même et vous en souffrirez !

Isabel ne répondit pas directement à cette remarque de Ralph qui exprimait une part de vérité digne de considération. Mais elle finit par dire d'un ton abrupt :

– Je ne vois pas quel mal il peut y avoir dans mon désir de ne pas me ligoter moi-même. Je ne veux pas commencer ma vie en me mariant. Une femme peut faire d'autres choses.

– Il n'est rien cependant qu'elle puisse faire aussi bien. Mais, bien sûr, vous avez tant de facettes !

– Il suffit d'en avoir deux, déclara Isabel.

– Vous êtes le plus charmant des polygones ! s'exclama Ralph en riant.

Mais un regard de la jeune fille lui rendit sa gravité et, pour la manifester, il reprit :

– Vous voulez voir la vie et vous voulez bien être pendue, comme disent les jeunes gens, si vous n'y parvenez pas.

– Je ne crois pas que je veuille la voir à la manière des jeunes gens mais je veux absolument regarder autour de moi.

– Et vider la coupe de l'expérience.

– Non, je ne veux pas y toucher. C'est une boisson empoisonnée ! Je veux seulement voir par moi-même.

– Voir mais pas sentir, fit observer Ralph.

– Je ne pense pas qu'un être sensible puisse faire cette distinction. Je ressemble beaucoup à Henrietta. L'autre jour, je lui ai demandé si elle souhaitait se marier; elle m'a répondu : «Pas avant d'avoir vu l'Europe!» Moi non plus, je ne veux pas me marier avant d'avoir vu l'Europe.

– Vous vous attendez évidemment à ce qu'une tête couronnée s'éprenne de vous.

– Non, ce serait pire qu'épouser Lord Warburton. Mais il commence à faire très sombre, enchaîna Isabel. Je dois rentrer.

Elle se leva tandis que Ralph, immobile, la regardait. A son tour, elle s'immobilisa et ils échangèrent un regard qui débordait, chez l'un et l'autre mais surtout chez Ralph, de sentiments trop imprécis pour être exprimés à travers les mots.

– Vous avez répondu à ma question, dit-il enfin; vous m'avez appris ce que je voulais savoir. Je vous en suis très obligé.

– Il me semble vous avoir bien peu dit.

– Vous m'avez révélé une grande chose : le monde vous intéresse et vous voulez vous y jeter.

Les yeux argentés de la jeune fille luirent un moment dans la pénombre.

– Je n'ai jamais dit cela.

– Je pense que c'est ce que vous vouliez dire. Ne vous en défendez pas. C'est si beau.

– Je ne sais ce que vous essayez de m'attribuer; je n'ai aucun goût pour l'aventure. Les femmes ne sont pas comme les hommes.

Ralph se leva lentement et ils marchèrent côte à côte jusqu'à la grille du square.

– Non, dit-il, contrairement aux hommes qui s'en vantent souvent, les femmes s'enorgueillissent rarement de leur courage.

– Les hommes en ont pour s'en vanter.

– Les femmes en ont aussi. Vous en avez beaucoup!

– Assez pour retourner en fiacre à l'hôtel Pratt. Pas davantage!

Ralph ouvrit la grille qu'il referma derrière eux.

– Allons chercher votre fiacre, dit-il.

Ils obliquèrent en direction d'une rue voisine où cette recherche avait des chances de succès et, de nouveau, il demanda à Isabel de lui permettre de la ramener saine et sauve à l'hôtel.

– Sûrement pas, répondit-t-elle. Vous êtes très fatigué ; il faut rentrer chez vous et vous coucher.

Ils trouvèrent un fiacre ; il aida Isabel à y monter et s'attarda un instant devant la portière.

– Quand on oublie que je suis un pauvre être, dit-il, je suis souvent dans l'embarras. Mais c'est bien pis lorsque l'on s'en souvient.

16

Aucun mobile caché n'avait inspiré le désir d'Isabel d'empêcher son cousin de la raccompagner ; elle s'était seulement rendu compte que, depuis quelques jours, elle avait abusé de son temps ; guidée par son indépendance de jeune Américaine qu'une aide excessive enferme dans une attitude qu'elle finit par trouver « affectée », elle avait décidé de se suffire à elle-même pendant ces quelques heures. Elle avait d'ailleurs un goût prononcé pour les moments de solitude dont elle avait rarement bénéficié depuis son arrivée en Angleterre. C'était un luxe qu'elle avait toujours pu s'offrir chez elle et qui lui manquait. Mais, ce soir-là, survint un incident qui, aux yeux d'un observateur, aurait totalement discrédité la théorie d'après laquelle le désir d'Isabel de se suffire à elle-même l'avait conduite à se passer de la présence de son cousin. Vers neuf heures, malgré le pâle éclairage de l'hôtel Pratt, elle s'efforçait grâce à deux longues bougies de se perdre dans un ouvrage apporté de Gardencourt, sans grand succès car aux mots imprimés sur la page se substituaient ceux que Ralph avait prononcés dans l'après-midi. Soudain, le coup discret du garçon d'étage résonna à la porte et fut suivi de la présentation d'une carte de visite, offerte comme un glorieux trophée. Lorsque le *memento* eut imposé à son regard fixe le nom de Caspar Goodwood, Isabel laissa le garçon debout devant elle sans lui signifier sa décision.

– Dois-je faire monter ce gentleman, madame ? demanda-t-il avec une inflexion légèrement encourageante.

Isabel s'interrogeait encore et, tout en hésitant, jeta un coup d'œil vers le miroir :

– Il peut entrer, dit-elle enfin.

Elle attendit, moins soucieuse de lisser ses cheveux que de fortifier son esprit.

En conséquence, un instant plus tard, Caspar Goodwood lui serrait la main, mais il n'ouvrit pas la bouche avant que le garçon eût quitté la pièce.

– Pourquoi n'avez-vous pas répondu à ma lettre? demanda-t-il alors d'une voix pleine, rapide et légèrement péremptoire, le ton d'un homme capable de beaucoup d'insistance et habitué à poser des questions acérées.

La réponse d'Isabel était toute prête :

– Comment avez-vous su que j'étais ici?

– Miss Stackpole me l'a fait savoir, dit Caspar Goodwood. Elle m'a dit que vous seriez probablement seule ce soir à l'hôtel, et que vous consentiriez à me recevoir.

– Quand vous a-t-elle donc vu pour vous dire cela?

– Elle ne m'a pas vu; elle m'a écrit.

Isabel se tut. Elle ne s'était pas assise; ils étaient debout tous deux, l'air méfiant, voire hostile.

– Henrietta ne m'a jamais dit qu'elle vous écrivait, dit-elle enfin. Ce n'est pas très gentil de sa part.

– Vous est-il si désagréable de me voir? demanda le jeune homme.

– Je ne m'y attendais pas et je n'aime pas ce genre de surprise.

– Mais vous saviez que j'étais à Londres; il était normal que nous nous rencontrions.

– Vous appelez cela une rencontre? J'espérais ne pas vous voir. Dans une si grande ville, c'était très possible.

– Apparemment, vous éprouviez la même répugnance à m'écrire, insista le visiteur.

Isabel ne répondit pas; la trahison de Henrietta Stackpole – c'est ainsi que, sur le moment, elle qualifia sa conduite – lui pesait lourdement.

– Henrietta n'est pas un modèle de délicatesse, s'écria-t-elle avec amertume. Elle a pris une grande liberté.

– Je ne pense pas être non plus un modèle de délicatesse ou d'autres vertus. Je suis aussi fautif qu'elle.

Comme Isabel levait les yeux sur lui, il lui sembla que jamais sa machoîre n'avait été si carrée. La chose aurait pu lui déplaire mais son esprit s'orienta vers une autre direction.

– Non, vous êtes moins fautif qu'elle. Je suppose que ce que vous avez fait était inévitable ; pour vous.

– En effet, s'écria Caspar Goodwood avec un rire spontané. Quoi qu'il en soit, maintenant que je suis là, puis-je rester ?

– Bien sûr. Asseyez-vous.

Elle revint s'asseoir dans le fauteuil qu'elle avait quitté tandis que son visiteur prenait le premier siège venu, en homme peu habitué à réfléchir à ce genre de stratégie.

– Je n'ai cessé d'espérer jour après jour une réponse à ma lettre. Vous auriez pu m'envoyer quelques lignes.

– Ce n'est pas l'ennui d'écrire qui m'a retenue. Je vous aurais aussi aisément écrit quatre pages qu'une seule. Mon silence était délibéré. J'ai pensé que c'était la meilleure solution.

Il avait gardé les yeux fixés sur elle tandis qu'elle parlait ; puis il les baissa et les riva sur un dessin du tapis, comme s'il faisait un effort puissant pour ne dire que ce qu'il devait dire. C'était un homme énergique dans l'adversité mais il était assez fin pour comprendre qu'une manifestation intempestive de violence ne ferait que souligner combien sa situation était fausse. Isabel était capable de percevoir tous les avantages de sa position sur un homme de cette trempe et, quoique peu désireuse de les étaler sous ses yeux, elle aurait adoré être en mesure de lui dire : « Vous savez bien que vous n'auriez pas dû écrire le premier ! » ; de le lui dire avec l'accent du triomphe.

Caspar Goodwood leva de nouveau vers elle des yeux qui, semblait-il, brillaient sous la visière d'un casque. Doté d'un sens très fort de la justice, il était toujours prêt à discuter la question de ses droits :

– Vous avez dit que vous espériez ne plus jamais entendre parler de moi. Je le sais. Mais je n'ai jamais admis que cette règle fût mienne. Je vous avais prévenue que vous auriez bientôt de mes nouvelles.

– Je n'ai pas dit que j'espérais ne plus jamais entendre parler de vous, dit Isabel.

– Alors pendant cinq ans, dix ans, vingt ans ! Cela revient au même.

– Vous trouvez ? Il me semble personnellement que cela fait une grande différence. J'imagine très bien que, dans dix ans, nous puissions échanger une correspondance très agréable. Mon style épistolaire aurait mûri.

Elle détourna les yeux en prononçant ces paroles qu'elle savait frivoles comparées à la gravité de son interlocuteur. Mais son regard revint vers lui quand, de façon très incongrue, il lui demanda :

– Votre séjour chez votre oncle est-il agréable ?

– Très agréable, laissa-t-elle tomber, avant de s'écrier brutalement : Qu'espérez-vous tirer de bon en insistant ainsi ?

– Ne pas vous perdre.

– Vous n'avez pas le droit de parler de perdre ce qui ne vous appartient pas. Et même de votre point de vue, ajouta Isabel, vous devriez savoir quand il convient de laisser les autres tranquilles.

– Je vous déplais beaucoup, dit Caspar Goodwood avec mélancolie, non pour en appeler à sa compassion à l'égard d'un homme conscient de cette évidence funeste mais pour planter devant lui cette évidence et s'efforcer désormais d'agir sans la perdre de vue.

– De fait, vous ne m'enchantez pas du tout, vous ne faites mon affaire d'aucune façon en ce moment, et le pire est que votre besoin de me le faire sentir est parfaitement inutile.

Il n'était pas de ces natures fragiles qui saignent à la moindre piqûre d'épingle. Dès le début de ses relations avec lui, ayant eu à se défendre de l'air qu'il arborait de savoir mieux qu'Isabel ce qui était bon pour Isabel, notre héroïne avait découvert qu'une parfaite franchise était sa meilleure arme. Vouloir épargner sa sensibilité ou pratiquer l'esquive – tactique possible face à un homme moins déterminé à vous barrer le chemin –, c'était autant d'agilité gaspillée face à Caspar Goodwood qui se serait saisi du moindre argument que l'on aurait pu lui fournir. Certes, il avait ses délicatesses, mais sa surface, passive ou active, était vaste et rude, et l'on pouvait compter sur lui pour panser lui-même ses blessures dans la mesure où elles l'exigeaient. Isabel se référait de nouveau à sa vieille impression d'un homme naturellement bardé d'acier et armé de pied en cap pour l'attaque, y compris pour évaluer en lui les effets de coups et de souffrances possibles.

– Je ne peux m'y faire, dit-il simplement, avec une générosité périlleuse pour Isabel qui sentait avec quelle facilité il aurait pu lui rappeler qu'il ne lui avait pas toujours déplu.

– Je ne m'y fais pas non plus, et cet état de choses ne peut exister entre nous. Si seulement vous essayiez de me chasser quelques mois de votre esprit, nous nous retrouverions ensuite en bons termes.

– Je vois. Mais si je pouvais cesser totalement de penser à vous pendant un temps donné, je découvrirais que je peux le faire indéfiniment.

– Indéfiniment, c'est plus que je n'en demande ; c'est même plus que je ne voudrais.

– Vous le savez, ce que vous demandez est impossible, dit le jeune homme, et sa façon de présenter son adjectif comme allant de soi irrita Isabel.

– N'êtes-vous pas capable d'un effort réfléchi ? Vous êtes fort pour tout le reste ; pourquoi ne le seriez-vous pas sur ce point ?

– Un effort réfléchi dans quel but ? demanda-t-il, mais, voyant qu'elle tardait à répondre, il poursuivit : En ce qui vous concerne, je ne suis capable de rien, si ce n'est d'être follement amoureux. Un homme fort ne peut qu'aimer d'autant plus fort.

– Il y a beaucoup de vrai là-dedans, reconnut notre jeune amie qui sentit la portée de l'argument, jeté dans l'abîme de la vérité et de la poésie comme un appât, pour ainsi dire, destiné à son imagination. Mais, sans tarder, elle reprit ses esprits.

– Pensez à moi ou non, faites comme vous pourrez. Mais laissez-moi en paix.

– Jusqu'à quand ?

– Pendant un an ou deux.

– Un an ou deux ans ? Il y a un monde entre les deux !

– Alors, mettons deux, dit Isabel avec une nuance d'empressement étudiée.

– Et qu'y gagnerai-je ? demanda le jeune homme sans broncher.

– Vous m'aurez grandement obligée !

– Et quelle sera ma récompense ?

– Vous voulez être récompensé d'un acte généreux ?

– Oui, quand il implique un grand sacrifice.

– Il n'y a pas de générosité sans quelque sacrifice. Les hommes ne comprennent pas ce genre de choses. Si vous faites ce sacrifice, vous mériterez mon admiration.

– Je ne donnerai pas un cent pour votre admiration, pas un fétu, sans contrepartie ! Quand m'épouserez-vous ? C'est la seule question.

– Si vous continuez à me mettre dans l'état où je suis, jamais !

– Alors, qu'ai-je à gagner à ne pas essayer de vous mettre dans un autre état ?

– Vous y gagneriez à peu près autant qu'à m'importuner à mort !

Caspar Goodwood baissa de nouveau les yeux et considéra un instant la calotte de son chapeau. Une rougeur intense avait envahi son visage ; Isabel se rendit compte que ses traits avaient enfin porté. Le fait revêtit aussitôt pour elle une valeur – classique, romantique, rédemptrice, qu'en savait-elle ? – mais la « douleur du fort » était une des catégories de la séduction humaine qui la touchait le plus, même lorsqu'elle s'exerçait avec aussi peu de grâce que dans le cas présent.

– Pourquoi m'obligez-vous à vous dire des choses pareilles ? s'écria-t-elle d'une voix tremblante. Alors que je voudrais être douce et parfaitement aimable. Croyez-vous qu'il soit plaisant pour moi de sentir qu'un homme s'intéresse à moi et d'avoir à le raisonner pour l'en dissuader ? Je crois que les autres aussi doivent réfléchir ; nous devons tous juger par nous-mêmes. Je sais que vous êtes avisé ; vous avez de bonnes raisons d'agir comme vous le faites. Mais, réellement, je ne veux pas me marier, ni parler mariage pour le moment. Il est probable que je ne me marierai jamais, non, jamais. Je suis parfaitement en droit de ressentir ainsi les choses, et c'est mal de presser si instamment une femme et de l'exhorter contre sa volonté. Si je vous fais de la peine, je peux seulement vous dire que j'en suis navrée. Ce n'est pas ma faute; je ne peux vous épouser simplement pour vous faire plaisir. Et je ne dis pas que je serai toujours votre amie, car lorsque les femmes le disent dans ce genre de situation, cela passe, je crois, pour de la dérision. Mettez-moi plutôt à l'épreuve, quand vous voudrez.

Pendant ce plaidoyer, Caspar Goodwood avait gardé les yeux braqués sur la signature de son chapelier et les y laissa un moment encore après qu'Isabel eut cessé de parler. Lorsqu'il les releva, la vue des couleurs ravissantes que l'ardeur avait imprimées sur le visage d'Isabel jeta la confusion dans l'essai d'analyse de ses paroles auquel il se livrait.

– Je vais partir! Je pars demain! Je vais vous laisser en paix, proféra-t-il. Seulement, ajouta-t-il lourdement, j'ai horreur de vous perdre de vue.

– N'ayez pas peur. Je ne ferai rien de mal.

– Vous en épouserez un autre! Aussi sûr que je suis dans ce fauteuil! déclara Caspar Goodwood.

– Trouvez-vous qu'un tel grief soit vraiment généreux?

– Pourquoi pas? Quantité d'hommes s'y emploieront.

– Je viens de vous dire que je ne veux pas me marier et qu'il est presque sûr que je ne me marierai jamais.

– Je sais, et j'apprécie votre «presque sûr»! Je ne crois pas ce que vous dites.

– Mille mercis! Vous m'accusez de mentir pour me dépêtrer de vous? J'apprécie votre délicatesse.

– Pourquoi ne le dirais-je pas? Vous ne m'avez donné aucun gage.

– Non! Il ne manquerait plus que cela!

– Vous pouvez peut-être même vous croire à l'abri, pour la seule raison que vous le souhaitez. Mais vous ne l'êtes pas, poursuivit le jeune homme comme s'il se préparait au pire.

– Très bien! Admettons que je ne sois pas en sécurité. Comme il vous plaira.

– Je ne sais d'ailleurs pas, reprit Caspar Goodwood, si ma vigilance pourrait prévenir la chose.

– Vous ne croyez vraiment pas ? Après tout, j'ai très peur de vous, répondit Isabel qui, brusquement, changea de registre pour l'interpeller : Croyez-vous qu'il soit si facile de me séduire ?

– Non, je ne le crois pas. C'est avec cette conviction que j'essaierai de me consoler. Mais le monde fourmille d'hommes étourdissants ; d'ailleurs, il suffit d'un seul. Le plus séduisant de tous viendra droit vers vous. On peut compter sur vous pour n'accepter qu'un homme éblouissant.

– Si vous entendez par éblouissant un homme doté d'une brillante intelligence, dit Isabel – et je ne vois vraiment pas ce que vous voudriez dire d'autre –, je n'ai pas besoin de l'aide d'un homme intelligent pour m'apprendre à vivre. Je peux trouver cela toute seule.

– Apprendre toute seule à vivre ? Quand vous l'aurez appris, j'espère que vous me l'enseignerez !

Elle le regarda un moment avant de lui dédier un sourire fugace :

– C'est vous qui devriez vous marier !

On pardonnera au jeune homme d'avoir un instant trouvé à cette exclamation un caractère diabolique et rien ne dit que le mobile d'Isabel était limpide lorsqu'elle décocha ce trait. Mais elle sentait certainement qu'il n'aurait pas dû rôder ainsi autour d'elle, maigre et famélique.

– Dieu vous pardonne ! murmura-t-il entre ses dents. Et il se détourna.

La boutade d'Isabel l'avais mise légèrement dans son tort et elle éprouva bientôt le besoin de se justifier. La façon la plus simple de le faire était de le placer dans la situation où elle s'était trouvée.

– Vous êtes très injuste envers moi, protesta-t-elle, vous parlez de choses dont vous ignorez tout. Je ne serai pas une victime passive, j'ai déjà fait mes preuves !

– Oui, face à moi ! Et c'était admirable !

– Je l'ai prouvé à d'autres... J'ai refusé une demande en mariage, la semaine dernière, une demande qu'ici l'on peut qualifier d'éblouissante.

– Je suis très heureux de l'apprendre, dit gravement le jeune homme.

– Une demande que bien des jeunes filles auraient acceptée et qui le méritait en tous points.

Au départ, Isabel n'avait pas eu l'intention d'évoquer cette histoire, mais, à présent qu'elle avait commencé, la satisfaction d'en parler franchement et de se justifier s'emparait d'elle :

– Un homme qui me plaît beaucoup m'a offert une grande situation et une grande fortune.

Caspar la regardait, prodigieusement intéressé :

– Un Anglais ?

– Un aristocrate anglais.

La jeune homme accueillit cette nouvelle en silence.

– Je suis heureux qu'il ait été déçu, dit-il au bout d'un moment.

– A présent, puisque vous avez un compagnon d'infortune, prenez-en votre parti.

– Ce n'est pas un compagnon, dit Caspar d'un ton menaçant.

– Pourquoi pas ? Puisque j'ai refusé catégoriquement sa demande.

– Cela ne fait pas de lui mon compagnon. D'ailleurs, c'est un Anglais.

– Et un Anglais ne serait pas un être humain ?

– Ce peuple ne fait pas partie de mon humanité à moi et je me fiche de ce qui lui arrive.

– Vous êtes très irrité, constata la jeune fille. Assez parlé de ce sujet.

– Oh oui ! Je suis très irrité. Sur ce point, je plaide coupable.

Elle s'éloigna de lui, se dirigea vers la fenêtre ouverte et contempla un moment la rue vide et sombre où l'éclairage trouble d'un réverbère assurait à lui seul l'animation urbaine. Pendant quelque temps, ni l'un ni l'autre ne parlèrent. Caspar s'attardait près de la cheminée, le regard fixe et sinistre. En fait, Isabel lui avait demandé de partir, mais, au risque de se rendre odieux, il occupait le terrain. Elle était une nécessité qu'il avait trop bercée pour y renoncer facilement, et il avait traversé l'océan pour lui arracher un semblant de promesse. Elle quitta enfin la fenêtre pour s'approcher de lui.

– Vous vous montrez très injuste alors même que je vous ai dit ce que je viens de vous dire. Je regrette de vous en avoir parlé puisque cela compte si peu pour vous.

– Ah ! Si vous pensiez à moi quand vous l'avez fait ! s'écria le jeune homme qui s'arrêta, de peur qu'elle n'opposât un démenti à cette heureuse idée.

– Je pensais un peu à vous, dit Isabel.

– Un peu ? Je ne comprends pas. Si la conscience du sentiment que je ressens à votre égard à quelque valeur pour vous, la désigner par « un peu » en rend tristement compte.

Isabel hocha la tête, comme pour faire disparaître une bévue :

– J'ai refusé ma main à un homme très bon et très noble. Tirez-en vos conclusions.

– Alors je vous remercie, fit gravement Caspar Goodwood. Je vous remercie infiniment.

– Et maintenant, vous feriez mieux de partir.

– Ne puis-je vous revoir ?

– Je ne pense pas que ce soit souhaitable. Vous ne pourriez vous empêcher de reparler de tout cela et, comme vous le voyez, ça ne mène à rien.

– Je vous promets de ne pas dire un mot qui puisse vous importuner.

Isabel réfléchit avant de répondre :

– Je retourne chez mon oncle dans un ou deux jours et je ne peux vous proposer d'y venir. Ce serait incohérent de ma part.

Caspar Goodwood méditait de son côté :

– Vous aussi devez être juste envers moi. J'ai reçu il y a plus d'une semaine une invitation à me rendre chez votre oncle, et je l'ai refusée.

– De qui venait-elle ? demanda Isabel, manifestement surprise.

– De Mr Ralph Touchett, votre cousin, je pense. J'ai décliné car vous ne m'aviez pas autorisé à accepter. Il semblerait que Miss Stackpole ait soufflé à Mr Touchett l'idée de cette invitation.

– Elle ne venait sûrement pas de moi. Henrietta va vraiment un peu loin.

– Ne soyez pas trop dure avec elle... son geste m'a touché.

– Non. Et vous avez très bien fait de décliner l'invitation. Je vous en remercie, dit Isabel qui frissonna d'effroi à l'idée que Lord Warburton et Mr Goodwood auraient pu se rencontrer à Gardencourt; cela aurait été gênant pour Lord Warburton.

– Où irez-vous quand vous quitterez votre oncle? reprit Caspar Goodwood.

– A l'étranger, avec ma tante; d'abord à Florence, puis ailleurs.

La sérénité d'Isabel quand elle prononça ces mots glaça le cœur du jeune homme; il lui sembla qu'elle s'éloignait en tournoyant dans des cercles dont il était inexorablement exclu. Néanmoins, il reprit vivement ses questions :

– Quand reviendrez-vous en Amérique?

– Peut-être pas avant longtemps. Je suis tellement heureuse ici.

– Avez-vous l'intention de renier votre pays?

– Ne faites pas l'enfant.

– En fait, pour moi, vous serez hors de vue! dit Gaspar Goodwood.

– Je ne sais, répondit-elle avec superbe. Le monde, avec ses continents si bien agencés, si proches les uns des autres, paraît finalement bien petit.

– Je n'ai pas cette ampleur de vue! s'exclama Caspar Goodwood avec une simplicité que notre jeune amie aurait pu trouver touchante si elle n'avait été résolument opposée à toute concession.

Cette attitude faisait partie d'un système, d'une théorie qu'elle avait récemment adoptée et, pour aller au fond des choses, elle ajouta au bout d'un moment :

– Ne pensez pas que je sois méchante si je vous dis que c'est exactement le fait d'échapper à votre regard que j'apprécie. Si vous étiez au même endroit que moi, je sentirais votre regard posé sur moi, ce qui me déplaît; j'aime trop ma liberté. S'il est une chose au monde dont je sois éprise, poursuivit-elle avec un léger regain de superbe, c'est de mon indépendance.

Mais quelle que fût sa nature, le ton supérieur de cette envolée suscita l'admiration de Caspar Goodwood et sa grandiloquence ne le fit pas sourciller. Il n'avait jamais imaginé qu'Isabel fût dépourvue d'ailes et n'eût besoin d'une belle et entière liberté de mouvement; lui-même, avec ses longs bras et ses grandes enjambées, ne redoutait pas la force de la jeune fille. Si ses propos avaient été calculés pour le choquer, ils manquèrent leur but et le firent seulement sourire car il sentait que là était leur terrain d'entente.

– Je suis le dernier à souhaiter restreindre votre liberté et mon plus grand plaisir serait de vous voir parfaitement indépendante, libre d'agir selon vos goûts. C'est pour vous rendre indépendante que je veux vous épouser.

– Quel magnifique sophisme ! dit Isabel avec un sourire encore plus magnifique.

– Une célibataire, une jeune fille de votre âge n'est pas indépendante. Quantité de choses lui sont refusées. Elle est entravée dans tous ses mouvements.

– Cela dépend de sa vision du problème, répondit fougueusement Isabel. Je ne suis plus de la première jeunesse ; je peux agir en fonction de mes choix et j'appartiens à la race des indépendants. Je n'ai ni père ni mère ; je suis pauvre, réfléchie et ne suis pas jolie. Si bien que je ne suis pas tenue d'être timide et conventionnelle ; en fait, c'est un luxe que je ne peux me permettre. J'essaie, par ailleurs, de juger des choses par moi-même ; à mon avis, mieux vaut juger de travers que ne pas juger du tout. Je refuse d'être une banale brebis au milieu du troupeau. Je veux choisir ma destinée et en savoir plus sur les affaires humaines que ce que d'autres estiment bienséant de m'en dire.

Isabel fit une pause, trop courte pour que son interlocuteur pût répondre, ce qu'il semblait désireux de faire lorsqu'elle reprit :

– Laissez-moi vous dire ceci, Mr Caspar Goodwood : vous avez eu l'amabilité de me confier combien vous craignez que je puisse me marier. Si des rumeurs vous annonçaient que je suis sur le point de le faire – les jeunes filles sont exposées aux bruits qui courent –, rappelez-vous ce que je viens de vous dire de mon amour de la liberté et n'hésitez pas à douter.

Il y avait quelque chose de passionnément convaincu dans le ton de sa voix lorsqu'elle lui donna ce conseil et il vit briller dans ses yeux une sincérité qui l'aidait à la croire. Finalement, le jeune homme se sentit rassuré, ce que l'on aurait pu percevoir à la façon dont il répondit presque ardemment :

– Vous voulez simplement voyager pendant deux ans ? Je suis tout disposé à attendre deux ans pendant lesquels vous ferez ce qui vous plaira. Si c'est tout ce que vous voulez, je vous en prie, dites-le. Je ne veux pas que vous soyez conventionnelle ; trouvez-vous que moi-même je le sois ? Quant à enrichir votre esprit, cet esprit me convient tout à fait tel qu'il est ; mais, si cela vous intéresse de vagabonder un certain temps et de voir divers pays, je serais ravi de vous y aider par tous les moyens dont je dispose.

– Vous êtes très généreux, ce qui n'est pas nouveau pour moi. Le meilleur moyen de m'aider sera de mettre entre nous autant de centaines de milles marins que possible.

– On pourrait croire que vous vous apprêtez à commettre quelque atrocité ! dit Caspard Goodwood.

– Peut-être. Je veux être libre d'aller jusque-là si la fantaisie m'en prend.

– Alors, dit-il lentement, je vais repartir.

Et il tendit la main en s'efforçant de paraître satisfait et confiant. Cependant, la confiance que lui portait Isabel surpassait celle qu'il aurait jamais en elle. Il ne la croyait pas capable d'une atrocité, mais, il avait beau retourner la question en tous sens, sa façon de réserver son choix était de mauvais augure. Lorsqu'elle saisit la main du jeune homme, Isabel ressentit pour lui beaucoup de respect : elle savait combien il l'aimait et le trouvait généreux. Ils se firent face un moment en se regardant l'un l'autre, unis par leurs mains qui s'étreignaient, celle d'Isabel n'étant pas simplement passive.

– C'est bien, dit-elle doucement, presque tendrement ; vous ne perdrez rien à vous montrer raisonnable.

– Mais je reviendrai dans deux ans, où que vous soyez, répliqua-t-il sur le ton inflexible qui lui était propre.

Nous avons déjà vu que notre jeune amie était inconséquente; après cette réplique, elle changea subitement de registre :

– N'oubliez pas que je ne promets rien, absolument rien! Puis, d'un ton plus doux, comme pour l'aider à la quitter, elle ajouta : Et rappelez-vous aussi que je ne serai pas une victime consentante.

– Vous vous dégoûterez de votre indépendance.

– C'est possible, c'est même très probable. Le jour venu, je serai très heureuse de vous voir.

Elle avait posé la main sur le bouton de la porte et attendit un moment pour voir si son visiteur s'apprêtait à partir. Mais il paraissait incapable de faire un mouvement : son attitude témoignait d'une immense mauvaise grâce et ses yeux chagrinés protestaient.

– A présent, je dois vous quitter, dit Isabel qui ouvrit la porte et passa dans sa chambre.

La pièce était sombre mais un rayonnement diffus venu de la cour de l'hôtel en modérait l'obscurité et Isabel discernait la forme des meubles, le reflet trouble du miroir et la silhouette estompée du grand lit à colonnes. Elle s'immobilisa, l'oreille aux aguets, et finit par entendre Caspar Goodwood quitter le salon et refermer la porte derrière lui. Elle demeura encore un instant immobile puis, soudain, mue par un élan irrépressible, elle tomba à genoux devant son lit et enfouit son visage entre ses bras.

17

Elle ne priait pas, elle tremblait; de la tête aux pieds. Vibrer lui était facile, c'était en fait chez elle un phénomène trop constant et elle résonnait à présent comme une harpe que l'on vient de pincer. Elle ne demandait cependant qu'à remettre sa housse et à s'entourer à nouveau de toile brune, mais elle souhaitait aussi résister à son excitation et l'attitude dévote qu'elle gardait depuis un moment semblait l'aider à retrouver son calme. Elle se réjouissait intensément que Caspar Goodwood fût parti; le fait de s'en être ainsi débarrassée avait quelque chose de commun avec le règlement définitif d'une dette qui lui pesait depuis trop longtemps. Sous l'effet de cet heureux soulagement, elle inclina plus bas la tête; le sentiment était là, il palpitait dans son cœur; il faisait partie de son émotion mais, de ce sentiment, elle devait avoir honte; il était impie et déplacé. Dix minutes encore s'écoulèrent avant qu'elle ne se relevât et, lorsqu'elle revint dans le salon, son tremblement n'avait pas totalement cessé. En fait, il avait eu deux causes; on pouvait l'attribuer en partie à sa longue discussion avec Mr Goodwood, mais il était à craindre que la seconde cause fût la jouissance qu'Isabel avait éprouvée à exercer son pouvoir. Elle s'assit dans le même fauteuil et reprit son livre, mais sans ébaucher le geste de l'ouvrir. Elle se pencha en arrière en émettant le murmure doux, bas et ambitieux grâce auquel elle proférait souvent sa réponse aux accidents dont le côté le plus brillant n'était pas évident à première vue, et s'abandonna au contentement d'avoir refusé en quinze jours deux ardents soupirants. L'amour de la liberté, dont elle avait tracé devant Caspar Goodwood une esquisse audacieuse, était jusqu'à présent presque exclusivement théorique et elle n'avait guère été en mesure de lui donner libre carrière. Mais il lui semblait avoir fait quelque chose : elle avait goûté les délices, si ce n'est de la bataille, au moins de la victoire, et accompli ce qui était le plus conforme à son plan. Dans l'embrasement de cette prise de conscience, l'image de Mr Goodwood, reprenant tristement le chemin du retour à travers la ville enfumée, se détacha soudain avec la force d'un reproche; au même moment, la porte du salon s'ouvrit et Isabel se leva, pleine d'appréhension, croyant qu'il était revenu. Ce n'était que Henrietta Stackpole qui rentrait de son dîner.

Miss Stackpole comprit d'emblée que notre jeune héroïne « en avait vu de dures », découverte qui n'exigeait pas une grande pénétration. Elle alla droit vers son amie qui l'accueillit sans un mot. Pour qu'Isabel pût exulter d'avoir réussi à renvoyer Caspar Goodwood en Amérique, il fallait qu'elle eût été heureuse, d'une certaine manière, qu'il fût venu la voir; mais, simultanément, elle se rappelait parfaitement que Henrietta n'avait pas le droit de lui tendre des pièges.

– Est-il venu, ma chérie? demanda ardemment cette dernière.

Isabel lui tourna le dos sans répondre.

– Tu as très mal agi! déclara-t-elle finalement.

– J'ai agi pour le mieux. J'espère seulement que tu as fait aussi bien.

– Ce n'est pas à toi d'en juger. D'ailleurs, je ne te fais pas confiance.

Cette déclaration était peu flatteuse, mais Henrietta manquait à ce point d'égoïsme que, sans tenir compte de sa charge d'hostilité, elle s'inquiéta seulement de ce qu'on pouvait en conclure à propos de son amie.

– Isabel Archer, lança-t-elle avec une brusquerie et une solennité égales, si tu épouses un de ces individus, plus jamais je ne te parlerai!

– Tu ferais mieux d'attendre qu'on me le demande avant de lâcher de telles menaces! répondit Isabel.

N'ayant jamais soufflé mot à Miss Stackpole des avances de Lord Warburton, Isabel n'avait aucune envie de se justifier face à Henrietta en lui disant qu'elle avait refusé sa main à ce gentleman.

– Cela t'arrivera très vite, dès que tu auras mis un pied sur le Continent. Annie Climber a été demandée trois fois en mariage en Italie. Pauvre petite Annie si quelconque !

– Si Annie ne s'est pas laissé piéger, pourquoi le ferais-je ?

– Je doute qu'Annie ait été harcelée. Toi, tu le seras.

– C'est très flatteur ! fit Isabel d'un ton placide.

– Je ne te flatte pas, Isabel, je te dis la vérité, s'écria son amie. J'espère que tu n'essaies pas de me dire que tu n'as pas donné quelque espoir à Mr Goodwood.

– Je ne vois pas pourquoi je te dirais quoi que ce soit. Comme je viens de te le dire, je ne peux plus avoir confiance en toi. Mais puisque tu t'intéresses tant à Mr Goodwood, je ne te cache pas qu'il repart immédiatement pour l'Amérique.

– Tu ne veux pas dire que tu l'as renvoyé ? s'écria Miss Stackpole.

– Je lui ai demandé de me laisser tranquille, Henrietta, et je te prie d'en faire autant.

Les yeux consternés de Miss Stackpole scintillèrent et elle se dirigea vers la glace de la cheminée pour retirer son chapeau.

– J'espère que ton dîner a été amusant, reprit Isabel.

Mais son amie n'était pas d'humeur à se laisser distraire par des futilités.

– Sais-tu réellement où tu vas, Isabel Archer ?

– Pour l'instant, je vais me coucher, répondit Isabel, délibérément frivole.

– Sais-tu vers quoi tu te laisses entraîner ? insista Henrietta en soulevant délicatement son chapeau.

– Je n'en ai pas la moindre idée et je trouve merveilleux de ne pas savoir. Une voiture rapide dans la nuit noire, quatre chevaux lancés sur des routes invisibles... Voilà ma conception du bonheur.

– Ce n'est sûrement pas Mr Goodwood qui t'a appris ces propos dignes d'une héroïne de roman libertin, protesta Miss Stackpole. Tu cours tout droit vers une erreur magistrale.

Isabel était irritée par l'ingérence de son amie, mais elle essaya cependant de réfléchir à la part de vérité que pourrait comporter cette déclaration. Sans rien trouver qui pût l'empêcher de dire :

– Tu dois m'aimer beaucoup, Henrietta, pour t'efforcer d'être aussi agressive !

– Je t'aime profondément, Isabel, répondit Miss Stackpole avec émotion.

– Eh bien, si tu m'aimes si profondément, laisse-moi profondément tranquille. C'est ce que j'ai demandé à Mr Goodwood et je dois aussi te le demander.

– Prends garde, Isabel ; on pourrait te laisser trop tranquille !

– Mr Goodwood me l'a dit également. J'ai répondu que je dois prendre le risque.

– Tu es une risque-tout, Isabel. Tu me fais frémir ! cria Henrietta. Quand Mr Goodwood repart-il pour l'Amérique ?

– Je ne sais pas ; il ne me l'a pas dit.

– Peut-être ne le lui as-tu pas demandé, dit Henrietta, vertueusement ironique.

– Je lui ai donné trop peu de satisfaction pour avoir le droit de l'interroger.

Cette repartie parut à Miss Stackpole défier tout commentaire ; néanmoins, après un silence, elle s'exclama :

– Isabel, si je ne te connaissais pas, je pourrais croire que tu n'as pas de cœur !

– Attention ! dit Isabel. Tu vas me gâter.

– Je crains de ne l'avoir déjà fait. J'espère au moins, ajouta Miss Stackpole, qu'il va pouvoir voyager avec Annie Climber !

Le lendemain matin, Isabel apprit de son amie qu'elle avait décidé de ne pas retourner à Gardencourt – où le vieux Mr Touchett lui avait pourtant offert à nouveau son hospitalité – et d'attendre à Londres l'invitation de Lady Pensil, que son frère, Mr Bantling, lui avait promise. Miss Stackpole lui raconta spontanément sa conversation avec le très sociable ami de Ralph Touchett et assura son amie qu'elle croyait réellement cette fois avoir mis la main sur quelque chose qui la conduirait à quelque chose. Dès réception de la lettre de Lady Pensil, dont Mr Bantling avait pratiquement garanti l'arrivée, elle partirait pour le Bedfordshire ; au cas où Isabel souhaitait connaître ses impressions, elle les trouverait certainement dans l'*Interviewer.* Cette fois, de toute évidence, Henrietta allait en apprendre davantage sur la vie privée.

– Sais-tu vers quoi tu te laisses entraîner, Henrietta Stackpole ? demanda Isabel en imitant le ton qu'avait adopté son amie la veille au soir.

– Vers une belle situation, celle de la reine du journalisme américain. Si mon prochain papier n'est pas reproduit dans tous les journaux de l'Ouest, je veux bien avaler mon essuie-plumes.

Henrietta était convenue avec son amie, Miss Annie Climber, la jeune fille si courtisée sur le Continent, de faire avec elle les achats qui constitueraient l'adieu de Miss Climber à un hémisphère qui avait su l'apprécier, et elle partit bientôt pour Jermyn Street afin d'y prendre son amie. Peu après son départ, on annonça Ralph Touchett, dont Isabel, au premier coup d'œil, décela l'inquiétude ; Ralph lui en fit part aussitôt. Il avait reçu à l'instant un télégramme de sa mère, disant que son père venait d'avoir une violente attaque de sa vieille maladie, qu'elle-même était très inquiète et le suppliait de revenir immédiatement à Gardencourt. En cette occasion du moins, nul n'aurait songé à critiquer le goût de Mrs Touchett pour le fil télégraphique.

– J'ai pensé qu'il valait mieux voir d'abord le fameux docteur, Sir Matthew Hope, expliqua Ralph. Par chance, il est à Londres et je dois le rencontrer à midi et demi ; je veux être sûr qu'il viendra à Gardencourt, ce qu'il fera, je pense, d'autant plus volontiers qu'il a déjà examiné mon père plusieurs fois, à Londres et à Gardencourt. Il y a un express à deux heures quarante-cinq et je vais le prendre. Vous pouvez rentrer avec moi ou rester encore quelques jours à Londres, c'est exactement comme vous le souhaitez.

– Je rentre avec vous, répondit Isabel. Je crois ne pouvoir être d'aucune utilité à mon oncle mais, s'il est malade, je préfère être près de lui.

– Je crois que vous l'aimez vraiment, dit Ralph avec un sourire timide. Vous l'appréciez, ce qui n'est pas le cas de tout le monde. La pâte est trop fine.

– J'ose presque dire que je l'adore, dit Isabel après un instant.

– Quel bonheur ; après son fils, il est votre plus grand admirateur.

Elle fit bon accueil à cette assurance mais poussa secrètement un léger soupir de soulagement à l'idée que Mr Touchett était de ces admirateurs qui ne pouvaient demander sa main. Sans plus s'attarder sur ce thème, elle informa Ralph qu'elle avait d'autres raisons de ne pas rester à Londres. Elle était fatiguée de la ville, qu'elle souhaitait quitter et, par ailleurs, Henrietta s'en allait séjourner dans le Bedfordshire.

– Le Bedfordshire ?

– Chez Lady Pensil, la sœur de Mr Bantling, qui répond de son invitation.

Malgré son anxiété, Ralph éclata de rire. Mais, aussi subitement, il retrouva son sérieux :

– Bantling est courageux. Mais si l'invitation se perdait en chemin ?

– Je croyais les postes britanniques irréprochables !

– Homère lui-même s'endort quelquefois, dit Ralph. Cependant, reprit-il plus gaiment, le brave Bantling ne se trompe jamais et, quoi qu'il arrive, il s'occupera de Henrietta.

Ralph partit pour son rendez-vous avec Sir Matthew Hope et Isabel entreprit ses préparatifs de départ. L'état précaire de son oncle l'affectait profondément et, devant sa malle ouverte, alors qu'elle cherchait distraitement ce qu'elle devait y mettre, les larmes subitement lui montèrent aux yeux. C'est peut-être pour cette raison qu'elle n'était pas prête lorsque Ralph vint la chercher à deux heures. Il trouva au salon Miss Stackpole qui venait d'y remonter après son repas et qui lui exprima ses regrets à propos de la maladie de son père.

– C'est un beau vieillard, dit-elle, fidèle jusqu'à la fin. S'il s'agit réellement de sa fin – pardonnez-moi d'évoquer cette éventualité mais vous avez dû souvent y penser –, je regretterai de ne pas être à Gardencourt.

– Vous vous amuserez bien mieux dans le Bedfordshire.

– Je serais navrée de m'amuser en un tel moment, assura Henrietta selon les convenances, avant d'ajouter aussitôt : J'aimerais tellement honorer ses derniers moments.

– Mon père peut vivre longtemps, dit Ralph simplement.

Puis, en quête de sujets plus joyeux, il interrogea Miss Stackpole sur ses projets. A présent qu'il avait des préoccupations, elle s'adressait à lui sur un ton plus tolérant et le remercia de lui avoir fait connaître Mr Bantling.

– Il m'a dit exactement tout ce que je voulais savoir, déclara-t-elle, tous les échos sur la société et la famille royale. Je ne prétends pas que ce qu'il m'a dit de la famille royale soit à l'avantage de la couronne mais, d'après lui, cela tient à ma façon de voir les choses. En tout cas, il m'a donné ce que je voulais : des faits; une fois que j'en dispose, j'ai tôt fait de les combiner.

Elle ajouta que Mr Bantling avait eu l'amabilité de promettre de l'accompagner cet après-midi.

– Pour aller où ? demanda Ralph.

– A Buckingham Palace ; il va me le faire visiter de fond en comble pour me donner une idée de leur façon de vivre.

– Eh bien, nous vous laissons en de bonnes mains, dit Ralph. Nous apprendrons sans tarder que vous êtes invitée au château de Windsor.

– Si l'on m'en prie, j'irai certainement. Une fois lancée, je n'ai peur de rien. Malgré tout, ajouta Henrietta après un court silence, je suis contrariée ; je ne suis pas tranquille à propos d'Isabel.

– Quel est son dernier exploit ?

– Oh, je vous en ai déjà parlé et je ne pense pas lui faire tort en allant jusqu'au bout. Je termine toujours les sujets que j'ai entrepris : Mr Goodwood est venu la voir hier soir.

Ralph ouvrit de grands yeux ; et rougit même légèrement, ce qui était chez lui le signe d'une vive émotion. Il se souvint qu'Isabel, quand ils s'étaient quittés à la porte de Winchester Square, avait refusé qu'il la raccompagnât et avait de plus nié que le motif de son refus fût la venue d'un visiteur à l'hôtel Pratt ; c'était un nouveau choc pour lui d'avoir à la soupçonner de duplicité. D'un autre côté, il reconnut aussitôt que les rencontres éventuelles de sa cousine avec un soupirant ne le regardaient en rien. Depuis toujours, l'on tient pour charmant que les jeunes femmes enveloppent de mystère pareils rendez-vous. Ralph fit à Miss Stackpole une réponse diplomatique :

– Étant donné les idées que vous exprimiez l'autre jour, j'aurais pensé que vous en seriez parfaitement satisfaite.

– Qu'il vienne la voir ? Jusque-là, c'était parfait. J'avais monté un petit complot. Je l'avais informé que nous étions à Londres, et, sitôt qu'il fut convenu que je sortirais ce soir-là, je lui ai adressé un mot, le mot de passe. J'espérais qu'il la trouverait seule, et ne vous cache pas que j'espérais aussi que vous auriez évacué les lieux. Il est venu mais il aurait pu s'en abstenir.

– Isabel a-t-elle été cruelle ? demanda Ralph dont le visage s'était éclairé tant il était soulagé que sa cousine n'eût pas fait preuve de duplicité.

– Je ne sais pas exactement ce qui s'est passé entre eux mais elle ne l'a pas satisfait et l'a renvoyé en Amérique.

– Pauvre Mr Goodwood ! soupira Ralph.

– Elle n'avait qu'une idée, semble-t-il : se débarrasser de lui.

– Pauvre Mr Goodwood ! répéta Ralph, dont l'exclamation, tout à fait machinale, il faut l'avouer, n'exprimait pas ses pensées déjà orientées vers un nouveau cours.

– Vous n'y mettez pas beaucoup de conviction. Je crois même que cela vous est bien égal.

– N'oubliez pas que je ne connais pas cet intéressant jeune homme, dit Ralph. Je ne l'ai jamais vu.

– Mais moi, je le verrai et je lui dirai de ne pas renoncer. Si je ne croyais pas qu'Isabel va reprendre ses esprits, ajouta Miss Stackpole, moi-même y renoncerais. Je l'abandonnerais, elle.

18

Ralph s'avisa qu'étant donné les circonstances, les adieux d'Isabel et de son amie risquaient d'être légèrement tendus et il précéda sa cousine pour l'attendre à la porte de l'hôtel; elle le rejoignit après un bref délai et ses yeux, pensa-t-il, gardaient la trace de remontrances qu'elle n'avait pas acceptées. Leur trajet jusqu'à Gardencourt s'accomplit dans un silence presque complet et le domestique qui les attendait à la gare n'avait pas de meilleures nouvelles à leur donner de Mr Touchett. Ralph se félicitait d'avoir reçu de Sir Matthew Hope la promesse qu'il arriverait par le train de cinq heures et passerait la nuit à Gardencourt. Mrs Touchett, lui dit-on, lorsqu'ils arrivèrent à la maison, n'avait pas quitté le chevet de son mari; elle s'y trouvait encore, et Ralph songea qu'après tout, ce qu'il fallait à sa mère était une occasion propice. Les plus belles natures sont celles qui rayonnent dans les grands moments. En regagnant sa chambre, Isabel perçut dans la maison le calme palpable qui précède les crises. Au bout d'une heure, elle descendit à la recherche de sa tante pour avoir des nouvelles du malade. Elle entra dans la bibliothèque; Mrs Touchett n'y était pas et comme le temps, après avoir été froid et humide, s'était à présent complètement gâté, il était peu probable qu'elle fût allée faire sa promenade quotidienne dans le parc. Isabel était sur le point de sonner pour faire porter un message dans sa chambre, mais son intention céda sous l'effet d'un bruit imprévu, un bruit assourdi de musique qui semblait venir du salon. Elle savait que sa tante n'avait jamais touché un instrument, si bien que le musicien était très probablement Ralph, qui en jouait pour son plaisir. Et s'il se livrait en ce moment à ce divertissement, cela signifiait apparemment qu'il était soulagé de son anxiété concernant son père; réconfortée, Isabel se dirigea vers la source de l'harmonie. Le salon de

Gardencourt était immense et, comme le piano occupait le coin le plus éloigné de la porte qu'avait empruntée Isabel, son arrivée passa inaperçue de la personne assise devant l'instrument. Ce n'était ni Ralph ni sa mère mais une dame, dont Isabel sut immédiatement qu'elle lui était inconnue, bien qu'elle ne vît que son dos. Étonnée, Isabel considéra un moment avec surprise ce dos large et très élégamment vêtu. La dame était bien sûr une visiteuse arrivée en leur absence et dont aucun des domestiques, auxquels Isabel s'était adressée depuis son retour, ne lui avait parlé. Toutefois, la jeune fille avait déjà appris de quels trésors de réserve peuvent s'accompagner les fonctions subalternes ; elle était particulièrement consciente d'avoir été traitée avec sécheresse par la femme de chambre de sa tante, dont elle avait esquivé les soins, peut-être par un excès de méfiance mais sans que cela nuisît à l'éclat de sa toilette. L'arrivée d'une invitée n'offrait en soi rien de déconcertant, au contraire ; Isabel ne s'était pas encore débarrassée de la croyance juvénile que toute connaissance nouvelle exercerait sur sa vie une influence passagère. Au terme de ces réflexions, la jeune fille s'était rendu compte que la dame au piano jouait remarquablement bien. Elle jouait une pièce de Schubert – Isabel ne savait trop laquelle mais reconnut Schubert – et son toucher, d'une discrétion très personnelle, dénotait le talent et l'émotion. Isabel s'assit sans bruit dans le fauteuil le plus proche et attendit la fin du morceau. Quand il s'acheva, elle ressentit puissamment le désir de remercier l'interprète et quittait son siège dans cette intention lorsque l'étrangère se retourna vivement, comme si elle avait subitement pris conscience d'une présence.

– C'est magnifique et votre jeu l'embellit encore ! déclara Isabel avec la puérilité radieuse dont elle était coutumière pour exprimer son ravissement.

– Alors vous ne croyez pas que j'aie dérangé Mr Touchett ? répondit la musicienne avec l'affabilité que méritait le compliment. La maison est si grande et sa chambre si éloignée que j'ai cru pouvoir m'y risquer, d'autant que j'ai joué… *du bout des doigts.*

« Elle est française, elle a dit cela comme si elle était française ! » spécula notre héroïne, pour qui cette supposition ajoutait un intérêt supplémentaire à la visiteuse.

– J'espère que mon oncle va bien, dit-elle. Il me semble qu'entendre une aussi jolie musique devrait réellement l'aider à se sentir mieux.

Souriante, la dame fit la part des choses :

– Je crains qu'il y ait dans la vie des moments où Schubert lui-même n'ait rien à nous dire. Il nous faut d'ailleurs reconnaître que ce sont les pires.

– Alors, je ne suis pas dans un de ces moments, dit Isabel. Au contraire. Je serais heureuse que vous jouiez encore quelque chose.

– Si cela vous fait plaisir, j'en serais ravie.

Cette dame obligeante revint au piano et plaqua quelques accords tandis qu'Isabel se rapprochait de l'instrument. Tout à coup, l'étrangère s'arrêta, les mains sur les touches, pour se tourner à demi, la tête penchée sur l'épaule. Elle avait une quarantaine d'années et n'était pas jolie, mais son expression charmait.

– Pardonnez-moi, dit-elle, n'êtes vous pas la nièce, la jeune Américaine ?

– Je suis la nièce de ma tante, répondit Isabel avec simplicité.

La dame au piano n'avait pas bougé et son regard intéressé s'attardait sur Isabel :

– C'est très bien, dit-elle au bout d'un moment. Nous sommes compatriotes.

Et elle se remit à jouer :

« Alors, elle n'est pas française ! » murmura Isabel et, l'hypothèse inverse l'ayant fait rêver, il aurait pu sembler que cette révélation serait une moins-value. Mais ce ne fut pas le cas : dans des conditions aussi intéressantes, être américaine semblait encore plus exceptionnel qu'être française.

La dame s'était remise à jouer de la même façon, douce et solennelle, accordée à l'ombre qui investissait la pièce. Le crépuscule d'automne tombait et, de sa place, Isabel voyait la pluie, devenue sérieuse averse, détremper la pelouse transie et le vent secouer les grands arbres. Lorsque la musique eut cessé, l'étrangère se leva, s'avança en souriant vers Isabel et, sans lui laisser le temps de renouveler ses remerciements, déclara :

– Je suis très contente que vous soyez revenue. J'ai beaucoup entendu parler de vous.

Isabel, qui la trouvait très séduisante, répondit cependant assez rudement à cette déclaration :

– Qui vous a parlé de moi ?

L'étrangère hésita une seconde avant de répondre :

– Votre oncle. Je suis ici depuis trois jours et le premier jour, il m'a laissée lui rendre visite dans sa chambre. Puis il n'a parlé que de vous.

– Et comme vous ne me connaissiez pas, cela vous a probablement assommée.

– Cela m'a donné envie de vous connaître. D'autant que, depuis lors, votre tante étant si souvent auprès de Mr Touchett, j'étais très seule et me suis lassée de ma propre compagnie. J'ai bien mal choisi le moment de ma visite.

Un domestique était entré avec des lampes, bientôt suivi d'un autre qui portait le plateau du thé. On avait dû prévenir Mrs Touchett que le thé était servi car elle fit son apparition et se dirigea tout droit vers la théière. En substance, l'accueil qu'elle fit à sa nièce ne différa pas de la façon dont elle avait soulevé le couvercle du récipient pour jeter un coup d'œil sur son contenu ; ni l'un ni l'autre de ces gestes ne devait être un étalage d'avidité. Questionnée sur l'état de son mari, elle n'était pas en mesure de dire qu'il fût mieux ; mais le médecin du pays était avec lui et l'on attendait beaucoup d'éclaircissements de la consultation de ce praticien avec Sir Matthew Hope.

– J'imagine que vous avez fait connaissance toutes les deux, poursuivit Mrs Touchett. Sinon, je vous conseille de le faire car, aussi longtemps que Ralph et moi continueront de nous cloîtrer près du lit de Mr Touchett, vous n'aurez probablement pas d'autre compagnie que celle que vous vous offrirez mutuellement.

– Je sais seulement de vous que vous êtes une grande musicienne, dit Isabel à l'étrangère.

– Il y a bien d'autres choses à connaître, affirma de son petit ton sec Mrs Touchett.

– Miss Archer se contentera de quelques détails, j'en suis certaine ! s'exclama la dame avec un rire léger. Je suis une vieille amie de votre tante. J'ai longtemps vécu à Florence. Je suis Madame Merle.

Elle proféra ce dernier avis comme si elle désignait un personnage d'une notoriété certaine. Pour Isabel, cependant, il représentait bien peu ; elle ne pouvait que continuer à sentir que Madame Merle avait les manières les plus charmantes qu'elle eût jamais vues.

– Malgré son nom, Madame Merle n'a rien d'une étrangère, intervint Mrs Touchett, puis qu'elle est née... j'oublie toujours où vous êtes née.

– Alors, ce n'est pas la peine que je vous le rappelle.

– Au contraire, dit Mrs Touchett, qui, s'agissant de logique, portait rarement à faux ; si je m'en souvenais, il serait superflu que vous me le disiez.

Madame Merle regarda Isabel avec un sourire vaste comme le monde, un sourire qui franchissait les frontières :

– Je suis née à l'ombre du drapeau national.

– Madame Merle est très éprise de mystère, dit Mrs Touchett ; c'est son grand défaut.

– J'ai de grands défauts, c'est vrai, s'écria Madame Merle, mais pas celui-là ; en tout cas, ce n'est pas le plus grand. Je suis venue au monde dans l'arsenal maritime de Brooklyn. Mon père était officier supérieur de la marine des États-Unis et occupait à l'époque un poste important dans cet établissement. J'imagine que je devrais aimer la mer mais je la déteste. C'est la raison pour laquelle je ne retourne pas en Amérique. J'aime la terre ; l'essentiel est d'aimer quelque chose.

Témoin impartial, Isabel n'avait pas noté la force avec laquelle Mrs Touchett avait qualifié la visiteuse, dont le visage expressif, expansif et ouvert ne suggérait pas, à son avis, un penchant à la réserve. Ce visage indiquait au contraire une nature libre, réceptive, et des réactions spontanées ; il n'était pas d'une beauté classique mais étonnamment attrayant et attachant. Madame Merle était une grande femme blonde et douce; tout, dans sa personne, était rond et plein mais sans excès ni lourdeur. Elle avait des traits épais mais parfaitement proportionnés et harmonieux et son teint clair respirait la santé. Gris, petits et lumineux, ses yeux n'auraient su exprimer la sottise et, au dire de certains, ils n'auraient pu verser de larmes; elle avait une bouche généreuse et bien dessinée dont, lorsqu'elle souriait, le coin gauche se relevait plus que l'autre, d'une façon que la majorité des gens trouvaient bizarre, certains très affectée et quelques-uns très gracieuse. Isabel se serait volontiers rangée dans cette dernière catégorie. Madame Merle coiffait de façon plutôt «classique» son épaisse chevelure blonde – comme si elle était un buste, pensa Isabel, une Junon ou une Niobé – et ne portait pas de bagues car ses grandes mains blanches étaient d'une forme si parfaite qu'elle préférait les laisser nues. Isabel l'avait prise tout d'abord pour une Française mais une observation plus poussée aurait permis de la supposer allemande, une Allemande de haut rang, ou peut-être autrichienne : baronne, comtesse ou princesse. On n'aurait jamais imaginé qu'elle fût venue au monde à Brooklyn, sans que personne fût en mesure d'expliquer pourquoi son extrême distinction était incompatible avec une telle origine. Il est vrai que le pavillon national avait flotté au-dessus de son berceau et la liberté aérienne de la bannière étoilée avait pu jouer de son influence sur l'attitude qu'elle adopta dès lors à l'égard de la vie. Cependant, elle n'avait manifestement aucune des dispositions voltigeantes d'un morceau d'étamine qui claque au vent et ses manières exprimaient la confiance et la sérénité, nées d'une vaste expérience. L'expérience, pourtant, n'avait pas étouffé sa jeunesse et l'avait seulement rendue plus complaisante et plus disposée à comprendre. En un mot, c'était une femme dont les fortes impulsions étaient admirablement contrôlées, ce qui fit sur Isabel l'effet d'une combinaison idéale.

La jeune fille réfléchissait sur ce thème tandis que les trois dames prenaient le thé, cérémonie vite interrompue par l'arrivée du grand médecin de Londres, que l'on avait introduit directement au salon. Mrs Touchett l'emmena dans la bibliothèque afin d'avoir avec lui un entretien privé;

Madame Merle et Isabel se séparèrent jusqu'à l'heure du dîner. L'idée de connaître davantage cette femme intéressante fit beaucoup pour atténuer chez Isabel l'impression de tristesse qui s'installait à Gardencourt.

Lorsqu'elle entra au salon avant le dîner, la pièce était vide mais Ralph ne tarda pas à y faire son entrée. Son inquiétude à propos de son père s'était atténuée, car l'impression de Sir Matthew Hope sur l'état du malade était moins sombre que la sienne. Le docteur avait conseillé de laisser l'infirmière seule près du malade pendant trois ou quatre heures, si bien que Ralph, sa mère et le grand praticien lui-même étaient libres de dîner à table. Mrs Touchett et Sir Matthew firent leur apparition ; on n'attendait plus que Madame Merle.

Avant son arrivée, Isabel s'était rapprochée de Ralph, debout devant la cheminée, pour l'interroger.

– Dites-moi, qui est cette Madame Merle ?

– La femme la plus intelligente que je connaisse, sans vous excepter.

– Je l'ai trouvée très charmante.

– J'étais sûr que vous la trouveriez très charmante.

– Est-ce pour cela que vous l'avez invitée ?

– Je ne l'ai pas invitée, j'ignorais même qu'elle fût là quand nous sommes revenus de Londres. Personne ne l'a invitée. C'est une amie de ma mère, laquelle a reçu un mot de Madame Merle juste après notre départ. Elle venait de débarquer en Angleterre – elle vit généralement à l'étranger, bien qu'elle ait souvent séjourné ici – et demandait l'autorisation de venir passer quelques jours. C'est une femme qui peut en toute confiance faire de telles propositions : où qu'elle aille, elle est admirablement accueillie. Et pour ma mère, il n'y avait pas d'hésitation possible : c'est la seule personne au monde qu'elle admire réellement. Si elle n'était pas elle-même, ce que malgré tout elle préfère, ma mère aimerait être Madame Merle. Ce qui serait un grand changement.

– Elle est donc très charmante, dit Isabel, et elle joue admirablement.

– Elle fait tout admirablement. Elle est accomplie.

Isabel considéra son cousin :

– Vous ne l'aimez pas.

– Au contraire ! J'ai même été amoureux d'elle.

– Elle n'avait que faire de vous et c'est pourquoi vous ne l'aimez pas.

– Comment aurions-nous pu évoquer ce sujet? M. Merle était encore vivant.

– Est-il mort à présent?

– C'est ce qu'elle dit.

– Et vous ne la croyez pas?

– Si, parce que sa déclaration concorde avec les probabilités. Le mari de Madame Merle était susceptible de disparaître.

Isabel dévisagea son cousin :

– Je ne comprends pas ce que vous voulez dire. Vous sous-entendez quelque chose que vous n'exprimez pas. Qui était M. Merle?

– Le mari de Madame.

– Vous êtes odieux ! A-t-elle des enfants?

– Pas le moindre petit enfant. Heureusement.

– Heureusement?

– Je veux dire heureusement pour le petit enfant. Elle l'aurait gâté.

Isabel était apparemment sur le point d'affirmer de nouveau à son cousin qu'il était odieux, mais la discussion fut interrompue par l'arrivée de la dame en question. Elle entra, rapide et froufroutante, attachant son bracelet et priant qu'on voulût bien excuser son retard, vêtue de satin bleu-noir et d'un curieux collier d'argent, censé couvrir une gorge blanche, très exposée. Ralph lui offrit le bras avec l'empressement excessif de l'homme qui n'est plus amoureux.

Et même s'il l'avait encore été, Ralph avait d'autres choses en tête. Le grand praticien passa la nuit à Gardencourt et repartit pour Londres le lendemain, après une autre consultation avec le médecin personnel de Mr Touchett, selon le vœu exprimé par Ralph. Sir Matthew Hope reparut donc à Gardencourt le jour suivant; cette fois, son impression fut moins favorable, l'état du malade ayant empiré en vingt-quatre heures. Il était d'une faiblesse extrême et il semblait souvent à son fils, qui ne quittait pas son chevet, que la fin était proche. Le médecin du cru, un homme très avisé auquel Ralph faisait secrètement plus confiance qu'à son illustre collègue, était constamment présent et Sir Matthew Hope revint plusieurs fois. Mr Touchett était inconscient la plupart du temps; il dormait énormément et parlait rarement. Très désireuse de lui être utile, Isabel fut autorisée à le veiller lorsque ses autres gardes – dont Mrs Touchett n'était pas la moins assidue – se reposaient. A aucun instant il ne parut la reconnaître, et elle se disait constamment : « Et s'il mourait pendant que je suis là ! », idée qui la stimulait et la tenait éveillée. Une fois, il ouvrit les yeux et fixa sur elle un regard lucide, mais lorsqu'elle s'approcha de lui dans l'espoir qu'il la reconnaîtrait, il les referma et retomba dans sa léthargie. Le lendemain, cependant, il reprit plus longuement connaissance alors que Ralph était seul près de lui. Le vieux monsieur se mit à parler, au grand bonheur de son fils qui lui affirma qu'on allait bientôt le faire asseoir.

– Non, mon garçon, dit Mr Touchett, à moins que vous ne m'enterriez assis, comme certains Anciens – il s'agit bien des Anciens, n'est-ce pas ? – avaient l'habitude de le faire.

– Papa, ne dites pas cela, murmura Ralph. Vous ne pouvez nier que vous alliez mieux.

– Je n'aurai pas à le nier si tu ne le dis pas. Pourquoi nous mentir aux derniers instants ? Jamais encore nous ne l'avons fait ! Je dois mourir un jour et mieux vaut mourir malade que bien portant. Je suis très malade, malade comme je ne le serai jamais plus. J'espère que tu ne veux pas me démontrer que je pourrais être plus mal. Ce serait trop affreux. Non, n'est-ce pas ?

Ayant marqué ce point irréfutable, il s'apaisa mais, la fois suivante, lorsque Ralph revint à son chevet, il reprit la conversation. L'infirmière était allée dîner et Ralph était seul dans la chambre où il venait de relever Mrs Touchett qui avait assuré la garde depuis le dîner. La pièce était éclairée par la lueur mouvante du feu, à présent nécessaire, et la grande ombre de Ralph se projetait sur les murs et sur le plafond avec des contours sans cesse altérés mais toujours grotesques.

– Qui est avec moi ? Est-ce mon fils ?

– Oui, papa, c'est votre fils.

– Y a-t-il quelqu'un d'autre ?

– Personne.

Mr Touchett ne dit rien pendant un moment, puis il reprit :

– Je voudrais parler un peu.

– N'allez-vous pas vous fatiguer ?

– Peu importe que cela me fatigue. Je vais me reposer longtemps. Je veux parler de toi.

Ralph s'était rapproché du lit et se pencha pour poser la main sur celle de son père.

– Vous feriez mieux de choisir un sujet plus brillant.

– Tu as toujours été brillant et j'ai toujours été fier de ton intelligence. J'aimerais tant penser que tu vas faire quelque chose.

– Si vous nous quittez, je ne ferai que vous regretter.

– C'est exactement ce que je refuse et ce dont je veux te parler. Tu dois trouver un nouveau sujet d'intérêt.

– Je ne veux pas d'un nouveau sujet d'intérêt, papa. J'en ai quantité de vieux, à ne savoir qu'en faire.

Le vieux monsieur gisant considérait son fils ; son visage était celui d'un mourant mais ses yeux étaient ceux de Daniel Touchett. Il semblait évaluer les intérêts de Ralph.

– Bien sûr, tu as ta mère, dit-il enfin. Tu prendras soin d'elle.

– Ma mère prendra toujours soin d'elle-même, répondit Ralph.

– Peut-être qu'en vieillissant, elle aura besoin d'un peu d'aide.

– Je ne verrai pas ce moment. Elle me survivra.

– C'est très probable mais ce n'est pas une raison… répondit Mr Touchett qui laissa mourir sa phrase dans un soupir où s'exprimait l'impuissance plutôt que la plainte, puis demeura silencieux.

– Ne vous tourmentez pas à notre sujet, dit son fils. Ma mère et moi nous entendons bien, vous le savez.

– Vous vous entendez bien en vivant toujours séparés ; ce n'est pas naturel.

– Si vous nous quittez, nous nous verrons probablement davantage.

– Sans doute, mais on ne peut dire que ma mort apportera de grands changements à la vie de ta mère, repartit le vieux monsieur avec l'inconséquence d'un esprit égaré.

– Elle la modifiera sans doute plus que vous ne croyez.

– En tout cas, elle aura plus d'argent. Je lui ai laissé la part d'une bonne épouse, exactement comme si elle avait été une bonne épouse.

– Elle l'a été, papa, selon ses critères personnels. Elle ne vous a jamais causé de soucis.

– Il y a des soucis que l'on aime, murmura Mr Touchett. Ceux que tu m'as causés, par exemple. Mais ta mère a été moins... moins... comment dire ? moins lointaine depuis que je suis malade. J'espère qu'elle sait que je m'en suis rendu compte.

– Je le lui dirai, comptez sur moi ; je suis si heureux de vous l'entendre dire.

– Cela lui sera bien égal ; elle ne le fait pas pour me faire plaisir. Elle le fait pour faire plaisir... pour faire plaisir... reprit Mr Touchett qui resta un moment immobile, réfléchissant au mobile de sa femme : Elle le fait parce que cela lui convient. Mais ce n'est pas ce dont je veux parler, ajouta-t-il, c'est de toi. Tu vas être très riche.

– Oui, dit Ralph, je le sais. Mais j'espère que vous n'avez pas oublié notre conversation de l'an dernier, quand je vous ai dit très exactement la somme dont j'aurais besoin, et vous ai demandé de faire bon usage du reste.

– Oui, oui, je m'en souviens. J'avais fait un autre testament quelques jours plus tard. J'imagine que c'est la première fois que l'on voit un jeune homme s'efforcer d'obtenir un testament contraire à son intérêt.

– Il ne m'est pas contraire, dit Ralph. Ce qui me serait néfaste, ce serait d'avoir une grosse fortune à gérer. Un homme dans mon état de santé est dans l'incapacité de dépenser beaucoup d'argent, et c'est un luxe d'en avoir assez.

– Tu en auras assez, et même un peu plus. Il y aura plus qu'assez pour un... et même assez pour deux.

– Cela fait trop, dit Ralph.

– Ne dis pas cela ! Le mieux que tu puisses faire, quand je ne serai plus, sera de te marier.

Ralph avait deviné où son père voulait en venir et cette suggestion n'avait rien d'une nouveauté. Ç'avait été depuis longtemps chez Mr Touchett la façon la plus ingénieuse de se faire une vision riante des années où son fils pourrait lui survivre. Ralph l'accueillait d'habitude sur le mode humoristique mais les circonstances présentes proscrivaient la plaisanterie. Il se carra simplement dans son fauteuil et répondit au regard implorant de son père.

– Si j'ai eu, personnellement, une vie très heureuse avec une femme qui ne m'a guère aimé, poursuivit le vieux monsieur redoublant d'ingéniosité, quelle existence serait la tienne si tu épousais une personne différente de Mrs Touchett ! Il y en a plus de différentes que de semblables à elle.

Ralph ne disait toujours rien et, après un silence, son père reprit doucement :

– Que penses-tu de ta cousine ?

Ralph tressaillit et accueillit la question avec un sourire contraint.

– Dois-je comprendre que vous me suggérez d'épouser Isabel ?

– Oui, finalement, ma question revient à cela. Ta cousine te plaît-elle ?

– Oui, beaucoup, dit Ralph qui se leva et se dirigea vers la cheminée devant laquelle il s'arrêta avant de se pencher pour tisonner machinalement le feu. Isabel me plaît beaucoup, répéta-t-il.

– Je sais qu'elle t'aime beaucoup, dit son père. Beaucoup. Elle me l'a dit.

– A-t-elle ajouté qu'elle aimerait m'épouser ?

– Non, mais elle ne peut rien avoir contre toi. Et c'est la plus charmante jeune fille que j'aie jamais rencontrée. Elle serait très bonne pour toi. J'y ai beaucoup pensé.

– Moi aussi, dit Ralph en revenant vers le lit. Cela ne me gêne pas de vous le dire.

– Alors, tu es amoureux d'elle ? Je pensais bien que tu l'étais. C'est comme si elle était arrivée là tout exprès.

– Non, je ne suis pas amoureux d'elle ; mais je le serais si... si certaines choses étaient différentes.

– Ah ! les choses sont toujours différentes de ce qu'elles pourraient être, soupira le vieux gentleman. Si tu attends qu'elles changent, tu ne feras jamais rien. J'ignore si tu es au courant, poursuivit-il, et je ne crois pas qu'il y ait un inconvénient à te le dire en un moment comme celui-ci : tout récemment, quelqu'un a demandé Isabel en mariage, dont elle n'a pas voulu.

– Je sais qu'elle a refusé Warburton ; lui-même me l'a dit.

– Cela prouve qu'il y a des chances pour un autre.

– Un autre a tenté sa chance, l'autre jour à Londres, et n'a rien obtenu.

– Était-ce toi ? demanda vivement Mr Touchett.

– Non, c'était un de ses vieux amis, un malheureux garçon venu d'Amérique pour voir où en étaient les choses.

– Qui que ce soit, je suis désolé pour lui, mais c'est une nouvelle preuve de ce que j'avance : la voie est libre pour toi.

– Si c'est le cas, cher père, c'est d'autant plus dommage que je ne puisse m'y engager. J'ai peu de principes mais au moins trois ou quatre auxquels je tiens fermement. L'un, d'ordre général, est qu'il vaut mieux ne pas épouser ses cousins. L'autre est qu'un homme atteint d'une affection pulmonaire à un stade avancé ne doit pas se marier du tout.

Mr Touchett leva difficilement la main et l'agita devant son visage :

– Que veux-tu dire par là ? Tu vois les choses de telle façon que tout serait mal. Qu'est-ce que c'est qu'une cousine que tu n'as jamais rencontrée avant ses vingt ans ? Nous sommes tous cousins et, s'il fallait s'arrêter à cette considération, l'humanité s'éteindrait. De même pour ton mauvais poumon. Tu es beaucoup mieux que tu ne l'as été. Tout ce qu'il te faut, c'est une vie naturelle. Il est beaucoup plus naturel d'épouser une jolie jeune fille dont on est épris que de rester célibatataire au nom de principes fallacieux.

– Je ne suis pas amoureux d'Isabel, dit Ralph.

– Tu viens de dire que tu le serais si tu n'estimais pas la chose répréhensible. Je veux te prouver qu'elle ne l'est pas.

– Cela ne fera que vous fatiguer, cher papa, dit Ralph, surpris par la ténacité de son père et l'énergie qu'il trouvait encore. Et alors, où allons-nous ?

– Et toi, que deviens-tu si je ne prends pas les mesures en ta faveur ? Tu ne veux rien avoir à faire avec la banque et tu n'auras plus à t'occuper de moi. Tu dis avoir de nombreux sujets d'intérêt mais je les vois mal.

Ralph se renversa dans son fauteuil, les bras croisés, perdu dans ses réflexions. Finalement, de l'air d'un homme qui a mobilisé tout son courage, il déclara :

– Je porte un immense intérêt à ma cousine, mais pas le genre d'intérêt que vous souhaitez. Je n'ai que quelques années à vivre mais j'espère vivre assez pour voir ce qu'elle fera d'elle-même. Elle est absolument indépendante de moi et je ne peux exercer qu'une très mince influence sur sa vie. J'aimerais néanmoins faire quelque chose pour elle.

– Qu'aimerais-tu faire ?

– J'aimerais gonfler ses voiles.

– Qu'entends-tu par là ?

– J'aimerais faire qu'il soit en son pouvoir d'accomplir certains de ses désirs. Elle veut voir le monde, par exemple. J'aimerais garnir sa bourse.

– Je suis heureux que tu y aies pensé, dit le vieux monsieur. Mais, moi aussi, j'y ai pensé. Je lui ai fait un legs de cinq mille livres.

– C'est magnifique et très généreux de votre part. Mais j'aimerais faire un peu plus.

Une trace de l'acuité voilée avec laquelle, sa vie durant, Daniel Touchett avait toujours écouté une proposition d'ordre financier s'attardait sur le visage de l'homme d'affaires que celui du moribond n'avait pas totalement effacé.

– Je serai heureux d'y réfléchir, dit-il doucement.

– Isabel est pauvre. Ma mère m'a dit qu'elle n'a que quelques centaines de dollars de rente. J'aimerais la rendre riche.

– Que veux-tu dire par riche ?

– J'appelle riches les gens qui peuvent réaliser les exigences de leur imagination. Isabel a beaucoup d'imagination.

– Toi aussi, mon fils, dit Mr Touchett qui écoutait avec beaucoup d'attention et sans très bien comprendre.

– Vous m'avez dit que j'aurai assez d'argent pour deux. Je vous demande d'avoir la gentillesse de me soulager du superflu et de le donner à Isabel. Partagez mon héritage en deux parts égales et donnez-lui la seconde.

– Pour en faire ce qui lui plaira ?

– Exactement.

– Et sans contrepartie ?

– Quelle contrepartie pourrions-nous demander ?

– Celle dont je viens de te parler.

– Qu'elle épouse… Untel ou Untel ? C'est justement pour éliminer toute éventualité de ce genre que je fais cette proposition. Si elle dispose d'un revenu suffisant, elle n'aura jamais à se marier pour trouver un soutien. Voilà ce que je voudrais prévenir, très prudemment. Elle souhaite être libre et votre donation lui assurera la liberté.

– Tu sembles avoir pensé à tout, dit Mr Touchett, mais je ne vois pas pourquoi tu t'adresses à moi. L'argent t'appartiendra et tu pourras facilement le lui donner toi-même.

Ralph écarquilla les yeux :

– Voyons, mon cher père, je ne peux offrir de l'argent à Isabel.

Le vieillard poussa un gémissement :

– Ne me dis pas que tu n'es pas amoureux d'elle ! Et tu veux que tout le mérite m'en revienne ?

– Absolument. Je souhaite que ce soit une simple clause de votre testament, sans aucune mention de ma personne.

– Alors, tu veux que je refasse mon testament ?

– Quelques mots y suffiront ; vous le ferez dès que vous vous sentirez un peu de force.

– Alors, il faut que tu télégraphies à Mr Hilary. Je ne ferai rien sans mon avoué.

– Vous verrez demain Mr Hilary.

– Il va croire que nous nous sommes disputés, dit le vieux monsieur.

– C'est très probable et j'en serais enchanté, dit Ralph en souriant. D'ailleurs, pour le confirmer dans cette opinion, je vous avertis que je serai très sec, très désagréable et très bizarre avec vous.

L'ironie de la situation parut amuser son père qui l'étudia un instant.

– Je ferai tout ce que tu voudras, dit-il enfin, mais ne suis pas sûr que ce soit une bonne chose. Tu dis vouloir souffler du vent dans ses voiles ; ne crains-tu pas d'en souffler trop ?

– Je voudrais la voir courir le vent en poupe.

– Tu parles comme s'il s'agissait pour toi d'un simple divertissement.

– C'est assez vrai.

– Je comprends mal ! soupira Mr Touchett. Vous autres, jeunes gens, êtes très différents de ce que j'étais. Dans ma jeunesse, lorsque j'étais épris d'une jeune fille, je ne me contentais pas de la regarder, crois-moi ! Tu as des scrupules que je n'aurais pas eus et des idées que je n'aurais pas eues non plus. Tu dis qu'Isabel veut être libre et que le fait d'avoir de la fortune la préservera d'un mariage d'argent. Penses-tu qu'elle en serait capable ?

– Bien sûr que non. Mais elle a moins d'argent qu'elle n'en a jamais eu. Jusque-là, son père la comblait, en dissipant son capital. Elle n'a, pour vivre, que les miettes du festin, une maigre pincée, ce qu'elle ignore encore ; il lui faudra l'apprendre. Ma mère m'a tout dit à ce sujet. Isabel le comprendra lorsqu'elle sera lâchée dans le monde, et je serais consterné à l'idée qu'il lui faudra prendre conscience de son incapacité à satisfaire un grand nombre de ses désirs.

– Je lui laisse cinq mille livres ; de quoi satisfaire beaucoup d'envies.

– En effet, mais elle les dépensera probablement en deux ou trois ans.

– Tu penses qu'elle est très dépensière ?

– J'en suis pratiquement sûr, répondit Ralph avec un sourire serein.

La perspicacité du pauvre Mr Touchett cédait rapidement la place à la pure confusion.

– Dépenser une somme plus importante serait donc pour elle simple question de temps.

– Non. Je pense qu'au début, elle dépensera très librement et elle disposera d'une partie de la somme pour faire une donation à chacune de ses sœurs. Ensuite, elle retrouvera ses esprits, elle se souviendra que sa vie est devant elle et elle vivra selon ses ressources.

– Tu as étudié la question très à fond, admit le vieux monsieur d'une voix faible. Tu t'intéresses beaucoup à elle.

– Vous ne pouvez me reprocher d'aller trop loin alors que vous souhaitiez que j'aille bien au-delà.

– Je ne sais plus, répondit Mr Touchett. Je ne pense pas que j'adhère à ta façon de voir. Elle me paraît immorale.

– Immorale, cher papa ?

– Je ne sais s'il est juste de tant faciliter les choses à quelqu'un.

– Cela dépend évidemment de la personne. Si elle est bonne, le fait de lui faciliter la vie est un hommage à la vertu. Aider à la mise en œuvre d'impulsions généreuses est une noble entreprise.

Mr Touchett réfléchit un moment à cette démonstration un peu difficile à suivre. Puis il demanda :

– Isabel est une jeune fille délicieuse, mais la crois-tu vraiment si bonne que cela ?

– Elle est aussi bonne que ses meilleures chances.

– Pour soixante mille livres, elle devrait avoir un très grand nombre de chances, déclara Mr Touchett.

– Je n'en doute pas.

– Bien entendu, je ferai ce que tu veux, dit Mr Touchett. Je veux seulement comprendre un peu.

– Cher papa, n'est-ce pas chose faite à présent ? demanda tendrement son fils. Si cela ne l'est pas, nous n'allons pas nous en inquiéter davantage. Nous n'en parlerons plus.

Mr Touchett demeura longtemps immobile et Ralph pensait qu'il avait renoncé à poursuivre l'idée. Finalement, pourtant, il reprit, tout à fait lucide :

– Dis-moi d'abord ceci. As-tu pensé qu'une jeune fille nantie de soixante mille livres peut être victime de coureurs de dot ?

– Elle pourrait l'être d'un seul, tout au plus.

– C'est déjà trop.

– Incontestablement ! C'est un risque dont j'ai tenu compte dans mes prévisions. Je pense qu'il est réel mais je pense aussi qu'il est faible et je suis prêt à le courir.

La perspicacité du malheureux Mr Touchett s'était muée en perplexité qui, à son tour, devint admiration.

– Eh bien, tu as étudié la question très à fond ! répéta-t-il. Mais je ne vois pas quel bienfait tu vas en tirer.

Conscient que leur conversation s'était indûment prolongée, Ralph se pencha vers son père et, tout en lissant doucement ses oreillers, il répondit :

– J'en tirerai le bienfait dont je vous ai parlé tout à l'heure : satisfaire mon désir de mettre Isabel en mesure de réaliser les exigences de son imagination. Mais la façon dont j'ai profité de vous est scandaleuse !

19

Ainsi que Mrs Touchett l'avait prédit, Isabel et Madame Merle furent amenées à se retrouver fréquemment pendant la maladie de leur hôte, au point que ne pas devenir intimes aurait pratiquement constitué une atteinte aux bonnes manières. Or leurs manières étaient parfaites et il se trouva qu'elles se plaisaient mutuellement. Il serait peut-être excessif de dire qu'elles se jurèrent une amitié éternelle mais, tacitement au moins, elles prirent l'avenir à témoin. Isabel le fit avec une entière bonne conscience ; cependant, elle aurait hésité à admettre qu'elle était intime avec Madame Merle, au sens très exigeant qu'elle attachait secrètement à ce terme. Elle se demandait souvent, d'ailleurs, si elle avait jamais été, ou si elle serait jamais, intime avec quelqu'un. Elle s'était fait de l'amitié, comme de plusieurs autres sentiments, une conception idéale, qui ne lui semblait pas atteinte dans le cas présent, pas plus qu'elle ne l'avait été d'ailleurs lors d'occasions précédentes. Mais elle se redisait souvent que des raisons essentielles font qu'un idéal ne se concrétise jamais. C'était une chose à laquelle il fallait croire sans la voir, une question de foi et non d'expérience. Naturellement, l'expérience pouvait en fournir des imitations honorables et le rôle de la sagesse était d'en tirer le meilleur parti. Et, en fin de compte, Isabel n'avait jamais croisé de personnalité plus agréable et plus intéressante que Madame Merle ; elle n'avait jamais rencontré personne si dépourvue du défaut qui est l'obstacle majeur à l'amitié : l'air de reproduire les traits les plus rebutants, les plus rassis et les plus lassants de familiarité de son propre caractère. La jeune fille avait ouvert plus largement qu'elle ne l'avait fait jusqu'alors les portes de sa confiance et racontait à son aimable auditrice des choses qu'elle n'avait encore jamais dites. Elle s'inquiétait parfois de sa sincérité, comme si elle avait donné à une inconnue, ou presque, la clef de son coffret à bijoux. Ces joyaux de l'esprit étaient les seuls que possédât Isabel et leur valeur était une raison de plus pour les garder avec soin. Plus tard, cependant, jamais elle n'oublia qu'il n'y a pas à regretter une erreur généreuse ; si Madame Merle n'avait pas les mérites qu'elle lui attribuait, c'était tant pis pour Madame Merle. Indéniablement, celle-ci avait de grands atouts : elle était charmante, sensible, intelligente et cultivée. Mieux encore – car Isabel n'avait pas eu la malchance de traverser la vie sans croiser plusieurs personnes de son sexe dont, équitablement, on n'aurait pu dire moins –, elle était exceptionnelle, supérieure et remarquable. Le monde fourmille d'aimables personnes et Madame Merle était loin d'être banalement accommodante et fébrilement spirituelle. Elle savait réfléchir, un talent rare chez les femmes, et avait réfléchi avec profit. Bien entendu, elle savait aussi comment sentir ; Isabel n'aurait pu passer une semaine en sa compagnie sans en avoir la certitude. En fait, sentir était le grand talent de Madame Merle, son don le plus précieux. La vie avait pesé sur elle ; elle l'avait profondément ressentie et une bonne part de la satisfaction qu'Isabel trouvait à sa compagnie était la compréhension rapide et facile de Madame Merle lorsque la jeune fille abordait ce qu'elle aimait appeler les questions sérieuses. L'émotion, il est vrai, était devenue chez son amie du domaine de l'histoire ; Madame Merle ne faisait pas mystère que, chez elle, la source des passions, trop violemment exploitée à une époque donnée, ne coulait plus aussi librement qu'autrefois. Elle se proposait et espérait bien, du reste, cesser définitivement de ressentir ; elle admettait volontiers avoir été un peu folle naguère et prétendait à présent être parfaitement sensée.

– Je juge plus souvent que par le passé, disait-elle à Isabel, mais il me semble en avoir gagné le droit. On ne peut juger avant quarante ans, car l'on est trop passionné, trop dur, trop cruel, et de surcroît trop ignorant. J'en suis désolée pour vous qui devrez attendre longtemps la quarantaine. Mais toute acquisition s'accompagne d'une perte ; je me dis souvent qu'après quarante ans, on ne peut plus réellement sentir. La fraîcheur et la spontanéité se sont enfuies. Vous les garderez plus longtemps que la plupart des gens et ce sera pour moi un grand plaisir de vous voir dans quelques années. Je veux constater ce que la vie fera de vous. Une chose est sûre : elle ne peut vous détruire. Elle peut vous maltraiter horriblement mais je la défie de vous briser.

Isabel reçut cette assurance comme un jeune soldat, haletant après une escarmouche dont il s'est honorablement tiré, pourrait recevoir de son colonel une tape sur l'épaule. De même que cette reconnaissance de mérite, elle semblait exprimée avec autorité. Comment le moindre mot n'aurait-il pas agi alors qu'il émanait d'une personne toujours prête à dire de presque tout ce que lui confiait Isabel : « Oh, ma chère, j'ai connu cela ; vous verrez, ça passe comme tout le reste » ? Madame Merle aurait pu produire un effet irritant sur beaucoup de ses interlocuteurs, déconcertés par la difficulté qu'il y avait à la surprendre. Mais Isabel, sans être incapable de désirer faire de l'effet, n'éprouvait pas pour l'instant cette tentation. Elle était trop sincère et trop intéressée par sa judicieuse amie. D'ailleurs, Madame Merle ne disait jamais ces choses d'un ton vantard ou triomphant ; elles tombaient à froid, comme des aveux.

Une période de mauvais temps s'était installée sur Gardencourt ; les jours raccourcissaient et c'en était fini du thé si joliment servi sur la pelouse. Mais notre jeune fille avait à la maison de longs entretiens avec son amie, entrecoupés de promenades lorsque, bravant la pluie, les deux dames naviguaient de conserve, équipées de l'appareil défensif que le climat anglais et le génie anglais combinés ont porté à son point de perfection. Madame Merle aimait presque tout, y compris la pluie anglaise. « Il y en a toujours un peu et jamais trop à la fois, disait-elle ; jamais elle ne vous mouille et elle sent toujours bon. » Elle déclarait que les plaisirs de l'odorat sont grands en Angleterre ; que régnait sur cette île inimitable une odeur faite de brouillard, de bière et de suie qui, si bizarre que cela paraisse, était l'arôme national, très agréable aux narines ; elle avait l'habitude de lever la manche de son manteau britannique et d'y enfouir son nez pour humer l'odeur pure et subtile de la laine. Dès les premières manifestations de l'automne, le pauvre Ralph Touchett était devenu pratiquement prisonnier; lorsqu'il faisait mauvais, il était dans l'incapacité de mettre un pied dehors et se postait parfois devant une fenêtre, les mains dans les poches, pour observer d'un air mi-triste et mi-critique Isabel et Madame Merle qui descendaient l'allée sous leur parapluie. Les chemins étaient si sûrs autour de Gardencourt, même par les temps les plus affreux, que les deux dames revenaient toujours les joues brillantes de santé; après avoir inspecté les semelles de leurs bottines propres et solides, elles déclaraient que cette promenade leur avait fait un bien inexprimable. Jusqu'au lunch, Madame Merle était toujours occupée; Isabel l'admirait et l'enviait de rester si rigoureusement maîtresse de sa matinée. Notre héroïne avait toujours passé pour une femme de ressource et en avait tiré un certain orgueil, mais elle errait autour du jardin clos des talents, des aptitudes et des réalisations de Madame Merle, du mauvais côté de l'enceinte. Elle se découvrit désireuse de rivaliser avec ces talents et d'imiter les vingt façons dont cette dame s'offrait en exemple. « Mon Dieu, que je voudrais être comme ça ! » soupirait secrètement Isabel tandis que se déployaient successivement au grand jour les aspects raffinés de son amie; elle comprit rapidement que la leçon lui venait d'une autorité magistrale et il ne lui fallut pas plus de temps pour se sentir, selon la formule consacrée, sous influence. « Où est le danger, aussi longtemps que l'influence est salutaire ? se demandait-elle. Plus on est sous bonne influence, mieux cela vaut. L'essentiel est de savoir où nous mènent nos pas, de comprendre où nous allons. Je n'y manquerai jamais, j'en suis sûre. Je n'ai pas à craindre de devenir trop docile; n'est-ce pas justement mon défaut de ne pas l'être assez ? » On dit que l'imitation est la flatterie la plus sincère; de fait, lorsque, partagée entre l'ambition et le désespoir, Isabel se sentait poussée à contempler bouche bée son amie, l'envie de briller elle-même comptait moins que le désir de tenir la lampe pour Madame Merle. Elle l'aimait énormément mais était encore plus éblouie qu'attirée. Elle se demandait parfois ce que Henrietta Stackpole penserait de sa vive estime pour le produit perverti de leur terre natale, d'avance convaincue qu'elle le jugerait sévèrement. Jamais Henrietta ne consentirait à adopter Madame Merle ; pour des raisons qu'elle ne pouvait préciser, cette vérité s'était emparée d'Isabel. D'un autre côté, elle était également certaine que, si l'occasion se présentait, sa nouvelle amie découvrirait un angle de vue favorable à l'ancienne. Madame Merle avait trop d'humour, elle était trop observatrice pour ne pas être équitable envers Henrietta et, au fur et à mesure qu'elle la connaîtrait mieux, elle manifesterait l'étendue d'un tact avec lequel Miss Stackpole ne pouvait espérer rivaliser. Il semblait que l'expérience de Madame Merle fût assortie d'une pierre de touche universelle et qu'elle trouverait dans la poche spacieuse de sa fabuleuse mémoire la clef de la valeur de Henrietta. « Être en meilleure situation pour apprécier les gens qu'ils ne le sont pour vous apprécier, voilà le point primordial, la chance suprême, méditait gravement Isabel. Si l'on considère bien les choses, ajoutait-elle, il s'agit tout simplement de l'essence de la position aristocratique. De ce point de vue, à défaut d'un autre, chacun peut aspirer à cette position. »

Peut-être n'ai-je pas recensé tous les maillons de la chaîne qui conduisit Isabel à tenir pour aristocratique la situation de Madame Merle, conception à laquelle cette dame ne fit jamais la moindre allusion. Elle avait traversé de graves événements et connu des gens importants, mais jamais elle n'avait joué un grand rôle. Elle faisait partie des petits de ce monde et n'était pas née pour les honneurs ; elle connaissait trop bien la société pour nourrir de sottes illusions sur la place qu'elle y occupait. Ayant côtoyé nombre de rares privilégiés, elle se rendait parfaitement compte des points sur lesquels leur sort différait du sien. Mais si, par sa démarche avertie, elle n'était pas destinée aux scènes de premier plan, elle jouissait cependant aux yeux d'Isabel d'une sorte de grandeur. Être si cultivée et raffinée, si sage, si libre, et en faire si peu de cas, c'était le fait d'une grande dame, surtout lorsque l'on se tenait et se présentait comme elle. Madame Merle avait mis à contribution toute la société, semblait-il, tous ses arts et toutes ses grâces ; à moins que ce ne fût l'effet des usages charmants trouvés pour elle, même à distance, et des services délicats qu'elle rendait à un monde tapageur, où qu'elle se trouvât. Après le déjeuner, elle écrivait nombre de lettres, autant sans doute qu'elle en recevait, et sa correspondance était pour Isabel une source de surprise chaque fois qu'elles allaient ensemble au bureau du village déposer l'offrande de Madame Merle à la poste. Cette dame connaissait tant de gens qu'il en était certains dont elle ne savait que faire, avait-elle confié à sa jeune amie, et il survenait sans cesse un événement qui demandait qu'on le consignât. Elle avait pour la peinture un véritable culte et brossait une esquisse avec la même facilité qu'elle retirait ses gants. A Gardencourt, elle ne manquait jamais l'aubaine d'une heure de soleil pour sortir avec son pliant et sa boîte d'aquarelle. Elle était bonne musicienne, nous le savons déjà ; c'était si vrai que, le soir, lorsqu'elle s'asseyait au piano selon son habitude, ses auditeurs renonçaient sans murmure à se priver du charme de sa conversation. Depuis qu'elles avaient fait connaissance, Isabel avait honte de sa propre facilité qu'elle estimait à présent indigne et inférieure ; de fait, alors qu'on la tenait chez elle pour un prodige, le public chez sa tante perdait plus qu'il ne gagnait quand elle s'installait sur le tabouret du piano et tournait le dos à la pièce. Lorsque Madame Merle n'écrivait pas, ne peignait pas ou ne jouait pas du piano, elle exécutait de merveilleuses broderies sur des coussins, des rideaux ou des garnitures de cheminée, un art que servaient aussi bien son imagination fantaisiste et hardie que l'agilité de son aiguille. Elle n'était jamais oisive ; lorsqu'elle n'était pas occupée par l'un des travaux que je viens d'énumérer, elle lisait – « tout ce qui est important », semblait-il à Isabel –, se promenait, faisait des patiences ou conversait avec les hôtes de la maison. Et, avec tout cela, elle était toujours parfaitement sociable : jamais elle n'avait de distractions impolies, jamais elle ne s'imposait. Elle abandonnait ses passe-temps aussi facilement qu'elle s'y mettait, travaillait et bavardait en même temps, et semblait accorder une valeur limitée à tout ce qu'elle faisait. Elle donnait ses esquisses et ses tapisseries, quittait le piano ou y demeurait selon l'attente de ses auditeurs qu'elle devinait avec une sûreté infaillible. Bref, vivre en sa compagnie était au plus haut point agréable, profitable et facile. Le seul défaut qu'Isabel consentait à lui trouver était le manque de naturel. La jeune fille ne voulait pas dire par là que Madame Merle était affectée ou prétentieuse, car aucune femme ne pouvait être plus dénuée qu'elle n'était de ces faiblesses vulgaires, mais que sa nature avait été trop recouverte par les usages et ses angles trop rabotés. Elle était devenue trop flexible, trop disponible, elle était trop accomplie et trop achevée. En un mot, elle incarnait trop parfaitement l'idéal de l'animal sociable, dont on croit qu'il est le destin de l'homme et de la femme, et elle avait dépouillé les ultimes traces de l'impétuosité tonique dont nous pouvons tenir pour assuré qu'elle était le fait de tous, y compris des gens les plus aimables, au cours des âges qui s'écoulèrent avant que la vie dans les maisons de campagne ne devînt à la mode. Isabel avait peine à imaginer son amie si peu que ce soit séparée ou retirée du monde ; elle n'existait que dans ses relations, directes ou indirectes, avec les autres mortels. On pouvait s'interroger sur la nature du commerce qu'elle entretenait avec son propre esprit ; néanmoins, l'on finissait toujours par sentir qu'un vernis charmant n'est pas nécessairement une preuve de superficialité, illusion dont chacun, au cours de sa jeunesse, ne peut manquer d'être endoctriné. Madame Merle n'était pas superficielle, vraiment pas. Elle était profonde et sa nature, pour s'exprimer dans un langage conventionnel, ne parlait pas moins dans son comportement. « Qu'est-ce que le langage si ce n'est une convention ? se demandait Isabel. Contrairement à des gens que j'ai rencontrés, elle a le bon goût de ne pas prétendre s'exprimer en signes originaux. »

– J'ai peur que vous n'ayez beaucoup souffert, dit-elle un jour à son amie, en réponse à une allusion qui lui semblait porter loin.

– Qu'est-ce qui vous faire croire une chose pareille ? demanda Madame Merle avec le sourire amusé d'une personne qui joue aux devinettes. J'espère ne pas trop avoir l'air penché de l'incomprise.

– Non, mais vous dites parfois des choses dont je pense que les gens qui ont toujours été heureux ne les auraient pas trouvées.

– Je n'ai pas toujours été heureuse ? Quelle chose surprenante ! dit Madame Merle sans cesser de sourire mais avec une gravité feinte, comme si elle révélait un secret à un enfant.

Mais Isabel renchérit :

– Beaucoup de gens me font l'impression ne n'avoir jamais rien éprouvé.

– C'est parfaitement exact ; les pots de fer sont sûrement plus nombreux que les porcelaines. Mais vous pouvez être sûre que chacun porte ses stigmates ; les plus solides pots de fer présentent une meurtrissure, une fêlure ici ou là. Je me flatte d'être assez robuste mais, pour être tout à fait franche, j'ai été affreusement ébréchée, puis fracturée. Je suis encore bonne pour le service parce que j'ai été adroitement recollée et j'essaie de rester dans l'armoire, la sombre et tranquille armoire où flotte un arôme d'épices éventées. Mais quand je dois en sortir et me montrer au grand jour, alors, ma chère, je suis une horreur !

Est-ce à cette occasion ou une autre fois que la conversation prit un tour semblable ? Je ne sais, mais Madame Merle promit un jour à Isabel qu'elle lui dévoilerait une histoire. Isabel assura qu'elle serait enchantée de l'écouter et lui rappela plusieurs fois sa promesse. Madame Merle, cependant, après avoir imploré à maintes reprises un répit, finit par dire franchement à sa jeune amie qu'il leur fallait attendre qu'elles se connaissent mieux, ce qui arriverait à coup sûr car, manifestement, une longue amitié s'étalait devant elles. Isabel acquiesça mais demanda simultanément si elle n'inspirait pas confiance, si elle semblait capable de trahir une confidence.

– Je ne crains pas que vous répétiez ce que je vous aurais dit, répondit Madame Merle ; j'ai peur, au contraire, que vous y attachiez trop d'importance. Vous me jugeriez trop durement ; vous êtes à l'âge cruel.

Elle préférait pour le moment parler d'Isabel à Isabel et manifestait un grand intérêt pour l'histoire de notre héroïne, ses sentiments, ses opinions et ses projets. Elle la faisait bavarder et écoutait son bavardage avec une complaisance illimitée, ce qui flattait et stimulait la jeune fille, impressionnée par les personnages distingués qu'avait connus son amie et par la meilleure société européenne parmi laquelle, disait Mrs Touchett, elle avait vécu. Isabel s'enorgueillissait de jouir des faveurs d'une personne dont le champ de comparaison s'étendait largement; peut-être même était-ce pour conforter son sentiment d'avoir tout à gagner à la comparaison qu'elle en appelait souvent à ses réserves de souvenirs. Madame Merle avait vécu dans de nombreux endroits et gardé des relations dans une douzaine de pays différents. « Je n'ai pas la prétention d'être instruite, disait-elle, mais je crois connaître mon Europe », et elle parlait un jour de partir pour la Suède séjourner chez une vieille amie et un autre d'accompagner à Malte une relation de fraîche date. Quant à l'Angleterre, où elle avait souvent résidé, elle était on ne peut plus familière à Madame Merle qui, au bénéfice d'Isabel, exposait un point de vue lumineux sur les mœurs du pays et le caractère de ses habitants; somme toute, se plaisait-elle à dire, les gens les plus faciles à vivre qui soient.

– Ne soyez pas choquée de la voir prolonger son séjour chez nous alors que Mr Touchett est sur le point de disparaître, dit un jour à sa nièce l'épouse du vieux gentleman. Elle ne commet jamais d'impair et je ne connais pas de femme qui soit douée d'autant de tact. Elle me fait une faveur en s'attardant ici et remet pour nous plusieurs visites à des familles huppées, ajouta Mrs Touchett qui n'oubliait jamais que sa valeur mondaine dégringolait de deux ou trois échelons lorsqu'elle était en Angleterre. Elle a le choix entre bien des résidences et ne manque pas d'abris. Mais je lui ai demandé de s'attarder cette fois-ci car je souhaite que vous la connaissiez. Je pense que ce sera une excellente chose pour vous. Serena Merle n'a pas de défaut.

– Si je ne l'aimais déjà beaucoup, cette description pourrait m'inquiéter, répondit Isabel.

– On ne la trouve jamais en faute. Je vous ai amenée d'Amérique jusqu'ici et je souhaite faire pour vous le mieux que je peux. Votre sœur Lily m'a dit qu'elle espérait que je vous donne le plus de chances possible. C'en est une de vous mettre en relation avec Madame Merle, une femme parmi les plus brillantes d'Europe.

– Je la préfère à votre description, persista Isabel.

– Vous flattez-vous de jamais la trouver exposée à la critique ? Quand cela se produira, j'espère que vous me le direz.

– Ce serait cruel… pour vous, dit Isabel.

– Ne vous tracassez pas pour moi. Vous ne lui trouverez pas de faiblesse.

– Peut-être pas. Mais cela ne me manquera pas.

– Elle sait absolument tout ce qu'il faut savoir sur terre, dit Mrs Touchett.

Isabel exprima sans tarder devant son amie l'espoir qu'elle connaissait l'opinion que Mrs Touchett s'était forgée de sa perfection sans faille.

– Je vous remercie, répondit Madame Merle, mais je crains que votre tante refuse d'imaginer, ou du moins de mentionner, les aberrations que les cadrans n'enregistrent pas.

– Autrement dit, vous auriez un côté sauvage qui lui est inconnu ?

– Oh non ! J'ai peur que mes côtés les plus noirs soient les plus domestiqués. Je veux dire que, pour votre tante, n'avoir pas de défauts consiste à ne jamais arriver en retard au dîner, à ses dîners, s'entend. A propos, je n'étais pas en retard le soir de votre retour de Londres ; il était huit heures précises quand je suis entrée au salon : c'est vous tous qui étiez en avance. Cela consiste à répondre à ses lettres par retour du courrier, à ne pas apporter trop de bagages quand on vient chez elle et à prendre soin de ne pas tomber malade dans ses murs. Voilà ce que Mrs Touchett appelle la vertu et c'est une bénédiction de pouvoir la réduire à ces éléments.

La conversation de Madame Merle s'ornait, on le sent, de touches critiques désinvoltes et audacieuses qui, même lorsqu'elles produisaient un effet restrictif, ne paraissaient pas à Isabel inspirées par la méchanceté. Celle-ci ne pouvait concevoir, par exemple, que l'invitée modèle de Mrs Touchett la trompât, et cela pour de très bonnes raisons. Tout d'abord, Isabel tenait ardemment à son sentiment très fin des nuances ;

second motif, Madame Merle laissait entendre qu'il y en avait beaucoup plus long à dire; enfin, il est clair que parler sans cérémonie à une personne de l'un de ses proches est une marque agréable d'intimité. Les signes de communion profonde se multipliaient au fil des jours et il n'en était pas auquel la jeune fille fût plus sensible qu'à la préférence de son amie pour un sujet précis : Isabel Archer. Certes, Madame Merle évoquait souvent les épisodes de sa propre carrière mais sans jamais s'y attarder; elle était aussi éloignée de l'égotisme outrancier que du commérage insipide.

– Je suis vieille, défraîchie, fanée, sans plus d'intérêt qu'un quotidien de la semaine dernière, disait-elle parfois. Vous, vous êtes jeune, fraîche et du jour; vous avez l'essentiel : l'actualité. J'en ai bénéficié autrefois; nous l'avons tous une heure. Vous, cependant, vous l'aurez plus longtemps. Donc, parlons de vous : vous ne pouvez rien dire qui me laisserait indifférente. Le fait que j'aime parler avec les gens plus jeunes est signe que je prends de l'âge, mais je pense qu'il s'agit d'une très jolie compensation. Quand on ne dispose plus de la jeunesse en soi, on peut la trouver au dehors et je pense réellement qu'on la voit et qu'on la sent mieux ainsi. Bien sûr, il faut être en sympathie avec elle, ce que je serai toujours. Je ne sais si je serai jamais méchante envers les vieilles personnes, j'espère que non; il y en a quelques-unes que j'adore. Mais je serai tout ce qu'on voudra sauf abjecte à l'égard des jeunes gens, tant ils me touchent et m'émeuvent. Donc, je vous donne *carte blanche*; vous pouvez même être impertinente si cela vous chante; je laisserai faire et vous gâterai horriblement. Je parle comme si j'avais cent ans, dites-vous. Je les ai, croyez-moi. Je suis née avant la Révolution française. Ah, ma chère, *je viens de loin*; j'appartiens à l'Ancien Régime du Vieux Monde. Mais ce n'est pas de lui que je voudrais parler, mais du Nouveau Monde. Vous devez m'en dire davantage sur l'Amérique; vous ne m'en parlez pas assez. Depuis que l'on m'a amenée en Europe, dans ma tendre enfance, j'y ai toujours vécu, et la minceur de mes connaissances sur ce pays splendide, terrible et bizarre, le plus grand et le plus drôle de tous certainement, est ridicule, ou plutôt scandaleuse. Nous sommes assez nombreux dans ce cas et je dois dire que nous formons un ensemble de gens lamentables. On devrait vivre dans son pays ; quel qu'il puisse être, c'est là que l'on a naturellement sa place. Si nous ne sommes pas de bons Américains, nous sommes sûrement de piètres Européens ; nous ne sommes pas à notre place naturelle. Nous sommes de simples parasites qui rampent à la surface ; nos pieds n'ont pas prise sur le sol. Il faut au moins le savoir et ne pas se faire d'illusions. Une femme peut s'en tirer, à la rigueur ; nulle part, me semble-t-il, une femme n'a de place naturelle : où qu'elle se trouve, elle doit rester à la surface et ramper plus ou moins. Vous protestez, ma chère ? Vous êtes horrifiée ? Vous jurez que jamais vous ne ramperez ? Il est vrai que je ne vous vois pas en train de ramper ; vous vous tenez plus droite que bien des malheureuses femmes. Très bien ! Tout compte fait, je ne pense pas que vous ramperez. Mais les hommes, les Américains, *je vous demande un peu* ce qu'ils font ici. Quand je les vois s'efforcer de s'en arranger, je ne les envie pas. Regardez le pauvre Ralph Touchett ; comment appelez-vous ce genre de personnage ? Heureusement, il est phtisique ; je dis heureusement parce que sa phtisie lui donne quelque chose à faire, elle est sa *carrière*, une espèce de situation. Vous pouvez dire : « Mr Touchett ? Oh ! Il soigne ses poumons ; il connaît des tas de choses sur les climats. » Mais, sans cela, que serait-il ? Que représenterait-il, Mr Ralph Touchett ? « Un Américain qui vit en Europe. » Ce qui ne signifie absolument rien ; impossible de rien trouver qui signifie moins que cela. « Il est très cultivé, dira-t-on ; il a une bien jolie collection de tabatières anciennes. » La collection, voilà ce qui lui manquait pour le rendre pitoyable. Je ne supporte plus ce mot, je le trouve grotesque. Quant à son pauvre père, c'est différent ; il a une identité qui pèse son poids. Il représente un grand établissement financier, ce qui, à notre époque, vaut autant que n'importe quoi. Pour un Américain, en tout cas, cela convient très bien. Mais je persiste à penser que votre cousin a beaucoup de chance de souffrir d'une maladie chronique, aussi longtemps qu'il n'en meurt pas. Cela vaut mieux que les tabatières. S'il n'était pas malade, me direz-vous, il ferait quelque chose, il prendrait la place de son père à la banque. Ma pauvre enfant, j'en doute; je ne crois pas du tout qu'il aime la banque. Toutefois, vous le connaissez mieux que moi, bien que je l'aie beaucoup pratiqué autrefois. Accordons-lui le bénéfice du doute. Le cas le plus navrant, je pense, est celui d'un de mes amis, un de nos compatriotes, qui vit en Italie, où il fut conduit, lui aussi, avant de pouvoir en décider, un des hommes les plus charmants que je connaisse. Il faudra que vous fassiez sa connaissance. Je vous réunirai et vous comprendrez ce que je veux dire. Ce Gilbert Osmond vit en Italie; c'est tout ce que l'on peut en dire ou en faire. Excessivement intelligent, il était fait pour se distinguer mais, comme je l'ai dit, on a épuisé le sujet quand on a dit : c'est Mr Osmond qui vit *tout bêtement* en Italie. Pas de carrière, pas de nom, pas de situation, pas de fortune, pas de passé, pas d'avenir. Ah ! j'oubliais : il peint, à l'aquarelle, comme moi mais mieux que moi. Ses tableaux sont assez mauvais, et, somme toute, j'en suis plutôt contente. Heureusement, il est très indolent, d'une telle indolence qu'elle équivaut à une sorte de situation. Il peut toujours dire : « Oh ! je ne fais rien; je suis trop mortellement paresseux. De nos jours, on ne peut rien faire à moins de se lever à cinq heures du matin ! » De cette façon, il devient une exception; l'on se dit qu'il pourrait faire quelque chose si seulement il se levait tôt. Il ne parle jamais de sa peinture en public; il est trop intelligent pour cela. Mais il a une fille, une délicieuse petite fille, et il parle d'elle. Il l'adore, et si la paternité pouvait être une carrière, il y figurerait au nombre des meilleurs. Mais je crains que cela ne vaille pas mieux que les tabatières, et peut-être même moins.

– Dites-moi ce que l'on fait en Amérique, reprit un autre jour Madame Merle qui, soit dit en passant, ne s'était pas livrée d'un seul trait à toutes ces réflexions, regroupées pour la commodité du lecteur.

Elle parlait de Florence, où vivait Mr Osmond et où Mrs Touchett habitait un *palazzo* médiéval; de Rome où elle-même avait un petit *pied-à-terre* orné de quelques beaux damas anciens, de villes, de gens, voire même de « sujets », selon la formule, et, de temps à autre, de l'aimable maître de maison et de ses chances de guérison. Dès le début, elle les avait jugées très faibles et Isabel avait été frappée par sa façon positive, compétente et avisée de supputer le temps qui lui restait à vivre. Un soir, elle annonça nettement qu'il ne vivrait pas.

– Sir Matthew Hope me l'a dit aussi distinctement qu'il était convenable, là, près du feu, avant le dîner. Il sait se rendre très agréable, le grand docteur. Je ne veux pas dire que ses propos l'aient été. Mais il les a énoncés avec un tact parfait. Je venais de lui avouer combien j'étais gênée d'être ici en ce moment et qu'il me semblait indiscret de le faire dans la mesure où je ne pouvais soigner le malade. « Vous devez rester, vous le devez, m'a-t-il répondu ; votre rôle viendra plus tard. » N'était-ce pas une façon très délicate de me dire à la fois que le pauvre Mr Touchett allait mourir et que je pourrais être de quelque utilité comme consolatrice ? Je sais au demeurant que je ne serai pas de la moindre utilité. Votre tante se consolera elle-même ; elle seule sait la dose exacte de consolation dont elle aura besoin. Ce serait pour quelqu'un d'autre une entreprise très délicate de prendre sur soi de lui administrer le remède. Pour votre cousin, il en ira tout autrement ; son père va lui manquer terriblement. Mais je n'ai pas la présomption de partager la douleur de Mr Ralph ; nous ne fonctionnons pas en ces termes-là.

Madame Merle avait fait plusieurs fois allusion au manque d'harmonie de ses relations avec Ralph Touchett, et Isabel saisit l'occasion pour lui demander s'ils n'étaient pas bons amis.

– Parfaitement amis mais il ne m'aime pas.

– Que lui avez-vous fait ?

– Absolument rien. Mais personne n'a besoin de raison pour cela.

– Pour ne pas vous aimer ? Je pense qu'il faut avoir une très bonne raison.

– Vous êtes très gentille. Assurez-vous d'en avoir une toute prête pour le jour où vous commencerez.

– Commencer à ne plus vous aimer ? Jamais cela n'arrivera.

–Je l'espère bien car, si vous commencez, jamais vous ne cesserez. C'est le cas de votre cousin, il ne peut surmonter une antipathie naturelle, si je peux appeler ainsi un sentiment unilatéral. Je n'ai rigoureusement rien contre lui et ne lui tiens pas rigueur de ne pas être équitable envers moi. L'équité, c'est tout ce que je demande. Toutefois, on le sent, Ralph est un gentleman, incapable d'insinuations malveillantes à l'égard de quiconque. *Cartes sur table*, conclut Madame Merle avant d'ajouter après un instant : Je n'ai pas peur de lui.

–Je l'espère bien, dit Isabel qui affirma que son cousin était le plus aimable des hommes.

Elle se souvenait pourtant de la première fois où elle avait interrogé Ralph à propos de Madame Merle et de sa réponse que cette dame aurait pu trouver injurieuse, bien qu'elle ne fût pas explicite. Il y a quelque chose entre eux, se dit Isabel qui n'alla pas au-delà de cette réflexion; si cette chose était importante, elle devrait inspirer le respect; dans le cas contraire, elle n'éveillait pas sa curiosité. Malgré son besoin de savoir, Isabel répugnait d'instinct à tirer les rideaux et à explorer les coins obscurs. Dans son esprit, l'amour de la connaissance coexistait avec la plus belle capacité d'ignorance.

Pourtant, Madame Merle disait parfois des choses qui la faisaient tressaillir; sur le moment, Isabel haussait ses sourcils clairs, puis elle réfléchissait aux propos.

–Je donnerais cher pour avoir de nouveau votre âge, s'écria un jour son amie, et l'amertume diluée dans sa magnifique aisance habituelle n'en transparaissait pas moins. Si seulement je pouvais recommencer ! Si j'avais la vie devant moi !

–Vous l'avez encore devant vous, répondit doucement Isabel, frappée d'un effroi inexplicable.

–Non, la meilleure part s'en est enfuie, et vainement enfuie.

–Sûrement pas en vain, dit Isabel.

–Pourquoi pas? Qu'en ai-je obtenu? Ni mari, ni enfant, ni fortune, ni situation, pas même les vestiges d'une beauté que je n'ai jamais eue.

–Vous avez beaucoup d'amis !

– Je n'en suis pas si sûre ! protesta Madame Merle.

– Ah, vous vous trompez ! Vous avez des souvenirs, du charme, des talents...

– Que m'ont apporté ces talents ? l'interrompit Madame Merle. Rien, si ce n'est la nécessité d'y recourir sans cesse pour venir à bout des heures et des années, de m'abuser moi-même en simulant le mouvement, l'insensibilité. Quant à mon charme et à mes souvenirs, moins on en parle, mieux cela vaut. Vous serez mon amie tant que vous n'aurez pas trouvé meilleur usage à faire de votre amitié.

– A vous de veiller à ce que cela ne m'arrive pas.

– Oui, je ferai un effort pour vous garder, répondit Madame Merle à son amie qui la regardait d'un air grave. Quand je dis que j'aimerais avoir votre âge, je veux dire votre âge plus vos qualités : franchise, générosité, sincérité. A cette condition, j'aurais fait quelque chose de mieux de ma vie.

– Qu'auriez-vous souhaité que vous n'ayez fait ?

Madame Merle était au piano quand avait débuté cet entretien. Elle avait fait brusquement pivoter son tabouret pour répondre à Isabel. Elle s'empara d'une partition dont elle tourna machinalement les pages :

– Je suis très ambitieuse, répondit-elle enfin.

– Et vos ambitions n'ont pas été satisfaites ? Elles devaient être très grandes.

– Elles l'étaient ; je me couvrirais de ridicule si je vous en parlais.

Isabel se demanda ce qu'elles avaient pu être : Madame Merle avait-elle aspiré à porter une couronne ?

– Je ne sais quelle idée vous vous faites du succès ; personnellement, il me semble que vous l'avez atteint. Pour moi, vous êtes l'image vivante de la réussite.

Madame Merle reposa la partition avec un sourire :

– Quelle idée vous faites-vous de la réussite ?

– Vous pensez sûrement qu'elle doit être très anodine. C'est de voir un rêve de jeunesse se réaliser.

– Ah ! s'écria Madame Merle, voilà qui ne m'est jamais arrivé ! Mes rêves étaient si grandioses, si contraires au bon sens ! Dieu me pardonne, je rêve encore !

Se retournant vers le clavier, elle attaqua splendidement sa partition. Le lendemain, elle dit à Isabel que sa définition du succès était très jolie, encore qu'affreusement triste.

– Jaugé de cette manière, qui a jamais réussi ? Nos rêves de jeunesse, ils étaient enchanteurs ! Ils étaient divins ! Qui les a jamais vus se réaliser ?

– Moi, j'en ai vu certains, osa répondre Isabel.

– Déjà ? C'était probablement des rêves d'hier.

– J'ai commencé à rêver très jeune, fit Isabel avec un sourire.

– Ah ! si vous parlez des aspirations enfantines... Avoir une ceinture rose et une poupée qui ferme les yeux !

– Non, ce n'est pas ce dont je parle.

– Alors du jeune homme à fines moustaches blondes qui tombe à vos genoux.

– Non, pas cela non plus, déclara Isabel, encore plus catégorique.

Madame Merle nota, semble-t-il, cette ardeur.

– Je soupçonne qu'il s'agit de cela. Nous avons toutes rêvé du jeune homme à moustache. L'inévitable jeune homme ; il ne compte pas.

Isabel, un moment silencieuse, reprit avec un illogisme total et caractéristique :

– Pourquoi ne compterait-il pas ? Il y a jeunes gens et jeunes gens.

– Et le vôtre était un parangon, n'est-ce pas ce que vous voulez dire ? demanda son amie en riant. Si vous avez trouvé un jeune homme identique à celui de vos rêves, c'est un succès et je vous félicite de tout mon cœur. Mais, si c'est le cas, pourquoi ne vous êtes-vous pas envolée avec lui dans son château des Apennins ?

– Il n'a pas de château dans les Apennins.

– Qu'a-t-il alors ? Une vilaine maison de brique dans la Quarantième rue ? Ne me dites pas cela : je refuse d'y voir un idéal.

– Je n'ai que faire de sa maison, dit Isabel.

– Venant de vous, c'est une opinion très sommaire. Quand vous aurez vécu aussi longtemps que moi, vous saurez que tous les humains ont leur coquille, et qu'il faut tenir compte de cette coquille. J'entends par ce mot le jeu complet des circonstances. Un homme ou une femme isolé, cela n'existe pas ; nous sommes tous construits d'un faisceau d'appartenances. Qu'appellons-nous notre « moi » ? Où commence-t-il ? Où finit-il ? Il imprègne tout ce qui nous appartient, puis s'en retire. Je sais qu'une grande part de ma personnalité tient aux robes que je choisis de porter. J'ai beaucoup de respect pour les choses. Pour autrui, notre moi est l'expression de notre personnalité ; et notre maison, nos meubles, nos vêtements, les livres que nous lisons, les gens que nous fréquentons, tout cela l'exprime.

Ces propos, d'ordre métaphysique, ne l'étaient pourtant pas plus que bien des observations antérieures de Madame Merle. Isabel aimait la métaphysique mais était incapable de suivre son amie dans cette analyse audacieuse de la personnalité humaine.

– Je ne suis pas d'accord avec vous, je pense exactement le contraire. Je ne sais si j'arrive à m'exprimer mais je sais que rien d'autre ne m'exprime. Rien de ce qui m'appartient ne donne ma mesure ; au contraire, tout est limite et barrière parfaitement arbitraires. Les vêtements que je choisis de porter, comme vous dites, ne disent pas qui je suis et je bénis le Ciel qu'il en soit ainsi.

– Vous vous habillez très bien, fit gentiment observer Madame Merle.

– C'est possible mais je n'ai pas envie que l'on me juge à cette aune. Mes robes peuvent exprimer le moi de la couturière, pas le mien. Pour commencer, je ne les porte pas en vertu d'un choix personnel mais parce qu'elles me sont imposées par la société.

– Préféreriez-vous vous en passer ? s'enquit Madame Merle d'un ton qui, pratiquement, mettait fin à la discussion.

Au risque de discréditer un peu l'esquisse que j'ai donnée de la loyauté juvénile de notre héroïne à l'égard de cette femme accomplie, je suis tenté d'avouer qu'Isabel ne lui avait rien dit de Lord Warburton et s'était montrée tout aussi réservée à propos de Caspar Goodwood. Elle ne lui avait pas caché cependant qu'elle avait eu plusieurs occasions de se marier; elle avait même laissé entendre à son amie qu'il s'était agi de très belles occasions. Lord Warburton avait quitté Lockleigh pour se rendre en Écosse en compagnie de ses sœurs; il avait écrit plusieurs fois à Ralph pour s'enquérir dc la santé de Mr Touchett mais Isabel n'avait pas subi l'embarras de visites que, s'il était resté dans le voisinage, Lord Warburton se serait probablement senti tenu de faire en personne. Il avait d'excellentes manières, mais Isabel était sûre que, s'il était venu à Gardencourt, il aurait rencontré Madame Merle, que s'il l'avait rencontrée, elle lui aurait plu et il lui aurait révélé qu'il était amoureux de sa jeune amie. Il se trouvait que, lors des visites précédentes de cette dame à Gardencourt – beaucoup plus brèves que son séjour actuel –, Lord Warburton n'était pas à Lockleigh ou n'était pas venu chez Mr Touchett. Aussi, bien qu'elle connût de nom le grand homme du comté, Madame Merle n'avait aucune raison de supputer qu'il fût un prétendant de la nièce fraîchement importée de Mrs Touchett.

– Vous avez tout le temps, avait-elle dit en réponse aux confidences tronquées que lui avait faites Isabel et qui ne prétendaient pas être achevées, bien que, par moments, la jeune fille regrettât d'en avoir trop dit. Je suis heureuse que vous n'ayez encore rien décidé et que le choix reste à faire. C'est une bonne chose pour une jeune fille d'avoir refusé quelques demandes intéressantes, aussi longtemps, bien sûr, qu'elles ne sont pas les meilleures qu'elle soit susceptible d'inspirer. Pardonnez-moi ce ton, s'il vous paraît horriblement dévoyé; il faut bien adopter parfois le langage du monde. Seulement, ne vous mettez pas à refuser pour le plaisir. C'est une façon plaisante d'exercer son pouvoir, mais accepter, après tout, c'est également exercer son pouvoir. Sans parler du danger toujours possible de refuser une fois de trop. Ce n'est pas celui auquel j'ai succombé : je n'ai pas assez souvent refusé. Vous êtes une créature exquise et j'aimerais vous voir épouser un Premier ministre. Mais, à proprement parler, vous n'êtes pas ce qu'on appelle techniquement un *parti*. Vous êtes extrêmement jolie et extrêmement intelligente ; par vous-même, vous êtes exceptionnelle. Vous semblez avoir une idée très vague de vos biens terrestres, mais d'après ce que j'ai pu comprendre, vous n'êtes pas encombrée par vos revenus. Je voudrais que vous ayez un peu d'argent.

– Moi aussi ! dit simplement Isabel, qui semblait oublier que, pour l'instant, sa pauvreté avait été faute vénielle pour deux valeureux soupirants.

Malgré les conseils bienveillants de Sir Matthew Hope, Madame Merle ne prolongea pas son séjour jusqu'à l'issue dorénavant certaine de la maladie du malheureux Mr Touchett. Elle avait pris envers d'autres amis des engagements qu'il lui fallait enfin honorer et quitta Gardencourt en promettant, quoi qu'il arrivât, de revenir voir Mrs Touchett à la campagne ou à Londres, avant de quitter l'Angleterre. Encore plus que leur rencontre, ses adieux à Isabel ressemblèrent au début d'une amitié.

– Je me rends tour à tour dans six demeures mais je n'y rencontrerai personne que j'aime autant que vous. Tous sont de vieux amis, cependant ; on ne s'en fait pas de nouveaux à mon âge et j'ai osé pour vous une exception importante. Ne l'oubliez pas et pensez à moi aussi chaleureusement que possible. Il faut me remercier en croyant en moi.

En guise de réponse, Isabel l'embrassa et, bien que les femmes s'embrassent parfois aisément, il y a baisers et baisers : celui-là fut pour Madame Merle une satisfaction.

Après son départ, notre jeune amie fut très seule ; elle voyait sa tante et son cousin aux repas seulement et s'aperçut que Mrs Touchett ne consacrait désormais à son mari qu'un petit nombre des heures où elle était invisible. Elle en passait le reste dans ses appartements, dont l'accès n'était pas autorisé à sa nièce, et s'y livrait apparemment à des travaux mystérieux et impénétrables. A table, elle était grave et silencieuse, mais cette solennité n'était pas une attitude et Isabel y voyait une conviction. Elle se demandait si sa tante regrettait d'avoir suivi si résolument sa route personnelle, ce dont elle ne donnait pas de preuves visibles : larmes, soupirs ou zèle excessif. Mrs Touchett semblait seulement ressentir le besoin de réfléchir à certaines choses et de les récapituler; elle disposait, dans l'ordre moral, d'un petit livre de comptes aux colonnes infailliblement alignées et muni d'un solide fermoir d'acier, qu'elle tenait avec une précision exemplaire. Les réflexions qu'elle proférait prenaient toujours un accent pratique :

– Si j'avais prévu tout cela, déclara-t-elle à Isabel après le départ de Madame Merle, je ne vous aurais pas proposé de venir à l'étranger en ce moment. J'aurais attendu l'année prochaine pour vous inviter.

– Mais peut-être n'aurais-je pas connu mon oncle. C'est un grand bonheur pour moi d'être venue sans tarder.

– Alors, tout va bien. Mais ce n'est pas pour que vous puissiez faire la connaissance de votre oncle que je vous ai amenée en Europe.

Ces propos étaient parfaitement véridiques mais, de l'avis d'Isabel, plutôt intempestifs. Elle avait tout loisir d'y songer, ainsi qu'à d'autres sujets. Tous les jours, elle faisait une promenade solitaire et passait des heures languissantes à feuilleter des livres dans la bibliothèque. Mais son attention s'arrêtait plus volontiers sur les aventures de son amie, Miss Stackpole, avec qui elle entretenait une correspondance suivie. Isabel préférait le style épistolaire intime de son amie à son style journalistique et sentait que ses articles eussent été excellents s'ils n'avaient pas été publiés. La carrière de Henrietta n'était pas aussi brillante que l'on eût pu le souhaiter, y compris dans l'intérêt de son bonheur personnel. Le tableau de la vie privée en Grande-Bretagne qu'elle était si désireuse de peindre semblait danser devant elle comme un *ignis fatuus*[1]. Pour des raisons mystérieuses, l'invitation de Lady Pensil ne lui était jamais parvenue et le pauvre Mr Bantling, malgré son amicale ingéniosité, avait été incapable d'expliquer un si grave manquement de la part d'un message qui, de toute évidence, avait été envoyé. Il avait pris très à cœur les affaires de Henrietta et croyait lui devoir une compensation pour cette visite illusoire dans le Bedfordshire : « Il dit que je devrais songer à partir pour le Continent, écri-

---

1. Feu follet en latin. *(N. d. T.)*

vait Henrietta, et comme lui-même envisage de s'y rendre, je pense que son avis est sincère. Il me demande pourquoi je n'entreprendrais pas une étude de la vie en France, et, de fait, je souhaite beaucoup voir la nouvelle République. Mr Bantling ne s'intéresse guère à la République mais n'en compte pas moins se rendre bientôt à Paris. Je dois dire qu'il est aussi attentionné qu'on peut le souhaiter : j'aurai au moins rencontré un Anglais poli. Je passe mon temps à lui dire qu'il aurait dû être américain et j'aimerais que tu voies combien cela lui fait plaisir. Chaque fois que je le lui dis, il s'exclame : "Pas possible ! Allons ! Allons !"» Quelques jours plus tard, Henrietta écrivit qu'elle avait décidé de partir pour Paris à la fin de la semaine ; Mr Bantling avait promis de l'accompagner à la gare, peut-être même jusqu'à Douvres. Sans la moindre allusion à Mrs Touchett, Miss Stackpole ajoutait qu'elle attendrait Isabel à Paris, comme si son amie était sur le point de partir seule pour son voyage sur le Continent. Ralph avait manifesté beaucoup d'intérêt pour Henrietta, si bien qu'Isabel lut plusieurs passages de cette lettre à son cousin qui suivait avec une émotion vibrante la carrière de la correspondante de l'*Interviewer*.

– Il me semble qu'elle a bien raison ! dit-il. Partir pour Paris avec un ex-lancier[1] ! Si elle est à court de sujet, elle n'a qu'à relater cet épisode !

– Bien sûr, ce n'est pas très conventionnel, répondit Isabel. Mais si vous voulez dire que, de la part de Henrietta du moins, ce n'est pas parfaitement innocent, vous vous trompez lourdement. Vous ne comprendrez jamais Henrietta.

– Pardon ! Je la comprends admirablement. Ce n'était pas le cas au début mais, à présent, j'ai trouvé l'angle de vue. En revanche, je crains que le pauvre Bantling ne l'ait pas découvert ; il pourrait avoir des surprises. Mais, pour ma part, je comprends Henrietta comme si je l'avais faite !

Isabel n'en était pas convaincue mais se retint d'exprimer ses doutes car elle était alors disposée à faire preuve de beau-

1. Soldat armé de la lance appartenant à un régiment de cavalerie qui faisait partie de la Garde royale ; ce régiment fut supprimé en 1927. *(N. d. T.)*

coup d'indulgence à l'égard de son cousin. Un après-midi, moins d'une semaine après le départ de Madame Merle, elle était assise à la bibliothèque en compagnie d'un volume qui n'avait pas fixé son attention. Installée dans l'embrasure profonde d'une fenêtre, elle bénéficiait de la vue sur le parc morne et humide ; la bibliothèque faisant un angle droit avec la façade principale de la maison, elle voyait le coupé du docteur qui, depuis deux heures, attendait devant la porte. Cette station prolongée l'étonnait mais, pour finir, le docteur sortit par le portique ; il s'arrêta un moment pour enfiler lentement ses gants et pour examiner les genoux de son cheval avant de monter en voiture et de s'éloigner. Isabel demeura encore une demi-heure dans l'embrasure ; un grand silence régnait dans la maison ; si profond qu'elle tressaillit au bruit d'un pas lent et feutré sur le tapis épais de la pièce. Elle se détourna vivement de la fenêtre et vit Ralph Touchett debout près d'elle ; il avait toujours les mains dans les poches, mais l'habituel sourire latent avait déserté son visage. Elle se leva, et ce geste et son regard étaient une question.

– C'est fini, dit Ralph.

– Vous voulez dire que mon oncle…

Isabel s'arrêta.

– Mon cher père est mort il y a une heure.

– Ah ! Mon pauvre Ralph ! gémit-elle doucement en lui tendant les deux mains.

20

Une quinzaine de jours après ces événements, Madame Merle se rendit en cab à la maison de Winchester Square. En descendant de voiture, elle nota, entre les fenêtres de la salle à manger, la présence d'un grand placard de bois flambant neuf dont l'inscription se détachait en blanc sur fond noir : « Superbe immeuble libre, à vendre en toute propriété », suivie du nom de l'agent auquel s'adresser. La visiteuse souleva le grand heurtoir de bronze et attendit qu'on lui ouvrît. « Eh bien, ils ne perdent pas de temps, songeait-elle. Dans ce pays, l'on a l'esprit pratique ! » En montant au salon, elle enregistra dans la maison de nombreux symptômes d'abdication : tableaux dépendus et rangés sur les sofas, fenêtres et parquets nus. Mrs Touchett reçut aussitôt son amie et lui signifia en deux mots que les condoléances étaient considérées comme accomplies.

– Je sais ce que vous allez dire : c'était un excellent homme. Je le sais mieux que personne pour lui avoir donné plus que quiconque l'occasion de le prouver. En cela, je crois avoir été bonne épouse.

Mrs Touchett ajouta qu'à la fin de sa vie, son mari, apparemment, avait reconnu le fait.

– Il m'a traitée très généreusement, dit-elle. Je ne dirai pas plus généreusement que je ne m'y attendais, puisque je n'attendais rien. Vous savez que, de façon générale, je n'espère rien. Mais il a choisi, je présume, de reconnaître le fait que, tout en ayant beaucoup vécu sur le Continent, mêlée à la société étrangère, en liberté, pouvez-vous penser, je n'ai jamais manifesté la moindre préférence pour personne d'autre.

« Personne d'autre que vous », corrigea mentalement Madame Merle, dont la réflexion fut parfaitement inaudible.

– Je n'ai jamais sacrifié mon mari à quelqu'un d'autre, continua Mrs Touchett, avec sa rude brusquerie.

« Oh non ! songea Madame Merle, vous n'avez jamais rien fait pour personne ! »

Le cynisme dont étaient empreints ces commentaires silencieux appelle une explication, d'abord parce qu'ils ne s'accordent ni avec l'impression, un peu superficielle peut-être, que nous a faite jusqu'ici le personnage de Madame Merle, ni avec l'histoire de Mrs Touchett ; ensuite, parce que Madame Merle était à juste titre persuadée que la dernière remarque de son amie n'était pas une pierre dans son jardin. En fait, dès l'instant où la visiteuse avait franchi le seuil de la maison, l'impression l'avait saisie que la mort de Mr Touchett avait entraîné de subtiles conséquences qui avaient profité à un petit cercle de personnes dont elle ne faisait pas partie. Bien entendu, cet événement était lourd de conséquences et son imagination s'était plus d'une fois attardée sur ce fait pendant son séjour à Gardencourt. Mais ç'avait été une chose de les prévoir en pensée ; c'en était une autre d'assister à leur déroulement matériel. A cet instant, l'idée d'un partage des biens – elle était tentée de dire des dépouilles – s'imposa puissamment à son esprit, exaspérant chez elle un sentiment d'exclusion. Loin de moi le désir de la dépeindre dotée des griffes avides ou du cœur envieux propres au *vulgum pecus.* Mais nous avons appris déjà que certains de ses désirs étaient restés insatisfaits. L'aurait-on questionnée, elle aurait admis avec un beau sourire orgueilleux qu'elle n'avait pas droit à la moindre part des reliques de Mr Touchett. « Il n'y a jamais rien eu entre nous. Le pauvre homme ! Il n'y a jamais eu ça ! » aurait-elle dit en claquant des doigts. Je m'empresse d'ajouter que, si elle ne pouvait se défendre pour le moment d'une envie teintée de méchanceté, elle prenait soin de ne pas se trahir. Elle éprouvait après tout autant de sympathie pour les profits de Mrs Touchett que pour ses propres pertes.

– Il m'a laissé cette maison que, bien entendu, je n'habiterai pas, dit la veuve de fraîche date. J'en ai une beaucoup plus belle à Florence. Le testament a été ouvert il y a trois jours seulement et j'ai déjà mis la maison en vente. J'ai aussi une participation dans la banque mais je n'ai pas encore compris si je suis obligée de la laisser en compte. Si ce n'est pas le cas, je l'en retirerai certainement. Bien entendu, Ralph hérite de Gardencourt, mais je ne suis pas sûre qu'il aura les moyens de l'entretenir. Il est naturellement très bien loti mais son père a distribué de tous côtés des sommes considérables; il y a même des legs destinés à une ribambelle de cousins au troisième degré dans le Vermont. Mais Ralph aime tellement Gardencourt qu'il serait tout à fait capable d'y passer l'été, avec une bonne à tout faire et un apprenti jardinier. Le testament de mon mari comporte une clause remarquable, ajouta Mrs Touchett. Il a laissé une fortune à ma nièce.

– Une fortune! répéta doucement Madame Merle.

– Isabel se trouve à la tête de quelque soixante-dix mille livres.

A ces mots, Madame Merle, dont les mains croisées reposaient sur ses genoux, les leva toujours jointes et les serra un moment contre sa poitrine, tandis que ses yeux légèrement dilatés se fixaient sur ceux de son amie :

– Dieu, qu'elle est maligne! s'écria-t-elle.

Mrs Touchett lui jeta un coup d'œil rapide :

– Que voulez-vous dire?

Madame Merle rougit et baissa les yeux :

– Il faut certainement de l'intelligence pour réaliser... sans effort un tel exploit!

– Il n'y a pas eu le moindre effort. N'appelez pas cela un exploit.

Madame Merle commettait rarement la maladresse de revenir sur ce qu'elle avait dit; la prudence l'incitait plutôt à maintenir ses propos en les exposant sous un jour favorable.

– Ma chère amie, Isabel n'aurait pas hérité de soixante-dix mille livres si elle n'était la plus charmante fille du monde. Son charme comporte une grande intelligence.

– Elle n'a jamais rêvé, j'en suis sûre, que mon mari ferait quoi que ce soit pour elle, et je n'y avais pas plus songé car il ne m'a jamais parlé de son intention. Elle n'avait rien à attendre de lui et le fait d'être ma nièce n'était pas un atout aux yeux de Mr Touchett. Quelle que soit la faveur obtenue, elle l'a acquise inconsciemment.

– C'est ainsi que l'on réussit les plus beaux coups! acquiesça Madame Merle.

Mrs Touchett réservait son opinion :

– Isabel a de la chance, je ne dis pas le contraire, mais, pour le moment, elle est tout simplement stupéfiée.

– Vous voulez dire qu'elle ne sait que faire de son argent?

– Je crois qu'elle n'y a pas encore songé. Elle ne sait absolument pas que penser de toute l'affaire. C'est comme si, à l'improviste, un coup de canon avait été tiré derrière son dos; elle se palpe pour savoir si elle a été blessée. Cela fait trois jours seulement qu'elle a reçu la visite très courtoise de l'exécuteur testamentaire, qui est venu en personne l'informer. Après qu'il eut terminé son petit discours, elle a éclaté en sanglots, m'a-t-il rapporté par la suite. L'argent doit rester dans les affaires de la banque et elle en retirera les intérêts.

Madame Merle hocha la tête avec un sourire sagace, empreint de bienveillance :

– Délicieux! Lorsqu'elle l'aura fait deux ou trois fois, elle y sera accoutumée. Qu'en dit votre fils? ajouta-t-elle à brûle-pourpoint.

– Il a quitté l'Angleterre avant l'ouverture du testament, épuisé de fatigue et d'anxiété, pressé d'aller vers le sud. Il est en route pour la Riviera et je n'ai pas encore reçu de ses nouvelles. Mais il est peu probable qu'il fasse la moindre objection à une mesure prise par son père.

– Ne m'avez-vous pas dit que sa part avait été réduite?

– A sa propre demande. Je sais qu'il a pressé son père de faire un geste en faveur de ses parents d'Amérique. Il n'est pas du tout porté à défendre ses intérêts.

– Cela dépend de la personne vers qui va son intérêt! dit Madame Merle qui resta un moment pensive, les yeux fixés sur le parquet. Ne vais-je pas voir votre heureuse nièce? demanda-t-elle en relevant les paupières.

– Vous pouvez la voir, mais vous ne lui trouverez pas l'air heureux. Depuis trois jours, elle paraît aussi solennelle qu'une Vierge de Cimabue, dit Mrs Touchett qui sonna un domestique.

Peu après que le laquais fut parti l'avertir, Isabel fit son entrée et Madame Merle se dit, en la voyant paraître, que la comparaison de Mrs Touchett ne manquait pas de force. Elle était pâle et grave, expression que soulignait le grand deuil. Mais le sourire brillant des jours heureux éclaira son visage lorsqu'elle vit Madame Merle qui s'avança vers elle, posa la main sur son épaule et, après l'avoir regardée un instant, l'embrassa comme si elle lui rendait le baiser qu'elle avait reçu d'elle à Gardencourt. Ce fut la seule allusion à l'héritage de notre jeune amie que la visiteuse, dans son parfait bon goût, se permit ce jour là.

Mrs Touchett n'avait pas l'intention d'attendre à Londres la vente de sa maison. Après avoir sélectionné dans le mobilier les objets qu'elle désirait faire transporter dans son autre résidence, elle confia tout le reste à un commissaire-priseur et partit pour le Continent. Elle voyagea bien sûr en compagnie de sa nièce, qui disposait à présent de nombreux loisirs pour mesurer, peser et estimer de toutes les manières l'héritage inattendu dont Madame Merle l'avait tacitement félicitée. Isabel pensait très souvent à la réalité de son accession à la fortune et l'étudiait sous maints éclairages différents; mais nous ne tenterons pas pour l'instant de suivre le fil de ses pensées ni d'élucider pourquoi sa réaction fut d'abord un sentiment d'oppression. En fait, son incapacité de se réjouir spontanément avait été de brève durée : la jeune fille se persuada bientôt qu'être riche est une qualité qui vous donne les moyens d'agir; et l'action ne peut qu'être aimable. C'était le contraire charmant du côté stupide de la faiblesse, en particulier de sa variété féminine! Chez une jeune personne délicate, être faible était plutôt gracieux mais, après tout, se disait Isabel, il existe une grâce plus généreuse. Pour l'instant, il est vrai, une fois expédiés un chèque à Lily et un autre à la pauvre Edith, il n'y avait pas grand-chose à faire, mais elle bénissait les mois paisibles que ses robes de deuil et le veuvage récent de sa tante les obligeaient à passer ensemble. L'acquisition du pouvoir la rendait sérieuse; elle le scrutait avec une sorte de tendre férocité mais n'était pas impatiente de l'exercer. Elle commença de l'expérimenter pendant le séjour de quelques semaines qu'elle fit à Paris avec sa tante, d'une façon qui se présentait inévitablement comme frivole. Cette façon était tout naturellement imposée par une ville dont les boutiques font l'admiration du monde, et entièrement ordonnée par les conseils de Mrs Touchett qui considérait d'un point de vue strictement pratique la transformation de sa nièce de jeune fille pauvre en jeune fille riche. « A présent que vous avez de la fortune, vous devez savoir comment jouer votre rôle, je veux dire le jouer bien », déclara-t-elle une fois pour toutes à Isabel, ajoutant aussitôt que son premier devoir était de n'avoir que de belles choses. « Vous ne savez pas prendre soin de vos affaires et vous devez l'apprendre », poursuivit-elle. Car tel était le second devoir d'Isabel qui s'inclina, sans que son imagination s'embrasât. Elle espérait ardemment des occasions mais pas du tout de ce genre.

Mrs Touchett modifiait rarement ses projets ; avant la mort de son mari, elle avait décidé de passer une partie de l'hiver à Paris et ne voyait aucune raison de se priver de cet agrément, encore moins d'en priver sa nièce. Tout en vivant très retirée, elle pourrait néanmoins présenter sans cérémonie la jeune fille au petit cercle de ses compatriotes et amis qui habitaient autour des Champs-Élysées. Mrs Touchett était intime avec la majorité de ces aimables coloniaux dont elle partageait l'expatriation, les convictions, les passe-temps et l'ennui. Isabel les voyait arriver avec assiduité à l'hôtel de sa tante et portait sur eux des jugements dont la causticité doit, c'est indéniable, être mise au compte de l'exaltation passagère de sa conception des devoirs de l'homme. Elle décida que leurs existences, si luxueuses fussent-elles, étaient parfaitement vides et encourut une certaine défaveur en exprimant cette opinion lors des beaux dimanches après-midi que les expatriés américains vouaient à des visites réciproques. Ses interlocuteurs passaient pour des gens dont leurs cuisiniers ou leurs couturières célébraient la bienveillance exemplaire ; néanmoins, deux ou trois d'entre eux estimèrent que l'esprit, dont on la créditait en général, ne valait pas celui des dernières pièces de théâtre. « Vous vivez tous ici de la même façon. Mais à quoi cela vous mène-t-il ? demandait Isabel avec un malin plaisir. A rien, me semble-t-il, et je m'étonne que vous n'en soyez pas lassés. »

D'après Mrs Touchett, la question était digne de Henrietta Stackpole. Les deux dames avaient retrouvé à Paris la correspondante de l'*Interviewer*, qu'Isabel voyait très souvent; Mrs Touchett avait donc de bonnes raisons de se dire que, si sa nièce n'avait pas une intelligence suffisante pour imaginer presque tout, on pouvait la soupçonner d'avoir emprunté ce style de remarque à son amie journaliste. Isabel exprima son opinion pour la première fois à l'occasion d'une visite que les deux dames rendirent à Mrs Luce, vieille amie de Mrs Touchett et seule personne à Paris pour laquelle elle se déplaçait. Mrs Luce habitait la capitale depuis le règne de Louis-Philippe et déclarait volontiers d'un ton jovial appartenir à la génération de 1830[1], plaisanterie dont le sel échappait parfois à l'auditeur. Quand elle faisait long feu, Mrs Luce s'expliquait dans un français à jamais imparfait : « Oh oui ! Je suis une des romanesques ! » Elle était toujours chez elle le dimanche après-midi, entourée de compatriotes sympathisants, presque toujours les mêmes. En fait elle était toujours chez elle, où elle avait reproduit avec une authenticité surprenante dans son petit coin capitonné de la brillante capitale l'atmosphère familière de sa Baltimore natale. Mr Luce, son digne mari, gentleman long et mince, grisonnant, tiré à quatre épingles, qui arborait un monocle d'or et portait son chapeau un peu trop en arrière, était ainsi réduit à un éloge platonique des « distractions » parisiennes – son expression favorite –, car nul n'aurait pu deviner quels soucis il fuyait en y recourant. L'une d'elles consistait à se rendre quotidiennement à sa banque américaine où il trouvait un bureau de poste presque aussi commode et aussi familier que celui

1. Mrs et Mr Luce appartiennent à la classe des richissimes Américains de l'Est qui, une quarantaine d'années après l'Indépendance (1783), préférèrent Paris à Londres – qui fut « l'ennemi » – et à leur pays d'origine, pour eux sans passé ni attraits. Mrs Luce évoque avec nostalgie les années romantiques de 1830, celles de Victor Hugo, Balzac, Stendhal, Delacroix, révolues depuis une quarantaine d'années lors de ce séjour à Paris d'Isabel Archer. *(N. d. T.)*

d'une ville de province américaine. Lorsqu'il faisait beau, il passait une heure aux Champs-Élysées, assis sur une chaise, et il dînait remarquablement bien dans sa propre salle à manger dont le parquet ciré, au dire de Mrs Luce et pour son bonheur, brillait d'un éclat sans égal dans toute la capitale. Il soupait parfois avec un ou deux amis au Café Anglais, où son art de composer un menu était source de félicité pour ses convives et d'admiration pour le maître d'hôtel de l'établissement. Tels étaient les seuls passe-temps qu'on lui connût mais ils avaient charmé ses heures depuis plus d'un demi-siècle et justifiaient sans nul doute qu'il réitérât souvent sa conviction qu'il n'y a pas deux villes comme Paris. Nulle part ailleurs Mr Luce ne pouvait se flatter de jouir pareillement de la vie. Rien n'égalait Paris, mais il faut avouer que Mr Luce avait de la scène de ses divertissements une idée moins flatteuse qu'au temps de sa jeunesse. On ne saurait omettre de la liste de ses ressources intellectuelles les préoccupations politiques, principe stimulant de nombre de ses heures qui, en apparence, semblaient vides. Comme beaucoup de ses amis coloniaux, Mr Luce était hautement – ou plutôt profondément – conservateur et n'accordait pas sa faveur au gouvernement récemment constitué en France. Il ne croyait pas qu'il durerait et annonçait d'année en année que sa fin était proche. « Il a besoin d'être maté, monsieur, d'être maté. Ce qu'il lui faut, ce sont la poigne et le gant de fer », disait-il souvent du peuple français, et le gouvernement idéal, habile et brillant, était à ses yeux celui de l'Empire évincé. « Paris est beaucoup moins attrayant qu'au temps de l'Empereur ; il savait comment s'y prendre pour rendre une ville charmante », déclarait volontiers Mr Luce à Mrs Touchett, qui partageait ses vues et souhaitait savoir pourquoi quiconque avait jamais traversé l'odieux Atlantique si ce n'est pour fuir les républiques.

– Imaginez, madame... Assis aux Champs-Élysées, en face du palais de l'Industrie, j'ai vu les équipages de la cour, venus des Tuileries, monter et descendre jusqu'à sept fois par jour. Je me souviens même d'une circonstance où ils ont défilé neuf fois. Et aujourd'hui, quc voit-on ? Inutile d'en parler, le style a disparu. Napoléon savait ce dont le peuple français a besoin ; un nuage noir planera sur Paris, notre Paris, jusqu'à ce qu'ils restaurent l'Empire.

Parmi les habitués du dimanche, Isabel rencontra chez Mrs Luce un jeune homme avec lequel elle bavardait volontiers et dont les vastes connaissances l'intéressaient. Mr Edward Rosier – Ned Rosier, disait-on – était originaire de New York et avait été élevé à Paris sous la surveillance d'un père qui, découvrirent les deux jeunes gens, avait été dans sa jeunesse un ami intime de feu Mr Archer. Edward Rosier se souvenait d'Isabel enfant ; c'était son père qui était venu au secours des petites Archer à l'hôtel de Neufchâtel – il était en voyage avec son fils et le hasard l'avait fait descendre dans ce même hôtel – après que leur *bonne* s'était éclipsée avec le prince russe, au moment où la retraite de Mr Archer garda quelques jours son mystère. Isabel se rappelait parfaitement le beau petit garçon aux cheveux embaumés par un délicieux cosmétique que la *bonne*, attachée à son service exclusif, avait juré de ne perdre de vue sous aucun prétexte. Isabel s'était promenée sur les bords du lac avec la *bonne* et le petit Edward, qu'elle trouvait joli comme un ange ; dans son esprit, la comparaison échappait à la convention, car elle avait une conception précise du type qu'elle estimait être angélique et que son nouvel ami illustrait à la perfection. Un petit visage rose, surmonté d'un bonnet de velours bleu et rehaussé d'un col empesé et brodé, était devenu le visage de ses rêves d'enfant ; elle était restée fermement persuadée que les hôtes célestes conversaient au moyen d'un dialecte franco-anglais, aussi rare que bizarre pour exprimer les sentiments les plus appropriés. Lorsque Edward lui disait qu'il était « protégé[1] » par sa *bonne* de s'approcher trop près du bord du lac et qu'il fallait toujours « obéir sa bonne[2] », par exemple. L'anglais de Ned Rosier s'était amélioré ; du moins trahissait-il à un moindre degré ses variations françaises. Son père était mort,

1. James utilise le participe passé *defended*, du verbe anglais *to defend*, dont le premier sens et le plus courant est : protéger, défendre contre. *(N. d. T.)*

2. Le complément d'objet direct suit immédiatement le verbe anglais *to obey*, sans préposition. *(N. d. T.)*

sa *bonne* avait été congédiée, mais le jeune homme se conformait toujours à l'esprit de leur enseignement et n'approchait jamais du bord. Sa personne dégageait toujours quelque chose d'agréable aux narines et quelque chose qui ne déplaisait pas aux organes plus nobles. Ce jeune homme très doux, très aimable, avait ce qu'on appelle des goûts raffinés : il s'y connaissait en vieilles porcelaines, en bons vins, en reliures et connaissait également bien l'*Almanach de Gotha*, les meilleures boutiques, les bons hôtels et les horaires de trains. Il savait commander un menu presque aussi bien que Mr Luce et, l'expérience aidant, il deviendrait probablement un digne successeur de ce gentleman dont il soutenait d'une voix douce et innocente les sinistres opinions politiques. Il habitait à Paris un appartement charmant, décoré de vieilles dentelles d'autel espagnoles, qui faisaient l'envie de ses amies, selon lesquelles sa cheminée était plus richement drapée que les épaules altières de maintes duchesses. Il passait d'habitude une partie de l'hiver à Pau et avait fait une fois un séjour de deux mois aux États-Unis.

Il s'intéressa beaucoup à Isabel et se souvenait parfaitement de la promenade de Neufchâtel, où elle voulait tant s'approcher de la berge. Il lui sembla reconnaître cette tendance dans l'enquête subversive que j'ai mentionnée plus haut, et entreprit de répondre aux questions de notre héroïne avec plus d'urbanité peut-être qu'elles n'en méritaient. « A quoi cela mène-t-il, Miss Archer ? Eh bien, Paris mène partout. On ne peut aller nulle part sans y passer d'abord. Tous les gens qui viennent en Europe doivent traverser Paris. Ce n'est pas cela que vous vouliez dire ? Vous parlez du bien que l'on peut en tirer ? Mais comment prédire l'avenir ? Comment savoir ce qui nous attend ? Pour moi, si j'emprunte une rue agréable, peu m'importe où elle conduit. J'aime la chaussée, Miss Archer, j'aime le bon vieil asphalte. Quoi qu'on fasse, on ne peut s'en fatiguer. On craint parfois de s'en lasser mais ce n'est pas possible car il arrive toujours quelque chose de nouveau, d'inattendu. Regardez l'hôtel Drouot : on y fait parfois trois ou quatre ventes par semaine. Où trouveriez-vous l'équivalent des objets que l'on déniche ici ? En dépit de ce que l'on raconte, je soutiens qu'ils sont meilleur marché, quand on connaît les bons endroits. J'en connais beaucoup mais je les garde pour moi. Si vous le souhaitez, je vous donnerai mes adresses, à titre de faveur particulière mais il ne faudra pas les divulguer. Consultez-moi toujours avant d'aller où que ce soit ; je veux que vous me le promettiez. En règle générale, évitez les boulevards où il n'y a pas grand-chose à faire. Je crois, *sans blague*, que nul ne connaît Paris mieux que moi. Il faut que Mrs Touchett et vous veniez un jour prendre le *breakfast* chez moi et je vous montrerai mes acquisitions, *je ne vous dis que ça !* On fait beaucoup de battage à propos de Londres depuis quelque temps ; c'est la mode de prôner Londres. Mais il n'y a rien à Londres, on ne peut rien faire là-bas. Pas de Louis XV, pas d'Empire, rien que leur éternel Queen Anne. C'est parfait pour une chambre à coucher, le Queen Anne, pour un cabinet de toilette, mais personne n'irait mettre du Queen Anne dans son *salon.* » « Vous voulez savoir si je passe ma vie à la salle des ventes ? poursuivit Mr Rosier en réponse à une nouvelle question d'Isabel. Hélas non ! Je n'en ai pas les moyens ! Vous pensez que je suis un minable dilettante ; je le vois à votre expression ; vous avez un visage merveilleusement expressif. J'espère que cela ne vous ennuie pas que je le dise... Je le dis comme une sorte d'avertissement. Vous estimez que je devrais faire quelque chose ; c'est également mon avis aussi longtemps que la chose reste dans le vague. Mais quand j'en viens au fait, je m'aperçois qu'il faut en rester là. Je ne peux retourner en Amérique et ouvrir une boutique. Vous croyez que cela m'irait à merveille ? Ah ! Miss Archer, vous me faites trop d'honneur. J'achète très bien mais je ne sais pas vendre ; vous auriez dû me voir les rares fois où j'ai essayé de me défaire d'un objet. Il faut beaucoup plus d'habileté pour faire acheter les autres que pour acheter soi-même. Quand je songe à l'intelligence des gens qui me font acheter ! Ah non, je ne pourrais être commerçant. Médecin non plus, quelle affaire rebutante. Je ne peux être *clergyman*, faute de convictions et parce que j'écorche les noms propres de la Bible ; certains sont très difficiles à prononcer, surtout dans l'Ancien Testament. Je ne peux être homme de loi parce que je ne comprends pas – comment dites-vous donc? – la *procédure* américaine. Qu'y a-t-il encore? En Amérique, il n'y a rien pour un gentleman. J'aurais aimé être diplomate mais la diplomatie américaine n'est pas faite non plus pour les gentlemen. Je suis sûr que si vous aviez vu le dernier min... »

Henrietta Stackpole, qui était souvent chez son amie quand Mr Rosier, venu en fin d'après-midi présenter ses hommages, s'exprimait de la façon que je viens d'esquisser, interrompait généralement le jeune homme à ce point pour lui faire un discours sur les devoirs du citoyen américain. Elle le trouvait très affecté, pire que le pauvre Ralph Touchett. Henrietta, cependant, était plus que jamais encline à la critique acérée dans la mesure où sa conscience s'était récemment alarmée à propos d'Isabel. Elle n'avait pas félicité la jeune fille de sa nouvelle fortune et la pria d'accepter ses excuses pour cette omission :

– Si Mr Touchett m'avait consultée à ce propos, déclara-t-elle franchement, je lui aurais dit : « Jamais ! »

– Je vois, répondit Isabel. Tu penses que cette fortune peut devenir un fléau. C'est possible.

– « Donnez-la à quelqu'un que vous aimez moins. » Voilà ce que je lui aurais dit.

– A toi, par exemple? suggéra Isabel d'un ton taquin qu'elle abandonna aussitôt pour demander : Crois-tu vraiment qu'elle va me gâcher?

– J'espère que non, mais elle va certainement fortifier tes inclinations dangereuses.

– Tu parles de mon amour du luxe, de mes goûts dispendieux?

– Non, non, protesta Henrietta, je parle de ton orientation morale. J'aime le luxe, j'estime que nous devrions tous être aussi élégants que possible. Regarde le luxe de nos villes de l'Ouest; je n'ai rien vu ici qui puisse lui être comparé. J'espère bien que tu ne deviendras jamais vulgairement voluptueuse; je ne le crois d'ailleurs pas. Le danger pour toi tient à ce que tu vis trop dans le monde de tes rêves personnels. Tu manques de contacts avec la réalité, avec le monde du travail, de l'effort, de la souffrance, je dirais même du péché, qui t'entoure. Tu es trop exigeante ; tu as trop de gracieuses illusions. Tes milliers de livres toutes neuves vont t'enfermer de plus en plus dans la société de quelques égoïstes au cœur dur qui auront intérêt à les surveiller.

– De quelles illusions parles-tu ? questionna Isabel, dont les yeux s'étaient agrandis devant cette affreuse évocation. Je me donne tant de mal pour ne pas en avoir !

– D'abord, dit Henrietta, tu t'imagines que tu peux mener une existence romantique, que tu peux vivre pour ton plaisir et pour celui des autres. Tu découvriras que c'est une erreur. Quelle que soit la vie que l'on mène, il faut y mettre son âme pour qu'elle soit une réussite ; et, à partir du moment où tu t'y efforces, la vie cesse d'être un roman, crois-moi, pour devenir une réalité brutale ! Et tu ne peux toujours te plaire à toi-même ; tu dois parfois contenter les autres. Cela, je l'admets, tu es prête à le faire mais une nécessité plus importante encore s'impose : tu dois souvent mécontenter les autres. Tu dois toujours y être prête ; tu ne peux t'y dérober. Cela ne te va pas du tout ; tu aimes trop être admirée et que l'on pense du bien de toi. Tu crois que l'on peut échapper aux devoirs déplaisants en adoptant des opinions romantiques ; voilà ta grande illusion, ma chérie. Car c'est impossible. Il faut se préparer à déplaire dans la vie, souvent, à beaucoup de gens, et parfois aussi à soi-même.

Isabel hocha tristement la tête ; elle avait l'air troublée et apeurée :

– Ce doit être le cas pour toi en ce moment, Henrietta.

Au cours de sa visite à Paris, qui, du point de vue professionnel, avait été plus rémunératrice que son séjour en Angleterre, Miss Stackpole n'avait certainement pas vécu dans un monde onirique. Avant de repartir pour l'Angleterre, Mr Bantling l'avait accompagnée pendant quatre semaines et les humeurs rêveuses n'étaient pas son fort. Isabel apprit de la bouche de Henrietta que les deux amis avaient vécu dans une grande intimité qui avait été pour Henrietta un avantage indiscutable car ce gentleman connaissait admirablement Paris. Il lui avait tout expliqué, tout montré, il avait été son guide et son infatigable interprète. Ils avaient déjeuné ensemble, dîné ensemble, fréquenté ensemble les théâtres, soupé ensemble et, d'une certaine manière, presque vécu ensemble. C'était un véritable ami, assura plusieurs fois Henrietta à notre héroïne, avant d'ajouter que jamais elle n'aurait imaginé pouvoir tant apprécier un Anglais. Isabel était incapable de s'expliquer pourquoi elle trouvait un côté comique à l'alliance que la correspondante de l'*Interviewer* avait conclue avec le frère de Lady Pensil, et pourquoi son amusement persistait, alors même que cette alliance lui semblait à l'honneur de l'un et de l'autre. Isabel ne pouvait se débarrasser du soupçon qu'ils jouaient sur des malentendus et s'étaient tous deux laissés prendre au piège de leur simplicité, laquelle n'en était pas moins honorable chez l'un et l'autre. Il était attendrissant de la part de Henrietta de croire que Mr Bantling s'intéressait à la diffusion d'un journalisme dynamique et à l'affermissement de la situation des correspondantes ; et tout aussi émouvant de la part de son compagnon de croire que la cause de l'*Interviewer* – périodique dont il ne s'était jamais fait une idée précise – n'était, si on l'analysait finement, et Mr Bantling se sentait à la hauteur de cette tâche, que la cause du besoin d'affection démonstrative de Miss Stackpole. A l'aveuglette, chacun de ces célibataires comblait un manque dont l'autre était impatiemment conscient. Mr Bantling, qui avait le tempérament plutôt lent et digressait volontiers, trouvait beaucoup de saveur à la vivacité, l'acuité et l'assurance de la jeune fille dont le séduisaient le regard brillant, l'air d'être toujours tirée à quatre épingles et enfin le brio qui attisait un esprit auquel le cours ordinaire des jours paraissait insipide. Henrietta, de son côté, aimait la compagnie d'un gentleman qui, à sa façon et selon des procédés coûteux, détournés et assez bizarres, paraissait fait pour son usage ; son oisiveté chronique, en principe indéfendable, était une rare aubaine pour une amie hors d'haleine, et il disposait d'une réponse commode et traditionnelle, bien que jamais exhaustive, à presque toutes les questions d'ordre mondain ou pratique qui pouvaient surgir. Elle trouvait les réponses de Mr Bantling très commodes et, dans la hantise de manquer le départ du courrier pour l'Amérique, elle les livrait avec une largesse ostentatoire à la publication. On pouvait craindre qu'elle ne se laissât entraîner vers les abîmes de falsification contre lesquels Isabel, à la recherche d'une réplique plaisante, l'avait mise en garde. Il se pouvait qu'un danger guettât Isabel, mais on pouvait difficilement espérer que, de son côté, Miss Stackpole connaîtrait longtemps le repos en adoptant les opinions d'une classe attachée à tous les vieux abus. Isabel continuait à l'avertir sur le mode plaisant, et l'obligeant frère de Lady Pensil faisait parfois l'objet d'allusions impertinentes et moqueuses de la part de notre héroïne. Rien, cependant, ne pouvait dépasser sur ce point l'amabilité de Henrietta; généralement, elle abondait dans le sens d'Isabel, en rajoutait dans l'ironie et faisait joyeusement le décompte des heures qu'elle avait passées avec ce parfait homme du monde, terme qui avait cessé pour elle d'être infamant. Un moment plus tard, oubliant ces propos facétieux, elle évoquait avec une gravité involontaire une expédition plaisante en sa compagnie : «Je sais tout sur Versailles; j'y suis allée avec Mr Bantling. J'étais déterminée à l'explorer à fond et je l'en avais prévenu quand nous sommes partis; nous avons donc passé trois jours à l'hôtel et nous avons tout vu. Il faisait un temps exquis, presque l'été indien, et nous l'avons passé dans le parc. Plus personne ne peut m'en remontrer sur Versailles! » Il semblait que Henrietta avait pris ses dispositions pour retrouver au printemps son galant ami, en Italie.

21

Avant même d'arriver à Paris, Mrs Touchett avait fixé le jour de son départ et, vers la mi-février, elle reprit la route du Midi. Elle interrompit son voyage pour rendre visite à son fils qui venait de passer à San Remo, sur la Riviera italienne, un hiver morne et ensoleillé, sous l'abri mouvant d'une ombrelle blanche. Bien entendu, Isabel accompagnait sa tante, encore que Mrs Touchett, avec sa logique simple et familière, l'eût placée devant une alternative :

– Bien entendu, vous êtes à présent votre propre maître, aussi libre que l'oiseau sur la branche. Je ne veux pas dire que vous ne l'étiez pas avant, mais vous vous trouvez désormais sur un pied différent : la fortune dresse une sorte de barrière. Étant riche, vous pouvez vous permettre beaucoup de comportements que l'on aurait sévèrement critiqués si vous étiez pauvre. Vous pouvez aller et venir, voyager seule, habiter une demeure qui soit vôtre, à condition, je le précise aussitôt, que vous engagiez une dame de compagnie, une noble dame ruinée, avec un châle ravaudé, des cheveux teints et un talent pour la peinture sur velours. Cela ne vous sourit pas ? Bien sûr, vous agirez à votre guise ; je veux seulement vous faire mesurer l'étendue de votre liberté. Vous pourriez prendre Miss Stackpole pour *dame de compagnie*; elle saurait très bien tenir les gens à distance. Cependant, je pense qu'il est infiniment préférable que vous restiez avec moi, encore que cela ne soit pas une obligation, et pour plusieurs raisons, tout à fait indépendantes de vos préférences. Je doute que cela vous plaise mais je vous engage à faire ce sacrifice. Ce que vous avez pu, de prime abord, trouver de nouveauté dans ma compagnie s'est à présent évanoui et vous me voyez telle que je suis : une vieille femme ennuyeuse, têtue et à l'esprit étroit.

– Je ne vous trouve pas du tout ennuyeuse, avait répondu Isabel.

– Mais vous estimez que je suis têtue et que j'ai l'esprit étroit ! C'est bien ce que je disais ! repartit Mrs Touchett, enchantée que la réponse d'Isabel lui eût donné raison.

Isabel avait choisi, pour le moment, de rester avec sa tante, car, en dépit d'accès d'originalité, elle avait beaucoup de considération pour les usages réputés convenables et parce qu'une jeune fille sans parenté manifeste évoquait pour elle une fleur sans feuillage. La conversation de Mrs Touchett, il est vrai, n'avait jamais retrouvé le brio qu'elle avait eu pour Isabel le premier jour, dans le salon d'Albany, lorsque sa tante, dans son imperméable humide, avait brossé le tableau des chances que l'Europe pouvait offrir à une jeune personne de goût. Ç'avait été, d'ailleurs, pour une large part, la faute d'Isabel : elle avait eu un aperçu de l'expérience de sa tante et son imagination anticipait constamment les opinions et les émotions d'une dame plutôt dénuée de cette faculté. Cela mis à part, Mrs Touchett avait un grand mérite : elle était honnête comme un compas. Sa raideur et sa fermeté avaient un côté confortable : on savait exactement où la trouver et l'on n'était jamais exposé à des duels ou à des heurts imprévisibles. Elle était parfaitement présente sur son propre terrain mais sans curiosité déplacée concernant le territoire de ses voisins. Isabel en était venue à éprouver à son égard une compassion indicible, tant lui paraissait triste la condition d'une personne dont la nature offrait si peu de prise et une surface si limitée aux enrichissements des contacts humains. Rien de tendre, rien de compatissant n'avait jamais eu la moindre chance de s'y agripper, pas une fleur portée par le vent, pas une mousse soyeuse et familière. L'étendue qu'elle offrait au monde, sa surface passive, en d'autres termes, était à peu près celle d'une lame de couteau. Isabel n'en avait pas moins raison de croire qu'en avançant dans la vie, sa tante faisait plus de concessions qu'elle n'en exigeait elle-même au sentiment d'une entité obscurément distincte des convenances. Elle apprenait à sacrifier la logique à des considérations d'un ordre inférieur où les excuses résident dans les cas d'espèce. Ce n'était pas en vertu de sa rectitude absolue qu'elle avait emprunté l'itinéraire le plus long pour se rendre à Florence afin de passer quelques semaines avec son fils malade alors que, depuis des années, parmi ses convictions les plus fermement établies figurait celle que Ralph, s'il souhaitait la voir, avait tout loisir de se souvenir qu'au *palazzo* Crescentini, un vaste appartement avait pour nom « l'aile du *signorino* ».

– Je voudrais vous poser une question, dit Isabel à son cousin le lendemain de son arrivée à San Remo, une question que j'ai pensé plusieurs fois vous poser par écrit mais que j'hésitais à mettre noir sur blanc. Devant vous, elle paraît plus facile. Saviez-vous que votre père avait l'intention de me laisser tant d'argent ?

Ralph étendit les jambes un peu plus loin que d'habitude et son regard se fixa résolument sur la Méditerranée.

– Quelle importance, chère Isabel, que je l'aie su ? Mon père était très obstiné.

– Ainsi, vous le saviez !

– Oui, il me l'avait dit. Nous en avions même parlé.

– Pourquoi l'a-t-il fait ? demanda brusquement Isabel.

– Une sorte d'hommage, je crois.

– Un hommage à quoi ?

– A la grâce de votre existence.

– Il m'aimait beaucoup trop, déclara la jeune fille.

– C'est un trait qui nous est commun.

– Si j'y croyais, j'en serais très chagrinée. Heureusement, je n'y crois pas. Je veux que l'on soit juste envers moi ; c'est tout ce que je demande.

– Parfait ! Rappelez-vous cependant que la justice à l'égard d'un être aimable est un sentiment de style flamboyant.

– Je ne suis pas un être aimable. Comment pouvez-vous parler ainsi à l'instant où je vous pose des questions aussi odieuses ? Vous devez me trouver vraiment délicate !

– Vous me semblez troublée, dit Ralph.

– Je suis troublée.

– A quel propos ?

Après un silence, elle explosa soudain.

– Croyez-vous qu'il soit bon pour moi de devenir subitement aussi riche ? Henrietta pense que non.

– Au diable Henrietta ! fit Ralph brutalement. Si vous voulez mon avis, moi, j'en suis enchanté !

– Est-ce pour cela que votre père l'a fait ? Pour vous divertir ?

– Je ne suis pas d'accord avec Miss Stackpole, reprit Ralph d'un ton plus grave. Je pense qu'il est très bon pour vous d'avoir des moyens.

– Je me demande si vous savez ce qui est bon pour moi ou si vous vous en souciez, dit Isabel, en posant sur lui un regard sérieux.

– Je ne peux le savoir que dans la mesure où je m'en soucie. Voulez-vous que je vous le dise : cessez de vous tourmenter.

– J'imagine que vous voulez dire : cessez de me tourmenter.

– Vous ne pouvez me tourmenter. Je suis immunisé. Prenez les choses plus simplement. Cessez de vous demander constamment si telle ou telle chose est bonne pour vous. D'interroger sans cesse votre conscience : elle va se désaccorder comme un piano qu'on tapote. Gardez-la pour les grandes occasions. N'essayez pas toujours de vous former le caractère : autant essayer d'ouvrir de force un bouton de rose tendre et délicat. Vivez selon vos goûts et votre caractère prendra soin de lui-même. Presque tout vous est bon ; les exceptions sont rares, et un revenu confortable n'en est pas une.

Ralph fit une pause, il souriait. Isabel écoutait toujours.

– Vous avez un pouvoir de réflexion excessif, reprit-il, et une conscience trop exigeante. Le nombre de choses que vous tenez pour mauvaises est aberrant. Retardez votre pendule. Calmez votre fièvre. Déployez vos ailes et décollez du sol. On ne peut se tromper en faisant cela !

Elle avait écouté avidement et sa nature voulait qu'elle comprît vite.

– Je me demande si vous mesurez ce que vous dites. Si c'est le cas, vous prenez une grande responsabilité.

– Vous m'effrayez un peu mais je crois avoir raison, dit Ralph résolument encourageant.

– Néanmoins, ce que vous dites est très vrai, poursuivit Isabel. Vous n'auriez pu viser plus juste. Je suis absorbée en moi-même et je considère la vie comme une ordonnance médicale. C'est vrai, pourquoi faudrait-il que nous nous demandions perpétuellement si les choses sont bonnes pour nous, comme si nous étions des malades sur un lit d'hôpital ? Pourquoi devrais-je avoir si peur de mal faire ? Comme si le monde se préoccupait que j'agisse bien ou mal !

– C'est un plaisir de vous conseiller ! dit Ralph. Vous me coupez l'herbe sous les pieds !

Elle le regarda comme si elle ne l'avait pas entendu, bien qu'elle suivît une à une la chaîne de réflexions qu'il avait suscitées :

– J'essaie de m'occuper plus du monde que de moi... mais je reviens toujours à moi. C'est parce que j'ai peur, dit-elle d'une voix qui tremblait un peu. Oui, j'ai peur, reprit-elle après un silence, je ne peux vous dire... Une grande fortune est synonyme de liberté et j'ai peur de la liberté. C'est une si belle chose et l'on se sent tenu d'en faire un bon usage, sous peine de se couvrir de honte. Il faut y penser sans cesse ; cela demande un effort permanent. Je ne suis pas sûre que le manque de moyens ne soit un plus grand bonheur.

– Pour les gens faibles, je ne doute pas qu'il le soit. L'effort qu'ils fournissent pour n'être pas méprisables doit être immense.

– Et qui vous dit que je ne suis pas faible ? demanda Isabel.

– Si vous l'êtes, répondit Ralph que sa cousine vit rougir, si vous l'êtes, je suis affreusement refait !

Plus elle explorait la côte méditerranéenne, plus notre héroïne lui trouvait du charme. C'était le seuil de l'Italie, la porte des merveilles. L'Italie, vue et ressentie autrefois de façon très imparfaite, s'étendait devant elle comme une terre promise, où l'amour de la beauté pouvait s'appuyer sur un savoir millénaire. Lorsqu'elle flânait le long du rivage avec son cousin, dont elle partageait la promenade quotidienne, son regard ardent cherchait au-delà des eaux l'emplacement de la ville de Gênes. Elle était heureuse, cependant, de faire une pause au seuil d'une aventure plus vaste et un frémissement parcourait le vol suspendu des préliminaires. Cette pause lui faisait l'effet d'un interlude apaisant, d'un silence soudain des tambours et des fifres qui rythmaient sa marche, dont rien ne justifiait jusqu'à présent qu'elle la qualifiât de mouvementée mais qu'elle se décrivait constamment à la lumière de ses espoirs, ses craintes, ses fantasmes, ses ambitions, ses prédilections, et qui réfléchissait ces incidents subjectifs de façon dramatique. Madame Merle avait prédit à Mrs Touchett qu'après avoir mis une douzaine de fois sa main dans sa poche, leur jeune amie se réconcilierait avec l'idée qu'un oncle généreux l'avait garnie et, comme si souvent, les événements vinrent témoigner de la perspicacité de cette dame. Ralph avait fait l'éloge de la morale inflammable de sa cousine, si prompte à suivre toute allusion censée être un bon conseil. Ses avis avaient peut-être servi ; toujours est-il qu'avant de quitter San Remo, Isabel s'était habituée à se sentir riche. Cette prise de conscience avait trouvé sa place légitime dans un réseau serré d'idées qu'elle se faisait d'elle-même et n'en était pas, loin de là, la moins agréable. Elle présumait constamment de mille bonnes intentions. Isabel se perdait dans un dédale de visions ; la somme des belles actions que pouvait accomplir une jeune fille riche, indépendante, généreuse et douée d'une vue ample et humaine des occasions et des obligations était proprement sublime. De ce fait, sa fortune devenait dans son esprit le meilleur d'elle-même et, selon son imagination, elle lui conférait de l'importance et même une certaine beauté idéale. Quant à l'effet qu'elle éveillait à son sujet dans l'imagination d'autrui, c'est une autre histoire que nous étudierons en son temps.

Les visions dont je viens de parler se mêlaient à d'autres délibérations. Isabel préférait penser à l'avenir plutôt qu'au passé, mais parfois, alors qu'elle écoutait le murmure de la Méditerranée, sa vision revenait au passé et s'arrêtait sur deux silhouettes qui, malgré la distance croissante, gardaient un relief suffisant pour que l'on pût reconnaître en elles Caspar Goodwood et Lord Warburton. Ces images vigoureuses avaient basculé avec une rapidité singulière à l'arrière-plan de la vie d'Isabel qui avait toujours eu tendance à perdre foi en la réalité des choses absentes; en cas de besoin, elle pouvait au prix d'un effort sommer cette foi de reparaître mais l'effort était souvent pénible, même lorsque la réalité avait été heureuse. Le passé était enclin à paraître mort et sa reviviscence s'accomplissait trop souvent sous un éclairage livide de Jugement dernier. La jeune fille, de surcroît, doutait qu'elle pût vivre dans l'esprit des autres et n'avait pas la fatuité de croire qu'elle y avait laissé des traces indélébiles. Elle pouvait être blessée en découvrant qu'on l'avait oubliée mais, de toutes les libertés, la plus aimable à son avis était la liberté d'oublier. Sentimentalement parlant, elle n'avait pas entièrement réglé ses comptes avec Caspar Goodwood, pas plus qu'avec Lord Warburton, et, cependant, elle ne pouvait s'empêcher de sentir qu'ils lui étaient nettement redevables. Elle ne pouvait oublier naturellement qu'elle entendrait à nouveau parler de Mr Goodwood, mais ce ne serait pas avant un an et demi et, d'ici là, bien des choses pourraient arriver. Elle ne s'était pas dit que son prétendant américain pourrait trouver une autre jeune fille plus facile à courtiser; quantité de jeunes filles se révèleraient plus accommodantes, mais elle était persuadée que ce genre de mérite ne l'attirerait pas. Elle pensait qu'elle-même pourrait faire l'expérience humiliante de changer, qu'elle pourrait réellement, en ce domaine, en finir avec les choses apparemment innombrables qui n'étaient pas Caspar, et trouver l'apaisement dans les éléments de sa présence qui lui semblaient pour l'instant autant d'entraves à sa propre respiration. On pouvait concevoir que ces entraves dissimulaient les fondements bienfaisants d'un havre limpide et tranquille, ceint par une robuste jetée de granit. Mais ce jour ne viendrait qu'en son temps et elle ne pouvait l'attendre les bras croisés. Que Lord Warburton continuât de chérir son image, c'était plus que ne devait attendre une noble modestie ou un orgueil éclairé. Elle avait si radicalement entrepris de chasser tout souvenir de ce qui s'était passé entre eux qu'un effort comparable de sa part serait parfaitement légitime. Contrairement à l'apparence, il ne s'agissait pas là d'une simple théorie légèrement sarcastique. Isabel croyait sincèrement que Sa Seigneurie surmonterait sa déception, selon la formule consacrée. Lord Warburton avait été profondément affecté, Isabel le croyait et n'avait cessé de tirer plaisir de cette conviction ; mais il était absurde qu'un homme si intelligent et si honorablement traité entretînt une cicatrice disproportionnée à une blessure, quelle qu'elle fût. De plus, se disait Isabel, les Anglais aiment leur bien-être et, à long terme, il deviendrait très inconfortable pour Lord Warburton de broyer du noir à propos d'une jeune Américaine vaniteuse qui n'avait été qu'une relation fortuite. Elle-même se faisait fort, le jour où elle apprendrait son mariage avec une jeune fille de son pays, qui aurait fait plus qu'elle pour le mériter, de n'éprouver ni surprise ni pincement de cœur. Cela prouverait qu'il la croyait résolue, ce qu'elle souhaitait paraître à ses yeux. Cette seule pensée flattait son orgueil.

22

Un des premiers jours de mai, quelque six mois après la mort du vieux Mr Touchett, un petit groupe, dont un peintre aurait approuvé la composition, était réuni dans une des nombreuses pièces d'une villa ancienne, juchée sur une colline plantée d'oliviers, au-delà de la porte Romaine de Florence. La villa était de ces longues bâtisses dépouillées, dotées du toit débordant cher à la Toscane qui, vues de loin, forment sur les collines qui encerclent Florence d'harmonieux rectangles avec les cyprès droits, sombres et nets, généralement groupés par trois ou quatre à leur côté. La maison ouvrait sur une petite *piazza* herbeuse, vide et rustique qui occupait en partie le sommet de la colline; percée de rares fenêtres irrégulièrement disposées, sa façade s'ornait d'un banc de pierre, disposé au bas du mur et souvent occupé par une ou deux personnes arborant plus ou moins résolument l'air de mérite incompris qui, en Italie, pour une raison ou pour une autre, investit avec une grâce jamais démentie quiconque s'abandonne dans une attitude parfaitement passive. Ancienne, robuste, rongée par les intempéries mais toujours imposante, cette façade exprimait la réserve. C'était le masque et non le visage de la maison; elle avait de lourdes paupières mais pas d'yeux. En fait, la villa donnait de l'autre côté et contemplait un horizon splendide et la lumière nuancée de l'après-midi. Cette façade de la villa surplombait la pente de sa colline et la longue vallée de l'Arno, noyée de coloris italiens. Son jardin étroit, disposé en terrasse, croulait sous un entrelacs de rosiers sauvages et le poids de vieux bancs de pierre moussus et chauffés au soleil. Le parapet de la terrasse atteignait la juste hauteur pour que l'on s'y accoudât et, sous sa base, le terrain entamait sa descente vers les vignes et les olivettes. Les alentours de la villa ne nous retiendront pas plus; par cette chaude et brillante matinée printanière, ses habitants préféraient avec raison la partie ombreuse du mur. Vues de la *piazza*, les fenêtres du rez-de-chaussée aux nobles proportions architecturales semblaient moins destinées à servir les communications avec le monde qu'à défier le monde de regarder dans la villa. Armées de barreaux massifs, elles étaient situées à une telle hauteur qu'elles décourageaient la curiosité, fût-elle haussée sur la pointe des pieds. Dans un appartement éclairé par trois de ces ouvertures méfiantes – la villa était divisée en plusieurs appartements généralement occupés par l'espèce rare des étrangers qui séjournent longuement à Florence –, un homme était assis près d'une enfant et de deux religieuses venues d'un couvent. La pièce était moins sombre que notre description aurait pu le faire croire, car elle avait une porte large et haute, ouverte en ce moment sur le jardin échevelé, et son treillis de fer laissait filtrer à l'occasion plus de lumière italienne qu'il n'était besoin. Ce lieu confortable et luxueux témoignait de recherches subtilement menées et de raffinements franchement proclamés à l'origine d'une étonnante diversité de tentures fanées de damas et de tapisserie, de cabinets anciens et de coffres de chêne sculpté, patiné par le temps, de spécimens anguleux d'art pictural présentés non sans pédanterie dans des cadres aussi primitifs, de reliques inquiétantes de l'artisanat médiéval du cuivre et de la faïence, dont l'Italie fut longtemps l'inépuisable réserve. Ces objets côtoyaient un mobilier moderne qui faisait la part belle aux besoins d'une génération nonchalante ; les sièges étaient tous rembourrés et profonds, et un bureau, dont l'ingénieuse perfection portait l'estampille de Londres et du XIXe siècle, occupait un vaste espace. Livres, revues et journaux foisonnaient ainsi que de petites peintures, curieuses, élaborées, pour la plupart à l'aquarelle. Un de ces tableautins reposait sur un chevalet de salon devant lequel, à l'instant où elle commence à nous intéresser, se tenait l'enfant dont j'ai parlé. Elle regardait le tableau en silence.

Le silence – le silence absolu – n'était pas tombé sur les adultes présents, mais leur entretien donnait une impression d'embarras et de discontinuité. Loin de s'abandonner dans leur siège, les deux religieuses exprimaient par leur attitude une réserve volontaire et la prudence figeait leur visage. Ces femmes laides et lourdes, aux traits doux, arboraient une sorte de modestie laborieuse qu'avantageait l'aspect impersonnel du lin raide d'empois et de la serge qui les drapaient et les clouaient, semblait-il, sur un châssis. L'une d'elles, femme d'un certain âge, qui avait le teint frais, les joues pleines et portait des lunettes, avait une façon d'être plus judicieuse que celle de sa consœur et la responsabilité de leur mission, sans doute liée à l'enfant. L'objet de la discussion portait un chapeau, un ornement d'une simplicité extrême, accordé à sa robe de mousseline terne et trop courte pour son âge, bien que l'on en eût déjà « lâché les coutures ». Le gentleman, apparemment censé recevoir les religieuses, était sans doute conscient des difficultés de sa fonction, car il est d'une certaine manière aussi malaisé de parler aux plus humbles qu'aux plus puissants. Il était simultanément très absorbé par leur tranquille protégée, qui lui tournait le dos, et ses yeux considéraient gravement sa silhouette petite et svelte. C'était un homme d'une quarantaine d'années, à la tête allongée mais bien faite, aux cheveux drus, précocement grisonnants et coupés de près. Son beau visage mince, parfaitement modelé et très composé, s'effilait exagérément vers le bas et cet unique défaut tenait essentiellement à la forme de sa barbe. Taillée à la manière des portraits du XVIe siècle et surmontée d'une moustache blonde, dont les pointes se retroussaient à la mode romantique, cette barbe imprimait à son propriétaire un cachet étrange, traditionnel, et témoignait que ce gentleman travaillait le style. Son regard attentif et curieux, à la fois flou et pénétrant, intelligent et dur, révélateur de l'observateur comme du rêveur, vous aurait cependant assuré qu'il l'étudiait seulement à l'intérieur de limites établies avec soin et que, du moment qu'il s'était mis à chercher, il trouvait. On aurait été bien en peine de décider de son pays ou de sa latitude d'origine, car il était dépourvu des signes superficiels qui font généralement de la réponse à cette question un jeu insipide. Si du sang anglais coulait dans ses veines, il avait probablement reçu quelque apport italien ou français; l'or pur dont il était fait n'évoquait pas les poinçons ou les emblèmes de la frappe ordinaire, qui fournit la circulation courante, mais une médaille élégante et fouillée, frappée pour une commémoration spéciale. Il avait une silhouette svelte, élancée, un peu languide et ne paraissait ni grand ni petit. Il s'habillait comme un homme dont le seul vrai souci en la matière consiste à bannir les effets vulgaires.

– Qu'en penses-tu, ma chérie ? demanda-t-il à l'enfant.

Il s'exprimait en italien avec une aisance parfaite qui ne vous aurait pas convaincu qu'il fût italien.

L'enfant inclina gravement la tête de droite et de gauche.

– C'est très joli, papa. Est-ce vous qui l'avez peint ?

– Bien sûr ! J'espère que tu apprécies mon talent.

– Oui, papa, énormément. Moi aussi, j'ai appris à peindre.

Elle tourna vers lui un joli visage mince où semblait peint un sourire immuable d'une intense douceur.

– Tu aurais dû m'apporter un échantillon de tes talents.

– J'en ai apporté des quantités ; ils sont dans ma malle.

– Elle dessine très... très soigneusement, fit observer en français l'aînée des religieuses.

– Je suis heureux de l'entendre. Est-ce vous qui le lui avez appris ?

– Heureusement non, fit la religieuse en rougissant un peu. *Ce n'est pas ma partie.* Je n'enseigne rien ; je laisse cela aux gens plus entendus. Nous avons un excellent professeur de dessin, monsieur... monsieur... Comment s'appelle-t-il donc ? demanda-t-elle à sa consœur qui contemplait le tapis.

– C'est un nom allemand, dit-elle en italien, comme s'il était nécessaire de le traduire.

– Oui, reprit l'autre sœur, c'est un Allemand. Il enseigne chez nous depuis longtemps.

L'enfant n'écoutait pas la conversation ; elle avait traversé la grande salle jusqu'à la porte ouverte et regardait le jardin.

– Et vous, ma sœur, êtes-vous française ? dit le maître de maison.

– Oui, monsieur, répondit la visiteuse d'une voix douce. Je parle aux élèves dans ma langue. Je n'en connais pas d'autre. Mais nous avons des sœurs originaires d'autres pays : des

Anglaises, des Allemandes, des Irlandaises. Chacune parle sa langue.

Le gentleman sourit :

– Ma fille a-t-elle été confiée à l'une des dames irlandaises ? s'enquit-il. Mais, voyant que les religieuses soupçonnaient une plaisanterie dont le sens leur échappait, il ajouta aussitôt : Vous êtes une communauté très complète.

– Oh ! oui, nous sommes complètes. Nous enseignons tout, le meilleur de tout.

– Nous leur apprenons la gymnastique, hasarda la sœur italienne, mais sans les exposer au danger.

– Je l'espère bien. Est-ce votre matière ?

La question suscita l'hilarité naïve des deux dames ; lorsqu'elle fut apaisée, leur hôte, en regardant sa fille, fit observer qu'elle avait grandi.

– Oui, mais je crois que sa croissance est terminée. Elle restera... elle ne sera pas grande, dit la sœur française.

– Peu m'importe. S'agissant des femmes et des livres, je les préfère très bons et pas trop longs. Mais je ne vois pas pourquoi ma fille serait petite, ajouta le gentleman.

La sœur haussa légèrement les épaules pour signifier que de telles choses peut-être dépassent notre savoir.

– Elle est en très bonne santé ; c'est l'essentiel.

– Oui, elle a l'air solide, acquiesça le gentleman qui observait l'enfant. Que vois-tu dans le jardin ? demanda-t-il en français.

– Beaucoup de fleurs, répondit-elle d'une voix douce et fluette, avec un aussi bon accent que le sien.

– Oui, mais il n'y en a pas beaucoup qui soient jolies. Tâche quand même d'en cueillir un bouquet pour *ces dames.*

L'enfant se tourna vers lui, avec un sourire qu'avivait la joie :

– Je peux vraiment ?

– Puisque je te le dis, insista son père.

L'enfant questionna la sœur âgée :

– Vous permettez, *ma mère* ?

– Obéissez à monsieur votre père, mon enfant, dit la sœur qui rougit à nouveau.

Tranquillisée par cette permission, la fillette franchit le seuil et disparut.

– Vous ne leur passez rien, constata gaiement son père.

– Elles doivent toujours demander l'autorisation. Tel est notre système. Elle leur est volontiers accordée mais elles sont tenues de la demander.

– Oh, je ne mets pas en cause votre système. Je ne doute pas qu'il soit excellent. Je vous ai confié ma fille pour voir ce que vous en feriez. J'avais confiance.

– Il faut avoir confiance, approuva d'un ton suave la sœur aux lunettes.

– Ma confiance a-t-elle été récompensée ? Qu'avez-vous fait d'elle ?

La sœur baissa les yeux :

– Une bonne chrétienne, monsieur.

Le maître de maison baissa lui aussi les paupières, sous l'effet d'une impulsion différente de celle de la sœur, très probablement.

– Oui, et quoi encore ?

Il regardait la religieuse, s'attendant sans doute à s'entendre dire qu'il suffit amplement d'être bonne chrétienne ; mais, malgré sa simplicité, le sœur n'était pas si fruste :

– Une charmante jeune fille, une véritable petite femme, une fille dont vous n'aurez qu'à vous louer.

– Elle me semble très *gentille*, dit le père. Elle est aussi très jolie.

– Elle est parfaite et n'a pas de défauts.

– Enfant, elle n'en a jamais eu et je suis heureux que vous ne lui en ayez pas donné.

– Nous l'aimons beaucoup trop, répondit la sœur aux lunettes avec dignité. Quant aux défauts, comment pourrions-nous donner ce que nous n'avons pas ? *Le couvent n'est pas comme le monde, monsieur.* C'est notre fille, pourriez-vous dire. Elle était si petite quand nous l'avons accueillie.

– De toutes celles que nous perdrons cette année, c'est elle qui nous manquera le plus, murmura la jeune sœur avec déférence.

– Nous parlerons longtemps d'elle, dit l'autre. Nous la citerons en exemple aux nouvelles.

Là-dessus, l'excellente sœur parut s'apercevoir que ses lunettes s'embuaient et sa compagne, après avoir fouillé un moment dans sa poche, en tira un mouchoir fait pour durer.

– Il n'est pas sûr que vous la perdiez ; rien n'est encore décidé, repartit vivement leur hôte, non qu'il souhaitât prévenir leurs larmes mais pour affirmer – son ton le disait – ce qui lui était personnellement le plus agréable.

– Nous serions heureuses de le croire. Quinze ans, c'est bien jeune pour nous quitter.

– Ce n'est pas moi qui veux vous l'enlever, s'écria le gentleman avec plus de vivacité qu'il n'en avait témoigné jusqu'alors. Je souhaiterais que vous puissiez la garder toujours !

– Ah, monsieur ! fit la sœur française qui se leva en souriant, une enfant si bonne est faite pour le monde. *Le monde y gagnera.*

– Si tous les êtres bons allaient se cacher au fond des couvents, que deviendrait le monde ? demanda doucement sa consœur en se levant à son tour.

La question avait une portée plus vaste que la sœur italienne ne semblait l'imaginer, mais la religieuse aux lunettes trouva moyen de conclure sur un accord parfait :

– Heureusement, il y a de braves gens partout.

– Lorsque vous serez parties, il y en aura deux de moins ici, fit courtoisement observer leur hôte.

Les naïves visiteuses ne disposaient pas de réponse pour une boutade aussi extravagante ; elles se regardèrent l'une l'autre de l'air désapprobateur qui convenait, mais leur confusion fut rapidement oubliée grâce au retour de l'enfant qui portait deux brassées de fleurs, l'une de roses blanches, l'autre de roses rouges.

– A vous de choisir, maman Catherine, dit-elle. Seule la couleur est différente, maman Justine. Il y a exactement autant de roses dans chaque bouquet.

Souriantes, les deux religieuses se dévisageaient en hésitant :

– Lequel voulez-vous ?

– Non, c'est à vous de choisir !

– Merci ! Alors, je vais prendre les rouges, décida mère Catherine. Je suis si rouge moi-même… Elles nous consoleront pendant notre retour à Rome.

– Elles n'y résisteront pas ! s'écria la fillette. J'aimerais tant pouvoir vous offrir quelque chose qui dure !

– Vous nous laissez un bon souvenir, ma fille, un souvenir qui durera.

– J'aimerais tant que les sœurs puissent porter de jolies choses pour vous donner mes perles bleues… poursuivit l'enfant.

– Repartez-vous ce soir pour Rome ? demanda son père.

– Oui, nous reprenons le train. Nous avons tant à faire *là-bas.*

– N'êtes-vous pas fatiguées ?

– Nous ne sommes jamais fatiguées.

– Oh si, ma sœur, quelquefois, murmura la jeune religieuse.

– Pas aujourd'hui, en tout cas. Nous nous sommes bien reposées ici. *Que Dieu vous garde, ma fille !*

Tandis que les religieuses et sa fille s'embrassaient, leur hôte, prenant les devants, alla ouvrir la porte de la salle ; ce faisant, il poussa une légère exclamation et s'immobilisa sur le seuil. La porte donnait sur une antichambre voûtée, haute comme une chapelle et dallée de carreaux rouges ; une dame venait d'y être introduite par le domestique, un jeune garçon dans une livrée râpée, qui la dirigeait vers la pièce où le groupe était réuni. Après l'exclamation qui lui avait échappé, Mr Osmond n'avait rien dit et la dame avançait elle aussi en silence. Il n'eut pas un mot de bienvenue, ne lui tendit pas la main lorsqu'elle parvint à sa hauteur, mais s'effaça pour la laisser entrer au salon. Sur le seuil, elle hésita :

– Y a-t-il du monde ? demanda-t-elle.

– Des gens que vous pouvez voir.

Elle entra et se trouva face aux religieuses et à leur élève qui sautillait entre elles, une main posée sur le bras de chacune. A la vue de la nouvelle visiteuse, elles s'immobilisèrent et la dame, qui s'était également arrêtée, les regarda.

– Madame Merle ! s'écria doucement l'enfant.

La dame tressaillit légèrement mais retrouva dans la seconde qui suivit ses manières charmantes :

– Oui, c'est Madame Merle, qui vient vous souhaiter la bienvenue.

Elle tendit les deux mains à l'enfant qui, aussitôt, alla vers elle et lui tendit le front. Madame Merle l'honora d'un baiser, puis sourit aux religieuses. Elles répondirent par une aimable inclination de tête, sans s'autoriser un examen soutenu de cette femme imposante et brillante, qui semblait porter en elle un peu de l'éclat du vaste monde.

– Ces dames ont ramené ma fille à la maison et regagnent leur couvent, expliqua le gentleman.

– Vous repartez pour Rome ? J'y étais récemment. Il y fait un temps ravissant, dit Madame Merle.

Debout, les mains dissimulées dans leurs manches, les religieuses accueillirent cette information avec impartialité et le maître de maison s'enquit de la date où Madame Merle avait quitté Rome.

– Elle est venue me voir au couvent, s'écria l'enfant sans laisser à l'intéressée le temps de répondre.

– Je suis venue plusieurs fois, Pansy, déclara Madame Merle. Ne suis-je pas votre grande amie à Rome ?

– Mais c'est de la dernière fois que je me souviens le mieux, dit Pansy, parce que vous m'avez dit que j'allais revenir.

– Le lui avez-vous dit ? demanda son père.

– Je ne m'en souviens pas. J'ai dû lui dire ce qui, à mon avis, lui ferait plaisir. Je suis à Florence depuis une semaine. J'espérais que vous viendriez me voir.

– Je l'aurais sûrement fait si j'avais su que vous y étiez. L'inspiration ne m'en a pas averti, et je le déplore. Si vous vous asseyiez ?

Ces dernières répliques avaient été échangées sur un ton particulier, d'une voix contenue, sobre et discrète, qui semblait relever de l'habitude plus que d'une nécessité précise. Madame Merle fit un tour d'horizon avant de choisir un siège.

– Vous alliez raccompagner ces dames. Je ne veux surtout pas troubler le cérémonial. *Je vous salue, mesdames*, ajouta-t-elle en français à l'adresse des religieuses, comme pour les congédier.

– Madame est une de nos grandes amies ; vous avez dû la voir au couvent, dit leur hôte. Nous avons très confiance en son jugement ; elle m'aidera à décider si ma fille doit retourner chez vous à la fin des vacances.

– J'espère que vous déciderez en notre faveur, madame, murmura la religieuse aux lunettes.

– Mr Osmond plaisante ; je ne décide rien, dit Madame Merle, comme s'il s'agissait aussi d'une plaisanterie. Je crois que vous tenez un excellent pensionnat, mais les amis de Miss Osmond doivent se rappeler que son destin naturel est le monde.

– C'est ce que je disais à monsieur, répondit sœur Catherine ; le pensionnat, précisément, doit la préparer au monde, murmura-t-elle en regardant Pansy qui contemplait la toilette élégante de Madame Merle.

– Tu entends, Pansy ? Le monde est ton destin naturel, dit Mr Osmond.

L'enfant fixa sur lui son regard pur :

– Et ne vous suis-je pas destinée, papa ?

Son père eut un rire bref :

– L'un n'empêche pas l'autre ! J'appartiens au monde, Pansy !

– Veuillez nous permettre de nous retirer, dit sœur Catherine. Ma fille, soyez toujours bonne, sage et heureuse.

– Je reviendrai sûrement vous voir ! répondit Pansy en réitérant ses embrassades qu'interrompit bientôt Madame Merle.

– Restez avec moi, chère enfant, pendant que votre père reconduit ces dames.

Déçue, Pansy ouvrit de grands yeux mais ne protesta pas. Manifestement imprégnée de la notion que la soumission était due à quiconque parlait d'un ton autoritaire, elle assistait en spectatrice passive à la marche de son destin.

– Ne puis-je voir maman Catherine monter en voiture ? demanda-t-elle pourtant très gentiment.

– J'aimerais mieux que vous restiez avec moi, dit Madame Merle, tandis que Mr Osmond et les religieuses, qui s'étaient à nouveau inclinées devant l'autre visiteuse, passaient dans l'antichambre.

– Oh oui ! je vais rester, répondit Pansy.

Debout près de Madame Merle, elle lui tendit la main, puis regarda par la fenêtre et ses yeux s'emplirent de larmes.

– Je suis contente que l'on vous ait appris à obéir, déclara Madame Merle qui avait saisi la main de Pansy. Toutes les bonnes petites filles devraient en faire autant.

– Oh oui ! j'obéis très bien, s'écria vivement Pansy, qui semblait même s'en vanter, comme s'il se fût agi de son jeu au piano. Puis elle soupira légèrement, un soupir à peine perceptible.

Madame Merle, qui lui tenait la main, la posa sur la sienne et l'examina d'un regard critique mais n'y trouva pas de défaut ; c'était une main petite, délicate et fine.

– J'espère que l'on a pris soin que vous portiez toujours des gants, dit-elle. Généralement, les petites filles n'aiment pas cela.

– Avant, je n'aimais pas les gants mais maintenant j'y ai pris goût, répondit l'enfant.

– Très bien, je vous en donnerai une douzaine.

– Je vous remercie beaucoup. De quelles couleurs seront-ils ? s'enquit Pansy avec intérêt.

– De couleurs pratiques, répondit Madame Merle après réflexion.

– Mais très jolies ?

– Aimez-vous beaucoup les jolies choses ?

– Beaucoup… mais pas trop, répondit Pansy avec un soupçon d'austérité.

– Alors, ils ne seront pas trop jolis, assura Madame Merle en riant.

Elle prit l'autre main de l'enfant qu'elle attira plus près d'elle et regarda un moment avant de lui demander :

– Mère Catherine va-t-elle vous manquer ?

– Oui, quand je penserai à elle.

– Alors, essayez de ne pas y penser. Un jour, peut-être, vous aurez une autre mère, ajouta Madame Merle.

– Je ne pense pas que ce soit nécessaire, dit Pansy, avec un nouveau petit soupir conciliant. J'en avais plus de trente au couvent.

Le pas de son père résonna dans l'antichambre ; Madame Merle libéra l'enfant et se leva. Mr Osmond entra, ferma la porte, puis, sans regarder la visiteuse, remit quelques sièges à leur place. Madame Merle le suivit des yeux un moment, attendant qu'il ouvrît la bouche. Finalement, elle se décida :

– J'espérais que vous viendriez à Rome, dit-elle. Vous auriez pu, me semble-il, vouloir aller vous-même chercher Pansy.

– Une supposition très naturelle, mais ce n'est pas la première fois, je le crains, que j'agis au mépris de vos calculs.

– Effectivement, dit Madame Merle, je pense que vous êtes délibérément contrariant.

Mr Osmond s'affairait dans la pièce, dont les proportions se prêtaient aux allées et venues machinales, à la manière d'un homme en quête de prétextes pour ne pas accorder une attention qui pourrait être embarrassante. Bientôt, cependant, toutes les échappatoires furent épuisées ; à moins de s'emparer d'un livre, il ne lui restait qu'à s'immobiliser, les mains dans le dos, et à regarder sa fille.

– Pourquoi n'as-tu pas accompagné maman Catherine jusqu'à la voiture ? demanda-t-il brusquement en français.

Pansy hésita et lança un coup d'œil vers Madame Merle.

– Je lui ai demandé de rester avec moi, dit cette dame qui s'était assise sur un autre siège.

– Je préfère cela, concéda Osmond, en se laissant choir dans un fauteuil.

Les mains croisées, les coudes sur les bras du fauteuil et le buste légèrement incliné en avant, il regarda la visiteuse.

– Madame Merle va me donner des gants, dit Pansy.

– Vous n'êtes pas obligée de le dire à tout le monde, ma chérie, fit observer Madame Merle.

– C'est très aimable à vous, dit Osmond. Elle est censée avoir tout ce dont elle a besoin.

– Je pense, pour ma part, qu'elle n'a plus besoin de religieuses.

– Si nous devons discuter ce sujet, elle ferait mieux de quitter la pièce.

– Qu'elle reste, dit Madame Merle. Nous parlerons d'autre chose.

– Si vous voulez, je n'écouterai pas, proposa Pansy avec une candeur apparente qui emportait la conviction.

– Tu peux écouter, charmante enfant, parce que tu ne comprendras pas, dit son père.

L'enfant s'assit avec déférence près de la porte ouverte et concentra sur le jardin le regard de ses yeux innocents et pensifs, tandis que Mr Osmond, d'un ton plus familier, s'adressait à la visiteuse :

– Vous êtes particulièrement en beauté.

– Je crois être toujours la même, dit Madame Merle.

– Vous êtes toujours la même. Vous ne changez pas. Vous êtes une femme merveilleuse.

– C'est aussi mon avis.

– Toutefois, vous changez parfois d'idée. A votre retour d'Angleterre, vous m'aviez dit que vous ne quitteriez pas Rome avant longtemps

– Je suis ravie que vous vous rappeliez si bien mes propos. C'était bien mon intention. Mais je suis venue à Florence pour voir des amis arrivés depuis peu et dont j'ignorais alors quels seraient leurs déplacements.

– Une raison révélatrice. Vous vous occupez sans cesse de vos amis.

Souriante, Madame Merle regarda son hôte droit dans les yeux

– Votre commentaire est encore plus révélateur et totalement dénué de sincérité. Cependant, je n'en fais pas un crime, ajouta-t-elle, parce que si vous ne croyez pas ce que vous dites, il n'y a pas de raison de le dire. Je ne me sacrifie pas pour mes amis et ne mérite pas vos éloges. Je m'occupe beaucoup de moi.

– C'est exact; mais votre personnalité en englobe tant d'autres, tant de tout être et de toute chose! Je n'ai jamais connu personne dont la vie frôle tant d'autres vies.

– Qu'appelez-vous la vie d'un être? demanda Madame Merle. Son apparence, ses actes, ses obligations, ses relations?

– La vôtre, ce sont vos ambitions, dit Osmond.

– Je me demande si elle comprend cela, murmura Madame Merle en jetant un coup d'œil vers Pansy.

– Vous voyez, elle ne peut rester avec nous ! dit son père avec un sourire sans joie. Retourne dans le jardin, *mignonne*, et cueille quelques fleurs pour Madame Merle, poursuivit-il en français.

– C'est justement ce dont j'avais envie ! s'écria Pansy qui se leva et s'esquiva, rapide et silencieuse.

Son père l'accompagna jusqu'à la porte et la suivit du regard tandis qu'elle s'éloignait ; puis il revint au milieu de la pièce et se mit à déambuler de droite et de gauche, désireux, semblait-il, d'entretenir une sensation de liberté qui aurait pu lui faire défaut dans une autre attitude.

– Mes ambitions se rapportent essentiellement à vous, dit Madame Merle, le regard levé vers lui non sans courage.

– Cela nous ramène à ce que je disais. Je suis une partie de votre vie, au même titre que mille autres. Vous n'êtes pas égoïste, je ne peux l'admettre. Si vous l'étiez, que serais-je ? Quelle épithète me décrirait le mieux ?

– Vous êtes indolent. A mes yeux, c'est votre pire défaut.

– Je crains que ce ne soit le meilleur de moi-même.

– Cela vous indiffère, dit Madame Merle avec gravité.

– Non, mais je ne crois pas que cela me préoccupe vraiment. Quel nom donnez-vous à ce nouveau défaut ? Mon indolence, en tout cas, est une des raisons pour lesquelles je ne suis pas allé à Rome. Mais ce n'en était qu'une parmi d'autres.

– Peu importe, pour moi du moins, que vous n'y soyez pas allé, encore que j'aurais été heureuse de vous y voir. Mais je me réjouis que vous ne soyez pas à Rome en ce moment, où vous pourriez être, où vous seriez probablement si vous y étiez allé il y a un mois. J'aimerais vous montrer quelque chose qui se trouve actuellement à Florence.

– Je vous en prie, rappelez-vous mon indolence, dit Osmond.

– Je me la rappelle mais je vous demande de l'oublier. Ainsi, vous y gagnerez à la fois la vertu et sa récompense. La tâche est légère et peut présenter un grand intérêt. Depuis quand ne vous êtes-vous fait de nouvelle relation ?

– Je pense ne m'en être fait aucune depuis que j'ai fait votre connaissance.

– Alors il est temps de vous y mettre. J'ai une amie que je veux vous faire connaître.

Les allées et venues de Mr Osmond l'avaient ramené vers la porte et il regardait la silhouette de sa fille bouger dans le plein soleil :

– Quel avantage vais-je en retirer ? demanda-t-il avec une brutalité joviale.

– Cela vous amusera, répondit Madame Merle au bout d'un instant, et il n'entrait aucune dureté dans cette réponse soigneusement étudiée.

– Si vous le dites, je vous crois, vous le savez, dit Osmond en se rapprochant d'elle. Sur certains points, je vous fais entière confiance. Je sais pertinemment, par exemple, que vous savez faire la distinction entre la bonne société et la mauvaise.

– La société est toujours mauvaise.

– Pardonnez-moi, mais le savoir que je vous attribue ne relève pas de la sagesse commune. Vous l'avez conquis de la meilleure façon qui soit, la méthode expérimentale, en comparant entre eux un nombre impressionnant d'individus plus ou moins impossibles.

– Eh bien, je vous invite à profiter de mon savoir.

– En profiter ? Êtes-vous si sûre que j'en profiterai ?

– C'est ce que j'espère et cela dépendra de vous. Si seulement je pouvais vous inciter à faire un effort.

– Nous y voilà ! Je savais qu'une corvée s'annonçait. Je me demande ce qui peut bien valoir l'effort qu'il va falloir fournir.

Madame Merle rougit, comme si le propos l'avait blessée.

– Ne soyez pas ridicule, Osmond ! Personne ne sait mieux que vous ce qui vaut un effort. Ne vous ai-je pas connu autrefois ?

– Je l'admets d'occasions exceptionnelles. Mais il est peu probable d'en rencontrer dans cette pauvre existence.

– C'est l'effort qui favorise la rencontre, dit Madame Merle.

– Il y a du vrai là-dedans. Qui donc est cette amie ?

– La personne que je suis venue voir à Florence. La nièce de Mrs Touchett, que vous n'avez pas dû oublier.

– Une nièce ? Le mot évoque jeunesse et ignorance. Je vois où vous voulez en venir.

– Oui, elle est jeune : vingt-trois ans. Elle et moi sommes très amies. Je l'ai rencontrée pour la première fois en Angleterre, voici quelques mois, et nous avons conclu une solide alliance. Je l'aime énormément et, chose infiniment rare, je l'admire. Vous en ferez autant.

– Pas si je peux m'en empêcher.

– Justement. Vous serez incapable de vous en empêcher.

– Est-elle belle, avisée, riche, généreuse, d'une intelligence universelle et d'une vertu sans précédent ? C'est à ces seules conditions qu'il m'intéresse de faire sa connaissance. Rappelez-vous : je vous ai demandé il y quelque temps de ne plus jamais me parler d'une personne qui ne correspondrait pas à cette description. Je connais des masses de gens ternes et ne veux pas en connaître plus.

– Miss Archer n'est pas terne mais éclatante comme l'aurore. Elle correspond à votre description et c'est la raison pour laquelle je souhaite que vous la rencontriez. Elle satisfait à toutes vos exigences.

– Plus ou moins, évidemment.

– Non, au pied de la lettre, ou presque. Elle est belle, accomplie, généreuse et, pour une Américaine, elle est bien née. Elle est aussi très intelligente, très aimable et nantie d'une jolie fortune.

Mr Osmond écoutait en silence et son esprit, semblait-il, s'activait, bien qu'il gardât les yeux fixés sur son informatrice.

– Que voulez-vous en faire ? demanda-t-il enfin.

– Comme vous le voyez : la placer sur votre chemin.

– N'est-elle pas destinée à un meilleur sort ?

– Je ne prétends pas savoir à quoi les gens sont destinés, dit Madame Merle. Je sais seulement ce que je peux en faire.

– J'en suis désolé pour Miss Archer ! déclara Osmond.

Madame Merle se leva :

– S'il s'agit là d'un intérêt naissant, j'en prends note.

Ils se faisaient face ; Madame Merle, les yeux baissés, disposait sa mantille.

– Vous êtes splendide, répéta Osmond, plus familièrement encore. Vous avez une idée. Vous n'êtes jamais si belle que lorsque vous tenez une idée. Les idées vous vont toujours bien.

Le ton et la manière de ces deux êtres, chaque fois qu'ils se retrouvaient, surtout en présence de tiers, empruntaient des voies détournées et circonspectes, comme s'ils s'approchaient obliquement l'un de l'autre et s'adressaient l'un à l'autre par sous-entendus. L'effet produit par chacun d'eux semblait intensifier sensiblement la gêne de l'autre. Bien entendu, Madame Merle supportait mieux que son ami ce genre de contrainte; mais, en cette circonstance, Madame Merle elle-même n'avait pas la contenance qu'elle aurait voulu avoir, le contrôle parfait qu'elle aurait souhaité afficher face à son hôte. Cependant, il convient de le noter, il arrivait toujours un moment où ce qui se dressait entre eux, quelle qu'en fût la nature, finissait par s'aplanir, les laissant plus proches l'un de l'autre qu'aucun d'eux ne l'était jamais de quiconque. Ce moment venait justement d'arriver. A présent, ils se faisaient face; chacun d'eux connaissait bien l'autre et tous deux, en somme, acceptaient d'échanger la satisfaction de connaître contre l'inconvénient d'être connu.

– Je souhaite vraiment que vous ne soyez pas si dénué de cœur, dit posément Madame Merle. Cela vous a toujours nui et cela vous nuira encore.

– Je n'en suis pas aussi dénué que vous le pensez. De temps à autre, une chose me touche; par exemple, ce que vous venez de dire à propos de vos ambitions à mon sujet. Je ne le comprends pas; je ne vois ni comment ni pourquoi elles existeraient. Mais cela me touche quand même.

– Vous le comprendrez sans doute encore moins au fil du temps. Vous ne saisirez jamais certaines choses. Il n'est d'ailleurs pas indispensable que vous les compreniez.

– Vous êtes, tout compte fait, la plus remarquable des femmes. Vos richesses intérieures sont inégalables et je ne vois pas comment vous pouvez vous figurer que la nièce de Mrs Touchett puisse compter pour moi alors que... alors que...

Il s'arrêta.

– Alors que moi-même, j'ai si peu compté?

– Ce n'est pas du tout ce que je voulais dire. Alors que j'ai connu et apprécié une femme telle que vous.

– Isabel Archer est meilleure que moi, dit Madame Merle.

– Il faut que vous ayez une triste opinion d'elle pour parler ainsi ! s'esclaffa Mr Osmond

– Me croyez-vous capable de jalousie ? Je vous en prie, répondez.

– A mon égard ? Non, à tout prendre, je ne le crois pas.

– Venez me voir dans deux jours. Je séjourne chez Mrs Touchett, au *palazzo* Crescentini. La jeune fille sera là.

– Pourquoi ne me l'avez-vous pas demandé d'emblée, tout simplement, sans parler de cette jeune fille ? questionna Osmond. Vous auriez toujours pu vous arranger pour qu'elle soit là.

Madame Merle le regarda de l'air d'une femme qu'aucune de ses questions ne pourrait jamais prendre au dépourvu :

– Vous voulez savoir pourquoi ? Parce que je lui ai parlé de vous.

Osmond fronça les sourcils et se détourna :

– J'aurais préféré l'ignorer. Puis, désignant le chevalet qui portait la petite aquarelle : Avez-vous vu ? Ma dernière étude.

Madame Merle s'approcha pour l'examiner :

– Ce sont les Alpes Vénitiennes, une de vos dernières esquisses de l'année dernière.

– C'est exact. Comment l'avez-vous deviné ?

Elle s'attarda un instant encore devant l'aquarelle avant de s'en écarter :

– Vous savez que je n'aime pas beaucoup vos dessins.

– Je le sais mais je m'en étonne toujours. Ils sont tellement meilleurs que ceux de la plupart des gens.

– C'est très possible. Mais si c'est là l'œuvre d'une vie, elle est mince. J'aurais aimé vous voir faire tant d'autres choses. C'était cela mon ambition.

– Oui, vous me l'avez souvent dit… Des choses impossibles.

– Des choses impossibles, répéta Madame Merle. Puis, sur un tout autre ton : En elle-même, votre petite aquarelle est très bonne, dit-elle en considérant le mobilier, les cabinets anciens, les tableaux, les tapisseries et les soieries éteintes. Vos salons, du moins, sont parfaits. J'en suis aussi ravie chaque fois que j'y reviens et ne leur connais pas d'équivalent. Vous sentez ces choses mieux que personne. Vous avez un goût délicieux.

– Je suis écœuré de mon goût délicieux ! dit Gilbert Osmond.

– Vous devez néanmoins laisser Miss Archer venir en juger ; je lui en ai parlé.

– Je ne refuse pas de montrer mes affaires quand les gens ne sont pas idiots.

– Vous le faites merveilleusement. Vous êtes très à votre avantage dans le rôle de *cicerone* de votre musée personnel.

Le compliment eut pour effets d'accentuer la froideur et d'aiguiser l'attention de Mr Osmond.

– Elle est riche, avez-vous dit.

– Elle a soixante-dix mille livres.

– *En écus bien comptés ?*

– Aucun doute possible sur la réalité de sa fortune. Je pourrais dire que je l'ai vue.

– Ah ! l'admirable femme ! C'est de vous que je parle. Et si je vais la voir, rencontrerai-je aussi la mère ?

– La mère ? Elle n'en a plus, ni de père non plus.

– La tante alors ? Comment avez-vous dit... Mrs Touchett ?

– Je n'aurai pas de mal à l'écarter du chemin.

– Je n'ai rien contre elle, dit Osmond. Elle me plairait plutôt avec son caractère à l'ancienne mode, dont le modèle se perd, et sa vigoureuse originalité. Et son grand freluquet de fils ? Est-il aussi dans les lieux ?

– Il y est mais ne vous dérangera pas.

– C'est un âne bâté.

– Je crois que vous vous trompez. C'est un homme très intelligent. Mais il ne se montre pas volontiers quand je suis là, parce qu'il ne m'aime pas.

– Citez-moi pire ânerie que cela ! Vous avez dit qu'elle est jolie, poursuivit Osmond.

– Oui, mais je ne le redirai pas, de peur que vous ne soyez déçu. Allons, faites un premier pas ; c'est tout ce que je vous demande.

– Dans quelle direction ?

Madame Merle attendit un instant :

– Je veux évidemment que vous l'épousiez.

– Le commencement de la fin ? Pour ma part, j'y songerai. Le lui avez-vous dit ?

– Pour qui me prenez-vous ? Ses mécanismes ne sont pas si grossiers. Les miens non plus.

– Sincèrement, reprit Osmond après réflexion, je ne comprends pas vos ambitions.

– Je crois que vous comprendrez celle-ci quand vous aurez vu Miss Archer. Réservez votre jugement.

Tout en parlant, Madame Merle s'était dirigée vers la porte et contemplait à présent le jardin.

– Pansy est devenue vraiment jolie, dit-elle.

– C'est ce qu'il me semble.

– Mais plus de couvent pour elle.

– Je ne sais, dit Osmond. J'aime ce qu'on y a fait d'elle. Le résultat est très charmant.

– Le couvent n'y est pour rien. C'est la nature de l'enfant.

– C'est la combinaison des deux, je crois. Elle est pure comme une perle.

– Pourquoi ne revient-elle pas avec mes fleurs ? demanda Madame Merle. Elle n'est pas pressée.

– Allons les chercher.

– Elle ne m'aime pas, murmura Madame Merle, qui ouvrit son ombrelle en passant dans le jardin.

23

Arrivée à Florence en même temps que Mrs Touchett, qui l'avait invitée à bénéficier pendant un mois de l'hospitalité du *palazzo* Crescentini, la judicieuse Madame Merle parla de nouveau à Isabel de Gilbert Osmond et exprima l'espoir qu'elle fît sa connaissance; sans insister d'ailleurs aussi pesamment que nous l'avons vue recommander la jeune fille à l'attention de Mr Osmond. La raison en était peut-être qu'Isabel n'opposa aucune résistance à sa proposition. En Italie comme en Angleterre, Madame Merle avait une multitude d'amis, aussi bien parmi les natifs du cru que parmi les visiteurs étrangers. Elle avait signalé à Isabel la plupart des gens que celle-ci pourrait aimer connaître – non sans ajouter que la jeune fille était évidemment libre de rencontrer qui elle voulait dans ce vaste monde –, et placé le nom de Mr Osmond près du début de la liste. C'était un de ses vieux amis qu'elle connaissait depuis une douzaine d'années, l'un des hommes les plus intelligents et les plus charmants, disons simplement d'Europe. Il dépassait de beaucoup l'honnête moyenne; bref, il était exceptionnel. Ce n'était pas un charmeur professionnel, loin de là, et l'effet qu'il produisait dépendait pour une grande part de l'état de ses nerfs et de ses états d'âme. Quand il était de mauvaise humeur, il pouvait tomber aussi bas que n'importe qui, à ce détail près qu'il arborait alors l'air démoralisé d'un prince en exil. Mais s'il était attiré, intéressé ou carrément mis au défi – dans la mesure exacte qui convenait –, son intelligence et sa distinction devenaient perceptibles. Contrairement à ce qu'il en est pour tant de gens, ces qualités n'étaient pas subordonnées chez lui à son retrait et à sa réserve. Il avait l'esprit de contradiction – c'est le cas de tous les hommes qui valent vraiment la peine d'être connus, pensa Isabel – et ne se mettait pas en valeur pour tout le monde. Toutefois, Madame Merle pensait pouvoir garantir qu'il serait brillant pour Isabel. Il s'ennuyait souvent, trop souvent, et les gens ternes le mettaient hors de lui, mais une jeune fille comme Isabel, vive et cultivée, l'aiguillonnerait; les stimulants étaient trop rares dans sa vie. En tout cas, c'était un personnage à ne pas manquer. On ne pouvait envisager de vivre en Italie sans se lier d'amitié avec Gilbert Osmond, l'homme qui en savait le plus sur le pays, à l'exception de deux ou trois professeurs allemands qui l'emportaient peut-être sur lui en fait d'érudition mais qu'Osmond surpassait en matière de goût et de perception, car il était artiste jusqu'au bout des ongles. Isabel se souvenait que son amie lui avait parlé d'Osmond à Gardencourt, au cours de leurs interminables entretiens cœur à cœur, et se demandait un peu quelle était la nature du lien qui unissait ces esprits supérieurs. Elle sentait que les relations de Madame Merle n'allaient jamais sans leur histoire, une impression qui contribuait à l'intérêt suscité par cette femme hors du commun. Cependant, elle évoquait ses relations avec Mr Osmond comme les manifestations d'une vieille et paisible amitié. Isabel lui dit qu'elle serait heureuse de faire la connaissance d'une personne qui, depuis si longtemps, jouissait de sa confiance.

– Il faudrait que vous voyiez beaucoup d'hommes, fit observer Madame Merle, le plus grand nombre possible pour vous habituer à eux.

– M'habituer à eux ? répéta Isabel avec le regard solennel qui semblait parfois trahir une déficience de la veine comique. Je n'ai pas peur d'eux, voyons ! J'y suis habituée, comme la cuisinière aux garçons bouchers.

– Je veux dire habituée à eux de façon à pouvoir les mépriser. C'est ce à quoi l'on arrive avec la plupart d'entre eux. Ensuite, vous choisirez, pour en faire des amis, les rares rescapés que vous ne mépriserez pas.

Madame Merle se permettait rarement de jouer ainsi de cynisme, mais Isabel ne s'en inquiéta pas car elle n'avait jamais imaginé que, plus on découvre le monde, plus le sentiment de respect devient l'émotion la plus agissante. La belle ville de Florence n'en sollicitait pas moins en elle ce sentiment et lui plaisait autant que Madame Merle le lui avait promis; et si sa faculté de perception, livrée à ses seules ressources, n'avait pas suffi à lui en dévoiler les charmes, elle avait des amis avertis pour l'initier au mystère. En fait, elle ne manquait pas de lumières esthétiques car Ralph se faisait une joie, qui revivifiait sa propre passion juvénile, de servir de *cicerone* à son ardente cousine. Madame Merle restait à la maison; elle avait vu et revu les trésors de Florence et avait toujours quelque chose d'autre à faire. Mais elle parlait de tout, grâce à la vigueur de sa mémoire étonnante; elle se rappelait l'angle en bas et à droite du grand Pérugin et la position des mains de sainte Élisabeth sur le tableau voisin. Elle avait sur quantité d'œuvres d'art célèbres une opinion qui différait souvent de façon très subtile de celle de Ralph, et défendait ses interprétations avec autant d'ingéniosité que de bonne humeur. Isabel écoutait leurs discussions, convaincue qu'elle pouvait en tirer bénéfice et qu'elles comptaient au nombre des avantages dont elle n'aurait pu bénéficier à Albany. Par les claires matinées de mai, avant le déjeuner que l'on servait à midi chez Mrs Touchett, elle flânait avec son cousin dans les rues étroites et sombres de Florence, s'arrêtant parfois dans une église ancienne encore plus ténébreuse ou dans les salles voûtées d'un couvent abandonné. Elle visitait galeries et *palazzi*, contemplait des tableaux et des statues qui, jusqu'alors, n'avaient représenté pour elle que de grands noms, et échangeait un pressentiment qui s'avérait généralement lacunaire contre un savoir qui était souvent une restriction. Elle exécutait tous les actes de prosternation mentale auxquels la jeunesse et l'enthousiasme se livrent si volontiers lors d'une première visite en Italie; elle sentait son cœur battre en présence du génie immortel et s'accordait la douceur des larmes qui lui montaient aux yeux et embuaient les fresques passées et les marbres sombres. Mais, chaque jour, le retour était encore plus plaisant que le départ, le retour dans la cour monumentale de la grande maison où Mrs Touchett s'était installée des années plus tôt, dans les pièces hautes et fraîches dont les chevrons sculptés et les fresques cérémonieuses du XVIe siècle contemplaient avec dédain les produits domestiques de l'ère de la réclame. Mrs Touchett habitait un *palazzo* historique, dans une rue étroite dont le nom rappelait les querelles des factions médiévales; l'obscurité de sa façade était compensée, estimait-elle, par la modicité du loyer et par la splendeur d'un jardin où la nature même rivalisait d'archaïsme avec l'architecture à bossage du palais, et qui éclairait et embaumait les pièces habituellement ouvertes. Vivre dans un endroit pareil, c'était pour Isabel tenir tout le jour contre son oreille une conque venue des mers d'antan. Imprécise, éternelle, sa rumeur tenait son imagination en éveil.

Gilbert Osmond vint voir Madame Merle qui le présenta à la jeune fille. Réfugiée à l'autre bout de la salle, Isabel prit part du bout des lèvres à la conversation; elle esquissait à peine un sourire lorsque les deux autres se tournaient vers elle pour l'inviter à y participer; elle était comme l'on est au spectacle, après avoir payé chèrement sa place. Mrs Touchett n'étant pas là, les deux autres purent sans contrainte faire assaut de brio. Ils parlèrent des Florentins, des Romains, du monde cosmopolite, et l'on aurait dit deux excellents acteurs jouant lors d'un après-midi de bienfaisance, avec l'alacrité chaleureuse due aux répétitions. Madame Merle interpellait Isabel comme si elle avait été sur les planches, mais celle-ci pouvait ignorer les répliques apprises sans nuire à la scène, bien qu'elle mît ainsi gravement dans son tort l'amie qui avait dit à Mr Osmond que l'on pouvait compter sur elle. C'était sans importance, pour une fois; et même si l'enjeu avait été plus important, Isabel n'aurait fait aucun effort pour briller. Il y avait chez le visiteur quelque chose qui la freinait et la tenait en haleine, qui rendait plus nécessaire qu'elle se fît de lui une impression plutôt qu'elle-même n'en produisît. De plus, elle n'était pas experte en l'art de susciter un effet qu'elle savait attendu : en temps ordinaire, rien ne la grisait davantage que se sentir éblouissante, mais une mauvaise grâce opiniâtre l'empêchait de briller sur commande. Mr Osmond, rendons-lui cette justice, avait l'air de ne rien attendre et son aisance sereine d'homme bien élevé recouvrait tout, y compris la première démonstration de son esprit. Celle-ci était encore agrémentée par la sensibilité dont témoignaient son visage et sa tête; il n'était pas beau mais fin, aussi fin que pouvaient l'être les dessins de la longue galerie[1] au-dessus du pont des Uffizi. Sa voix aussi avait de la finesse, et c'était d'autant plus étrange que, malgré sa clarté, elle n'était pas vraiment douce. Cette voix avait en réalité beaucoup fait pour dissuader Isabel d'intervenir dans la conversation. Elle vibrait comme le cristal et Isabel craignait, en levant le petit doigt, de changer le diapason et de gâcher le concert. Pourtant, avant qu'il ne parte, elle dut parler.

– Madame Merle, dit-il, veut bien grimper jusqu'en haut de ma colline et prendre le thé dans mon jardin un jour de la semaine prochaine. Je serais très heureux que vous consentiez à l'accompagner. De là-haut, le panorama, comme l'on dit, est vraiment beau. Ma fille aussi serait enchantée, ou plutôt, puisqu'elle est trop jeune pour les émotions fortes, j'en serais enchanté, vraiment enchanté...

L'air légèrement embarrassé, Osmond abandonna sa phrase en suspens.

– Je serais très heureux que vous fassiez la connaissance de ma fille, reprit-il après un instant.

Isabel répondit qu'elle serait ravie de voir Miss Osmond, et que, si Madame Merle voulait bien la conduire jusqu'au faîte de la colline, elle lui en serait reconnaissante. Sur cette assurance, Mr Osmond prit congé. Isabel s'attendait à ce que son amie la morigénât de s'être si sottement conduite, mais Madame Merle ne tombait jamais dans le prosaïque et Isabel, abasourdie, l'entendit déclarer au bout d'un moment :

– Vous avez été charmante, ma chérie, exactement telle que l'on aurait pu vous souhaiter. Jamais vous ne décevez.

Un reproche aurait peut-être irrité Isabel, encore qu'il soit plus probable qu'elle l'aurait pris en bonne part, mais, si bizarre que cela puisse paraître, les mots qu'utilisa Madame Merle éveillèrent en elle la première contrariété consciente que son amie lui eût jamais inspirée.

---

1. Il s'agit de la galerie conçue par le peintre, architecte et écrivain Vasari (1511-1574) pour réunir le palais des Uffizi au palais Pitti. Elle abrite aujourd'hui d'admirables dessins et une impressionnante collection d'autoportraits de peintres.

– C'est plus que je n'en avais l'intention, répondit-elle froidement. Je ne suis pas, que je sache, tenue de charmer Mr Osmond.

Madame Merle rougit mais, nous le savons, elle n'avait pas l'habitude de se dédire.

– Ma chère enfant, je ne parlais pas pour lui, le pauvre homme, je parlais pour vous. Le problème n'est évidemment pas de savoir si vous lui plaisez ; cela n'a aucune importance, ou si peu ! Mais il m'a semblé que vous l'appréciiez.

– C'est vrai, répondit franchement Isabel. Mais je ne vois pas non plus ce que cela peut bien faire.

– Tout ce qui vous concerne compte pour moi, repartit Madame Merle avec sa noblesse lassante, surtout quand cela concerne en même temps un autre de mes vieux amis.

Quoi qu'il en fût des possibles obligations d'Isabel à l'égard de Mr Osmond, il faut admettre qu'elle les estima suffisantes pour interroger Ralph sur son compte. Elle pensait que les jugements de Ralph étaient biaisés par ses épreuves personnelles mais se flattait d'avoir appris à en tenir compte.

– Si je le connais ? répondit son cousin. Oh oui, je le connais ; pas très bien, mais, tout compte fait, suffisamment. Je n'ai jamais cultivé sa société et, selon toute apparence, il n'a jamais trouvé la mienne indispensable à son bonheur. Qui est-il ? Qu'est-il ? C'est un Américain mal défini et inexpliqué qui vit en Italie depuis une trentaine d'années environ. Pourquoi le qualifier d'inexpliqué ? Simplement pour recouvrir mon ignorance : je ne connais rien de ses antécédents, de sa famille ni de ses origines. Pour le peu que j'en sais, il pourrait être un prince travesti – il en aurait assez l'allure, d'ailleurs –, un prince qui aurait abdiqué lors d'un accès de dégoût et se morfondrait depuis dans un état d'écœurement. Il habitait Rome autrefois, avant de fixer ici sa résidence il y a quelques années. Je me rappelle l'avoir entendu dire que Rome est devenue vulgaire. Il a horreur de la vulgarité, c'est sa grande spécialité et je ne lui en connais pas d'autre. Il vit de ses revenus, dont je doute qu'ils soient vulgairement considérables. Lui-même se définit comme un gentleman pauvre mais honnête. Il s'est marié jeune et a perdu sa femme ; je crois qu'il a une fille. Il a aussi une sœur qui a épousé un nobliau des environs, quelque chose comme un comte; je me souviens l'avoir rencontrée il y a longtemps. Elle est plus aimable que lui, je crois, mais assez impossible. Il a couru des histoires sur son compte et je ne vous conseillerais pas de lier connaissance avec elle. Mais pourquoi ne pas questionner Madame Merle à leur sujet? Elle les connaît bien mieux que moi.

– Je vous interroge parce que je veux avoir votre opinion et la sienne.

– Au diable mon opinion! Si vous vous éprenez de Mr Osmond, quel cas en ferez-vous?

– Pas grand cas, probablement. En attendant, elle a son importance. Mieux on est informé des dangers possibles, mieux cela vaut.

– Je ne partage pas votre avis; l'excès d'informations peut en faire autant de dangers. On en sait trop long sur les gens, de nos jours, on en entend trop parler. Nos oreilles, nos esprits, nos bouches regorgent d'allusions personnelles. Ne faites pas attention à ce que les uns disent des autres. Faites-vous votre propre jugement sur les gens et sur les choses.

– C'est ce que j'essaie de faire, dit Isabel. Mais l'on traite de suffisants les gens qui procèdent ainsi.

– N'en faites aucun cas, c'est précisément ce que je vous suggère; n'accordez pas plus d'importance à ce que l'on dit de vous qu'à ce que l'on raconte de vos amis ou de vos ennemis.

– Je crois que vous avez raison, dit Isabel après un instant de réflexion, mais je ne peux ignorer certaines choses: quand on attaque un de mes amis, par exemple, ou quand on me fait des compliments.

– Bien entendu, vous êtes toujours libre de juger la critique. Cependant, ajouta Ralph, si vous jugez les gens en tant que critiques, vous les condamnerez tous.

– Je vais juger Mr Osmond par moi-même, dit Isabel. J'ai promis de lui rendre visite.

– Lui rendre visite?

– D'aller voir son panorama, ses tableaux, sa fille, je ne sais quoi au juste. Madame Merle m'y conduit; elle m'a dit que beaucoup de dames allaient le voir.

– Oh ! avec Madame Merle, vous pouvez aller n'importe où *de confiance*, dit Ralph. Elle ne connaît que l'élite.

Laissant de côté Mr Osmond, Isabel fit savoir à son cousin qu'elle n'aimait pas la façon dont il parlait de Madame Merle :

– J'ai l'impression que vous proférez des insinuations contre elle. Je ne sais si c'est votre intention mais, si vous avez des raisons de ne pas l'aimer, je pense que vous feriez mieux soit de les dire franchement, soit de ne rien dire du tout.

Ralph fut froissé par cette accusation, plus sérieusement qu'il ne le manifestait de coutume.

– Je parle de Madame Merle exactement comme je lui parle : avec un respect presque exagéré.

– Exagéré, précisément. C'est ce que je vous reproche.

– Je le fais parce que les mérites de Madame Merle sont exagérés.

– Qui les exagère, je vous prie ? Serait-ce moi ? Dans ce cas, je lui rends un mauvais service.

– Non, non ! Elle-même.

– Ah ! je proteste, s'écria Isabel avec conviction. Citez-moi une seule femme plus modeste.

– Vous mettez le doigt sur la plaie ! l'interrompit Ralph. Sa modestie est exagérée. Elle n'a que faire de prétentions modestes et elle est strictement en droit de prétendre à la perfection.

– Ses mérites sont donc aussi grands ! Vous vous contredites.

– Ses mérites sont immenses, dit Ralph, elle est inexorablement sans reproche ; un désert de vertu, vierge d'imperfections, la seule femme que je connaisse qui ne vous laisse jamais une chance.

– Quelle chance ?

– Celle de la qualifier d'insensée ! C'est la seule femme de ma connaissance qui n'a que ce petit travers.

Isabel se détourna avec impatience

– Je ne vous comprends pas ; vous êtes trop paradoxal pour ma modeste intelligence.

– Laissez-moi m'expliquer. Quand je dis qu'elle exagère, je ne parle pas au sens vulgaire du terme ; je ne l'accuse pas de se vanter, de se glorifier, ou de décliner trop avantageusement ses mérites. Je dis littéralement qu'elle pousse trop loin la recherche de la perfection et surmène ses mérites. Elle est trop bonne, trop aimable, trop intelligente, trop instruite, trop accomplie, trop tout. Bref, elle est trop parfaite. Je vous avoue qu'elle me porte sur les nerfs et qu'elle m'inspire terriblement le sentiment que cet Athénien trop humain éprouvait à l'égard d'Aristide le Juste[1].

Isabel fixa sur son cousin un regard dur ; mais la raillerie, peut-être embusquée sous le couvert des mots, n'affleurait pas sur son visage.

– Souhaitez-vous que Madame Merle soit bannie ?

– Jamais de la vie ! Sa compagnie est beaucoup trop agréable ! Madame Merle fait mon bonheur ! répondit simplement Ralph Touchett.

– Monsieur mon cousin, vous êtes odieux ! s'exclama Isabel, avant de lui demander s'il savait quelque chose qui ne fût pas à l'honneur de sa brillante amie.

– Absolument rien ! Ne voyez-vous pas que c'est précisément ce à quoi je fais allusion ? Il n'est pas de caractère qui ne soit déparé par quelque sombre petite tacheture ; si un jour je m'y appliquais une demi-heure, je ne doute pas d'être en mesure d'en trouver une chez vous. Quant à moi, j'en suis constellé comme un léopard. Mais chez Madame Merle, rien, rien et rien !

– C'est exactement ce que je pense, dit Isabel en hochant la tête, et c'est pourquoi je l'aime tant.

– Pour vous qui désirez connaître le monde, elle est un atout capital, le meilleur guide que vous puissiez avoir.

– J'imagine que vous voulez dire par là qu'elle est mondaine ?

– Mondaine ? Elle est la quintessence du monde des mondains !

---

1. Homme d'État et général athénien, Aristide le Juste (v. 540-468 av. J.-C.) fut frappé d'ostracisme par son rival Thémistocle, jaloux de ses succès. Interrogé sur les raisons qui lui avaient fait voter le bannissement d'Aristide, un de ses compatriotes répondit simplement : « Parce que je suis fatigué de l'entendre appeler le Juste. »

Contrairement à ce que s'était figuré Isabel, ce n'était pas un raffinement de malice de la part de Ralph de dire que Madame Merle le ravissait. Il prenait ses délassements là où il les trouvait et ne se serait pas pardonné une indifférence totale à l'égard de cette grande prêtresse de la vie mondaine. Il existe des sympathies et des antipathies profondément souterraines, et il se peut qu'en dépit de la stricte équité du jeune homme à l'égard de cette dame l'absence de Madame Merle de la maison de sa mère n'aurait pas appauvri l'existence du jeune homme. Mais Ralph Touchett avait appris, par des voies impénétrables, le rôle de spectateur et n'aurait pu trouver spectacle plus « soutenu » que la performance générale de Madame Merle. Il savourait Madame Merle à petites doses et la laissait jouer son rôle avec un doigté qu'elle-même n'aurait pu surpasser. Parfois, il se sentait presque navré pour elle et, curieusement, ces moments-là étaient ceux où sa bienveillance se manifestait le moins. Il était sûr qu'elle avait été passionnément ambitieuse et que ses succès tangibles ne répondaient pas, et de loin, à ses manœuvres secrètes. Elle s'était parfaitement entraînée sans avoir remporté aucun prix. Elle était toujours la simple Madame Merle, veuve d'un *négociant* suisse, dotée d'un petit revenu et de beaucoup de relations, qui séjournait chez quantité d'amis et était presque aussi universellement appréciée que les futilités moelleuses d'un roman nouvellement sorti. Le contraste entre cette situation et toutes celles où elle avait dû jadis placer ses espoirs – Ralph lui en attribuait au moins une demi-douzaine – relevait du tragique. Mrs Touchett pensait que son fils s'entendait admirablement avec leur sympathique invitée ; d'après elle, deux personnes qui s'occupaient tant de théories trop ingénieuses sur la manière de se conduire, à savoir la leur, devaient avoir beaucoup en commun. Ralph avait sérieusement réfléchi à l'intimité d'Isabel et de son éminente amie ; s'étant lui-même résigné depuis longtemps à ne pouvoir, sans rencontrer d'opposition, garder la jeune fille pour lui seul, il s'accommoda de cette intimité comme il l'avait fait de pires contrariétés. Il se disait qu'elle suivrait son cours, qu'elle ne pourrait durer indéfiniment.

Aucune de ces deux femmes exceptionnelles ne connaissait l'autre aussi bien qu'elle se l'imaginait et quelques graves découvertes, de part et d'autre, entraîneraient sinon une rupture, du moins un relâchement. D'ici là – il était tout disposé à le reconnaître –, la conversation de l'aînée profiterait à la cadette, qui avait tant à apprendre et assimilerait certainement mieux l'enseignement dispensé par Madame Merle que celui de n'importe quel mentor. Il était peu probable qu'Isabel en souffrirait.

24

On voit difficilement le mal qui aurait pu l'atteindre pendant la visite qui la conduisit peu après sur la colline de Mr Osmond. Les circonstances en étaient exquises : un doux après-midi au plus glorieux du printemps toscan. Les voyageuses sortirent de la ville par la porte Romaine, sous l'énorme architecture qui couronne l'arche élégante et pure du portique dont elle souligne la nudité ; puis leur voiture s'engagea dans des chemins bordés de murs élevés que chevauchait le foisonnement des vergers fleuris et odorants, jusqu'à la petite *piazza* contournée, qui dominait la ville et dont le long mur brun de la villa que Mr Osmond occupait partiellement formait l'élément principal ou, du moins, le plus imposant. Isabel et son amie traversèrent une cour large et profonde ; sa partie basse reposait dans une ombre légère tandis que les deux galeries supérieures qui se faisaient face captaient le soleil dont la lumière jouait entre les minces colonnettes et les arcades légères, parées de plantes grimpantes. L'endroit sécrétait la gravité, la force et quiconque y pénétrait devait ressentir qu'il aurait à faire acte d'énergie pour le quitter. Pour Isabel, toutefois, il n'était pas question de sortir mais seulement d'avancer. Mr Osmond vint à sa rencontre dans l'antichambre fraîche – elle l'était encore en mai – et la guida, ainsi que son amie, vers la salle que nous connaissons. Madame Merle marchait en tête et, tandis qu'Isabel s'attardait un peu à causer avec leur hôte, elle s'avança en habituée pour saluer les deux personnes assises au salon. L'une était Pansy, qu'elle gratifia d'un baiser, l'autre une dame que Mr Osmond présenta à Isabel comme sa sœur, la comtesse Gemini.

– Et voici ma petite fille, dit-il, qui vient de sortir du couvent.

Pansy portait une modeste robe blanche et une résille maintenait strictement ses cheveux blonds ; ses légers souliers étaient liés autour de ses chevilles comme des sandales. Elle fit à Isabel une petite révérence de couvent avant de lui tendre le front. La comtesse Gemini inclina légèrement la tête, sans se lever, et Isabel lui trouva aussitôt des manières très altières. Mince et brune, elle n'était pas du tout jolie et ses traits évoquaient quelque oiseau des tropiques : un long nez busqué, des yeux petits et très mobiles, la bouche et le menton fuyants. Grâce à l'intensité variable d'énergie, d'étonnement, d'horreur et de joie qu'il exprimait, ce visage n'avait rien d'inhumain; quant à sa mise, il était clair que la comtesse s'y connaissait et savait exploiter au mieux ses atouts. Volumineuse, délicate et d'une raideur élégante, sa toilette faisait l'effet d'un plumage chatoyant, et ses attitudes étaient aussi légères et imprévisibles que celles de l'oiseau sur la branche. Elle faisait énormément d'embarras et Isabel, qui n'en avait jamais tant vu dans ce domaine, la classa d'emblée au premier rang des femmes maniérées. Elle se rappela que Ralph lui avait déconseillé de s'en faire une relation; elle était prête à en convenir : à première vue, la comtesse Gemini était dépourvue de profondeur. Ses démonstrations évoquaient la manœuvre frénétique d'un drapeau – soie blanche et flot de banderolles – qui demande une trêve générale.

– Vous saurez à quel point je suis heureuse de faire votre connaissance si je vous dis que seule la certitude de vous rencontrer m'a menée jusqu'ici. Je ne viens jamais voir mon frère, je le fais venir chez moi. Sa colline est impossible, je ne sais vraiment pas ce qui lui a pris. Sincèrement, Osmond, un jour ou l'autre, tu vas épuiser mes chevaux et, s'ils se blessent, tu devras m'en donner une autre paire. Je les entendais corner tout à l'heure en montant, je te l'assure. C'est très désagréable d'entendre ses chevaux souffler quand on est en voiture; on a l'impression qu'ils ne sont pas ce qu'ils devraient être. Bien que j'aie manqué de beaucoup de choses, j'ai toujours de bons chevaux. Mon mari manque d'instruction mais je crois qu'il connaît les chevaux. Généralement, les Italiens n'y entendent rien, mais lui, avec ses faibles lumières, s'emballe pour tout ce qui est anglais. Mes chevaux sont anglais et ce serait vraiment une pitié qu'ils soient fourbus. Je dois vous dire, poursuivit-elle en s'adressant directement à Isabel, qu'Osmond ne m'invite pas souvent. Je ne crois pas qu'il aime que je vienne chez lui. Je suis venue aujourd'hui de mon propre chef. J'aime rencontrer des têtes nouvelles et je suis sûre que vous êtes une vraie nouveauté. Non, ne prenez pas ce fauteuil; il n'est pas aussi bon qu'il paraît. Il y a quelques très bons sièges dans ce salon mais aussi des horreurs.

Ces remarques étaient émaillées de gloussements, de coups de bec et de roulades stridentes, avec un accent qui était une sorte de rappel ingénu de bon anglais ou plutôt de bon américain en détresse.

– Moi? Je n'aime pas te recevoir? Mais, ma chère, tu es inestimable! protesta son frère.

– Je ne vois pas d'horreurs, répondit Isabel en regardant autour d'elle. Tout me paraît beau et précieux.

– J'ai quelques bonnes pièces, concéda Mr Osmond; en fait, je n'ai rien qui soit vraiment mauvais. Mais je n'ai pas ce que j'aurais aimé avoir.

Debout, dans une attitude un peu gauche, il souriait et contemplait la pièce avec un mélange surprenant de détachement et d'attachement. Il semblait suggérer que rien, hormis les vraies «valeurs», ne tirait à conséquence. Isabel en induisit rapidement qu'une parfaite simplicité n'était pas l'apanage de cette famille. Même la jeune pensionnaire dans sa robe guindée, avec son air soumis et ses mains jointes, se tenait comme si elle se préparait à faire sa première communion; même la fille minuscule de Mr Osmond avait un apprêt qui n'était pas tout à fait naturel.

– Vous auriez aimé avoir quelques pièces des Uffizi et du *palazzo* Pitti, c'est bien cela? dit Madame Merle.

– Pauvre Osmond, avec ses vieux rideaux et ses crucifix! s'exclama la comtesse Gemini qui, apparemment, appelait son frère par son seul patronyme.

Mais cette sortie n'avait pas de but particulier; la comtesse sourit à Isabel et, sans cesser de sourire, l'examina de la tête aux pieds. Son frère ne l'avait pas entendue. Il semblait chercher que dire à Isabel :

– Voulez-vous du thé ? s'avisa-t-il enfin de proposer. Vous devez être très fatiguée.

– Pas du tout ! Pourquoi serais-je fatiguée ?

Isabel sentait le besoin d'être très directe et de ne rien simuler ; quelque chose planait dans l'air qui affectait son appréhension générale de la scène ; elle aurait été incapable de définir ce qui la privait de tout désir de se mettre en avant. Le lieu, les circonstances et la composition du groupe signifiaient davantage que l'apparence ne le laissait croire ; elle allait s'efforcer de comprendre, sans se limiter à proférer d'aimables platitudes. La pauvre Isabel ne se doutait sûrement pas que bien des femmes, en pareille situation, auraient proféré ces gracieuses platitudes pour masquer leur effort d'observation. Il faut avouer que son orgueil s'effarouchait un peu. Un homme, dont on lui avait parlé en termes qui avaient excité son intérêt, un homme manifestement capable de se distinguer, l'avait invitée, elle, jeune fille peu prodigue de ses faveurs, à venir chez lui. A présent qu'elle était dans sa demeure, la charge de la distraire incombait naturellement à l'imagination de son hôte. Isabel continuait d'observer et, pour l'instant, de juger sévèrement en constatant que Mr Osmond s'acquittait de sa tâche avec moins de complaisance qu'on en pouvait attendre de lui. « Quel imbécile je suis de m'être laissé prendre pour rien ! », croyait-elle l'entendre pester *in petto*.

– S'il vous montre tous ses bibelots avec autant de conférences à l'appui, vous rentrerez chez vous épuisée, dit la comtesse Gemini.

– Cela ne m'effraie pas ; et si je suis fatiguée, du moins aurai-je appris quelque chose.

– Bien peu, je le crains. Mais ma sœur s'épouvante à l'idée d'apprendre quoi que ce soit, dit Mr Osmond.

– Je l'avoue volontiers. Je ne veux plus apprendre ; j'en sais déjà trop long. Plus on en sait, plus on est malheureux.

– Vous ne devriez pas déprécier le savoir devant Pansy ; son instruction n'est pas terminée, intervint Madame Merle avec un sourire.

– Pansy ne connaîtra jamais le mal, dit son père. Pansy est une petite fleur de couvent.

– Ah ! les couvents, les couvents ! s'exclama la comtesse en faisant voleter ses manchettes. Parlez-moi des couvents ! On y apprend tout. Moi aussi, je suis une fleur de couvent. Je ne prétends pas être bonne, mais les religieuses l'affirment à ma place. Vous voyez ce que je veux dire ? poursuivit-elle à l'adresse d'Isabel.

Isabel n'était pas sûre de voir et répondit qu'elle suivait mal les discussions. Là-dessus, la comtesse déclara qu'elle-même les détestait mais que son frère avait un goût certain pour les débats ; il ne cessait de discuter.

– Pour moi, dit-elle, on aime une chose ou on ne l'aime pas et l'on ne peut évidemment tout aimer. Mais on ne devrait pas essayer d'en trouver les raisons : l'on ne sait jamais où cela vous conduira. De très beaux sentiments peuvent reposer sur de mauvaises causes, vous le savez bien ! Et parfois, d'excellentes raisons engendrent de vilains sentiments. Vous voyez ce que je veux dire ? Peu m'importent les raisons, mais je sais ce que j'aime.

– C'est l'essentiel, dit Isabel souriante, qui prévoyait que ses relations avec cette dame aux idées folâtres risquaient de ne pas être, intellectuellement parlant, de tout repos.

Si la comtesse refusait la discussion, Isabel ne s'y sentait guère plus portée pour l'instant, et elle tendit la main vers Pansy avec l'impression agréable qu'un tel geste ne l'engageait à rien qui fût susceptible d'être interprété comme une divergence d'opinion. Apparemment, Gilbert Osmond n'attendait rien de bon du ton qu'avait adopté sa sœur et détourna la conversation. Il vint s'asseoir près de sa fille, qui effleurait timidement du bout des doigts la main d'Isabel, avant de lui faire quitter son siège pour l'installer entre ses genoux ; puis il passa un bras autour de son corps fluet et la serra contre lui. Pansy fixait sur Isabel un regard paisible et distrait, qui semblait vide d'intention, encore que conscient d'une séduction. Mr Osmond aborda plusieurs thèmes ; Madame Merle avait dit qu'il pouvait être agréable quand il le voulait ; ce jour-là, au bout d'un moment, il sembla disposé, mieux même, déterminé à l'être. Installées un peu à l'écart, Madame Merle et la comtesse Gemini causaient tranquillement, comme des personnes qui se connaissent assez pour prendre leurs aises ; mais, de temps à autre, en réponse à une remarque de son interlocutrice, Isabel entendait la comtesse s'ébrouer dans la lucidité de Madame Merle comme un caniche barbote en quête d'un bâton. On aurait dit que Madame Merle se demandait jusqu'où elle pourrait aller. Mr Osmond parla de Florence, de l'Italie, du plaisir d'habiter ce pays et des entraves à ce plaisir. Cette existence comportait des avantages et des inconvénients ; ces derniers étaient nombreux et les étrangers trop enclins à voir de l'Italie son seul aspect romanesque. Cela faisait l'affaire de ceux qui avaient échoué dans les domaines de l'humain et du mondain – il entendait par cette expression les gens qui disaient ne pouvoir « réaliser » leur sensibilité ; en Italie, ils pouvaient sans ridicule la garder en eux, dans leur pauvreté, comme on garderait un héritage ou un domaine incommode et grevé qui ne rapporte rien. Il y avait donc des avantages à vivre dans le pays qui abritait la plus grande somme de beauté. Certaines impressions n'advenaient qu'ici. D'autres, favorables à la vie, ne s'y formaient jamais et il en survenait parfois de détestables. Mais, de temps en temps, une impression surgissait dont la qualité compensait tous les déboires. Quoi qu'il en soit, l'Italie avait nui à beaucoup de gens ; lui-même était assez vain pour se dire parfois qu'il aurait été meilleur s'il y avait vécu moins longtemps. Propice à l'oisiveté, au dilettantisme, à la médiocrité, l'Italie ne formait pas le caractère ; autrement dit, elle n'exploitait pas en vous la veine du succès social, ni l'aplomb que Paris et Londres en revanche favorisaient.

– Nous sommes d'aimables provinciaux, disait Mr Osmond, et je me rends parfaitement compte que je suis rouillé comme une clef privée de sa serrure. Cela me polit un peu de parler avec vous, encore que je n'ose prétendre ouvrir le mécanisme compliqué que doit être votre intellect ! Mais vous repartirez avant que je vous aie vue trois fois et peut-être ne vous reverrai-je jamais plus. Tel est le sort de qui habite un pays en qui les gens viennent faire un tour. Quand ils sont déplaisants, c'est déjà pénible ; quand ils sont charmants, c'est pis encore. Dès que l'on s'attache à eux, ils disparaissent ! Je me suis laissé prendre trop souvent et j'ai cessé de nouer des liens, de céder à des attirances. Vous avez l'intention de rester ici, de vous installer? Ce serait délicieux. Bien sûr, votre tante offre une sorte de garantie ; je crois que l'on peut compter sur elle. C'est une vieille Florentine, littéralement, dirais-je ; rien de commun avec les intrus d'aujourd'hui. Elle est contemporaine des Médicis; elle a dû assister au supplice de Savonarole et je ne jurerais pas qu'elle n'ait jeté dans le bûcher sa poignée de copeaux. Son visage ressemble beaucoup à ceux qu'ont peints les primitifs : petits, secs et nets, ils devaient être très expressifs mais présentent presque toujours une expression semblable. Je pourrais vous montrer son portrait sur une fresque de Ghirlandaio. J'espère ne pas vous froisser en parlant ainsi de votre tante. J'ai idée que non et peut-être est-ce encore pire à vos yeux. Je vous assure qu'il n'y a là aucun manque de respect ; aucun non plus à votre égard. Vous savez que j'admire particulièrement Mrs Touchett.

Pendant que son hôte s'employait à la distraire sur ce ton confidentiel, Isabel jetait de temps à autre un coup d'œil vers Madame Merle qui croisait son regard avec un sourire distrait et se gardait de signifier maladroitement à notre héroïne qu'elle se montrait à son avantage. Madame Merle proposa d'ailleurs à la comtesse Gemini d'aller avec elle dans le jardin et la comtesse, ébouriffant ses plumes, se dirigea toute bruissante vers la porte :

– Pauvre Miss Archer ! s'exclama-t-elle en regardant l'autre groupe avec compassion. La voilà pratiquement introduite dans la famille.

– Miss Archer ne peut éprouver que de la sympathie pour une famille dont tu fais partie, répondit Mr Osmond avec un rire dont l'intonation moqueuse n'excluait pas une réelle patience.

– Je ne sais ce que tu entends par là ! Je suis sûre que Miss Archer ne me trouvera pas de défauts en dehors de ceux que tu lui auras dits. Je suis mieux qu'il ne le raconte, Miss Archer, poursuivit la comtesse. Je suis seulement un peu stupide et ennuyeuse. Est-ce tout ce qu'il vous a dit? Alors, vous le mettez de bonne humeur. A-t-il entamé l'un de ses sujets favoris? Je vous avertis qu'il en a deux ou trois qu'il traite *à fond.* S'il les entreprend, vous feriez mieux d'ôter votre chapeau.

– Je ne crois pas connaître les sujets favoris de Mr Osmond, dit Isabel qui s'était levée.

La comtesse feignit un instant de réfléchir profondément et pressa contre son front une main crispée :

– Un instant, je vais vous le dire... L'un est Machiavel, le deuxième Vittoria Colonna et le troisième Métastase.

– Avec moi, Mr Osmond n'est jamais si purement historique, dit Madame Merle en glissant son bras sous celui de la comtesse Gemini, pour infléchir ses pas en direction du jardin.

– Oh, vous, répondit la comtesse alors qu'elles s'éloignaient, vous êtes à la fois Machiavel et Vittoria Colonna.

– Nous apprendrons bientôt que la pauvre Madame Merle est aussi Métastase ! soupira Gilbert Osmond, résigné.

Isabel s'était levée, croyant qu'ils iraient aussi dans le jardin, mais son hôte ne manifestait aucune envie de quitter la pièce; il était debout, les mains dans les poches de sa veste, et sa fille, qui l'avait résolument saisi par le bras, se cramponnait à lui tout en promenant son regard du visage paternel à celui d'Isabel. Notre héroïne attendait, non sans une obscure satisfaction, qu'on lui dictât sa conduite; elle appréciait la conversation de Mr Osmond, sa compagnie; avec le frémissement très intime toujours lié à ce type de découverte, elle prenait conscience d'une relation naissante. Par la porte ouverte de la vaste salle, elle vit Madame Merle et la comtesse qui flânaient sur la pelouse du jardin; puis elle se tourna et examina les objets épars autour d'elle. Il était entendu que Mr Osmond lui montrerait ses trésors, et tous les tableaux et les cabinets qui l'entouraient semblaient autant de trésors. Isabel s'approchait d'une toile qu'elle désirait mieux voir quand Osmond lui demanda à brûle-pourpoint :

– Miss Archer, que pensez-vous de ma sœur?

Surprise, elle lui fit face :

– Ne me demandez pas cela; je l'ai trop peu vue.

– Oui, vous l'avez très peu vue, assez pourtant pour vous rendre compte qu'il y a peu à voir en elle. Que pensez-vous du style de notre famille ? poursuivit-il avec son sourire froid. J'aimerais savoir l'effet qu'il produit sur un esprit neuf et non prévenu. Je sais ce que vous allez dire : vous avez à peine eu le temps d'observer. Évidemment, ce n'est qu'un aperçu. Mais, désormais, si vous en avez l'occasion, prêtez-y attention. Je pense parfois que nous sommes engagés sur une mauvaise voie, à force de vivre ici parmi des gens et des choses qui ne sont pas nôtres, sans responsabilités ni attaches, à force d'épouser des étrangers, de nous forger des goûts artificiels et de ruser avec notre mission naturelle. J'ajoute que je parle pour moi beaucoup plus que de ma sœur. C'est une honnête femme, bien plus qu'il n'y paraît. Elle est malheureuse et, n'étant pas du genre à prendre les choses au sérieux, elle s'épargne les grands airs tragiques et leur préfère les effets comiques. Elle a un affreux mari dont je ne suis pas sûr qu'elle tire le meilleur parti possible. Mais, bien sûr, un affreux mari est une disgrâce. Madame Merle la conseille admirablement, mais autant donner un dictionnaire à un enfant pour qu'il apprenne une langue. Il est capable de chercher des mots mais incapable de les assembler. Ma sœur a besoin d'une grammaire ; hélas, elle n'a rien d'une grammairienne. Pardon de vous ennuyer avec ces détails ; ma sœur avait raison de dire que vous avez été introduite dans la famille. Laissez-moi décrocher ce tableau qui demande plus de lumière.

Il dépendit le tableau, l'approcha de la fenêtre et fournit à son propos de curieuses précisions. De même pour les autres œuvres d'art qui retenaient le regard d'Isabel, il donna les informations qui paraissaient être les plus agréables à une jeune fille en visite par un après-midi d'été. Ses peintures, ses médaillons et ses tapisseries étaient dignes d'intérêt mais Isabel s'aperçut bientôt que leur propriétaire l'était beaucoup plus, indépendamment d'eux, alors même qu'ils semblaient l'écraser de leur masse. Elle n'avait jamais vu personne qui lui ressemblât. La plupart de ses relations pouvaient être réparties en groupes d'une demi-douzaine de spécimens. A cela s'ajoutaient une ou deux exceptions : elle ne voyait, par exemple, aucun groupe où ranger sa tante

Lydia. D'autres individus étaient relativement originaux – originaux par courtoisie, pourrait-on dire, tels Mr Goodwood, son cousin Ralph, Henrietta Stackpole, Lord Warburton et Madame Merle. Mais, au fond, si l'on y regardait bien, ces individus appartenaient à des types déjà présents dans son esprit. En revanche, cet esprit ne disposait d'aucune catégorie où Mr Osmond trouverait une place naturelle ; c'était un spécimen à part. Isabel ne s'avisa pas séance tenante de ces évidences mais les sentit peu à peu s'ordonner par la suite. Pour l'instant, elle se disait seulement que cette « nouvelle connaissance » allait peut-être se révéler hors du commun. Ce timbre exceptionnel qu'avait eu Madame Merle, quelle puissance il gagnait lorsqu'il était émis par un homme ! Aux yeux d'Isabel, plus que ses propos et que ses gestes, les abstentions de Mr Osmond le marquaient, au même titre que les signes curieux qu'il lui montrait au dos de vieilles assiettes ou à l'angle de ses dessins du XVIe siècle ; il ne s'autorisait aucun manquement aux bonnes manières ; il était original sans être excentrique. Elle n'avait jamais rencontré quelqu'un dont la texture fût si fine. Sa singularité, d'abord physique, s'étendait ensuite au domaine de l'impalpable. Ses cheveux fins et abondants, ses traits accusés et délicats, son teint clair, coloré en douceur, l'égalité de sa barbe et la finesse de son ossature – elle donnait une ampleur expressive au moindre mouvement de ses doigts –, tous ces traits personnels frappaient notre sensible héroïne comme des signes de qualité, d'intensité, et comme autant d'assurances de l'intérêt que présentait son hôte. Il était sûrement exigeant, critique et probablement irritable. Peut-être était-il dominé de façon excessive par sa sensibilité, ce qui l'avait rendu impatient à l'égard des contingences quotidiennes et conduit à vivre replié sur lui-même, dans un monde choisi, raréfié, artificiel, où seuls comptaient l'art, l'histoire et la beauté. Dans tous les domaines, il avait consulté son goût, et peut-être lui seul, comme le malade qui se sait incurable finit par ne plus consulter que son notaire ; de là venait sa singularité par rapport à ses semblables. Ralph avait un peu cette même tendance et semblait penser lui aussi que la vie est affaire de connaisseur; mais, chez Ralph, c'était une anomalie, une sorte d'excroissance humoristique, alors que chez Mr Osmond, c'était la dominante qui commandait l'harmonie de l'ensemble. Isabel était certainement très loin de le comprendre entièrement; sa pensée n'était pas toujours évidente. Il était malaisé de saisir, par exemple, ce qu'il voulait dire quand il parlait de son côté provincial, ce qui était exactement l'aspect dont, de l'avis d'Isabel, il était le plus dépourvu. Était-ce un paradoxe inoffensif destiné à l'intriguer ou le raffinement ultime d'une culture peu commune? Elle comptait bien l'apprendre un jour; la découverte serait intéressante. Si une telle harmonie relevait de la province, que devait être l'unisson final de la capitale? Elle pouvait se poser cette question, bien qu'elle sentît que son hôte était un homme timide; car une telle réserve – due à des nerfs irritables et à des perceptions aiguisées – était parfaitement compatible avec la meilleure éducation. En fait, c'était presque la preuve de normes et de critères autres que ceux du vulgaire sur lequel il devait être si sûr de l'emporter. Mr Osmond n'était pas un homme sûr de lui qui bavarde et cancane avec l'aisance propre aux natures superficielles; il se critiquait autant qu'il critiquait les autres, et, exigeant beaucoup des autres avant de les juger agréables, il devait jauger non sans ironie ce que lui-même avait à offrir : une preuve de plus qu'il n'était pas grossièrement vaniteux. S'il n'avait été réservé, il n'aurait pas accompli cette conversion lente, subtile et parfaite de sa timidité à laquelle Isabel devait à la fois ce qui lui plaisait en lui et ce qui la mystifiait. S'il lui avait brusquement demandé son impression sur la comtesse Gemini, c'était la preuve indéniable qu'il s'intéressait à elle; on pouvait difficilement imaginer qu'il cherchât une aide afin de mieux connaître sa sœur. Cet intérêt intense dénotait un esprit curieux, mais il était un peu étrange qu'il sacrifiât son sentiment fraternel à sa curiosité. C'était la chose la plus bizarre qu'il eût faite.

Au-delà du salon où elle avait été reçue, deux autres salles regorgeaient d'objets étonnants. Isabel y passa un quart d'heure en compagnie de Mr Osmond; ce très aimable *cicerone* la guida vers ses plus belles pièces, tenant toujours sa fille par la main. Son affabilité n'était pas loin de surprendre notre jeune amie qui se demandait pourquoi il prenait tant de peine pour elle qui commençait à se sentir oppressée par tant de beauté, par l'accumulation des connaissances auxquelles on l'initiait. C'était assez pour aujourd'hui; elle avait cessé de prêter l'oreille à ce qu'il disait; elle l'écoutait, lui, de ses yeux attentifs, mais sans plus réfléchir à ses propos. Il avait dû probablement l'imaginer plus vive à tous points de vue, plus cultivée, mieux préparée qu'elle n'était. Madame Merle avait sans doute gentiment exagéré, ce qui était navrant car il finirait sûrement par découvrir la vérité et alors, l'intelligence réelle de la jeune fille ne pourrait lui faire surmonter sa déception. La fatigue d'Isabel tenait en partie à ses efforts pour paraître aussi intelligente que Madame Merle l'avait décrite, croyait-elle, et à la crainte, chez elle inhabituelle, de révéler non pas son ignorance – ce dont elle se souciait relativement peu – mais une éventuelle insuffisance de perception. Elle aurait été contrariée d'exprimer son goût pour un objet dont son hôte très éclairé aurait estimé qu'elle n'avait pas à l'admirer; ou d'en négliger un autre devant lequel un esprit vraiment initié ne pouvait que tomber en arrêt. Elle ne voulait pas sombrer dans le ridicule où elle avait vu des femmes (et c'était un avertissement) s'enliser sereinement quoique honteusement. Si bien qu'elle surveillait simultanément ses mots et les objets sur lesquels elle portait son regard ou dont elle le détournait; jamais elle n'avait fait preuve de tant de circonspection.

Ils revinrent dans le grand salon où le thé était servi; les deux dames étaient toujours sur la terrasse et, comme il n'avait pas encore fait à Isabel les honneurs du panorama, suprême attraction de la villa, Mr Osmond, sans plus tarder, dirigea ses pas vers le jardin. On avait sorti des sièges pour Madame Merle et la comtesse qui proposa, tant l'après-midi était beau, de prendre le thé en plein air. Pansy fut dépêchée pour demander au domestique de porter dehors le plateau. Le soleil baissait à l'horizon, la lumière dorée avait foncé d'un ton et les masses d'ombre pourpre dont les montagnes et la vaste plaine étaient parsemées rayonnaient avec autant d'éclat que les pans encore ensoleillés. Le décor dégageait un charme extraordinaire. Sous une atmosphère presque solennelle à force d'immobilité, le vaste paysage, tout de grâce classique, déployait en une harmonie splendide ses cultures soignées comme des jardins, la noblesse de ses lignes, sa vallée fertile, ses collines délicatement sculptées et son habitat disséminé par touches émouvantes d'humanité.

– Vous avez l'air si charmée que je pense pouvoir compter sur une autre visite, dit Osmond en guidant la jeune fille vers un angle de la terrasse.

– Je reviendrai certainement, répondit-elle, en dépit des dangers qu'il y a, selon vous, à vivre en Italie. Que disiez-vous donc à propos des missions naturelles ? Je me demande si ce serait manquer à la mienne de m'installer à Florence.

– La mission naturelle d'une femme consiste à être là où on l'apprécie le plus.

– Le problème est de découvrir cet endroit.

– C'est exact ; la femme perd parfois beaucoup de temps à cette recherche. On devrait le lui désigner clairement.

– En ce qui me concerne, il me faudrait des indications très précises, dit Isabel avec un sourire.

– Je suis heureux, en tout cas, que vous parliez de vous fixer. Madame Merle m'a laissé entendre que vous êtes d'humeur vagabonde, que vous vous proposez de faire le tour du monde.

– J'ai un peu honte de mes projets ; j'en fais un nouveau chaque matin.

– Je ne vois pas pourquoi vous en auriez honte ; c'est le plus grand des plaisirs.

– Je pense que cela paraît frivole, dit Isabel. Il faudrait faire délibérément son choix et s'y montrer fidèle.

– Selon cette règle, je n'ai pas été frivole.

– N'avez-vous jamais fait de projets ?

– Si, j'en ai fait un il y a des années et je continue de l'exécuter.

– Il devait être très séduisant, risqua Isabel.

– Il était très simple. Je voulais être aussi tranquille que possible.

– Tranquille ? répéta la jeune fille.

– N'avoir pas de soucis, ne pas faire d'efforts, n'avoir pas à combattre. Me résigner. Me contenter de peu.

Il énonça lentement ces phrases qu'il entrecoupait de courtes pauses et son regard intelligent fixait celui d'Isabel avec l'air pénétré de qui s'est résolu à un aveu.

– Et vous trouvez cela tout simple ? demanda-t-elle avec une ironie douce.

– Oui, parce que c'est négatif.

– Votre vie a-t-elle été négative ?

– Qualifiez-la de positive, si vous préférez. Elle a seulement confirmé mon indifférence. Attention ! Je ne parle pas de mon indifférence naturelle : je n'en avais pas. Mon renoncement étudié, volontaire.

Isabel comprenait mal et se demanda même s'il plaisantait. Pourquoi un homme, dont la réserve et la retenue si fortement ancrées l'avaient frappée, se livrait-il brusquement à des confidences ? Mais, après tout, c'était son affaire et les confidences ne manquaient pas d'intérêt.

– Je ne vois pas pourquoi vous auriez renoncé, dit-elle après réflexion.

– Parce que je ne pouvais rien faire. Je n'avais pas d'avenir, j'étais pauvre et sans génie. Je n'avais même pas de talents. J'ai pris très jeune ma mesure. J'étais simplement le plus exigeant des jeunes gentlemen de ma génération. J'enviais deux ou trois personnes au monde : l'empereur de Russie, par exemple, et le sultan de Turquie. Par moments même, j'enviais le pape de Rome pour la considération dont il jouit. J'aurais été ravi d'être universellement considéré mais, comme cela ne se pouvait, je n'ai rien souhaité d'autre et j'ai décidé de ne pas briguer les honneurs. Le plus modeste gentleman peut toujours avoir de l'estime pour lui-même et, fort heureusement, malgré ma modestie, j'étais un gentleman. Je ne pouvais rien faire en Italie, même pas être un patriote italien[1]. Pour le deve-

---

1. Après 1815, l'Italie morcelée était sous le contrôle de l'Autriche. L'échec du *Risorgimento* entraîna des proscriptions. Un exilé, Mazzini, fonda en 1831 une société secrète, Jeune Italie, qui, à partir de l'étranger, organisa des insurrections jusqu'à l'avènement de l'unité italienne de 1860-1870. *(N. d. T.)*

nir, j'aurais dû sortir du pays, et j'en étais trop épris pour le quitter; sans parler du fait que je l'aimais trop sous la forme qu'il avait alors pour souhaiter qu'on y apportât des changements. Si bien que j'ai vécu de nombreuses années en Italie, selon le projet paisible dont je vous ai parlé. Je n'ai pas du tout été malheureux. Je ne veux pas dire que je me sois désintéressé de tout, mais les choses que j'appréciais étaient précises et limitées. Les événements de ma vie sont passés absolument inaperçus; je suis seul à les connaître : l'achat d'un vieux crucifix d'argent pour une bouchée de pain car, bien sûr, je n'ai jamais rien payé cher; la découverte, un beau jour, d'un panneau portant une esquisse du Corrège dissimulée sous les barbouillages d'un imbécile en mal d'inspiration...

Ce compte rendu de l'existence de Mr Osmond aurait pu paraître sec si la jeune fille s'y était entièrement fiée; mais son imagination y ajoutait l'élément humain dont elle était certaine qu'il n'avait pas fait défaut. La vie d'Osmond avait été mêlée à d'autres vies, plus qu'il ne voulait l'admettre, mais elle ne pouvait s'attendre à ce qu'il abordât ce domaine. Pour le moment, elle se garda de provoquer de nouvelles révélations; suggérer qu'il n'avait pas tout dit aurait été plus familier et moins discret qu'elle ne souhaitait l'être; en fait, ç'aurait été horriblement vulgaire. Il lui en avait dit assez long. Toutefois, elle éprouva l'envie d'exprimer en termes pondérés sa sympathie pour la façon dont il avait su préserver son indépendance.

– Quelle vie charmante, dit-elle, savoir renoncer à tout sauf au Corrège.

– A ma manière, j'en ai fait une bonne chose. N'allez pas croire que je me plaigne. Les gens malheureux ne peuvent s'en prendre qu'à eux.

C'était un sujet d'envergure auquel Isabel préféra la précision :

– Avez-vous toujours habité Florence ? demanda-t-elle.

– Non, pas toujours. J'ai longtemps vécu à Naples et plusieurs années à Rome. Mais j'habite ici depuis un bon moment. Peut-être vais-je devoir partir, faire autre chose. Je ne peux plus ne penser qu'à moi. Ma fille grandit et il n'est pas certain qu'elle s'intéressera autant que moi au Corrège et aux crucifix. Je vais devoir opter pour ce qui convient le mieux à Pansy.

– Oh ! oui, dit Isabel. Elle est si charmante !

– C'est une petite sainte du ciel ! s'écria Gilbert Osmond avec emphase. Elle est tout mon bonheur !

25

Tandis que se déroulait ce colloque privé – il se poursuivit au-delà du moment où nous avons cessé de le suivre –, Madame Merle et sa compagne, rompant un silence prolongé, échangèrent quelques propos. Assises toutes deux, elles avaient adopté une attitude de muette expectative, surtout la comtesse Gemini qui, de tempérament plus nerveux que ne l'était son amie, pratiquait avec moins de succès l'art de masquer son impatience. L'objet de leur attente n'était pas apparent et peut-être n'était-il pas très défini. Madame Merle attendait qu'Osmond libérât leur jeune amie de leur *tête-à-tête* et la comtesse attendait parce que Madame Merle attendait. A force d'attendre, la comtesse estima l'heure propice à l'une de ses charmantes perfidies qu'elle cherchait sans doute à placer depuis un moment. Son frère flânait avec Isabel à l'extrémité du jardin où son regard les suivait :

– Ma chère, vous voudrez bien m'excuser de ne pas vous féliciter, dit-elle à son amie.

Bien volontiers, car je ne vois pas du tout pourquoi vous le devriez.

– N'avez-vous pas un petit plan qui vous paraît plutôt bien parti ? demanda la comtesse en désignant d'un signe de tête le couple isolé.

Madame Merle tourna les yeux dans la même direction puis regarda sereinement son interlocutrice :

– Vous savez que je ne vous comprends jamais très bien, dit-elle en souriant.

– Personne ne comprend mieux que vous quand vous le voulez. Et je vois qu'en ce moment, vous ne le souhaitez pas.

– Vous me dites des choses que personne d'autre ne me dit, repartit Madame Merle avec gravité, mais sans amertume.

– Des choses qui vous déplaisent, voulez-vous dire ? Osmond n'en dit-il pas, lui aussi ?

– Tous les propos de votre frère sont autant de flèches.

– Oui, des flèches empoisonnées parfois. Si vous voulez dire que je suis moins intelligente que lui, ne croyez pas que je souffre de votre opinion. Mais il vaudrait beaucoup mieux que vous me compreniez.

– Pourquoi ? demanda Madame Merle. Où voulez-vous en venir ?

– Si je n'approuve pas votre plan, il faut que vous le sachiez pour évaluer le danger d'une intervention de ma part.

Madame Merle parut disposée à admettre qu'il pourrait y avoir matière à réflexion mais, au bout d'un instant, elle dit tranquillement :

– Vous me croyez plus calculatrice que je ne suis.

– Je ne vous reproche pas d'être calculatrice mais de calculer de travers. Ce qui vous arrive dans le cas présent.

– Vous-même avez dû vous livrer à des calculs infinis pour arriver à cette découverte.

– Non, je n'en ai pas eu le temps. Je vois cette jeune fille pour la première fois et ma conviction a spontanément surgi. Elle me plaît beaucoup.

– A moi aussi, fit Madame Merle.

– Vous avez une étrange façon de le montrer.

– Certainement. Je lui ai fait la faveur de vous la présenter.

– En effet, gazouilla la comtesse, c'est peut-être ce qui pouvait lui arriver de mieux !

Madame Merle se tut. L'attitude de la comtesse était odieuse, franchement méprisable, mais c'était une vieille histoire, et, les yeux fixés sur la pente violette du Monte Morello, Madame Merle réfléchissait.

– Chère madame, dit-elle enfin, je vous conseille de ne pas vous agiter. L'affaire à laquelle vous faites allusion concerne trois personnes dont la détermination surpasse la vôtre.

– Trois personnes ? Osmond et vous, cela va sans dire. Mais Miss Archer est-elle aussi fermement résolue ?

– Autant que nous le sommes.

– Dans ce cas, dit la comtesse radieuse, si je la convaincs qu'il est de son intérêt de vous résister, elle y parviendra.

– Nous résister ? Pourquoi vous exprimer de façon si vulgaire ? Personne ne cherche à la contraindre ou à la tromper.

– Je n'en suis pas sûre. Osmond et vous êtes capables de tout. Je ne dis pas Osmond à lui seul, ni vous seule. Mais ensemble, vous êtes aussi dangereux que certaines combinaisons chimiques.

– Alors, vous feriez mieux de nous laisser tranquilles, dit Madame Merle en souriant.

– Je n'ai pas l'intention de vous effleurer mais je parlerai à cette petite.

– Ma pauvre Amy, murmura Madame Merle, qu'avez vous bien pu vous mettre dans la tête ?

– Je m'intéresse à elle, voilà ce que j'ai dans la tête. Je l'aime bien.

– Je ne crois pas qu'elle vous le rende, dit Madame Merle après une brève hésitation.

Les petits yeux brillants de la comtesse s'arrondirent et son visage grimaça :

– Oh si ! vous êtes dangereuse ! Même toute seule.

– Si vous voulez qu'elle vous aime, ne lui dites pas de mal de votre frère, dit Madame Merle.

– Vous n'allez pas prétendre qu'elle s'est éprise de lui pour l'avoir vu deux fois ?

Madame Merle regarda Isabel et le maître de maison. Les bras croisés, le dos contre la balustrade, il faisait face à la jeune fille qui s'évertuait à contempler le paysage sans pour autant s'y perdre. Tandis que Madame Merle l'observait, elle baissa les yeux ; elle écoutait, non sans un certain embarras peut-être, tout en tapotant le sentier de la pointe de son ombrelle. Madame Merle se leva.

– Je pense que si, dit-elle.

Le domestique miteux qu'avait appelé Pansy – avec sa livrée fripée et son type étranger, il semblait sorti d'un carnet de croquis de types anciens, fixés par le pinceau de Longhi ou de Goya – revenait avec une petite table qu'il installa sur la pelouse, puis repartit chercher le plateau du thé. Après une nouvelle éclipse, il reparut avec deux chaises. Pansy avait assisté à ces préparatifs avec un intérêt soutenu, ses petites mains croisées sur sa robe étriquée, sans oser proposer son aide. Pourtant, quand la table à thé fut prête, elle s'approcha doucement de sa tante.

– Croyez-vous que papa serait mécontent si je faisais le thé ?

La comtesse posa sur elle un regard délibérément critique et, sans répondre à la question, demanda :

– Ma pauvre nièce, est-ce là ta plus jolie robe ?

– Oh ! non, dit Pansy. C'est juste une petite *toilette* pour les petites occasions.

– Une petite occasion, alors que je viens te voir ! Sans parler de Madame Merle et de cette jolie demoiselle là-bas.

Pansy réfléchit un instant et se tourna gravement tour à tour vers les personnes désignées. Puis son sérieux céda la place à un sourire délicieux :

– J'ai une jolie robe mais elle est aussi très simple. Pourquoi la mettrais-je à côté de vos si belles toilettes ?

– Parce que c'est la plus jolie que tu as ; pour moi, tu dois toujours porter ce que tu as de mieux. La prochaine fois, s'il te plaît, tu la mettras. J'ai l'impression que l'on ne se donne pas grand mal pour t'habiller.

L'enfant lissait avec ménagement sa jupe démodée.

– C'est une brave petite robe pour faire le thé, vous ne pensez pas ? Croyez-vous que papa me le permettrait ?

– Il m'est impossible de te répondre, mon enfant, dit la comtesse. Pour moi, les idées de ton père sont insondables. Madame Merle les comprend mieux. Demande-le lui.

Madame Merle sourit avec sa grâce coutumière :

– C'est une grave question, laissez-moi réféchir. Il me semble que votre père se réjouirait de voir sa fille préparer son thé avec soin. C'est le devoir qui revient à la fille de la maison quand elle grandit.

– C'est bien mon avis, madame ! s'écria Pansy. Vous allez voir comme je m'y prends bien. Une cuillerée par personne... poursuivit-elle en s'affairant autour de la table.

– Deux cuillerées pour moi, dit la comtesse qui, de même que Madame Merle, suivait des yeux la jeune fille. Dis-moi, Pansy, reprit-elle bientôt, j'aimerais savoir ce que tu penses de ta visiteuse.

– Ce n'est pas la mienne, c'est celle de papa, objecta Pansy.

– Miss Archer est venue vous voir, vous aussi, dit Madame Merle.

– Je suis très heureuse de l'apprendre. Elle a été très aimable à mon égard.

– Alors, tu l'aimes bien ? demanda la comtesse.

– Elle est charmante, charmante, répéta Pansy d'une voix nette, sur le ton de la conversation. Elle me plaît tout à fait.

– Penses-tu qu'elle plaise aussi à ton père ?

– Comtesse ! Franchement... murmura Madame Merle d'un ton dissuasif, avant de se tourner vers Pansy : Courez leur demander de venir prendre le thé.

– Vous allez voir qu'ils vont l'aimer ! lança Pansy qui partit chercher les retardataires à l'extrémité de la terrasse.

– Si Miss Archer doit devenir sa mère, il est important de savoir si l'enfant l'aime bien, dit la comtesse.

– Si votre frère se remarie, ce ne sera pas pour Pansy, répliqua Madame Merle. Elle aura bientôt seize ans, et besoin d'un mari plutôt que d'une belle-mère.

– Vous procurerez aussi le mari ?

– Je ferai certainement ce que je pourrai pour qu'elle fasse un mariage heureux. J'imagine que c'est aussi votre intention.

– Sûrement pas ! s'écria la comtesse. Pourquoi, au nom du Ciel, ferais-je si grand cas d'un mari ?

– Vous n'avez pas fait un mariage heureux, c'est ce que je veux dire. Quand je parle de « mari », je veux dire un bon mari.

– Il n'y en a pas de bons. Osmond n'en sera pas un bon.

Madame Merle ferma les yeux un instant :

– Vous êtes irritée en ce moment; j'ignore pourquoi, reprit-elle. Je ne pense pas que vous soyez réellement opposée à ce que votre frère ou votre nièce se marie lorsque le temps sera venu de le faire. En ce qui concerne Pansy, j'ai bon espoir que nous aurons un jour le plaisir de lui chercher ensemble un mari. Vos nombreuses relations seront un atout majeur.

– Oui, je suis irritée, répondit la comtesse. Vous m'irritez souvent. Votre sang-froid est fabuleux. Vous êtes une femme étrange !

– Il vaut beaucoup mieux que nous agissions toujours de concert, dit Madame Merle.

– Est-ce une menace ? demanda la comtesse en se levant.

L'air amusé, Madame Merle secoua paisiblement la tête.

– Non, décidément, vous n'avez pas mon sang-froid !

Isabel et Mr Osmond revenaient lentement vers elles et Isabel tenait Pansy par la main :

– Prétendez-vous croire qu'il la rendrait heureuse ? demanda la comtesse.

– S'il épouse Miss Archer, j'imagine qu'il se conduira comme un gentleman.

La comtesse s'agitait nerveusement :

– Vous voulez dire comme la plupart des gentlemen se conduisent ? Il n'y aurait pas de quoi être reconnaissante ! Bien sûr, Osmond est un gentleman ; inutile de le rappeler à sa sœur ! Croit-il pour autant pouvoir épouser n'importe quelle jeune fille qui lui plaît ? Osmond est un gentleman, bien sûr, mais je dois dire que je n'ai jamais, au grand jamais, découvert à quoi tiennent ses prétentions ! Sur quoi se fondent-elles ? C'est plus que je ne peux dire. Je suis sa sœur, je pourrais être censée savoir. Qui est-il ? Je vous le demande. Qu'a-t-il jamais accompli ? Si ses origines étaient particulièrement glorieuses, s'il était d'une essence supérieure, je présume que j'en aurais quelque idée. Si notre famille avait reçu de grands honneurs ou connu une période de splendeur, j'en aurais certainement profité ; ils m'auraient parfaitement convenu. Mais il n'y a rien, rien, rien. Nos parents étaient des gens charmants, bien entendu, mais comme l'étaient les vôtres, je n'en doute pas. De nos jours, tout le monde est charmant. Moi-même suis charmante ! Ne riez pas : quelqu'un l'a réellement dit. Quant à Osmond, il semblerait à l'entendre qu'il descend tout droit de l'Olympe.

– Vous aurez beau dire, repartit Madame Merle qui, croyons-nous, avait écouté cette sortie impétueuse avec une attention soutenue, bien que son regard fît la navette entre son interlocutrice et les rubans de sa toilette dont ses mains s'appliquaient à refaire les nœuds, vous, les Osmond, êtes une belle race et votre sang doit provenir d'une source très pure. Votre frère, un homme intelligent, en est depuis toujours convaincu, même s'il n'en a pas la preuve formelle. Vous êtes modeste sur ce point, mais vous-même êtes extrêmement distinguée. Et que dites-vous de votre nièce ? C'est une petite princesse. Néanmoins, ajouta Madame Merle, ce ne sera pas une mince affaire pour Osmond d'épouser Miss Archer. Mais il peut essayer.

– J'espère qu'elle refusera sa demande. Cela le remettra à sa place.

– N'oublions pas qu'il est supérieurement intelligent.

– Je vous l'ai déjà entendu dire mais n'ai toujours pas découvert ce qu'il a pu accomplir.

– Accomplir ? Il n'a jamais rien accompli qu'il ait fallu défaire. Et il a su attendre.

– Attendre l'argent de Miss Archer ? A combien se monte sa fortune ?

– Ce n'est pas ce que je voulais dire, répondit Madame Merle. Miss Archer a soixante-dix mille livres.

– Quel dommage qu'elle soit si charmante, déclara la comtesse. Pour être sacrifiée, la première venue aurait fait l'affaire. Pas besoin d'une femme supérieure.

– Si elle ne l'était pas, votre frère ne l'aurait jamais regardée. Il exige ce qu'il y a de mieux.

– C'est vrai, acquiesça la comtesse en se dirigeant avec Madame Merle à la rencontre du maître de céans et d'Isabel, il est très difficile à satisfaire. C'est ce qui me fait trembler pour le bonheur de Miss Archer !

26

Gilbert Osmond alla revoir Isabel au *palazzo* Crescentini où il avait d'ailleurs d'autres amies. Il manifesta toujours une courtoisie impartiale à l'égard de Mrs Touchett et de Madame Merle, mais, après avoir reçu sa visite cinq fois en une quinzaine de jours, la première de ces dames rapprocha ce chiffre d'un autre dont elle n'avait aucun mal à se rappeler : deux visites par an avaient représenté jusqu'alors le tribut habituel de Mr Osmond aux mérites de Mrs Touchett, qui n'avait jamais observé qu'il eût choisi pour les faire les périodes, presque toujours les mêmes, où Madame Merle partageait son toit. Mr Osmond ne venait pas pour Madame Merle ; elle et lui étaient de vieux amis et il ne se mettait pas en frais pour elle. Mr Osmond n'aimait pas Ralph, qui l'avait dit à sa mère, et il était peu probable qu'il se fût subitement entiché de son fils. Ralph était imperturbable ; il pratiquait une urbanité flottante qui l'enveloppait comme un pardessus mal coupé, mais dont il ne se départait jamais ; il trouvait de l'agrément à la société de Mr Osmond et désirait de toute façon le considérer à la lumière de l'hospitalité. Sans se flatter que le vœu de réparer une injustice passée fût le motif de l'assiduité du visiteur, il voyait plus clairement la situation. Isabel était l'attraction, une attraction indiscutable et suffisante. Érudit et critique en matière de délicatesse, Mr Osmond était naturellement curieux de cette apparition exceptionnelle. Aussi, lorsque Mrs Touchett lui fit observer que les pensées de Mr Osmond étaient transparentes, Ralph répondit qu'il partageait entièrement son avis. Mrs Touchett avait inscrit depuis longtemps ce gentleman sur sa liste très sélect, tout en s'interrogeant confusément sur l'art et les procédés, tout négatifs et habiles qu'ils fussent, grâce auxquels il s'était en fait imposé partout. Ne l'ayant jamais importunée de ses visites, il n'avait jamais eu l'occasion d'être désagréable et s'était concilié Mrs Touchett par son aisance apparente à se passer d'elle comme elle se passait de lui, qualité qui, curieusement, lui paraissait un terrain favorable à ses relations avec autrui. Elle n'était guère satisfaite, cependant, à l'idée qu'il s'était mis en tête d'épouser sa nièce. De la part d'Isabel, une telle alliance semblerait relever d'un esprit de contradiction presque morbide. Mrs Touchett se rappelait trop bien que la jeune fille avait refusé la demande d'un pair d'Angleterre, et que cette même jeune fille, contre laquelle Lord Warburton avait mené de vains assauts, pût se contenter d'un obscur dilettante américain, d'un veuf entre deux âges, pourvu d'une fille mystérieuse et d'un revenu incertain, ne répondait en rien à la conception que Mrs Touchett se faisait de la réussite. Elle n'envisageait pas le mariage sous son angle sentimental mais de son point de vue politique, une position recommandable à bien des égards. « J'espère qu'elle ne fera pas la folie de l'écouter », dit-elle à son fils, et Ralph lui répondit que, chez Isabel, écouter et répondre étaient choses très différentes. Il savait qu'elle avait prêté l'oreille à plusieurs partis, comme aurait dit son père, moyennant quoi, elle les avait obligés à écouter ; et il se réjouissait beaucoup à l'idée de voir bientôt un nouveau prétendant à sa porte. Elle avait voulu voir la vie et le sort la servait selon ses goûts ; une suite de beaux gentlemen tombant à ses genoux ferait l'affaire aussi bien que quoi que ce soit. Ralph prévoyait un quatrième, un cinquième, un dixième assiégeant ; il n'avait pas l'impression qu'elle s'arrêterait au troisième. Elle entrebâillerait la porte et entamerait les pourparlers ; elle n'autoriserait sûrement pas le numéro trois à entrer. C'est à peu près en ces termes qu'il exprima son point de vue à sa mère qui le regarda comme s'il eût dansé la gigue. Sa façon fantaisiste et imagée de dire les choses était pour elle aussi parlante que l'alphabet des sourds-muets.

– Je ne saisis pas bien ce que tu veux dire, déclara-t-elle. Tu emploies trop de figures de rhétorique et je ne comprendrai jamais les allégories. Les deux mots de notre langue que je respecte le plus sont « oui » et « non ». S'il plaît à Isabel d'épouser Mr Osmond, elle le fera en dépit de toutes tes comparaisons. Laisse-la trouver elle-même la plus adaptée à tout ce qu'elle entreprend. Je ne sais pas grand-chose à propos du jeune homme en Amérique mais je n'ai pas l'impression qu'elle pense beaucoup à lui et je soupçonne qu'il s'est lassé de l'attendre. Rien au monde ne l'empêchera d'épouser Mr Osmond si elle se met à le considérer d'une certaine façon. Parfait; je suis la première à dire que chacun doit agir à sa guise. Mais elle trouve son plaisir à des choses si bizarres; elle est capable d'épouser Mr Osmond pour ses belles opinions ou pour son autographe de Michel-Ange. Elle veut être désintéressée, comme si elle était la seule personne qui risquait de ne pas l'être! Sera-t-il désintéressé, lui, quand il disposera de l'argent d'Isabel? Avant la mort de ton père, elle agitait déjà cette idée qui, depuis, s'est parée pour elle de nouveaux charmes. Elle doit épouser un homme dont elle sera certaine qu'il est désintéressé; la meilleure preuve de ce désintéressement étant qu'il dispose d'une fortune personnelle.

– Ma chère mère, je ne suis nullement inquiet, répondit Ralph. Elle nous mystifie tous. Elle fera ce qui lui plaît, bien sûr, mais son plaisir sera d'étudier de près la nature humaine sans pour autant compromettre sa liberté. Elle s'est embarquée pour une expédition d'exploration et je ne pense pas qu'à peine partie elle changera de cap sur un signal de Gilbert Osmond. Elle a peut-être modéré la vitesse pour un moment, mais elle repartira bientôt à toute vapeur. Pardonnez-moi cette nouvelle métaphore.

Mrs Touchett pardonna sans doute mais n'était pas assez rassurée pour cacher à Madame Merle l'expression de ses frayeurs.

– Vous qui savez tout, dit-elle, vous devez savoir si cet étrange individu fait réellement la cour à ma nièce?

– Gilbert Osmond! répéta Madame Merle en écarquillant ses yeux clairs. Puis, sitôt remise de sa surprise, elle s'exclama: Dieu me pardonne! Quelle idée!

– Elle ne vous était pas venue?

– Quitte à passer pour une imbécile, j'avoue n'y avoir pas pensé. Je me demande si Isabel s'en est avisée.

– Je vais l'interroger tout de suite, dit Mrs Touchett.

Madame Merle réfléchit.

– Ne lui mettez pas cette idée en tête. Le mieux serait de questionner Mr Osmond.

– Impossible, dit Mrs Touchett. Je ne veux pas qu'il me demande avec son aplomb habituel ce que j'ai à voir dans l'affaire, ce qu'il pourrait se permettre étant donné la situation d'Isabel.

– Alors, je m'en chargerai, déclara bravement Madame Merle.

– Mais en quoi cela vous regarde-t-il à ses yeux ?

– En rien ! C'est justement pourquoi je peux me permettre d'en parler. J'ai si peu de raisons de m'en mêler qu'il pourra se débarrasser de ma question par la première réponse venue. C'est sa réaction qui me renseignera.

– Vous serez aimable de m'informer des résultats de votre clairvoyance, dit Mrs Touchett. Si je ne puis le questionner lui, je peux au moins parler à Isabel.

– Soyez prudente avec elle. N'allez pas mettre son imagination en feu ! intervint Madame Merle sur un ton alarmiste.

– Jamais de ma vie je n'ai produit le moindre effet sur l'imagination de quiconque. Mais je suis toujours sûre qu'elle fera… quelque chose qui n'est pas dans mon style.

– Non, vous n'aimeriez pas cela, fit observer Madame Merle sur le ton du constat.

– Au nom du Ciel, pourquoi cela me plairait-il ? Mr Osmond n'a rien de solide à offrir.

Madame Merle garda le silence, mais un sourire pensif, plus charmant encore que de coutume, releva le coin gauche de sa bouche :

– Analysons un peu : Gilbert Osmond n'est certainement pas le premier venu. Dans des circonstances favorables, il peut très bien faire grande impression. A ma connaissance, il y est parvenu plus d'une fois.

– Ne me parlez pas de ses aventures amoureuses probablement menées de sang-froid ! s'écria Mrs Touchett. Pour moi, elles ne sont rien. Ce que vous dites est précisément la raison pour laquelle je souhaite qu'il cesse ses visites. Que je sache, il n'a rien au monde qu'une ou deux douzaines de primitifs et une fillette plus ou moins effrontée.

– De nos jours, les primitifs valent très cher, dit Madame Merle, et sa fille est une enfant très jeune, très douce et très inoffensive.

– Autrement dit, un petit bout de fille insipide. Est-ce bien ce que vous voulez dire ? Faute d'argent, elle ne peut se marier comme on le fait ici. Si bien qu'Isabel devra soit l'entretenir, soit la doter.

– Isabel n'aurait probablement aucune raison de ne pas être bonne pour cette pauvre enfant. Je crois qu'elle l'aime bien.

– Raison de plus pour que Mr Osmond reste chez lui ! Autrement, dans moins d'une semaine, nous allons voir ma nièce parvenir à la conclusion que sa mission dans la vie est de prouver qu'une belle-mère peut se sacrifier et que, pour le démontrer, elle doit d'abord le devenir.

– Elle ferait une charmante belle-mère, fit en souriant Madame Merle, mais je suis pleinement d'accord avec vous : mieux vaut pour elle ne pas décider trop hâtivement de sa mission. Il est presque aussi difficile de changer le sens de sa mission que la forme de son nez ; l'un est planté au beau milieu du visage, l'autre à la base du caractère ; il faudrait aller chercher trop loin. Mais je vais faire mon enquête et je vous en rendrai compte.

Ces échanges s'étaient déroulés à l'insu d'Isabel qui ne se doutait pas que l'on discutait ainsi de ses relations avec Mr Osmond. Madame Merle ne lui avait rien dit qui pût la mettre sur ses gardes ; elle ne parlait pas plus d'Osmond que des nombreux autres gentlemen florentins, étrangers ou autochtones qui accouraient maintenant présenter leurs hommages à la tante de Miss Archer. Isabel trouvait Osmond intéressant – elle en revenait toujours là – et elle aimait penser à lui. De sa visite en haut de la colline, elle avait rapporté une image qu'une connaissance plus poussée de son propriétaire ne fit rien pour effacer, et qui s'associa harmonieusement en elle à d'autres faits, supposés ou devinés, à des histoires dans les histoires : l'image d'un homme distingué, paisible, intelligent, sensible, flânant sur une terrasse moussue surplombant l'aimable Val d'Arno et tenant la main d'une fillette, pure comme le son d'une clochette, qui prêtait à l'enfance une grâce nouvelle. Elle aimait la tonalité assourdie de ce tableau sans fioritures et l'atmosphère de crépuscule estival dont il était baigné. Il lui parlait de problèmes personnels qui la touchaient de près : du choix entre les objets, les sujets, les contacts – comment donc les appeler ? – d'une association ténue et ceux d'une riche association ; d'une vie solitaire et studieuse dans un beau pays ; d'une tristesse ancienne qui se réveillait parfois ; d'un sentiment d'orgueil peut-être excessif mais non sans noblesse ; d'un souci de beauté et de perfection à la fois si naturel et si cultivé que sa carrière semblait se déployer dans les perspectives ordonnées, avec les enfilades d'escaliers, de terrasses et de fontaines d'un classique jardin à l'italienne qui permettait seulement que les espaces arides fussent rafraîchis par la rosée naturelle d'une étrange paternité, partagée entre l'anxiété et l'impuissance. Au *palazzo* Crescentini, le comportement de Mr Osmond ne variait pas ; se défiant de lui-même d'abord, certainement embarrassé mais tendu par l'effort de vaincre ce handicap ; cet effort, que seul un œil sympathisant pouvait déceler, se dénouait d'ordinaire en un courant de propos agréables, enjoués et très positifs, teintés d'agressivité et toujours évocateurs. La conversation de Mr Osmond n'était pas altérée par le désir de briller ; Isabel croyait volontiers à la sincérité d'un homme doté de tant de signes d'une forte conviction, telle, par exemple, l'appréciation explicite et souriante de tout argument venant à l'appui de son opinion, surtout peut-être lorsqu'il était avancé par Miss Archer. Autre particularité qui plaisait à la jeune femme : contrairement à bien d'autres causeurs, il parlait pour le plaisir, sans chercher à faire de l'effet. Malgré l'originalité fréquente et manifeste de ses idées, il les émettait comme si leur familiarité pour lui était le résultat d'une longue cohabitation : elles étaient comme des pommeaux ou des poignées faites d'un matériau précieux, susceptibles en cas de besoin de s'adapter à des cannes neuves, et non des badines de fortune arrachées à un arbre ordinaire, puis brandies avec prétention. Un jour, Osmond amena sa fille avec lui et Isabel eut plaisir à renouer connaissance avec l'enfant dont les façons – elle tendit son front à baiser devant tous les membres du cercle – lui rappelèrent l'*ingénue* chère au théâtre français. Isabel n'avait jamais vu de jeune personne taillée sur ce modèle, aussi différente des jeunes Américaines que des fillettes anglaises. Si bien faite et accomplie pour la place minuscule qu'elle occupait dans le monde, Pansy n'en était pas moins en imagination innocente et puérile. Elle s'assit sur le sofa à côté d'Isabel; elle portait un manteau de grenadine et des gants d'usage que lui avait donnés Madame Merle, gris et fermés par un seul bouton. Elle avait l'air d'une feuille blanche, la *jeune fille* idéale des romans étrangers. Isabel espérait qu'un texte édifiant couvrirait cette belle page lisse.

La comtesse Gemini vint aussi la voir; la comtesse était une autre affaire. Il n'était plus question de page blanche; des écritures variées avaient griffé celle de la comtesse, et Mrs Touchett, insensible à l'honneur de sa visite, déclarait y voir nombre de taches. En fait, la comtesse souleva une discussion entre la maîtresse de maison et la visiteuse venue de Rome; trop fine pour agacer ses interlocuteurs en tombant toujours d'accord avec eux, Madame Merle profita non sans bonheur de la marge généreuse de désaccord que son hôtesse autorisait aussi librement qu'elle en usait. Mrs Touchett avait qualifié d'effronterie le fait qu'une personne gravement compromise se fût présentée à pareille heure à la porte d'une maison où elle était si peu estimée, ce qu'elle savait depuis longtemps être le cas au *palazzo* Crescentini. On avait mis au courant Isabel du jugement qui prévalait sous le toit de sa tante : on y tenait la sœur de Mr Osmond pour une dame qui avait si mal géré ses inconvenances qu'elles avaient perdu le minimum de cohérence que la société exige en la matière; devenues les débris épars d'une réputation à la dérive, elles gênaient le circuit des gens du monde. Elle avait été mariée par sa mère – une personne plus rangée, remplie à l'égard des titres étrangers d'une admiration dont sa fille, rendons-lui justice, s'était à présent défaite – à un aristocrate italien qui avait sans doute fourni quelque excuse à ses tentatives pour étouffer la conscience de l'outrage. Mais la comtesse s'était aussi outrageusement consolée et la liste de ses excuses se perdait à l'heure actuelle dans le labyrinthe de ses aventures. Mrs Touchett n'avait jamais consenti à la recevoir, malgré les avances que la comtesse avait tentées de longue date. Florence n'avait rien d'une ville austère mais, disait Mrs Touchett, il lui fallait bien tracer une limite quelque part.

Madame Merle défendait l'infortunée comtesse avec beaucoup de zèle et d'esprit. Elle ne comprenait pas pourquoi Mrs Touchett faisait un bouc émissaire d'une femme qui n'avait jamais vraiment fait le mal mais seulement le bien à tort et à travers. Qu'il fallût tracer une limite, c'était incontestable ; encore fallait-il la tracer rectiligne et le trait de craie qui exclurait la comtesse Gemini serait tordu. Dans ce cas, mieux valait que Mrs Touchett fermât sa maison, ce qui serait peut-être la meilleure solution tant qu'elle habiterait Florence. Il fallait être équitable, ne pas se livrer à des distinctions arbitraires ; de toute évidence, la comtesse avait été imprudente et moins adroite que d'autres. C'était une femme bonne et dénuée d'habileté ; mais depuis quand cela constituait-il un motif d'exclusion de la haute société ? Il y avait longtemps maintenant que l'on n'avait rien entendu dire sur son compte, et son désir d'entrer dans le cercle de Mrs Touchett n'était-il pas la meilleure preuve de son renoncement aux errements d'autrefois ? Isabel n'apporta rien à cette intéressante discussion, pas même une attention patiente ; elle s'était contentée d'accueillir amicalement la malheureuse dame qui, malgré ses imperfections, avait au moins le mérite d'être la sœur de Mr Osmond. Ayant de la sympathie pour le frère, Isabel estimait loyal d'essayer d'en avoir pour la sœur ; malgré la complexité croissante des choses, elle restait accessible à ces enchaînements simples. La comtesse ne lui avait pas fait très heureuse impression lors de leur rencontre à la villa mais Isabel était contente de pouvoir ainsi corriger l'incident. Mr Osmond n'avait-il pas dit de sa sœur qu'elle était respectable ? De la part de Gilbert Osmond, l'appréciation était assez fruste, mais Madame Merle se chargea de lui apporter un poli flatteur. Elle en apprit plus long à Isabel sur la pauvre comtesse que ne l'avait fait Osmond et lui raconta l'histoire de son mariage et ses conséquences. Le comte appartenait à une vieille famille toscane dont les biens étaient si minces qu'il s'était estimé heureux d'épouser Amy Osmond, en dépit de sa beauté discutable qui n'avait pas encore entravé sa carrière, avec la dot modeste que sa mère était en mesure de lui offrir, une somme à peu près égale à ce qu'avait été la part de son frère dans leur patrimoine. Depuis, le comte Gemini avait hérité quelque argent et, pour des Italiens, ils étaient maintenant assez à l'aise, malgré la terrible prodigalité d'Amy. Le comte était une brute aux mœurs grossières; il avait fourni à sa femme tous les prétextes. Elle n'avait pas d'enfant; elle en avait perdu trois, l'année même de leur naissance. Hérissée de prétentions au bel esprit, sa mère avait publié des poèmes descriptifs et rédigeait pour des hebdomadaires anglais des articles sur l'Italie; elle était morte trois ans après le mariage de la comtesse; quant au père, perdu dans la grisaille américaine de leurs débuts, mais réputé à l'origine riche et dissolu, il était mort beaucoup plus tôt. Cela se sentait chez Gilbert Osmond, soutenait Madame Merle : il avait été élevé par une femme, encore que, pour être équitable envers lui, l'on imaginait une femme plus sensée que la « Corinne américaine », ainsi que Mrs Osmond aimait se faire appeler. Après la mort de son mari, elle avait amené ses enfants en Italie, et Mrs Touchett se souvenait l'avoir rencontrée l'année qui suivit son arrivée. Elle la trouvait affreusement snob, mais c'était là un accident de jugement de sa part puisqu'elle approuvait les mariages politiques, comme Mrs Osmond. La comtesse Gemini était de très bonne compagnie; rien à voir avec l'évaporée qu'elle semblait être; la seule règle à observer avec elle était de ne pas croire un mot de ce qu'elle disait. Madame Merle s'était toujours accommodée de sa société, par affection pour son frère qui appréciait toutes les amabilités témoignées à Amy, car – autant l'avouer pour lui –, le tort qu'elle faisait à leur patronyme l'affectait sensiblement. Bien sûr, il ne pouvait apprécier son style, sa voix de tête, son égotisme, ses atteintes au bon goût et surtout, à la vérité, elle éprouvait ses nerfs et n'était pas du tout son genre de femme. Quel était son genre de femme? L'opposé de la comtesse, une femme pour qui la vérité fût sacrée. Isabel n'était pas en mesure d'apprécier le nombre de fois où sa visiteuse l'avait profanée en une demi-heure; en fait, la comtesse lui avait fait une impression de sincérité assez stupide. Elle avait parlé d'elle, presque exclusivement; dit combien elle était heureuse de connaître Miss Archer et d'avance reconnaissante à l'idée d'une vraie amitié; déploré la médiocrité des gens de Florence et sa lassitude à l'égard de cette ville; proclamé son vœu de vivre n'importe où ailleurs, à Paris, Londres ou Washington; assuré qu'on ne trouvait rien de joli à se mettre en Italie, si ce n'est quelques dentelles anciennes; accusé la montée universelle des prix; évoqué la vie faite de souffrances et de privations qu'elle avait menée. Madame Merle écouta avec intérêt le compte rendu d'Isabel mais n'en avait pas besoin pour se sentir sans inquiétude. En somme, elle n'avait pas peur de la comtesse et pouvait se permettre de faire ce qu'il y avait de mieux à faire : ne pas paraître avoir peur.

Isabel avait reçu entre-temps la visite d'une autre amie qu'il n'était pas aussi facile de traiter avec condescendance, même derrière son dos. Henrietta Stackpole, qui avait quitté Paris après le départ de Mrs Touchett pour San Remo et s'était, selon son expression, frayé un chemin à travers les villes de l'Italie du Nord, avait atteint les rives de l'Arno vers le milieu de mai. D'un unique coup d'œil, Madame Merle l'expertisa des pieds à la tête et, après un instant de désespoir, décida de la tolérer. En fait, elle résolut même de se plaire en sa compagnie. Faute de pouvoir respirer Miss Stackpole comme une rose, on devait l'empoigner comme une ortie. A force d'affabilité, Madame Merle la réduisit à l'insignifiance, et Isabel sentit qu'en pressentant cette libéralité elle avait rendu justice à l'intelligence de son amie. L'arrivée de Henrietta avait été annoncée par Mr Bantling qui, venu de Nice alors qu'elle était à Venise, et croyant la trouver à Florence alors qu'elle n'y était pas encore, vint exprimer sa déception au *palazzo* Crescentini. Henrietta fit son apparition deux jours plus tard, suscitant chez Mr Bantling une émotion d'autant plus compréhensible qu'ils ne s'étaient pas revus depuis la fin de leur épisode versaillais. Chacun apprécia le côté comique de sa situation, que seul Ralph Touchett exprima lorsque, dans sa chambre où Bantling fumait un cigare, il se permit Dieu sait quelle satire corsée des relations de « Miss Je-sais-tout » et de son chevalier servant britannique. Ce gentleman prit très bien la plaisanterie et avoua candidement qu'il considérait l'affaire comme une véritable aventure intellectuelle. Il aimait beaucoup Miss Stackpole, dont les épaules supportaient une tête étonnante, et trouvait grand plaisir à la compagnie d'une femme qui ne s'inquiétait pas sans cesse de ce que l'on dirait de ses actes et de ce qu'ils faisaient ensemble. Miss Stackpole ne se préoccupait jamais de l'apparence ; alors, pourquoi s'en serait-il soucié ? Il était prêt à la suivre jusqu'où elle irait ; il ne voyait pas pourquoi il aurait rompu le premier.

Henrietta ne manifestait pas l'envie de rompre. Depuis qu'elle avait quitté l'Angleterre, ses perspectives s'étaient illuminées et elle jouissait pleinement à présent de larges ressources. En fait, elle avait été contrainte de sacrifier ses espoirs concernant la vie intime ; sur le Continent, la question sociale[1] était hérissée de difficultés plus nombreuses encore qu'elle n'en avait rencontrées en Angleterre. Mais la vie publique des continentaux, du moins, était palpable, visible à chaque pas, et plus aisément convertible aux usages littéraires que les coutumes des ces impénétrables insulaires. Elle faisait astucieusement observer que dans les pays continentaux, l'on a, de la rue, l'impression de voir le bon côté de la tapisserie, tandis qu'en Angleterre, l'on n'en voit que l'envers qui ne permet pas de se faire une idée du motif. Cet aveu coûte à son historiographe, mais Henrietta, désespérant d'atteindre aux réalités occultes, accordait à présent beaucoup d'attention à la vie publique. Elle l'avait étudiée pendant deux mois à Venise et, de cette ville, avait expédié à l'*Interviewer* une description consciencieuse des gondoles, de

---

1. Le roman débute peu après 1870, alors que l'Europe vit une révolution démographique et industrielle dont surgit la « question sociale » qui affecte toutes les classes, plus profondément qu'après les bouleversements de la Révolution et de l'Empire.

la *Piazza*, du pont des Soupirs, des pigeons et du jeune batelier qui déclamait le Tasse. L'*Interviewer* était peut-être déçu, mais Henrietta voyait enfin l'Europe. Son objectif présent était d'arriver à Rome avant la malaria[1] dont elle semblait croire qu'elle se déclare à date fixe ; si bien qu'elle n'allait passer que quelques jours à Florence. Mr Bantling l'accompagnerait à Rome ; Henrietta fit valoir à Isabel que sa connaissance de la ville, sa qualité d'officier et son instruction classique – il avait fait ses études à Eton où, selon Miss Stackpole, l'on n'étudiait que le latin et Whyte-Melville – feraient de lui un compagnon très utile dans la ville des Césars. Sur ces entrefaites, Ralph, heureusement inspiré, proposa à Isabel d'aller elle aussi faire un pèlerinage à Rome, où il l'escorterait. Elle avait prévu d'y passer une partie de l'hiver suivant, fort bien, mais il n'y avait aucun inconvénient à jeter entretemps un premier coup d'œil sur la ville. Il restait encore dix jours du beau mois de mai, le plus précieux pour le véritable amoureux de Rome. Isabel tomberait amoureuse de Rome ; la chose était courue d'avance. Elle était pourvue d'une fidèle amie de son sexe, dont la présence ne lui pèserait probablement pas car cette jeune dame serait sollicitée par ailleurs. Madame Merle resterait avec Mrs Touchett ; elle avait quitté Rome pour l'été et n'avait pas envie d'y retourner. Elle se disait ravie qu'on la laissât tranquille à Florence, ayant fermé son appartement et envoyé sa cuisinière chez elle, à Palestrina. Elle pressa Isabel d'accepter la proposition de Ralph et l'assura qu'une intelligente introduction à Rome n'était pas chose à dédaigner. A vrai dire, Isabel n'avait pas besoin d'encouragements et les quatre amis préparèrent leur voyage. Cette fois, Mrs Touchett avait pris son parti de l'absence d'un chaperon ; nous l'avons vu, elle avait désormais tendance à penser que sa nièce pouvait disposer d'elle-même. Pour Isabel, l'un des préliminaires au voyage fut de rencontrer Gilbert Osmond et de lui annoncer son projet.

---

1. Fièvre paludéenne endémique due à la proximité des marais Pontins ; elle sera éradiquée en 1927 grâce à la bonification de ces terres, entreprise par le gouvernement italien. *(N. d. T.)*

– J'aimerais être à Rome avec vous, répliqua-t-il, j'aimerais vous voir dans cette ville prodigieuse.

– Alors venez, dit Isabel, dont l'hésitation fut imperceptible.

– Il y aura trop de monde autour de vous.

– Évidemment, je ne serai pas seule, admit-elle.

Après un silence, il reprit :

– Vous aimerez Rome, prophétisa-t-il. On l'a saccagée mais vous en raffolerez.

– Devrais-je ne pas aimer cette pauvre vieille Niobé des nations[1] pour la seule raison qu'on l'a saccagée ? demanda-t-elle.

– Non, je ne pense pas ; cela lui est si souvent arrivé, fit-il avec un sourire. Si j'y allais, que ferais-je de ma petite fille ?

– Ne pouvez-vous la laisser à la villa ?

– Je n'aime pas beaucoup cela, malgré la présence de l'excellente vieille personne qui s'occupe d'elle. Je ne peux me permettre d'avoir une gouvernante.

– Amenez-la avec vous, dit vivement Isabel.

– Elle a passé tout l'hiver à Rome, au couvent, répondit Mr Osmond d'un ton grave, et elle est trop jeune pour faire des voyages d'agrément.

– Vous ne voulez pas l'introduire dans le monde ? s'enquit Isabel.

– Non, je crois préférable de tenir les jeunes filles à l'écart du monde.

– J'ai été élevée selon un système différent.

– Vous ? Oh ! Avec vous, il a réussi parce que vous étiez exceptionnelle.

– Je ne vois pas pourquoi, dit Isabel, sans être sûre qu'il n'y eût là une part de vérité.

Mr Osmond n'insista pas et poursuivit :

– Si je croyais qu'un voyage à Rome avec un groupe d'amis l'amènerait à vous ressembler, je l'y conduirais dès demain.

– Ne la poussez pas à me ressembler, dit Isabel. Laissez-la être ce qu'elle est.

---

1. Référence à Byron, *Childe Harold*, chant IV. *(N. d. T.)*

– Je pourrais l'envoyer chez ma sœur, fit observer Mr Osmond, comme s'il demandait conseil et prenait plaisir à soumettre à Miss Archer ses affaires domestiques.

– Oui, approuva-t-elle, je pense que cela fera bien peu pour susciter une ressemblance avec moi.

Après qu'Isabel eut quitté Florence, Gilbert Osmond rencontra Madame Merle chez la comtesse Gemini parmi d'autres personnes; le salon de la comtesse était habituellement bien garni et la conversation ce jour-là y était générale, mais, au bout d'un moment, Osmond quitta sa place pour aller s'installer sur une ottomane, un peu en retrait du fauteuil de Madame Merle.

– Elle veut que j'aille à Rome avec elle, dit-il à voix basse.

– Y aller avec elle ?

– M'y rendre pendant qu'elle y est. Elle me l'a proposé.

– Vous voulez dire, j'imagine, que vous le lui avez proposé et qu'elle y a consenti.

– Bien sûr, je lui ai donné sa chance. Mais elle est encourageante, très encourageante.

– Je suis enchantée de l'apprendre, mais ne chantez pas trop tôt victoire. Bien entendu, vous irez à Rome.

– Seigneur ! dit Osmond, votre idée est bien fatigante !

– Quel ingrat vous faites ! Vous n'allez pas prétendre que vous n'y prenez pas plaisir. Voilà des années que vous ne vous êtes si bien employé.

– La façon dont vous prenez cela est magnifique, dit Osmond. Je devrais vous en être reconnaissant.

– Pas trop, cependant, répondit Madame Merle qui parlait en souriant, selon son habitude, et, bien calée au fond de son fauteuil, parcourait des yeux le salon.

– Vous avez fait très bonne impression et j'ai pu constater que vous-même avez été touché. Ce n'est pas pour m'obliger que vous êtes allé sept fois chez Mrs Touchett.

– La jeune fille n'est pas déplaisante, concéda tranquillement Osmond.

Madame Merle baissa les yeux vers lui tout en serrant fermement les lèvres.

– Est-ce tout ce que vous trouvez à dire de cette superbe créature ?

– N'est-ce pas suffisant? M'avez-vous jamais entendu en dire autant?

Sur ce point, elle ne répondit pas mais continua d'offrir à l'assistance sa grâce éloquente :

– Vous êtes impénétrable, murmura-t-elle enfin. Je suis épouvantée de l'abîme où je l'aurai lancée.

Il réagit presque gaiement :

– Vous ne pouvez plus reculer; vous êtes allée trop loin.

– Très bien; mais vous devez faire le reste vous-même.

– Je le ferai, dit Gilbert Osmond.

Madame Merle garda le silence et Osmond changea de place; mais lorsqu'elle se leva pour partir, il prit congé lui aussi. La victoria de Mrs Touchett attendait son invitée dans la cour et, après l'avoir aidée à y monter, il resta là, l'empêchant de partir.

– Vous manquez totalement de discrétion, dit-elle d'un ton las. Vous n'auriez pas dû quitter le salon en même temps que moi.

Il avait ôté son chapeau et se passait la main sur le front.

– J'oublie toujours; j'ai perdu l'habitude.

– Vous êtes impénétrable, répéta Madame Merle en levant les yeux vers les fenêtres de la maison, une construction moderne dans un quartier neuf de la ville.

Sans prendre garde à cette remarque, il suivait son idée :

– Elle est réellement très charmante. J'ai rarement vu personne plus gracieuse.

– Cela me fait du bien de vous l'entendre dire. Plus elle vous plaira, mieux cela vaudra pour moi.

– Elle me plaît beaucoup. Elle est exactement telle que vous me l'aviez décrite et, par-dessus le marché, je la sens capable d'un grand dévouement. Elle n'a qu'un défaut.

– Lequel?

– Trop d'idées.

– Je vous avais prévenu qu'elle est intelligente.

– Heureusement, ce sont de très mauvaises idées, dit Osmond.

– Pourquoi, heureusement?

– *Dame!* S'il faut les sacrifier!

Madame Merle se rejeta en arrière, regardant droit devant elle ; puis elle parla au cocher. Mais son ami de nouveau la retint :

– Si je vais à Rome, que ferai-je de Pansy ?

– J'irai la voir, dit Madame Merle.

27

Je n'essaierai pas de relater dans sa plénitude la réponse de notre héroïne à l'appel profond de Rome, d'analyser ses sentiments lorsqu'elle foula les dalles du Forum ou de compter les battements de son cœur quand elle franchit le seuil de Saint-Pierre. Il suffit de dire que ses impressions furent celles que l'on pouvait attendre d'une jeune personne si fraîche et si ardente. Elle avait toujours aimé l'histoire, et l'histoire ici imprégnait les pavés des rues et les atomes de lumière. Son imagination s'embrasait à la mention des exploits; où qu'elle posât les yeux, une prouesse s'y était déroulée. Ces grandes actions la touchaient, mais au plus intime d'elle-même. Ses amis la trouvaient moins causante que d'habitude et Ralph Touchett, lorsqu'il regardait d'un air faussement distrait au-dessus de sa tête, lui consacrait en fait une attention intense. Elle-même s'estimait très heureuse; elle aurait volontiers considéré ces heures comme les plus heureuses qu'elle connaîtrait jamais. La perception du terrible passé de l'humanité pesait lourdement sur elle, mais, subitement, celle d'un présent très immédiat donnait à la première des ailes afin qu'elle pût flotter dans l'azur. La conscience d'Isabel était si partagée qu'elle distinguait difficilement où la conduiraient ses différentes composantes et elle se livrait au bonheur contenu de la contemplation, voyant souvent dans ce qu'elle regardait beaucoup plus qu'il n'y avait et passant à côté de nombreuses curiosités signalées par son *Murray*[1]. Rome, disait Ralph, se révélait au moment psychologique. La horde retentissante des touristes s'était retirée de la plupart des lieux grandioses, retombés dans leur solennité. Le ciel était un flamboiement d'azur et le clapotis des fontaines dans

1. John Murray (1808-1892), auteur anglais de nombreux guides, dont le *Guide to Rome*, qui fit autorité pendant tout le XIXe siècle. *(N. d. T.)*

leurs niches moussues avait perdu en fraîcheur et gagné en musicalité. Au coin des rues chaudes et lumineuses, on trébuchait sur des bottes de fleurs. Un après-midi, le troisième de leur séjour, nos amis s'étaient rendus au Forum pour y voir les fouilles en cours, dont les travaux venaient d'être largement étendus. Ils avaient quitté la rue moderne pour descendre au niveau de la Voie sacrée qu'ils parcouraient d'un pas respectueux, différent chez chacun d'eux. Henrietta Stackpole était frappée que la Rome ancienne fût pavée à peu près comme New York et trouvait même une analogie entre les profondes ornières creusées par les chars sur la voie antique et les rails grinçants qui expriment l'intensité de la vie américaine. Le soleil avait entamé son déclin, l'air se voilait d'or et les ombres des colonnes brisées et des socles imprécis s'allongeaient sur le champ des ruines. Henrietta s'éloigna avec Mr Bantling, enchantée, semblait-il, de l'entendre traiter Jules César de «vieux type culotté», et Ralph déversait les explications qu'il était prêt à offrir dans l'oreille attentive de notre héroïne. L'un des humbles archéologues qui erraient sur le site s'était mis à la disposition du couple et répétait sa leçon avec une volubilité que le déclin de la saison n'avait pas altérée. Une fouille était en cours dans l'angle le plus éloigné du Forum et il informa les *signori* que, s'ils voulaient s'y rendre et regarder un moment, ils pourraient découvrir quelque chose d'intéressant. La proposition séduisit Ralph plus qu'elle ne tenta Isabel, lasse de tant d'allées et venues; elle pressa son cousin de satisfaire sa curiosité tandis qu'elle attendrait patiemment son retour. L'heure et le lieu étaient à son goût, et elle serait contente d'un moment de solitude. Ralph s'éloigna en compagnie du *cicerone* et Isabel s'assit sur une colonne renversée près des fondations du Capitole. Elle souhaitait un peu de solitude mais n'en profita pas longtemps. Si vif que fût son intérêt pour les vestiges sévères de l'Antiquité romaine qui gisaient autour d'elle et sur lesquels la corrosion des siècles avait épargné tant de témoignages de la vie individuelle, ses pensées, un moment fixées par ces pierres éparses, étaient revenues par un enchaînement d'étapes, dont la remontée nécessiterait une certaine subtilité, vers des régions et des objets chargés d'un attrait plus vivant. Du passé de Rome à l'avenir d'Isabel Archer, il y avait une belle distance, mais son imagination l'avait franchie d'une traite et planait à présent en cercles lents au-dessus d'un champ plus proche et plus fertile. L'œil rivé sur une rangée de dalles ordonnées quoique lézardées, elle était si absorbée dans ses pensées qu'elle n'entendit pas le bruit de pas qui s'approchaient avant qu'une ombre tombât soudain dans son champ de vision. Elle leva les yeux et vit un gentleman qui n'était pas Ralph revenu lui dire que les fouilles étaient ennuyeuses à périr. Comme elle tressaillait, le gentleman tressaillit. Il s'arrêta et se découvrit tandis qu'elle pâlissait, manifestement surprise.

– Lord Warburton ! s'écria-t-elle en se levant.

– Je n'ai pas pensé une seconde que ce fût vous. J'ai tourné à l'angle et suis tombé sur vous.

– Je suis seule, mes amis viennent de me quitter, dit-elle en regardant autour d'elle, en guise d'explication. Mon cousin est allé examiner les travaux là-bas.

– Je vois, dit Lord Warburton dont le regard se porta machinalement dans la direction indiquée.

Il se tenait à présent très droit devant elle ; il avait retrouvé son équilibre et semblait désireux de le montrer ; aimablement.

– Ne vous dérangez pas pour moi, reprit-il en regardant sa colonne abattue. Je crains que vous ne soyez fatiguée.

– Un peu, admit-elle, en se rasseyant après une courte hésitation. Mais ne vous arrêtez pas pour moi, ajouta-t-elle.

– Oh ! ma chère, je suis parfaitement tranquille et n'ai rigoureusement rien à faire. J'ignorais complètement que vous étiez à Rome. Je viens de rentrer d'Orient et ne fais que passer.

– Vous avez fait un long voyage, dit Isabel à qui Ralph avait appris que Lord Warburton n'était pas en Angleterre.

– Oui, j'ai passé six mois à l'étranger où je suis parti peu après notre dernière rencontre. Je suis allé en Turquie et en Asie Mineure ; je suis revenu d'Athènes l'autre jour.

Il surmontait son embarras mais n'était pas à l'aise et retrouva son naturel après un long regard à la jeune fille.

– Désirez-vous que je m'en aille ou m'autorisez-vous à rester un moment ?

Elle prit la chose avec bonté :

– Je ne souhaite pas que vous me quittiez, Lord Warburton ; je suis très heureuse de vous voir.

– Merci de cette réponse. Puis-je m'asseoir ?

Le fût cannelé qu'elle avait élu aurait pu servir de siège à plusieurs personnes et il y avait toute la place voulue, même pour un Anglais bien développé. Ce beau spécimen d'une classe supérieure s'assit donc près de notre jeune amie et, en l'espace de cinq minutes, lui posa au hasard plusieurs questions dont, apparemment, il manqua les réponses car il en répéta certaines, fournissant ainsi sur lui-même quelques informations qui ne furent pas perdues pour une perception féminine plus paisible. Il répéta encore qu'il ne s'attendait pas du tout à la voir et il était manifeste que cette rencontre l'émouvait tant qu'une préparation eût été souhaitable. Puis il passa pratiquement sans transition de l'impunité des choses à leur solennité, de leur état délicieux à leur état insupportable. Il était splendidement bronzé, jusqu'à sa barbe abondante, brûlée par les feux de l'Asie. Il portait les vêtements amples, hétérogènes dans lesquels l'Anglais en voyage en terres étrangères a l'habitude d'assurer son bien-être et d'affirmer sa nationalité ; avec ses beaux yeux calmes, son teint bronzé resté frais sous le hâle, sa silhouette virile, ses manières simples et son allure de gentleman et d'explorateur, il était un représentant de la race britannique que, sous tous les cieux, aucun de ceux qui l'estiment n'aurait désavoué. Isabel enregistrait ces détails, heureuse de l'avoir toujours apprécié. En dépit des chocs subis, il avait gardé tous ses mérites et toutes les vertus qui participent de l'essence des grandes familles honorables qui ressemblent au mobilier et aux ornements de leurs intérieurs, insensibles au changement vulgaire et que seul un effondrement total pourrait annihiler. Ils parlèrent naturellement des sujets à l'ordre du jour : la mort de son oncle, la santé de Ralph, la façon dont Isabel avait passé l'hiver, sa visite à Rome, son retour à Florence, ses projets pour l'été et le nom de son hôtel. Puis ce fut à Lord Warburton de raconter ses aventures, ses déplacements, ses projets, ses impressions et d'indiquer son domicile actuel. Enfin, il y eut un silence, si éloquent comparé à leurs propos que le voyageur aurait pu se dispenser de prononcer ses derniers mots :

– Je vous ai écrit plusieurs fois.

– Vous m'avez écrit ? Je n'ai jamais reçu vos lettres.

– Je ne les ai jamais envoyées ; je les ai brûlées.

– Mieux vaut que vous vous en soyez chargé vous-même ! dit Isabel en riant.

– Je craignais qu'elles ne vous déplaisent, poursuivit-il avec une simplicité qui la toucha. Il me semblait qu'après tout, je n'avais pas le droit de vous importuner avec mes missives.

– J'aurais été très heureuse d'avoir de vos nouvelles, dit-elle. Vous savez combien j'espérais que… que…

Elle s'était tue : il y aurait eu, dans l'expression de sa pensée, une telle platitude…

– Je sais ce que vous alliez dire. Vous espérez que nous resterions bons amis.

La formule, telle que l'émit Lord Warburton, était plate, effectivement ; mais il avait intérêt à la présenter ainsi. Isabel se trouva réduite à demander :

– Je vous en prie, ne parlez plus de tout cela, formule qui ne lui parut pas un réel progrès comparée à la précédente.

– C'est une mince consolation que vous pourriez m'accorder ! s'écria Lord Warburton avec force.

Isabel, si tranquillement assise sur sa colonne, se rejeta brusquement en arrière :

– Je n'ai pas la prétention de vous consoler, dit-elle, retrouvant avec un triomphe intérieur la réponse qui avait si peu satisfait Lord Warburton six mois plus tôt.

Il était aimable ; il était puissant ; il était chevaleresque ; il n'était pas de meilleur homme que lui. Mais sa réponse à elle demeurait inchangée.

– Mieux vaut que vous n'essayiez pas de me consoler ; ce n'est pas en votre pouvoir, l'entendit-elle prononcer à travers son étrange exaltation.

– J'espérais que nous nous reverrions dans la mesure où je ne craignais pas que vous chercheriez à me faire sentir que je vous avais fait du tort. Mais, comme vous le faites, la peine est plus grande que le plaisir, dit-elle en se levant avec une majesté consciente pour aller au-devant de ses amis.

–Je ne veux pas que vous éprouviez cela; bien entendu, je ne peux dire cela. Je veux seulement que vous sachiez une ou deux choses, telles qu'elles furent, en toute justice pour moi. Je ne reviendrai pas sur le sujet. J'ai ressenti très fortement ce que je vous exprimais l'année dernière; je ne pouvais penser à rien d'autre. Je me suis efforcé d'oublier, énergiquement, systématiquement. J'ai tenté de m'intéresser à quelqu'un d'autre. Je vous le dis parce que je veux que vous sachiez que j'ai fait mon devoir. Je n'y suis pas parvenu. C'est dans le même dessein que je suis parti pour l'étranger, aussi loin que possible. On dit que les voyages distraient l'esprit, mais ils n'ont pas agi sur le mien. Je n'ai cessé de penser à vous depuis que je vous ai vue pour la dernière fois. Je suis exactement le même. Je vous aime autant et tout ce que je vous ai dit alors est aussi vrai. Cet instant où je vous parle me montre à nouveau comment, pour mon plus grand malheur, vous me tenez prisonnier de votre charme. Non, je ne peux m'exprimer autrement. Je n'ai pas l'intention d'insister; c'est l'affaire d'un instant. J'ajoute que lorsque je suis tombé sur vous tout à l'heure, dans l'ignorance totale d'une telle rencontre, j'étais en train, sur mon honneur, de formuler le vœu de savoir où vous étiez.

Il avait retrouvé sa maîtrise qui s'était affermie au fil de son propos. Il avait donné l'impression de s'adresser à un petit comité pour lui transmettre avec calme et clarté une communication importante, en s'aidant de quelques coups d'œil sur des notes enfouies au fond de son chapeau, dont il ne s'était pas encore couvert. Et le comité aurait à coup sûr admis le bien-fondé de l'argument.

–J'ai souvent pensé à vous, Lord Warburton, répondit Isabel. Soyez sûr qu'il en sera toujours ainsi. Cela n'a d'inconvénient pour aucun de nous deux, ajouta-t-elle sur un ton qu'elle s'efforça de rendre aussi aimable que dénué de signification.

Ils partirent ensemble et elle s'empressa de lui demander des nouvelles de ses sœurs, en le priant de leur faire savoir qu'elle s'était enquise d'elles. Lui-même ne fit plus allusion à leur grande affaire et revint vers les hauts fonds plus sûrs. Mais il souhaitait savoir quand elle allait quitter Rome et lorsqu'elle lui apprit la date limite de son séjour, il se dit heureux qu'elle fût encore éloignée.

– Pourquoi dites-vous cela puisque vous-même ne faites que passer ? s'enquit-elle un peu inquiète.

– En disant que j'étais de passage, je n'avais pas l'intention d'user de Rome comme de Clapham Junction[1]. Passer à Rome, c'est y séjourner une ou deux semaines.

– Avouez franchement que vous avez l'intention d'y demeurer aussi longtemps que moi !

Son sourire embarrassé parut un instant la sonder.

– Cela vous déplaît. Vous craignez de me voir trop souvent.

– Il n'est pas question de mes goûts. Je ne peux certainement pas espérer que vous quittiez pour moi cette ville merveilleuse. Mais j'avoue que j'ai peur de vous.

– Peur que je recommence ? Je vous promets d'être très prudent.

Leur allure s'était ralentie et ils finirent par s'arrêter, face à face.

– Pauvre Lord Warburton ! fit-elle avec une compassion qu'elle souhaitait bénéfique pour chacun d'eux.

– Pauvre Lord Warburton en effet ! Mais je serai prudent.

– Libre à vous d'être malheureux, mais vous ne me rendrez pas malheureuse aussi. Je ne le permettrai pas.

– Si je pensais pouvoir le faire, je crois que j'essaierais, dit-il, mais, comme Isabel s'était remise en marche, il poursuivit : Je ne dirai plus un mot susceptible de vous déplaire.

– Très bien. Si vous y manquez, c'en est fait de notre amitié.

– Un jour peut-être, après un certain temps, m'autoriserez-vous à...

---

1. En 1845, la voie ferrée atteignit Clapham, sur la rive droite de la Tamise, au sud de Battersea Park, attirant la population dans une zone de résidence. *(N. d. T.)*

– … A me rendre malheureuse ?

– A vous dire à nouveau… Il hésitait et se contint : Je me tairai. Je me tairai pour toujours.

Miss Stackpole et son chevalier servant avaient rejoint Ralph au bord de l'excavation, et les trois amis, émergeant des monceaux de terre et de moellons amassés autour de l'ouverture, surgirent devant Isabel et son compagnon. Le pauvre Ralph héla son ami avec une joie mêlée de stupéfaction et Henrietta s'exclama bien haut : « Bonté divine ! Voilà le Lord ! » Ralph et son voisin de campagne se congratulèrent à la manière austère des Anglais après une longue séparation et Miss Stackpole posa sur le voyageur tanné son regard profond d'intellectuelle. Puis elle établit promptement sa position dans la crise :

– Je ne pense pas que vous vous souveniez de moi, sir.

– Si, je me souviens de vous, répondit Lord Warburton. Je vous avais priée de venir me voir et vous n'êtes jamais venue.

– Je ne vais pas partout où l'on m'invite, répondit froide ment Miss Stackpole.

– Parfait ! Alors, je ne vous inviterai plus, dit en riant le maître de Lockleigh.

– Si vous m'invitez, je viendrai. Soyez-en sûr.

Malgré son hilarité, Lord Warburton en semblait certain. Mr Bantling, qui s'était tenu en retrait sans chercher à se faire reconnaitre, profita de l'occasion pour adresser un signe de tête à Sa Seigneurie qui lui tendit la main et s'écria amicalement :

– Comment, c'est vous, Bantling ?

– Eh bien, dit Henrietta, j'ignorais que vous le connaissiez.

– Il m'est avis que vous ne connaissez pas tous les gens que je connais, repartit jovialement Mr Bantling.

– J'ai toujours cru que, lorsqu'un Anglais connaissait un lord, il le proclamait automatiquement.

– Je crains que Bantling n'ait honte de moi, intervint Lord Warburton dans un nouvel éclat de rire.

Isabel fut heureuse de l'entendre et poussa un soupir de soulagement ; ils reprirent bientôt le chemin de l'hôtel.

Le lendemain, un dimanche, elle consacra sa matinée à deux longues lettres, l'une destinée à sa sœur Lily, l'autre à

Madame Merle; mais elle ne mentionna dans aucune de ces épîtres le fait qu'un soupirant éconduit l'avait menacée d'une nouvelle demande. Le dimanche après-midi, tous les bons Romains – et les meilleurs Romains sont souvent les barbares du Nord – ont l'habitude d'aller entendre les vêpres à Saint-Pierre, et nos amis avaient décidé de se rendre ensemble à la grande basilique. Après le lunch, une heure avant l'arrivée de leur voiture, Lord Warburton se présenta à l'hôtel de Paris et rendit visite aux deux jeunes filles, Ralph Touchett et Mr Bantling étant sortis ensemble. Le visiteur semblait vouloir prouver à Isabel son intention de tenir la promesse qu'il lui avait faite la veille; il était à la fois discret et ouvert, évita les silences excédés et la réserve distante. Il lui permit de juger ainsi quel simple et charmant ami il pourrait être. Il parla de ses voyages en Perse et en Turquie, et, lorsque Miss Stackpole lui demanda si un voyage dans ces pays serait «payant» pour elle, il l'assura qu'ils offraient un champ largement ouvert à l'activité féminine. Isabel reconnut ses mérites non sans s'interroger sur son objectif et sur ce qu'il espérait gagner en lui prouvant la qualité supérieure de sa sincérité. S'il pensait l'attendrir en lui démontrant qu'il était un brave garçon, il ferait mieux de s'épargner cette peine. Elle savait combien sa nature était élevée et rien de ce qu'il pouvait faire désormais n'était nécessaire pour éclairer sa vision. Par ailleurs, sa présence à Rome était pour elle une complication fâcheuse et elle n'aimait que les complications heureuses. Pourtant, à la fin de sa visite, quand il annonça qu'il serait à Saint-Pierre, lui aussi, et qu'il l'y chercherait, elle et ses amis, Isabel fut obligée de répondre qu'il devait agir à sa guise.

Dans la basilique, dont elle foulait les mosaïques immenses, il fut la première personne qu'elle rencontra. Elle n'était pas de ces touristes hautains que Saint-Pierre déçoit et qui trouvent la basilique inférieure à sa renommée; la première fois qu'elle passa sous l'énorme rideau de cuir qui flotte et claque à l'entrée, la première fois qu'elle se trouva sous le dôme lointain et vit la lumière tomber comme une bruine à travers l'air gorgé d'encens et de reflets de marbre, d'or, de mosaïques et de bronzes, sa conception de la grandeur se dilata vertigineusement. De ce jour, elle ne manqua plus d'espace pour prendre son essor. Elle regardait, elle s'émerveillait comme un enfant ou un paysan et payait son tribut silencieux au sublime. A son côté, Lord Warburton parlait de Sainte-Sophie de Constantinople; elle craignait pourtant qu'il ne finît par attirer son attention sur sa conduite exemplaire. Le service n'avait pas encore commencé, mais il y a beaucoup à voir à Saint-Pierre et, comme un caractère profane sourd de l'immensité du lieu, qui semble destiné également aux exercices physiques et spirituels, les individus et les groupes, les fidèles mêlés aux spectateurs peuvent accomplir leurs intentions diverses sans désaccord ni scandale. Dans cette immensité splendide, l'indiscrétion des individus n'a pas de portée. Isabel et ses amis n'en commirent aucune; car, si Henrietta fut obligée en toute bonne foi de déclarer que le dôme de Michel-Ange souffrait de la comparaison avec celui du Capitole de Washington, elle confia cette protestation à l'oreille de Mr Bantling et la mit en réserve, sous une forme plus appuyée, pour les colonnes de l'*Interviewer*. Isabel fit le tour de la basilique avec Lord Warburton et comme ils approchaient de la maîtrise, à gauche de l'entrée, les voix des choristes du pape arrivèrent jusqu'à eux par-dessus la tête des innombrables assistants qui se pressaient devant les portes. Ils s'arrêtèrent un moment, en marge de la foule, composée par moitié de Romains et d'étrangers curieux, tandis que se déroulait le concert de musique sacrée. Apparemment, Ralph, Henrietta et Mr Bantling se trouvaient dans le chœur où, par-delà le groupe serré des fidèles placés devant elle, Isabel regardait la lumière, argentée par les nuées d'encens qui semblaient se mêler au chant splendide, glisser à travers les embrasures à bossage des hautes fenêtres. Lorsque les chants cessèrent, Lord Warburton parut disposé à reprendre avec elle leur visite et Isabel ne put que l'accompagner. Soudain, elle se trouva face à face avec Gilbert Osmond qui, apparemment, avait dû se tenir à courte distance derrière elle. Il s'avançait à présent, observant strictement les règles du savoir-vivre, les exagérant même, comme s'il voulait se plier à la nature du lieu.

– Alors, vous vous êtes décidé à venir, fit-elle en lui tendant la main.

– Oui, je suis arrivé hier soir et suis passé tout à l'heure à votre hôtel. On m'a dit que vous étiez ici et je me suis mis à votre recherche.

– Les autres sont dans le chœur, l'informa-t-elle.

– Je ne suis pas venu pour les autres, répliqua-t-il avec vivacité.

Elle détourna les yeux ; Lord Warburton les regardait ; peut-être avait-il entendu cette dernière réplique. Elle se souvint tout à coup qu'il avait prononcé exactement la même le matin où il était venu à Gardencourt pour lui demander de l'épouser. La réponse de Mr Osmond avait coloré ses joues et ce souvenir n'était pas fait pour dissiper sa rougeur. Elle élimina tout risque de se trahir en présentant l'un à l'autre ses deux compagnons ; fort heureusement, à ce moment précis, fendant la foule avec une vaillance britannique, Mr Bantling sortit du chœur, suivi de Miss Stackpole et de Ralph Touchett. J'ai dit heureusement, mais peut-être est-ce là une vue superficielle de l'affaire car, en apercevant le gentleman de Florence, Ralph Touchett parut considérer la rencontre comme peu réjouissante. Il obtempéra néanmoins sans hésiter aux règles de la politesse et fit remarquer à Isabel, avec la bienveillance requise, qu'elle aurait bientôt tous ses amis autour d'elle. Miss Stackpole avait croisé Mr Osmond à Florence, mais elle avait déjà trouvé moyen de dire à Isabel qu'elle ne l'appréciait pas plus que ses autres admirateurs : Mr Touchett, Lord Warburton et même le petit Mr Rosier de Paris. « Je ne sais ce qu'il y a en toi, s'était-elle plu à faire remarquer, mais pour une gentille fille, tu attires les gens les plus impossibles. Mr Goodwood est le seul pour qui j'aie quelque estime et c'est justement le seul que tu n'apprécies pas. »

– Que pensez-vous de Saint-Pierre ? demandait Mr Osmond à notre jeune amie.

– C'est très grand et très beau, se contenta-t-elle de répondre.

– Trop grand ! L'on s'y sent comme un atome.

– N'est-ce pas la sensation qui convient dans le plus grand des temples ? demanda-t-elle, assez satisfaite de la tournure de sa phrase.

– Je pense que c'est la sensation qui convient où que l'on soit quand on est un zéro. Mais je l'apprécie aussi peu dans une église que partout ailleurs.

– Vous auriez dû être pape ! s'écria Isabel, se souvenant d'une phrase qu'il avait prononcée à Florence.

– Ah ! j'aurais aimé cela ! dit Gilbert Osmond.

Pendant ce temps, Lord Warburton avait rejoint Ralph Touchett et ils s'éloignèrent ensemble.

– Qui est l'individu qui parle avec Miss Archer ? demanda Sa Seigneurie.

– Il s'appelle Gilbert Osmond et habite Florence.

– A part cela ?

– Rien. Oh ! si, il est américain, mais on l'oublie tant il l'est peu.

– Y a-t-il longtemps qu'il connaît Miss Archer ?

– Trois ou quatre semaines.

– Lui plaît-il ?

– Elle cherche à s'en rendre compte.

– Y parviendra-t-elle ?

– A s'en rendre compte ? demanda Ralph.

– Le trouvera-t-elle à son goût ?

– Tu veux dire : acceptera-t-elle sa demande ?

– Oui, dit Lord Warburton au bout d'un moment. Je pense que c'est l'horrible question que j'ai en tête.

– Peut-être pas si l'on ne fait rien pour s'y opposer, répondit Ralph.

Le lord ouvrit de grands yeux mais comprit aussi vite.

– Alors, nous devons être parfaitement silencieux ?

– Silencieux comme la tombe. Et nous en remettre à la chance.

– La chance qu'elle l'accepte ?

– Qu'elle ne l'accepte pas ?

Lord Warburton garda le silence avant de s'enquérir :

– Est-il terriblement fort ?

– Terriblement, dit Ralph.

Son ami réfléchissait :
– Et quoi encore ?
– Que te faut-il de plus ? grogna Ralph.
– Tu veux dire : que lui faut-il de plus à elle ?
Ralph le prit par le bras pour le faire pivoter ; il fallait rejoindre les autres.
– Elle ne veut rien de ce que nous pouvons lui donner.
– Oh ! évidemment, si elle ne veut pas de toi ! dit Sa Seigneurie avec générosité, en reprenant sa marche.

28

Le lendemain soir, lorsque Lord Warburton se rendit de nouveau à l'hôtel pour voir ses amis, on lui apprit qu'ils étaient allés à l'opéra. Il se fit conduire au théâtre avec l'intention de leur rendre visite dans leur loge, selon l'aimable coutume italienne. Après avoir acquitté son entrée dans le théâtre, qui n'était pas des plus réputés, il examina la salle, grande, nue et mal éclairée. Un acte venait de s'achever, il avait tout le temps de poursuivre ses recherches. Après avoir sondé deux ou trois rangées de loges, il aperçut dans l'un des plus accueillants de ces réceptacles une dame qu'il reconnut sans peine. Assise face à la scène, Miss Archer était partiellement dissimulée par le rideau de la loge; près d'elle était Mr Gilbert Osmond, enfoncé dans son fauteuil. Ils semblaient être seuls à occuper la place, et Warburton supposa que leurs amis avaient profité de l'entracte pour bénéficier de la fraîcheur relative du promenoir. Immobile, les yeux fixés sur ce couple attachant, il se demandait s'il monterait, s'il irait troubler cette harmonie. Il estima bientôt qu'Isabel l'avait vu, ce qui le décida. Il ne pouvait se tenir ostensiblement à distance. Alors qu'il gagnait les galeries supérieures, il croisa Ralph Touchett qui descendait lentement l'escalier, son chapeau rabattu en signe d'ennui, les mains à leur place habituelle.

–Je viens de te repérer à l'orchestre et j'allais à ta recherche. Je me sens solitaire, j'ai besoin de compagnie.

– Tu as de très bons amis que tu viens d'abandonner.

– Tu parles de ma cousine? Elle a un visiteur et n'a pas besoin de moi. Miss Stackpole et Bantling sont sortis prendre une glace dans un café; Miss Stackpole adore les glaces. Je ne pense pas qu'ils aient besoin de moi, eux non plus. L'opéra est exécrable : les cantatrices ont l'air de blanchisseuses et chantent comme des paonnes. Je me sens très bas.

– Tu ferais mieux de rentrer, conseilla Lord Warburton, sans s'embarrasser de précautions oratoires.

– En abandonnant ma jeune cousine dans ce triste lieu? Ah! non, il faut que je veille sur elle.

– Elle semble avoir beaucoup d'amis.

– C'est bien pour cela que je dois ouvrir l'œil, dit Ralph sur le même ton de dérision mélancolique.

– Si elle te trouve de trop, il en sera sans doute de même pour moi.

– Non, pour toi, c'est différent. Va à la loge et restes-y pendant que je fais quelques pas.

Lord Warburton gagna la loge où Isabel l'accueillit comme un si vieil et honorable ami qu'il se demanda vaguement quel étrange domaine temporel elle était en train d'annexer. Il salua Mr Osmond, auquel il avait été présenté la veille et qui, sitôt l'entrée du visiteur, s'assit à l'écart, à la fois narquois, affable et silencieux, comme s'il niait d'avance toute compétence sur les thèmes que l'on allait probablement aborder. Lord Warburton fut frappé par l'éclat, voire la légère exaltation de Miss Archer dans cette ambiance de théâtre; mais comme c'était par nature une jeune femme impétueuse, au regard vif, au geste prompt, peut-être se trompait-il sur ce point. Sa conversation, d'ailleurs, témoignait de sa présence d'esprit et exprimait une sympathie sincère et réfléchie qui ne laissait aucun doute sur la maîtrise de ses facultés. Le pauvre Lord Warburton était abasourdi. Elle l'avait découragé formellement, autant qu'une femme en est capable; qu'avait-elle à faire de ces artifices et de ces phrases si bien tournées? Pourquoi ces accents réparateurs? Préparatoires? Et pourquoi jouait-elle sur lui de cette voix qui mimait la douceur? Les autres revenaient; médiocre et frivole, l'opéra reprit. Dans la loge spacieuse, il restait une place pour Lord Warburton s'il consentait à s'asseoir un peu en retrait et dans l'ombre. Il y resta une demi-heure tandis que Mr Osmond, face à la scène, les coudes sur les genoux, était penché vers Isabel. Lord Warburton n'entendait rien et, de son coin ténébreux, ne voyait que le profil clair de la jeune fille qui se détachait sur la pénombre de la salle. Lors de l'entracte suivant, personne ne bougea. Mr Osmond parlait à Isabel et Lord Warburton demeura dans son coin. Pas bien longtemps, cependant; au bout d'un instant, il se leva et prit congé des dames. Isabel ne chercha pas à le retenir, ce qui ne laissa pas de le déconcerter à nouveau. Pourquoi soulignait-elle ainsi une de ses caractéristiques – pratiquement la moins louable – alors qu'elle ne voulait pas entendre parler d'une autre, probablement la meilleure? Irrité d'être intrigué, Lord Warburton s'irritait de son irritation. La musique de Verdi ne lui était d'aucun réconfort; il quitta le théâtre et repartit à pied vers son hôtel; faute de connaître l'itinéraire, il emprunta les ruelles tortueuses et tragiques de Rome où de plus lourdes tristesses que la sienne avaient cheminé sous les étoiles.

– Qui est ce gentleman? s'enquit Osmond après le départ de Lord Warburton.

– Un être irréprochable. Ne vous en êtes-vous pas aperçu?

– Il possède à peu près la moitié de l'Angleterre. Voilà le personnage, intervint Henrietta. C'est ce qu'ils appellent un pays libre!

– Ah! c'est un grand propriétaire. Heureux homme! soupira Gilbert Osmond.

– Vous appelez bonheur le fait de posséder de misérables êtres humains? s'écria Miss Stackpole. Il est propriétaire de milliers d'individus. La propriété est quelque chose d'agréable mais, pour ma part, les objets inanimés me suffisent. Je ne tiens pas à la chair et au sang, aux esprits et aux consciences.

– J'ai pourtant bien l'impression que vous avez tout pouvoir sur un ou deux humains, suggéra jovialement Mr Bantling. Je me demande si Warburton fait marcher ses fermiers comme vous me faites marcher, moi?

– Lord Warburton est un grand radical, dit Isabel. Il a des opinions très avancées.

– Il a aussi des murs de pierre très évolués: une énorme grille de fer, longue de trente milles environ, ceinture son parc, expliqua Henrietta à Mr Osmond. J'aimerais l'entendre discuter avec certains de nos radicaux de Boston.

– Ils n'approuvent pas les grilles de fer? demanda Mr Bantling.

– Uniquement pour enfermer les affreux conservateurs. J'ai toujours l'impression de vous parler par-dessus un mur hérissé de tessons de bouteilles.

– Connaissez-vous bien ce réformateur non réformé? demanda Osmond à Isabel.

– Assez pour ce que j'ai à en faire.

– Et qu'en faites-vous?

– Eh bien, j'aime bien l'aimer bien.

– « Aimer bien aimer bien. » C'est tout simplement de la passion, dit Osmond.

– Non, dit-elle après réflexion, gardez cela pour « aimer bien détester ».

– Voulez-vous me pousser à me prendre de passion pour lui? demanda Osmond en riant.

Elle commença par se taire avant de répondre à cette question futile avec une gravité disproportionnée :

– Non, Mr Osmond, je ne pense pas que j'oserai jamais vous provoquer. Quoi qu'il en soit, ajouta-t-elle plus légèrement, Lord Warburton est un homme charmant.

– Très intelligent?

– Très intelligent, et aussi bon qu'il le paraît.

– Aussi bon qu'il est bel homme, voulez-vous dire? Car il est très bien de sa personne. Quelle chance insolente! Être pair d'Angleterre, intelligent, beau et, pour couronner le tout, jouir de votre faveur. Voilà un homme enviable.

Isabel le regarda avec intérêt :

– J'ai l'impression que vous enviez toujours quelqu'un. Hier, c'était le pape; aujourd'hui, le pauvre Lord Warburton.

– Mon envie n'est pas dangereuse et ne fait pas de mal à une mouche. Je ne veux pas démolir les gens, je veux seulement être ce qu'ils sont. Vous voyez, cela ne détruirait que moi.

– Vous voudriez être le pape? demanda Isabel.

– J'adorerais cela mais il aurait fallu que je m'y mette plus tôt. Mais pourquoi, reprit Osmond, avez-vous dit : le pauvre Lord Warburton?

– Les femmes, lorsqu'elles sont très très bonnes, s'apitoient parfois sur les hommes qu'elles ont blessés ; c'est leur grande façon de témoigner leur bonté, dit Ralph qui se mêlait pour la première fois à la conversation, avec un cynisme si candidement transparent qu'il en devenait en fait innocent.

– Ai-je jamais fait souffrir Lord Warburton, s'il vous plaît ? demanda Isabel en haussant les sourcils comme si pareille idée ne l'avait jamais effleurée.

– Si tu l'as fait, il ne l'a pas volé ! dit Miss Stackpole tandis que le rideau se levait sur le ballet.

Isabel ne vit pas sa victime supposée le jour suivant mais, le surlendemain de la soirée au théâtre, dans la galerie du Capitole, elle tomba sur Lord Warburton, fiché devant la statue du *Gladiateur mourant*[1], le joyau de la collection. Elle était venue avec ses amis, parmi lesquels Gilbert Osmond avait sa place, et, après avoir gravi l'escalier, ils étaient entrés ensemble dans la première et la plus belle des salles. Lord Warburton s'était adressé très spontanément à notre héroïne mais lui dit bientôt qu'il quittait le musée.

– Je quitte également Rome, ajouta-t-il, il faut que je vous fasse mes adieux.

Avec une belle inconséquence, Isabel fut navrée de l'apprendre. Sans doute avait-elle cessé de redouter qu'il recommençât à lui faire la cour ; elle pensait à autre chose. Elle fut sur le point de lui dire son regret mais se contrôla et lui souhaita simplement bon voyage, ce qui lui valut un regard un peu sombre.

– Je crains que vous ne me trouviez très versatile. Je vous ai dit l'autre jour combien je désirais rester.

– Pas du tout ; vous êtes libre de changer d'avis.

– C'est ce que j'ai fait.

– Alors, *bon voyage* !

– Vous êtes très pressée de vous débarrasser de moi, dit Sa Seigneurie tristement.

---

1. Cette magnifique sculpture, ainsi nommée jusqu'au XXe siècle, représente en réalité un Galate (Gaulois d'Asie Mineure), copié sur un bronze disparu de Pergame. *(N. d. T.)*

– Bien sûr que non ! Mais j'ai horreur des adieux.

– Ce que je fais vous est bien égal, reprit-il, pitoyable.

– Vous manquez à votre promesse ! déclara Isabel après l'avoir dévisagé.

Il rougit comme un adolescent :

– Si j'y manque, c'est que je ne peux la tenir et c'est pourquoi je m'en vais.

– Alors, au revoir.

– Au revoir, dit-il, sans se résoudre à partir. Quand vous reverrai-je ?

Isabel hésita, puis, mue par une inspiration soudaine, semblait-il, elle répondit :

– Plus tard, quand vous serez marié.

– Cela n'arrivera jamais. Disons plutôt quand vous serez mariée, vous.

– Cela conviendra aussi bien, répondit-elle en souriant.

– Oui, aussi bien. Adieu.

Ils se serrèrent la main et il la laissa seule dans la salle prestigieuse des marbres antiques. Elle s'assit au milieu du cercle qu'ils formaient et son regard perdu se posa, sans s'y arrêter, sur les beaux visages muets, écoutant, si l'on peut dire, leur silence éternel. Il est impossible, surtout à Rome, de contempler longuement un grand ensemble de sculptures grecques sans ressentir l'effet de leur noble sérénité qui, une fois la porte close pour protéger la cérémonie, répand lentement sur l'esprit le grand manteau blanc de la paix. Je dis « surtout à Rome » parce que l'atmosphère romaine est un véhicule exquis pour de telles impressions. La lumière dorée se confond avec elles, le calme profond du passé, si vivant, encore qu'il ne soit qu'un vide empli de noms, semble jeter sur elles un sortilège. Grâce aux volets mi-clos des fenêtres du Capitole, l'ombre claire et chaude qui enveloppait les statues leur prêtait une douceur presque humaine. Isabel resta longtemps à sa place, sous le charme de leur grâce immobile, se demandant sur quel instant de leur expérience leurs yeux absents restaient ouverts et comment sonneraient à nos oreilles les accents émis par leurs lèvres étrangères. Les murs rouge sombre de la salle accentuaient leur relief et le pavement de marbre poli refléchissait leur beauté. Elle les avait déjà toutes vues mais son ravissement renaissait, d'autant plus fort qu'elle était heureuse de se retrouver seule. A la longue, pourtant, son attention se relâcha, détournée par un courant vital plus profond. De temps à autre, un touriste entrait, s'arrêtait un instant pour regarder le *Gladiateur mourant* puis sortait par l'autre porte et ses souliers grinçaient sur le marbre lisse. Au bout d'une demi-heure, Gilbert Osmond reparut, précédant sans doute ses compagnons. Il se dirigea lentement vers elle, les mains derrière le dos, arborant son habituel sourire inquisiteur qui n'était pas vraiment tout à fait sympathique.

– Je suis surpris de vous trouver seule, dit-il. Je croyais que vous aviez de la compagnie.

– C'est exact ! La meilleure des compagnies, dit-elle en désignant du regard l'*Antinoüs* et le *Faune*.

– Vous préférez leur société à celle d'un pair d'Angleterre ?

– Il y a longtemps que mon pair d'Angleterre m'a quittée, dit-elle assez sèchement en se levant.

Mr Osmond perçut la nuance qui augmentait à ses yeux l'intérêt de sa question.

– Je crains que les propos tenus devant moi l'autre soir ne soient vrais ; vous êtes assez cruelle envers ce gentleman.

Isabel considéra un instant le *Gladiateur mourant* :

– Ce n'est pas vrai. Je suis scrupuleusement aimable.

– C'est exactement ce que je voulais dire ! repartit Gilbert Osmond avec un rire si heureux que sa plaisanterie appelle une explication.

Nous savons qu'il était amateur d'originaux, d'objets rares, de tout ce qui est supérieur et exquis ; après avoir vu Lord Warburton, très beau spécimen de sa race et de son rang, à son avis, il découvrait un nouvel attrait à l'idée de s'approprier une jeune fille qui s'était qualifiée pour figurer dans sa collection d'objets de choix en refusant un si noble parti. Gilbert Osmond appréciait cette aristocratie, moins pour sa distinction, que l'on pouvait, à son sens, aisément surpasser, que pour sa solide réalité. Il n'avait jamais pardonné à son étoile de ne pas l'avoir fait héritier d'un duché anglais et était en mesure d'évaluer la conduite inattendue d'Isabel. Il était tout indiqué que la femme qu'il pourrait épouser eût accompli pareil geste.

29

En tête à tête avec son excellent ami, Ralph Touchett avait émis de sérieuses réserves quant aux mérites personnels qu'il reconnaissait à Mr Osmond, mais lui-même se sentit peut-être très mesquin au vu de la conduite de ce gentleman pendant le reste de leur séjour à Rome. Osmond passait une partie de la journée avec Isabel et ses amis, qui découvrirent finalement en lui l'homme le plus facile à vivre qui soit. On ne pouvait ignorer qu'il disposait de tact autant que de gaieté, ce qui était peut-être la raison précise pour laquelle Ralph lui avait reproché son affectation superficielle et surannée de mondanité. Même le cousin jaloux d'Isabel fut obligé d'admettre qu'il était à présent un partenaire délicieux. Sur fond de bonne humeur imperturbable, sa connaissance précise des faits et sa capacité de produire le mot juste étaient aussi commodes que l'allumette amicale présentée au fumeur. Il s'amusait manifestement ; il s'amusait comme peut le faire un homme rarement surpris et cela le rendait presque expansif. Il n'était jamais d'une joie exubérante et jamais, dans le concert du plaisir, il n'aurait effleuré du doigt la grosse caisse ; il détestait mortellement les notes aiguës, discordantes, et ce qu'il appelait les divagations erratiques. A son sens, Miss Archer faisait parfois preuve d'un empressement irréfléchi. Quel dommage qu'elle eût ce défaut ! Sans lui, elle n'en aurait eu aucun. Elle aurait satisfait au besoin qu'il avait d'elle aussi uniment qu'un manche d'ivoire à celui de la main. Lui-même n'était pas bruyant mais il était profond et, pendant les derniers jours de ce mai romain, il connut un contentement assorti aux lentes promenades capricieuses sous les pins de la villa Borghese, parmi les tendres fleurs sauvages et les marbres envahis par la mousse. Il était satisfait de tout ; jamais encore il ne l'avait été de tant de choses à la fois. De vieilles impressions et des joies anciennes renaissaient. Un soir, de retour dans sa chambre d'hôtel, il écrivit un petit sonnet qu'il intitula « Rome revisitée ». Le lendemain, il lut à Isabel ce poème aux vers académiques et habiles ; c'était, lui apprit-il, une mode italienne de commémorer les événements de la vie par un tribut à la muse.

Il avait l'habitude de vivre ses plaisirs dans la solitude car – il l'aurait admis –, il était trop douloureusement conscient de ce qui sonnait faux ou blessait le regard ; la rosée féconde d'un bonheur possible descendait trop rarement sur son esprit. Mais, pour l'instant, il était heureux, plus qu'il ne l'avait été de sa vie, peut-être, et ce bonheur reposait sur un fondement solide : le sentiment du succès, tout simplement, l'émotion la plus agréable au cœur humain. Osmond n'en avait jamais eu assez ; à cet égard, il s'irritait jusqu'à satiété, comme il le savait parfaitement bien et se redisait souvent : « Ah ! non, je n'ai pas été gâté ! Le Ciel m'est témoin que je n'ai pas été gâté ! Si je réussis avant de mourir, je l'aurai bien mérité ! » Il était trop enclin à raisonner, comme si « mériter » cet avantage consistait surtout à souffrir secrètement de son manque et pouvait se réduire à cet exercice. Son parcours, d'ailleurs, n'avait pas été absolument dépourvu de succès ; il aurait pu laisser entendre ici ou là qu'il reposait sur de vagues lauriers. Mais parmi ses triomphes passés, certains étaient trop anciens ; d'autres avaient été trop faciles. Le triomphe présent, moins rude que l'on aurait pu s'y attendre, n'avait été facile, autrement dit rapide, que dans la mesure où Gilbert Osmond avait fourni un effort véritablement exceptionnel, dont il ne se serait jamais cru capable. Le désir d'avoir la possibilité de montrer ses « talents » avait été le rêve de sa jeunesse ; mais, au fil des années, les conditions liées à toute manifestation accentuée d'originalité lui avaient paru de plus en plus grossières et odieuses, comme la nécessité d'avaler des chopes de bière pour bien faire savoir que l'on tient l'alcool. Si un dessin anonyme présenté dans un musée pouvait être doué de conscience et de vigilance, il pourrait avoir connu ce plaisir très particulier d'être enfin identifié – né de la main d'un grand maître – du seul fait d'un style, infiniment prisé et infiniment méconnu. Le style d'Osmond, Isabel l'avait découvert, avec un peu d'aide ; à présent, en plus d'en tirer grand plaisir, elle allait le révéler au monde sans que Gilbert Osmond ait à s'en préoccuper. Elle en ferait pour lui la démonstration et il n'aurait pas attendu en vain.

Peu avant la date fixée pour son départ, Isabel reçut de Mrs Touchett un télégramme ainsi conçu : QUITTE FLORENCE 4 JUIN POUR BELLAGIO ET VOUS EMMÈNE SI N'AVEZ PAS AUTRES PROJETS. MAIS NE PEUX ATTENDRE SI FLÂNEZ ROME.

La flânerie à Rome était délicieuse, mais Isabel avait d'autres projets et informa sa tante qu'elle partait immédiatement pour la retrouver. Elle en avertit Osmond et il répondit que, comme il passait l'essentiel de ses étés et de ses hivers en Italie, il musarderait encore un moment à l'ombre fraîche de Saint-Pierre. Il ne rentrerait pas avant dix jours à Florence et elle serait alors déjà partie pour Bellagio. Des mois peut-être s'écouleraient avant qu'il ne la revît. Cet entretien se déroulait dans le grand salon chamarré qu'occupaient nos amis à l'hôtel ; la soirée était avancée et Ralph Touchett devait reconduire sa cousine à Florence le lendemain. Osmond avait trouvé la jeune fille seule ; Miss Stackpole, qui s'était prise d'amitié pour une charmante famille américaine logée au quatrième étage, était partie à l'assaut de l'interminable escalier pour lui rendre visite. Henrietta se liait avec une grande liberté lorsqu'elle était en voyage et avait contracté en chemin de fer quelques-unes de ses plus franches et solides amitiés. Ralph prenait les dispositions nécessaires au déplacement du lendemain, si bien qu'Isabel siégeait seule dans un désert de capitonnage jaune. Les fauteuils et les sofas étaient orange, les murs et les fenêtres drapés de pourpre et d'or. De grands cadres flamboyants écrasaient tableaux et miroirs, et, sur le plafond voûté, s'ébattaient des muses et des chérubins dévêtus. Pour Osmond, tant de laideur était une souffrance ; les couleurs fausses et la splendeur factice lui faisaient l'effet de propos vulgaires, fanfarons et mensongers. Isabel avait dans les mains un ouvrage d'Ampère, un cadeau de Ralph offert le jour de leur arrivée à Rome ; elle le tenait sur ses genoux, un doigt glissé entre les pages, mais ne semblait pas impatiente de poursuivre sa lecture. Coiffée d'un abat-jour de papier mousseline rose, la lampe qui brûlait sur la table auprès d'elle répandait sur la scène un curieux ton rosâtre.

– Qui sait si vous reviendrez vraiment? disait Gilbert Osmond. Je pense que vous serez beaucoup plus tentée de partir pour votre tour du monde. Rien ne vous oblige à revenir ici; vous pouvez faire tout ce dont vous avez envie; vous pouvez parcourir l'espace.

– L'Italie fait partie de l'espace, répondit Isabel. Je peux l'inclure dans mon itinéraire.

– En fait de tour du monde? Non, ne faites pas cela. Ne nous mettez pas entre parenthèses; donnez-nous un plein chapitre. Je ne veux pas vous voir en passant mais lorsque vos voyages seront terminés. Je voudrais vous voir quand vous serez rassasiée... Je vous préférerai dans cet état, ajouta-t-il.

Les yeux baissés, Isabel lissa du bout des doigts les pages de M. Ampère.

– Sans en avoir l'air mais non sans intention, je le crains, vous tournez les choses en ridicule. Vous n'avez aucun respect pour mes voyages; vous les trouvez absurdes.

– D'où vous vient cette idée?

Tout en grattant les tranches du livre avec son coupe-papier, elle poursuivit sur le même ton :

– Vous constatez mon ignorance, mes bévues, la façon dont je pars à l'aventure comme si le monde m'appartenait simplement... simplement parce que le pouvoir de le faire m'a été donné. Vous pensez qu'une femme ne devrait pas agir ainsi; vous y voyez de l'effronterie, un manque de grâce.

– Je pense que c'est très beau, dit Osmond. Vous connaissez mes opinions, je vous en ai assez parlé. Auriez-vous oublié ce que je vous ai dit : il faudrait que chacun fît de son existence une œuvre d'art? Vous avez paru un peu effarouchée d'abord; puis j'ai ajouté que c'était précisément ce que vous sembliez vouloir faire de la vôtre.

– Ce que vous méprisez le plus au monde est l'art bête, l'art médiocre.

– C'est possible. Mais le vôtre me semble limpide et très bon.

– Si je décidais d'aller au Japon l'hiver prochain, vous vous moqueriez de moi, insista Isabel.

Osmond sourit finement mais ne rit pas; le ton de la conversation n'était pas à la facétie. Isabel avait adopté ses airs solennels, il s'en était rapidement aperçu.

– Vous avez une imagination surprenante.

– C'est bien ce que je dis. Vous trouvez mon idée absurde.

– Je donnerais mon petit doigt pour aller au Japon ; c'est un des pays que j'ai le plus envie de connaître. Vous pouvez quand même croire cela ! Avec mon goût pour les laques anciennes.

– Je n'ai pas l'excuse d'adorer les laques anciennes, dit Isabel.

– Vous en avez une bien meilleure : les moyens de le faire. Vous avez tort de croire que je me moque de vous. J'ignore ce qui vous a mis cette idée dans la tête.

– Il n'y aurait rien de surprenant à ce que vous estimiez ridicule que je dispose des moyens de voyager quand vous-même ne les avez pas. Alors que vous savez tout et que je ne sais rien.

– Raison de plus pour vous de voyager et de vous instruire, fit Osmond en souriant. Par ailleurs, ajouta-t-il comme si une mise au point était nécessaire, je ne sais pas tout.

Isabel ne parut pas frappée par le sérieux assez ridicule de cette assertion ; elle pensait que l'épisode le plus charmant de sa vie – c'est ainsi qu'elle aimait désigner ce trop court séjour dans la Ville Éternelle qu'elle comparait volontiers à une jeune princesse en costume d'époque, engoncée dans un manteau de cérémonie dont il fallait des pages ou des historiens pour porter la traîne –, que cette félicité prenait fin. Elle devait à Mr Osmond l'essentiel de l'intérêt ressenti pendant ces jours, fait qu'elle reconnaissait volontiers et dont elle lui savait gré. Mais elle se disait aussi que, s'ils devaient ne plus jamais se rencontrer, peut-être, après tout, cela vaudrait-il mieux. Les événements heureux ne se répètent pas et son aventure prenait déjà l'aspect évanescent d'une île romantique au grand large que l'on quitte avec la brise nouvelle, après s'être rassasié de ses raisins pourpres. Il se pourrait qu'elle revînt en Italie et le trouvât différent, cet homme étrange qui lui plaisait tel qu'il était ; mieux valait ne pas revenir que courir ce risque. Mais si elle ne devait pas revenir, c'était encore plus triste que ce fût la fin du chapitre ; elle ressentit une angoisse proche de la source des larmes et la tint silencieuse ; Gilbert Osmond, lui aussi, gardait le silence. Il la regardait :

– Allez partout, dit-il lentement, d'une voix basse et bienveillante, faites tout, prenez le meilleur de la vie. Soyez heureuse et soyez triomphante.

– Que voulez-vous dire par « triomphante » ?

– Faire ce qui vous plaît.

– Un triomphe de ce genre me semble plutôt un échec ! Faire toutes les choses futiles qui vous plaisent est souvent fastidieux.

– Exactement ! Je viens de vous le suggérer : un jour, vous en serez fatiguée, dit Osmond avec sa calme vivacité ; il fit une brève pause avant de poursuivre : Je me demande si je ne ferais pas mieux d'attendre ce moment pour vous parler d'une chose que je veux vous dire.

– Je ne peux vous donner d'avis sans savoir de quoi il s'agit. Mais quand je suis fatiguée, je deviens effrayante, ajouta Isabel sans trop de logique.

– Je n'en crois rien. Vous pouvez être irritée, cela, je l'imagine, sans vous avoir jamais vue ainsi. Mais je suis sûr que vous n'êtes jamais « fâchée ».

– Même quand je m'emporte ?

– Vous ne vous emportez pas, vous vous trouvez, et ce doit être très beau, répondit Osmond d'un ton grave et non sans noblesse. Ce doivent être de grands moments.

– Si seulement je pouvais me trouver maintenant ! lança nerveusement Isabel.

– Je n'ai pas peur. Je croiserais les bras et vous admirerais. Je parle très sérieusement, fit-il en se penchant, une main sur chaque genou, le regard dirigé vers le sol. Ce que je veux vous dire, reprit-il enfin, en relevant les yeux, c'est que j'ai découvert que je vous aime.

Elle bondit :

– Ah non, gardez cela pour vous ! Attendez que je sois lasse !

– Lasse de vous l'entendre dire par d'autres ? demanda-t-il, les yeux fixés sur elle. Non, vous pouvez en tenir compte aujourd'hui ou jamais, à votre choix. Quant à moi, je dois le dire maintenant.

Elle n'acheva pas le mouvement esquissé pour lui tourner le dos ; immobile soudain, elle abaissa les yeux vers lui et ils demeurèrent longtemps ainsi, échangeant le regard profondément conscient des heures critiques de l'existence. Puis il se leva et s'approcha d'elle, infiniment respectueux, comme s'il craignait d'avoir été trop familier.

– Je suis éperdument amoureux de vous.

Il avait redit sa déclaration sur un ton si discret qu'il semblait impersonnel, comme un homme qui en attendait peu, mais parlait pour son propre soulagement. Les larmes montèrent aux yeux d'Isabel ; cette fois, elles cédaient à la violence de l'angoisse qui lui faisait penser, sans qu'elle sût pourquoi ni comment, au va-et-vient d'un mince verrou. Les paroles qu'Osmond venait de prononcer, là, debout devant elle, ajoutaient à sa beauté, à sa générosité, elles le paraient du halo doré de l'automne ; mais, moralement, elle reculait, tout en lui faisant face, comme elle avait reculé déjà lors d'assauts analogues. « Oh ! ne dites pas cela, je vous en prie », fit-elle avec une véhémence où s'exprimait l'effroi d'avoir, cette fois encore, à choisir et à décider. Ce qui exacerbait sa terreur était précisément la force qui, semblait-il, aurait dû la dissiper, la sensation tout au fond de son être de ce qu'elle croyait être une passion confiante et inspirée, comparable à une forte somme déposée dans une banque dont l'idée de l'entamer terrifie. Si elle y touchait, toute la somme fondrait.

– Je doute que cela vous importe beaucoup, dit Osmond. J'ai trop peu à vous offrir. Ce que j'ai me suffit ; mais ce n'est pas assez pour vous. Je n'ai ni fortune, ni renom, ni avantages extérieurs. Si bien que je n'offre rien. Je vous le dis seulement parce que je pense que cela ne peut pas vous offenser et qu'un jour, peut-être, vous en éprouverez quelque agrément. Cela me fait plaisir, je vous assure, poursuivit-il, penché vers elle avec considération, en faisant tourner son chapeau entre ses mains, dont le frémissement trahissait un embarras bienséant, et présentant à la jeune fille son visage ferme et fin, déjà marqué de rides. Cela ne m'afflige pas car c'est parfaitement simple. Désormais, vous serez toujours pour moi la femme la plus importante au monde.

Isabel se contempla dans ce rôle, intensément, songeant qu'elle le remplissait avec une certaine grâce. Mais sa réponse n'exprima rien de cette suffisance :

– Vous ne m'offensez pas, mais vous devriez savoir que, sans être offensée, on peut être incommodée, troublée.

Elle s'entendit prononcer le mot « incommodée » qui lui parut ridicule. Il lui était stupidement venu à l'esprit.

– Je le sais parfaitement. Bien sûr, vous êtes surprise et alarmée. Si c'est tout ce dont il s'agit, cela passera. Et peut-être en restera-t-il une trace dont je n'aurai pas à rougir.

– J'ignore ce qui pourra rester. En tout cas, vous le voyez, je ne suis pas atterrée, dit Isabel avec un sourire un peu pâle. Le trouble ne m'empêche pas de penser et je suis heureuse de quitter Rome demain et que nous nous séparions.

– Bien entendu, je ne partage pas ce point de vue.

– Je ne vous connais pas du tout, dit-elle brusquement; puis elle rougit, car elle venait de s'entendre dire ce qu'elle avait déclaré à Lord Warburton il y avait à peine moins d'un an.

– Si vous ne partiez pas, vous me connaîtriez mieux.

– Ce sera pour une autre fois.

– Je l'espère. Je suis très facile à connaître.

– Non, dit-elle, catégorique, non, là vous n'êtes pas sincère. Vous n'êtes pas facile à connaître, personne ne pourrait l'être moins.

– Entendu, fit-il en riant, je dis cela parce que je me connais. C'est peut-être une fanfaronnade, mais je me connais.

– C'est très plausible; mais vous êtes très avisé.

– Vous aussi, Miss Archer! s'exclama Osmond.

– Je n'ai pas l'impression de l'être en ce moment. Je le suis juste assez pour penser que vous feriez mieux de partir. Bonne nuit.

– Dieu vous bénisse ! dit Gilbert Osmond en prenant une main qu'elle ne lui abandonna pas. Puis il ajouta : Si nous nous rencontrons à nouveau, vous me trouverez tel que vous m'avez laissé. Si nous ne nous revoyons pas, ce sera tout pareil.

– Merci beaucoup. Adieu.

Une fermeté tranquille émanait du visiteur d'Isabel ; il aurait pu partir de son propre gré mais ne se laisserait pas congédier.

– Encore un mot, dit-il. Je ne vous ai rien demandé, pas même une pensée dans l'avenir ; rendez-moi cette justice. Mais il y a un petit service que j'aimerais solliciter. Je ne reviendrai pas chez moi avant quelques jours ; Rome est délicieuse et c'est un lieu bénéfique pour un homme dans mon état d'esprit. Oh ! je sais que vous êtes désolée d'en partir, mais vous avez raison de répondre au désir de votre tante.

– Elle ne le désire même pas ! protesta curieusement Isabel.

Osmond parut sur le point de réagir à cette exclamation mais il se ravisa et approuva simplement :

– Il est très bien que vous l'accompagniez, c'est tout à fait indiqué. Faites toujours ce qu'il convient de faire, j'en suis partisan. Et pardonnez-moi ce ton protecteur : vous dites ne pas me connaître mais, lorsque vous me connaîtrez, vous découvrirez que j'ai le culte de la bienséance.

– Seriez-vous conventionnel ? demanda gravement Isabel.

– J'aime la façon dont vous dites ce mot ! Non, je ne suis pas conventionnel, je suis la convention même. Vous ne comprenez pas cela ? fit-il avec un sourire, suivi d'une courte pause. J'aimerais vous l'expliquer. Puis, avec une spontanéité radieuse, il plaida : Revenez ! Il y a tant de choses dont nous pourrions discuter.

Toujours debout, les yeux baissés, Isabel demanda :

– De quel service parliez-vous à l'instant ?

– Allez voir ma petite fille, avant de quitter Florence. Elle est seule à la villa ; j'ai décidé de ne pas l'envoyer chez ma sœur qui n'a pas du tout mes idées. Dites-lui qu'elle doit beaucoup aimer son pauvre père, demanda doucement Gilbert Osmond.

–J'irai la voir avec grand plaisir, répondit Isabel. Je lui transmettrai votre message. Et maintenant, adieu.

Il prit congé d'elle, vite et courtoisement. Après son départ, Isabel regarda autour d'elle avant de s'asseoir lentement, l'air méditatif. Elle était toujours dans le même fauteuil, les mains croisées, les yeux rivés sur l'affreux tapis, lorsque ses amis rentrèrent. Son trouble, qui n'avait pas décru, demeurait très silencieux et très profond. Son imagination se préparait depuis une semaine à faire face à ce qui venait d'arriver, mais, le moment venu, elle s'était bloquée ; cette instance sublime s'était en quelque sorte effondrée. Le travail mental de cette jeune femme ne manquait pas de bizarrerie et je le décris simplement tel que je le vois, sans grand espoir de lui prêter beaucoup de naturel. Son imagination, je l'ai dit, hésitait à présent devant un dernier espace qu'elle ne pouvait franchir : sombre, incertain, il paraissait aussi chargé d'ambiguïté et de perfidie qu'une lande en hiver, à l'heure du crépuscule. Mais, pourtant, elle devait le franchir.

30

Elle repartit le lendemain pour Florence, escortée de son cousin, et Ralph Touchett, que les contraintes ferroviaires rendaient généralement nerveux, s'accommoda très bien des heures passées dans un train qui soustrayait promptement sa cousine à la ville actuellement élue par Gilbert Osmond; ces heures allaient être le prologue d'un vaste programme de voyages. Miss Stackpole était restée à Rome car elle projetait, avec le concours de Mr Bantling, un court périple à Naples. Isabel disposerait de trois jours à Florence avant le 4 juin, date du départ de Mrs Touchett, et décida de consacrer le dernier après-midi à sa promesse d'aller voir Pansy Osmond. Toutefois, il sembla un moment qu'elle devrait modifier son projet, par égard pour une proposition de Madame Merle. Cette dame résidait encore à la *casa* Touchett mais se préparait à quitter Florence pour un séjour nouveau dans un château de l'Apennin toscan, résidence d'une famille noble de la région que Madame Merle disait connaître « depuis toujours », un précieux privilège, songea Isabel, en regardant quelques photographies de l'immense forteresse crénelée que son amie lui mit sous les yeux. Elle dit à cette heureuse femme que Mr Osmond lui avait demandé d'aller jeter un coup d'œil sur sa fille mais n'ajouta pas qu'il lui avait aussi fait une déclaration d'amour.

– *Ah, comme cela se trouve!* s'exclama Madame Merle. Je me disais, moi aussi, qu'il serait gentil d'aller lui faire une petite visite avant de partir.

– Nous pourrions y aller ensemble, suggéra Isabel d'un ton neutre, car cette proposition ne l'enthousiasmait pas. Elle avait rêvé d'accomplir dans la solitude ce pèlerinage discret et c'est ainsi qu'elle l'aurait préféré. Néanmoins, elle était prête à sacrifier ce sentiment mystique à sa grande considération pour son amie.

Madame Merle réfléchissait subtilement :

– Après tout, pourquoi irions-nous ensemble alors que nous avons tant à faire toutes les deux aux derniers moments ?

– Très bien ; il m'est facile d'y aller seule.

– Je me demande si vous pouvez aller seule chez un beau célibataire. Il a été marié... mais il y a si longtemps !

Isabel ouvrit de grand yeux.

– Qu'est-ce que cela peut faire, puisque Mr Osmond n'est pas là ?

– Personne n'en sait rien.

– Personne ? De qui parlez-vous ?

– De tout le monde. Mais cela n'a peut-être aucune importance.

– Si vous comptiez y aller, vous, pourquoi n'irais-je pas ? demanda Isabel.

– Parce que je suis une vieille toupie et que vous êtes une belle jeune fille.

– À supposer que ce soit vrai, vous n'avez rien promis.

– Quelle importance vous attachez à vos promesses ! se moqua gentiment son amie.

– Beaucoup d'importance, en effet. Cela vous surprend ?

– Vous avez raison... dit Madame Merle qui réfléchissait tout haut. Je crois vraiment que vous désirez être gentille pour l'enfant.

– Je le souhaite beaucoup.

– Alors, allez-y ; personne n'en saura rien. Et dites-lui que je serais venue si vous n'y étiez pas allée. Ou plutôt, non, se reprit Madame Merle, ne le lui dites pas. Cela lui serait égal.

Tandis qu'elle suivait, au grand jour, dans une voiture découverte, la route sinueuse qui escaladait la colline de Mr Osmond, Isabel se demandait ce qu'avait voulu dire son amie lorsqu'elle avait déclaré : « Personne n'en saura rien. » De temps à autre, à de longs intervalles, cette dame qui, pour voyager, préférait la pleine mer aux détroits hasardeux laissait tomber une remarque ambiguë et frappait une note qui sonnait faux. Qu'importait à Isabel Archer le jugement vulgaire de gens obscurs ? Madame Merle la croyait-elle capable d'un acte qu'il lui faudrait accomplir à la dérobée ? Bien sûr que non ! Son amie avait voulu dire autre chose, une chose que, dans la bousculade qui précédait son départ, elle n'avait pas eu le temps d'expliquer. Isabel lui en reparlerait un jour ; il y avait des points précis à propos desquels elle aimait que tout fût clair.

Du salon de Mr Osmond où elle fut introduite, elle entendit Pansy qui pianotait dans une autre pièce ; la fillette « étudiait » et Isabel se réjouit à l'idée qu'elle faisait ses exercices avec rigueur. Pansy entra presque aussitôt, lissant sa robe, et, le regard empreint de gravité, fit courtoisement les honneurs de la maison de son père. Isabel demeura une demi-heure au salon et Pansy s'éleva à la hauteur de la situation, comme la petite fée ailée de la pantomime qui monte dans les airs à l'aide d'un fil invisible ; elle ne bavardait pas mais elle causait, témoignant pour les affaires d'Isabel l'intérêt respectueux qu'Isabel avait la bonté d'avoir pour les siennes. Isabel s'émerveillait : jamais elle n'avait respiré d'aussi près la fleur odorante de la douceur cultivée. Comme cette fillette avait été bien élevée ! songeait la jeune fille avec admiration. Comme on l'avait joliment dirigée et façonnée tout en préservant sa simplicité, son naturel et son innocence ! Isabel s'intéressait depuis toujours au problème du caractère et des qualités, elle aimait sonder le mystère de l'intimité personnelle et s'était demandé jusqu'à cet instant, non sans quelque jouissance, si cette enfant fluette n'était pas en fait pleinement avertie. Sa candeur extrême n'était-elle pas une affectation parfaite ? Était-ce un masque destiné à plaire à l'amie de son père ou l'expression directe d'une nature immaculée ? Le moment qu'Isabel passa dans les belles pièces désertes et sombres de Mr Osmond – les volets à demi fermés luttaient contre la chaleur mais, çà et là, la splendide lumière estivale se coulait par une fente, avivant dans la pénombre un reflet sur une couleur passée ou sur un or terni – et son entretien avec la jeune fille de la maison réglèrent définitivement la question. Pansy était réellement une page vierge, une surface immaculée que l'on avait gardée intacte ; dénuée d'artifices, d'astuce, de caractère et de talents, elle n'avait que deux ou trois instincts exquis : pour reconnaître une amie, éviter une erreur, prendre soin d'un vieux jouet ou d'une robe neuve. Cependant, être si tendre, c'était aussi être émouvante, et l'on pouvait pressentir en elle une victime sans défense du destin. Elle n'aurait ni la volonté, ni le pouvoir de résister, pas même le sentiment de son importance propre ; elle serait aisément trompée, opprimée ; elle n'aurait d'autre force que celle de savoir où et quand se raccrocher. Elle guidait à travers la maison sa visiteuse, qui avait demandé à revoir les autres pièces, et donna son avis sur plusieurs œuvres d'art. Elle parlait de ses projets, de ses occupations, des intentions de son père ; elle ne s'imposait pas mais sentait qu'il convenait de fournir toutes les informations qu'une amie si distinguée était en droit d'attendre.

– Dites-moi, je vous prie, si papa est allé voir Madame Catherine à Rome. Il m'avait promis de le faire s'il en avait le temps. Peut-être n'a-t-il pas pu. Papa aime prendre son temps. Il voulait parler de mon éducation, qui n'est pas encore achevée, vous le savez. Je ne sais ce qu'on peut encore faire de moi mais il paraît qu'elle est loin d'être finie. Papa m'avait dit un jour qu'il l'achèverait lui-même parce que, pendant les dernières années au couvent, les professeurs qui donnent des leçons aux grandes sont très chers. Papa n'est pas riche et je serais désolée qu'il dépense beaucoup d'argent pour moi, parce que je ne pense pas que j'en vaille la peine. Je n'apprends pas assez vite et je n'ai pas de mémoire. Si, j'en ai pour ce qu'on me dit, surtout si c'est agréable, mais pas pour ce que j'apprends dans les livres. Je connais une jeune fille, ma meilleure amie, que l'on a retirée du couvent quand elle avait quatorze ans pour lui faire – comment dites-vous en anglais ? – pour lui faire une *dot.* Vous ne dites pas cela en anglais ? J'espère que ce n'est pas déplacé. Je veux dire simplement qu'on voulait garder l'argent pour la marier. Je ne sais si c'est pour cela que papa veut garder de l'argent... pour me marier. Cela coûte si cher de se marier ! poursuivit Pansy avec un soupir. Je pense que papa pourrait faire cette économie. De toute façon, je suis encore trop jeune pour y penser, et aucun gentleman ne m'intéresse ; excepté lui, bien sûr. S'il n'était pas mon papa, j'aimerais l'épouser. Je préfère être sa fille que la femme de… d'un inconnu. Il me manque beaucoup mais pas autant que vous pourriez le penser, car j'ai été si souvent séparée de lui. Papa, je le voyais surtout pendant les vacances. Madame Catherine me manque presque plus mais il ne faut pas le dire à papa. Vous n'allez pas le revoir ? J'en suis bien désolée et il le sera, lui aussi. De toutes les personnes qui viennent ici, c'est vous que je préfère. Ce n'est pas un grand compliment car il n'en vient pas beaucoup. C'est très gentil de votre part d'être venue aujourd'hui, d'avoir fait une si longue route, car je ne suis encore qu'une enfant. Oh ! si, je n'ai que des occupations d'enfant. Quand les avez-vous abandonnées, vous, vos occupations d'enfant ? J'aimerais savoir quel âge vous avez mais je ne sais pas si j'ai le droit de vous le demander. Au couvent, on nous disait que cela ne se fait pas. Je n'aime pas faire des choses auxquelles on ne s'attend pas ; cela donne l'impression que l'on a été mal élevée. Moi, je n'aime pas du tout qu'on me prenne par surprise. Papa a laissé ses instructions pour tout. Je me couche très tôt. Quand le soleil s'en va de ce côté, je vais au jardin. Papa a donné des ordres très sévères pour que je ne sois pas brûlée par le soleil. J'ai toujours adoré la vue ; les collines sont si gracieuses. A Rome, de mon couvent, on ne voyait que des toits et des campaniles. Je travaille mon piano trois heures par jour. Je ne joue pas très bien. Et vous, est-ce que vous jouez ? J'aimerais bien que vous me jouiez un morceau. Papa dit que je dois entendre de la bonne musique. Madame Merle a joué plusieurs fois pour moi ; c'est ce que j'aime le plus chez Madame Merle : elle a beaucoup de facilité ; moi, je n'en aurai jamais. Et je n'ai pas de voix non plus, juste un petit son grinçant, comme celui d'un crayon d'ardoise.

Pour accéder à ce vœu respectueux, Isabel retira ses gants et se mit au piano, tandis que Pansy, debout près d'elle, regardait ses mains blanches parcourir rapidement le clavier. Après s'être arrêtée, Isabel embrassa la fillette en guise d'adieu et la tint longuement serrée contre elle :

– Soyez très gentille, dit-elle en la regardant, faites plaisir à votre père.

– Je crois que c'est pour cela que je vis, répondit Pansy. Il n'a pas beaucoup de joies ; c'est un homme plutôt triste.

Isabel écouta cette affirmation avec un intérêt qu'il lui était presque douloureux de dissimuler. Son orgueil l'y contraignait et un certain sentiment de dignité ; elle avait en tête tant de choses qu'un élan impétueux, instantanément contrôlé, la poussait à dire à Pansy à propos de son père ; et autant d'autres qu'elle aurait été heureuse d'apprendre de l'enfant, de lui faire dire. Sitôt qu'elle prit conscience de son désir, son imagination frémit d'horreur à l'idée d'exploiter Pansy – c'est ce dont elle se serait accusée – et d'exhaler dans l'air, où les sens subtils d'Osmond pourraient les déceler, les effluves de l'enchantement qu'elle subissait. Elle était venue, c'est vrai, mais elle n'était restée qu'une heure. Elle quitta vivement le piano ; malgré cela, pourtant, elle s'attarda encore un moment, sans lâcher Pansy, dont elle attira plus près d'elle la silhouette mince et souple, et qu'elle regardait avec un sentiment proche de l'envie. Force lui était de se l'avouer : elle aurait pris un plaisir passionné à parler de Gilbert Osmond avec cette enfant innocente et menue qui était si proche de lui. Mais elle n'ajouta pas un mot ; elle embrassa seulement à nouveau Pansy. Elles traversèrent ensemble l'antichambre jusqu'à la porte qui donnait sur la cour ; là, sa jeune hôtesse s'arrêta, avec un regard nostalgique vers l'au-delà du seuil.

– Je ne peux pas aller plus loin. J'ai promis à Papa de ne pas passer cette porte.

– Vous avez raison de lui obéir ; il ne vous demandera jamais rien sans une excellente raison.

– Je lui obéirai toujours. Quand reviendrez-vous ?

– Pas avant longtemps, j'en ai peur.

– Dès que vous le pourrez, j'espère. Je ne suis qu'une petite fille, dit Pansy, mais je vous attendrai toujours.

Sa mince personne demeura dans le sombre encadrement de la porte, regardant Isabel traverser la cour lumineuse et disparaître par le grand *portone* dans le halo éblouissant que découvrit son ouverture.

31

Isabel revint à Florence après plusieurs mois, laps de temps fertile en épisodes. Nous sommes cependant peu concernés par cette période de son existence et la retrouvons à la fin du printemps qui suivit de peu son retour au *palazzo* Crescentini, un an après la scène que je viens de relater. Elle était seule dans une petite pièce, préférée aux multiples salons que Mrs Touchett réservait aux réceptions mondaines, et son expression comme son attitude donnaient à penser qu'elle attendait un visiteur. La haute croisée était ouverte et, par l'espace ménagé entre les volets verts à demi tirés, l'air lumineux du jardin inondait la pièce de chaleur et de parfum. Debout devant la fenêtre, les mains croisées dans le dos, notre jeune héroïne jetait vers l'espace des regards chargés d'inquiétude. Trop troublée pour se fixer, sa pensée tournait vainement en rond. Isabel n'espérait d'ailleurs pas apercevoir son visiteur avant qu'il eût franchi le seuil de la maison car l'entrée du *palazzo* n'était pas située du côté du jardin où régnaient toujours le silence et l'intimité. Elle cherchait plutôt à anticiper son arrivée en développant des conjectures et, à en juger par son expression, cette tentative lui donnait beaucoup à faire. Elle se sentait plus grave, littéralement alourdie par l'expérience accumulée au cours de cette année passée à voir le monde. Elle avait sillonné l'espace, selon son expression, examiné une bonne partie de l'humanité, et s'estimait à présent très différente de la jeune fille frivole venue d'Albany qui, deux ans plus tôt, commençait à prendre la mesure de l'Europe sur le gazon de Gardencourt. Elle se flattait d'avoir engrangé la sagesse et d'en avoir appris beaucoup plus long sur la vie que cette jeune écervelée ne pouvait seulement l'imaginer. Si ses pensées, à cet instant, s'étaient orientées vers le passé au lieu de s'ébattre nerveusement dans le présent, elles auraient évoqué une multitude d'images intéressantes, visions de paysages et de personnages, ces derniers l'emportant en nombre. Plusieurs nous sont déjà connus. La conciliante Lily, par exemple, sœur de notre héroïne et femme d'Edmund Ludlow, qui avait quitté New York pour venir passer cinq mois près de sa cadette. Elle avait laissé son mari derrière elle mais amené ses enfants près desquels Isabel avait joué avec une munificence et une tendresse égales le rôle de la tante célibataire. Vers la fin du séjour, Mr Ludlow était parvenu à se soustraire pendant quelques semaines à ses triomphes au barreau ; ayant traversé l'océan avec une extrême célérité, il avait passé un mois à Paris en compagnie des deux dames, avant de ramener sa femme en Amérique. Même pour des Américains, les petits Ludlow n'avaient pas encore atteint l'âge du tourisme et, pendant le séjour de sa sœur, Isabel avait limité le cercle de ses déplacements. En juillet, Lily et ses enfants l'avaient rejointe en Suisse et ils avaient passé un bel été dans une vallée alpestre où les fleurs émaillaient les prés et l'ombre de grands châtaigniers offrait un lieu de repos idéal après les ascensions accessibles à des dames et des enfants par de chauds après-midi. Puis ils gagnèrent Paris que Lily adora et célébra coûteusement, et qu'Isabel trouva morne et bruyant ; pendant ce séjour, notre héroïne recourut à ses souvenirs de Rome, comme elle aurait pu, dans un salon encombré et surchauffé, avoir recours à un flacon de sels caché dans son mouchoir.

Mrs Ludlow, je l'ai dit, sacrifiait à l'idole parisienne, mais elle avait des doutes et des étonnements que cet autel n'apaisait pas et, quand arriva son mari, son chagrin redoubla dans la mesure où il refusa de s'investir dans ses spéculations. Toutes avaient trait à Isabel et, fidèle à sa ligne de conduite, Edmund Ludlow n'admit pas plus qu'autrefois de se laisser surprendre, troubler, mystifier ou ravir par les faits et gestes de sa belle-sœur ou par ses omissions. L'agitation mentale de Mrs Ludlow suffisait à diversifier les points d'interrogation. Par moments, elle se disait qu'il serait tout naturel que sa sœur revînt dans son pays et s'installât chez elle à New York, dans la maison des Rossiter, dotée d'une serre élégante et sise à l'angle de la rue qu'habitaient les Ludlow ; à d'autres, elle ne pouvait cacher son étonnement qu'Isabel n'eût pas épousé un aristocrate de haut vol. En un mot, comme je l'ai dit, elle avait perdu tout contact avec les probabilités. L'accession d'Isabel à la fortune lui avait causé plus de satisfaction qu'elle n'en aurait éprouvé si cet argent lui avait échu ; il offrait, lui semblait-il, le décor approprié au personnage un peu mince mais éminent de sa sœur. Isabel, cependant, ne s'était pas fait valoir autant que Lily l'avait espéré, pareil développement étant mystérieusement lié dans l'esprit de Lily à des visites matinales et des soirées. Intellectuellement, il est vrai, Isabel avait progressé à grandes enjambées, mais il ne paraissait pas qu'elle eût accompli les multiples conquêtes mondaines dont Mrs Ludlow avait espéré admirer les trophées. La conception qu'avait Lily de tels exploits était extrêmement vague, mais elle comptait précisément sur Isabel pour leur donner forme et corps. Isabel aurait pu réussir aussi bien qu'elle l'avait fait à New York et Mrs Ludlow recourait à son mari pour savoir s'il existait en Europe des privilèges dont elle jouissait et que la société de cette ville n'aurait pu lui offrir. Nous savons, nous, qu'Isabel avait fait des conquêtes ; étaient-elles ou non inférieures à celles qu'elle eût pu faire dans son pays natal ? Il est délicat d'en décider et ce n'est pas uniquement par complaisance que je répète ici qu'elle n'avait pas ébruité ces victoires flatteuses. Elle n'avait pas parlé à sa sœur de l'épisode avec Lord Warburton, elle n'avait pas soufflé mot de l'état d'âme de Mr Osmond, et la meilleure raison de son silence était qu'elle ne désirait pas en parler. Il était plus romanesque de ne rien dire et, s'abreuvant en secret à la source du roman, Isabel était aussi peu disposée à demander conseil à la pauvre Lily qu'à refermer à jamais ce précieux livre. Mais Lily ne savait rien de ces distinctions et pouvait seulement déclarer que la trajectoire de sa sœur était étrangement terre à terre, impression confirmée par le silence d'Isabel, à propos de Mr Osmond, par exemple, qui s'aggravait en raison directe de la fréquence des intrusions de ce gentleman dans ses pensées. Comme elles étaient incessantes, il semblait parfois à Mrs Ludlow qu'Isabel avait perdu son courage. Ce résultat sinistre d'un événement aussi heureux qu'un bel héritage était une source de perplexité pour la joyeuse Lily et renforçait sa conviction qu'Isabel ne ressemblait décidément à personne.

Après le départ des siens, cependant, le courage de notre jeune amie remonta en flèche. Elle rêvait de prouesses plus audacieuses que passer l'hiver à Paris – qui présentait tant d'analogies avec New York et ressemblait à une prose élégante et nette – et sa correspondance suivie avec Madame Merle avait grandement stimulé ces rêves un peu fous. Jamais Isabel n'avait si vivement apprécié la liberté, l'audace et la gratuité absolues de la liberté que lorsqu'elle tourna le dos au quai de la gare d'Euston, un des derniers jours de novembre, après le départ du train qui mènerait jusqu'à Liverpool et à leur navire la pauvre Lily, son mari et ses enfants. Cela lui avait fait du bien de les gâter, elle en était très consciente ; nous savons déjà qu'elle était toujours à l'affût de ce qui était bon pour elle et ses efforts tendaient en permanence à trouver ce qui lui convenait le mieux. Pour profiter jusqu'à la dernière minute des avantages présents, elle avait fait le trajet de Paris à Londres avec les voyageurs, dont elle n'enviait pas le sort mais qu'elle aurait accompagnés jusqu'à Liverpool si Edmund Ludlow ne lui avait demandé comme une faveur de s'en abstenir ; cela rendait Lily trop nerveuse et elle posait alors des questions impossibles. Isabel regarda le train s'ébranler, envoya des baisers à l'aîné de ses neveux, enfant démonstratif qui se penchait dangereusement par la fenêtre de la voiture et fit de la séparation le prétexte d'un accès violent d'hilarité, puis elle se retrouva dans le brouillard de Londres. Le monde s'étendait devant elle : elle pouvait faire ce qu'elle voulait. L'idée était profondément excitante mais, en cet instant, son choix, relativement discret, la conduisit simplement à revenir à pied d'Euston jusqu'à son hôtel. Le crépuscule précoce d'une journée de novembre était déjà là : dans l'air épais et brun, les réverbères posaient leur faible éclat rougeâtre ; personne n'attendait Isabel et Euston Square était loin de Piccadilly. Elle parcourut le trajet avec le sentiment délicieux des périls encourus, perdit son chemin, à dessein peut-être, pour multiplier les sensations, si bien qu'elle fut presque déçue lorsqu'un policeman obligeant la remit sans hésitation sur la bonne voie. Elle était tellement éprise du spectacle de la vie qu'elle aimait jusqu'à l'heure de l'entre chien et loup dans les rues de Londres, ses foules mouvantes, ses fiacres pressés, ses boutiques éclairées, ses devantures scintillantes et l'humidité noire, luisante et omniprésente. Revenue à son hôtel, elle écrivit à Madame Merle qu'elle partirait pour Rome dans un ou deux jours. Elle s'y rendit sans faire escale à Florence mais après être allée jusqu'à Venise puis avoir regagné par Ancône la route du sud. Elle fit ce voyage sans autre compagnie que celle d'une femme de chambre, ses protecteurs naturels n'étant pas dans les parages. Ralph passait l'hiver à Corfou et Miss Stackpole avait été rappelée en Amérique dès septembre par une dépêche de l'*Interviewer.* Le journal offrait à sa brillante et talentueuse correspondante un terrain d'action plus rafraîchissant que les villes corrompues d'Europe et Henrietta s'était embarquée, réconfortée par la promesse de Mr Bantling qui traverserait bientôt l'océan pour aller la voir. Isabel écrivit à Mrs Touchett pour lui présenter ses excuses de ne pas se rendre aussitôt à Florence et sa tante lui répondit dans son style très personnel. Les excuses, fit-elle savoir à sa nièce, ne lui étaient pas plus utiles que des bulles de savon; elle-même n'en usait d'ailleurs jamais. On faisait une chose ou on ne la faisait pas, et ce que l'on « aurait » pu faire relevait de la sphère du non pertinent, comme l'idée d'une vie future ou de l'origine de toutes choses. Cette lettre était franche mais – fait exceptionnel de la part de Mrs Touchett – pas autant qu'elle prétendait l'être. Mrs Touchett pardonnait volontiers à sa nièce de ne pas s'être arrêtée à Florence, car elle y voyait l'indice que Gilbert Osmond était moins qu'auparavant l'homme du moment. Elle essaya bien sûr de savoir s'il allait à présent trouver un prétexte pour courir à Rome et fut soulagée d'apprendre qu'il ne s'était rendu coupable d'aucune absence.

Isabel, de son côté, n'était pas depuis quinze jours à Rome qu'elle proposait à Madame Merle d'aller faire avec elle un court pèlerinage en Orient. Madame Merle fit observer que son amie ne pouvait tenir en place mais ajouta qu'elle-même, depuis toujours, brûlait d'envie de voir Athènes et Constantinople. Elles embarquèrent de concert pour cette expédition de trois mois qui les conduisit en Grèce, en Turquie et en Égypte. Isabel fut très intéressée par ces pays, mais Madame Merle n'en observait pas moins que, dans les sites les plus classiques et les décors les mieux conçus pour inspirer le calme et la réflexion, une certaine incohérence l'emportait en elle. Isabel voyageait rapidement, impétueusement; elle était comme une personne altérée qui avale verre après verre. Dame d'honneur d'une princesse qui voyageait *incognita*, Madame Merle s'essoufflait un peu dans son sillage. Elle était l'invitée d'Isabel et imprimait la dignité voulue au comportement déconcertant de la jeune fille. Elle remplissait son rôle avec le tact que l'on pouvait attendre d'elle, s'effaçant au moment voulu et acceptant sa situation d'amie dont les dépenses étaient largement défrayées. Cette situation, d'ailleurs, n'avait pas de revers et les gens qui croisèrent ces deux femmes réservées et remarquables au cours de leur voyage auraient été dans l'incapacité de déceler laquelle des deux payait pour l'autre. Dire que Madame Merle gagnait à être connue, c'est réduire à peu l'impression qu'elle fit sur son amie qui l'avait trouvée d'emblée aimable et généreuse. Après trois mois d'intimité, Isabel sentait qu'elle la connaissait mieux; sa personnalité s'était révélée et cette femme étonnante avait fini par honorer sa promesse de raconter son histoire de son point de vue personnel, révélation d'autant plus désirée qu'Isabel l'avait déjà entendue, relatée par la bouche de tierces personnes. Cette histoire était triste dans la mesure où y avait été impliqué feu M. Merle, un véritable aventurier – Madame Merle était en droit de l'affirmer, bien qu'au début il parût si honorable – qui avait, il y a des années, abusé de sa jeunesse et de son inexpérience, auxquelles les amis et relations présents de Madame Merle auraient eu peine à croire. Cette histoire abondait en épisodes dramatiques et lamentables, au point qu'Isabel s'étonna qu'une personne si *éprouvée* fût parvenue à sauvegarder tant de fraîcheur et son intérêt pour la vie. Cette fraîcheur de Madame Merle, Isabel la considérait à présent d'un œil plus pénétrant; l'intéressée semblait la voir comme un instrument professionnel et assez mécanique qu'elle emportait avec elle dans son étui, comme le virtuose son violon ou le jockey son « favori », muni de sa bride et de sa couverture. Elle l'aimait toujours autant mais un pan du rideau ne s'était pas levé; on aurait dit, tout compte fait, que persistait en elle quelque chose d'une actrice condamnée à ne jamais paraître que sur scène et en costume. Elle avait dit un jour qu'elle venait de très loin et appartenait à un monde très, très vieux, et Isabel ne pouvait se défaire de l'impression qu'elle était le produit d'un climat moral et social différent du sien, qu'elle avait grandi sous d'autres étoiles.

Elle croyait, au fond, qu'elle avait une morale différente. Bien entendu, la morale de personnes civilisées a toujours un tronc commun, mais notre héroïne avait le sentiment de valeurs dévoyées ou, comme on dit dans le commerce, démarquées. Avec la présomption de la jeunesse, elle estimait qu'une morale différente de la sienne lui était forcément inférieure et cette conviction l'aidait à détecter les éclats de cruauté et les manques de sincérité qui fusaient à l'occasion dans les propos d'une personne qui avait fait un art de son affabilité délicate et dont l'orgueil, haut placé, ne pouvait emprunter les voies tortueuses du mensonge. Considérée sous un certain jour, sa conception des mobiles humains aurait pu naître à la cour de quelque royaume décadent et sa liste en comportait plusieurs dont notre héroïne n'avait jamais entendu parler. Il est vrai qu'elle ignorait bien des choses et qu'il en est certaines en ce monde, que l'on n'a pas avantage à connaître. A une ou deux reprises, Isabel avait éprouvé une véritable panique; cela l'avait tant affectée qu'elle s'était exclamée : « Dieu me pardonne ! Elle ne me comprend pas ! » Aussi absurde que cela puisse paraître, cette découverte lui fit l'effet d'un choc et la laissa aux prises avec un effroi mal défini qu'infiltrait un sinistre pressentiment. Bien entendu, l'effroi s'apaisa bientôt à la lumière d'une preuve soudaine de l'intelligence remarquable de Madame Merle, mais il représentait la ligne des hautes eaux dans le flux et le reflux de la confiance. Madame Merle avait un jour affirmé sa conviction que l'amitié commence à décliner sitôt qu'elle cesse de croître et qu'il n'est pas de point d'équilibre entre aimer plus et aimer moins; autrement dit, une affection étale est impossible car elle doit forcément se mouvoir dans un sens ou dans l'autre. Quoi qu'il en fût, la jeune fille disposa pendant ce voyage de mille façons d'exercer sa veine romanesque, plus fertile que jamais. Je ne parle pas des stimulants que furent la contemplation des Pyramides, lors d'une excursion à partir du Caire, ni de la pause au milieu des colonnes brisées de l'Acropole, les yeux rivés sur un point qu'on lui désignait comme le détroit de Salamine, malgré les impressions profondes et mémorables qu'elle en garda. Son périple en Égypte et en Grèce s'acheva à la fin de mars, et elle fit une nouvelle étape à Rome. Quelques jours après son arrivée, Gilbert Osmond quittait Florence, et, pendant les trois semaines de son séjour à Rome, le fait qu'Isabel fût l'invitée de sa vieille amie, Madame Merle, et logeât dans sa demeure rendit virtuellement inévitables leurs rencontres quotidiennes. Aux derniers jours d'avril, Isabel écrivit à Mrs Touchett qu'elle serait à présent enchantée de profiter d'une invitation faite depuis longtemps et, laissant à Rome Madame Merle, elle se rendit au *palazzo* Crescentini, où sa tante était seule. Ralph achevait son séjour à Corfou et on l'attendait d'un jour à l'autre à Florence. Isabel, qui ne l'avait pas vu depuis plus d'un an, lui préparait un accueil affectueux.

32

Ce n'était pourtant pas à lui qu'elle pensait, debout près de la fenêtre où nous l'avons trouvée tout à l'heure, ni à l'un des sujets que je viens d'esquisser. Elle n'était pas tournée vers le passé mais occupée de l'heure imminente et menaçante. Elle avait tout lieu de s'attendre à une scène et n'aimait pas les scènes. Elle ne s'interrogeait pas sur ce qu'elle dirait à son visiteur car cette question avait déjà reçu sa réponse. L'intérêt de la discussion résidait dans ce que dirait le visiteur. Rien d'apaisant, elle en était certaine, et cette conviction assombrissait son front. Mais le reste de sa personne n'était que clarté; libérée de ses vêtements de deuil, elle brillait d'un éclat splendide. Elle se sentait simplement plus âgée, nettement plus âgée, et de ce fait «plus précieuse», tel un objet rare dans la collection d'un amateur d'antiquités. Ses appréhensions furent bientôt interrompues par l'arrivée d'un domestique qui lui présenta une carte sur son plateau.

– Faites entrer ce monsieur, dit-elle.

Après le départ du messager, son regard se reporta vers la fenêtre et ce fut seulement lorsque la porte se referma sur le visiteur qu'elle se détourna du jardin.

Caspar Goodwood se tenait devant elle et soutint, de la tête aux pieds, le coup d'œil brillant et froid qui l'arrêta plus qu'il ne l'accueillit. Le sentiment d'avoir mûri avait-il, chez le jeune homme, marché de pair avec celui d'Isabel? Il suffit de dire pour l'instant que le temps n'avait pas exercé sur lui de ravages perceptibles au regard critique de la jeune fille. Il était droit, fort, résistant, et rien dans son apparence ne parlait réellement de jeunesse ou de maturité, d'innocence ou de faiblesse, soit encore d'une philosophie pratique. Le modelé de sa mâchoire semblait toujours aussi volontaire mais, bien sûr, la crise qu'il affrontait avait en soi quelque chose d'inexorable. Il avait l'air d'un homme qui, après un voyage éprouvant, s'accorde un moment de silence pour reprendre son souffle. « Pauvre garçon, se disait Isabel, profitant de la pause. Il est capable de grandes choses. Quel dommage de lui voir gaspiller si stupidement ces forces magnifiques ! Quel dommage aussi de ne pouvoir contenter tout le monde ! » Elle profita du répit pour faire plus encore et déclarer au bout d'une minute :

– Je ne peux vous dire à quel point j'espérais que vous ne viendriez pas.

– Je n'en doute pas, dit-il en cherchant des yeux un siège.

Il ne lui suffisait pas d'être venu, il voulait s'installer.

– Vous devez être très fatigué, dit Isabel en s'asseyant, pour lui en fournir, généreusement, pensa-t-elle, la possibilité.

– Non, pas du tout. M'avez-vous jamais vu fatigué ?

– Jamais, mais j'aurais aimé cela ! Quand êtes-vous arrivé ?

– Hier soir, très tard, par une espèce de tortillard qu'on appelle express. Ces trains italiens roulent à l'allure des enterrements américains.

– Cela tombait bien ! Vous avez dû vous sentir en route pour mon enterrement ! dit-elle en s'efforçant de sourire pour favoriser l'éclosion d'une vision plus désinvolte de leur situation.

Elle avait retourné le problème en tous sens et dégagé l'assurance parfaitement claire qu'elle ne manquait pas à sa parole et ne rompait aucun contrat ; malgré tout, elle avait peur de son visiteur et elle avait honte de cette peur, mais elle se félicitait sincèrement de n'avoir pas d'autre motif de honte. Il la regardait avec son insistance inflexible, une insistance qui révélait un manque de tact absolu, surtout lorsque le rayon sombre et triste de son regard s'attardait sur elle comme un poids matériel.

– Non, je n'ai pas eu cette impression ; je ne pourrais vous imaginer morte. J'aimerais en être capable ! déclara-t-il franchement.

– Je vous remercie infiniment.

– J'aimerais mieux vous savoir morte que mariée à un autre.

– C'est très égoïste de votre part ! repartit Isabel avec l'ardeur des convictions vraies. Si vous n'êtes pas heureux, les autres gardent le droit de l'être.

– Il s'agit très probablement d'égoïsme et cela m'est bien égal que vous le disiez. Désormais, tout ce que vous pouvez dire m'indiffère, je ne sens rien. Vos plus cruelles pensées seraient de simples piqûres d'épingle. Après ce que vous avez fait, je ne ressentirai plus jamais rien, je veux dire plus rien excepté cela. Mais cela, je le sentirai toute ma vie.

Mr Goodwood martelait ses phrases avec une froide résolution et son accent américain, dur et lent, insensible aux irisations de la lumière, énonçait sans nuance ses propositions intrinsèquement crues. Ce ton irritait Isabel plus qu'il ne la touchait, mais sa colère fut peut-être bénéfique en ce qu'elle lui fournit une raison supplémentaire de se maîtriser. Sous l'empire de son contrôle retrouvé, elle passa bientôt du coq à l'âne :

– Quand avez-vous quitté New York ?

Il releva la tête comme s'il se livrait à un calcul :

– Il y a dix-sept jours.

– Vous avez dû faire vite malgré vos tortillards.

– Aussi vite que je l'ai pu. Je serais arrivé cinq jours plus tôt si cela avait été possible.

– Cela n'aurait rien changé, Mr Goodwood, fit-elle avec un sourire froid.

– Pour vous, non. Pour moi, si.

– Je ne vois pas ce que vous y auriez gagné.

– C'est à moi d'en juger !

– Bien sûr. Personnellement, il me semble que vous vous torturez vous-même.

Pour changer de sujet, elle lui demanda s'il avait vu Henrietta Stackpole. Malgré son air, celui d'un homme qui n'est pas venu de Boston à Florence pour parler de Henrietta Stackpole, il répondit distinctement qu'il avait vu la jeune fille juste avant de quitter l'Amérique.

– Est-elle venue vous voir ? demanda Isabel.

– Oui, elle était à Boston et elle s'est présentée à mon bureau. C'était le jour où j'ai reçu votre lettre.

– Le lui avez-vous dit ? questionna anxieusement Isabel.

– Non, répondit Caspar Goodwood avec simplicité. Je ne le souhaitais pas. Elle l'apprendra bien assez vite. Elle est au courant de tout.

– Je vais lui écrire et elle me répondra pour me morigéner, déclara Isabel, essayant à nouveau de sourire.

Caspar, cependant, demeurait grave et sévère :

– Je crois qu'elle va venir en personne, dit-il.

– Pour me morigéner ?

– Je l'ignore. Elle semblait trouver qu'elle n'a pas vu l'Europe assez minutieusement.

– Je suis heureuse que vous me le disiez. Je vais me préparer à la recevoir.

Après avoir fixé un moment le plancher, Mr Goodwood releva les yeux pour demander :

– Connaît-elle Mr Osmond ?

– Un peu. Et il ne lui plaît pas. Mais, bien entendu, je ne me marie pas pour faire plaisir à Henrietta, ajouta-t-elle.

Il aurait mieux valu pour le pauvre Caspar qu'elle se souciât un peu plus de faire plaisir à Miss Stackpole ; mais il n'en dit rien et demanda simplement quand le mariage aurait lieu. Isabel répondit qu'elle ne le savait pas encore.

– Tout ce que je peux vous dire, précisa-t-elle, c'est qu'il ne tardera pas. Je n'en ai parlé qu'à vous et à une vieille amie de Mr Osmond.

– Est-ce un mariage qui doit déplaire à vos amis ?

– Je n'en ai aucune idée. Comme je vous l'ai déjà dit, je ne me marie pas pour mes amis.

Il poursuivait son enquête, sans s'exclamer ni commenter, posant question sur question sans la moindre délicatesse.

– Qui est Mr Gilbert Osmond ?

– Qui est-il ? Rien ni personne, si ce n'est un homme très bon et très honorable. Il n'est pas dans les affaires, il n'est pas riche et ne présente aucun trait particulier qui lui vaudrait la renommée.

Les questions de Caspar Goodwood déplaisaient à Isabel mais elle estimait de son devoir de le satisfaire dans la mesure du possible. La satisfaction que manifestait le pauvre Caspar était mince ; il se tenait très droit et la regardait.

– D'où sort-il ? Quelles sont ses origines ?

Jamais son accent traînant n'avait tant déplu à son vis-à-vis.

– Il ne sort de nulle part. Il a passé la majeure partie de sa vie en Italie.

– Vous disiez dans votre lettre qu'il est américain. N'a-t-il pas une ville natale ?

– Si, mais il l'a oubliée. Il l'a quittée quand il était enfant.

– N'y est-il jamais retourné ?

– Pourquoi devrait-il y retourner ? lança Isabel sur la défensive, le visage empourpré. Il n'a pas de profession.

– Il aurait pu y retourner pour le plaisir. N'aimerait-il pas les États-Unis ?

– Il ne les connaît pas. Il est très paisible et très simple ; l'Italie lui suffit.

– L'Italie plus vous, rectifia Mr Goodwood d'un ton si morne qu'on ne pouvait le soupçonner d'une tentative d'épigramme. Que diable a-t-il fait ? ajouta-t-il brusquement.

– Pour que je l'épouse ? Rien du tout, répondit Isabel plus durement, pour s'aider à la patience. Me pardonneriez-vous plus volontiers s'il avait accompli des exploits ? Renoncez à moi, Mr Goodwood. J'épouse un homme sans importance. N'essayez pas de vous intéresser à lui. Vous ne le pouvez pas.

– Ce qui veut dire que je suis incapable de l'apprécier. Et que vous-même n'avez jamais pensé une seconde qu'il est un homme sans importance. Vous le trouvez grand et magnifique, bien que personne ne partage cet avis.

Isabel rougit : sensible à la subtilité des remarques de son interlocuteur, elle y voyait une preuve irréfutable de l'effet de la passion sur les perceptions de Caspar qu'elle n'avait jamais jugées très fines.

– Pourquoi revenir constamment à l'opinion des autres ? Je ne vais pas discuter avec vous de Mr Osmond.

– Naturellement ! dit Caspar d'un ton raisonnable, mais l'on aurait dit à son air de sombre désarroi, que ce sujet étant exclu, il n'y avait plus entre eux de thèmes de discussion possibles.

– Vous voyez, vous n'avez pratiquement rien à gagner, poursuivit Isabel, poussant son avantage. Je n'ai guère de réconfort ou de satisfaction à vous offrir.

– Je n'en attendais pas beaucoup de votre part.

– Alors, je ne vois pas ce qui vous amène.

– Je suis venu parce que je voulais vous voir encore une fois... comme vous êtes.

– J'y suis sensible ; mais si vous aviez un peu attendu, tôt ou tard nous nous serions rencontrés, c'est certain, et de façon plus plaisante qu'aujourd'hui pour chacun de nous.

– Attendu que vous soyez mariée ? C'est précisément ce que je ne voulais pas faire. Une fois mariée, vous serez différente.

– Pas tellement. Je serai toujours votre grande amie, vous verrez.

– Ce sera pis que tout ! dit Mr Goodwood, sinistre.

– Dieu ! que vous êtes désobligeant ! Je ne peux promettre de vous haïr pour vous aider à vous résigner.

– Cela me serait bien égal.

Réprimant son impatience, Isabel se leva et se dirigea vers la fenêtre où elle s'attarda, les yeux sur le jardin. Quand elle fit volte-face, son visiteur était toujours figé sur son siège. Elle revint vers lui et s'arrêta, la main posée sur le dossier de la chaise qu'elle venait de quitter.

– Vous voulez dire que vous êtes venu simplement pour me regarder ? C'est peut-être plus agréable pour vous que pour moi.

– Je voulais entendre le son de votre voix, reprit-il.

– Vous l'avez entendu. Ma voix n'est pas vraiment suave.

– Cela me fait plaisir quand même, dit-il en se levant.

Elle avait été mécontente et peinée en recevant tôt dans la matinée la nouvelle qu'il était à Florence et s'apprêtait, si elle l'y autorisait, à venir la voir une heure plus tard. Malgré son angoisse et sa contrariété, elle lui avait fait dire par son messager qu'il pouvait venir quand il le voudrait. Elle n'avait pas été plus heureuse lorsqu'elle l'avait vu, tant sa présence en soi était lourde d'implications : droits acquis, reproches, remontrances, blâmes, espoir de l'amener à modifier son projet, autant de prétentions auxquelles elle ne pourrait jamais consentir. Rien de tout cela n'avait été exprimé, seulement sous-entendu, et, à présent, notre jeune amie, curieusement, commençait à s'offenser du sang-froid remarquable de son visiteur. Il y avait en lui une souffrance muette qui l'irritait ; il y avait une endurance virile qu'exprimait sa main et qui accélérait les battements de son propre cœur. Elle sentait croître son agitation et songeait que sa colère était celle d'une femme qui s'est mise dans son tort. Elle n'était pas dans son tort ; par bonheur, elle n'avait pas à avaler cette amertume ; mais, malgré tout, elle souhaitait qu'il fît son procès. Elle avait espéré que sa visite serait brève car elle n'avait ni raison ni objet ; et cependant, alors qu'il semblait prêt à partir, elle éprouvait une terreur soudaine à l'idée qu'il pût la quitter sans prononcer un mot qui lui fournît l'occasion de se défendre mieux qu'elle ne l'avait fait dans la courte lettre écrite un mois plus tôt pour lui annoncer ses fiançailles en termes succincts et soigneusement choisis. Mais pourquoi désirait-elle se défendre si elle n'était pas dans son tort ? C'était de sa part un excès de générosité de souhaiter que Mr Goodwood se mît en colère. Et s'il ne s'était pas jusqu'alors si fortement contrôlé, sa colère aurait pu éclater en entendant le ton sur lequel Isabel s'exclama soudain, comme si elle l'accusait, lui, de l'avoir accusée, elle :

– Je ne vous ai pas trompé ! J'étais parfaitement libre !

– Oui, je le sais, dit Caspar.

– Je vous avais bien prévenu que je n'en ferais qu'à mon idée.

– Vous m'aviez assuré que vous ne vous marieriez probablement jamais, et vous l'aviez dit de telle façon que je l'ai presque cru.

Elle y réfléchit un instant :

– Je suis la première surprise de ma propre décision.

– Vous m'aviez dit que si j'entendais dire que vous étiez fiancée, je ne devais pas le croire, poursuivit Caspar. Je l'ai appris de vous il y a vingt jours, mais je me suis souvenu de ce que vous m'aviez dit. J'ai pensé qu'il pouvait y avoir quelque malentendu et c'est en partie pour cela que je suis venu.

– Si vous voulez que je vous le répète de vive voix, ce sera vite fait. Il n'y a pas le moindre malentendu.

– Je m'en suis rendu compte dès que je suis entré dans cette pièce.

– Quel bien cela vous ferait-il que je ne me marie pas? demanda-t-elle avec véhémence.

– Je préférerais cette solution.

– Vous êtes très égoïste, comme je vous l'ai déjà dit.

– Je le sais. Je suis égoïste comme le fer.

– Il arrive parfois que même le fer fonde ! Si vous deveniez plus raisonnable, je pourrais vous revoir.

– A votre avis, ne suis-je pas raisonnable maintenant?

– Je ne sais que vous dire, répondit-elle avec une soudaine humilité.

– Je ne vais pas vous ennuyer longtemps, reprit le jeune homme, qui fit un pas vers la porte, puis s'arrêta : Une autre raison de ma venue était le désir d'entendre ce que vous diriez pour expliquer les raisons de votre changement d'idée.

L'humilité d'Isabel s'évanouit sur-le-champ.

– Expliquer ? Croyez-vous que je sois tenue d'expliquer ?

Il posa sur elle un de ses longs regards silencieux.

– Vous étiez très catégorique. Je vous ai crue.

– Moi aussi. Pensez-vous que je pourrais l'expliquer si je le voulais ?

– Non, je pense que non. Eh bien, ajouta-t-il, j'ai fait ce que je voulais. Je vous ai vue.

– Vous faites bien peu de cas de ces terribles voyages, dit Isabel, pénétrée de la platitude de sa réponse.

– Si vous craignez que je sois épuisé pour si peu, rassurez-vous.

Il fit demi-tour, pour de bon cette fois, et ils n'échangèrent ni poignée de main, ni signe d'adieu. A la porte, il s'arrêta, la main sur le bouton :

– Je quitterai Florence demain, dit-il d'une voix ferme.

– Je suis ravie de l'apprendre ! répondit-elle avec emportement.

Cinq minutes après son départ, elle fondait en larmes.

33

Cet accès de larmes, cependant, se calma rapidement et les traces en avaient disparu quand, une heure plus tard, elle lâcha la nouvelle devant sa tante. J'utilise cette expression parce que Isabel était sûre que Mrs Touchett n'en serait pas heureuse ; elle avait seulement attendu d'avoir vu Mr Goodwood pour la lui annoncer. Elle avait l'étrange impression qu'il eût été contraire à l'honneur de faire part de sa décision avant d'avoir entendu ce que Mr Goodwood en dirait. Il en avait dit moins long qu'elle n'attendait et elle se sentait à présent assez fâchée d'avoir perdu du temps. Mais elle n'en perdrait plus ; dès l'arrivée de Mrs Touchett au salon, avant le déjeuner de midi, elle annonça :

– Tante Lydia, j'ai quelque chose à vous dire.

Mrs Touchett tressaillit légèrement et lui jeta un regard farouche :

– Inutile de me le dire ; je sais ce dont il s'agit.

– Je me demande comment vous le savez.

– De la même façon que je sais quand la fenêtre est ouverte… en sentant le courant d'air. Vous allez épouser cet homme.

– De quel homme parlez-vous ? s'enquit Isabel avec une grande dignité.

– De l'ami de Madame Merle. De Mr Osmond.

– J'ignore pourquoi vous le désignez comme l'ami de Madame Merle. Est-ce à ce seul titre qu'il est connu ?

– S'il n'est pas son ami, il devrait l'être… après ce qu'elle a fait pour lui ! s'écria Mrs Touchett. Je ne me serais pas attendue à cela de sa part. Je suis déçue.

– Si vous voulez dire que Madame Merle a quelque chose à voir dans mes fiançailles, vous vous trompez gravement, déclara Isabel avec une froideur passionnée.

– Ce qui veut dire que vos attraits sont suffisants pour qu'il ait été inutile de fustiger le gentleman ? Vous avez raison. Vos attraits sont immenses et il n'aurait jamais osé penser à vous si elle ne l'y avait poussé. Il est très imbu de lui-même, mais ce n'est pas un homme à se donner du mal. Madame Merle s'en est donné pour lui.

– Lui-même en a pris une bonne part ! s'écria Isabel avec un rire emprunté.

Mrs Touchett hocha vigoureusement la tête :

– Après tout, il a dû le faire pour que vous l'aimiez tant.

– Je pensais qu'il vous plaisait, à vous aussi.

– Il m'a plu, à une époque ; c'est justement pourquoi je suis en colère contre lui.

– Soyez-le contre moi, pas contre lui, dit la jeune fille.

– Oh ! je suis toujours en colère contre vous ; ce n'est pas une consolation ! Était-ce pour en arriver là que vous avez éconduit Lord Warburton ?

– Je vous en prie, ne revenez pas là-dessus. Pourquoi ne pourrais-je apprécier Mr Osmond puisque d'autres l'ont fait ?

– Même dans leurs pires délires, elles n'ont jamais voulu l'épouser. Il est inexistant, expliqua Mrs Touchett.

– Alors, il ne peut me blesser, dit Isabel.

– Croyez-vous que vous allez être heureuse ? Personne ne peut l'être dans ce genre d'affaires, vous devriez le savoir.

– J'en lancerai la mode. Pourquoi se marie-t-on ?

– Pourquoi vous mariez-vous ? Dieu seul le sait ! Généralement, les gens se marient pour la même raison qu'ils s'associent : pour fonder une maison. Mais, dans votre association, c'est vous qui apporterez tout.

– Vous voulez dire que Mr Osmond n'a pas de fortune ? Est-ce là ce dont vous parlez ? demanda Isabel.

– Il n'a pas d'argent ; il n'a pas de nom ; il est sans importance. J'apprécie ces choses et j'ai le courage de le dire ; je pense qu'elles sont très précieuses. Beaucoup de gens pensent de même et agissent en conséquence. Mais ils invoquent d'autres justifications.

Isabel eut une brève hésitation :

– Je crois savoir estimer tout ce qui a son prix. J'apprécie beaucoup le fait d'avoir de l'argent, c'est pourquoi je souhaite que Mr Osmond en ait un peu.

– Alors, donnez-lui quelque chose mais épousez quelqu'un d'autre.

– Son nom est assez bon pour moi, poursuivit la jeune fille. C'est un très joli nom. Le mien serait-il tellement beau ?

– Raison de plus pour essayer de faire mieux. Il n'y a qu'une douzaine de noms américains. Est-ce par charité que vous l'épousez ?

– C'était mon devoir de vous le dire, tante Lydia, mais je ne pense pas qu'il exige que je me justifie devant vous. Même si c'était le cas, j'en serais incapable. Alors, je vous en prie, ne me faites pas de reproches ; en m'en parlant ainsi, vous me mettez dans une situation embarrassante. Je ne peux en parler.

– Je ne vous fais pas de reproches, je vous réponds simplement : il faut bien que je vous donne quelques signes d'intelligence. Je voyais la chose venir et je n'ai rien dit. Je n'interviens jamais.

– Vous ne le faites jamais et je vous en suis très reconnaissante. Vous avez été très délicate.

– Ce n'était pas par délicatesse mais par commodité, dit Mrs Touchett. Mais je parlerai à Madame Merle.

– Je ne vois pas pourquoi vous voulez tant la mêler à cela. Elle a été pour moi une très bonne amie.

– C'est possible ; pour moi, ce n'est pas le cas.

– Que vous a-t-elle fait ?

– Elle m'a trompée. Elle m'avait quasiment promis d'empêcher votre mariage.

– Elle n'aurait pu l'empêcher.

– Elle peut tout faire, c'est ce qui m'a toujours plu en elle. Je savais qu'elle pouvait jouer tous les rôles mais j'avais cru comprendre qu'elle les jouait l'un après l'autre. Je n'avais pas saisi qu'elle en jouerait deux à la fois.

– J'ignore quel rôle elle a pu jouer devant vous, dit Isabel, et cela ne concerne que vous et elle. A mon égard, elle a été loyale, bonne et dévouée.

– Dévouée ! Et comment : elle voulait que vous épousiez son candidat. Elle m'avait dit qu'elle veillait sur vous uniquement pour intervenir.

– Elle vous a dit cela pour vous faire plaisir, répondit la jeune fille, consciente cependant de l'insuffisance de l'explication.

– Me faire plaisir en me trompant ? Elle me connaît trop bien. Suis-je satisfaite aujourd'hui ?

– Je ne crois pas que vous soyez jamais réellement satisfaite, répondit Isabel. Si Madame Merle savait que vous apprendriez la vérité, qu'avait-elle à gagner en vous trompant ?

– Elle gagnait du temps, comme vous le constatez. Pendant que j'attendais qu'elle intervînt, vous progressiez au pas cadencé et elle roulait du tambour.

– Admettons. Mais, de votre propre aveu, vous saviez que je progressais et, même si elle avait sonné l'alarme, vous n'auriez rien tenté pour m'arrêter.

– Moi, non, mais quelqu'un d'autre l'aurait fait.

– De qui parlez-vous ? demanda Isabel en regardant durement sa tante.

Alertes comme toujours, les petits yeux brillants de Mrs Touchett soutinrent ce regard plus qu'ils ne le rendirent :

– Auriez-vous écouté Ralph ?

– Pas s'il avait médit de Mr Osmond.

– Ralph ne médit de personne, vous le savez parfaitement. Il vous aime beaucoup.

– Je le sais et je vais apprécier plus que jamais son affection car il sait que, lorsque j'agis, c'est à bon escient.

– Il n'a jamais cru que vous feriez cela. Je lui avais dit que vous en étiez capable et il soutenait le contraire.

– Il l'a fait pour le plaisir de discuter, dit Isabel en souriant. Vous ne l'accusez pas de vous avoir trompée ; alors, pourquoi accuser Madame Merle ?

– Il n'a jamais dit qu'il s'y opposerait.

– J'en suis heureuse ! s'écria gaiement Isabel. J'aimerais beaucoup, ajouta-t-elle, qu'à son arrivée, vous lui parliez la première de mes fiançailles.

– Bien sûr, je lui en parlerai, dit Mrs Touchett. Je ne vous dirai plus rien sur ce sujet mais je vous préviens que j'en parlerai à d'autres.

– Comme il vous plaira. Je voulais simplement dire qu'il est préférable que cette nouvelle vienne de vous que de moi.

– Je suis de votre avis : c'est tout à fait préférable !

La tante et la nièce se mirent à table et, fidèle à sa parole, Mrs Touchett ne fit aucune allusion à Gilbert Osmond. Mais après un moment de silence, elle demanda à la jeune fille qui était venu lui rendre visite une heure plus tôt.

– Un vieil ami, un gentleman américain, répondit Isabel en rougissant.

– Un gentleman américain, c'est évident ! Il n'y a qu'un gentleman américain pour faire ses visites à dix heures du matin.

– Il était dix heures et demie et il était affreusement pressé. Il repart ce soir.

– N'aurait-il pu venir hier, à une heure normale ?

– Il est arrivé hier soir.

– Il ne passe que vingt-quatre heures à Florence ? Décidément, c'est bien un gentleman américain ! s'écria Mrs Touchett.

– En effet, dit Isabel qui songeait avec une admiration perverse à ce que Caspar Goodwood avait fait pour elle.

Ralph arriva deux jours plus tard mais, bien qu'Isabel fût certaine que Mrs Touchett s'était empressée de lui faire part de la grande nouvelle, il ne manifesta pas ouvertement qu'il savait. La santé de Ralph fut l'objet de leurs premiers échanges et Isabel avait quantité de questions à poser sur Corfou. Elle avait été impressionnée par la mine de son cousin en le voyant entrer au salon ; elle avait oublié qu'il paraissait si souffrant. En dépit de Corfou, il avait l'air très malade ce jour-là, et elle se demanda si son état avait réellement empiré ou si, tout simplement, elle-même avait perdu l'habitude de vivre auprès d'un grand malade. Le pauvre Ralph ne se rapprochait pas de la beauté classique en avançant dans la vie et la perte de sa santé, apparemment totale désormais, avait peu fait pour atténuer la bizarrerie naturelle de sa personne. Meurtri et ravagé, mais toujours sensible et ironique, son visage faisait l'effet d'une lanterne allumée, rafistolée avec du papier et vacillante; ses maigres favoris dépérissaient sur ses joues décharnées; la courbure excessive de son nez prenait un relief plus acéré. Efflanquée, amaigrie, dégingandée, sa personne semblait résulter de la combinaison fortuite d'angles imprécis. Ses mains s'étaient rivées dans les poches de son éternel veston de velours brun et sa démarche chancelante, traînante et trébuchante trahissait un grave épuisement physique. Cette dégaine baroque l'aidait peut-être à affirmer plus que jamais son rôle de malade humoriste, de malade dont les infirmités mêmes participent de la comédie universelle. Elles avaient peut-être été chez Ralph la cause principale du manque de sérieux qui caractérisait sa vision d'un monde où la raison de sa survie était périmée. Isabel avait appris à aimer sa laideur, et sa gaucherie lui était devenue chère. Épurées l'une et l'autre par leur association, il semblait à Isabel qu'elles étaient les conditions de son charme. Il était si charmant que, chez sa cousine, le sentiment qu'il était malade avait jusqu'alors comporté une forme d'apaisement; son état de santé lui paraissait moins une limitation qu'un avantage intellectuel; il le dispensait de toutes les émotions professionnelles et conventionnelles. Luxe exclusif, la personnalité qui en résultait était délicieuse; il s'était immunisé contre les relents de la maladie; il lui avait fallu consentir à être déplorablement souffrant mais il était en quelque sorte parvenu à ne pas être officiellement malade. Telle avait été l'impression de sa cousine et, quand elle l'avait pris en pitié, ç'avait été seulement à la réflexion. Comme elle réfléchissait beaucoup, elle lui avait accordé une certaine compassion; mais elle avait toujours craint de gaspiller cette essence, dont, plus que quiconque, celui qui la dispense prise la valeur. A présent, cependant, il n'était pas besoin d'être très sensible pour s'apercevoir que la période de vie dont jouirait le pauvre Ralph était moins élastique qu'elle n'aurait dû. C'était un esprit libre, brillant et généreux; de la sagesse, il avait les lumières et rien de la pédanterie; et pourtant, il se mourait douloureusement.

Isabel constatait une nouvelle fois que la vie était dure pour certains êtres et se sentit délicatement rougir de honte à l'idée qu'elle s'annonçait à présent si facile pour elle. Notre héroïne s'attendait à apprendre que Ralph désapprouvait ses fiançailles mais n'était pas du tout prête, malgré son affection pour lui, à laisser ce fait gâcher la situation. Elle n'était pas disposée non plus, du moins le pensait-elle, à se froisser de son manque de sympathie, car c'était le privilège de Ralph – c'était en fait sa disposition naturelle – de trouver à redire à toutes les étapes qu'elle pourrait franchir vers le mariage. Un cousin feint toujours de détester le mari de sa cousine ; c'est chose traditionnelle et classique ; c'est le rôle du cousin qui feint aussi fatalement d'adorer sa cousine. Ralph avait l'esprit critique ; toutes choses égales par ailleurs, Isabel aurait été aussi heureuse de se marier pour lui plaire, à lui comme à d'autres, mais il aurait été absurde d'attacher de l'importance à ce que son choix personnel s'accordât aux idées de Ralph. Après tout, quelles étaient ses idées ? Il avait affecté de croire qu'elle eût mieux fait d'épouser Lord Warburton mais pour la seule raison qu'elle avait refusé cet excellent homme. Si elle l'avait accepté, Ralph aurait certainement opté pour un autre ton ; il prenait toujours le contre-pied de tout. On peut toujours critiquer un mariage ; par essence, le mariage prête le flanc à la critique. Si seulement Isabel avait voulu y réfléchir, elle aurait très bien su faire la critique de sa propre union ! Mais elle avait d'autres occupations et Ralph était libre de la décharger de ce soin. Elle était prête à être très patiente et très indulgente. Ralph avait dû s'en rendre compte, ce qui rendait son silence encore plus bizarre. Après trois jours de mutisme, notre héroïne était excédée d'attendre ; malgré son aversion, il aurait au moins pu se plier aux règles du savoir-vivre. Nous, qui en savons plus que sa cousine sur le malheureux Ralph, nous croyons sans peine qu'au cours des heures qui suivirent son arrivée au *palazzo* Crescentini, il s'était secrètement plié à nombre de règles. Sa mère l'avait littéralement assailli avec la grande nouvelle, sensiblement plus glaciale encore que son baiser maternel. Ralph était blessé et humilié ; ses prévisions s'étaient révélées fausses et la personne à laquelle il s'intéressait le plus au monde était perdue. Il dérivait dans la maison comme un esquif sans gouvernail entre les rochers d'un rapide, ou passait des heures dans le jardin du *palazzo,* au creux d'un fauteuil d'osier, ses longues jambes étendues, la tête renversée en arrière, un chapeau sur les yeux et le cœur transi ; la pire sensation qu'il eût jamais connue. Que pouvait-il faire ? Que pouvait-il dire ? Si sa cousine était irréductible, pourrait-il simuler de se réjouir ? Tenter de la ramener à la raison n'était admissible que si la tentative devait réussir. Chercher à la convaincre de la composante sordide ou sinistre de l'homme à l'art profond duquel elle avait succombé ne serait décent, ne serait prudent qu'au cas où il la persuaderait. Autrement, il ne ferait que se condamner lui-même. Dire sa pensée ou la déguiser exigeait de lui un effort semblable ; il ne pouvait ni acquiescer avec sincérité ni protester avec espoir. Et pendant ce temps, il le savait – ou plutôt, le supposait –, les fiancés renouvelaient quotidiennement leurs vœux mutuels. Osmond paraissait rarement au *palazzo* Crescentini mais Isabel le rencontrait tous les jours ailleurs, comme elle était libre de le faire depuis l'annonce de leurs fiançailles. Elle avait loué une voiture au mois, pour ne pas devoir à sa tante le moyen de suivre la voie que Mrs Touchett désapprouvait, et se faisait conduire le matin aux Cascine[1]. Aux heures matinales, aucun intrus ne troublait la solitude du parc et la jeune femme retrouvait son amoureux dans un coin tranquille ; sous la lumière naissante du ciel italien, ils flânaient ensemble en écoutant les rossignols.

---

1. Grand et beau parc situé entre l'Arno et le Mugnone, en aval de Florence, aménagé au XVIIIe siècle sur l'emplacement des anciennes laiteries qui fournissaient la cour du grand-duc de Toscane. C'était au XIXe siècle la promenade favorite des Florentins.

34

Un matin, au retour de sa promenade, une demi-heure avant le déjeuner, Isabel descendit de voiture devant le *palazzo* mais, au lieu d'emprunter le grand escalier, elle traversa la cour et passa sous une arcade qui ouvrait l'accès au jardin. On ne pouvait rêver à cette heure d'endroit plus exquis. La paix méridienne y planait et l'ombre chaude, tranquille et confinée transformait les tonnelles en grottes spacieuses. Ralph était assis dans la pénombre, au pied d'une statue de Terpsichore, nymphe dansante aux doigts fuselés et aux draperies gonflées à la manière du Bernin ; son attitude était si détendue qu'Isabel crut d'abord qu'il dormait. Son pas léger sur le gazon ne l'avait pas éveillé et, avant de faire demi-tour, elle s'arrêta pour le regarder. C'est alors qu'il ouvrit les yeux et Isabel prit place sur un siège rustique, assorti à celui de son cousin. Dans son irritation, elle l'avait taxé d'indifférence, mais elle-même était sensible au fait qu'il ruminait visiblement de sombres idées. Elle attribuait son air absent à une langueur consécutive à sa faiblesse croissante et aux tracas liés à l'héritage paternel, résultats de dispositions excentriques que Mrs Touchett désapprouvait – elle l'avait dit à Isabel – et qui se heurtaient maintenant à l'opposition des autres associés de la banque. D'après sa mère, Ralph aurait dû se rendre en Angleterre au lieu de venir à Florence ; il n'y était pas allé depuis des mois et s'intéressait à la banque à peu près autant qu'à la Patagonie.

– Je suis désolée de vous avoir réveillé, dit Isabel. Vous avez l'air si fatigué.

– Je me sens très fatigué, mais je ne dormais pas. Je pensais à vous.

– Est-ce cela qui vous fatigue ?

– En grande partie. Cela ne mène à rien. La route est longue et je n'en vois pas le bout.

– A quoi voulez-vous parvenir ? demanda-t-elle en fermant son ombrelle.

– Au stade où je pourrais m'exprimer correctement à moi-même ce que je pense de votre mariage.

– N'y pensez pas trop, repartit-elle d'un ton léger.

– Voulez-vous dire que cela ne me regarde pas ?

– Au-delà d'un certain point, oui.

– C'est ce point que je veux définir. Je pensais que vous auriez pu trouver que je manque d'éducation. Je ne vous ai pas félicitée.

– Bien sûr, je m'en suis aperçue. Je me demandais pourquoi vous gardiez le silence.

– Il y avait plusieurs raisons à cela. Je vais vous les dire.

Ralph retira son chapeau qu'il posa sur le sol et regarda sa cousine. Penché en arrière sous la protection du Bernin, la tête contre le piédestal de marbre, les épaules tombantes, les mains posées sur les accoudoirs du large fauteuil, il avait l'air gauche et emprunté ; il hésita longtemps. Isabel ne disait rien ; généralement, les gens embarrassés lui inspiraient de la compassion, mais elle était déterminée à ne pas aider Ralph à prononcer un mot qui ne fût pas à l'honneur de sa belle décision.

– Je suis à peine revenu de ma stupeur, dit-il enfin. Vous êtes la dernière personne dont j'attendais qu'elle se fît prendre.

– Je ne vois pas pourquoi vous parlez de se faire prendre.

– Parce que vous allez être mise en cage.

– Si j'aime la cage, inutile de vous tourmenter, répondit-elle.

– C'est ce que je me demande, ce à quoi je réfléchissais.

– Si vous réfléchissiez, vous pouvez imaginer combien j'ai réfléchi ! Je suis convaincue d'agir pour le mieux.

– Vous avez dû énormément changer. Il y a un an, vous mettiez votre liberté au-dessus de tout. Tout ce qe vous vouliez, c'était voir la vie.

– Je l'ai vue, dit Isabel. J'admets qu'elle ne m'apparaît pas aujourd'hui comme une étendue pleine d'attraits.

– Je ne prétends pas que ce soit le cas ; j'avais simplement l'impression que vous en aviez une vision aimable et que vous vouliez en arpenter tout le champ.

– Je me suis rendue compte qu'on ne peut réaliser une si vaste entreprise. Il faut se choisir un terrain et le cultiver.

– C'est mon avis. J'ajoute qu'il faut choisir un terrain aussi fertile que possible. Cet hiver, en lisant vos charmantes lettres, je ne me doutais pas que vous étiez en train de faire votre choix. Vous n'en disiez rien et votre silence a trompé ma vigilance.

– Ce n'est pas un sujet dont j'étais susceptible de vous entretenir. D'ailleurs, j'ignorais ce que serait l'avenir. Tout s'est joué il y a peu. Et si vous aviez été sur vos gardes, qu'auriez vous fait ?

– J'aurais dit : « Attendez encore un peu. »

– Attendre quoi ?

– Un peu plus de lumière, dit Ralph avec un sourire absurde tandis que ses mains retrouvaient le chemin de ses poches.

– D'où la lumière me serait-elle venue ? De vous ?

– J'aurais pu faire jaillir quelques étincelles.

Isabel avait retiré ses gants qu'elle lissait sur ses genoux. La douceur du geste était fortuite car son expression n'était pas conciliante.

– Vous tournez autour du pot, Ralph. Vous voulez dire que vous n'aimez pas Mr Osmond mais cela vous fait peur.

– « Désireux de blesser mais effrayé de frapper » ? Oui, je souhaite le blesser, lui, mais pas vous. J'ai peur de vous, pas de lui. Si vous l'épousez, le fait d'avoir parlé ne me mettra pas dans une situation favorable.

– Si je l'épouse ? Aviez-vous quelque espoir de m'en dissuader ?

– J'admets que l'idée puisse vous paraître idiote.

– Non, dit Isabel après réflexion, elle me paraît très touchante.

– Cela revient au même. Cela me rend ridicule au point que vous avez pitié de moi.

– Je sais que vous avez pour moi beaucoup d'affection, répondit Isabel qui caressait toujours ses longs gants. Je ne peux me défaire de cette certitude.

– Au nom du Ciel, n'essayez pas ! Gardez-la toujours présente à l'esprit. Elle vous convaincra de l'ardeur avec laquelle je souhaite que vous agissiez pour le mieux.

– Et du peu de confiance que vous me faites.

Il y eut un silence ; l'air chaud de midi semblait écouter.

– J'ai confiance en vous mais je n'ai pas confiance en lui, dit Ralph.

– Maintenant, vous l'avez dite, votre pensée, et je suis heureuse que vous l'ayez fait si clairement, dit Isabel qui avait levé les yeux et fixait sur lui un regard insistant. Mais vous en pâtirez.

– Pas si vous êtes juste.

– Je suis très juste, dit Isabel. Je ne suis pas en colère contre vous : voyez-vous meilleure preuve ? Je ne sais ce qui m'arrive mais je ne le suis pas. Je l'étais quand vous avez commencé à parler mais ma colère s'est dissipée. Peut-être devrais-je être irritée, mais Mr Osmond ne le voudrait pas. Il souhaite que je sois informée de tout ; c'est ce qui me plaît tant chez lui. Vous n'avez rien à y gagner, je le sais. Je n'ai pas été tellement gentille avec vous, lorsque j'étais célibataire, pour que vous ayez de bonnes raisons de souhaiter que je le reste. Vous êtes de très bon conseil et vous l'avez souvent prouvé. Non, je suis très calme, j'ai toujours cru à votre sagesse, poursuivit-elle sur un ton d'exaltation contenue, peu compatible avec la sérénité dont elle se glorifiait.

Elle était mue par un désir passionné d'être juste qui touchait Ralph au fond du cœur et lui faisait l'effet d'une caresse prodiguée par une femme qu'il aurait blessée. Il voulait l'interrompre, la rassurer : il avait été absurdement incohérent pendant quelques instants et il souhaitait rétracter ce qu'il venait de dire. Mais elle ne lui laissait aucune chance de le faire. Elle allait de l'avant ; ayant aperçu, croyait-elle, l'échappée vers la voie héroïque, elle désirait progresser dans cette direction :

– Je vois que vous avez en tête une idée bien précise ; je serais très heureuse de l'entendre. Je suis sûre qu'elle est désintéressée, je le sens. Qu'il est étrange que nous discutions de ce sujet ! Bien sûr, je dois vous dire une fois pour toutes que, si vous espérez me dissuader, mieux vaut pour vous abandonner la partie. Vous ne me ferez pas bouger d'un pouce ; c'est trop tard. Comme vous dites, je suis prise. Ce ne sera sûrement pas agréable pour vous de vous rappeler cela mais votre châtiment surgira de vos propres pensées. Je ne vous ferai jamais de reproches.

– Je ne crois pas que vous m'en ferez jamais, dit Ralph. Ce n'est pas du tout le genre de mariage auquel je m'attendais de votre part.

– Quel genre de mariage espériez-vous, s'il vous plaît ?

– Je ne saurais dire. A proprement parler, je n'en avais pas une idée positive mais j'en avais une négative. Je ne pensais pas que vous opteriez pour… pour ce type d'homme.

– Qu'y a-t-il à redire au type de Mr Osmond, à supposer qu'il en représente un ? Son indépendance et sa personnalité, voilà ce qui me frappe le plus en lui, déclara la jeune fille. Qu'avez-vous contre lui ? Vous le connaissez à peine.

– C'est vrai, je le connais très peu, dit Ralph, et je reconnais que je manque de faits et de données qui prouveraient qu'il s'agit d'un scélérat. Néanmoins, je ne peux m'empêcher de sentir que vous allez au-devant d'un risque grave.

– Le mariage est toujours un risque grave et celui qu'il prend vaut le mien.

– C'est son affaire ! S'il a peur, laissez-le se retirer. Plaise à Dieu qu'il le fasse !

Isabel s'adossa à son fauteuil et, les bras croisés, considéra son cousin.

– Je ne vous comprends réellement pas, dit-elle enfin d'un ton froid. Je ne vois pas de quoi vous parlez.

– Je croyais que vous épouseriez un homme plus important.

Le ton d'Isabel avait été froid, je l'affirme, mais, à ces mots, ses joues s'embrasèrent.

– Plus important pour qui ? Il me suffit qu'un mari soit important pour celle qu'il épouse.

Raph rougit à son tour ; gêné par sa propre attitude, il se mit en devoir de la modifier physiquement ; il se redressa, puis se pencha en avant, les mains sur les genoux. Il dirigea son regard vers le sol et son visage exprimait la réflexion et le respect.

– Je vais vous expliquer ce que je voulais dire, annonça-t-il.

Il se sentait agité, vibrant et impatient; à présent qu'il avait entamé la discussion, il voulait se délivrer de toutes ses préoccupations. Mais il voulait le faire avec une extrême douceur. Isabel attendit un peu... avant de reprendre avec majesté :

– Mr Osmond excelle dans tous les domaines qui font que l'on aime les gens. Il existe peut-être des natures plus nobles mais je n'ai jamais eu le plaisir d'en rencontrer. Mr Osmond est la plus belle que je connaisse; il est assez bon pour moi, assez intéressant, assez intelligent. Je suis beaucoup plus impressionnée par ce qu'il détient, par ce qu'il représente que par ce qui pourrait lui manquer.

– Je m'étais offert une vision charmante de votre avenir, fit observer Ralph, éludant la question implicite; je m'étais amusé à projeter pour vous une destinée brillante où il n'entrait rien de cela. Vous n'étiez pas censée descendre si facilement, si vite.

– Vous avez dit : descendre ?

– Oui, l'image restitue mon sentiment de ce qui vous est arrivé. A mes yeux, vous paraissiez planer très haut dans l'azur, voguer dans une brillante clarté au-dessus de la tête des humains. Tout à coup, quelqu'un jette en l'air un bouton de rose fané, un projectile qui n'aurait jamais dû vous atteindre; touchée de plein fouet, vous tombez au sol. Cela me blesse, déclara audacieusement Ralph, cela me blesse comme si j'étais moi-même tombé.

Sur le visage de sa cousine, l'expression de peine et de confusion s'accentuait.

– Je ne vous comprends pas du tout, répéta-t-elle. Vous dites que vous vous amusiez à inventer mon existence... Je n'arrive pas à comprendre. Ne vous amusez pas trop sinon je penserai que vous le faites à mes dépens.

Ralph hocha la tête :

– Je suis bien sûr que vous croyez aux grands espoirs que j'avais pour vous.

– Que voulez-vous dire quand vous m'imaginez planer et voguer? Je n'ai jamais quitté le niveau sur lequel je suis aujourd'hui. Il n'y a rien de plus élevé pour une femme que d'épouser l'homme… l'homme qu'elle aime, dit la pauvre Isabel, réduite au didactique.

– C'est justement votre amour pour l'homme dont nous parlons que je me permets de discuter, ma chère cousine. Il me semblait que la nature de l'homme fait pour vous aurait dû être plus active, plus large, plus libre. Je ne peux surmonter l'impression qu'Osmond est un peu… un peu petit.

Ralph avait hésité devant ce dernier mot qu'il prononça d'une voix mal assurée, comme s'il craignait qu'Isabel, de nouveau, ne jetât feu et flammes. Curieusement, elle garda son calme et semblait réfléchir.

– Petit ? fit-elle, et le mot devint grandiose.

– Je le crois égoïste et limité. Il se prend tellement au sérieux !

– Il a beaucoup de respect pour lui-même et je ne l'en blâme pas, dit Isabel. Le respect de soi est la garantie que l'on respectera les autres.

Ralph était presque rassuré par son ton raisonnable.

– Oui, acquiesça-t-il, mais tout est relatif ; l'on doit sentir que l'on est en relation avec les choses, avec les êtres. Je ne crois pas que Mr Osmond en convienne.

– Je suis essentiellement intéressée par ses rapports avec moi. Sur ce point, il est admirable.

– Il est l'incarnation du goût, poursuivit Ralph qui s'efforçait de trouver le moyen d'énoncer les attributs sinistres de Gilbert Osmond, sans se mettre dans son tort en paraissant le juger brutalement. Il voulait le décrire de façon impersonnelle et scientifique et poursuivit : Le goût est le critère qui lui sert à mesurer, apprécier, approuver et condamner.

– Alors, c'est une bonne chose que son goût soit exquis.

– Il l'est, en effet, puisqu'il l'a conduit à vous choisir pour femme. Mais avez-vous jamais vu un tel goût – un goût vraiment exquis – contrarié ?

– J'espère n'avoir jamais l'infortune de ne plus être agréable à mon mari.

A ces mots, un élan passionné jaillit de la bouche de Ralph :

– Ah ! vous le faites exprès ! C'est indigne de vous ! Vous n'étiez pas faite pour être jaugée de cette façon ! Vous étiez destinée à un rôle meilleur que celui qui consiste à protéger la susceptibilité d'un dilettante stérile !

Isabel se leva brusquement ; il en fit autant, si bien que leurs regards s'affrontèrent comme si Ralph avait lancé un défi ou une insulte.

– Vous allez trop loin, murmura simplement Isabel.

– J'ai dit ce que j'avais sur le cœur et je l'ai dit parce que je vous aime !

Isabel pâlit : figurait-il, lui aussi, sur cette liste agaçante ? Brusquement, l'envie furieuse lui vint de l'en radier :

– Alors, vous n'êtes pas désintéressé !

– Je vous aime sans espoir, repartit vivement Ralph en se forçant à sourire et sentant qu'il venait d'en dire plus long qu'il n'avait l'intention.

Isabel s'éloigna et contempla l'immobilité ensoleillée du jardin mais, au bout d'un instant, elle revint vers son cousin :

– Je crains que vos propos ne soient dus à l'égarement du désespoir. Je ne les comprends pas mais c'est sans importance. Je ne discute pas avec vous, c'est impossible ; j'ai seulement essayé de vous écouter. Je vous suis très reconnaissante d'avoir tenté de m'expliquer, dit-elle doucement, comme si la colère qui l'avait fait bondir de son siège était déjà retombée. C'est très généreux de votre part d'essayer de me prévenir, si vous êtes vraiment inquiet ; mais je ne vous promets pas de réfléchir à ce que vous m'avez dit : je l'oublierai aussi vite que possible. Efforcez-vous d'en faire autant ; vous avez fait votre devoir et personne ne pourrait faire mieux. Je ne peux vous expliquer ce que je sens, ce que je crois ; le pourrais-je même, je ne le ferais pas.

Elle s'interrompit un moment avant de reprendre avec une inconséquence qui ne pouvait échapper à Ralph, malgré la ferveur avec laquelle il guettait le moindre symptôme de concession.

– Je ne peux partager votre opinion sur Mr Osmond ; je ne peux pas la considérer avec équité parce que je le vois sous un jour très différent. Il n'est pas important, c'est vrai, il n'est pas important; c'est un homme à qui l'importance est suprêmement indifférente. Si c'est cela que vous voulez dire quand vous le qualifiez de « petit », alors il est aussi petit qu'il vous plaira. Moi, je trouve de la grandeur à cette indifférence, je ne connais rien de plus grand. Je ne feindrai pas de discuter avec vous de l'homme que je vais épouser, répéta Isabel. Ce n'est pas mon affaire de défendre Mr Osmond; il n'est pas si faible qu'il ait besoin de ma protection. Je suppose qu'il doit paraître étrange, même à vous, que je parle de lui aussi tranquillement, aussi froidement, comme s'il était n'importe qui. Je ne parlerai de lui à personne, en dehors de vous; et à vous, précisément, après ce que vous avez dit, je vais répondre une fois pour toutes. Dites-moi, je vous prie, souhaiteriez-vous que je fasse un mariage d'argent, un mariage d'ambition, comme l'on dit? J'ai une seule ambition : être libre de cultiver un beau sentiment. J'en ai eu d'autres, autrefois, mais elles se sont évanouies. Vous plaignez-vous de Mr Osmond parce qu'il n'est pas riche? C'est justement pourquoi il me plaît. Heureusement, j'ai assez de fortune; je ne m'en suis jamais sentie aussi reconnaissante qu'aujourd'hui. Il y a des moments où j'aimerais m'agenouiller devant la tombe de votre père : il a peut-être agi mieux encore qu'il ne pensait lorsqu'il m'a donné le pouvoir d'épouser un homme pauvre, un homme qui a enduré sa pauvreté avec une telle dignité, avec une telle indifférence. Mr Osmond ne s'est jamais battu, n'a jamais combattu; il ne s'est jamais soucié des prix que décerne ce monde. Si vous qualifiez cela d'étroitesse et d'égoïsme, très bien. Ces mots ne m'effraient pas, ils ne me déplaisent même pas; je suis simplement navrée que vous fassiez une telle erreur. Que d'autres l'aient commise ne me surprend pas, mais, de vous, elle m'étonne. Vous devriez reconnaître un gentleman quand vous en rencontrez un, vous devriez reconnaître un esprit raffiné. Mr Osmond ne commet pas d'erreurs! Il sait tout! Il comprend tout. Il a l'esprit infiniment doux, aimable, élevé. Vous êtes sous l'emprise d'une idée fausse. C'est très dommage mais je n'y peux rien; ce n'est pas moi que cela regarde, c'est vous.

Isabel s'interrompit pour considérer son cousin, l'œil allumé par un sentiment désaccordé au calme voulu de son attitude, un sentiment mitigé, composé à parts égales de la colère douloureuse qu'avaient suscitée les propos de Ralph et de l'orgueil blessé d'avoir eu à justifier un choix dont elle ne sentait que la noblesse et la pureté. Ralph ne dit rien pendant cette pause; il voyait qu'elle n'en avait pas terminé. Elle était splendide mais extrêmement préoccupée, indifférente mais concentrée sur sa passion.

– Quel genre d'homme auriez-vous aimé que j'épouse? demanda-t-elle tout à coup. Vous parlez de planer et de voguer mais, pour se marier, il faut toucher terre. L'on a des sentiments et des désirs humains, un cœur dans la poitrine, et il faut bien épouser un individu précis. Votre mère ne m'a jamais pardonné de ne pas être parvenue à une meilleure entente avec Lord Warburton; elle est horrifiée que je me satisfasse d'un homme démuni de tous les avantages que détient votre ami : fortune, titres, privilèges, châteaux, terres, position, réputation, relations prestigieuses. C'est l'absence totale de tout ce fatras qui me séduit. Mr Osmond est simplement un homme très solitaire, très cultivé et très honnête; il n'est pas un propriétaire fabuleux.

Ralph avait écouté avec attention, comme si tous les propos de sa cousine méritaient d'être pris en considération; mais, en réalité, son esprit, partiellement disponible à ce qu'elle disait, s'employait davantage à s'accommoder du poids de l'impression d'ensemble : celle de son ardente bonne foi. Elle avait tort mais elle croyait; elle était abusée mais elle était tristement logique. Il était prodigieusement caractéristique de sa personnalité qu'après avoir bâti une théorie admirable sur Gilbert Osmond, elle l'aimât non pour ses atouts réels mais pour ses déficiences métamorphosées en distinctions. Ralph se souvint tout à coup avoir dit à son père qu'il souhaitait donner à sa cousine le pouvoir de satisfaire aux exigences de son imagination. Il l'avait fait et la jeune fille avait démesurément profité de ce luxe. Le pauvre Ralph se sentait nauséeux; il se sentait honteux. Isabel avait prononcé ses derniers mots avec une conviction solennelle qui mettait virtuellement fin à la discussion qu'elle rompit formellement en faisant demi-tour pour se diriger vers la maison. Ralph l'accompagna; ensemble, ils traversèrent la cour jusqu'au pied du grand escalier. Il s'arrêta et Isabel fit une pause, tournant vers lui un visage rayonnant d'une absolue, d'une perverse gratitude : l'opposition de son cousin avait clarifié sa propre conception de sa conduite.

– Ne venez-vous pas déjeuner ? demanda-t-elle.

– Non ; je n'y tiens pas ; je n'ai pas faim.

– Vous devriez manger, dit la jeune fille ; vous vous nourrissez de l'air du temps.

– C'est vrai. Je vais d'ailleurs retourner au jardin pour en avaler une autre bouchée. Je vous ai accompagnée simplement pour ajouter ceci. Je vous ai dit l'année dernière que, si vous vous trouviez un jour dans une situation difficile, je me sentirais terriblement refait. C'est ce que je ressens aujourd'hui.

– Croyez-vous que je sois dans une situation difficile ?

– L'on s'y trouve toujours quand on se trompe.

– Très bien, dit Isabel ; je ne viendrai jamais m'en plaindre à vous !

Elle monta l'escalier. Les mains dans les poches, Ralph la suivait des yeux mais, subitement, il frissonna, saisi par le froid tapi dans la cour cernée de murs élevés. Il repartit vers le jardin pour son déjeuner de soleil florentin.

35

Pas une fois, au cours de leurs flâneries aux Cascine, Isabel n'envisagea de dire à son fiancé le peu d'estime que l'on avait pour lui au *palazzo* Crescentini. L'opposition discrète de sa tante et de son cousin à son mariage ne fit dans l'ensemble pas grande impression sur elle ; elle en conclut simplement qu'ils n'aimaient pas Gilbert Osmond. Cette aversion ne l'inquiétait pas ; c'était à peine si elle la déplorait car elle servait essentiellement à mettre en relief le fait, infiniment honorable, qu'elle se mariait selon sa seule inclination. On fait beaucoup d'autres choses pour plaire aux autres mais on se marie en vue d'une satisfaction plus personnelle, et la satisfaction d'Isabel était fortifiée par la conduite parfaite de son soupirant. Gilbert Osmond était amoureux ; en ces jours brillants et paisibles, dont il tenait le compte exact car ils précédaient l'accomplissement de ses espoirs, il méritait moins que jamais l'âpre critique de Ralph Touchett. L'impression essentielle que cette critique avait suscitée dans l'esprit d'Isabel était que la passion amoureuse sépare terriblement sa victime de tous les humains, hormis l'être aimé. Elle se sentait coupée de tous ceux qu'elle avait connus auparavant : de ses sœurs qui écrivirent pour exprimer respectueusement l'espoir qu'elle serait heureuse et leur surprise, moins nettement formulée, qu'elle n'eût pas choisi pour consort le héros d'une renommée plus riche en anecdotes ; de Henrietta qui, elle en était sûre, débarquerait trop tard pour lui faire la leçon ; de Lord Warburton, qui se consolerait certainement, et de Caspar Goodwood, pour qui la chose était moins sûre ; de sa tante, envers qui elle n'était pas fâchée de manifester son dédain pour sa conception froide et superficielle du mariage ; de Ralph, enfin : les grands rêves imaginés pour elle étaient de bizarres faux-semblants qui dissimulaient sa déception personnelle. Selon toute apparence,

Ralph souhaitait qu'elle ne se mariât jamais – voilà ce que cela voulait dire – parce que le spectacle de ses aventures de célibataire le distrayait. Sa déconvenue l'avait poussé à émettre des propos violents concernant l'homme qu'elle lui avait préféré. Isabel se flattait de croire à la colère de Ralph. La chose lui était d'autant plus facile qu'elle disposait à présent de peu d'émotion libre ou disponible pour les événements mineurs et qu'elle acceptait comme un incident, en fait comme un ornement, de sa destinée l'idée que sa façon de préférer Gilbert Osmond entraînait forcément la rupture de tous les autres liens. Elle savourait les délices de cette préférence qui lui firent prendre conscience, avec terreur presque, de la force enviable et impitoyable de sa condition de femme séduite et possédée, si grands fussent l'honneur et la vertu traditionnellement attachés à l'état amoureux. C'était la part tragique du bonheur : ce qui est bon pour l'un est toujours le fait du mal subi par un autre.

L'exaltation du succès, qui flamboyait à présent en Osmond, émettait très peu de fumée pour une flamme si brillante. Chez lui, le contentement n'adoptait pas une forme vulgaire; pour le plus contrôlé des hommes, l'excitation prenait la forme d'une maîtrise extatique. Cette disposition, cependant, faisait de lui un fiancé admirable, en lui rappelant constamment son état de soupirant passionné. Il ne s'oubliait jamais, ai-je dit, et donc il n'oubliait jamais d'être gracieux, tendre et de présenter l'apparence de sentiments en éveil et d'intentions profondes, ce qui ne présentait d'ailleurs pas de difficultés. Il était infiniment satisfait de sa jeune conquête; Madame Merle lui avait fait un présent d'une valeur inestimable. Que peut-on concevoir de mieux, pour partager sa vie, qu'un esprit énergique, exercé à la douceur? Car la douceur ne lui serait-elle pas totalement réservée tandis que l'énergie irait à la société, qui admire les airs supérieurs? Peut-on attendre d'une compagne don plus précieux qu'un esprit vif et imaginatif qui vous épargne les répétitions et réfléchit vos pensées sur une surface élégante et polie? Osmond détestait entendre sa pensée reproduite littéralement, ce qui la faisait paraître plate et bête; il préférait qu'elle fût rafraîchie dans la reproduction, comme les «paroles» par la musique. Son égotisme ne lui avait jamais inspiré le vœu grossier d'avoir une femme terne; l'intelligence de cette femme ne serait pas un plat de terre mais un plat d'argent, qu'il pourrait surcharger de fruits mûrs, auxquels il prêterait sa valeur décorative, si bien que la conversation deviendrait pour lui une sorte de dessert dressé à l'avance. Il trouvait en Isabel la perfection de l'argent; il pouvait, d'une chiquenaude, faire résonner son imagination. Personne ne le lui avait dit mais il savait parfaitement que les proches de la jeune fille étaient peu favorables à leur union; néanmoins, il avait toujours traité Isabel en personne indépendante, si bien qu'il semblait inutile d'exprimer des regrets à propos de l'attitude de sa famille. Un matin, pourtant, il y fit une allusion brusquée :

– C'est la disproportion entre nos fortunes qui leur déplaît, dit-il. Ils pensent que je suis amoureux de votre argent.

– Est-ce de ma tante et de mon cousin dont vous parlez? demanda Isabel. Comment savez-vous ce qu'ils en pensent?

– Vous ne m'avez jamais dit qu'ils s'en réjouissaient et Mrs Touchett n'a pas répondu à la lettre que je lui ai adressée. S'ils en avaient été enchantés, ils me l'auraient fait savoir, et le fait que je sois pauvre et vous fortunée est l'explication la plus plausible de leur réserve. Bien entendu, lorsqu'un homme impécunieux épouse une jeune fille riche, il doit se préparer à tous les soupçons. Peu m'importe, je ne demande qu'une chose : qu'il n'y ait pas chez vous l'ombre d'un doute. Je n'ai que faire de l'opinion des gens auxquels je ne demande rien, je ne suis même pas capable d'avoir envie de la connaître. Je ne m'y suis jamais intéressé, grâce à Dieu, alors, pourquoi commencerais-je aujourd'hui lorsque je trouve une compensation à tout? Je ne prétends pas que votre fortune me consterne, je m'en réjouis. Je me réjouis de tout ce qui est à vous, fortune ou qualités. L'argent est chose affreuse à poursuivre mais charmante à croiser en chemin. Il me semble d'ailleurs avoir assez prouvé les lacunes de mon âpreté : de ma vie, je n'ai cherché à gagner un penny et je devrais être moins sujet à la suspicion que la plupart des gens que l'on voit fouiller et gratter en quête d'argent. Sans doute est-ce l'affaire des vôtres, je veux dire votre famille, de se méfier ; en somme, il est normal qu'ils le fassent. Un jour, ils m'aimeront mieux, et vous aussi pour cette raison. D'ici là, il m'appartient de ne pas me faire de mauvais sang, mais simplement de rendre grâce à la vie et à l'amour.

Un autre jour, il déclara :

– Vous aimer m'a rendu meilleur ; cela m'a rendu plus sage, plus tranquille et, je n'affecterai pas de le nier, plus brillant, plus aimable et même plus fort. Avant, je convoitais quantité de choses et je m'exaspérais de ne pas les posséder. Théoriquement, j'étais satisfait, comme je vous l'ai dit un jour. Je me flattais d'avoir limité mes besoins. Mais j'étais irritable ; j'avais des accès morbides, stériles et haïssables d'avidité, de désir. A présent, je suis vraiment satisfait parce que je ne peux imaginer rien de mieux. Comme si je m'étais efforcé de déchiffrer un livre au crépuscule et que, soudain, la lampe était arrivée. Je me crevais les yeux sur le livre de la vie et n'y trouvais rien qui récompensât mes efforts ; maintenant que je peux le lire de la bonne façon, je vois qu'il s'agit d'une histoire exquise. Ma chérie, comment vous dire la perspective que la vie déroule devant nous, le long après-midi estival qui nous attend ? C'est la seconde moitié d'une journée italienne, nimbée d'or et dont les ombres commencent à s'étirer sous la délicatesse divine de la lumière, de l'air et du paysage que j'ai toujours aimés et que vous aimez aujourd'hui. Ma parole, je ne vois pas ce qui pourrait nous arrêter. Nous disposons de ce que nous aimons, sans parler du fait que nous sommes l'un à l'autre. Nous avons la faculté d'admirer et plusieurs convictions foncières. Nous ne sommes ni sots, ni mesquins, aucune forme d'ignorance ou de tristesse ne nous ligote. Vous êtes remarquablement fraîche et je suis remarquablement aguerri. Nous avons ma pauvre enfant pour nous distraire ; nous tâcherons de lui faire une gentille vie à elle. Tout cela est doux et tendre, selon la palette italienne.

Ils faisaient beaucoup de projets tout en gardant beaucoup de latitude ; mais il allait de soi que, pour le moment, ils vivraient en Italie. C'était en Italie qu'ils s'étaient rencontrés; l'Italie faisait partie intégrante des premières impressions qu'ils avaient eues l'un de l'autre et l'Italie participerait à leur bonheur. Osmond ressentait pour elle l'attachement né d'une longue connaissance et Isabel l'aiguillon de la nouveauté qui semblait lui garantir à l'avenir une conscience aiguë de la beauté. Dans l'âme de notre héroïne, le désir d'un développement illimité avait cédé la place au sentiment qu'une vie dénuée de devoirs intimes, qui concentrent les énergies, est une vie creuse. Elle avait dit à Ralph qu'après avoir « vu la vie » pendant deux ans, elle était déjà fatiguée, non pas de vivre mais d'observer. Qu'étaient devenues ses ardeurs, ses aspirations, ses théories, son indépendance si prisée et sa conviction première qu'elle ne se marierait jamais? Tout avait été absorbé par un besoin plus primitif, un besoin dont la satisfaction balayait des questions innombrables et comblait des désirs infinis. Il simplifiait la situation, il descendait de là-haut, comme la lumière des étoiles, et n'avait pas besoin d'explication. Une explication suffisait : il était épris d'elle, il était à elle et elle serait capable de l'aider. Elle pouvait s'abandonner à lui avec une sorte d'humilité et l'épouser avec une sorte d'orgueil : elle ne prenait pas seulement, elle donnait.

Deux ou trois fois, il amena Pansy aux Cascine, une Pansy à peine plus grande qu'elle ne l'était un an plus tôt et à peine plus mûre. Selon la conviction exprimée par son père, elle serait toujours une enfant; elle avait seize ans mais il lui donnait encore la main et lui disait d'aller jouer lorsqu'il s'asseyait un moment près de la jolie demoiselle. Pansy portait une robe courte, un long manteau, et son chapeau paraissait toujours trop grand pour elle. Elle s'amusait à s'éloigner à petits pas pressés jusqu'au bout de l'allée et revenait avec un sourire qui avait tout l'air de quêter l'approbation. Isabel approuvait abondamment, et cette abondance avait la nuance personnelle dont la nature affectueuse de la fillette était affamée. Isabel observait ses indications, comme si beaucoup en dépendait pour elle : ainsi, Pansy représentait déjà une partie des services qu'elle pourrait rendre, une partie des responsabilités qu'elle pourrait affronter. L'attachement de Gilbert Osmond au côté puéril de sa fille était tel qu'il ne lui avait pas encore expliqué la nature nouvelle de ses relations avec l'élégante Miss Archer :

– Elle ne sait rien, elle ne soupçonne rien, disait-il à Isabel; elle trouve tout naturel que nous nous rencontrions ici pour nous promener en bons amis. Pour moi, cette innocence est tout simplement enchanteresse; j'aime que Pansy soit ainsi. Non, contrairement à ce que je me disais, je ne suis pas un raté. J'ai réussi deux choses : je vais épouser la femme que j'adore et j'ai élevé ma fille comme je le voulais, à l'ancienne mode.

Il prisait « l'ancienne mode » dans tous les domaines; Isabel en était frappée; elle y voyait un trait parmi les plus purs, les plus sereins et les plus sincères de sa nature.

– Je pense pour ma part que vous ne pouvez savoir si vous avez réussi tant que vous ne lui aurez pas parlé, dit-elle. Il faut savoir comment elle accueillera votre nouvelle. Elle pourrait être horrifiée, elle pourrait être jalouse.

– De ce côté, je ne crains rien; elle vous aime trop pour son propre compte. J'aimerais la laisser dans l'ignorance un peu plus longtemps... pour voir si elle s'avisera d'elle-même que, si nous ne sommes pas fiancés, nous devrions l'être.

Isabel fut impressionnée par la façon artistique et en quelque sorte plastique dont Osmond considérait l'innocence de Pansy, qu'elle-même envisageait sous un angle plus moral, et non sans anxiété. Elle en fut peut-être d'autant plus heureuse lorsqu'il lui apprit quelques jours plus tard qu'il avait annoncé le fait à sa fille; Pansy lui avait fait une réflexion délicieuse : « Oh ! Quelle jolie sœur je vais avoir ! » Elle n'était ni surprise ni inquiète; contrairement à l'attente de son père, elle n'avait pas pleuré.

– Peut-être avait-elle deviné, suggéra Isabel.

– Ne dites pas cela; je serais dégoûté d'avoir à le croire. Je pensais qu'elle serait un peu secouée, mais la façon dont elle a pris la chose montre que ses manières sont parfaites. C'est aussi ce que je désirais. Vous allez d'ailleurs vous en rendre compte car elle viendra demain pour vous féliciter.

La rencontre, le lendemain, eut lieu chez la comtesse Gemini où Pansy avait été conduite par son père ; Osmond savait qu'Isabel devait y venir dans l'après-midi pour rendre à la comtesse la visite qu'elle lui avait faite lorsqu'elle avait appris qu'elles deviendraient belles-sœurs. Quand elle s'était présentée à la *casa* Touchett, la visiteuse n'y avait pas trouvé Isabel mais celle-ci, introduite dans le salon de la comtesse, vit arriver Pansy chargée de lui dire que sa tante venait tout de suite. Pansy passait la journée chez cette dame qui la trouvait d'âge à entamer l'apprentissage de la vie en société. D'après Isabel, la petite fille aurait pu, dans ce domaine, donner quelques leçons à sa tante et rien n'était mieux fait pour justifier cette opinion que le comportement de Pansy pendant qu'elles attendaient ensemble la comtesse. L'année précédente, son père s'était finalement décidé à la renvoyer au couvent pour y parachever son éducation et Madame Catherine, évidemment, avait fait le nécessaire pour justifier sa théorie sur l'aptitude de Pansy à vivre dans le grand monde.

– Papa m'a dit que vous aviez bien voulu consentir à l'épouser, dit l'élève de cette excellente femme. C'est merveilleux ; je pense que vous êtes faits l'un pour l'autre.

– Pensez-vous que je sois faite pour vous ?

– Vous me conviendrez merveilleusement ; mais, ce que je veux dire, c'est que papa et vous irez très bien ensemble. Vous êtes tous les deux tellement tranquilles et sérieux. Vous n'êtes pas aussi tranquille que lui, ou même que Madame Merle, mais vous l'êtes plus que bien des gens. Par exemple, il ne lui aurait pas fallu une femme comme ma tante. Toujours en mouvement, toujours agitée. Aujourd'hui surtout, vous allez voir quand elle va entrer. Au couvent, l'on nous disait qu'il est mal de juger nos aînés, mais je suppose que ce n'est pas un mal si le jugement est favorable. Vous serez une compagne délicieuse pour papa.

– Pour vous aussi, je l'espère, dit Isabel.

– Je parle exprès de lui d'abord. Je vous ai déjà dit ce que je pense de vous : je vous ai tout de suite aimée. Je vous admire tant ! Je pense que j'ai bien de la chance car je vous aurai toujours devant moi. Vous serez mon modèle et je m'efforcerai de vous imiter, bien que j'aie peur que le résultat ne soit médiocre. Je suis très heureuse pour papa ; il avait besoin de quelque chose de mieux que moi. Sans vous, je ne vois pas comment il aurait pu trouver. Vous serez ma belle-mère mais nous ne devons pas utiliser ce mot. On dit toujours que les belles-mères sont cruelles ; mais je ne crois pas que vous me pincerez ou que vous me bousculerez. Jamais ! Je n'ai pas peur du tout.

– Ma chère petite Pansy, je serai toujours très bonne pour vous ! dit doucement Isabel, qu'une vision vague et irrationnelle de Pansy, contrainte par d'étranges moyens d'implorer sa bonté, avait fait frissonner.

– Très bien ; alors, je n'ai rien à craindre, répondit l'enfant avec son empressement jamais en défaut qui pouvait suggérer ausi bien une éducation irréprochable que la crainte de lourdes punitions pour ses manquements !

La description qu'elle avait faite de sa tante était tout à fait correcte : la comtesse Gemini n'avait pas replié ses ailes, loin de là ! Elle entra dans le salon comme un tourbillon, embrassa Isabel d'abord sur le front, ensuite sur les deux joues, comme si elle se pliait à quelque rite ancien, entraîna la visiteuse sur un sofa puis, inclinant la tête en tous sens pour mieux l'observer, se lança dans un discours volubile, comme si, devant un chevalet et ses brosses à la main, elle appliquait une série de touches mûrement réfléchies sur un tableau de groupe déjà esquissé.

– Si vous attendez de moi que je vous félicite, je vous prie de m'excuser. Je crois qu'il vous est bien égal que je vous félicite ou non ; à mon avis, vous êtes trop intelligente pour vous soucier de toutes sortes de choses sans intérêt. Et moi, je ne tiens pas à raconter des mensonges ; je n'en fais jamais, sauf s'il y a quelque chose de vraiment sérieux à en tirer. Je ne vois pas ce que je pourrais gagner avec vous, d'autant que vous ne me croiriez pas. Je ne fais pas plus de déclarations que de fleurs en papier ou d'abat-jour à volants : je ne sais pas les faire. Mes abat-jour fatalement prendraient feu, mes roses et mes mensonges seraient plus gros que nature. Personnellement, je suis très heureuse que vous épousiez

Osmond mais je ne feindrai pas d'en être heureuse pour vous. Vous êtes très brillante ; comme vous le savez, c'est ce que chacun dit de vous ; vous êtes une héritière, très jolie et originale, pas *banale* du tout ; donc, c'est une bonne chose de vous avoir dans la famille. Notre famille est de bonne origine, vous savez ; Osmond a dû vous le dire. Ma mère était une femme distinguée ; on l'avait surnommée la Corinne américaine. Mais nous avons terriblement déchu, à mon sens, et peut-être allez-vous nous relever. J'ai très confiance en vous ; il y a quantité de choses dont j'aimerais vous parler. Je ne félicite jamais une jeune fille qui se marie : je pense que l'on devrait faire du mariage quelque chose d'un peu moins effroyable qu'une cage d'acier. Je crois que Pansy ne devrait pas entendre tout ceci mais elle est chez moi pour prendre le ton de la société. Il n'y a pas de mal à ce qu'elle apprenne les horreurs qu'elle affrontera. Dès que j'ai senti que mon frère avait des vues sur vous, j'ai songé à vous écrire pour vous conseiller dans les termes les plus énergiques de ne pas l'écouter. Puis j'ai pensé que ce serait déloyal et je hais la déloyauté. De plus, comme je vous l'ai dit, j'étais personnellement enchantée et, après tout, je suis très égoïste. A propos, vous n'aurez pour moi aucun respect, pas le moindre respect, et nous ne serons jamais intimes. J'aurais aimé que nous le soyons mais vous n'y tiendrez pas. Un jour, pourtant, nous serons meilleures amies que vous ne le croirez d'abord. Mon mari viendra vous rendre visite bien qu'il n'ait aucune relation avec Osmond, comme vous le savez probablement. Il adore voir de jolies femmes mais je n'ai pas peur de vous. D'abord, ce qu'il fait m'indiffère. Ensuite, vous vous soucierez de lui comme d'une guigne ; il n'a pas la moindre chance de vous plaire et, si stupide soit-il, lui-même s'apercevra que vous ne lui convenez pas. Un jour, si vous pouvez le supporter, je vous dirai tout sur lui. Croyez-vous que ma nièce doive quitter le salon ? Pansy, va faire tes exercices dans mon boudoir.

– Laissez-la, dit Isabel, je vous en prie. Je préfère ne rien entendre que Pansy ne puisse entendre, elle aussi !

36

Vers la fin d'un après-midi de l'automne 1876, un jeune homme d'apparence agréable sonnait à la porte d'un petit appartement, au troisième étage d'une vieille maison romaine. Il demanda s'il pouvait voir Madame Merle à la femme de chambre qui lui ouvrit; cette femme nette et sans attrait, qui avait l'air d'être française, l'introduisit dans un salon minuscule et le pria de décliner son nom. « Mr Edward Rosier », dit-il en s'asseyant pour attendre la venue de la maîtresse de maison.

Le lecteur n'aura sans doute pas oublié que Mr Rosier était un ornement du cercle américain de Paris, mais il convient peut-être de lui rappeler que Mr Rosier s'éclipsait parfois vers d'autres horizons. A plusieurs reprises, il avait passé une partie de l'hiver à Pau. Homme d'habitudes, il aurait pu renouveler indéfiniment ses visites annuelles à cette charmante ville mais, au cours de l'été 1876, survint un incident qui changea le cours de ses pensées et celui de ses déplacements coutumiers. Il séjourna un mois dans la haute Engadine et fit à Saint-Moritz la connaissance d'une charmante jeune fille. Il manifesta tout de suite beaucoup de prévenance à l'égard de cette jeune personne qui l'impressionna par sa ressemblance avec l'ange domestique qu'il avait longtemps cherché. Jamais il n'agissait avec précipitation et, sa nature étant foncièrement discrète, il s'abstint sur le moment de déclarer sa passion, mais il lui sembla lorsqu'ils se séparèrent – la jeune fille regagnait l'Italie tandis que lui-même partait pour Genève où il avait promis de rejoindre des amis – qu'il souffrirait d'une douleur romantique s'il devait ne jamais la revoir. La plus simple façon de l'éviter consistait à se rendre en automne à Rome, où vivaient Miss Osmond et sa famille. M. Rosier entreprit son pèlerinage vers la capitale italienne où il parvint le 1er novembre. C'était en soi un voyage agréable mais, pour le jeune homme, l'entreprise exigeait un certain héroïsme. Il allait s'exposer sans acclimatation aux miasmes de l'air romain qui, de notoriété publique, traînent toujours à l'affût en novembre. Mais la chance sourit aux audacieux et cet aventurier, qui avalait chaque jour trois grains de quinine, n'avait au bout d'un mois aucune raison de déplorer sa témérité. Dans une certaine mesure, il avait fait bon usage de son temps, qu'il avait vainement employé à trouver un défaut dans la personne de Pansy Osmond. Elle était admirablement finie; la dernière touche avait été posée et elle était réellement une pièce de choix. Au cours de ses méditations amoureuses, il pensait à elle comme il aurait pensé à une bergère en porcelaine de Dresde. Dans la fleur de sa jeunesse, Miss Osmond avait un charme rococo que Rosier, dont les préférences allaient à ce style, ne pouvait manquer d'apprécier. Son estime pour les produits de cette époque relativement frivole ressortait d'ailleurs de l'attention qu'il accordait au salon de Madame Merle, meublé de pièces de tous les styles mais particulièrement riche en objets des deux derniers siècles. Dès son arrivée, il avait ajusté son monocle et, après un regard circulaire, avait murmuré avec convoitise : « Tonnerre ! Elle a de bien belles choses ! » Petite et surchargée de mobilier, la pièce donnait une impression de soies passées et de statuettes prêtes à choir au moindre mouvement. Rosier se leva et entama d'un pas prudent le tour du salon, se penchant sur les tables garnies de bibelots et sur des coussins brodés d'armes princières. Madame Merle le trouva debout devant la cheminée, le nez sur le grand volant de dentelle qui pendait de la garniture de damas. Il l'avait délicatement soulevé, comme s'il le flairait.

– C'est de la Venise ancienne, dit-elle. Plutôt belle.

– Trop belle pour cet usage; vous devriez la porter.

– On m'a dit que vous en avez d'encore plus belle à Paris. A la même place.

– C'est que je ne peux la porter, fit le visiteur en souriant.

– Je ne vois pas pourquoi ! Personnellement, j'ai de plus belles dentelles pour mon usage personnel.

A nouveau, les yeux de Rosier explorèrent lentement le petit salon.

– Vous avez quelques très belles choses.

– Oui, mais je les déteste.

– Souhaitez-vous vous en défaire ? demanda vivement le jeune homme.

– Non, il est bon d'avoir quelque chose à détester. Cela soulage.

– Moi, j'aime mes acquisitions, dit M. Rosier tout rougissant de ce qu'il lui fallait admettre, mais ce n'est ni des miennes ni des vôtres que je suis venu vous parler. Après une pause, il reprit plus doucement : Je m'intéresse plus à Miss Osmond qu'à tous les *bibelots* que l'Europe peut offrir.

Madame Merle ouvrit de grands yeux :

– Êtes-vous venu pour me dire cela ?

– Je suis venu vous demander conseil.

Sourcils froncés mais amicale, elle le regardait en se caressant le menton de sa grande main blanche :

– Un homme épris ne demande pas de conseils, vous le savez.

– Pourquoi pas ? S'il se trouve en situation difficile, ce qui est souvent le cas des hommes épris. J'ai déjà été amoureux, j'en sais quelque chose. Mais jamais autant que cette fois, réellement, jamais autant. J'aimerais surtout savoir ce que vous pensez de mes projets. Je crains de ne pas être pour Mr Osmond... une véritable pièce de collection.

– Vous voudriez que j'intercède ? demanda Madame Merle qui avait croisé ses beaux bras et dont la bouche se relevait gracieusement vers la gauche.

– Si vous pouviez dire un mot en ma faveur, je vous en serais très reconnaissant. Il serait vain de troubler Miss Osmond si je n'ai pas de bonnes raisons de compter sur le consentement de son père !

– Vous êtes très prévenant et c'est tout à votre honneur. Mais vous tenez pour acquis, non sans quelque désinvolture, que je vous prends pour l'oiseau rare.

– Vous avez été très aimable avec moi, dit le jeune homme. C'est pourquoi je suis là.

– Je suis toujours aimable avec les gens qui possèdent du bon Louis XIV. Cela se fait rare de nos jours, sans parler de ce que l'on peut en obtenir.

Et le coin gauche de la bouche de Madame Merle se chargea d'exprimer la saveur de la plaisanterie. Malgré cela, le jeune homme paraissait littéralement inquiet et réellement acharné.

– Et moi qui m'imaginais que vous m'aimiez pour moi !

– Vous me plaisez beaucoup mais, s'il vous plaît, laissons ce sujet. Pardonnez-moi si je vous parais un peu protectrice mais je pense que vous êtes un parfait petit gentleman. Je dois vous dire, pourtant, que je ne suis pas chargée de marier Pansy Osmond.

– Je n'y avais pas songé. Mais il m'a semblé que vous étiez intime avec sa famille et j'ai pensé que vous pourriez avoir quelque influence.

Madame Merle réfléchissait.

– Qui appelez-vous sa famille ? demanda-t-elle

– Son père et... Ah ! comment dit-on en anglais ? sa *belle-mère* ?

– Mr Osmond est son père, c'est certain ; mais sa femme peut difficilement passer pour un membre de la famille de Pansy. Mrs Osmond n'a rien à faire avec son mariage.

– J'en suis désolé, soupira Rosier en toute bonne foi. Je pense que Mrs Osmond m'aurait été favorable.

– Si son mari ne vous l'est pas, c'est très probable.

– Est-elle portée à le contredire ? dit-il en levant les sourcils.

– Sur toute la ligne. Ils ont des opinions très différentes.

– Bien, dit Rosier, je le regrette mais ce n'est pas mon affaire. Elle aime beaucoup Pansy.

– Oui, elle l'aime beaucoup.

– Et Pansy a beaucoup d'affection pour elle. Elle m'a dit l'aimer comme si elle était sa vraie mère.

– Vous avez dû avoir des échanges très intimes avec la pauvre enfant, dit Madame Merle. Lui avez-vous fait part de vos sentiments ?

– Jamais ! s'écria Rosier en levant une main gantée de frais. Jamais tant que je ne me suis pas assuré de ceux des parents.

– Vous attendez toujours leur accord ? Voilà d'excellents principes ; vous respectez les convenances.

– J'ai l'impression que vous vous moquez de moi, murmura le jeune homme en se laissant aller dans son fauteuil et en tâtant sa petite moustache. Je n'attendais pas cela de vous, Madame Merle.

Elle hocha calmement la tête, comme quelqu'un qui voit les choses telles qu'elles sont.

– Vous êtes injuste à mon égard. Je trouve que vous vous conduisez avec un goût parfait et que vous n'auriez su mieux agir. Voilà ce que je pense.

– Je ne voudrais pas la troubler... rien que pour le plaisir; je l'aime trop pour cela, dit Ned Rosier.

– Tout compte fait, je suis contente que vous m'en ayez parlé, reprit Madame Merle. Laissez-moi un peu de temps; je pense pouvoir vous aider.

– J'avais bien dit que vous êtes la personne à qui je devais m'adresser! triompha le jeune homme.

– Vous êtes très habile, repartit plus sèchement Madame Merle. Quand je dis que je peux vous aider, je veux dire après m'être assurée que votre cause est bonne. Voyons un peu ce qu'il en est.

– Je suis terriblement comme il faut, vous savez, fit Rosier avec ardeur. Je ne dirais pas que je suis sans défaut mais j'affirme ne pas avoir de vices.

– Tout cela est négatif et dépend de ce que chacun entend par vices. Voyons le côté positif. Quelles sont vos qualités? Que possédez-vous en dehors de vos dentelles espagnoles et de vos tasses de Dresde?

– J'ai une petite fortune confortable, environ quarante mille francs par an[1]. Avec mon talent pour l'organisation, nous pouvons vivre magnifiquement sur ce revenu.

– Magnifiquement, non; décemment, oui. Et encore, cela dépend de l'endroit où vous vivrez.

– A Paris. Je m'installerais à Paris.

La bouche de Madame Merle se releva vers la gauche :

---

1. Ce montant, important, correspond à peu près à la moitié du revenu annuel d'Isabel Archer. *(N. d. T.)*

– Ce ne serait pas fameux ; vous seriez obligés de vous servir des tasses et vous en casseriez.

– Nous ne voulons pas être des gens en vue. Il suffira que Miss Osmond n'ait que de jolies choses. Lorsque l'on est aussi jolie, on peut se permettre d'utiliser de la *faïence.* Elle ne devrait porter que de la mousseline... sans ramages, dit Rosier, pensif.

– Vous ne lui permettriez même pas les ramages ? Elle vous serait en tout cas très obligée de cette théorie.

– C'est la meilleure, je vous l'assure, et je suis certain qu'elle la partagerait. Elle comprend tout cela et c'est pourquoi je l'aime.

– C'est une très charmante enfant, très ordonnée et extrêmement gracieuse. Mais, à mon avis, son père ne doit rien pouvoir lui donner.

– Je ne souhaite nullement qu'il le fasse, répondit Rosier, sans sourciller. Mais je peux quand même faire remarquer qu'il vit comme un homme riche.

– L'argent vient de sa femme ; elle lui a apporté une grosse fortune.

– Mrs Osmond, qui aime tant sa belle-fille, pourrait alors faire quelque chose.

– Pour un soupirant éperdu d'amour, vous ne perdez pas le nord ! s'exclama Madame Merle en riant.

– J'apprécierais beaucoup une *dot.* Je peux m'en passer tout en appréciant le principe.

– Mrs Osmond préférera sans doute garder son argent pour ses propres enfants, poursuivit Madame Merle.

– Ses enfants ? Mais elle n'en a pas !

– Elle peut encore en avoir. Voici deux ans, elle a eu un pauvre petit garçon qui est mort six mois après sa naissance. Il pourrait en venir d'autres.

– Je le lui souhaite, si elle doit en être heureuse. C'est une femme merveilleuse !

– Il y a beaucoup à dire sur son compte, repartit posément Madame Merle. Merveilleuse, si vous voulez... Mais nous n'avons pas réellement établi que vous êtes un *parti.* L'absence de vices n'est pas vraiment une source de revenus.

– Pardonnez-moi mais je pense qu'elle peut l'être, dit Rosier non sans lucidité.

– Vous serez un couple touchant qui vivra de son innocence.

– Je crois que vous me sous-estimez.

– Vous n'êtes pas innocent à ce point ? demanda Madame Merle. Sérieusement, un revenu annuel de quarante mille francs et un heureux caractère forment une combinaison qui mérite considération. Je ne dis pas qu'il y ait de quoi s'emballer mais on trouve bien pire. Toutefois, Mr Osmond aura tendance à penser qu'il peut faire mieux.

– Lui, c'est possible, mais sa fille ? Peut-elle faire mieux que d'épouser l'homme qu'elle aime ? Car elle m'aime, vous savez, ajouta Rosier avec ferveur.

– Elle vous aime, je le sais.

– Ah ! s'écria le jeune homme, je disais bien que je devais aller vers vous.

– Mais je ne vois pas comment vous le savez si vous ne le lui avez pas demandé, poursuivit Madame Merle.

– Quel besoin y a-t-il de demander et de parler dans ce domaine ? Comme vous le dites, nous sommes deux innocents. Et vous, comment le savez-vous ?

– Moi qui ne suis pas innocente ? En étant très astucieuse. Fiez-vous à moi ; je vais me renseigner pour vous.

Rosier se leva, s'immobilisa et lissa son chapeau.

– Vous dites cela si froidement. Ne vous arrêtez pas à constater la situation ; essayez de l'infléchir à notre avantage.

– Je ferai de mon mieux ; je tâcherai de tirer le maximum de vos atouts.

– Mille mercis. De mon côté, je dirai un mot à Mrs Osmond.

– *Gardez-vous en bien !* dit Madame Merle qui avait bondi. Ne la mêlez pas à l'affaire ou vous allez tout gâcher.

Rosier inspecta le fond de son chapeau ; il se demandait si son hôtesse, tout bien considéré, était la meilleure personne à consulter.

– Je crois que je vous comprends mal. Je suis un vieil ami de Mrs Osmond et je pense qu'elle aimerait que je réussisse.

– Soyez un vieil ami tant qu'il vous plaira ; plus elle aura de vieux amis, mieux cela vaudra pour elle car elle ne s'entend pas très bien avec tous les nouveaux. Mais ne lui demandez pas pour l'instant de prendre fait et cause pour vous. Son mari peut avoir d'autres projets, et, comme je souhaite le bien de Mrs Osmond, je vous conseille de ne pas multiplier entre eux les motifs de désaccord.

L'inquiétude envahissait le visage du pauvre Rosier ; la demande en mariage de Pansy Osmond était une affaire réellement plus complexe que ne l'admettait son goût pour les modulations justes. Pourtant, le solide bon sens qu'il dissimulait sous un abord qui faisait songer au meilleur ensemble d'un propriétaire soigneux lui vint en aide :

– Je ne vois pas ce qui m'oblige à tant ménager Mr Osmond ! s'exclama-t-il.

– Non, c'est elle qu'il faut ménager. Vous êtes de ses vieux amis, dites-vous. La feriez-vous souffrir ?

– Pour rien au monde !

– Alors, soyez prudent et ne levez pas le petit doigt avant que j'aie fait quelques sondages.

– Le petit doigt, chère Madame Merle ? Rappelez-vous que je suis amoureux.

– Oh ! vous n'allez pas vous consumer si vite ! Pourquoi venir me voir si vous ne tenez pas compte de ce que je dis ?

– Vous êtes très aimable et je serai exemplaire, promit le jeune homme. Mais je crains que Mr Osmond ne soit dur, ajouta-t-il de sa voix douce en se dirigeant vers la porte.

Madame Merle eut un rire bref :

– Nous en avons déjà parlé. Et sa femme n'est pas plus commode.

– C'est une femme merveilleuse ! répéta Ned Rosier en guise d'adieu.

Il décida que sa conduite serait digne du soupirant, modèle de discrétion, qu'il était déjà, mais ne voyait rien dans la promesse faite à Madame Merle qui fût contraire à ce qu'il soutînt son moral grâce à une apparition ocasionnelle dans la demeure de Miss Osmond. Il réfléchissait sans cesse aux propos tenus par sa conseillère et sa pensée tournait autour de l'impression qu'avait laissée en lui son ton circonspect. Il était allé à elle *de confiance*, comme on dit à Paris, mais sa démarche, peut-être, avait été précipitée. Il avait peine à se qualifier d'impétueux car il avait très rarement encouru ce reproche; mais il lui fallait certainement admettre qu'il connaissait Madame Merle depuis un mois seulement et, si l'on y regardait de plus près, le fait de la trouver charmante n'était pas une raison pour supposer qu'elle voudrait à tout prix pousser Pansy Osmond dans ses bras, si gracieusement disposés fussent-ils pour la recevoir. Elle lui avait témoigné de la bienveillance et jouissait de considération dans l'entourage de Pansy où elle produisait l'effet surprenant – Rosier s'était plus d'une fois demandé comment elle s'y prenait – d'être à la fois intime et jamais familière. Mais peut-être avait-il exagéré ces avantages. Il n'y avait aucune raison à ce qu'elle se donnât du mal pour lui; une femme charmante l'est à l'égard de tous et Rosier se sentait un peu stupide en songeant qu'il avait eu recours à elle, persuadé qu'elle l'avait distingué. Très probablement – bien qu'elle eût présenté la chose comme une plaisanterie –, elle ne pensait réellement qu'à ses bibelots. S'était-elle imaginé qu'il lui offrirait deux ou trois joyaux de sa collection? Si seulement elle l'aidait à épouser Miss Osmond, il lui offrirait tout son musée. Évidemment, il était difficile de le lui dire carrément, de la soudoyer par un moyen si fruste. Mais il souhaitait le lui laisser entendre.

Ned Rosier ressassait toujours ces idées lorsqu'il revint chez Mrs Osmond qui avait « un jour » – elle recevait tous les jeudis –, si bien que la présence du jeune homme était conforme aux exigences de la stricte politesse. L'objet de l'affection bien contrôlée de Mr Rosier habitait au cœur de Rome une bâtisse élevée, sombre et massive, qui dominait une *piazzetta* ensoleillée, non loin du *palazzo* Farnese. La petite Pansy vivait, elle aussi, dans un *palazzo* à la romaine que l'esprit craintif du pauvre Rosier avait transformé en cachot. Il lui semblait de mauvais augure que la jeune fille qu'il souhaitait épouser, tout en doutant d'être assez adroit pour se concilier son père difficile, fût enfermée dans une sorte de forteresse domestique, un vieil édifice romain au nom sévère, qui sentait les exploits historiques, la ruse et la violence, que citait le *Murray* et que parcouraient des touristes déçus et déprimés par une visite hâtive, dont le *piano nobile*[1] s'ornait de fresques du Caravage et dont une rangée de statues mutilées et d'urnes poussérieuses occupait la noble loggia voûtée, surplombant une cour humide où une fontaine jaillissait d'une niche rongée par la mousse. Dans un état d'esprit moins troublé, il aurait apprécié le *palazzo* Roccanera et partagé le sentiment de Mrs Osmond qui lui avait dit un jour que, lors de leur installation à Rome, elle-même et son mari avaient choisi cette demeure, guidés par l'amour de la couleur locale. Le *palazzo* n'en manquait certes pas et, tout en étant moins féru d'architecture que d'émaux champlevés de Limoges, Rosier savait voir que les proportions des fenêtres et les détails de la corniche avaient grand air. Mais il était hanté par la certitude qu'au cours d'époques pittoresques, on y avait enfermé des jeunes filles pour contrarier leurs amours spontanées puis, sous la menace de les jeter au couvent, on les avait contraintes à des alliances contre nature. Mais lorsqu'il était reçu dans les salons chaleureux et opulents de Mrs Osmond, situés au second étage, il retrouvait son équité et reconnaissait qu'en matière de belles choses, leurs propriétaires étaient très forts. Elles répondaient au goût d'Osmond et non à celui de sa femme ; Isabel l'avait déclaré à Rosier lors de sa première visite quand, après s'être demandé pendant un quart d'heure si même leurs antiquités françaises surpassaient les siennes en beauté, il avait été contraint d'admettre qu'elles leur étaient bien supérieures et de surmonter sa jalousie, en gentleman qu'il était, afin d'exprimer à son hôtesse son admiration sans mélange pour ses trésors. Il avait appris de Mrs Osmond que son mari avait rassemblé une collection considérable avant leur mariage et que, s'il y avait ajouté quelques belles pièces au cours des trois dernières années, ses plus glorieuses trouvailles dataient d'une époque où il ne bénéficiait pas des avis de sa femme. Rosier avait interprété cette information selon des prémisses person-

1. Dans une villa ou un palais italien, l'étage de réception des propriétaires de l'édifice. *(N. d. T.)*

nelles. Au lieu « d'avis », mettons « argent », s'était-il dit ; et le fait que Gilbert Osmond eût décroché ses plus beaux trésors pendant sa période impécunieuse confirmait sa chère théorie : un collectionneur est libre d'être pauvre ; il lui suffit d'être patient. D'habitude, lorsque Rosier se présentait le jeudi soir, son premier regard allait aux murs du salon ornés de quelques tableaux qui excitaient son ardent désir. Mais, depuis son entretien avec Madame Merle, l'extrême gravité de sa situation lui était apparue et, ce soir-là, sitôt entré, il se mit en quête de la jeune fille de la maison avec l'empressement que pouvait se permettre un gentleman dont le sourire, lorsqu'il franchissait un seuil, considérait toujours que tous les agréments allaient de soi.

37

Pansy n'était pas dans le premier salon, vaste pièce au plafond voûté et aux murs tendus de damas rouge ; c'était là, d'habitude, que Mrs Osmond était assise près du feu, au milieu d'un petit cercle d'intimes. Baignée d'une lumière douce et diffuse, la pièce rassemblait les plus beaux exemplaires du mobilier ; un parfum de fleur y flottait. Pansy devait être dans le salon voisin, domaine des plus jeunes visiteurs où l'on servait le thé. Adossé à la cheminée, les mains derrière le dos, Osmond chauffait tour à tour les semelles de ses bottines. Dispersées autour de lui, une demi-douzaine de personnes bavardaient ; il ne participait pas à la conversation et ses yeux, comme il arrivait souvent, donnaient l'impression d'être retenus par des objectifs plus dignes d'eux que les apparences qu'on leur imposait. Rosier, qui s'avançait sans être annoncé, n'attira pas son attention ; mais, tout en étant vivement conscient d'être venu pour voir Mrs Osmond et non son époux, le jeune homme était trop scrupuleusement poli pour ne pas aller serrer la main du maître de maison. Sans changer d'attitude, Osmond lui tendit sa main gauche.

– Comment allez-vous ? Ma femme doit être par là.

– N'ayez crainte, je la trouverai, répondit gaiement Rosier.

Osmond, cependant, l'enveloppait d'un regard pénétrant ; jamais de sa vie Rosier ne s'était senti examiné avec autant de perspicacité. Madame Merle lui a parlé et cela lui déplaît, songea-t-il. Il avait espéré rencontrer Madame Merle mais elle n'était pas en vue ; peut-être était-elle dans un autre salon, peut-être arriverait-elle plus tard. Il n'avait jamais beaucoup apprécié Gilbert Osmond, auquel il reprochait de se donner de grands airs. Mais il n'avait pas la rancune facile et, s'agissant de politesse, il ressentait comme une nécessité puissante d'en respecter les moindres règles. Il jeta les yeux autour de lui ; rien ne l'y incitait et pourtant il sourit et déclara :

– J'ai vu aujourd'hui une bien jolie pièce de Capodimonte[1].

Osmond garda le silence. Puis, exposant à la chaleur du feu sa bottine, il répliqua :

– Je ne lâcherais pas un penny pour du Capodimonte.

– J'espère que vous n'avez pas perdu votre intérêt pour...

– ... pour les vieux pots et les vieilles assiettes ? Si, j'ai perdu tout intérêt.

Oubliant un instant la précarité de sa situation, Rosier demanda :

– Songeriez-vous à vous défaire de quelques objets ?

– Non, il n'est rien dont je songe à me défaire, Mr Rosier, déclara Osmond qui fixait son visiteur dans les yeux.

– Ah ! Vous voulez tout garder et ne rien ajouter, commenta joyeusement Rosier.

– Exactement. Je n'ai rien que je veuille assortir.

Le pauvre Rosier se sentit rougir ; son manque d'assurance le consternait :

– Eh bien, moi, j'en ai ! murmura-t-il faute de mieux, murmure dont lui-même mesura la vanité.

Il dirigea ses pas vers le salon voisin et croisa Mrs Osmond qui franchissait le tambour de la porte. Vêtue de velours noir, elle était imposante et merveilleuse, ainsi qu'il l'avait décrite, et cependant, elle irradiait la douceur. Nous savons ce que Mr Rosier pensait d'elle et les termes qu'il avait choisis pour exprimer à Madame Merle son admiration pour elle. De même que son attirance pour sa tendre petite belle-fille, l'admiration de Ned Rosier pour Mrs Osmond était fondée en partie sur son coup d'œil d'esthète et son instinct de l'authentique, mais aussi sur sa perception des valeurs inclassables et d'un « lustre » mystérieux, au-delà de l'oubli et des redécouvertes, que sa passion pour les objets fragiles n'avait pas encore oblitérée. A cette époque, Mrs Osmond pouvait combler de tels goûts. Les années ne l'avaient effleurée que pour l'embellir ; intacte, la fleur de sa jeunesse reposait plus

1. Palais napolitain, ancienne résidence royale et aujourd'hui musée, qui comprend les vestiges d'une fabrique de porcelaines, célèbre au XVIIIe siècle. De ravissants « salons de porcelaine » agrémentent le palais restauré. *(N. d. T.)*

calmement sur sa tige. Elle avait perdu un peu de son ardente vivacité, dont son mari s'offusquait sans le montrer; elle avait plus qu'avant l'air d'être capable d'attendre. Quoi qu'il en soit, encadrée par la dorure de la porte, aux yeux de notre jeune homme, elle personnifiait la grâce féminine.

– Vous voyez que je suis très fidèle, dit-il. Mais qui le serait sinon moi ?

– Oui, vous êtes ici la personne que je connais depuis le plus longtemps. Mais nous n'allons pas nous attendrir sur nos vieux souvenirs ! Je veux vous présenter à une jeune fille.

– Une jeune fille ? Ah ! je vous prie, de quelle jeune fille s'agit-il ?

Rosier était l'obligeance même mais il n'était pas venu pour cela.

– Assise près du feu, en rose. Elle n'a personne à qui parler.

Rosier hésita un moment :

– Mr Osmond ne peut-il s'en charger ? Il est à deux pas d'elle.

Mrs Osmond, elle aussi, hésita :

– Elle n'est pas très vive et il n'aime pas les gens ternes.

– Mais elle est assez bien pour moi. Voilà qui est un peu dur !

– Je voulais simplement dire que vous avez assez d'idées pour deux. Et vous êtes si complaisant.

– Votre mari l'est aussi.

– Non, pas à mon égard, dit Mrs Osmond avec un sourire indécis.

– Cela signifie qu'il doit l'être doublement à l'égard des autres femmes.

– C'est ce que je lui dis, répondit-elle, sans cesser de sourire.

– Vous savez que j'ai bien envie d'une tasse de thé, poursuivit Rosier en balayant le salon d'un regard pensif.

– C'est parfait. Allez en porter une à ma jeune fille.

– Entendu. Mais, ensuite, je l'abandonnerai à son sort. Pour être franc, je meurs d'envie de bavarder avec Miss Osmond.

– Ah ! fit Isabel en s'éloignant, sur ce point, je ne peux rien pour vous.

Cinq minutes plus tard, alors qu'il tendait une tasse de thé à la demoiselle en rose qu'il avait conduite dans l'autre salon, Rosier se demanda s'il avait trahi l'esprit de sa promesse à Madame Merle en faisant à Mrs Osmond cette déclaration. Une question de ce genre était susceptible d'occuper longtemps l'esprit du jeune homme. Au bout d'un moment, pourtant, devenu, toutes proportions gardées, téméraire, il cessa de se soucier de promesses auxquelles il pourrait manquer. Le sort auquel il avait menacé d'abandonner la demoiselle en rose n'était pas si terrible car Pansy Osmond, qui avait passé à Rosier la tasse destinée à la jeune fille – Pansy aimait toujours autant faire le thé –, s'était rapprochée et bavardait avec elle. Edward Rosier se mêla peu à cet innocent colloque ; maussade, il s'était assis un peu à l'écart et observait sa bien-aimée. Si nous la regardons à travers ses yeux, de prime abord, peu de traits rappellent la petite fille obéissante que, trois ans plus tôt, à Florence, l'on envoyait jouer un peu plus loin aux Cascine, lorsque son père et Miss Archer abordaient les sujets sacrés des grandes personnes. Mais, après un moment, quelques nuances s'esquissent : à dix-neuf ans, Pansy est devenue une jeune fille mais elle n'en remplit pas réellement le rôle ; elle est à présent très jolie mais manque de façon déplorable de style, qualité si vivement appréciée chez les femmes ; elle est vêtue de neuf mais donne sans conteste l'impression de vouloir ménager son élégante toilette, comme si elle lui avait été prêtée pour la soirée. Il semble qu'Edward Rosier aurait dû être, entre mille, l'homme sensible à ces défauts et, de fait, il n'était pas un trait de la jeune fille qu'il ignorât. Mais il les désignait par des vocables de son choix, dont certains étaient heureux. « Non, elle est unique, absolument unique ! », se disait-il sans cesse, et soyez certain que, pas une seconde, il n'eût convenu avec vous qu'elle pût manquer de style. Du style ? Elle avait le style d'une petite princesse ; il fallait être aveugle pour ne pas le voir. Ce n'était pas un syle moderne, délibéré, il ne ferait aucun effet à Broadway ; la petite demoiselle sérieuse, dans sa petite robe empesée, ressemblait tout simplement à une infante de Vélasquez. Cela suffisait à Edward Rosier qui la trouvait délicieusement surannée. Ses yeux inquiets, ses lèvres charmantes et sa silhouette fluette étaient aussi touchants qu'une prière d'enfant. Il éprouvait à présent le désir lancinant de savoir jusqu'à quel point elle l'aimait, un désir tel qu'il ne pouvait rester tranquille sur sa chaise, tel qu'il en avait trop chaud et devait s'éponger le front avec son mouchoir ; il ne s'était jamais senti aussi mal à l'aise. Elle était une *jeune fille* parfaite et l'on ne pouvait poser à une *jeune fille* les questions destinées à faire la lumière sur ce point. Rosier avait toujours rêvé d'une *jeune fille*, mais qui ne devait pas être française, car, il le sentait, cette nationalité aurait compliqué la question. Il était sûr que Pansy n'avait jamais parcouru un journal et qu'en fait de romans, elle avait lu tout au plus ceux de Sir Walter Scott. Qu'y avait-il de mieux qu'une *jeune fille* américaine ? Elle serait franche et gaie, ne se serait jamais promenée seule, n'aurait jamais reçu de lettres masculines et n'aurait jamais été invitée au théâtre pour y voir des comédies de mœurs. Rosier ne pouvait se cacher qu'en la circonstance, questionner directement cette jeune fille si simple serait manquer à l'honneur vis-à-vis de ses hôtes ; mais il était à présent tout près de se demander si l'hospitalité était la chose la plus sacrée au monde. Le sentiment qu'il portait à Miss Osmond n'était-il pas infiniment plus important ? Plus important pour lui, certes, mais probablement pas pour le maître de maison. Il lui restait un réconfort : même si Osmond se tenait sur ses gardes, grâce aux bons offices de Madame Merle, il n'avait pas dû transmettre l'avertissement à Pansy ; apprendre à sa fille qu'un jeune homme avenant était épris d'elle ne cadrait sûrement pas avec sa politique. Mais il était épris, le jeune homme avenant, et toutes les restrictions liées aux circonstances avaient fini par l'irriter. Que voulait signifier Gilbert Osmond en lui donnant deux doigts de sa main gauche ? Si Osmond était insolent, lui-même pouvait être audacieux. Il se sentit, en fait, très audacieux lorsque la terne jeune fille, si vainement parée de rose, se leva pour répondre au signal de sa mère, venue confier en minaudant à Rosier qu'elle devait l'emmener vers d'autres triomphes. La mère et la fille partirent ensemble, et il dépendait désormais du jeune homme d'être seul avec Pansy. Jamais encore il n'avait été seul avec elle ; jamais il ne l'avait été avec une *jeune fille.* C'était un grand moment ; le pauvre Rosier de nouveau s'épongeait. Il y avait encore une salle au-delà du salon, une petite pièce que l'on avait ouverte et éclairée ; l'assistance étant peu nombreuse ce soir-là, elle était restée vide toute la soirée et elle l'était encore. Tapissée de jaune pâle, éclairée de quelques lampes, elle paraissait le temple de l'amour légitime. Le regard de Rosier s'y attarda ; il craignait que Pansy ne s'échappât et se sentait presque capable de tendre la main pour la retenir. Mais non, elle s'attardait là où la jeune fille terne les avait quittés, sans faire mine de rejoindre un groupe d'invités à l'autre bout du salon. Rosier se dit qu'elle était effrayée, trop effrayée peut-être pour faire un pas, mais un second regard le persuada du contraire et il réfléchit qu'elle était trop innocente pour cela. Après une ultime hésitation, il lui demanda s'il pouvait aller voir le salon jaune qui paraissait si attrayant et si virginal. Il y était déjà allé avec Osmond pour voir le mobilier Empire et, surtout, pour admirer la pendule – qu'il n'admira pas –, pesant monument classique, également français, également Empire. Il eut alors le net sentiment d'avoir amorcé la manœuvre.

– Bien sûr, allez-y. Si vous voulez, je vais vous le montrer, proposa Pansy.

Elle n'était pas du tout effrayée.

– C'est exactement ce que j'espérais vous entendre dire. Vous êtes si gentille ! murmura Rosier.

Ils entrèrent ensemble dans le salon que Rosier, décidément, trouvait très laid et qui semblait glacial. Pansy, apparemment, ressentit la même impression :

– Ce n'est pas une pièce pour les soirs d'hiver, dit-elle, mais plutôt pour l'été. C'est papa qui l'a décorée ; il a tant de goût !

« Il en a beaucoup, songea Rosier, mais il l'a parfois très mauvais. » Il regardait autour de lui, pris de court par la situation.

– Mrs Osmond ne s'intéresse-t-elle pas à la décoration de ses salons ? N'aurait-elle pas de goût ?

– Oh ! si, bien sûr, dit Pansy, mais ses goûts vont plutôt à la littérature et à la conversation. Papa s'y intéresse aussi, d'ailleurs. Je crois qu'il sait tout.

Rosier observa un moment de silence avant de se lancer :

– Il y a une chose dont je suis certain qu'il la sait ! Il sait que lorsque je viens ici, avec tout le respect que je lui dois ainsi qu'à Mrs Osmond qui est si charmante, je viens en réalité pour vous voir.

– Pour me voir ? répéta Pansy en levant vers lui des yeux à peine troublés.

– Pour vous voir : c'est pour cela que je viens, insista Rosier, grisé d'avoir rompu avec l'autorité.

Pansy le regarda fixement, simplement, ouvertement ; une rougeur subite n'aurait rien ajouté à ce que disait son visage pudique :

– Je pensais que c'était pour cela.

– Et cela ne vous a pas déplu ?

– Je ne pourrais le dire : je ne savais rien. Vous ne me l'avez jamais dit.

– J'avais peur de vous blesser.

– Vous ne me blessez pas, murmura la jeune fille en souriant comme si un ange l'avait embrassée.

– Alors, Pansy, vous m'aimez bien ? demanda très doucement Rosier qui se sentait très heureux.

– Oui, je vous aime bien.

Ils s'étaient dirigés vers la cheminée où la grosse et froide pendule Empire était juchée ; là, au milieu de la pièce, ils étaient soustraits aux regards. Le ton sur lequel Pansy avait prononcé ces cinq mots lui parut le souffle même de la nature et sa réponse, la seule possible, fut de prendre la main de la jeune fille et de la garder un moment. Puis il la porta à ses lèvres. Elle se laissa faire et son sourire pur et confiant exprimait une sorte de passivité ineffable. Elle l'aimait ; elle l'avait toujours aimé ; à présent, tout pouvait arriver ! Elle était prête, elle l'avait toujours été ; elle attendait qu'il parlât. S'il n'avait pas parlé, elle aurait attendu, toujours attendu mais, sitôt le mot prononcé, elle était tombée, comme la pêche tombe de l'arbre que l'on secoue. Rosier sentait que s'il l'attirait à lui pour la serrer sur son cœur, elle se laisserait faire sans un murmure et s'abandonnerait avec confiance. Il est vrai que ce serait une expérience imprudente dans un *salottino* Empire, et jaune de surcroît. Elle savait qu'il venait pour elle, et, cependant, elle s'en était tirée comme une parfaite petite lady !

– Vous m'êtes très chère ! murmura-t-il, en s'efforçant de se persuader que l'hospitalité existait tout de même.

– Vous dites que papa est au courant ? demanda-t-elle en regardant sa main, celle où il avait posé les lèvres.

– Vous venez de me dire qu'il sait tout.

– Je crois que vous devez vous en assurer, dit Pansy.

– Ah ! ma chérie, maintenant que je suis sûr de vous ! lui chuchota Rosier à l'oreille tandis qu'elle se dirigeait vers le salon voisin avec une logique qui semblait impliquer que leur requête ne souffrait aucun délai.

Pendant ce temps, dans les autres salons, tout le monde avait enregistré l'arrivée de Madame Merle dont l'entrée, où qu'elle allât, faisait toujours impression. L'observateur le plus attentif n'aurait su dire comment elle s'y prenait car elle n'élevait pas la voix, ne riait pas bruyamment, ne s'avançait pas triomphante, ne portait pas de toilettes éblouissantes, ni ne séduisait de manière perceptible l'assistance. Grande, blonde, souriante et sereine, elle semblait diffuser sa propre tranquillité et c'était un calme soudain qui alertait l'entourage. Ce soir-là, elle avait redoublé de discrétion ; après avoir embrassé Mrs Osmond, ce qui était plus saisissant, elle s'était installée sur un petit sofa pour parler au maître de maison. Après un bref échange de lieux communs – lorsqu'ils étaient ensemble en public, ils versaient toujours un tribut formel à la banalité –, Madame Merle, dont les regards n'avaient cessé de vagabonder, demanda si le petit Mr Rosier était venu ce soir.

– Il est arrivé il y a une heure environ, mais il a disparu, dit Osmond.

– Et Pansy, où est-elle ?

– Dans l'autre salon ; il y a encore du monde là-bas.

– Il s'y trouve probablement, dit Madame Merle.

– Souhaitez-vous le voir ? demanda Osmond sur un ton provocant à force de platitude.

Madame Merle le regarda; elle connaissait le timbre de sa voix à une fraction de ton près.

– Oui, je voudrais lui dire que je vous ai fait part de ses désirs et qu'ils vous intéressent peu.

– Ne dites surtout pas cela; il s'efforcerait de m'intéresser davantage, ce que je veux précisément éviter. Dites-lui que j'abhorre sa proposition.

– Mais vous ne l'abhorrez pas.

– Cela ne veut rien dire; elle ne me plaît pas. Je le lui ai moi-même signifié ce soir, en étant délibérément impoli envers lui. Ce genre de choses est mortellement ennuyeux. Rien ne nous presse.

– Je vais lui dire que vous avez besoin de temps pour y réfléchir.

– Non, ne faites pas cela. Il va me harceler.

– Si je le décourage, il vous harcèlera tout autant.

– Oui, mais dans un cas, il essaiera de s'expliquer, ce qui sera profondément assommant. Dans l'autre, il tiendra probablement sa langue et s'engagera dans un jeu plus subtil. Ce qui me laissera tranquille. J'ai horreur de parler avec un âne.

– Car c'est ainsi que vous voyez le pauvre Mr Rosier ?

– La peste soit de lui et de son éternelle majolique !

Esquissant un sourire, Madame Merle baissa les yeux :

– C'est un gentleman; il a un charmant caractère et, après tout, un revenu de quarante mille francs !

– C'est la misère, la misère respectable ! éclata Osmond. Ce n'est pas ce dont j'ai rêvé pour Pansy.

– Très bien. Il m'a promis qu'il ne se déclarerait pas.

– Et vous l'avez cru ? demanda distraitement Osmond.

– Absolument. Pansy pense beaucoup à lui mais je doute que vous y attachiez la moindre importance.

– Aucune, en effet, et je ne crois pas non plus qu'elle pense à lui.

– C'est une opinion plus commode, dit tranquillement Madame Merle.

– Vous a-t-elle dit qu'elle était éprise de lui ?

– Pour qui la prenez-vous ? demanda Madame Merle qui, après un silence, ajouta : Et pour qui me prenez-vous, moi ?

Osmond, une jambe croisée sur un de ses genoux, saisit d'un geste familier sa cheville fine – son pouce et son index long et mince en faisaient aisément le tour – regardant fixement devant lui.

– Ce genre d'événements ne me prend pas au dépourvu, dit-il. C'est en y songeant que j'ai élevé Pansy, afin que lorsqu'ils se présenteraient, elle agît selon mes préférences.

– Je ne crains pas qu'elle y manque.

– Alors, où est la difficulté ?

– Je n'en vois aucune. Néanmoins, je vous recommande de ne pas vous débarrasser de Mr Rosier. Gardez-le à portée de main ; il pourrait servir.

– Je ne peux pas m'en occuper. Faites-le vous-même.

– Entendu ; je vais le mettre dans un coin et je lui fixerai sa ration quotidienne.

Pendant cet entretien, Madame Merle avait promené avec constance ses regards autour d'elle, comme elle avait coutume de le faire lorsqu'elle était dans le monde ; de même rompait-elle fréquemment la conversation de pauses, apparemment vides. Au cours du long silence qui suivit ses derniers propos, elle vit Pansy sortir du salon voisin, suivie d'Edward Rosier. La jeune fille fit quelques pas avant de s'immobiliser, le regard fixé sur Madame Merle et sur son père.

– Il lui a parlé, annonça Madame Merle à Osmond.

– Autant pour vous ! fit Osmond sans même tourner la tête. Croire à ses promesses... C'est la cravache qu'il lui faut !

– Pauvre petit ! Il vient se confesser.

Osmond se leva. Il posa sur sa fille un regard pénétrant :

– C'est sans importance ! murmura-t-il en s'éloignant.

Après un instant, Pansy s'avança vers Madame Merle avec sa politesse charmante, dénuée de familiarité. L'accueil que lui fit cette dame ne témoignait pas de plus d'intimité ; elle lui adressa simplement un sourire amical en quittant son sofa.

– Vous êtes venue bien tard, dit doucement la jeune fille.

– Ma chère enfant, je n'arrive jamais plus tard que je n'en ai l'intention.

Madame Merle ne s'était pas levée par gentillesse à l'égard de Pansy mais pour aller au-devant d'Edward Rosier. Lui-même vint à sa rencontre et, très vite, comme pour se libérer, il murmura :

– Je lui ai parlé.

– Je le sais, Mr Rosier.

– Elle vous l'a dit ?

– Oui, elle me l'a dit. Comportez-vous correctement jusqu'à la fin de la soirée et venez me voir demain à cinq heures un quart.

Son ton sévère et la façon incroyablement méprisante dont elle lui tourna le dos firent monter aux lèvres du jeune homme une imprécation de bon ton.

Il n'était pas dans ses intentions de parler à Osmond : ce n'était ni le moment, ni le lieu. Mais ses pas le guidèrent instinctivement vers Isabel qui causait avec une personne âgée. Il s'assit à côté d'elle et, postulant que la vieille dame italienne ne comprenait pas l'anglais, il interpella Mrs Osmond :

– Vous avez dit tout à l'heure que vous ne pouviez m'aider. Peut-être réagirez-vous autrement lorsque vous saurez... lorsque vous saurez...

Isabel vint à son aide :

– Lorsque je saurai quoi ?

– Qu'elle est tout à fait d'accord.

– Qu'entendez-vous par là ?

– Que nous nous comprenons très bien

– Pansy a tort, dit Isabel. Cela n'ira pas.

Le pauvre Rosier la regardait, partagé entre imploration et colère ; une rougeur soudaine disait combien il se sentait offensé.

– Jamais je n'ai été traité de la sorte, dit-il. Qu'avez-vous à me reprocher, après tout ? Ce n'est pas la façon dont on me considère d'habitude. J'aurais pu me marier vingt fois.

– Quel dommage que vous ne l'ayez fait ! Non pas vingt fois mais une bonne fois, répondit Isabel avec un sourire affectueux. Vous n'êtes pas assez riche pour Pansy.

– L'argent lui est bien égal.

– Certes, mais pas à son père.

– Ah oui ! Il l'a prouvé ! s'écria Rosier.

Isabel se leva et s'éloigna de lui, abandonnant sans cérémonie sa vieille dame ; pendant les dix minutes qui suivirent, Rosier feignit de s'absorber dans la contemplation des miniatures de Gilbert Osmond, soigneusement disposées sur un ensemble de présentoirs de velours. Mais il regardait sans voir ; ses joues brûlaient ; l'insulte l'étouffait. Jamais encore il n'avait été pareillement maltraité et il n'avait pas l'habitude d'être jugé comme pas assez bien. Il savait ce qu'il valait et si pareille erreur n'avait été si malveillante, il aurait pu en rire. Il repartit à la recherche de Pansy mais elle avait disparu et il n'avait plus qu'une idée à présent : quitter cette maison. Mais, avant de le faire, il voulut revoir Isabel ; il lui était pénible de penser à la réflexion brutale qu'il lui avait adressée, seul point qui pourrait justifier désormais que l'on ait de lui une triste opinion.

– J'ai parlé de Mr Osmond d'une façon que je n'aurais jamais dû me permettre, commença-t-il. Mais il faut vous rendre compte de ma situation.

– Je ne me rappelle pas ce que vous avez dit, répondit-elle froidement.

– Ah ! vous êtes blessée. Et maintenant, jamais vous ne m'aiderez.

Après un silence, elle reprit sur un ton tout différent :

– Ce n'est pas que je ne le veuille pas ; simplement, je ne le peux pas, fit-elle d'une voix chargée de passion.

– Si vous le pouviez, juste un peu, je ne parlerais plus de votre mari que pour le louer.

– L'argument ne manque pas de vigueur, dit gravement Isabel avec un air que Rosier qualifia plus tard d'impénétrable, en lui lançant droit dans les yeux un regard non moins impénétrable.

L'épisode lui rappela subitement qu'il l'avait connue enfant ; toutefois, le souvenir était plus intense qu'il ne le souhaitait et il s'en alla.

38

Le lendemain, il alla voir Madame Merle dont l'attitude indulgente le surprit. Elle lui fit pourtant promettre de ne rien tenter de nouveau jusqu'à ce qu'une décision eût été prise. Mr Osmond avait nourri de très grandes espérances ; à vrai dire, comme il n'avait pas l'intention de doter sa fille, ses ambitions pouvaient être sujettes à la critique, voire même passer pour ridicules. Madame Merle conseilla pourtant à Rosier de ne pas le prendre sur ce ton ; s'il était en mesure de se munir de patience, il pourrait conquérir son bonheur. Mr Osmond n'était pas favorable à sa demande mais il n'y aurait rien de prodigieux à ce que, progressivement, il changeât d'avis. Pansy ne braverait jamais son père, et le sort de Mr Rosier pourrait en dépendre ; si bien qu'il n'y avait rien à gagner à se précipiter. Mr Osmond avait besoin de temps pour se faire à l'idée d'une proposition de ce genre qu'il n'avait pas envisagée jusqu'alors et ce travail devait s'effectuer de lui-même ; il était vain de vouloir l'activer de force. Rosier fit observer que sa situation personnelle serait pendant ce temps la plus pénible qui soit et Madame Merle l'assura qu'elle compatissait. Mais, ainsi qu'elle le fit justement remarquer, nul ne voit jamais tous ses désirs comblés ; elle-même l'avait appris à ses dépens. Il était inutile d'écrire à Gilbert Osmond, qui l'avait chargée de lui parler. Il souhaitait que l'on abandonnât ce sujet pendant quelques semaines et il écrirait lui-même lorsqu'il aurait à communiquer à Mr Rosier quelque chose qu'il serait heureux d'apprendre.

– Il est contrarié que vous ayez parlé à Pansy, poursuivit Madame Merle. Très contrarié.

– Je suis tout disposé à lui fournir l'occasion de me le dire !

– Si vous le faites, il vous en dira plus long que vous ne voulez en entendre. Pendant un mois, allez chez eux le moins possible et laissez-moi me charger du reste.

– Le moins possible ? Qui va décider la mesure de ce moins ?

– Laissez-moi ce soin. Allez-y le jeudi soir, comme tout le monde, jamais à des moments incongrus, et ne vous tracassez pas au sujet de Pansy. Je veillerai à ce qu'elle comprenne bien la situation. C'est une nature calme qui prendra les choses paisiblement.

Edward Rosier se tracassait énormément à propos de Pansy mais, ainsi qu'on le lui avait conseillé, il attendit le jeudi suivant pour retourner au *palazzo* Roccanera. Il y arriva de bonne heure ; l'on avait reçu à dîner et les invités étaient déjà nombreux. Selon son habitude, Osmond était dans le premier salon, près du feu, les yeux fixés sur la porte ; pour ne pas être franchement impoli, Rosier dut aller vers lui.

– Je suis heureux que vous compreniez à demi-mot, dit le père de Pansy en fermant légèrement ses yeux vifs et pénétrants.

– Je n'ai pas saisi de sous-entendus ; j'ai reçu un message, ou ce que j'ai pris pour tel.

– Un message ? De qui l'avez-vous reçu ?

Le pauvre Rosier avait l'impression qu'on venait de l'insulter. Figé, il se demandait jusqu'où devait aller l'endurance d'un amant fervent.

– D'après ce que j'ai compris, Madame Merle m'a transmis un message de votre part, selon lequel vous refusiez de m'accorder l'occasion que je désire, l'occasion de vous exposer mes vœux, dit le jeune homme, convaincu de s'être exprimé d'un ton plutôt sévère.

– Je ne vois pas ce que Madame Merle vient faire làdedans. Pourquoi vous êtes-vous adressé à Madame Merle ?

– Je lui ai demandé son avis, rien de plus. Je l'ai fait parce qu'il me semble qu'elle vous connaît très bien.

– Elle me connaît moins bien qu'elle ne croit, dit Osmond.

– J'en suis désolé car elle m'avait donné quelque raison d'espérer.

Osmond regardait fixement le feu :

– J'attache un grand prix à ma fille.

– Vous ne sauriez en attacher un plus grand que moi. Puis-je en donner meilleure preuve qu'en demandant sa main ?

– Je veux qu'elle fasse un très beau mariage, poursuivit Osmond avec une impertinence cassante que le pauvre Rosier aurait admirée s'il avait été autrement disposé.

– Bien entendu, j'estime qu'elle ferait un beau mariage en m'épousant. Elle ne peut épouser un homme qui l'aime davantage, ou qu'elle aime davantage, j'ose le dire.

– Rien ne m'oblige à accepter vos hypothèses sur les sentiments de ma fille, dit Osmond en levant les yeux avec un sourire bref et glacial.

– Ce ne sont pas des hypothèses. Votre fille m'a parlé.

– Pas à moi, repartit Osmond qui, cette fois, s'inclina légèrement en avant pour regarder la pointe de ses chaussures.

– J'ai sa promesse, Monsieur ! cria violemment Rosier exaspéré.

Jusqu'alors ils avaient parlé à voix basse et cet éclat suscita l'attention autour d'eux ; Osmond attendit qu'elle se dissipât avant de reprendre paisiblement :

– Je crois qu'elle n'a pas souvenir de l'avoir faite.

Sur ces mots, le maître de maison, qui, comme son interlocuteur, était tourné vers la cheminée, fit brusquement volte-face. Avant même d'avoir pu ouvrir la bouche, Rosier aperçut un nouveau venu, introduit à la mode romaine sans être annoncé, qui s'avançait vers Osmond pour le saluer. Celui-ci eut un sourire aimable mais un peu incertain ; l'étranger avait un beau visage et une grande barbe blonde ; de toute évidence, il était anglais.

– Apparemment, vous ne me reconnaissez pas, dit-il avec un sourire plus expressif que celui d'Osmond.

– Mais si, je vous reconnais ! Simplement, je m'attendais si peu à vous voir !

Rosier s'éclipsa et se mit à la recherche de Pansy. Il espérait la trouver comme d'ordinaire dans le salon voisin et croisa Mrs Osmond sur son chemin. Trop justement indigné pour la saluer, il lui déclara brutalement :

– Votre mari est affreusement insensible.

Elle eut le sourire indéchiffrable qu'il avait déjà observé.

– Vous ne pouvez vous attendre à ce que tout le monde soit aussi passionné que vous.

– Je ne peux simuler la froideur mais je suis calme. Qu'a-t-il fait à sa fille ?

– Je n'en ai pas la moindre idée.

– Et cela ne vous intéresse pas? insista Rosier qui commençait à la trouver irritante, elle aussi.

– Non ! jeta-t-elle après un silence ; un non simultanément démenti par l'éclair qui traversa son regard.

– Vous me pardonnerez de ne pas vous croire. Où est Miss Osmond ?

– Là-bas, en train de faire le thé. Je vous en prie, ne la dérangez pas.

Rosier distingua aussitôt la jeune fille que lui avait cachée jusqu'alors un groupe d'invités. Il la regarda mais la confection du thé accaparait toute l'attention de Pansy.

– Que diable a-t-il bien pu lui faire ? demanda-t-il d'un ton implorant. Il m'affirme qu'elle a renoncé à moi.

– Elle n'a pas renoncé à vous, dit Isabel à voix basse et sans le regarder.

– Ah ! Merci de me l'avoir dit ! A présent, je vais la laisser en paix aussi longtemps que vous le jugerez nécessaire.

Il achevait ces mots lorsqu'il vit Isabel changer de couleur et se rendit compte qu'Osmond venait vers elle, accompagné du gentleman arrivé depuis peu. Malgré sa prestance et une habitude manifeste du monde, ce dernier semblait un peu embarrassé, jugea Rosier.

– Isabel, dit Osmond, je vous amène un vieil ami.

Malgré le sourire qu'il présentait, le visage de Mrs Osmond semblait aussi contraint que celui de son vieil ami.

– Je suis très heureuse de voir Lord Warburton, dit-elle.

Rosier s'éloigna et, maintenant que son entretien avec elle avait été interrompu, il se sentait délié de la petite promesse qu'il avait faite. Une intuition lui disait que Mrs Osmond n'allait pas remarquer ce qu'il ferait.

Reconnaissons qu'il voyait juste car, pendant un bon moment, Isabel cessa complètement de lui prêter attention. Elle avait été surprise et ne savait encore si elle ressentait plaisir ou chagrin. Lord Warburton, cependant, à présent qu'il était en face d'elle, était franchement sûr de son propre sentiment en la matière ; ses yeux gris avaient toujours leur belle et rare propriété de préserver la reconnaissance et le témoignage avec sincérité. Il s'était alourdi pendant ces années et semblait vieilli ; il était là, solide et raisonnable.

– J'imagine que vous ne vous attendiez pas à me voir, dit-il. J'arrive à l'instant. Littéralement. Vous voyez, je n'ai pas perdu de temps pour venir vous présenter mes hommages. Je savais que vous recevez le jeudi.

– La renommée de vos jeudis a gagné l'Angleterre, fit observer Osmond à l'adresse de sa femme.

– C'est très aimable de la part de Lord Warburton d'être venu si vite ; nous en sommes très flattés, dit Isabel.

– Cela vaut mieux que de s'arrêter dans un de ces affreux hôtels, reprit Osmond.

– Mon hôtel semble très bien. C'est, je crois, celui où je vous avais vu il y a quatre ans. Rappelez-vous, c'était à Rome que nous nous sommes rencontrés pour la première fois. Comme le temps passe ! Vous souvenez-vous de l'endroit où je vous avais fait mes adieux ? poursuivit Lord Warburton en se tournant vers Mrs Osmond. Au Capitole, dans la première salle.

– Je m'en souviens, dit Osmond. J'y étais, moi aussi.

– Oui, vous y étiez. J'étais très désolé de quitter Rome ; au point que tout cela s'est transformé en un souvenir si lugubre que je n'ai jamais voulu y revenir ; avant ce jour. Mais je savais que vous y habitiez, poursuivit le vieil ami, s'adressant à Isabel, et, croyez-moi, j'ai souvent pensé à vous. Ce doit être charmant de vivre ici, ajouta-t-il en jetant sur le domicile conjugal de la jeune femme un regard où elle aurait pu surprendre l'ombre indécise de son vieux chagrin.

– Nous aurions toujours été ravis de vous y voir, déclara poliment Osmond.

– Merci infiniment. Mais je n'ai pas quitté l'Angleterre depuis cette époque. Il y a un mois encore, j'étais persuadé que j'en avais fini avec les voyages.

– J'ai entendu parler de vous de temps à autre, dit Isabel qui, grâce à son aptitude exceptionnelle pour les prouesses d'ordre intime, avait déjà saisi l'importance de cette nouvelle rencontre.

– Pas en mal, j'espère. Ma vie a été un remarquable passage à vide.

– Comme les bons règnes de l'histoire, suggéra Osmond.

Il semblait estimer que ses devoirs de maître de maison étaient accomplis ; il les avait si consciencieusement remplis. Rien n'aurait pu être plus adapté, plus subtilement dosé que sa courtoisie à l'égard du vieil ami de sa femme. Pointilleuse, explicite, elle était tout sauf naturelle et Lord Warburton, qui avait dans l'ensemble beaucoup de naturel, perçut vraisemblablement cette lacune.

– Je vais vous laisser avec Mrs Osmond. Vous avez des souvenirs que je ne partage pas, ajouta le maître de céans en s'éloignant.

– Je crains que vous ne perdiez beaucoup ! lança Lord Warburton sur un ton qui trahissait peut-être trop vivement combien il appréciait sa générosité.

Puis le visiteur posa sur Isabel un regard profondément intime et persuasif qui se chargea progressivement de gravité :

– Je suis réellement très heureux de vous voir.

– C'est en effet très agréable. Vous êtes très aimable.

– Savez-vous que vous avez un peu changé... ?

– Oui, et même beaucoup ! dit-elle, après une brève hésitation.

– Bien entendu, je ne veux pas dire en mal ; et cependant, comment puis-je dire que c'est en mieux ?

– Je pense que je n'aurais pas de scrupule à vous le dire à vous, repartit-elle bravement.

– Oh ! En ce qui me concerne... il y a bien longtemps. Ce serait dommage que rien n'en témoigne.

Ils s'étaient assis. Isabel lui demanda des nouvelles de ses sœurs et posa quelques questions de pure forme. Il y répondit comme si les sujets l'intéressaient et, au bout d'un moment, Isabel comprit, ou crut comprendre, qu'il ne pèserait plus de tout son poids, contrairement à autrefois. Le temps avait soufflé sur son cœur et, sans le figer, lui avait apporté le sentiment soulageant de s'être aéré. Isabel sentit son estime naturelle pour le Temps s'élever d'un cran. La façon d'être de son ami était celle d'un homme satisfait, d'un homme plutôt désireux que ses semblables, ou du moins elle-même, le considèrent comme tel.

– Il y a quelque chose que je dois vous dire sans plus tarder, reprit-il. J'ai amené Ralph Touchett avec moi.

– Amené Ralph avec vous ? répéta Isabel abasourdie.

– Il est à l'hôtel ; il était trop fatigué pour sortir et il s'est couché.

– Je vais aller le voir, dit-elle aussitôt.

– C'est exactement ce que j'espérais. J'avais l'impression que vous l'aviez peu vu depuis votre mariage et que vos relations s'étaient un peu... un peu guindées. C'est pourquoi j'hésitais, en maladroit Britannique que je suis.

– J'aime toujours autant Ralph, répondit Isabel. Mais pourquoi est-il venu à Rome ?

L'affirmation était très aimable, la question un peu acerbe.

– Parce qu'il va très mal, Mrs Osmond.

– Dans ce cas, Rome n'est pas un endroit pour lui. Il m'avait fait savoir sa décision de renoncer à son habitude de séjourner à l'étranger pendant l'hiver et de le passer désormais en Angleterre, dans ses murs, dans ce qu'il appelait un climat artificiel.

– Pauvre ami, l'artificiel ne lui réussit pas ! Je suis allé le voir à Gardencourt, il y a trois semaines, et l'ai trouvé très malade. Son état empire d'année en année ; à présent, il est à bout de force. Il ne fume même plus de cigarettes ! Il s'est créé un climat artificiel, en effet : il fait aussi chaud chez lui qu'à Calcutta ! Néanmoins, il s'est brusquement avisé de partir pour la Sicile. Je ne croyais pas que ce fût possible ; ni ses médecins d'ailleurs, ni ses amis n'y croyaient. Sa mère est en Amérique, je pense que vous le savez, si bien qu'il n'y avait personne pour l'en empêcher. Il se cramponnait à l'idée que passer l'hiver à Catane serait pour lui le salut. Il disait pouvoir emmener des domestiques et du mobilier pour assurer son confort mais, en fin de compte, il n'a rien emporté. Je voulais au moins qu'il voyageât par mer, pour s'épargner de la fatigue, mais il a prétendu qu'il détestait la mer et voulait s'arrêter à Rome. Ensuite, tout en estimant cette histoire proprement extravagante, j'ai décidé de l'accompagner. Je joue le rôle de – comment dites-vous en Amérique ? – de modérateur. Le pauvre Ralph est bien modéré à présent. Nous avons quitté l'Angleterre depuis quinze jours et il s'est senti très mal en route. Il n'arrivait pas à se réchauffer et, plus nous descendions vers le sud, plus il avait froid. Il s'est trouvé un bon médecin mais j'ai peur qu'il ne soit plus accessible aux secours humains. Je voulais qu'il se fît accompagner d'un homme intelligent, je veux dire par là un jeune docteur perspicace, mais il n'a pas voulu en entendre parler. Permettez-moi de vous le dire, je pense que Mrs Touchett a choisi un moment bien extraordinaire pour décider de partir pour l'Amérique.

Isabel avait écouté avec passion et son visage exprimait le chagrin et la stupeur.

– Ma tante part à dates fixes, dit-elle, et rien ne peut l'en détourner. Elle part toujours au jour dit ; je crois qu'elle aurait embarqué si elle avait su Ralph à l'article de la mort.

– Je crois parfois qu'il est mourant, dit Lord Warburton.

Isabel sursauta :

– J'y vais tout de suite.

Un peu déconcerté par le brusque effet de ses propos, Lord Warburton la retint :

– Je ne veux pas dire qu'il est mourant ce soir ; au contraire. Aujourd'hui, dans le train, il semblait particulièrement bien ; l'idée d'arriver à Rome – il aime beaucoup Rome, vous savez – lui donnait des forces. Quand je lui ai souhaité bonne nuit, il y a une heure, il m'a dit qu'il se sentait très fatigué mais très heureux. Allez-y demain matin, c'est ce que je voulais demander. Je ne lui ai pas dit que je venais chez vous ; je ne m'y suis décidé qu'après l'avoir quitté. Brusquement, je me suis souvenu qu'il m'avait raconté que vous aviez un jour, le jeudi justement. J'ai pensé préférable de vous informer de sa présence et de vous faire savoir que mieux vaut sans doute ne pas attendre sa visite. Il m'a dit, me semble-t-il, qu'il ne vous avait pas écrit.

Isabel n'avait pas besoin d'assurer qu'elle agirait en fonction des informations de Lord Warburton ; elle faisait, dans son fauteuil, l'effet d'un oiseau captif.

– Je ne mentionne pas le désir que j'avais moi-même de vous voir, ajouta galamment Warburton.

– Je ne comprends rien à ce voyage de Ralph ; c'est de la pure folie, dit-elle. J'étais heureuse de l'imaginer à l'abri des murs épais de Gardencourt.

– Il y était complètement seul, avec les murs épais pour toute compagnie.

– Vous alliez le voir ; vous avez été extrêmement bon.

– Oh ! mon Dieu ! Je n'avais rien d'autre à faire, dit Lord Warburton.

– On entend dire, au contraire, que vous faites de grandes choses. Tout le monde parle de vous comme d'un homme d'État influent et je vois constamment votre nom dans le *Times* qui, soit dit en passant, ne lui manifeste pas un respect excessif. Apparemment, vous êtes toujours aussi farouchement radical.

– Je ne me sens pas du tout farouche mais, voyez-vous, le monde m'a fait signe. Depuis notre départ de Londres, Touchett et moi avons mené un débat parlementaire à notre façon. Je lui dis qu'il est le dernier des tories et il me traite de roi des Goths[1] ; d'après Ralph, je porterais, jusque dans les détails de mon apparence, tous les stigmates de la brute. C'est vous dire qu'il est encore bien vivant.

Isabel avait encore beaucoup de questions à poser à propos de Ralph mais elle se retint. Elle le verrait de ses yeux dès le lendemain. Elle sentait que, d'ici peu, Lord Warburton se lasserait de ce sujet ; il en avait sûrement d'autres en tête. Elle était à présent encore plus à même de se dire qu'il s'était remis et, chose plus importante encore, qu'elle était en mesure de se le dire sans amertume. Il avait à tel point personnifié pour elle l'insistance et l'obstination, la force qu'il

1. Il s'agit d'Alaric Ier, roi wisigoth, responsable, entre autres barbaries, du sac de Rome en 410. Ralph attribue à son ami et à ses opinions radicales des effets dévastateurs comparables. *(N. d. T.)*

fallait repousser, à laquelle il fallait faire entendre raison, que sa réapparition l'avait d'abord menacée de nouveaux tourments. Mais à présent, elle était rassurée ; elle voyait qu'il désirait seulement vivre en bons termes avec elle, lui faire comprendre qu'il lui avait pardonné, qu'il était incapable d'allusions équivoques ou de mauvais goût. Bien entendu, ce n'était pas non plus une forme de revanche ; elle ne le soupçonnait pas de vouloir la punir en affichant des airs désabusés ; elle l'estimait assez pour croire qu'il s'était simplement avisé qu'elle apprendrait avec un intérêt tout amical le fait qu'il s'était résigné. C'était la résignation d'une nature saine et virile, chez laquelle les blessures sentimentales jamais ne s'envenimeraient. La politique anglaise l'avait guéri ; Isabel l'avait toujours su. Elle songeait avec envie au sort plus heureux des hommes, toujours libres de s'immerger dans les eaux salutaires de l'action. Bien sûr, Lord Warburton parla du passé, mais sans sous-entendus ; il avait même qualifié de charmante époque celle de leur première rencontre à Rome. Il lui dit aussi qu'il avait été extrêmement intéressé en apprenant son mariage et que c'était pour lui un grand plaisir de faire la connaissance de Mr Osmond car on ne pouvait réellement dire qu'il l'avait faite lors de leur première rencontre. Il n'avait pas écrit à Mrs Osmond lors de ce tournant de son histoire mais ne s'en excusa pas auprès d'elle. Il laissait entendre une seule conviction : ils étaient de vieux amis, des amis intimes. C'était bien en ami intime qu'après une courte pause – souriant, il promenait ses regards autour de lui, comme un convive amusé, au cours d'une soirée provinciale, par une innocente partie de devinettes –, il lui demanda subitement :

– Et maintenant, j'imagine que vous devez être très heureuse ?

Isabel répondit par un rire bref ; le ton de sa remarque la lui faisait paraître presque comique.

– Croyez-vous que je vous le dirais si je ne l'étais pas ?

– Franchement, je ne sais pas. Je ne vois pas pourquoi vous le tairiez.

– Moi, je le vois. Mais heureusement, je suis très heureuse.

– Vous avez une demeure magnifique.

– Oui, très agréable. Mais je n'y suis pour rien ; tout le mérite revient à mon mari.

– Vous voulez dire que c'est lui qui l'a décorée ?

– Oui, il n'y avait rien quand nous y sommes entrés.

– Il doit être très habile.

– Il a le génie de l'ameublement, dit Isabel.

– C'est une mode qui fait rage de nos jours. Mais vous devez bien avoir des goûts personnels.

– J'aime les choses quand elles sont terminées mais je n'ai aucune idée. Je ne propose jamais rien.

– Vous voulez dire que vous acceptez ce que les autres proposent ?

– La plupart du temps, oui, et très volontiers.

– Voilà qui est bon à savoir. Je vais vous proposer quelque chose.

– C'est très aimable à vous. Je dois vous dire pourtant que, dans certains domaines, je fais preuve d'une certaine initiative. J'aimerais, par exemple, vous présenter à quelques personnes.

– N'en faites rien, je vous prie ; je préfère rester ici. A moins que ce ne soit à cette jeune fille en robe bleue. Elle a un visage charmant.

– Celle qui parle au jeune homme si rose ? C'est la fille de mon mari.

– Heureux homme ! Quelle délicieuse enfant !

– Il faut que vous fassiez sa connaissance.

– Avec plaisir, mais dans un moment. Elle est agréable à voir d'ici.

Mais il cessa vite de la regarder ; ses yeux revenaient constamment vers Mrs Osmond.

– Savez-vous que j'avais tort, tout à l'heure, quand je disais que vous aviez changé ? reprit-il soudain. Finalement, vous me semblez être presque la même.

– Et pourtant, je trouve qu'être mariée entraîne un grand changement, dit Isabel avec une douceur enjouée.

– Le mariage influe sur la plupart des gens beaucoup plus qu'il ne l'a fait sur vous. C'est pour cela que je ne m'y suis pas encore risqué.

– J'en suis un peu surprise.

– Vous devriez le comprendre, Mrs Osmond. Mais je vais me marier, ajouta-t-il avec plus de simplicité.

– Cela devrait être facile, dit Isabel en se levant.

Avec un serrement de cœur, peut-être trop visible, elle songea trop tard qu'elle n'était sûrement pas la personne qui pouvait s'autoriser cette réflexion. Et ce fut peut-être parce que Lord Warburton avait pressenti cette émotion qu'il s'abstint généreusement de lui faire remarquer qu'elle n'avait pas contribué à lui faciliter les choses.

Pendant ce temps, Edward Rosier avait pris place sur une ottomane près de la table où Pansy préparait le thé. Il feignit d'abord de lui parler de bagatelles et elle lui demanda qui était le gentleman inconnu qui s'entretenait avec sa belle-mère.

– C'est un lord anglais, dit Rosier, je n'en sais pas plus.

– Je me demande s'il désire du thé. Les Anglais adorent le thé.

– Aucune importance. J'ai quelque chose de sérieux à vous dire.

– Ne parlez pas si fort. Tout le monde va nous entendre, dit Pansy.

– Personne n'entendra rien si vous continuez à regarder par ici, comme si vous n'aviez qu'un devoir au monde : faire bouillir votre eau.

– On vient de remplir la bouilloire ; les domestiques n'y entendent rien ! soupira Pansy, écrasée sous le poids de ses responsabilités.

– Savez-vous ce que votre père vient de me dire ? Que vous ne pensiez pas ce que vous avez dit la semaine dernière.

– Je ne pense pas tout ce que je dis. Comment une jeune fille le pourrait-elle ? Mais je pense ce que je vous dis à vous.

– Il a dit que vous m'avez oublié.

– Oh ! non, je n'oublie pas, dit Pansy dont un sourire un peu figé découvrit les jolies dents.

– Alors, tout reste pareil.

– Non, pas vraiment pareil. Papa a été terriblement sévère.

– Que vous a-t-il fait ?
– Il m'a demandé ce que vous m'aviez fait et je lui ai tout dit. Ensuite, il m'a défendu de vous épouser.
– N'en tenez pas compte.
– Oh ! si, je le dois. Je ne peux désobéir à papa.
– Même pour un homme qui vous aime comme je vous aime et que vous dites aimer ?
Elle souleva le couvercle de la théière dont elle contempla un instant le contenu ; puis, dans ses profondeurs aromatiques, elle laissa tomber cinq mots :
– Je vous aime toujours autant.
– En quoi cela m'avance-t-il ?
– Ah ! fit Pansy en levant ses yeux tendres et embués, cela, je ne le sais pas.
– Vous me décevez, gronda le malheureux Rosier.
Pansy garda le silence et remit une tasse à un domestique. Puis elle demanda :
– Ne parlez plus, je vous en prie.
– Et je devrais m'en satisfaire ?
– Papa a dit que je ne dois pas vous parler.
– Et là-dessus, vous me sacrifiez. C'est trop fort !
– Je souhaite que vous attendiez un peu, dit la jeune fille d'une voix juste assez distincte pour trahir un tremblement.
– Bien sûr, j'attendrai si vous me donnez de l'espoir. Mais vous brisez ma vie.
– Je ne renoncerai pas à vous ! Oh ! non ! reprit Pansy.
– Il essaiera de vous faire épouser quelqu'un d'autre.
– Jamais je ne le ferai.
– Alors, que devons-nous attendre ?
Après une hésitation, Pansy déclara :
– Je parlerai à Mrs Osmond – c'est ainsi que, le plus souvent, elle désignait sa belle-mère – et elle nous aidera.
– Elle ne nous aidera pas beaucoup ; elle a peur.
– Peur de quoi ?
– De votre père, je suppose.
Pansy hocha sa petite tête :
– Elle n'a peur de personne. Il faut que nous soyons patients.

– Ah ! l'horrible mot ! gémit Rosier, profondément déconcerté.

Oublieux des bonnes manières, il laissa tomber sa tête dans ses mains et, la soutenant avec une grâce mélancolique, s'abîma dans la contemplation du tapis. Peu après, conscient d'une agitation certaine près de lui, il releva la tête et vit Pansy exécuter une révérence – toujours sa petite révérence de couvent – devant le lord anglais que Mrs Osmond venait de lui présenter.

39

Depuis le mariage de sa cousine, Ralph l'avait vue moins qu'auparavant ; le lecteur ne s'en étonnera sans doute pas. La façon dont il avait envisagé cet événement était peu susceptible de renforcer leur intimité. Il avait exprimé son opinion, puis il avait gardé le silence, Isabel ne l'ayant pas invité à reprendre une discussion qui marqua un tournant dans l'histoire de leurs relations et creusa entre eux l'écart : celui qu'il redoutait et non celui qu'il espérait. Cette divergence n'avait pas refroidi le désir ardent de la jeune fille de voir aboutir ses fiançailles mais avait bien failli détruire une amitié. Depuis, jamais une allusion à l'opinion de Ralph sur Gilbert Osmond n'avait surgi entre eux ; en tenant ce sujet captif de l'enclos sacré du silence, ils étaient parvenus à préserver un semblant de franchise réciproque. L'écart n'en était pas moins là, ainsi que Ralph se le répétait souvent. Elle ne lui avait pas pardonné et ne lui pardonnerait jamais : c'était tout ce qu'il avait gagné. Elle croyait lui avoir pardonné, elle croyait n'y plus attacher d'importance et, comme elle était à la fois très généreuse et très orgueilleuse, ces convictions correspondaient à une certaine réalité. Mais que le cours des événements vînt ou non justifier l'attitude de Ralph, pratiquement, il lui avait fait du tort, et ce tort était de ceux dont les femmes se souviennent à jamais. Isabel, femme d'Osmond, ne pourrait plus jamais être son amie. Si, dans ce rôle, elle jouissait de la félicité qu'elle en espérait, elle n'aurait que mépris pour l'homme qui, d'avance, avait tenté de saper ce bonheur béni des dieux ; en revanche, si ses avertissements se vérifiaient, le fait qu'elle s'était juré qu'il n'en saurait jamais rien ferait peser sur elle un fardeau tel qu'elle en viendrait à le haïr. Si bien que tout au long de l'année qui suivit le mariage de sa cousine, les prévisions de Ralph avaient été très sombres, et, si ses méditations semblent morbides, rappellons que sa santé n'était pas florissante. Il s'était consolé comme il pouvait en se comportant parfaitement – estimait-il –, et avait assisté à la cérémonie qui, à Florence, au mois de juin, unit Isabel à Mr Osmond. Il avait appris par sa mère qu'Isabel avait d'abord songé à célébrer ses noces dans son pays natal, mais, la simplicité étant son souci majeur, elle avait finalement décidé qu'elle s'exprimerait mieux s'ils étaient mariés rapidement devant le clergyman le plus proche, alors même qu'Osmond avait proclamé qu'il consentait à un voyage, si long fût-il. L'événement s'était donc déroulé dans la petite chapelle américaine, par un jour très chaud, l'assistance étant réduite à Mrs Touchett et son fils, Pansy Osmond et la comtesse Gemini. L'austérité de cette cérémonie avait tenu en partie à l'absence de deux personnes que l'on aurait pu s'attendre à y voir et qui lui auraient prêté une élégance certaine. Madame Merle avait été invitée mais Madame Merle, qui ne pouvait quitter Rome, avait envoyé une aimable lettre d'excuses. Henrietta Stackpole n'avait pas été invitée car son départ d'Amérique, dont Mr Goodwood avait prévenu Isabel, avait en fait été contrarié par les devoirs de sa profession ; elle avait écrit une lettre moins aimable que celle de Madame Merle, laissant entendre que si elle avait été en mesure de traverser l'Atlantique, elle aurait assisté au mariage en qualité de témoin mais aussi de critique. Son retour en Europe avait eu lieu peu après ; ayant retrouvé Isabel à Paris pendant l'automne, elle avait laissé libre cours à sa veine critique, trop libre cours, peut être. Car le pauvre Osmond, qui en avait fait les frais, avait protesté de façon si cinglante que Henrietta s'était vue contrainte de déclarer à Isabel que celle-ci venait de franchir une étape qui dressait entre elles une barrière. « Ce n'est pas du tout le fait que tu sois mariée mais le fait que tu l'aies épousé, lui », avait-elle cru opportun de préciser ; ce qui la rapprochait, bien plus qu'elle ne le soupçonnait, de la position de Ralph Touchett, dont elle n'avait cependant pas, ou si peu, les hésitations et les scrupules. Apparemment, la seconde visite de Henrietta en Europe ne s'était pas annoncée comme une vaine entreprise ; au moment même où Osmond ayant signifié à sa femme son hostilité profonde à l'égard de cette journaliste, Isabel avait répondu qu'il lui semblait trop dur avec Henrietta, l'excellent Mr Bantling avait reparu sur la scène et offert à la jeune fille une randonnée en Espagne. Les lettres d'Espagne rédigées par Henrietta, les meilleures qu'elle eût encore publiées, avaient été très bien accueillies; l'une d'elles, datée de l'Alhambra et intitulée «Maures et Croissant-de-lune», passait pour son chef-d'œuvre. Isabel avait été secrètement déçue que son mari n'eût pas trouvé tout simplement la manière de prendre la pauvre fille sur le mode plaisant. Elle s'était même demandé si, par hasard, son sens du divertissement et du comique, bref son sens de l'humour, n'était pas déficient. Bien sûr, elle-même considérait l'affaire en femme dont le bonheur présent n'avait rien à envier à la conscience troublée de Henrietta. Osmond voyait leur amitié comme une monstruosité et ne pouvait concevoir ce qu'elles avaient en commun. A ses yeux, la compagne de voyage de Mr Bantling était d'une vulgarité peu commune; il la jugeait aussi totalement débauchée. Isabel avait ardemment fait appel contre cette dernière clause du verdict, ce qui avait accru l'incompréhension d'Osmond devant certains goûts étranges de sa femme. Isabel n'avait pu expliquer celui-là autrement qu'en disant aimer connaître des gens aussi différents d'elle que possible. «Dans ce cas, pourquoi ne pas faire la connaissance de votre blanchisseuse?» s'était enquis Osmond; Isabel avait répondu qu'elle craignait que sa blanchisseuse ne se souciât d'elle comme d'une guigne; en revanche, Henrietta l'aimait beaucoup.

Ralph n'avait pratiquement pas vu sa cousine pendant les deux années qui suivirent son mariage. L'hiver où elle inaugura son domicile romain, lui-même l'avait passé à San Remo, où sa mère l'avait rejoint au printemps; de là, ils étaient partis ensemble pour l'Angleterre dans le but d'examiner ce qui se passait à la banque, une opération que Mrs Touchett ne pouvait décider son fils à effectuer. Ralph avait pris à bail sa petite villa de San Remo, qu'il avait occupée un second hiver, puis, cette même année, il avait gagné Rome vers la fin avril. C'était la première fois depuis le mariage d'Isabel qu'il la retrouvait en tête à tête; jamais son désir de la revoir n'avait été si vif. Elle lui avait écrit de loin en loin mais ses lettres ne disaient rien de ce qu'il souhaitait savoir. Il avait demandé à sa mère ce qu'Isabel faisait de sa vie et Mrs Touchett avait simplement répondu qu'à son avis, Isabel en tirait le meilleur parti possible. Mrs Touchett ne disposait pas d'une imagination apte à communier avec l'invisible et ne prétendait plus à aucune intimité avec sa nièce, qu'elle rencontrait rarement. Cette jeune femme semblait mener une existence honorable mais l'opinion de Mrs Touchett n'avait pas varié : cette union avait été une affaire minable. Elle n'avait éprouvé aucun plaisir à l'idée du mariage d'Isabel qui, elle en était sûre, était un contrat bancal. De temps en temps, à Florence, elle frôlait la comtesse Gemini et faisait de son mieux pour que le contact en restât là ; mais la comtesse lui rappelait Osmond qui la faisait penser à Isabel. A l'époque, la comtesse faisait l'objet de moins de rumeurs ; Mrs Touchett n'en augurait pourtant rien de bon ; cela prouvait simplement qu'elle avait fait beaucoup jaser précédemment. Elle aurait pu trouver en la personne de Madame Merle des informations plus directes concernant Isabel ; mais les relations de Madame Merle et de Mrs Touchett s'étaient sensiblement altérées. La tante d'Isabel avait dit sans périphrase à son amie qu'elle avait joué un rôle trop habile ; et Madame Merle, qui ne se disputait jamais avec personne, qui semblait trouver que nul n'en valait la peine et qui avait accompli le miracle de partager plus ou moins la vie de Mrs Touchett pendant plusieurs années sans présenter aucun symptôme d'irritation, Madame Merle cette fois le prit de très haut et déclara qu'elle ne s'abaisserait pas à se défendre contre une telle accusation. Elle ajouta pourtant – sans s'abaisser – que sa conduite avait été trop naïve et qu'elle avait tout simplement cru ce qu'elle voyait : Isabel n'avait pas envie de se marier et Osmond n'avait pas envie de plaire ; ses visites répétées ne signifiaient rien ; il s'ennuyait à périr sur sa colline et venait simplement se distraire. Isabel avait gardé pour elle ses sentiments et son voyage en Grèce et en Égypte avait très efficacement trompé sa compagne. Madame Merle admettait d'ailleurs l'événement et n'était pas du tout disposée à le considérer comme un objet de scandale; mais qu'elle y ait joué un rôle, simple ou double, était une accusation contre laquelle elle protestait fièrement. L'attitude de Mrs Touchett et le dommage qu'elle causait à des habitudes consacrées par maintes saisons charmantes furent indéniablement ce qui incita Madame Merle à passer plusieurs mois en Angleterre, où son crédit était pratiquement intact. Mrs Touchett s'était montrée injuste envers elle; il est des choses qui ne peuvent être pardonnées. Mais Madame Merle souffrait en silence; il y avait toujours quelque chose d'exquis dans sa dignité.

Ralph, je l'ai dit, avait voulu voir de ses yeux; mais, alors qu'il s'engageait dans cette enquête, il avait de nouveau senti combien il avait été stupide de mettre la jeune fille en garde. Il avait joué la mauvaise carte; à présent, il avait perdu la partie. Il ne verrait rien, il n'apprendrait rien; pour lui, elle porterait toujours un masque. La sagesse, de sa part, eût été de se dire ravi du mariage afin que, plus tard, lorsqu'elle toucherait le fond, selon son expression, elle eût le plaisir de lui déclarer qu'il avait été bête comme une oie. Il eût volontiers consenti à passer pour une oie, à seule fin de connaître la vérité sur Isabel. A présent, cependant, elle ne raillait pas les idées fausses de son cousin, pas plus qu'elle n'affirmait le bien-fondé de sa propre confiance; si elle portait un masque, il lui couvrait entièrement le visage. La sérénité figée qu'il affichait sentait l'artifice; ce n'était pas une expression, se disait Ralph, c'était une représentation, voire une annonce publicitaire. Elle avait perdu son enfant; c'était un chagrin mais un chagrin dont elle parlait à peine; il y avait plus à dire sur ce sujet qu'elle n'en pouvait confier à Ralph. De plus, le fait appartenait au passé; il avait eu lieu six mois plus tôt et elle avait déjà mis de côté les signes symboliques du deuil. Elle semblait jouer un rôle de premier plan dans la vie mondaine; Ralph avait entendu dire qu'elle jouissait d'« une position enchanteresse » dans la société. Il observa qu'elle donnait l'impression d'être très enviée et que beaucoup de gens considéraient comme un privilège le fait de la connaître. Sa demeure ne s'ouvrait pas au premier venu et les invités à ses soirées du jeudi étaient triés sur le volet. Par certains côtés, elle vivait dans la magnificence mais il fallait appartenir à son cercle pour le percevoir car il n'y avait rien de surprenant, de critiquable ni même d'admirable dans les faits et gestes quotidiens de Mr et de Mrs Osmond. Ralph y avait aussitôt reconnu la main du maître, car il savait Isabel peu douée pour produire des effets étudiés. Il fut frappé par le goût très vif de sa cousine pour le mouvement, la gaieté, les heures tardives, les longues chevauchées, la fatigue, par son désir ardent de se distraire, s'intéresser ou même s'ennuyer, de faire des connaissances, rencontrer les gens en vue, explorer les environs de Rome et nouer des relations avec des reliques parmi les plus surannées de la vieille société romaine. Elle y mettait beaucoup moins de discernement que dans le désir de progrès universel dont Ralph avait l'habitude de se moquer. Une forme de violence étayait parfois ses impulsions, une forme de brutalité certaines de ses tentatives, et son cousin n'en revenait pas; il lui semblait même qu'elle parlait, bougeait et respirait plus vite qu'avant son mariage. Elle qui cultivait autrefois la vérité en puriste avait succombé à l'exagération; elle qui faisait ses délices des discussions joyeuses et des jeux de l'esprit – son charme éblouissait lorsque, dans le feu d'un débat, elle recevait en plein visage un argument massif qu'elle écartait comme s'il s'agissait d'une plume – semblait estimer à présent qu'aucun sujet ne méritait que les gens s'affrontent ou s'accordent. Si curieuse autrefois, elle était devenue indifférente mais, en dépit de son indifférence, redoublait d'activité. Toujours mince mais plus jolie qu'avant, elle n'avait pas, dans son apparence, évolué vers plus de maturité; cependant, l'opulence et l'éclat de ses atours avivaient sa beauté d'une touche d'insolence. Pauvre Isabel au cœur compatissant, quelle perversion l'avait mordue? Son pied léger traînait derrière lui un monceau de drapé; sa tête intelligente supportait une parure majestueuse. La jeune fille libre et passionnée était devenue quelqu'un d'autre, ce que voyait Ralph : une jolie femme censée représenter quelque chose. Que représentait Isabel? se demanda Ralph, à qui s'offrit une seule réponse : Isabel représentait Gilbert Osmond. « Dieu du Ciel, quelle fonction ! » s'écria-t-il tristement, éperdu devant le mystère des choses.

Il reconnaissait Osmond ; il le reconnaissait à tout instant. Il voyait comment Osmond maintenait toutes choses dans des limites fixées, comment il ajustait, réglait et stimulait leur manière de vivre. Osmond était dans son élément ; il disposait enfin d'un matériau sur lequel travailler. Il avait toujours aimé l'effet et ses effets étaient savamment calculés. Il les produisait sans recourir à des moyens vulgaires mais son mobile était aussi vulgaire que son art était grand. Entourer sa demeure d'une inviolabilité qui excitât l'envie, tourmenter les gens du monde par un sentiment d'exclusion, leur faire croire que sa demeure différait de toutes les autres et conférer au visage qu'il présentait à leurs relations une originalité froide, tels étaient les artifices habiles du personnage auquel Isabel avait attribué une moralité supérieure. « Il travaille sur des matériaux de qualité supérieure, songeait Ralph ; quelle abondance florissante à côté de ses ressources antérieures. » Ralph était un homme intelligent ; il lui sembla personnellement ne l'avoir jamais tant été que lorsqu'il décela *in petto* que, sous l'apparence d'une attention exclusivement accordée aux valeurs intrinsèques, Osmond vivait exclusivement pour le monde. Loin d'en être le maître, ainsi qu'il s'en targuait, il en était le très humble larbin et mesurait sa réussite personnelle au degré d'attention qu'il en recevait. Du matin au soir, il vivait l'œil braqué sur les variations de son succès et le monde était si stupide que jamais il ne soupçonna le stratagème. Tout était *pose* chez Osmond, mais *pose* si subtilement étudiée qu'à moins d'être à l'affût, on la prenait pour de la spontanéité. Ralph n'avait jamais rencontré d'homme qui vécût si totalement au pays de la considération. Les goûts d'Osmond, ses travaux, ses réalisations, ses collections visaient tous un même objectif. Des années durant, sa vie sur sa colline près de Florence avait relevé d'une attitude délibérée. Sa solitude, son ennui, son amour pour sa fille, ses bonnes manières et ses mauvaises manières ? Autant de facettes d'une image mentale sans cesse présente à son esprit, modèle d'impertinence et de mystification. Son ambition n'était pas de plaire au monde mais de se complaire en excitant la curiosité du monde pour refuser ensuite de la satisfaire. Il s'était toujours enorgueilli de se moquer du monde. De toute sa vie, l'acte le plus franchement accompli en vue de son plaisir personnel était son mariage avec Miss Archer, bien qu'en ce cas, le monde crédule fût d'une certaine manière personnifié par la pauvre Isabel, mystifiée à la limite du possible. Ralph, bien entendu, estimait souhaitable d'être cohérent ; il avait embrassé une foi, il avait souffert pour elle et l'honneur lui interdisait de la renier. Je livre ce bref exposé de ses dogmes pour ce qu'ils pouvaient valoir à l'époque. Il est sûr que Ralph excellait à faire concorder les faits avec sa théorie, y compris celui que, pendant son séjour romain cette année-là, le mari de la femme qu'il aimait ne semblait pas du tout voir en lui un ennemi.

Pour Gilbert Osmond, Ralph n'avait alors pas cette importance. Il n'avait pas non plus l'importance d'un ami ; il n'en avait pratiquement aucune. Il était le cousin d'Isabel et avait une maladie plutôt déplaisante ; telle était la base sur laquelle Osmond traitait avec lui. Il lui posait les questions voulues, s'informait de sa santé, de Mrs Touchett, de son opinion sur l'hiver sous différents climats et du confort qu'il trouvait à son hôtel. Lors de leurs rares rencontres, il ne lui adressait pas un mot inutile mais ses manières étaient toujours empreintes de l'urbanité propre à l'homme conscient de son succès pour celui qui sait avoir raté. Malgré tout, vers la fin de son séjour, Ralph avait eu la vive impression qu'Osmond faisait peser sur sa femme son déplaisir qu'elle continuât à le recevoir. Il n'était pas jaloux ; il n'avait pas cette excuse ; personne ne pouvait être jaloux de Ralph. Mais il faisait payer à Isabel une affection des temps anciens dont subsistaient tant de vestiges ; et comme Ralph n'avait aucune envie qu'elle payât trop cher, dès que ses soupçons avaient pris corps, il s'était éclipsé. Ce faisant, il avait privé Isabel d'une occupation très intéressante : elle n'avait jamais cessé de se demander quel principe subtil le gardait en vie. Elle avait décidé que c'était son amour pour la conversation, car jamais la sienne n'avait été si étincelante. Il avait renoncé à la marche :

le promeneur humoriste d'autrefois n'était plus. Ralph passait ses journées dans un fauteuil – le premier fauteuil venu faisait l'affaire – et dépendait tant de ce que les autres faisaient pour lui que, sa conversation n'eût-elle été si recueillie, on aurait pu le croire aveugle. Le lecteur en sachant plus long sur son compte qu'Isabel ne devait jamais en apprendre, nous pouvons lui livrer la clef du mystère. Un simple fait maintenait Ralph en vie : il n'en savait pas encore assez sur la personne qui l'intéressait le plus au monde; il ne s'estimait pas satisfait. Du nouveau s'annonçait et il ne pouvait se résoudre à l'ignorer. Il voulait voir ce qu'elle ferait de son mari, ou ce que son mari ferait d'elle. Le drame en était encore à son premier acte et Ralph était déterminé à en voir la fin. Cette résolution s'avérait solide; elle l'avait maintenu en vie pendant dix-huit mois, jusqu'à l'époque de son retour à Rome avec Lord Warburton. En fait, elle lui donnait un tel air de vouloir vivre indéfiniment que Mrs Touchett, tout en étant devenue plus accessible au désarroi devant ce fils étrange, insatisfaisant et insatisfait, avait embarqué sans scrupules pour un pays lointain. Si l'attente avait gardé Ralph en vie, ce fut sous l'emprise d'une émotion identique – l'incertitude inquiète et agitée quant à l'état où elle allait le trouver – qu'Isabel pénétra dans l'appartement de son cousin, le lendemain du jour où Lord Warburton lui avait appris son arrivée à Rome.

Elle passa une heure près de lui et d'autres visites suivirent. Gilbert Osmond vint régulièrement, lui aussi, et ils envoyèrent plusieurs fois leur voiture pour amener Ralph au *palazzo* Roccanera. Une quinzaine de jours passèrent ainsi, au bout desquels Ralph apprit à son ami qu'il pensait finalement ne pas se rendre en Sicile. Warburton avait parcouru toute la journée la campagne romaine, puis les deux hommes avaient dîné ensemble. Ils venaient de se lever de table et Warburton, devant la cheminée, allumait un cigare qu'il ôta vivement de sa bouche.

– Tu ne vas plus en Sicile? Mais alors, où vas-tu?

– Je pense que je n'irai nulle part, dit sans vergogne Ralph, déjà installé sur le sofa.

– Tu veux dire que tu repars pour l'Angleterre ?
– Grand Dieu non ! Je reste à Rome.
– Rome ne te vaut rien ; il n'y fait pas assez chaud.
– Je m'y ferai. Je m'en arrangerai. D'ailleurs, tu peux voir par toi-même comme je suis bien.

Tirant sur son cigare, Lord Warburton tenta de trouver sur le visage de son ami une confirmation de ses dires.

– Tu es mieux que tu n'étais pendant le voyage, c'est certain. Je me demande comment tu y as survécu. Mais je comprends mal ton état de santé et je te conseille d'essayer la Sicile.

– Je n'essaierai pas, dit le pauvre Ralph, j'ai déjà essayé et ne peux aller plus loin. Je ne peux affronter ce voyage. Me vois-tu entre Charybde et Scylla[1] ? Je ne veux pas mourir sur les plaines siciliennes pour y être enlevé, comme Proserpine[2], et précipité dans le royaume ténébreux de Pluton.

– Pourquoi diable es-tu venu, alors ? s'enquit Sa Seigneurie.

– Parce que l'idée m'avait séduit. Je vois que c'est infaisable. En fait, peu importe à présent où je suis. J'ai épuisé tous les remèdes et absorbé tous les climats. Puisque je suis ici, j'y reste. Je n'ai pas de cousine célibataire en Sicile, et encore moins de cousine mariée.

– Ta cousine est évidemment un bon motif, mais que dit le docteur ?

– Je ne le lui ai pas demandé et je m'en moque. Si je meurs ici, Mrs Osmond m'enterrera. Mais je ne mourrai pas ici.

– J'espère bien que non, dit Lord Warburton qui fumait d'un air méditatif. Je t'avoue que, pour ma part, je suis content que tu renonces à la Sicile. Ce voyage me terrifiait.

– Tu n'avais aucune raison de t'en inquiéter. Je n'avais pas l'intention de te traîner dans mon sillage.

---

1. Le funeste gouffre de Charybde et le non moins tragique rocher de Scylla sont situés dans le détroit de Messine que Ralph aurait dû franchir pour se rendre à Catane. *(N. d. T.)*

2. Proserpine cueillait des fleurs avec ses nymphes dans la plaine d'Enna, en Sicile, lorsqu'elle fut enlevée par Pluton, dieu des morts qui l'entraîna dans son empire. *(N. d. T.)*

– Et moi, je n'avais pas l'intention de te laisser partir seul.

– Cher Warburton, je n'ai jamais pensé que tu irais plus loin que Rome ! s'écria Ralph.

– Je serais allé avec toi et j'aurais veillé à ton installation, dit Lord Warburton.

– Tu es un très bon chrétien. Et un homme très délicat.

– Puis je serais revenu ici.

– Et reparti pour l'Angleterre ?

– Non, je serais resté ici.

– Si nous sommes d'accord sur ce point, dit Ralph, je ne vois pas pourquoi nous parlons de la Sicile.

Son compagnon garda le silence, les yeux fixés sur le feu. Il sortit tout à coup de sa contemplation pour demander avec véhémence :

– Dis-moi, avais-tu vraiment l'intention d'aller en Sicile quand nous sommes partis ?

– *Ah, tu m'en demandes trop !* Laisse-moi d'abord te poser une question. Es-tu venu avec moi dans un état d'esprit purement platonique ?

– Je ne vois pas ce que tu veux dire. Je désirais aller à l'étranger.

– Je crois que nous avons joué l'un et l'autre notre jeu personnel.

– Parle pour toi. Je n'ai jamais caché mon intention de passer quelque temps à Rome.

– Oui, je m'en souviens. Tu m'as dit devoir rencontrer le ministre des Affaires étrangères.

– Je l'ai vu trois fois. Il est très amusant.

– Je crois que tu as oublié pourquoi tu es venu, dit Ralph.

– C'est possible, répondit gravement son ami.

Ces deux hommes appartenaient à une race dont l'absence de réserve n'est pas le trait distinctif et ils avaient couvert ensemble la distance de Londres à Rome sans une allusion aux problèmes qui étaient leur préoccupation essentielle. Il y avait bien un vieux sujet dont ils avaient discuté autrefois mais il avait perdu sa place dans leurs entretiens et, depuis leur arrivée à Rome où tant de choses pourtant y ramenaient, ils avaient gardé tous deux le même silence mi-confiant, mi-méfiant.

–Je te conseille tout de même de demander l'accord du médecin, reprit brusquement Lord Warburton après une pause.

– L'accord du médecin gâcherait tout. Je ne le demande jamais quand je peux m'en passer.

– Qu'en pense Mrs Osmond ? demanda l'ami de Ralph.

–Je ne le lui ai pas dit. Elle évoquerait probablement le climat de Rome, trop froid pour moi, et offrirait même de m'accompagner à Catane. Elle en est capable.

– A ta place, cela ne me déplairait pas.

– Cela déplairait à son mari.

–Je l'imagine volontiers, encore qu'à mon avis tu ne sois pas obligé d'agir en fonction de ses convenances. Elles ne regardent que lui.

–Je ne veux pas susciter de nouvelles causes de conflit entre eux, dit Ralph.

– Y en a-t-il tant déjà ?

– Tout le dispositif est prêt. Le départ d'Isabel avec moi provoquerait l'explosion. Osmond n'aime pas le cousin de sa femme.

–Alors, bien sûr, il ferait une scène. N'en fera-t-il pas autant si tu séjournes ici ?

– C'est ce que je veux voir. La dernière fois que j'étais à Rome, il en avait fait une et j'avais cru de mon devoir de disparaître. A présent, je crois que mon devoir consiste à rester et à la défendre.

– Mon cher Touchett, tes forces défensives... commença Lord Warburton en souriant, mais l'expression qu'il saisit sur le visage de son ami l'arrêta net. Ton devoir, en cette affaire, me paraît plutôt agréable, reprit-il.

Ralph ne répondit pas aussitôt. Finalement, il repartit :

–Je dispose de faibles forces défensives, c'est vrai ; pourtant, mes forces offensives sont encore plus risibles, si bien qu'Osmond pourrait juger que je ne vaux pas une pincée de sa poudre à canon. De toute façon, ajouta-t-il, il y a des choses que je suis curieux d'apprendre.

– Alors, tu sacrifies ta santé à ta curiosité ?

– Ma santé m'intéresse peu et je m'intéresse profondément à Mrs Osmond.

– Moi aussi; mais pas de la même façon qu'autrefois, ajouta vivement Lord Warburton.

C'était une des allusions qu'il n'avait pas trouvé jusqu'alors l'occasion de placer.

– As-tu l'impression qu'elle soit très heureuse? demanda Ralph, enhardi par cette confidence.

– Je ne sais; j'y ai très peu songé. Elle m'a dit l'autre soir qu'elle l'était.

– Qu'elle te l'ait dit à toi, c'est évident! s'exclama Ralph en souriant.

– Je ne vois pas pourquoi. Il me semble que je suis plutôt le genre de personne près de qui elle pourrait se plaindre.

– Se plaindre? Elle ne se plaindra jamais. Elle a fait ce qu'elle a voulu et elle en est consciente. Tu es la dernière personne près de laquelle elle ira se plaindre. Elle est très prudente.

– Elle n'a pas besoin de l'être. Je n'ai pas l'intention de lui faire à nouveau la cour.

– Je suis heureux de l'entendre. Au moins, aucun doute ne plane sur ce qu'est ton devoir.

– Aucun, dit gravement Lord Warburton, aucun.

– Puis-je te demander, poursuivit Ralph, si c'est pour souligner ton intention de ne pas courtiser Mrs Osmond que tu es si courtois à l'égard de sa petite belle-fille?

Lord Warburton tressaillit légèrement; il se leva et alla se poster devant le feu qu'il regarda fixement.

– Tu trouves cela très ridicule?

– Ridicule? Sûrement pas, si elle te plaît vraiment.

– Je trouve que c'est une petite personne exquise. Je ne crois pas qu'une jeune fille de cet âge m'ait jamais autant plu.

– Elle est charmante. Et elle, au moins, est naturelle.

– Évidemment, il y a la différence d'âge : plus de vingt ans.

– Mon cher Warburton, es-tu vraiment sérieux? demanda Ralph.

– Parfaitement sérieux. Autant que je peux l'être.

– J'en suis heureux. Et loué soit le Seigneur! Le vieil Osmond va se dérider!

– Je t'en prie, ne gâche pas ma joie, dit son ami en fronçant les sourcils. Je ne demande pas la main de sa fille pour lui faire plaisir !

– Il n'en sera pas moins perversement satisfait.

– Il ne m'aime pas tant que cela, dit Sa Seigneurie.

– Pas tant que cela ? Mon cher Warburton, l'inconvénient de ta position est que nul n'a besoin de t'aimer pour souhaiter s'allier à toi. Pour moi, si j'étais à ta place, j'aurais la certitude heureuse d'être aimé.

Lord Warburton ne semblait pas d'humeur à goûter les axiomes d'ordre général ; un cas particulier l'intéressait :

– Crois-tu qu'elle en sera heureuse ?

– La jeune fille ? Ravie, sûrement.

– Non, je parle de Mrs Osmond.

Ralph le considéra un moment :

– Mon cher ami, qu'a-t-elle affaire là-dedans ?

– Tout ce qu'elle jugera bon. Elle aime beaucoup Pansy.

– Exact, tout à fait exact, fit Ralph en se levant lentement. Il serait même intéressant de savoir jusqu'où la conduira son affection pour Pansy, poursuivit-il, les mains dans les poches et le front assombri. J'espère, vois-tu, que tu es sûr... très sûr... Sapristi ! lâcha-t-il. Je ne sais comment dire cela.

– Si, tu le sais très bien ; tu sais toujours tout dire.

C'est affreusement gênant. J'espère que tu es bien sûr que, parmi les mérites de Miss Osmond, le fait qu'elle soit... si proche de sa belle-mère n'occupe pas le premier rang.

– Grand Dieu, Touchett ! s'écria violemment Lord Warburton, pour qui me prends-tu ?

40

Isabel n'avait pas beaucoup vu Madame Merle depuis son mariage car son amie s'était souvent absentée de Rome. Elle avait passé six mois en Angleterre, une partie de l'hiver à Paris ; elle avait aussi rendu visite à de nombreux amis lointains et laissait volontiers entendre qu'elle serait à l'avenir une Romaine moins invétérée. Son attachement s'étant limité jusqu'alors au fait de posséder un appartement dans un des coins les plus ensoleillés du Pincio[1] – demeure qui restait souvent vide –, ces propos évoquaient la perspective d'une absence presque permanente, un danger qu'Isabel, à une certaine époque, avait eu tendance à redouter. L'intimité avait modifié dans une certaine mesure sa première impression sur Madame Merle sans en transformer l'essence : l'étonnement admiratif persistait. Ce personnage était armé de pied en cap et c'était un plaisir de voir un tempérament si totalement équipé pour la lutte mondaine. Elle portait discrètement son drapeau mais maniait ses armes d'acier poli avec une dextérité dont Isabel discernait de mieux en mieux qu'elle était celle d'un vétéran. Madame Merle n'était jamais fatiguée, jamais accablée de dégoût ; elle ne semblait jamais aspirer au repos ou à la consolation. Elle avait ses idées à elle dont elle avait autrefois exposé bon nombre à Isabel, qui savait aussi que, sous une apparence d'absolue maîtrise de soi, cette amie remarquablement cultivée dissimulait une riche sensibilité. Mais sa volonté régentait sa vie et il y avait de la noblesse dans la façon dont elle la conduisait. Comme si elle en avait péné-

1. Ancien domaine de la famille Pinci, au IVe siècle, proche des villas Borghese et Médicis, cette colline qui domine la rive gauche du Tibre fut aménagée lors de l'occupation napoléonienne. Les jardins du Pincio offrent des vues splendides sur Rome et d'agréables promenades au centre de la ville. *(N. d. T.)*

tré le mystère, comme si l'art de vivre était un habile stratagème dont elle avait percé le secret. Au fil des années, Isabel faisait connaissance avec les répulsions et le dégoût; certains jours où le monde paraissait sinistre, elle se demandait brusquement à quelle raison de vivre elle prétendait. Dans sa jeunesse, elle avait vécu d'enthousiasme, de coups de foudre pour des possibilités soudainement apparues et de l'espoir de quelque aventure nouvelle. Elle était habituée à passer d'une exaltation à l'autre, sans aucun temps mort. Madame Merle, au contraire, avait radié l'enthousiasme; elle ne s'éprenait plus de rien et vivait de raison et de sagacité. Il y avait des heures où Isabel eût payé n'importe quel prix des leçons de cet art, et, si sa brillante amie avait été dans les parages, elle aurait eu recours à elle. Elle se rendait compte beaucoup mieux qu'autrefois de l'avantage de cette façon d'être, l'avantage d'avoir sécrété autour de son moi une surface sans faille, semblable à un corselet d'argent.

Mais, comme je l'ai dit, ce fut seulement l'hiver où nous retrouvons notre héroïne que Madame Merle fit à Rome un séjour durable. Isabel la voyait à présent plus souvent qu'elle n'avait fait depuis son mariage, mais, à cette époque, ses besoins et ses inclinations avaient beaucoup changé. Ce n'était plus à Madame Merle qu'elle aurait demandé des leçons et elle avait perdu jusqu'à l'envie de connaître ses astucieux artifices. Si elle avait des ennuis, elle devait les garder pour elle et, si la vie était difficile, s'avouer vaincue ne la faciliterait pas. Madame Merle excellait dans l'art de s'aider elle-même et d'être l'ornement de tous les salons, mais était-elle, pourrait-elle être de quelque secours pour une personne aux prises avec des soucis subtils ? Isabel avait toujours pensé que la meilleure façon de profiter de son amie consistait à l'imiter, à être aussi brillante et déterminée qu'elle l'était. Aucune difficulté n'arrêtait Serena Merle et Isabel, inspirée par cet exemple, décida pour la centième fois de balayer les siennes. Il lui parut aussi, quand se réveilla une intimité qui avait été pratiquement interrompue, que sa vieille alliée avait changé; elle s'était presque détachée d'elle et poussait à l'extrême une crainte assez artificielle d'être indiscrète.

Selon Ralph Touchett, elle avait tendance à exagérer, à forcer la note, bref à en faire trop, comme on dit vulgairement. Isabel n'avait jamais admis le bien-fondé de ce grief, qu'en fait elle n'avait jamais très bien compris; d'après ses propres perceptions, la conduite de Madame Merle était frappée de la marque du bon goût, elle était toujours discrète. Mais, s'agissant de sa volonté de ne pas s'immiscer dans la vie privée de la famille Osmond, il arrivait à la jeune femme d'estimer que Madame Merle en rajoutait un peu. Ces scrupules, qui n'étaient pas du meilleur goût, étaient aussi un peu excessifs. Elle rappelait trop lourdement qu'Isabel était mariée et avait à présent d'autres intérêts; qu'elle-même avait très bien connu Gilbert Osmond et sa petite Pansy, sans doute mieux que personne, mais n'appartenait pas pour autant à leur intimité familiale. Elle était sur ses gardes, ne parlait jamais de leurs affaires sans en avoir été priée, voire suppliée, comme lorsque l'on avait besoin de son avis; l'idée de paraître indiscrète la terrifiait. Madame Merle était la franchise personnifiée, nous le savons, et un jour, en toute candeur, elle exprima ses craintes à Isabel.

– Il faut que je sois sur mes gardes, lui dit-elle; je pourrais si facilement vous blesser sans m'en rendre compte. Et vous seriez offensée à bon droit, malgré la pureté absolue de mes intentions. Je ne dois jamais oublier que j'ai connu votre mari longtemps avant que vous ne le rencontriez, je ne dois pas me laisser aller. Si vous étiez sotte, vous pourriez être jalouse. Vous n'êtes pas sotte, je le sais parfaitement. Moi non plus, c'est pourquoi je suis déterminée à éviter les ennuis. Un tort est vite fait, une erreur commise avant même que l'on s'en rende compte. Bien sûr, si j'avais voulu faire la cour à votre mari, j'aurais eu dix ans pour cela et rien ne m'en empêchait; si bien qu'il est peu probable que je m'y mette aujourd'hui, alors que je suis tellement moins séduisante que je n'étais. Mais, s'il m'arrivait de vous agacer en paraissant prendre une place qui n'est pas la mienne, vous ne vous feriez pas cette réflexion, vous diriez seulement que j'oublie certaines nuances. J'ai la ferme intention de ne pas les oublier. Il est certain que toutes les vraies amies ne pensent pas forcément ainsi; l'on ne soupçonne pas une amie d'être injuste. Je ne vous soupçonne pas, ma chère, mais je me méfie de la nature humaine. N'allez pas croire que je me tourmente; je ne me surveille pas toujours et je crois le prouver en vous parlant comme je le fais. Tout ce que je souhaite dire, cependant, est que si vous deviez être jalouse – et la jalousie prendra chez vous cette forme-là –, j'aurais la conviction que c'est un peu ma faute. Ce ne serait sûrement pas celle de votre mari.

Isabel avait disposé de trois ans pour réfléchir à la théorie de Mrs Touchett, selon qui Madame Merle était l'auteur du mariage de Gilbert Osmond. Nous savons comment elle l'avait accueillie d'emblée : Madame Merle avait pu faire le mariage de Gilbert Osmond mais sûrement pas celui d'Isabel Archer; l'intéressée supposait pour sa part qu'il était l'œuvre de la nature, de la providence, du destin ou encore de l'éternel mystère des choses. A vrai dire, sa tante s'en était prise moins à l'action menée par Madame Merle qu'à sa duplicité : elle avait déclenché l'étrange événement puis avait nié toute culpabilité. D'après Isabel, cette culpabilité ne pouvait être grave; Isabel ne pouvait reprocher comme un crime à Madame Merle d'avoir été à l'origine du plus sérieux attachement qu'elle eût jamais forgé. Elle s'en était avisée juste avant son mariage, après la discussion qu'elle avait eue avec sa tante, à une époque où elle pouvait encore embrasser d'un large coup d'œil ses jeunes et minces annales personnelles, dans l'état d'esprit de l'historien philosophe. Si Madame Merle avait souhaité que son état civil se modifiât, Isabel n'en avait qu'une chose à dire : l'idée avait été très heureuse. Par ailleurs, Madame Merle avait été parfaitement franche à son égard et n'avait jamais caché son estime pour Gilbert Osmond. Après son mariage, pourtant, Isabel s'était aperçue que son époux n'avait pas sur ce sujet une vision aussi dégagée; au cours de leurs conversations, il consentait rarement à manier le grain le plus rond et le plus lisse de leur rosaire mondain.

– N'aimez-vous pas Madame Merle? lui avait un jour demandé Isabel. Elle a pour vous beaucoup d'amitié.

– Je vous le dis une fois pour toutes, répondit Osmond. Je l'aimais mieux hier que je ne l'aime aujourd'hui. Je suis fatigué d'elle et j'en suis un peu honteux. Elle est trop parfaite, trop anormalement parfaite. Je suis ravi qu'elle ne soit pas en Italie; tout est plus reposant, une sorte de *détente*. Ne parlez pas trop d'elle : on dirait qu'elle est de retour. Elle a tout le temps de revenir.

En fait, Madame Merle était revenue avant qu'il ne fût trop tard, j'entends par là trop tard pour regagner les avantages qu'elle avait pu perdre. Mais, pendant ce temps, si elle avait sensiblement changé, les sentiments d'Isabel avaient eux aussi évolué. Sa vision de la situation était toujours aussi nette mais beaucoup moins satisfaisante. Un esprit frustré, quel que soit le manque dont il souffre, n'est jamais à court de motifs; ils fleurissent à foison, comme les boutons d'or en juin. Le fait que Madame Merle eût prêté la main au mariage de Gilbert Osmond ne figurait plus à son palmarès; il se pourrait, après tout, qu'Isabel n'eût pas à lui en être tellement reconnaissante. Au fil des années, ses raisons de l'être semblaient se raréfier; un jour, même, Isabel s'était dit que, sans Madame Merle, ces choses ne seraient pas arrivées. Cette réflexion fut instantanément réprimée et notre héroïne fut horrifiée de l'avoir conçue. « Quel que soit mon sort, il ne m'autorise pas à être injuste, se dit-elle; je porterai mon fardeau sans m'en décharger sur autrui. » Cette résolution fut mise à l'épreuve par l'ingénieuse apologie de sa conduite présente, à laquelle Madame Merle jugea bon de se livrer; car un sous-entendu irritant et même un ton railleur présidaient à ces distinctions minutieuses et à ces convictions limpides. A présent, plus rien n'était clair dans l'esprit d'Isabel, envahi par les regrets confus et les appréhensions complexes. Lorsqu'elle quitta Madame Merle, qui venait de lui tenir ces propos, elle sentit son impuissance : Madame Merle se doutait si peu de ce à quoi pensait Isabel ! Laquelle, de surcroît, était incapable de l'expliquer. Être jalouse de son amie ! Jalouse de son amie et de Gilbert ? Cette idée ne s'ancrait pas dans la réalité. Isabel était près de souhaiter que la jalousie eût été possible; c'eût été une sorte de soulagement : ce sentiment n'est-il pas dans une certaine mesure un symptôme de bonheur ? Madame Merle cependant était avisée, si avisée qu'elle aurait pu prétendre connaître Isabel mieux qu'Isabel ne se connaissait. Notre héroïne avait toujours beaucoup pratiqué les résolutions, d'un caractère élevé le plus souvent, mais jamais autant qu'en cette période elles n'avaient éclos si nombreuses dans le secret de son cœur. A vrai dire, elles avaient un air de famille et auraient pu se résumer à la décision que, si elle devait être malheureuse, ce ne serait pas par sa faute. Depuis toujours, son pauvre esprit ailé vivait du désir de faire de son mieux et, jusqu'alors, il n'avait pas été sérieusement découragé. Il souhaitait donc s'en tenir fermement à la justice et ne pas se payer de vengeances mesquines. Associer Madame Merle à sa déception serait une vengeance mesquine, d'autant que le plaisir qui en découlerait manquerait totalement de sincérité. Cela pourrait alimenter son amertume mais ne la délivrerait pas de ses liens. Impossible de feindre qu'elle n'avait pas agi les yeux ouverts ; si jamais jeune fille avait décidé librement, c'était Isabel. Bien entendu, une jeune fille amoureuse n'est pas libre, mais l'origine de son erreur résidait en elle. Il n'y avait eu ni piège, ni complot ; elle avait regardé, réfléchi et choisi. Quand une femme a commis une telle erreur, la seule façon d'y remédier consiste à l'accepter avec une immense, une parfaite grandeur d'âme ! C'était assez d'une folie, surtout lorsqu'elle devait durer sans fin, et une seconde folie ne rattraperait pas la première. Ce vœu de réserve n'allait pas sans une certaine noblesse qui soutint Isabel ; néanmoins, Madame Merle avait eu raison de prendre ses précautions.

Un mois environ après l'arrivée de Ralph Touchett à Rome, Isabel revenait un jour d'une promenade avec Pansy. Elle bénissait à présent la compagnie de Pansy, en vertu de sa résolution d'être juste mais aussi et surtout en raison de sa tendresse pour tout ce qui est faible et pur. Pansy lui était chère et rien dans sa vie n'avait la rectitude de l'attachement que lui vouait la jeune fille, ni la douceur de la conscience qu'elle en avait. Elle l'éprouvait comme une tendre présence, comme une petite main dans la sienne ; de la part de Pansy, plus que d'une affection, il s'agissait d'une foi ardente et contraignante. Quant à Isabel, la conscience de la dépendance de la jeune fille lui procurait plus qu'un simple plaisir ; elle fonctionnait comme une raison précise quand les mobiles menaçaient de lui faire défaut. Elle s'était dit que chacun doit remplir son devoir là où il le trouve et le chercher de son mieux. La sympathie de Pansy était une indication directe qui semblait lui désigner une occasion qui n'était peut-être pas glorieuse mais dont on ne pouvait douter. Où mènerait-elle? Isabel ne se prononçait pas mais, d'une façon générale, elle voulait apporter à Pansy plus que la jeune fille n'était en mesure de lui apporter. A cette époque, il arrivait à Isabel de sourire lorsqu'elle se rappelait que Pansy, parfois, lui avait paru ambiguë, car elle découvrait à présent que les ambiguïtés de Pansy tenaient simplement au manque d'acuité de sa propre vision. Elle avait estimé impossible que l'on pût être si puissamment, si extraordinairement soucieux de plaire. Depuis lors, elle avait vu cette délicate faculté à l'œuvre et savait à présent ce qu'il faut en penser. Elle possédait la jeune fille tout entière, elle était sa forme de génie. Pansy n'avait pas de fierté qui pût s'interposer entre elle et ce désir; elle élargissait constamment le champ de ses conquêtes mais ne s'en attribuait pas le mérite. Les deux dames ne se quittaient pas et l'on voyait rarement Mrs Osmond sans sa belle-fille. Isabel aimait sa compagnie, qui lui donnait l'impression de porter un bouquet composé de fleurs d'une seule espèce. De plus, elle s'était fait un devoir religieux de ne négliger Pansy sous aucun prétexte. Apparemment, Pansy était heureuse avec Isabel, plus qu'en toute autre compagnie, exception faite de celle de son père qu'elle admirait avec une ferveur justifiée par le fait que, la paternité étant un plaisir exquis pour Gilbert Osmond, il avait toujours été voluptueusement doux envers elle. Isabel savait combien Pansy aimait être avec elle et mesurait le mal qu'elle se donnait pour trouver les moyens de lui plaire. Pansy avait décidé que la meilleure façon d'y parvenir était passive et consistait à ne pas lui causer de souci, conviction qui était certainement sans rapport avec les soucis déjà existants. Elle était donc ingénieusement passive et docile avec imagination; elle prenait même soin de tempérer son enthousiasme lorsqu'elle adhérait aux propositions d'Isabel car il aurait pu sous-entendre chez elle un désir différent. Elle n'interrompait jamais personne, ne posait jamais de questions conventionnelles et, si les approbations la ravissaient au point qu'elle pâlissait lorsqu'elle en recevait, jamais elle n'en quémandait. Elle se contentait d'y aspirer d'un air mélancolique et cette expression, à mesure qu'elle avançait en âge, lui donnait les plus jolis yeux du monde. Lors de leur second hiver au *palazzo* Roccanera, lorsqu'elle commença d'assister à des soirées et à des bals, c'était toujours Pansy qui, à une heure raisonnable, proposait de partir, de crainte que Mrs Osmond ne fût fatiguée. Isabel appréciait à sa juste valeur ce sacrifice des dernières danses car, elle le savait, Pansy prenait à cet exercice un plaisir passionné et accordait ses pas au rythme de la musique comme une fée consciencieuse. D'ailleurs, la société n'avait pour elle que des agréments et elle en aimait jusqu'aux incommodités : chaleur des salles de bal, ennui des dîners, cohue devant les portes et attente de la voiture. Pendant la journée, installée dans ce véhicule, elle se figeait près de sa belle-mère dans une posture approbatrice ; légèrement inclinée vers l'avant, elle esquissait un vague sourire, comme si elle sortait en voiture pour la première fois.

Le jour dont je parle, elles s'étaient fait conduire au-delà des portes de la ville et, au bout d'une demi-heure, laissant la voiture patienter au bord de la route, elles parcoururent la campagne romaine dont l'herbe courte demeure parsemée de fleurs délicates jusqu'au cœur de l'hiver. C'était une habitude presque quotidienne chez Isabel, qui aimait la marche et allait d'un bon pas, encore que son allure se fût un peu ralentie depuis son arrivée en Europe. En revanche, cette forme d'exercice n'était pas la préférée de Pansy qui l'appréciait pourtant car elle appréciait tout. Elle avançait à plus petit pas près de la femme de son père qui, lorsqu'elles reviendraient à Rome, ordonnerait pour lui faire plaisir que l'on fît le tour du Pincio ou de la villa Borghese. Loin des murs de Rome, Pansy avait cueilli dans un fossé ensoleillé une poignée de fleurs et, de retour au *palazzo* Roccanera, elle alla directement dans sa chambre pour les mettre dans l'eau. Isabel se dirigea vers le salon où elle se tenait d'habitude, la seconde pièce qui donnait sur la vaste antichambre à laquelle on accédait par l'escalier et dont les riches stratagèmes décoratifs de Gilbert

Osmond n'avaient pu corriger la nudité grandiose. Sur le seuil du salon, Isabel s'arrêta court, sous l'emprise d'une impression. A strictement parler, cette impression n'était pas sans précédent mais Isabel la ressentit comme une nouveauté et son pas silencieux lui donna le temps de percevoir la scène avant de l'interrompre. Madame Merle était là, en chapeau, et Gilbert Osmond lui parlait; pendant une minute, ils ignorèrent la présence d'Isabel. Bien entendu, la jeune femme les avait souvent trouvés ainsi, mais ce qu'elle n'avait jamais vu, ou du moins pas remarqué, c'est que leur dialogue s'était pour l'instant résolu en un silence familier, dont elle perçut instantanément que son entrée les tirerait brusquement. Madame Merle était debout sur la carpette, près de la cheminée; calé au creux d'un fauteuil profond, Osmond la regardait. Elle avait la tête droite, comme toujours, et les yeux baissés vers lui. Isabel fut d'abord frappée que son mari fût assis alors que Madame Merle était debout, une anomalie qui retint son attention. Puis elle saisit qu'ils étaient arrivés à une pause au cours d'un entretien à bâtons rompus et qu'ils rêvaient face à face, avec la liberté de vieux amis qui échangent parfois des idées sans les énoncer. Il n'y avait là rien de choquant : Madame Merle et Osmond étaient réellement de vieux amis. Mais la scène composait un tableau fugitif, comme une lumière qui vacille : leurs positions relatives, leurs regards absorbés, fondus l'un dans l'autre, saisirent Isabel comme une découverte. Mais tout s'acheva avant qu'elle eût vraiment compris. Madame Merle l'avait vue et l'avait saluée sans bouger; en revanche, son mari avait instantanément bondi sur ses pieds. Il murmura vaguement qu'il devait sortir et, après avoir prié la visiteuse de l'excuser, il quitta la pièce.

– J'étais venue vous voir, pensant que vous seriez rentrée; mais comme vous n'étiez pas là, je vous attendais, expliqua Madame Merle.

– Il ne vous a pas proposé de vous asseoir? demanda Isabel avec un sourire.

Madame Merle regarda autour d'elle :

– Ah! c'est vrai. J'allais partir.

– Maintenant, vous devez rester.

– Certainement. Je suis venue dans un but précis. Quelque chose me tracasse.

– Je vous l'ai déjà dit, repartit Isabel, il faut une raison exceptionnelle pour vous amener dans cette maison.

– Et vous savez ce que je vous ai répondu : que je vienne ou que je me tienne à l'écart, le mobile est le même, l'affection que je vous porte.

– Oui, vous me l'avez dit.

– En ce moment, vous n'avez pas vraiment l'air d'y croire, fit Madame Merle.

– La profondeur de vos mobiles, voilà bien la dernière chose dont je doute ! répondit Isabel.

– Vous doutez plutôt de la sincérité de mes propos.

Isabel hocha gravement la tête :

– Je sais que vous avez toujours été bonne pour moi.

– Aussi souvent que vous me l'avez permis. Vous ne l'acceptez pas toujours ; l'on ne peut alors que vous laisser tranquille. Toutefois, ce n'est pas pour vous être agréable que je suis venue aujourd'hui mais pour une affaire bien différente. Je veux me débarrasser d'un ennui personnel en vous le livrant. Je viens d'en parler à votre mari.

– Là, vous m'étonnez ; il n'aime pas les ennuis.

– Surtout ceux des autres. Je le sais. Mais vous non plus, j'imagine. Quoi qu'il en soit, que vous le vouliez ou non, vous devez m'aider. Il s'agit du pauvre Mr Rosier.

– Dans ce cas, fit Isabel d'un ton pensif, il s'agit de ses soucis, non des vôtres.

– Il a réussi à me les mettre sur les bras. Il vient me voir dix fois par semaine pour me parler de Pansy.

– Oui, il veut l'épouser. Je connais toute l'histoire.

Madame Merle hésita :

– J'avais cru comprendre, d'après ce que m'a dit votre mari, que peut-être vous l'ignoriez.

– Comment saurait-il ce que j'en sais ? Il ne m'en a jamais parlé.

– Sans doute parce qu'il ne sait comment en parler.

– C'est pourtant un domaine où il se trouve rarement en difficulté.

– Oui, parce que, d'une manière générale, il sait parfaitement bien que penser. Aujourd'hui, il ne sait pas.

– Ne le lui avez-vous pas dit ? demanda Isabel.

Madame Merle eut un sourire spontané, brillant :

– Vous êtes assez sèche, savez-vous ?

– Oui. Je ne peux m'en empêcher. Mr Rosier m'a également parlé.

– Ce n'est pas sans raison. Vous êtes si proche de la petite.

– Ah ! s'écria Isabel, pour le réconfort que je lui ai donné ! Si vous me trouvez sèche, je me demande ce que lui peut penser.

– Il pense, à mon avis, que vous pouvez faire plus que vous n'avez fait.

– Je ne peux rien faire.

– Vous pouvez toujours en faire plus que moi. J'ignore quel lien mystérieux il a cru découvrir entre Pansy et moi, mais il est venu à moi d'emblée, comme si son sort était entre mes mains. Et maintenant, il revient à la charge pour m'éperonner, savoir ce qu'il peut espérer et donner libre cours à ses sentiments.

– Il est très épris, dit Isabel.

– Très épris... autant qu'il peut l'être.

– Très épris... autant qu'on peut l'être de Pansy, pourriez-vous dire aussi.

Madame Merle baissa les yeux :

– Ne la trouvez-vous pas séduisante ?

– C'est la plus délicieuse enfant qui soit, mais elle est très limitée.

– Elle n'en est que plus facile à aimer pour Mr Rosier. Mr Rosier n'a pas grande envergure.

– C'est vrai, dit Isabel, il a sensiblement les dimensions d'un mouchoir de poche, le petit modèle, bordé de dentelle.

Son humour virait aisément au sarcasme depuis peu, mais elle se sentit aussitôt honteuse de l'exercer aux dépens de l'innocent soupirant de Pansy :

– Il est très brave et très honnête, ajouta-t-elle, et beaucoup moins sot qu'il ne paraît.

– Il m'affirme que Pansy l'adore, reprit Madame Merle.

– Je l'ignore ; je ne le lui ai pas demandé.
– Vous n'avez jamais essayé de la sonder ?
– Ce n'est pas mon rôle mais celui de son père.
– Vous êtes vraiment trop formaliste ! dit Madame Merle.
– C'est à moi d'en juger.
Madame Merle sourit à nouveau :
– Il n'est pas facile de vous aider.
– De m'aider ? répéta Isabel avec sérieux. Que voulez-vous dire ?
– Il est facile de vous déplaire. N'ai-je pas raison d'être prudente ? Quoi qu'il en soit, je vous préviens, comme j'ai prévenu Osmond, que je me lave les mains des histoires d'amour de Miss Pansy et de Mr Edward Rosier. *Je n'y peux rien, moi !* Je ne peux parler de lui à Pansy. D'autant, ajouta Madame Merle, que je ne pense pas qu'il soit un parangon de mari.

Après un moment de réflexion, Isabel répondit en souriant :
– Alors, vous ne vous en lavez pas les mains ! avant d'ajouter sur un autre ton : Vous ne le pouvez pas. Vous êtes trop intéressée.

Madame Merle se leva lentement ; elle avait lancé vers Isabel un regard aussi vif que l'indice qui avait miroité devant notre héroïne quelques instants plus tôt. Mais, cette fois, Isabel ne vit rien.
– Demandez-le lui la prochaine fois. Vous verrez.
– Je ne peux pas le lui demander ; il ne vient plus chez nous. Gilbert lui a fait comprendre qu'il n'y est pas le bienvenu.
– C'est vrai ! s'exclama Madame Merle, j'oubliais ce détail bien qu'il soit le refrain de sa complainte. Il dit qu'Osmond l'a insulté. Osmond ne le déteste quand même pas autant qu'il se l'imagine.

Madame Merle s'était levée, pour mettre un terme à la conversation, semblait-il. Pourtant, elle s'attardait, regardait autour d'elle et avait manifestement autre chose à dire. Isabel le perçut ; elle savait même quel point tracassait son amie mais elle-même avait ses raisons de ne pas lui faciliter les choses.
– Voilà qui a dû lui faire plaisir, si vous le lui avez transmis, répondit-elle en souriant.

– Bien sûr, je le lui ai dit et, dans cette mesure, je l'ai encouragé. J'ai prêché la patience et lui ai dit que son cas n'est pas désespéré si seulement il tient sa langue et se tient tranquille. Malheureusement, il se mêle à présent d'être jaloux.

– Jaloux ?

– Jaloux de Lord Warburton qui, dit-il, est toujours ici.

A ces mots, Isabel, que la fatigue avait retenue dans son fauteuil, se leva subitement et, poussant un simple « Ah ! », s'approcha de la cheminée. Madame Merle l'observa tandis que, devant la glace qui surmontait la cheminée, elle remettait dans l'ordre une mèche de cheveux rebelle.

– Le pauvre Mr Rosier répète qu'il n'y aurait rien d'impossible à ce que Lord Warburton s'éprenne de Pansy, poursuivit Madame Merle.

Silencieuse devant le miroir, Isabel finit quand même par s'en détourner pour répondre d'un ton grave et adouci :

– C'est vrai, il n'y aurait là rien d'impossible.

– C'est ce dont j'ai dû convenir avec Mr Rosier. C'est aussi ce que pense votre mari.

– Cela, je l'ignore.

– Demandez-le lui et vous serez renseignée.

– Je ne le lui demanderai pas, dit Isabel.

– Excusez-moi, j'oubliais que vous m'aviez déjà signalé ce point, dit Madame Merle qui poursuivit : Bien entendu, vous avez eu toute latitude d'observer le comportement de Lord Warburton, beaucoup plus que moi.

– Je ne vois aucune raison de ne pas vous dire qu'il aime beaucoup ma belle-fille.

A nouveau, Madame Merle décocha vers Isabel un rapide coup d'œil.

– Vous voulez dire qu'il l'aime... au sens où Mr Rosier l'entend ?

– J'ignore ce que Mr Rosier entend par là mais Lord Warburton m'a fait savoir qu'il est séduit par Pansy.

– Et vous ne l'avez jamais dit à Osmond ?

Spontanée, abrupte, la question avait jailli des lèvres de Madame Merle. Isabel ne la quittait pas des yeux.

– Je pense qu'il en sera informé en temps voulu ; Lord Warburton dispose d'une langue et sait s'exprimer.

Madame Merle s'était instantanément rendu compte qu'elle avait parlé beaucoup plus vite que d'habitude et la teinte de ses joues s'était avivée. Elle attendit que cette impulsion traîtresse se fût dissipée avant de reprendre, comme si elle venait d'accorder à la chose un moment de réflexion :

– Cela vaudrait mieux qu'épouser ce pauvre Mr Rosier.

– Beaucoup mieux, je pense.

– Ce serait vraiment merveilleux ! Un grand mariage ! C'est vraiment très aimable à lui.

– Très aimable à lui ?

– D'avoir accordé son attention à une petite fille toute simple.

– Je ne vois pas les choses sous cet angle.

– C'est beaucoup de bonté de votre part. Mais, après tout, Pansy Osmond…

– Après tout, Pansy Osmond est la personne la plus séduisante qu'il ait jamais rencontrée ! s'écria Isabel.

Madame Merle écarquilla les yeux sous l'emprise d'une perplexité évidemment justifiée :

– Il n'y a pas cinq minutes, vous me donniez plutôt l'impression de la dénigrer !

– J'ai dit qu'elle était limitée. Elle est limitée. Et Lord Warburton l'est aussi.

– A ce compte-là, nous le sommes tous. Si les mérites de Pansy sont à la hauteur de ce mariage, tant mieux ! Mais si elle fixe son choix sur Mr Rosier, je n'admettrais pas qu'elle mérite pareille limitation. Ce serait trop contrariant.

– Mr Rosier est un raseur ! s'écria brusquement Isabel.

– Je suis d'accord avec vous et ravie de savoir que vous n'attendez pas de moi que j'entretienne sa flamme. Désormais, lorsqu'il sonnera chez moi, ma porte sera condamnée.

Ramenant sur elle son manteau, Madame Merle s'apprêtait à sortir mais en fut empêchée, avant d'avoir atteint la porte, par une requête inconséquente d'Isabel.

– Tout de même, soyez gentille avec lui.

Épaules et sourcils levés, elle considéra son amie :

– Je ne comprends pas vos contradictions ! Non, décidément, je ne serai pas gentille avec lui car ce serait pure hypocrisie. Je veux que Pansy épouse Lord Warburton.

– Attendez au moins qu'il demande sa main.

– Si ce que vous dites est exact, il la demandera. Surtout, ajouta Madame Merle après une pause, si vous l'y poussez.

– Si je m'arrange pour qu'il le fasse ?

– C'est tout à fait en votre pouvoir. Vous avez beaucoup d'influence sur lui.

Isabel fronça légèrement les sourcils.

– D'où sortez-vous cela ?

– Sûrement pas de vos confidences ! répondit Madame Merle avec un sourire. C'est Mrs Touchett qui m'en a parlé.

– De fait, je ne vous ai certainement jamais rien dit de tel.

– Vous auriez pu le faire, si l'occasion s'en était présentée, du temps où nous étions sur la voie des confidences. Mais, en réalité, vous m'en avez très peu dit ; j'y ai souvent songé depuis.

Isabel y avait réfléchi, elle aussi, et s'en était parfois félicitée. Mais elle ne voulait pas en convenir en cet instant, peut-être parce qu'elle ne souhaitait pas paraître s'en réjouir.

– Vous semblez avoir trouvé dans ma tante une excellente informatrice, répondit-elle simplement.

– Elle m'a appris que vous aviez refusé la demande en mariage de Lord Warburton, sous le coup de l'agacement qu'elle en éprouvait ; elle était pleine de son sujet. Personnellement, j'estime que vous avez bien fait d'agir ainsi. Mais si vous n'avez pas voulu épouser Lord Warburton, aidez-le à épouser une autre femme, en guise de réparation.

Isabel écoutait son amie mais son visage persistait à ne pas refléter l'expression enthousiaste du sien. Au bout d'un instant, elle répondit d'un ton aimable et pondéré :

– Je serais vraiment très heureuse en effet si, pour Pansy, la chose pouvait s'arranger.

Là-dessus, Madame Merle, qui paraissait voir dans ces propos un présage favorable, l'embrassa plus tendrement que l'on eût pu s'y attendre et se retira triomphante.

41

Ce même jour, Osmond aborda le sujet pour la première fois, dans le salon où il était venu très tard retrouver Isabel. Ils avaient passé la soirée chez eux et Pansy était allée se coucher ; lui-même était depuis le dîner dans une petite pièce où il avait disposé ses livres et qu'il appelait son bureau.

A dix heures, Lord Warburton était venu, comme toujours lorsqu'Isabel lui faisait savoir qu'elle serait chez elle : il devait se rendre à une réception et ne resta qu'une demi-heure. Après s'être enquise de la santé de Ralph, Isabel laissa tomber la conversation car elle souhaitait qu'il parlât à sa belle-fille. Elle feignit d'abord de lire puis, au bout d'un moment, se mit au piano et se demanda même si elle n'allait pas tout simplement quitter la pièce. Elle avait progressivement apprivoisé l'idée que Pansy pût devenir l'épouse du maître de Lockleigh, perspective qui, de prime abord, s'était présentée sous un angle peu fait pour déchaîner son enthousiasme. Madame Merle, cet après-midi, avait embrasé un monceau de matériaux inflammables. Lorsqu'elle était malheureuse, d'instinct autant que par principe, Isabel cherchait autour d'elle un effort concret à fournir. Elle n'avait jamais réussi à se soustraire à l'impression que le chagrin est un état morbide et malsain, à l'inverse de l'action. Agir – et peu importait l'action – s'offrait donc comme une échappatoire et peut-être même un remède. Par ailleurs, elle voulait se convaincre qu'elle avait fait tout son possible pour satisfaire son mari ; elle était déterminée à ne pas se laisser égarer par la faiblesse imaginaire d'une femme en détresse. Il plairait infiniment à Osmond de voir Pansy épouser un aristocrate anglais, à juste titre, car le gentleman en question était un homme sûr. Il semblait à Isabel qu'en se donnant pour tâche de faire aboutir un tel projet elle jouerait son rôle de bonne épouse. Elle voulait l'être ; elle voulait être en droit de croire sincèrement, avec preuves à l'appui, qu'elle l'avait été. De plus, pareille entreprise comportait d'autres avantages. Cela l'occuperait et elle souhaitait l'être. Cela la distrairait et, si elle parvenait réellement à s'en amuser, elle pourrait être sauvée. Dernier point, ce serait rendre service à Lord Warburton qui, manifestement, se plaisait beaucoup en compagnie de la charmante fille. La chose était singulière, étant donné sa personnalité, mais de telles inclinations ne se raisonnent pas. Pansy pouvait captiver tous les hommes... à l'exception de Lord Warburton. Isabel l'aurait crue trop menue, trop frêle, peut-être même trop artificielle pour cela. Sans parler de son côté poupée qui s'attardait et ne correspondait pas aux tendances de Warburton. Mais comment savoir au juste ce que cherchent les hommes? Ils cherchent ce qu'ils trouvent et ne savent ce qui leur plaît qu'après l'avoir vu. Aucune théorie n'était valable en la matière et, dans la pratique, l'inexplicable et le naturel régnaient indifféremment. Si Warburton l'avait aimée, elle, il semblait étrange qu'il aimât Pansy, qui était si différente; mais il ne l'avait pas aimée autant qu'il l'avait cru. Ou, dans le cas contraire, il était parfaitement venu à bout de cet amour et il était normal que, cette conquête ayant échoué, il envisageât qu'une autre entreprise, totalement différente, pût réussir. De prime abord, je l'ai dit, Isabel n'avait pas été transportée d'enthousiasme mais voilà que ce sentiment apparaissait et la rendait presque heureuse. Comme il était surprenant de découvrir qu'elle pouvait encore trouver tant de bonheur à l'idée de faire plaisir à son mari. Mais comme il était dommage qu'Edward Rosier se fût trouvé sur leur chemin!

Cette évocation ternit un peu la lumière qui avait soudainement illuminé ce chemin. Isabel était hélas certaine que Pansy voyait en Mr Rosier le plus charmant des jeunes gens, aussi certaine que si elle l'avait interrogée à ce sujet. Il était agaçant d'en être si sûre tout en s'étant soigneusement abstenue de s'informer personnellement; et presque aussi agaçant que l'infortuné Mr Rosier se fût mis en tête un tel projet. Il ne valait pas Lord Warburton, et de loin. Ce n'était pas une question de fortune mais une question d'homme : le jeune

Américain était véritablement un poids léger et, beaucoup plus que l'aristocrate anglais, il relevait du type des beaux messieurs inutiles. A vrai dire, il n'y avait pas de raison particulière pour que Pansy épousât un homme d'État; toutefois, si un homme d'État l'admirait, c'était son affaire et Pansy ferait une petite perle de pairesse.

Il pourrait sembler que Mrs Osmond fût soudain devenue étrangement cynique puisqu'elle finit par se dire que cette difficulté s'arrangerait probablement. Un empêchement personnifié par le malheureux Rosier ne pouvait être bien dangereux; il y a toujours moyen d'aplanir les obstacles secondaires. Isabel était tout à fait consciente de n'avoir pas pris la mesure de la ténacité de Pansy, qui pourrait s'avérer malencontreusement résistante; mais elle avait tendance à voir Pansy céder aux suggestions plutôt que se cramponner face à la condamnation, car elle avait infiniment plus développé sa faculté de consentir que celle de protester. Elle tiendrait bon; oui, certainement elle tiendrait, mais sans qu'il lui importât vraiment de savoir à quoi elle tenait. Lord Warburton ferait l'affaire, aussi bien que Mr Rosier, d'autant qu'elle semblait beaucoup l'apprécier; elle avait fait part de ce sentiment à Isabel, sans la moindre réserve, et lui avait dit aussi qu'elle trouvait sa conversation très intéressante : il lui avait raconté tout ce que l'on doit savoir de l'Inde. Lord Warburton avait choisi à l'égard de Pansy une façon d'être directe et dégagée, avait noté Isabel; de même avait-elle observé qu'il n'adoptait pas, quand il s'adressait à la jeune fille, le ton paternaliste d'un adulte sans cesse conscient de sa jeunesse et de son ingénuité; il lui parlait comme si elle comprenait les thèmes qu'il abordait grâce aux moyens qui lui permettaient de suivre l'intrigue des opéras à la mode, d'être attentive à la fois à la musique et au baryton. Il prenait seulement grand soin d'être gentil, aussi gentil qu'il l'avait été à Gardencourt à l'égard d'une autre jeune personne palpitante. Une jeune fille pouvait à bon droit en être émue; Isabel se souvenait combien elle l'avait été et se disait qu'elle l'eût été plus encore si elle avait été aussi naïve que Pansy. Elle-même n'avait pas été naïve lorsqu'elle l'avait éconduit;

lui refuser sa main avait été une opération aussi compliquée que l'accorder à Osmond des années plus tard. Et pourtant, malgré sa naïveté, Pansy comprenait vraiment et elle était heureuse que Lord Warburton lui parlât, non de ses cavaliers ou de ses bouquets, mais de l'état de l'Italie, de la condition de la paysannerie, du fameux droit de mouture, de la *pellagra*[1] et de ses impressions sur la société italienne. Tout en passant l'aiguille à travers son canevas, elle le regardait d'un air doux et soumis et, quand il lui fallait baisser les yeux, elle lançait de paisibles regards de biais sur sa personne, ses mains, ses pieds, ses vêtements, comme si elle en faisait l'estimation. Même sa personne, eût pu lui souffler Isabel, l'emportait sur celle de Mr Rosier. Mais, en de tels instants, Isabel se contentait de se demander où pouvait bien être le gentleman qui ne se montrait plus au *palazzo* Roccanera. L'idée de contribuer à la satisfaction de son mari la tenaillait avec une vigueur surprenante.

Oui, surprenante, pour des raisons variées qu'il convient de préciser. Le soir dont je parle, pendant la visite de Lord Warburton, Isabel avait été tout près de franchir le grand pas en quittant la pièce pour les y laisser tous les deux. Je dis le grand pas, car c'est ainsi que Gilbert Osmond l'aurait considéré, et Isabel s'efforçait de son mieux d'adopter l'angle de vue de son mari. Elle y parvenait tant bien que mal mais elle y faillit totalement sur le point dont je parle. Finalement, elle n'avait pu s'y résoudre. Quelque chose l'avait retenue : se lever et sortir était impossible. Ce n'était pas exactement parce que le geste eût été bas ou insidieux car, de façon générale, les femmes pratiquent ce genre de manœuvre avec une parfaite bonne conscience et, d'instinct, Isabel était plus fidèle que déloyale envers le génie propre à son sexe. Un doute indéterminé l'avait arrêtée, l'impression qu'elle n'était pas vraiment certaine. Si bien qu'elle était demeurée au salon ; peu après, Lord Warburton était parti pour se rendre à la réception dont il avait promis à Pansy de lui faire le lendemain un compte rendu détaillé. Après son départ,

---

1. Pellagre : maladie due à une déficience alimentaire. *(N. d. E.)*

Mrs Osmond s'était demandé si elle avait empêché un événement qui aurait pu se produire au cas où elle se serait absentée un quart d'heure ; puis, toujours mentalement, elle avait décidé que le jour où leur distingué visiteur souhaiterait qu'elle s'éloignât, il trouverait aisément le moyen de le lui faire savoir. Pansy n'avait émis aucun commentaire sur son compte après son départ et Isabel, délibérément, n'en avait pas dit plus car elle avait fait vœu de réserve totale jusqu'à ce que Lord Warburton se fût déclaré. Il y mettait plus de temps que n'en laissait augurer la description qu'il avait faite à Isabel de ses sentiments. Pansy était montée se coucher et Isabel avait été forcée d'admettre qu'elle ne pouvait deviner à présent à quoi pensait sa belle-fille. Sa transparente petite compagne avait été, ce soir-là, impénétrable.

Elle était restée seule devant le feu jusqu'à l'arrivée de son mari, une demi-heure plus tard. Il erra en silence dans la pièce avant de s'asseoir, les yeux rivés sur le feu, comme ceux d'Isabel. Mais elle reporta les siens des flammes vacillantes vers le visage d'Osmond, muré dans son silence. Il lui arrivait souvent désormais de l'observer à la dérobée ; un instinct, dont il n'est pas exagéré de dire qu'il s'apparentait à l'autodéfense, en avait fait une habitude. Elle souhaitait connaître ses pensées, dans la mesure du possible, et prévoir ce qu'il allait dire afin de pouvoir préparer sa réponse, exercice qui, jusqu'alors, n'avait pas été son fort ; dans ce domaine, elle avait rarement fait mieux que découvrir à retardement les brillantes réponses qu'elle avait manquées. Mais elle avait appris la prudence, en grande partie d'après les expressions de son mari. C'était le même visage qu'elle avait étudié, avec des yeux aussi graves peut-être, mais moins pénétrants, sur la terrasse d'une villa florentine ; à un détail près : Osmond avait légèrement grossi depuis leur mariage. Il n'en frappait pas moins par sa distinction.

– Lord Warburton est-il venu ? demanda-t-il bientôt.

– Oui, il est resté une demi-heure.

– A-t-il vu Pansy ?

– Oui ; il s'est assis près d'elle, sur le sofa.

– Lui a-t-il beaucoup parlé ?

– Il n'a pratiquement parlé qu'à elle.

– Il me paraît attentionné. N'est-ce pas ainsi que vous le qualifieriez?

– Je ne le qualifie pas; j'ai attendu que vous trouviez le mot juste.

– C'est un égard que vous n'avez pas toujours, répondit Osmond au bout d'un instant.

– J'ai décidé cette fois de m'efforcer d'agir comme vous le souhaitez. J'y ai si souvent échoué.

Osmond tourna lentement la tête et la dévisagea :

– Cherchez-vous la dispute?

– Non; je tâche de vivre en paix.

– Rien de plus facile; vous savez que je n'aime pas les querelles.

– Même lorsque vous vous évertuez à m'exaspérer? demanda Isabel.

– Je ne m'y évertue pas; si je l'ai fait, ce fut le plus naturellement du monde. Par ailleurs, tel n'est pas mon objectif pour l'instant.

Isabel sourit :

– Peu importe. J'ai décidé de ne plus jamais me mettre en colère.

– Excellente résolution. Vous n'avez pas bon caractère.

– C'est vrai.

Elle écarta le livre qu'elle lisait et prit la bande de tapisserie que Pansy avait laissée sur la table.

– C'est en partie pour cela que je ne vous ai pas parlé de l'affaire qui intéresse ma fille, dit Osmond, en désignant Pansy de la façon qui lui était la plus habituelle. Je craignais de rencontrer chez vous de l'opposition, que vous n'ayez, vous aussi, un avis différent sur le sujet. J'ai envoyé promener le petit Rosier.

– Aviez-vous peur que je plaide la cause de Mr Rosier? N'avez-vous pas remarqué que je ne vous ai jamais parlé de lui?

– Je ne vous en ai jamais donné l'occasion. Nous parlons si peu ces temps-ci. Je sais que c'était un de vos vieux amis.

– Oui, c'est un vieil ami.

Isabel se souciait à peine plus de Rosier que de la tapisserie qu'elle avait à la main, mais il n'en était pas moins un ami de longue date et, devant son mari, elle ressentait l'envie de ne pas minimiser de tels liens. La façon qu'avait Osmond d'exprimer son mépris pour eux renforçait sa loyauté à leur égard, même lorsqu'ils étaient en eux-mêmes insignifiants, comme dans le cas présent. Parfois elle ressentait une sorte de tendresse passionnée pour des souvenirs qui n'avaient d'autre mérite que d'appartenir à sa vie de jeune fille.

– En ce qui concerne Pansy, reprit-elle après un silence, je ne lui ai donné aucun encouragement.

– C'est une chance, fit observer Osmond.

– Vous voulez dire sans doute une chance pour moi. En ce qui le concerne, c'est sans importance.

– Inutile d'en parler davantage, fit Osmond. Je vous l'ai dit : je l'ai mis dehors.

– Certes. Mais un amoureux chassé reste toujours un amoureux. Il en est parfois plus redoutable. Mr Rosier garde espoir.

– Grand bien lui fasse ! Ma fille n'a qu'à se tenir parfaitement tranquille pour devenir Lady Warburton.

– En seriez-vous heureux ? demanda Isabel avec une simplicité moins affectée qu'il n'y semblait.

Elle avait résolu de ne plus présumer de rien car Osmond avait la manière pour retourner contre elle, à l'improviste, ses suppositions. L'intensité de son désir de voir sa fille devenir Lady Warburton avait été récemment au cœur des réflexions d'Isabel qui les avait gardées pour elle et n'en ferait pas état aussi longtemps qu'Osmond n'aurait pas exprimé verbalement son vœu ; elle se garderait de tenir pour certain devant lui le fait qu'il estimait Lord Warburton une proie digne d'une somme d'efforts inhabituelle chez les Osmond. Gilbert insinuait constamment que, dans la vie, rien n'avait de prix, qu'il traitait d'égal à égal avec les grands de ce monde et que sa fille n'avait qu'à regarder autour d'elle pour se choisir un prince. C'était donc au prix d'une entorse à sa logique qu'il disait explicitement aspirer à une alliance avec Lord Warburton et que, si ce gentleman s'évanouissait, l'on pourrait ne pas lui trouver d'équivalent; or, une autre prétention implicite d'Osmond était de ne jamais faillir à sa logique. Il aurait aimé que sa femme passât ce point sous silence. Mais, curieusement, à présent qu'elle était face à lui, alors qu'une heure plus tôt elle avait pratiquement mis au point pour lui plaire une manœuvre équivoque, Isabel n'était plus conciliante et ne lui passait rien. Elle savait pourtant très exactement l'effet que sa question produirait sur son mari : une humiliation. Peu lui importait; lui-même était terriblement capable d'humilier sa femme, d'autant mieux qu'il savait attendre les grandes occasions et manifester parfois une indifférence presque inexplicable pour les petites. Isabel s'emparait peut-être d'une occasion minime parce qu'elle n'aurait su profiter d'une occasion majeure.

Osmond s'en tira très honorablement :

– J'en serais très content : ce serait un grand mariage. Et Lord Warburton présente un autre avantage : c'est un de vos vieux amis. Ce sera un plaisir pour lui d'entrer dans la famille. C'est vraiment curieux que les admirateurs de Pansy soient tous de vos amis.

– Il est naturel qu'ils viennent me voir et, ce faisant, qu'ils voient Pansy. Et, la voyant, qu'ils tombent amoureux d'elle.

– C'est mon avis. Mais vous n'êtes pas obligée de le partager.

– Je serais ravie que Pansy épouse Lord Warburton, répondit franchement Isabel. C'est un homme parfait. Toutefois, vous avez dit qu'il suffit à Pansy de rester parfaitement tranquille. Peut-être ne restera-t-elle pas si tranquille que cela. Si elle perd Mr Rosier, elle pourrait bondir !

Le regard fixé sur le feu, Osmond, apparemment, ne tint pas compte de ces propos.

– Pansy aimerait être une grande dame, fit-il observer au bout d'un instant et sa voix s'était attendrie. Elle est avant tout désireuse de plaire, ajouta-t-il.

– De plaire à Mr Rosier, peut-être.

– Non, de me plaire.

– A moi aussi, un tant soit peu, me semble-t-il.

– Oui, elle vous estime énormément. Mais elle fera ce qui me plaît.

– Si vous en êtes certain, tout va pour le mieux, dit Isabel.

– Néanmoins, reprit Osmond, j'aimerais que notre distingué visiteur se déclare.

– Il m'a parlé, dit Isabel. Il m'a dit que ce serait pour lui un grand plaisir de penser pouvoir lui plaire.

Osmond tourna vivement la tête mais garda un instant le silence avant de questionner brusquement :

– Pourquoi ne me l'avez-vous pas dit ?

– Faute d'une occasion. Vous savez comment nous vivons. J'ai saisi la première chance qui s'offrait.

– Lui avez-vous parlé de Rosier ?

– Oui, quelques mots.

– Ce n'était pas nécessaire.

– J'ai pensé préférable qu'il le sache pour que, pour que...

Et Isabel s'arrêta.

– Pourquoi ?

– Pour qu'il puisse agir en conséquence.

– Pour qu'il puisse se retirer, voulez-vous dire ?

– Non, pour qu'il puisse s'avancer tant qu'il est encore temps.

– Apparemment, ce n'est pas l'effet obtenu.

– Soyez patient, dit Isabel. Vous savez que les Anglais sont timides.

– Celui-ci ne l'est pas. Il ne l'était pas quand il vous courtisait.

Isabel n'avait cessé de craindre qu'Osmond abordât ce sujet qui lui était pénible :

– Je vous demande pardon. Il l'était extrêmement, repartit-elle.

Sans répondre, Osmond s'empara d'un livre et le feuilleta tandis qu'Isabel, silencieuse elle aussi, travaillait à la tapisserie de Pansy. Finalement, il reprit :

– Vous devez avoir beaucoup d'influence sur lui. Dès l'instant où vous voudrez vraiment ce mariage, vous pourrez l'y amener.

L'offense était plus grande encore, mais Isabel sentit avec quel naturel son mari avait émis cette idée qui, après tout, était extrêmement proche de sa propre pensée.

– Pourquoi aurais-je de l'influence sur lui ? demanda-t-elle. Qu'ai-je jamais fait pour qu'il soit mon obligé ?

– Vous avez refusé de l'épouser, dit Osmond sans lever les yeux de son livre.

– Je ne dois pas trop en attendre, répliqua-t-elle.

Osmond rejeta le livre, se leva et alla se poster devant la cheminée, les mains derrière le dos.

– Et moi je soutiens que l'affaire est entre vos mains et je compte l'y laisser. Avec un peu de bonne volonté, vous pouvez la mener à bien. Réfléchissez-y et rappelez-vous que je compte entièrement sur vous.

Il attendit un moment pour laisser à Isabel le temps de répondre ; mais elle ne dit rien et il quitta le salon.

42

Elle n'avait pas répondu parce que les propos de son mari l'avaient confrontée à la situation et qu'elle y réfléchissait. Leur contenu latent avait subitement éveillé en elle de profondes vibrations si bien qu'elle avait été trop effrayée pour se risquer à parler. Après qu'il fut parti, elle se renversa dans son fauteuil, ferma les yeux et, pendant longtemps, tard dans la nuit, très tard, elle demeura dans le salon muet, absorbée dans sa méditation. Un domestique vint alimenter le feu; elle lui demanda d'apporter de nouvelles bougies avant d'aller se coucher. Osmond lui avait enjoint de réfléchir à ce qu'il lui avait dit et elle y pensa de toutes ses forces, ainsi qu'à bien d'autres choses. Venue d'un autre, la suggestion qu'elle exerçait une forte influence sur Lord Warburton avait déclenché en elle le sursaut lié aux découvertes inattendues. Était-il vrai qu'il y eût encore entre eux de quoi manipuler Warburton et l'amener à faire sa déclaration à Pansy? Qu'il fût toujours sensible à l'approbation de son amie et désireux de faire ce qui lui plairait? Jusqu'alors, Isabel ne s'était pas posé la question car rien ne l'y avait obligée; mais, à présent qu'elle l'énonçait clairement, elle voyait la réponse et cette réponse l'épouvantait. Oui, il subsistait quelque chose du côté de Lord Warburton. Lors de son arrivée à Rome, elle avait d'abord cru que le lien qui les unissait était à jamais rompu; puis, peu à peu, elle avait bien été forcée d'admettre qu'il avait toujours une existence palpable. Ce lien, aussi ténu qu'un cheveu, par moments, Isabel croyait l'entendre vibrer. De son côté, rien n'avait changé; elle pensait de Lord Warburton ce qu'elle en avait toujours pensé; il était inutile que ce sentiment changeât; il lui semblait même plus bienfaisant que jamais. Mais lui? Entretenait-il encore l'idée qu'elle pourrait représenter pour lui plus que d'autres femmes? Souhaitait-il profiter du souvenir des rares moments d'intimité qu'ils avaient partagés autrefois ? Isabel avait conscience de quelques indices d'une telle disposition d'esprit. Mais quels étaient ses espoirs et ses objectifs ? On pouvait s'étonner de la façon dont il les mêlait à son intérêt manifestement très sincère pour la pauvre Pansy. Était-il amoureux de la femme de Gilbert Osmond ? Et, dans ce cas, quelle consolation espérait-il en tirer ? S'il était amoureux de Pansy, il ne l'était pas de sa belle-mère et s'il aimait la belle-mère, il n'aimait pas Pansy. Devait-elle cultiver l'avantage qu'elle détenait pour l'amener à s'engager à l'égard de Pansy, tout en sachant qu'il le ferait par amour pour elle et non par amour pour la jeune fille ? Était-ce là le service que son mari espérait d'elle ? C'était en tout cas le devoir auquel elle était confrontée dès l'instant qu'elle s'avouait à elle-même que son vieil ami éprouvait une prédilection indéfectible pour sa compagnie. La tâche n'était pas agréable ; elle était en fait proprement repoussante. Isabel se demanda même, non sans répugnance, si Lord Warburton feignait d'aimer Pansy pour récolter une autre satisfaction et ce que l'on aurait pu appeler d'autres bonnes fortunes. Elle le blanchit bientôt de ce raffinement de duplicité : elle préférait croire à sa parfaite bonne foi. Mais que son admiration pour Pansy fût une illusion n'était guère préférable à ce qu'elle fût un faux-semblant. Isabel divagua au milieu de ces affreuses perspectives au point de se perdre totalement. Puis, saturée de laideur, elle s'évada du labyrinthe et se frotta les yeux : son imagination ne lui faisait pas honneur, se dit-elle, et celle de son mari encore moins. Lord Warburton était aussi désintéressé qu'il le devait et elle était simplement pour lui ce qu'elle désirait être. Jusqu'à preuve du contraire, elle s'appuierait sur cette conviction ; jusqu'à ce que surgisse une preuve plus éclatante que l'affirmation cynique d'Osmond.

Ce soir-là, pourtant, cette résolution ne lui apporta pas vraiment la paix car son âme était la proie de terreurs qui, à la moindre vacance, se bousculaient au seuil de sa pensée. Elle ignorait ce qui les avait soudainement mises en branle, à moins que ce ne fût l'impression bizarre qu'elle avait éprouvée en découvrant, dans l'après-midi, que son mari et

Madame Merle communiquaient de façon plus directe qu'elle ne l'imaginait. Cette impression lui revenait de temps à autre, et elle s'étonnait à présent de ne pas l'avoir ressentie auparavant. De plus, la brève conversation qu'elle venait d'avoir avec Osmond était un exemple frappant de la faculté d'Osmond de flétrir tout ce qu'il touchait, de gâter pour elle tout ce qu'il regardait. C'était bien joli d'entreprendre de lui donner une preuve de loyauté ; mais le fait de savoir qu'il espérait telle ou telle chose suffisait à les entacher de suspicion. Comme s'il avait le mauvais œil ; comme si sa présence était une dégradation et son approbation un malheur. Était-ce en la personne d'Osmond que résidait la faute ou seulement dans la profonde méfiance que sa femme avait conçue envers lui ? Cette méfiance n'était pas le résultat le plus évident de leur courte vie d'époux ; un abîme s'était creusé entre eux et, de part et d'autre, ils s'observaient, le regard lourd de la déception subie. C'était un antagonisme étrange, comme Isabel n'en avait jamais imaginé, un antagonisme où le principe vital de l'un était pour l'autre un objet de mépris. Elle n'en était pas coupable ; elle n'avait pas usé de supercheries ; elle avait seulement cru et admiré. Elle avait accompli ses premiers pas en pleine confiance avant de découvrir subitement que la perspective infinie d'une vie multipliée était une allée sombre, étroite, fermée par un mur aveugle. Au lieu de s'élever vers les hauts lieux du bonheur, d'où l'on peut contempler le monde avec un sentiment d'exaltation et de privilège, juger, choisir et s'apitoyer, l'allée descendait et s'enfonçait vers des royaumes souterrains, bornés et mélancoliques, où parvenait d'en-haut l'écho d'existences autres, plus tranquilles et plus libres, ce qui avait pour effet d'accentuer le sentiment d'échec. Sa méfiance profonde à l'égard de son mari, voilà qui assombrissait le monde. Un sentiment facile à désigner, moins facile à expliquer et de caractère si composite qu'il avait fallu beaucoup de temps et plus encore de souffrance pour l'amener à sa perfection présente. Souffrir, chez Isabel, était un état actif : ni froideur, ni stupeur, ni désespoir mais une passion de réflexion, de spéculation et de réaction à toutes les tensions. Elle se flattait pourtant d'avoir gardé secrète sa foi défaillante que nul ne soupçonnait, à l'exception d'Osmond. Oh! oui, Osmond savait; parfois même, Isabel pensait qu'il en jouissait. Cela s'était fait progressivement; à la fin de leur première année commune, si merveilleusement intime d'abord, Isabel avait commencé à s'alarmer. Puis les ombres s'étaient amassées, comme si Osmond, délibérément, presque méchamment, avait éteint les lumières une à une. Dans cette obscurité d'abord légère et diluée, Isabel pouvait encore distinguer sa route. Mais l'ombre s'épaississait continûment et si, de temps à autre, elle se levait, certains pans de la perspective demeuraient dans un noir impénétrable. Ces ombres n'étaient pas des émanations de son esprit; Isabel en était certaine; elle avait fait de son mieux pour être juste et modérée, pour ne voir que la vérité. Elles participaient de la présence même de son mari, dont elles étaient à la fois la création et la conséquence, mais il ne s'agissait ni de vilenies ni de turpitudes; elle portait contre lui une seule accusation et il ne s'agissait pas d'un crime. Elle ne lui connaissait pas de torts; il n'était ni violent ni cruel; elle croyait simplement qu'il la haïssait. C'était tout ce dont elle l'accusait, et le comble du malheur était précisément que ce ne fût pas un crime, car, contre un crime, elle aurait pu trouver réparation. Il avait découvert qu'elle était très différente de ce qu'il avait cru qu'elle se révélerait être. Il avait d'abord espéré pouvoir la changer et elle avait fait de son mieux pour être ce qu'il souhaitait qu'elle fût. Mais, après tout, elle était elle-même, elle n'y pouvait rien et les simulacres, les masques et les costumes étaient vains car il la connaissait et avait pris sa décision. Elle n'avait pas peur de lui; elle ne craignait pas qu'il la blessât, car sa malveillance à son égard n'était pas de cette espèce. Il ferait l'impossible pour ne jamais lui fournir de prétexte, ne jamais se mettre dans son tort. Scrutant l'avenir d'un œil sec et fixe, Isabel voyait qu'à ce jeu, il l'emporterait sur elle. Elle lui donnerait maints prétextes et se mettrait souvent dans son tort. Elle était parfois tout près de s'apitoyer sur le compte d'Osmond car, si elle ne l'avait pas intentionnellement trompé, elle comprenait à quel point elle l'avait fait en réalité. Lorsqu'il l'avait vue pour la première fois, elle s'était effacée, se faisant toute petite, feignant d'avoir moins de personnalité qu'elle n'en avait réellement. Pour la raison qu'elle avait été sous le charme extraordinaire que lui, de son côté, avait pris la peine de déployer. Il n'avait pas changé ; pas plus qu'elle, il ne s'était travesti pendant l'année où il l'avait courtisée. Mais elle n'avait alors perçu qu'une moitié de sa nature, ainsi que l'on voit le disque de la Lune lorsque l'ombre de la Terre le masque en partie. A présent, elle voyait la pleine lune ; elle voyait l'homme tout entier. Elle n'avait pas bronché, pour lui laisser le champ libre mais, en dépit de sa réserve, ici encore elle avait pris la partie pour le tout.

Oh ! oui, elle avait été puissamment envoûtée par le charme ! Il ne s'était pas dissipé, il était toujours là ; elle savait parfaitement ce qui rendait Osmond délicieux lorsqu'il avait choisi de l'être. Il avait voulu l'être quand il la courtisait et, comme elle désirait être charmée, on ne pouvait s'étonner du succès qu'il avait remporté. Il avait réussi parce qu'il avait été sincère ; jamais Isabel n'avait mis en doute sa sincérité. Il l'admirait et lui en avait dit la raison : elle était la femme la plus douée d'imagination qu'il eût connue. Ce pouvait être vrai car, au cours de ces mois, elle avait inventé un monde immatériel. Elle s'était fait de lui une image merveilleuse, transmise par des sens charmés et par une imagination follement émue ; elle ne l'avait pas bien perçu. La combinaison de plusieurs traits l'avait touchée et elle avait vu dans leur assemblage un personnage saisissant. Il était pauvre et solitaire, et néanmoins il était noble, c'était cela qui l'avait intéressée et avait semblé lui donner sa chance. Une beauté indéfinissable nimbait alors sa personne, sa situation, son esprit, ses traits. Simultanément, elle avait senti qu'il était faible et incapable mais cette sensation avait adopté la forme d'une tendresse qui était le fleuron même du respect. Il ressemblait à un voyageur sceptique, errant sur le rivage dans l'attente de la marée ; le regard perdu vers la haute mer, il ne se décide pas à embarquer. Isabel avait vu là sa chance. Elle lancerait le bateau d'Osmond ; elle serait sa providence ; ce serait si bon de l'aimer. Et elle l'avait aimé ; anxieusement et ardemment, elle s'était donnée, en partie pour ce qu'elle trouvait en lui, en grande partie aussi pour ce qu'elle lui apportait et qui pourrait embellir ce don. En se remémorant la passion de ces semaines épanouies, elle y percevait une sorte d'élan maternel, le bonheur de la femme qui se sent et se sait donatrice, celle qui arrive les mains pleines. Car sans son argent – elle s'en rendait compte à présent –, jamais elle n'aurait agi de la sorte. Et ses pensées revenaient alors vers le pauvre Mr Touchett, qui dormait sous la tourbe anglaise, responsable bienveillant d'une détresse infinie! Car telle était l'inimaginable réalité. Au fond, son argent avait été un fardeau; il avait pesé sur son esprit obsédé par le désir d'en transmettre la charge à une autre conscience, à un réceptacle plus approprié. Comment alléger plus efficacement sa conscience qu'en le transmettant à l'homme doué du meilleur goût au monde? A moins d'en faire don à un hôpital, elle n'aurait pu en faire meilleur usage et pas une institution charitable ne l'intéressait autant que Gilbert Osmond. Il utiliserait sa fortune de façon qu'Isabel pût la considérer sous un meilleur jour et ferait disparaître le côté un peu vulgaire lié à la bonne fortune d'un héritage inattendu. Il n'y avait rien eu de très délicat à hériter de soixante-dix mille livres; la délicatesse avait été le fait exclusif de Mr Touchett qui les lui avait léguées. En revanche, il y aurait aussi de sa part une certaine délicatesse à épouser Gilbert Osmond et à lui apporter une pareille dot. Il y en aurait moins de sa part, il était vrai; mais c'était son affaire et, s'il l'aimait, il ne pourrait voir un inconvénient à ce qu'elle fût riche. N'avait-il pas eu le courage de dire qu'il en était ravi?

Les joues d'Isabel brûlaient lorsqu'elle se demandait si elle s'était vraiment mariée en vertu d'une théorie artificielle, pour faire de son argent un usage réellement honorable. Mais elle était en mesure de rétorquer vivement qu'il s'agissait là d'une moitié seulement de l'histoire. En fait, une certaine ardeur s'était emparée d'elle, le sentiment de la gravité de l'attachement que lui vouait Osmond et le ravissement où la plongeaient ses qualités personnelles. Il l'emportait sur tous les hommes. Cette conviction suprême avait comblé sa vie pendant des mois et il en demeurait assez pour lui prouver qu'elle n'aurait pu agir autrement. Le plus beau prototype viril qu'elle eût jamais rencontré – autrement dit le plus subtil – était devenu sa propriété, et l'assurance de n'avoir qu'à tendre la main pour le retenir avait été à l'origine un acte de dévotion. Elle ne s'était pas trompée sur la beauté de son esprit, qu'elle connaissait maintenant à la perfection. Elle avait vécu avec lui, en lui, presque, et il semblait qu'il fût devenu sa demeure. Elle avait été capturée mais il avait fallu une main robuste pour s'emparer d'elle ; cette réflexion avait peut-être une certaine valeur. Jamais elle n'avait rencontré esprit plus habile, plus souple, mieux entraîné à des exercices admirables et c'était à présent avec cet instrument supérieur qu'elle allait devoir compter. Elle s'égarait dans un désarroi infini lorsqu'elle pensait à l'ampleur de la déception d'Osmond. Peut-être était-ce un prodige, au vu des circonstances, qu'il ne la haït pas davantage. Elle se souvenait parfaitement du premier indice qu'il avait laissé paraître de sa haine ; ç'avait été le signal du lever de rideau sur le véritable drame de leur vie. Un jour, il lui avait dit qu'elle avait trop d'idées et qu'elle devait s'en débarrasser. Il le lui avait déjà dit avant leur mariage mais, sur le moment, elle n'y avait pas fait attention ; plus tard, seulement, le souvenir lui en était revenu. Cette fois-ci, elle avait dû enregistrer le propos car son mari pensait réellement ce qu'il disait. Superficiellement, les mots avaient été insignifiants ; mais lorsqu'elle les avait sondés, sous l'éclairage d'une expérience accrue, ils lui avaient paru menaçants. En réalité, Osmond avait dit qu'il aurait aimé qu'elle n'eût rien que sa jolie apparence. Isabel savait déjà qu'elle avait trop d'idées, plus qu'il ne le lui en avait prêtées, beaucoup plus même qu'elle n'en avait exprimées devant lui lorsqu'il lui avait demandé sa main. Oui, elle avait été hypocrite ; elle l'aimait tant ! Elle avait trop d'idées pour elle seule mais n'est-ce pas précisément pour partager ses idées avec un autre que l'on se marie ? Nul ne pouvait les extirper par les racines, bien qu'il fût possible de les cacher et de veiller à ne pas les exprimer. Le plus grave n'était pas là, cependant ; qu'il s'opposât à ses opinions n'était rien. Isabel n'avait pas d'opinions qu'elle n'aurait ardemment sacrifiées pour le bonheur de se sentir mieux aimée en contrepartie. Ce qu'Osmond avait réellement mis en cause était sa personnalité tout entière : son caractère, sa façon de sentir; sa façon de juger. Tout ce qu'elle avait gardé sous silence, tout ce qu'il avait ignoré jusqu'à ce qu'il s'y trouvât confronté, une fois la porte refermée derrière eux. Elle avait une façon de considérer la vie qu'il prenait pour une offense personnelle. Dieu sait pourtant qu'à présent, du moins, cette façon était très humble et très obligeante! Celle d'Osmond était fort différente et il était vraiment étrange qu'Isabel ne l'eût pas soupçonné d'emblée. Elle l'avait crue généreuse, éclairée, elle l'avait prise pour celle d'un honnête homme et d'un gentleman. Il lui avait dit ignorer les superstitions, les restrictions absurdes, les *a priori* qui avaient perdu leur fraîcheur. Il se présentait comme un homme librement exposé aux influences du vaste monde, indifférent aux considérations mesquines, exclusivement soucieux de vérité, de connaissance, et persuadé que deux êtres intelligents avaient à les chercher ensemble et trouveraient leur bonheur à cette recherche, quel que fût le butin. Il lui avait dit son amour pour le classicisme mais dans un sens tel qu'il semblait s'agir d'un noble attachement. Dans ce sens, celui de l'amour de l'harmonie, de l'ordre, de la bienséance et de toutes les grandes fonctions de la vie, elle l'avait accompagné librement et son avertissement n'avait rien de menaçant. Mais, quelques mois plus tard, après qu'elle l'avait suivi plus avant et qu'il l'avait introduite dans la demeure de sa propre maison[1], alors seulement elle avait vu où elle se trouvait réellement.

Elle revivait encore la terreur incrédule éprouvée quand elle avait pris la mesure de son logement. Depuis lors, elle avait vécu entre ces quatre murs dont elle serait prisonnière pour le restant de ses jours. C'était la maison de l'obscurité, la maison du mutisme, la maison de l'étouffement. La belle intelligence

---

1. Allusion voilée à la parole de Jésus, lors des adieux à ses disciples : « Croyez en Dieu, croyez aussi en moi. Il y a beaucoup de demeures dans la maison du Père. » Évangile selon saint Jean, 14-2. *(N. d. T.)*

d'Osmond ne lui accordait ni air ni lumière; haut perchée près d'une lucarne, la belle intelligence d'Osmond semblait épier Isabel et se moquer d'elle. Bien sûr, il n'y avait pas eu de souffrances physiques; à celles-ci, l'on trouve des remèdes. Elle allait et venait à sa guise; elle était libre et son mari parfaitement poli. Il se prenait tellement au sérieux que c'en était écœurant. Sous sa culture, son intelligence, son aménité, sous son urbanité, sous son bon-naturel, son aisance et sa connaissance de la vie se dissimulait l'égotisme, lové comme un serpent sur une berge fleurie. Elle avait pris Osmond au sérieux mais pas si sérieusement que cela. Comment l'aurait-elle pu... surtout depuis qu'elle le connaissait mieux? Il aurait fallu qu'elle le considérât, ainsi que lui-même se considérait, comme le premier gentleman d'Europe. C'était d'ailleurs ainsi qu'Isabel l'avait vu de prime abord et c'était évidemment la raison pour laquelle elle l'avait épousé. Mais lorsqu'elle avait commencé de réaliser ce que cela impliquait, elle avait reculé; le contrat stipulait plus d'obligations qu'elle pensait en avoir souscrites. Il impliquait un souverain mépris pour l'humanité tout entière, à l'exception de trois ou quatre personnages très hauts placés qu'Osmond enviait, et pour le monde en général, hormis une douzaine d'idées très personnelles. Fort bien : Isabel l'aurait également accompagné un bon moment sur ce terrain car il lui signalait si nettement les bassesses et les mesquineries de l'existence, il lui ouvrait si habilement les yeux sur la stupidité, la dépravation et l'ignorance des hommes qu'elle avait été véritablement impressionnée par la vulgarité sans borne des choses et convaincue de l'importance de ne pas en être souillée. Pourtant, il était clair que ce monde bas et ignoble était ce pour quoi chacun vivait; il fallait sans cesse l'avoir à l'œil, non pour l'éclairer, l'amender ou le sauver, mais pour lui arracher, bribe après bribe, la reconnaissance de sa supériorité. D'un côté, le monde était méprisable mais, de l'autre, il fournissait un critère. Osmond avait parlé à Isabel de son détachement, de son indifférence et de l'aisance avec laquelle il se passait des auxiliaires habituels du succès, et tout cela lui avait paru admirable. L'indifférence était grandiose, s'était-elle dit, et l'indépendance exquise! Mais la première était en fait la dernière vertu de son mari; elle n'avait jamais connu personne si soucieuse de l'opinion. Quant à elle, de son propre aveu, le monde l'avait toujours captivée et l'étude de ses semblables passionnée. Pourtant, elle aurait volontiers renoncé à toutes ses curiosités et sympathies au bénéfice d'un individu s'il avait été de taille à la convaincre qu'il s'agissait d'un avantage! Telle était du moins sa conviction actuelle et la chose sûrement eût été plus facile que l'intérêt pour la société tel que le vivait Osmond.

Il ne pouvait se passer d'elle et ne l'avait d'ailleurs jamais réellement fait, comme s'en apercevait Isabel; alors même qu'il en paraissait le plus détaché, il la lorgnait de sa fenêtre. Il avait son idéal, comme elle s'était efforcée d'avoir les siens, mais il était étrange que deux personnes en quête de justice la recherchent en des lieux si différents. Isabel découvrait à présent que l'idéal qu'avait conçu son mari incluait l'opulente prospérité et les manières sublimes de la vie aristocratique, qu'il estimait avoir toujours menée, tout au moins dans son essence. Il n'y avait jamais manqué, pas une fois, et ne se serait jamais remis de la honte d'un éventuel faux-pas. Sur ce point encore, tout allait bien : Isabel aurait pu adhérer à ses vues si tous deux n'avaient attaché aux mêmes formules des idées si différentes, des associations et des désirs tellement éloignés. La notion de vie aristocratique, d'après Isabel, était simplement l'union d'un savoir étendu et d'une grande liberté; le savoir inculquait à chacun le sens du devoir et la liberté celui du plaisir. Pour Osmond, en revanche, c'était uniquement une question de formes et d'attitudes conscientes et calculées. Il aimait tout ce qui est ancien, transmis et consacré; elle aussi, d'ailleurs, mais elle avait la prétention d'en user à son gré. Il respectait profondément la tradition, dont il lui avait dit un jour qu'elle était le bien le plus précieux au monde et que si l'on avait le malheur d'en être dépourvu, il fallait immédiatement se mettre en peine d'en acquérir. Elle avait saisi qu'il entendait par là qu'elle-même n'avait pas de traditions tandis qu'il en était richement nanti; jamais, pourtant, elle ne découvrit à quelle source il les avait puisées. Quoi qu'il en fût, il disposait d'une collection impressionnante d'usages anciens qu'Isabel eut tôt fait de découvrir. L'important était de s'y conformer; l'important pour lui mais aussi pour Isabel, chez qui persistait la conviction mal définie que, pour servir à d'autres qu'à leur propriétaire, les traditions devaient être d'espèce indéniablement supérieure; toutefois, elle avait cédé à la suggestion qui lui était faite de marcher au pas de la noble musique transmise par les nuées depuis les époques inconnues du passé de son mari. Elle qui, naguère, si libre de ses mouvements, éprise de chemins de traverse et de propos à bâtons rompus, vivait à rebours de tout apparat! Il y avait des choses à faire, des attitudes à prendre, des gens à connaître et d'autres à ignorer. Quand elle vit ce système rigide se refermer sur elle, malgré les tapisseries illustrées dont il était drapé, une impression de ténèbres et d'étouffement l'empoigna; elle se sentit claquemurée dans une atmosphère de moisi et de décrépitude. Elle avait résisté, bien sûr, d'abord avec beaucoup d'humour, d'ironie et de tendresse, puis, comme la situation s'aggravait, avec ardeur, avec éloquence et passion. Elle avait plaidé la cause de la liberté, le droit d'agir selon leur choix, sans se soucier des apparences ni de la définition de leur vie; la cause d'autres instincts, d'autres désirs et celle d'un idéal tout différent.

C'est alors que la personnalité de son mari, atteinte comme elle ne l'avait jamais été, se dressa dans toute sa raideur. A tous les propos d'Isabel, il répondait par le mépris et elle découvrit qu'il avait honte d'elle, indiciblement. Comment la jugeait-il : commune, vulgaire, ignoble? Au moins savait-il désormais qu'elle n'avait pas de traditions! Il n'avait jamais prévu qu'elle pût se révéler d'une telle platitude, dotée de sentiments dignes d'une feuille de chou radicale ou d'un prédicateur unitarien[1]. Son véritable crime, elle finit par le percevoir, était d'avoir un cerveau bien à elle. L'esprit d'Isabel aurait dû appartenir à celui de son mari, dépendre du sien comme un jardinet de fleurs d'agrément dépend d'un parc aux cerfs. Il en aurait doucement arrosé les fleurs et ratissé

---

1. Membre d'une secte religieuse anglo-américaine, fondée à Londres en 1774, qui nie le dogme de la Trinité. *(N. d. T.)*

les allées, il aurait désherbé les plates-bandes et, de temps à autre, il y aurait cueilli un bouquet. Ç'aurait été une charmante dépendance du maître d'un domaine déjà imposant. Il ne désirait pas que sa femme fût stupide. Au contraire : elle lui avait plu parce qu'elle était intelligente, mais il entendait que cette intelligence s'employât exclusivement à son bénéfice et, loin de souhaiter que son esprit fût vide, il s'était flatté qu'il serait avidement réceptif. Osmond avait espéré que sa femme sentirait avec lui et pour lui, qu'elle ferait siennes ses opinions, ses ambitions, ses préférences; Isabel était obligée de reconnaître que, venant d'un homme accompli et d'un mari initialement si tendre, une telle attente n'avait rien d'outrecuidant. Mais il était des choses qu'elle ne pourrait jamais comprendre. D'abord parce qu'elles étaient hideusement impures. Sans être fille de puritains, elle croyait à ce que l'on entend par chasteté, à ce que l'on entend par décence. Apparemment, il n'en allait pas de même pour Osmond, dont certaines traditions faisaient qu'Isabel préférait éluder les questions. Toutes les femmes avaient-elles des amants? Était-il vrai qu'elles mentaient toutes et que les meilleures s'achetaient? N'y en avait-il réellement que trois ou quatre qui ne trompaient pas leur mari? Les propos de ce style inspiraient à Isabel plus de mépris que des potins de village, un mépris qui gardait sa fraîcheur dans une atmosphère viciée. Il y avait la corruption de sa belle-sœur : les jugements d'Osmond se fondaient-ils seulement sur la conduite de la comtesse Gemini? Qui mentait très souvent et s'était livrée à des tromperies qui n'étaient pas seulement verbales. C'était assez de découvrir que les traditions d'Osmond endossaient de tels faits, sans qu'il fût besoin de leur conférer une portée générale. C'était le mépris d'Isabel pour ses présupposés, c'était eux qui l'avaient fait se raidir. Il disposait d'une réserve abondante de mépris et estimait souhaitable que sa femme en fût aussi bien pourvue; mais qu'elle dirigeât la chaude lumière de son dédain sur sa conception personnelle des choses était un danger qu'il n'avait pas prévu. Il avait cru pouvoir régler ses émotions avant qu'elle en arrivât là et Isabel imaginait aisément combien les oreilles lui avaient chauffé lorsqu'il avait découvert son excès d'assurance. Un homme affligé d'une femme qui lui vaut pareille sensation n'a d'autre choix que la haïr.

Isabel était à présent moralement certaine que ce sentiment de haine, qui avait été d'abord refuge et soulagement, constituait désormais la raison d'être et le réconfort de sa vie. Un sentiment profond, parce que sincère, depuis qu'Osmond avait eu la révélation qu'elle pouvait en somme se passer de lui. Si l'idée était troublante pour Isabel, si elle s'était d'abord présentée à son esprit comme une sorte d'infidélité, une aptitude à la corruption, on pouvait en attendre sur lui des effets incalculables. L'effet fut très simple, il la méprisa : elle n'avait pas de traditions mais l'horizon moral d'un pasteur unitarien. Pauvre Isabel qui n'avait jamais été capable de comprendre l'unitarisme ! Et qui vivait dans cette certitude depuis un temps qu'elle avait cessé de mesurer. Qu'allait-il leur arriver à présent ? Quel avenir les attendait ? se demandait-elle constamment. Que ferait-il, lui ? Qu'aurait-elle dû faire, elle ? Quand un mari déteste sa femme, où cela mène-t-il ? Elle-même ne le détestait pas, elle en était sûre, car il lui arrivait pendant de brefs instants d'éprouver le désir passionné de lui offrir une surprise agréable. Mais très souvent aussi, elle avait peur et se sentait submergée par le sentiment de l'avoir déçu dès le premier jour. De toute façon, ils faisaient un couple étrange et leur vie était affreuse. Il lui avait à peine parlé de toute la semaine et ses manières étaient aussi sèches qu'un feu mort. Elle connaissait la raison de son attitude ; le séjour de Ralph à Rome l'irritait. Il estimait qu'elle voyait trop souvent son cousin et lui avait déclaré huit jours plus tôt qu'il était indécent qu'elle lui rendît visite à son hôtel. Il en aurait dit bien davantage si l'état de santé désastreux de Ralph n'avait rendu particulièrement odieux le fait de le soupçonner, mais la nécessité de se dominer n'avait fait qu'attiser sa rancœur. Isabel voyait ce mécanisme comme elle aurait lu l'heure au cadran d'une horloge ; elle était consciente que l'intérêt qu'elle portait à son cousin exaspérait la rage de son mari, aussi parfaitement consciente que s'il l'avait enfermée à clef dans sa chambre, ce dont il mourait d'envie, elle en était certaine. Elle croyait honnêtement ne pas défier son mari mais ne pouvait pourtant feindre l'indifférence à l'égard de Ralph. Elle croyait qu'il allait mourir, qu'elle ne le reverrait jamais, et cette crainte lui inspirait pour son cousin une tendresse à ce jour inconnue. Plus rien ne lui faisait plaisir désormais ; l'on se demande d'ailleurs où aurait pu résider le plaisir pour une femme consciente d'avoir gâché sa vie. Un poids pesait en permanence sur son cœur et, sur toutes choses, une lumière livide. Mais sa courte visite à Ralph était une lampe dans les ténèbres ; pendant l'heure qu'elle passait près de lui, le mal dont elle souffrait personnellement devenait celui dont elle souffrait pour lui. Il lui donnait à présent l'impression d'être son frère. Elle n'avait pas de frère, mais si elle en avait eu un, qu'elle fût dans l'adversité et lui au seuil de la mort, il lui serait cher comme l'était Ralph. Oh ! oui, Gilbert avait quelque raison d'être jaloux d'elle car son image n'avait rien à gagner d'un tête-à-tête entre sa femme et Ralph. Ils ne parlaient pas de lui pourtant, et Isabel ne se plaignait pas de son mari. Son nom n'était jamais évoqué entre eux. Il se trouvait simplement que Ralph était généreux et qu'Osmond ne l'était pas. Émané de la conversation de Ralph, de son sourire, du simple fait qu'il fût à Rome, un élément impondérable aérait le cercle maudit où se mouvait Isabel. Ralph lui faisait sentir la beauté du monde et ce qui aurait pu être. Après tout, en dehors du fait qu'il était meilleur qu'Osmond, il était aussi intelligent que lui. Si bien qu'Isabel considérait comme du dévouement de lui dissimuler sa misère morale. Elle le faisait avec application ; elle ne cessait, au cours de leurs entretiens, de déployer des voiles et de disposer des écrans. Faute d'avoir eu le temps de mourir, un souvenir revivait constamment en elle, celui d'une matinée dans un jardin de Florence où il l'avait mise en garde contre Osmond. Il lui suffisait de fermer les yeux pour revoir le lieu, entendre la voix et ressentir la douceur et la chaleur de l'atmosphère. Comment avait-il su ? Par quel mystère, quel miracle de perspicacité ? Aussi intelligent que Gilbert ? Ralph l'était beaucoup plus pour être arrivé à un tel jugement. Jamais Gilbert n'avait été si pénétrant, si précis. Ce matin-là, Isabel avait dit à Ralph que jamais il ne saurait de sa bouche s'il avait raison et elle s'appliquait à présent à tenir sa parole. Elle se donnait beaucoup de mal pour le faire, elle y mettait de la passion, de l'exaltation et une forme de sentiment religieux. Les femmes trouvent parfois leur religion par le biais d'étranges exercices et Isabel, à cette époque, croyait rendre service à Ralph en jouant un rôle devant lui. Un service? Peut-être, s'il avait été dupe une seule minute. En l'occurrence, le service consistait surtout à tâcher de lui faire croire qu'il l'avait un jour profondément blessée, que, ce faisant, il s'était couvert de honte, mais que, Isabel étant généreuse et Ralph très malade, elle ne lui gardait pas rancune et, par égards pour lui, s'abstenait d'afficher son bonheur sous ses yeux. Allongé sur son sofa, Ralph souriait sous cape de cette forme extraordinaire de sollicitude mais il lui pardonnait de lui avoir pardonné. Elle ne voulait pas lui causer la peine de la savoir malheureuse; c'était là l'essentiel et peu importait qu'une telle information lui eût donné raison.

Isabel s'attarda dans le salon silencieux longtemps après que s'éteignirent les dernières braises. Elle ne risquait pas de souffrir du froid car elle brûlait de fièvre. Elle entendit sonner les dernières heures du jour, puis celles du petit matin sans y prendre garde. Assailli de visions, son esprit se livrait à une extraordinaire activité et mieux valait les affronter au salon, où elle était assise, que la tête sur l'oreiller, où le repos serait un simulacre. Isabel ne croyait pas faire de provocation, ai-je dit, et quelle meilleure preuve pouvait-il en être que cette longue veille nocturne pendant laquelle elle s'efforça de se convaincre qu'il n'y avait pas plus d'obstacle au mariage de Pansy qu'au fait de jeter une lettre à la poste. Lorsque la pendule sonna quatre heures, elle se leva pour aller se coucher; la lampe était depuis longtemps éteinte et la flamme des bougies lèchait les bobèches. Elle fit pourtant une dernière pause au milieu du salon, les yeux grands ouverts sur une vision intérieure, qui associait familièrement, à leur insu, son mari et Madame Merle.

43

Trois jours plus tard, elle accompagna Pansy à un bal sans qu'Osmond les escortât; il n'allait jamais aux soirées dansantes dont Pansy raffolait plus que jamais. N'ayant aucune tendance à généraliser, elle n'avait pas étendu à d'autres plaisirs l'interdit qui lui avait été fait de ceux de l'amour. Si elle attendait son heure ou espérait circonvenir son père, elle devait prévoir un succès. Isabel croyait la chose improbable; il était beaucoup plus vraisemblable que Pansy avait simplement décidé d'être une fille obéissante. Elle n'avait jamais eu pareille occasion et appréciait les occasions. Elle ne s'en tenait pas moins aussi droite que d'habitude, surveillait d'un œil anxieux ses jupes vaporeuses et tenait bien serré son bouquet dont elle comptait les fleurs pour la vingtième fois. Près d'elle, Isabel se sentait vieille. Dieu qu'il lui semblait loin le temps où son cœur palpitait à l'ouverture d'un bal! Très admirée, Pansy ne manquait jamais de danseurs et elle eut tôt fait de confier son bouquet à sa bellemère qui ne dansait pas et lui rendit volontiers ce service. Quelques minutes plus tard, Isabel prit subitement conscience de la proche présence d'Edward Rosier qui se posta devant elle. Il avait perdu son sourire affable, arborait une expression résolue, presque martiale, et l'odeur de la poudre à canon avait, semblait-il, supplanté son parfum d'héliotrope. Isabel aurait souri de cette métamorphose si elle n'avait eu conscience de la rigueur de son cas. Il fixa sur elle un regard farouche, pour lui notifier sans doute qu'il était dangereux, puis l'abaissa vers le bouquet. Son regard s'adoucit aussitôt et il s'écria vivement :

– Rien que des pensées[1] ; ce doit être le sien!

---

1. En anglais, *pansy* veut dire pensée, fleur herbacée souvent bicolore; et aussi donzelle, femmelette. *(N. d. T.)*

Isabel sourit gentiment :

– Oui, c'est le sien ; elle me l'a confié.

– Me le prêteriez-vous un instant, Mrs Osmond ? demanda l'infortuné jeune homme.

– Non, je ne vous fais pas confiance. Je crains que vous ne me le rendiez pas.

– Je le crains aussi ; je m'enfuirais en l'emportant. Puis-je avoir juste une fleur, une seule fleur ?

Après un instant d'hésitation, Isabel, toujours souriante, lui tendit le bouquet :

– Choisissez vous-même. Je tremble à l'idée de ce que je fais pour vous.

– Oh ! si vous n'en faites pas davantage, Mrs Osmond ! s'exclama Mr Rosier qui, son monocle à l'œil, choisissait soigneusement sa fleur.

– Pour l'amour du ciel, s'écria Mrs Osmond, ne la mettez pas à votre boutonnière !

– Je voudrais qu'elle la voie. Elle a refusé de danser avec moi mais je veux lui montrer que j'ai toujours foi en elle.

– Il est très bien de le lui montrer mais hors de question de le faire savoir à d'autres. Son père lui a dit de ne pas danser avec vous.

– Est-ce donc tout ce que vous pouvez faire pour moi ? J'attendais plus de vous, Mrs Osmond, fit le jeune homme sur un ton finement allusif. Nos relations remontent très loin dans le temps, aux jours innocents de l'enfance, pratiquement.

– Ne me vieillissez pas trop, répondit patiemment Isabel. Vous remettez sans cesse sur le tapis ce point que je n'ai jamais contesté. Mais laissez-moi vous dire, si vieux amis que nous soyons, si vous m'aviez fait l'honneur de me demander en mariage, j'aurais refusé sur-le-champ.

– Donc, vous n'avez aucune estime pour moi ! Dites tout de suite que vous me prenez pour un Parisien ! Pour un fumiste !

– Je vous estime beaucoup mais je n'ai pas eu le coup de foudre pour vous. Je veux dire par là que, s'agissant de Pansy, je n'ai pas le coup de foudre pour vous.

– Très bien ; je vois. Vous me plaignez… c'est tout.

Là-dessus, sans grande logique, Edward Rosier promena autour de lui son regard à monocle. Le fait de ne pas plaire davantage était pour lui une révélation ; mais il était trop fier pour montrer que cette carence le frappait par son caractère général.

Isabel se taisait. Ni les manières ni l'apparence du jeune homme n'avaient la dignité propre aux grandes tragédies; entre autres détails, son petit monocle à lui seul défiait le pathos. Pourtant, subitement, elle fut touchée; à tout prendre, son propre malheur n'était pas sans analogies avec le sien et elle saisissait mieux qu'elle ne l'avait fait jusqu'alors que se déroulait devant ses yeux, sous une forme très évidente à défaut d'être romanesque, la chose la plus émouvante du monde : un jeune amour aux prises avec l'adversité.

– Seriez-vous vraiment très bon pour elle ? demanda-t-elle à voix basse.

Il baissa les paupières d'un air recueilli et porta la fleur qu'il tenait à ses lèvres. Puis il regarda Isabel :

– Vous vous apitoyez sur moi, dit-il. Mais n'avez-vous pas tant soit peu pitié d'elle ?

– Je ne sais pas. Je ne suis pas sûre. Elle jouira toujours de la vie.

– Tout dépend de ce que vous appelez la vie ! fit observer Rosier, non sans justesse. Elle ne jouira pas d'être torturée.

– Il n'en est pas question.

– Je suis heureux de vous l'entendre dire. Elle sait où elle en est. Vous vous en apercevrez.

– Je crois qu'elle le sait et elle ne désobéira jamais à son père. La voici qui revient, ajouta Isabel. Je dois vous prier de vous retirer.

Rosier ne bougea pas avant d'avoir vu Pansy s'avancer au bras de son cavalier et s'approcher suffisamment pour qu'il pût la regarder bien en face. Puis il s'éloigna tête haute et la façon dont il accomplit ce sacrifice aux convenances convainquit Isabel de la sincérité de son amour.

Pansy, dont la danse et ses exercices affectaient rarement la fraîcheur de sa personne et l'ordonnance de sa toilette, attendit un moment avant de reprendre son bouquet et Isabel, qui l'observait, vit qu'elle en comptait les fleurs. Décidément, conclut la jeune femme, elle avait sous-estimé la profondeur des forces en jeu. Pansy avait vu Edward Rosier s'éloigner mais, sans un commentaire à son propos, elle s'étendit longuement sur les attraits de son cavalier qui se retirait après l'avoir saluée, sur la qualité de la musique, celle du plancher, et sur l'insigne malchance d'avoir déchiré sa robe. Isabel était pourtant certaine qu'elle avait décelé le larcin commis par son soupirant, découverte qui n'était pas nécessaire pour rendre compte de la grâce respectueuse avec laquelle elle accueillit l'invitation de son nouveau partenaire. Cette aménité parfaite sous une contrainte intense faisait partie d'un système plus complexe. Guidée par un jeune homme empourpré, Pansy repartit tenant fermement son bouquet. Peu après l'avoir perdue de vue, Isabel aperçut Lord Warburton qui se frayait un chemin parmi les invités et vint la saluer. Elle ne l'avait pas vu depuis la veille. Il regarda autour de lui et demanda :

– Où est la petite fille? car il avait contracté l'innocente manie de désigner ainsi Miss Osmond.

– Elle danse, répondit Isabel. Je ne peux vous éclairer davantage.

Il la chercha du regard parmi les danseurs et finit par croiser le regard de Pansy.

– Elle me voit mais ne veut pas me regarder, fit-il observer. Vous ne dansez pas?

– Comme vous voyez, je fais tapisserie.

– Voulez-vous m'accorder une danse?

– Merci. Je préférerais que vous dansiez avec la petite fille.

– L'un n'empêche pas l'autre, d'autant qu'elle est en train de valser.

– Son carnet n'est pas encore plein et je vous suggère de ménager vos forces. Elle danse avec beaucoup d'ardeur et vous serez plus dispos!

– Elle valse joliment bien, dit Lord Warburton qui la suivait des yeux. Ah! enfin! Elle m'a souri.

Il se tenait très droit; il était beau, naturel, imposant; Isabel, qui l'observait, se disait à nouveau combien il était étrange qu'un homme d'une telle envergure pût s'intéresser à une si jeune fille. Elle en était frappée, comme d'une incongruité ; ni le charme mignard de Pansy, ni sa bonté à lui, son heureux naturel, ni même son besoin vif et permanent de distractions ne suffisaient à en rendre compte.

– J'aimerais danser avec vous, reprit-il bientôt en se tournant vers Isabel, mais je crois que je préfère encore que nous bavardions.

– Oui, cela vaut mieux et cela convient mieux à votre dignité. Les éminents hommes d'État ne devraient pas valser.

– Ne soyez pas cruelle ! Et pourquoi, dans ce cas, m'avoir suggéré de danser avec Miss Osmond ?

– Cela n'a rien à voir. Danser avec elle, c'est faire preuve de gentillesse, comme si vous le faisiez pour lui faire plaisir. En revanche, si vous dansiez avec moi, vous donneriez l'impression de le faire pour votre plaisir personnel.

– N'aurais-je pas le droit de m'amuser, moi aussi ?

– Non. Pas avec les affaires de l'Empire britannique sur les bras.

– Au diable l'Empire britannique ! D'ailleurs, vous vous en moquez royalement.

– Tâchez de vous distraire en causant avec moi, dit Isabel.

– Je ne suis pas du tout sûr qu'il s'agisse d'une distraction. Vous êtes trop pointue ; je dois sans cesse me défendre. Et vous me paraissez ce soir plus dangereuse que jamais. Êtes-vous vraiment sûre de ne pas vouloir danser ?

– Je dois rester ici, il faut que Pansy puisse me retrouver.

Après un silence, il reprit soudain :

– Vous êtes merveilleusement bonne pour elle.

– Comment pourrait-on ne pas l'être ? répondit Isabel avec un sourire et des yeux étonnés.

– Bien sûr. Je sais que l'on peut tomber sous son charme. Néanmoins, vous avez dû faire beaucoup pour elle.

– Je l'emmène avec moi quand je sors, répondit Isabel, toujours souriante, et me suis occupée de sa garde-robe.

– Elle a sûrement beaucoup gagné à votre compagnie ; vous lui parlez, vous la conseillez, vous l'aidez à mûrir.

– Je vois ! s'exclama Isabel en riant, faute d'être la rose, elle a vécu près d'elle.

Son interlocuteur se mit à rire, lui aussi, mais une préoccupation, perceptible sur son visage, l'empêchait de se livrer à une franche gaieté.

– Chacun s'efforce de s'en rapprocher le plus possible, dit-il après une brève hésitation.

Isabel se détourna. Pansy allait lui être restituée et cette diversion était la bienvenue. Elle aimait beaucoup Lord Warburton ; son estime pour lui dépassait le total de ses qualités car son amitié recelait une sorte de ressource en cas de détresse infinie, comme si l'on disposait d'un confortable compte bancaire. Elle se sentait plus heureuse dans son voisinage, sa proximité avait quelque chose de rassurant et le son de sa voix évoquait pour elle les effets bienfaisants de la nature. Malgré tout, elle ne supportait pas qu'il fût trop près d'elle ou qu'il comptât exagérément sur son amitié. Cela lui faisait peur ; elle cherchait à prévenir l'une et l'autre attitudes et elle aurait voulu que lui-même les évitât. Elle sentait que, s'il franchissait certaine limite, elle ne pourrait s'empêcher d'exploser et de l'enjoindre de garder ses distances.

La mine sérieuse, Pansy revint vers Isabel et lui montra sa jupe, victime d'un nouvel accroc, conséquence inévitable du premier. Trop de gentlemen portaient l'uniforme et de terribles éperons, fatals aux robes des jeunes filles. Mais, apparemment, les ressources féminines sont innombrables. Souriante, Isabel consacra ses soins au drapé profané de sa belle-fille ; à l'aide d'une épingle trouvée au fond de son sac, elle répara les dégâts en prêtant une oreille compatissante au récit des mésaventures de Pansy. Agissantes et spontanées, son attention et sa sympathie étaient directement proportionnelles à une hypothèse tout à fait indépendante d'elles : Lord Warburton essayait-il de lui faire la cour ? Il ne s'agissait pas seulement des propos qu'il venait de tenir ; il y en avait eu d'autres ; il y avait leurs sous-entendus, leur répétition. Voilà ce à quoi songeait Isabel en glissant son épingle dans la robe de Pansy. S'il en était ainsi, ce qu'elle craignait, Lord Warburton ne s'était sûrement pas rendu compte de ses intentions et sa conduite était involontaire. Ce qui n'était pas de bon augure et ne contribuait pas à faciliter la situation. Plus vite il reviendrait à des rapports normaux avec les choses et les gens, mieux cela vaudrait. Il bavardait avec Pansy et le calme sourire, empreint de dévotion qu'il laissait tomber jusqu'à elle était pour le moins déconcertant. Comme d'habitude, Pansy répondait sans se départir de son air modeste, consciencieux et appliqué; Warburton devait se courber pour converser avec elle et les yeux de la jeune fille faisaient la navette du haut en bas de sa robuste personne, comme s'il l'offrait à son observation. Comme toujours, elle semblait un peu effrayée mais cet effroi n'avait pas le caractère pénible qui suggère l'aversion, au contraire : Pansy semblait savoir qu'il savait qu'elle l'aimait bien. Isabel les quitta pour aller retrouver une amie qu'elle avait aperçue et elles causèrent ensemble jusqu'à ce que résonnent les premières mesures de la danse suivante pour laquelle Pansy était invitée. Toute rose, un peu émue, celle-ci la rejoignit bientôt et Isabel, qui respectait scrupuleusement les principes d'Osmond à propos de la dépendance totale de sa fille, la confia, comme un prêt temporaire et précieux, à son cavalier désigné. Isabel avait en la matière des idées et des restrictions personnelles; parfois, l'adhésion absolue de Pansy à ces principes les lui faisait paraître insensés. Mais Osmond avait dressé à l'intention de sa femme un tableau de son rôle de duègne de sa fille; il consistait à faire aimablement alterner concessions et obligations; parmi ses directives, il en était auxquelles elle aimait penser qu'elle y obéissait à la lettre. Peut-être, pour certaines d'entre elles, parce que sa propre soumission semblait les réduire à l'absurde.

Après le départ de Pansy, elle vit Lord Warburton se diriger à nouveau vers elle. Elle le regarda venir sans détourner les yeux, tout en se disant qu'elle aurait bien aimé sonder ses pensées. Mais lui n'avait pas du tout l'air gêné.

– Elle m'a promis une danse tout à l'heure, dit-il.

– J'en suis ravie. J'imagine que vous l'avez invitée pour le cotillon.

– Non, je ne lui ai pas parlé du cotillon, dit-il un peu embarrassé. C'est un quadrille !

– Que vous êtes maladroit ! s'écria Isabel presque fâchée. Je lui avais dit de réserver le cotillon au cas où vous le lui demanderiez.

– Pauvre petite fille ! Vous m'en direz tant ! Lord Warburton riait de bon cœur. Bien sûr, si cela vous fait plaisir, la petite fille et moi danserons le cotillon.

– Si cela me fait plaisir ? Si vous ne dansez avec elle que pour me faire plaisir... !

– J'ai peur de l'ennuyer. Il semble que son carnet soit rempli de jeunes gens.

Isabel baissa les paupières et réfléchit rapidement. Lord Warburton n'avait pas bougé. Il la regardait et elle sentait ses yeux sur son visage. Elle mourait d'envie de lui demander de regarder ailleurs. Mais elle n'en fit rien et lui dit simplement au bout d'une minute, en relevant la tête :

– Je voudrais bien comprendre.

– Comprendre quoi ?

– Vous m'avez dit voici dix jours que vous seriez heureux d'épouser ma belle-fille. L'auriez-vous oublié ?

– Oublié ? J'ai écrit à Mr Osmond à ce sujet ce matin même.

– Ce matin ! répéta Isabel. Gilbert ne m'a pas dit avoir reçu de vos nouvelles.

– Je... Je n'ai pas envoyé ma lettre, balbutia Lord Warburton.

– Peut-être est-ce un oubli.

– Non, je n'en étais pas satisfait. Ce n'est pas une lettre vraiment commode à rédiger, vous savez. Mais je l'enverrai ce soir.

– A trois heures du matin ?

– Je veux dire plus tard, dans la journée.

– Parfait. Vous désirez toujours l'épouser ?

– Je le désire beaucoup.

– N'avez-vous pas peur de l'ennuyer ? insista Isabel qui, voyant s'arrondir les yeux de son interlocuteur, ajouta : Si elle ne peut danser avec vous pendant une demi-heure, comment fera-t-elle pour danser avec vous toute la vie ?

– Je la laisserai danser avec d'autres cavaliers, fit tranquillement Lord Warburton. Quant au cotillon, en fait, je pensais que vous...

– Que je le danserais avec vous ? Je vous ai déjà dit que je n'en ferai rien.

– C'est exact ! Si bien que je pourrais trouver un endroit tranquille où nous pourrions bavarder.

– Vous avez beaucoup trop d'égards pour moi, dit gravement Isabel.

En toute humilité, Pansy croyait que Lord Warburton n'avait pas l'intention de l'inviter pour le cotillon et avait accepté l'offre d'un autre cavalier. Quand la danse s'annonça, Isabel engagea Sa Seigneurie à chercher une autre partenaire mais il affirma ne pas en vouloir d'autre qu'elle. Malgré l'insistance de la maîtresse de maison, Isabel avait déjà décliné d'autres invitations, sous prétexte qu'elle ne dansait pas du tout, et elle ne pouvait décemment faire une exception en faveur de Lord Warburton.

– Après tout, déclara celui-ci, je n'ai pas envie de danser ; c'est un divertissement barbare. Je préfère parler.

Il avait repéré, confia-t-il à Isabel, l'endroit rêvé, un coin paisible dans un petit salon où la musique parvenait assourdie et ne les gênerait pas. Isabel avait décidé de le laisser faire à son idée pour mieux poursuivre la sienne. Malgré les recommandations de son mari, qui souhaitait qu'elle ne perdît pas sa fille de vue, elle se dirigea vers une porte de la salle de bal en compagnie de Lord Warburton, le *prétendant* de Pansy, détail qui devrait la justifier aux yeux d'Osmond. A la sortie du grand salon, elle découvrit Edward Rosier, posté dans l'embrasure de la porte ; les bras croisés, il regardait les danseurs de l'air d'un homme sans illusions. Elle s'arrêta un instant pour lui demander s'il s'apprêtait pour la prochaine danse.

– Certainement pas ! Puisque je ne peux danser avec elle, répondit-il.

– Vous feriez mieux de vous retirer, conseilla gentiment Isabel.

– Je ne partirai pas avant qu'elle soit partie ! répliqua-t-il en cédant le passage à Lord Warburton auquel il n'accorda pas un regard.

Intrigué par ce jeune homme mélancolique, Lord Warburton questionna Isabel sur son lugubre ami qu'il avait, d'ailleurs, déjà rencontré.

– C'est le jeune homme dont je vous ai parlé, celui qui est épris de Pansy.

– Ah ! oui, je m'en souviens. Il a l'air bien sombre.

– Ce n'est pas sans raison. Mon mari refuse de l'écouter.

– Qu'a-t-il à lui reprocher ? s'enquit Lord Warburton. Il me paraît inoffensif.

– Il n'a pas assez d'argent et n'est pas très astucieux.

Visiblement intéressé, Lord Warburton parut surpris du jugement porté sur Edward Rosier.

– Vraiment ? Il m'a fait l'impression d'un garçon bien tourné.

– C'est vrai, mais mon mari est très difficile.

– Oh ! je vois ! dit Lord Warburton qui, après une courte pause, poursuivit son enquête : De combien dispose-t-il ?

– Quelque quarante mille francs par an.

– Seize cents livres ? Une jolie fortune, croyez-moi !

– C'est aussi mon avis. Toutefois, mon mari voit plus grand.

– Très grand même ! Je l'ai déjà constaté. Le jeune homme est-il réellement idiot ?

– Idiot ? Absolument pas ; il est charmant. J'étais amoureuse de lui quand il avait douze ans.

– Il ne semble pas en avoir beaucoup plus aujourd'hui, répondit distraitement Lord Warburton qui inspectait les lieux et, d'un ton plus ferme, demanda : Et si nous nous installions ici, qu'en diriez-vous ?

– Comme il vous plaira.

Le petit boudoir était baigné d'une lumière rose et tamisée ; un couple en sortait lorsque nos amis y entrèrent.

– C'est très aimable à vous de vous intéresser à Mr Rosier, dit Isabel.

– Il me semble qu'on l'a vraiment maltraité. Il tire une figure longue d'une aune. Je me suis demandé ce qui le fait souffrir.

– Vous êtes quelqu'un d'équitable, dit Isabel, capable d'une pensée généreuse, même pour un rival.

Lord Warburton sursauta :

– Un rival ? Vous dites qu'il est mon rival ?

– Forcément, puisque vous voulez tous les deux épouser la même personne.

– Oui, mais comme il n'a aucune chance !

– Quoi qu'il en soit, j'apprécie que vous vous soyez mis à sa place. C'est une preuve d'imagination.

– Et vous m'estimeriez pour cela? demanda Lord Warburton en la considérant d'un œil dubitatif. Je crois plutôt que vous vous moquez de moi.

– Oui, un peu, mais j'aime également en vous un ami dont on peut rire.

– Ah ! oui. Alors, laissez-moi examiner de plus près son cas. A votre avis, que peut-on faire pour lui ?

– Comme je viens de faire l'éloge de votre imagination, je vous en laisse seul juge, dit Isabel. Pansy aussi vous aimerait pour cela.

– Miss Osmond ? Je me flatte qu'elle m'aime sans cela.

– Beaucoup, je crois.

Lord Warburton attendit un moment; il interrogeait du regard le visage de la jeune femme :

– Là, je ne vous comprends pas. Vous ne voulez pas dire qu'elle aime ce jeune homme ?

– Je vous ai nettement dit que je pense qu'elle l'aime.

Une rougeur intense envahit le front de Lord Warburton.

– Vous m'aviez dit qu'elle n'aurait d'autres désirs que ceux de son père et, comme il m'a bien semblé que son père m'était favorable... Il s'interrompit quelques secondes avant de murmurer, toujours aussi rouge : Vous comprenez ?

– Oui, je vous avais dit qu'elle n'a pas de plus cher désir que de plaire à son père et que ce désir pourrait probablement la mener très loin.

– A mon sens, c'est un sentiment très légitime, dit Lord Warburton.

– Très légitime, certainement !

Isabel s'était tue. En dehors d'eux, le boudoir était toujours désert et la musique leur parvenait par bribes de la lointaine salle de bal.

– Pourtant, reprit Isabel, j'ai peine à croire qu'un homme puisse devoir sa femme à un sentiment de ce genre.

– Je ne sais... Si c'est une honnête femme et s'il pense qu'elle lui convient.

– Bien sûr, vous envisagez la chose sous cet angle.

– Effectivement. Je n'y puis rien. Vous trouvez ce point de vue très anglais, évidemment.

– Non, pas du tout. Je crois que Pansy aurait cent fois raison de vous épouser et nul n'est mieux placé que vous pour le savoir. Mais vous ne l'aimez pas.

– Si, Mrs Osmond, je l'aime !

Isabel secoua la tête.

– En ce moment, assis auprès de moi, il vous plaît de l'imaginer. Mais vous ne m'en avez pas convaincue.

– Je ne suis pas comme le jeune homme qui bouchait la porte, je l'admets. Mais qu'y a-t-il de si anormal ? Y a-t-il au monde jeune fille plus aimable que Miss Osmond ?

– Peut-être pas. Mais l'amour n'a rien à voir avec les bonnes raisons.

– Là, je ne vous suis pas. Je suis ravi d'avoir de bonnes raisons.

– Bien sûr ! Mais si vous étiez vraiment épris, vous n'en auriez que faire.

– Ah ! vraiment épris... vraiment épris ! s'exclama Lord Warburton qui croisa les bras, rejeta la tête en arrière et s'étira discrètement. Rappelez-vous que j'ai quarante-deux ans ! Je ne prétends pas être ce que j'étais.

– Eh bien, si vous êtes vraiment sûr, tout est pour le mieux.

Il ne répondit pas ; la tête renversée, il regardait droit devant lui. Brusquement, pourtant, il se redressa et se tourna vivement vers son amie :

– Pourquoi êtes-vous si réticente ? Si sceptique ?

Elle croisa son regard et ils s'immobilisèrent un moment, les yeux dans les yeux. Elle souhaitait être satisfaite et découvrit de quoi l'être ; elle vit dans l'expression de Lord Warburton le reflet de l'idée qu'elle était mal à l'aise et peut-être même apeurée. C'était un soupçon, pas un espoir, mais il lui apprenait néanmoins ce qu'elle voulait savoir. Lord Warburton ne devait pas soupçonner une seconde qu'elle avait décelé dans son projet d'épouser sa belle-fille l'espoir sous-jacent de se rapprocher d'elle, ou qu'elle l'avait trouvé, du fait de cet abus, alarmant. Au cours de cet échange de regards, aussi bref qu'il fût intime, pourtant, des significations autrement souterraines passèrent, à leur insu, de l'un à l'autre.

– Mon cher Lord Warburton, dit-elle en souriant, en ce qui me concerne, vous êtes parfaitement libre d'agir à votre guise.

Là-dessus, Isabel quitta le boudoir et, sous les yeux de son ami, reçut aimablement les hommages de deux patriciens romains empressés. Son aisance apparente dissimulait pourtant le regret d'être partie si vite, un départ qui ressemblait d'autant plus à une fuite que Lord Warburton ne l'avait pas suivie. Elle était contente, malgré tout; quoi qu'il en fût, elle était satisfaite. Tellement satisfaite qu'en arrivant à la salle de bal, dont Edward Rosier encombrait à nouveau une des portes, elle s'arrêta pour lui parler :

– Vous avez bien fait de ne pas partir. J'ai pour vous un peu de réconfort.

– J'en ai besoin, murmura plaintivement le jeune homme, quand je vous vois en si bons termes avec lui !

– Inutile d'en parler. Je ferai ce que je peux pour vous. Je crains que ce ne soit pas grand-chose mais je ferai de mon mieux.

– Qu'est-ce qui vous a subitement convertie? s'enquit-il d'un ton triste et sournois.

– L'impression que vous êtes très gênant dans les portes, répondit-elle avec un sourire en passant devant lui.

Une demi-heure plus tard, elle prenait congé. Pansy et elle attendirent un moment leur équipage au pied de l'escalier, en compagnie d'autres invités. Leur voiture s'avançait lorsque Lord Warburton sortit de la maison; il les conduisit jusqu'à leur véhicule. Debout près de la portière, il s'attarda le temps de demander si Pansy s'était amusée; la jeune fille répondit puis se laissa retomber en arrière avec un soupir languissant. Il suffit à Isabel de lever un doigt pour attirer l'attention de son ami :

– N'oubliez pas d'envoyer votre lettre à son père! murmura-t-elle aimablement.

44

La comtesse Gemini s'ennuyait très souvent, d'un ennui mortel, selon ses dires. Elle n'y avait cependant pas encore succombé et luttait vaillamment contre l'infortune d'avoir épousé un Florentin désobligeant, déterminé à vivre dans sa ville natale où il jouissait de la considération relative due à un patricien dont le talent de perdre au jeu n'était hélas! pas assorti de dispositions engageantes. Le comte Gemini n'était pas même aimé de ses partenaires plus chanceux et il portait un nom dont, à l'instar des monnaies locales des anciens États italiens, la valeur mondaine, cotée à Florence, n'avait pas cours dans le reste de la péninsule. A Rome, le comte Gemini n'était qu'un terne Florentin; il n'y a donc rien d'étonnant à ce qu'il répugnât à séjourner fréquemment dans cette ville où sa lourdeur d'esprit exigeait, s'il voulait s'en tirer honorablement, des éclaircissements infinis. La comtesse vivait les yeux braqués sur Rome et ne se consolait pas de ne pas y posséder une demeure. Elle avait honte de mentionner la rareté des séjours qu'elle avait été autorisée à y faire et c'était un maigre soulagement de savoir que certains membres de la noblesse florentine ne s'y étaient jamais rendus. Elle-même y allait aussi souvent que possible, c'est tout ce qu'elle pouvait dire. Ou, plus exactement, tout ce qu'elle prétendait pouvoir dire. En fait, elle en avait beaucoup plus à raconter sur le sujet et avait souvent détaillé les raisons pour lesquelles elle exécrait Florence et désirait finir ses jours à l'ombre de Saint-Pierre. Ses mobiles, pourtant, ne nous concernent pas de près et se résumaient habituellement à une sobre déclaration : Rome était la Ville Éternelle et Florence une jolie petite ville comme n'importe quelle autre. Apparemment, la comtesse éprouvait le besoin de rattacher l'idée d'éternité à ses divertissements. Elle était persuadée que la société présentait infiniment plus d'intérêt à Rome où, tout l'hiver, l'on rencontrait des célébrités dans les soirées. A Florence, il n'y avait pas de gens assez célèbres pour faire parler d'eux. Depuis le mariage de son frère, l'impatience de la comtesse s'était nettement accrue; elle était certaine que sa belle-sœur menait une vie plus brillante que la sienne. Sans être aussi intellectuelle qu'Isabel, elle l'était assez pour apprécier Rome à sa juste valeur : pas ses ruines ni ses catacombes, pas forcément non plus ses monuments, musées, cérémonies religieuses et décors urbains, mais, à coup sûr, tout le reste. Elle avait beaucoup entendu parler de sa belle-sœur et savait pertinemment qu'Isabel avait la vie belle. Elle-même s'en était rendu compte la seule fois où elle avait bénéficié de l'hospitalité du *palazzo* Roccanera. Elle y avait passé une semaine l'hiver qui avait suivi le mariage de son frère mais n'avait pas été encouragée à renouveler cet agréable séjour. Osmond ne voulait pas d'elle, elle le savait parfaitement, mais elle y serait néanmoins retournée très volontiers car elle n'avait que faire d'Osmond. C'était son mari qui l'en aurait empêchée, et la question financière était toujours un embarras. Isabel avait été charmante; d'emblée, la comtesse l'avait l'aimée et l'envie ne l'avait pas aveuglée quant aux mérites de sa belle-sœur. Elle avait toujours observé qu'elle s'entendait mieux avec les femmes intelligentes qu'avec les sottes comme elle; jamais les sottes ne pourraient comprendre sa sagesse tandis que les femmes réellement intelligentes comprenaient toujours sa sottise. Il lui semblait que, malgré leur apparence et leur style si différents, Isabel et elle détenaient quelque part une parcelle de terrain commun et finiraient un jour par y poser les pieds. Ce domaine n'était pas grand mais il était stable, ce qu'elles découvriraient toutes deux une fois qu'elles l'auraient réellement investi. Au surplus, elle éprouvait toujours près de Mrs Osmond une agréable surprise; elle s'attendait constamment à ce qu'Isabel la regardât de haut et constatait non moins constamment que sa crainte avait été vaine. Elle se demandait quand cela commencerait, comme l'on attend le début d'un feu d'artifice, du Carême ou de la saison à l'Opéra; non qu'elle y attachât grande importance mais elle aurait aimé savoir pourquoi le jugement était laissé en suspens. Sa belle-sœur la traitait d'égale à égale et manifestait pour la pauvre comtesse aussi peu de dédain que d'admiration. En réalité, Isabel n'aurait pas plus songé à la mépriser qu'à exprimer un jugement moral sur une sauterelle. Toutefois, loin d'être indifférente à la personne de sa belle-sœur, Isabel en avait assez peur. Elle s'interrogeait à son sujet et la trouvait très singulière. La comtesse lui paraissait dépourvue d'âme ; elle avait l'air d'un coquillage rare et brillant, à la surface polie et aux lèvres rose vif, qui cliquetait lorsqu'on l'agitait. Apparemment, ce cliquetis était le principe spirituel de la comtesse, une petite noisette éperdue qui batifolait au plus intime de son être. La comtesse était trop étrange pour le dédain, trop anormale pour les comparaisons. Isabel aurait volontiers renouvelé l'invitation – il n'était pas question d'inviter le comte – si Osmond n'avait décrété sans scrupule après son mariage qu'Amy était une folle de la pire espèce, une folle dont la folie était irrépressible comme le génie. Une autre fois, il l'avait accusée de n'avoir pas de cœur ; puis il s'était repris : elle l'avait débité en menus morceaux et distribué, comme un gâteau de mariage glacé. Le fait de n'avoir pas été invitée était évidemment un nouvel obstacle entre la comtesse et Rome mais, à l'époque de ce récit, elle venait de recevoir une invitation à passer quelques semaines au *palazzo* Roccanera. La proposition émanait d'Osmond en personne qui écrivait à sa sœur qu'elle devait se disposer à être très tranquille. J'ignore si la comtesse exprima de cette phrase tout le sens qu'il y avait mis mais elle accepta l'invitation telle quelle. D'autant que sa curiosité l'y poussait ; une des impressions recueillies lors de sa visite précédente était que son frère avait trouvé à qui parler. Avant le mariage, elle avait été navrée pour Isabel, tellement navrée qu'elle avait sérieusement songé – mais les songeries de la comtesse étaient-elles jamais sérieuses ? – à l'alerter. Mais elle avait laissé faire et, au bout d'un moment, elle s'était sentie rassurée. Si Osmond était aussi méprisant que jamais, sa femme ne serait pas une victime facile. Chez la comtesse, la notion de mesure manquait de précision ; il lui parut néanmoins que si sa belle-sœur se redressait de toute sa taille, elle serait l'esprit fort du couple. Elle voulait connaître à présent quel était l'état moral d'Isabel ; savoir Osmond dominé lui aurait procuré un souverain plaisir.

Quelques jours avant son départ pour Rome, un domestique lui remit une carte de visite, simplement gravée « Henrietta C. Stackpole ». La comtesse se pressa le front du bout des doigts ; elle ne se souvenait pas avoir rencontré de Henrietta de ce nom. Le domestique intervint alors pour signaler que la visiteuse lui avait demandé, au cas où Madame la comtesse ne reconnaîtrait pas son nom, de dire à Madame la comtesse qu'elle la reconnaîtrait au premier coup d'œil. En fait, avant même de se trouver en présence de la visiteuse, la comtesse s'était rappelé avoir vu un jour chez Mrs Touchett une femme de lettres, la seule qu'elle eût jamais rencontrée, ou, plus exactement, la seule femme de lettres moderne, puisqu'elle était fille d'une poétesse défunte. Elle reconnut aussitôt Miss Stackpole, d'autant plus aisément que Miss Stackpole semblait parfaitement égale à elle-même. La comtesse, qui était dotée d'un charmant naturel, trouva flatteur qu'une distinguée femme de lettres lui rendît visite. Elle se demanda si Miss Stackpole avait entendu parler de sa mère, la Corinne américaine, et venait à son propos. La mère de la comtesse n'avait rien de commun avec l'amie d'Isabel ; la comtesse repéra d'un coup d'œil le modernisme frappant de Miss Stackpole et perçut d'emblée l'impression d'améliorations en cours, surtout dans les pays lointains, du personnage professionnel de la femme de lettres. Sa mère avait éternellement porté une étole romaine, jetée sur ses épaules modestement dénudées par un fourreau de velours noir (ah ! les vieilles nippes !) et une couronne de laurier en or, juchée au sommet d'une multitude de bouclettes luisantes. De sa voix douce et incertaine, nuancée par l'accent de ses ancêtres créoles, elle susurrait toujours, comme au confessionnal ; elle soupirait beaucoup aussi et n'avait nul esprit d'initiative. Henrietta, en revanche, était boutonnée jusqu'au cou et strictement nattée, observa la comtesse ; son apparence exprimait la vivacité, l'efficacité, et ses manières dénotaient une familiarité délibérée. Il était aussi impossible de l'imaginer soupirant à fendre l'âme que de mettre à la poste une lettre sans adresse. La comtesse ressentit vivement que la correspondante de l'*Interviewer* était beaucoup plus dans le mouvement que la Corinne américaine. Pour expliquer sa venue, Henrietta dit à son hôtesse qu'elle était la seule personne qu'elle connût à Florence et que, contrairement aux voyageurs superficiels, elle aimait voir des gens intéressants lorsqu'elle visitait une ville étrangère. Elle connaissait Mrs Touchett mais celle-ci était en Amérique ; d'ailleurs, aurait-elle été à Florence, Henrietta ne se serait pas dérangée pour elle, car Mrs Touchett ne faisait pas son admiration.

– Dois-je comprendre que moi-même je la fais ? demanda gracieusement la comtesse.

– Je vous préfère à elle, dit Miss Stackpole. Je crois me souvenir que je vous avais trouvée très intéressante quand nous nous étions vues. Je ne sais si c'était un hasard ou s'il s'agit de votre style habituel. En tout cas, j'avais été très frappée de ce que vous aviez dit. Je m'en étais servi dans un article.

– Dieu du ciel ! s'écria la comtesse, partagée entre l'effarement et l'inquiétude ! Je n'imaginais pas avoir jamais rien dit de si remarquable ! Quel dommage que je ne m'en sois pas rendu compte sur-le-champ !

– Il s'agissait de la situation de la femme à Florence, lui rappela Miss Stackpole. Vous l'aviez bien mise en lumière.

– La situation de la femme est très pénible. Est-ce cela dont vous parlez ? Et vous avez écrit sur ce sujet et publié votre article ? poursuivit la comtesse. Ah ! J'aimerais tant le lire !

– Je vous ferai envoyer le numéro, si cela vous fait plaisir, promit Henrietta. Je n'ai pas cité votre nom ; j'ai seulement parlé d'une dame de la haute société. Puis j'ai exposé votre opinion.

La comtesse se rejeta vivement en arrière et leva ses mains jointes :

– Savez-vous que je regrette un peu que vous n'ayez pas cité mon nom ? J'aurais aimé le voir dans un journal. J'ai oublié ce qu'étaient mes opinions – j'en ai tellement ! – mais je n'en ai pas honte. Je ne suis pas du tout comme mon frère

– je suppose que vous connaissez mon frère – qui se croirait déshonoré si son nom paraissait dans un journal. Si jamais vous le citiez, il ne vous le pardonnerait pas.

– Qu'il ne s'inquiète surtout pas ; jamais je ne le citerai, dit Miss Stackpole, avec une sècheresse douceureuse. J'avais une autre raison de venir vous voir, ajouta-t-elle. Vous savez que Mr Osmond a épousé ma plus chère amie.

– Ah ! voilà ! Vous étiez l'amie d'Isabel. Je cherchais à me rappeler ce que je savais de vous.

– J'accepte volontiers que l'on me désigne ainsi, déclara Henrietta. Mais cela ne me vaut pas la sympathie de votre frère. Il a essayé de briser mes relations avec Isabel.

– Ne le laissez pas faire, dit la comtesse.

– C'est justement ce dont je voulais vous parler. Je pars pour Rome.

– Moi aussi ! s'exclama la comtesse. Nous irons ensemble.

– Avec plaisir. Et lorsque je relaterai ce voyage, je vous mentionnerai sous votre nom comme ma compagne de route.

La comtesse s'envola de son siège et vint se poser sur le sofa, près de Miss Stackpole :

– Ah ! Il faudra m'envoyer le journal ! Cela déplaira à mon mari mais il n'aura pas besoin de le voir. D'ailleurs, il ne sait pas lire.

Les grands yeux de Henrietta devinrent immenses :

– Il ne sait pas lire ? Puis-je écrire cela dans ma lettre ?

– Votre lettre ?

– Dans l'*Interviewer*. C'est mon journal.

– Ah ! oui, si cela vous fait plaisir ; avec son nom. Allez-vous séjourner chez Isabel ?

Henrietta redressa la tête et contempla silencieusement son hôtesse avant de répondre :

– Elle ne me l'a pas proposé. Je lui ai annoncé mon arrivée et elle m'a répondu qu'elle me retiendrait une chambre dans une *pension*. Elle ne m'a pas donné de raison.

La comtesse écoutait avec un intérêt extrême :

– La raison, c'est Osmond, fit-elle avec un regard lourd de sens.

– Isabel devrait résister, dit Miss Stackpole. Je crains qu'elle n'ait beaucoup changé. Je l'en avais prévenue.

– Je suis désolée de ce que vous dites ; j'espérais qu'elle trouverait son mode de vie. Pourquoi mon frère ne vous aime-t-il pas ? demanda candidement la comtesse.

– Je n'en sais rien et n'en ai rien à faire. Libre à lui de ne pas m'aimer ; je ne tiens pas à ce que tout le monde m'aime ; j'aurais moins d'estime pour moi si j'avais celle de certaines gens. Un journaliste ne peut espérer faire du bien sans s'attirer une bonne dose de haine ; c'est ainsi qu'il sait que son travail porte. Et il en va de même pour une femme. Mais je n'attendais pas cela d'Isabel.

– Vous voulez dire qu'elle vous hait ? s'enquit la comtesse.

– Je ne sais pas. Je veux tirer la chose au clair : c'est la raison de mon voyage à Rome.

– Oh là ! Quelle expédition épuisante ! s'écria la comtesse.

– Elle ne m'écrit plus de la même façon et l'on a vite fait d'apprécier la différence... Si vous savez quelque chose, poursuivit Miss Stackpole, j'aimerais le savoir moi aussi, dès maintenant, pour décider de ma ligne de conduite.

La comtesse fit une moue et haussa les épaules :

– J'en sais très peu ; je vois rarement Osmond et n'entends guère parler de lui. Il ne m'aime pas plus qu'il ne semble vous aimer.

– Et pourtant, vous n'êtes pas une femme journaliste, dit Henrietta d'un ton pensif.

Oh ! il a quantité de raisons. Malgré tout, ils m'ont invitée et je logerai chez eux ! déclara fièrement la comtesse qui jubilait, sans égards pour la déception de Miss Stackpole.

La jeune femme, cependant, voyait les choses avec placidité :

– Personnellement, je ne serais pas allée chez Isabel, si elle m'en avait priée. C'est du moins ce que je crois, et je suis bien contente de n'avoir pas eu à prendre de décision. La question aurait été très difficile. Je n'aurais pas aimé refuser son invitation et pourtant je ne me serais pas sentie heureuse sous son toit. Je serai très bien dans une *pension*. Mais ce n'est pas tout.

– Rome est étourdissante en ce moment, dit la comtesse, des tas de gens brillants… Avez-vous jamais entendu parler de Lord Warburton ?

– Entendu parler de lui ? Je le connais très bien. Le trouvez-vous très brillant ? demanda Henrietta.

– Je ne le connais pas, mais on dit qu'il est très *grand seigneur*. Il fait la cour à Isabel.

– Il lui fait la cour ?

– C'est ce qu'on dit et je n'en sais pas plus, dit la comtesse d'un ton léger. Mais Isabel ne risque rien.

Après un silence, son grave regard posé sur la comtesse, Henrietta demanda tout à coup :

– Quand irez-vous à Rome ?

– Pas avant une semaine, j'en ai peur.

– Je partirai demain, dit Henrietta. Je crois préférable de ne pas attendre.

– Mon Dieu ! Quel dommage ! J'ai commandé quelques robes. On dit qu'Isabel reçoit énormément. Mais j'irai vous voir là-bas. Je vous rendrai visite dans votre *pension*.

Henrietta ne répondit pas ; elle était immobile, absorbée dans ses pensées dont la tira une vive exclamation de la comtesse :

– Mais si vous ne venez pas avec moi, vous ne pourrez pas décrire notre voyage !

Henrietta ne parut pas s'émouvoir de cette considération ; elle pensait à autre chose et l'exprima :

– Je ne suis pas sûre d'avoir bien compris ce que vous avez dit à propos de Lord Warburton.

– Qu'y a-t-il à comprendre ? J'ai dit que c'était un homme très plaisant, voilà tout.

– Car vous trouvez qu'il est plaisant de courtiser des femmes mariées ? s'enquit Henrietta d'un ton net.

Écarquillant ses yeux brillants, la comtesse poussa un petit rire strident, puis répondit :

– C'est en tout cas le fait de tous les hommes ! Mariez-vous et vous verrez !

– Cette seule idée suffirait à m'en empêcher, dit Miss Stackpole. Je voudrais mon mari à moi, et surtout pas un autre. Vous voulez dire qu'Isabel est coupable... coupable de ... ?

Miss Stackpole s'arrêta pour choisir son expression.

– Si je veux dire qu'elle est coupable ? Grands dieux, non ! Pas encore, j'espère. Je disais seulement qu'Osmond est très assommant et Lord Warburton très souvent chez eux. Dit-on. Je crains que vous ne soyez scandalisée.

– Non, je suis seulement inquiète, dit Henrietta.

– Vous ne flattez pas Isabel ! Vous devriez lui faire confiance.... Si cela peut vous rassurer, ajouta vivement la comtesse, je m'engage à le détourner d'elle.

Le regard de Miss Stackpole se chargea d'une profondeur solennelle ; sa réponse vint après un instant :

– Vous ne me comprenez pas. Je ne pense pas du tout à ce que vous semblez supposer. Ce n'est pas dans ce sens que j'ai peur pour Isabel. Je crains seulement qu'elle ne soit malheureuse ; c'est ce dont je veux avoir le cœur net.

Tout à coup impatiente et sarcastique, la comtesse agita vivement la tête : Miss Stackpole commençait à l'ennuyer un peu.

– C'est très possible. Pour ma part, j'aimerais savoir si Osmond l'est aussi.

– Si elle a vraiment changé, ce doit être le fond de l'affaire, reprit Henrietta.

– Vous verrez, elle vous le dira.

– Elle pourrait très bien ne rien dire ; c'est ce que je redoute.

– Si Osmond ne s'amuse pas, à son incroyable manière d'autrefois, je me flatte de le découvrir, déclara la comtesse.

– Cela m'est bien égal, dit Henrietta.

– Pour moi, c'est essentiel ! Si Isabel est malheureuse, j'en suis très désolée pour elle mais je n'y peux rien. Je pourrais lui révéler quelque chose qui aggraverait son malheur mais n'ai rien à dire qui puisse la consoler. Pourquoi l'a-t-elle épousé ? Si elle m'avait écoutée, elle l'aurait envoyé au diable ! Toutefois, je lui pardonnerai si je m'aperçois qu'elle lui a rendu la vie intenable. Si elle s'est simplement laissée piétiner, je crois que je ne la plaindrai même pas. Mais cela me paraît peu vraisemblable. J'espère découvrir que, si elle est malheureuse, elle a du moins fait le malheur d'Osmond.

Henrietta se leva, ébranlée peut-être par ces vœux redoutables. Elle croyait sincèrement ne pas désirer le malheur de Mr Osmond et, de fait, il était sans pouvoir sur son imagination. Elle était finalement plutôt déçue par la comtesse dont, malgré des aptitudes à la vulgarité, l'esprit s'agitait dans un cercle plus restreint qu'elle n'avait imaginé.

– Il vaudrait mieux qu'ils s'aiment, dit-elle pour sa gouverne.

– Impossible ! Il ne peut aimer personne.

– C'est ce que j'avais pressenti. Cela ne fait qu'aggraver mes craintes pour Isabel. C'est décidé : je pars demain.

– Isabel a certainement des admirateurs, dit la comtesse avec un sourire éclatant. Je vous affirme que je ne la plains pas.

– Il se peut que je ne lui sois d'aucun secours, concéda Miss Stackpole du ton dont on s'efforce de chasser ses illusions.

– Vous aurez tenté de l'aider, en tout cas, c'est déjà quelque chose... répondit la comtesse, qui ajouta impétueusement : Je crois même que c'est pour cela que vous êtes venue d'Amérique.

– Oui, je voulais m'occuper d'elle, admit sereinement Henrietta.

La comtesse lui dédia un sourire auquel participaient ses petits yeux brillants, son nez inquisiteur et des joues subitement envahies par la rougeur :

– Ah ! voilà un joli geste, *c'est bien gentil*. C'est donc cela qu'on appelle l'amitié ?

– Qu'on appelle cela comme on veut. J'ai jugé simplement que je ferais bien de venir.

– Mais elle est très heureuse ! Elle a beaucoup de chance, des tas de gens qui l'entourent, affirma la comtesse qui, éclatant subitement, poursuivit avec passion : Elle a beaucoup plus de chance que moi ! Je suis aussi malheureuse qu'elle : j'ai un mari, épouvantable, bien pire qu'Osmond. Et je n'ai pas d'amis. Je croyais en avoir mais ils m'ont lâchée.

Personne, homme ou femme, ne ferait pour moi ce que vous faites pour elle.

Émue, Henrietta considérait son interlocutrice, dont l'explosion amère ne manquait pas de sincérité.

– Écoutez, comtesse, je vais faire exactement ce que vous désirez. Je vais vous attendre et nous voyagerons ensemble.

– Ne vous en faites pas, répondit la comtesse dont le ton avait à nouveau subitement changé. Faites simplement mon portrait dans le journal !

Avant de la quitter, force fut à Henrietta de faire entendre à la comtesse qu'elle ne pouvait fournir un récit fictif de son voyage à Rome : Miss Stackpole était un reporter scrupuleusement véridique. Après avoir pris congé, Henrietta se dirigea vers le Lungarno ensoleillé qui longe la rivière jaune au bord duquel s'alignent les façades éclatantes des hôtelleries familières aux touristes. Grâce à son vif esprit pratique, elle savait déjà comment se diriger dans les rues de Florence et sortit d'un pas décidé du petit jardin qui commande l'entrée du pont de la Sainte-Trinité. Elle prit à gauche, vers le Ponte Vecchio, et s'arrêta devant un des hôtels qui dominent ce délicieux ouvrage d'art. Là, elle sortit de sa poche un petit carnet, une carte, un crayon, médita quelques minutes puis écrivit quelques mots. Par-dessus son épaule, nous lisons une brève requête : « Pourrais-je vous voir quelques moments ce soir pour un motif très important ? » Henrietta ajouta qu'elle devait partir le lendemain pour Rome. Armée de ce document, elle aborda le portier de service devant l'entrée et lui demanda si Mr Goodwood était à l'hôtel. Comme tous les portiers, celui-ci répondit que son client était sorti vingt minutes plus tôt environ ; Henrietta lui tendit sa carte et le pria de la lui remettre en main propre dès son retour. Quittant l'hôtel, elle reprit sa route le long du quai, puis emprunta le portique sévère des Uffizi jusqu'à l'entrée du fameux musée de peinture. Après avoir escaladé le grand escalier qui mène aux salles supérieures, elle s'engagea dans l'interminable couloir, jalonné de bustes antiques et partiellement vitré, qui donne accès aux galeries. Au cœur de l'hiver, les visiteurs sont rares dans le musée glacial et, dans la perspective déserte, la brillante lumière hivernale miroitait sur le sol de marbre. Rien jusqu'à présent n'avait laissé prévoir que Miss Stackpole déploierait une telle ardeur dans sa recherche du beau mais elle avait, après tout, ses préférences et ses admirations. L'une des plus récentes était le petit Corrège de la Tribune[1] : agenouillée devant le Divin Enfant couché dans une crèche, la Vierge à genoux bat des mains, ce qui Le fait rire aux éclats. Henrietta portait une tendresse particulière à cette scène intime et y voyait le plus beau tableau du monde. Elle n'avait pu, cette fois, consacrer que trois jours à Florence au cours de son voyage mais ils ne s'écouleraient pas sans qu'elle rendît à nouveau visite à son chef-d'œuvre préféré. Elle avait un sentiment très vif de la beauté sous toutes ses formes, ce qui entraînait de nombreuses obligations intellectuelles. Elle s'avançait vers la Tribune quand un visiteur en sortit dont l'apparition lui arracha une exclamation légère : elle était devant Caspar Goodwood.

– Je viens de passer à votre hôtel, dit-elle. J'y ai laissé un mot à votre intention.

– Je suis très honoré, répondit Caspar Goodwood comme s'il le pensait vraiment.

– Je ne l'ai pas fait dans ce but. J'ai déjà fait appel à vous précédemment et je sais que vous n'avez pas apprécié. J'ai à vous parler.

Il détacha son regard de la boucle du chapeau de Miss Stackpole :

– Je serai très heureux d'entendre ce que vous souhaitez me dire.

– Ma conversation ne vous intéresse pas, dit Henrietta, mais peu importe. Je ne suis pas là pour vous distraire. J'avais déposé ce mot pour vous demander de venir me voir, mais puisque nous nous sommes rencontrés ici, cela fera aussi bien l'affaire.

– J'allais partir mais, bien entendu, je reste, déclara Goodwood.

---

1. En forme de petit temple octogonal, la Tribune, commandée par le grand-duc François Ier et construite vers 1588 par Bernardo Buontalenti, était à l'origine destinée à servir de cadre à la statuaire grecque. *(N. d. T.)*

Le ton était courtois mais neutre.

Henrietta ne s'attendait pas d'ailleurs à des effusions et elle était si préoccupée qu'elle lui fut reconnaissante de bien vouloir l'écouter. Elle commença par lui demander, néanmoins, s'il avait vu tous les tableaux.

– Tous ceux que je désirais voir; je suis ici depuis une heure.

– Je me demande si vous avez vu mon Corrège. Je suis venue exprès pour lui, dit Henrietta en s'engageant dans la Tribune où il la suivit à pas lents.

– J'imagine que j'ai dû le voir mais j'ignorais qu'il fût à vous. J'ai mauvaise mémoire pour la peinture, surtout pour les tableaux de ce genre.

Elle lui désigna son œuvre favorite et le jeune homme demanda si c'était du Corrège qu'elle souhaitait s'entretenir avec lui.

– Non, dit Henrietta, c'est d'un sujet moins harmonieux!

Mis à part le gardien qui flânait près de la Vénus des Médicis[1], la brillante petite salle, véritable coffre aux trésors, n'appartenait qu'à eux.

– J'ai une faveur à vous demander, poursuivit Miss Stackpole.

Caspar Goodwood fronça légèrement les sourcils, sans manifester d'embarras pour son manque d'empressement. Son visage était nettement plus marqué par l'âge que celui du jeune homme que nous avons connu.

– Je suis sûr qu'il s'agit de quelque chose qui me déplaira, assura-t-il vigoureusement.

– Je le crois aussi. Sinon, je n'aurais pas présenté ma requête comme une faveur.

– Eh bien, je vous écoute, reprit-il, du ton d'un homme très conscient de sa patience.

– Vous pensez peut-être n'avoir aucune raison particulière de me faire une faveur. Personnellement, j'en vois une seule :

---

1. Acquise par le cardinal Léopold de Médicis, cette statue grecque du IIIe siècle av. J.-C. , probablement d'après Praxitèle, inspira de nombreuses Vénus dites « pudiques ». *(N. d. T.)*

le fait que, si vous m'en donniez l'occasion, je serais heureuse de vous en faire une.

Le ton doux et net de Henrietta, qui ne visait aucun effet, était l'expression d'une sincérité absolue et son interlocuteur, malgré sa rude écorce, ne put s'empêcher d'être touché. Mais il n'était pas homme à extérioriser son émotion par les manifestations habituelles : il ne rougit pas, ne détourna pas les yeux et ne prit pas l'air gêné. En revanche, il fixa plus précisément son attention et sembla réfléchir avec une fermeté renforcée. Henrietta poursuivit donc avec objectivité, sans se douter qu'elle disposait d'un avantage.

– Je peux vous dire à présent, car l'occasion me paraît bonne, que si je vous ai parfois ennuyé, ce que je crois, c'était avec le sentiment que j'aurais volontiers consenti à l'être aussi pour vous. Je vous ai causé des ennuis, indiscutablement. Mais je me donnerais de la peine pour vous.

Goodwood hésita :

– Vous vous en donnez déjà en ce moment.

– Oui, je m'en donne... Je désire que vous examiniez s'il est souhaitable, en définitive, que vous alliez à Rome.

– Je pensais que vous alliez me dire cela, répondit-il avec naturel.

– Alors vous y avez déjà réfléchi ?

– Bien sûr, très minutieusement. J'ai fait le tour de la question. Sinon, je ne serais pas venu jusqu'ici. Je viens de passer deux mois à Paris. Pour revoir toute la question.

– J'ai peur que vous n'ayez décidé selon vos désirs. Vous avez estimé que c'était le meilleur parti à prendre parce que vous y êtes fortement poussé.

– Le meilleur parti pour qui ? demanda Goodwood.

– D'abord pour vous. Ensuite pour Mrs Osmond.

– Oh ! cela ne lui fera aucun bien. Je ne me fais pas d'illusions sur ce point.

– N'en souffrira-t-elle pas ? Toute la question est là.

– Je ne vois pas en quoi cela l'intéresse. Je ne suis rien pour Mrs Osmond. Mais, si vous tenez vraiment à le savoir, je veux la voir moi-même.

– Oui, et c'est dans ce but que vous allez à Rome.

– Bien entendu. Connaissez-vous meilleure raison ?

– En quoi cela vous aidera-t-il ? Voilà ce que je veux savoir, dit Miss Stackpole.

– C'est justement ce que je ne peux vous dire et ce à quoi je réfléchissais à Paris.

– Vous n'en serez que plus insatisfait.

– Pourquoi « plus » insatisfait ? demanda Goodwood d'un ton sévère. Qui vous dit que je suis insatisfait.

– Le fait… Henrietta hésita : … le fait que vous semblez ne vous intéresser à aucune autre femme.

– Comment savez-vous à quoi je m'intéresse ? cria-t-il en rougissant violemment. Pour l'instant, je m'intéresse à mon voyage à Rome.

Henrietta le regardait en silence ; sa propre expression était triste mais lumineuse.

– Voilà, dit-elle enfin, je voulais seulement vous dire ce que je pense et ce que j'ai sur le cœur. Bien sûr, vous estimez que ce ne sont pas mes affaires. Mais à ce compte-là, rien ne regarde personne.

– C'est très aimable à vous et je vous suis très reconnaissant de votre intérêt, dit Caspar Goodwood. J'irai à Rome et ne ferai aucun mal à Mrs Osmond.

– Pas de mal, peut-être, mais l'aiderez-vous ? Voilà toute la question.

– A-t-elle donc besoin d'aide ? demanda-t-il lentement avec un regard pénétrant.

– La majorité des femmes en ont besoin, affirma une Henrietta évasive et moins confiante que d'habitude dans ses généralisations. Si vous allez à Rome, ajouta-t-elle, j'espère que vous vous conduirez comme un véritable ami ; pas comme un égoïste !

Là-dessus, elle s'éloigna pour s'intéresser aux tableaux.

Caspar Goodwood la laissa faire et la suivit des yeux tandis qu'elle déambulait dans la salle ; au bout d'un moment, il la rejoignit.

– Vous avez appris quelque chose à son propos ? s'enquit-il. J'aimerais savoir ce dont il s'agit.

De sa vie, Henrietta n'avait recouru aux faux-fuyants et, malgré la commodité qu'ils auraient présentée dans la circonstance présente, elle décida, après une courte réflexion, de ne pas faillir à sa règle.

– Oui, j'ai appris certaines choses, répondit-elle, mais comme je ne souhaite pas que vous alliez à Rome, je ne vous les dirai pas.

– A votre aise. Je verrai par moi-même, fit-il avant d'ajouter, sans grande logique : On vous a dit qu'elle était malheureuse !

– Oh ! C'est un spectacle que vous ne verrez jamais ! s'écria Henrietta.

– J'espère que non. Quand partez-vous ?

– Demain, par le train de nuit. Et vous ?

Goodwood laissa la question en suspens. Il n'avait aucune envie de voyager jusqu'à Rome en compagnie de Miss Stackpole. Son indifférence à l'égard de Miss Stackpole n'était pas de même nature que celle de Gilbert Osmond mais avait pour l'instant la même particularité : c'était un hommage aux qualités de la jeune femme plus qu'une réaction à ses défauts. Il la trouvait très remarquable, très brillante et n'avait en principe rien à redire à sa profession. Les correspondantes de presse lui paraissaient avoir leur place dans l'ordre naturel des choses d'un pays moderne et, bien qu'il ne lût jamais leurs articles, il supposait qu'elles contribuaient à la prospérité générale. C'était l'éminence même de leur situation qui lui faisait souhaiter que Miss Stackpole eût un peu moins de certitudes. Elle considérait comme évident qu'il était toujours prêt à parler de Mrs Osmond ; elle n'avait pas manqué de l'y inciter lorsqu'ils s'étaient rencontrés à Paris six semaines après son arrivée en Europe et, tablant toujours sur cette hypothèse, elle avait récidivé depuis en plusieurs circonstances. Or, il n'avait aucune envie de parler de Mrs Osmond ; il ne pensait pas constamment à elle ; il en était sûr. Il était le plus réservé, le moins expansif des hommes, et cette journaliste curieuse dardait constamment sa lanterne sur l'ombre paisible de son âme. Il souhaitait qu'elle s'intéressât moins à lui ; et même, si brutal que cela pût paraître, il désirait qu'elle le laissât tranquille. Néanmoins, dans l'instant qui suivit, ses réflexions s'infléchirent dans un sens qui témoigne à quel point sa mauvaise grâce différait de celle de Gilbert Osmond. Il désirait partir pour Rome ; il voulait y aller seul, par le train de nuit. Il haïssait les compartiments des chemins de fer européens où l'on siège des heures durant, prisonnier d'un étau, coude à coude et nez à nez avec un étranger auquel bientôt l'on s'affronte avec une véhémence accrue par le désir d'ouvrir la fenêtre ; et s'ils étaient encore pires la nuit que le jour, la nuit, du moins, l'on pouvait y dormir en rêvant d'un wagon-salon américain. Mais il ne pouvait prendre un train de nuit alors que Miss Stackpole partait le matin ; il aurait eu l'impression de commettre un affront à l'égard d'une femme sans protection. Il ne pouvait pas davantage patienter jusqu'à ce qu'elle fût partie parce que ses réserves de patience, justement, s'épuisaient. Impossible d'attendre un jour de plus. Elle l'agaçait ; elle lui portait sur les nerfs ; l'idée de passer la journée avec elle dans un wagon de chemin de fer européen cumulait les causes d'exaspération. Et pourtant, elle était une dame qui voyageait seule et c'était son devoir de lui offrir sa protection. Il n'y avait pas de doute possible et la nécessité était parfaitement claire. Le visage empreint de gravité, d'une voix nette et totalement dénuée de galanterie, il annonça :

– Bien entendu, si vous partez demain, je partirai aussi ; au cas où je pourrais vous être utile.

– Je l'espère bien, Mr Goodwood ! répondit Henrietta imperturbable.

45

Isabel savait que le séjour prolongé de Ralph à Rome indisposait son mari. Cette idée occupait ses pensées tandis qu'elle se rendait à l'hôtel de son cousin, le lendemain du jour où elle avait invité Lord Warburton à donner une preuve tangible de sa sincérité ; depuis longtemps déjà, elle percevait clairement les sources de l'opposition d'Osmond. Il voulait qu'elle ne disposât d'aucune liberté d'esprit et savait pertinemment que Ralph prêchait la cause de la liberté. C'était d'ailleurs pourquoi, se disait Isabel, il était si reposant d'aller le voir. Il va de soi que, si elle s'accordait cet apaisement malgré l'aversion de son mari, elle le faisait, comme elle s'en flattait, avec discrétion. Elle n'avait pas encore entrepris d'agir en opposition directe avec les désirs d'Osmond ; il demeurait son maître désigné et officiel, fait qu'elle considérait à certains moments avec une stupeur incrédule et qui pesait fortement sur son imagination, cependant que les convenances traditionnelles et le caractère inviolable et sacré du mariage étaient constamment présents à son esprit. L'idée de les violer l'emplissait de honte autant que de terreur car, lorsqu'elle s'était donnée, elle avait perdu de vue ces contingences dans la certitude parfaite que les intentions de son mari étaient aussi généreuses que les siennes. Malgré cela, il lui semblait voir approcher rapidement le jour où elle aurait à reprendre ce qu'elle avait solennellement accordé. Une telle cérémonie serait odieuse et monstrueuse ; d'ici là, elle s'efforçait de s'aveugler. Osmond ne ferait sûrement rien pour faciliter les choses et ne prendrait pas l'initiative ; il lui laisserait toute la charge, jusqu'au bout. Il ne lui avait pas formellement défendu de voir Ralph mais elle était certaine qu'à moins d'un départ imminent de son cousin, l'interdit tomberait. Comment le malheureux garçon aurait-il pu partir ? La saison, le temps le lui interdisaient. Isabel comprenait parfaitement que son mari souhaitât ce départ ; en toute justice, elle ne voyait pas comment il aurait pu se réjouir de ses visites à son cousin. Ralph ne disait jamais un mot qui lui fût hostile mais la protestation d'Osmond, muette, amère, n'en était pas moins fondée. S'il intervenait effectivement, s'il mettait en jeu son autorité, Isabel serait contrainte de prendre une décision et ce ne serait pas chose facile. Cette perspective, quand elle l'envisageait, accélérait les battements de son cœur et ses joues s'enflammaient; par moments, de son désir d'éviter une rupture déclarée naissait le vœu que Ralph s'en allât, à ses risques et périls. Et il était vain, lorsqu'elle se surprenait dans cet état d'esprit, de se traiter de mauviette, de poltronne. La question n'était pas qu'elle aimait moins Ralph mais tout, pratiquement tout, semblait préférable au désaveu de l'acte le plus grave, du seul acte sacré de sa vie. Ce désaveu, semblait-il, ferait de l'avenir tout entier une chose hideuse. Rompre une fois avec Osmond serait rompre pour toujours; s'ouvrir franchement l'un à l'autre de leurs aspirations inconciliables serait admettre l'échec de leur ambition. Pour eux, il n'était pas question de fermer les yeux sur quoi que ce soit, d'accepter les compromis, l'oubli de complaisance et les réajustements superficiels. Ils avaient poursuivi un objectif unique qui aurait dû être délicieux. Ils l'avaient manqué et rien d'autre ne ferait l'affaire : on ne saurait concevoir un succès de substitution. Pour le moment, Isabel allait à l'Hôtel de Paris aussi souvent qu'elle le jugeait bon; les convenances se pliaient aux règles du goût, excellente preuve que la moralité était, pour ainsi dire, affaire d'appréciation sincère. Isabel avait pris ce jour-là des libertés particulières avec les convenances car, en plus du fait très réel qu'elle ne pouvait laisser Ralph mourir seul, elle avait à lui poser une question importante qui concernait autant les affaires de Gilbert que les siennes.

Elle en vint très vite au sujet dont elle voulait parler :

– J'ai une question à vous poser, dit-elle, dont j'attends une réponse. C'est au sujet de Lord Warburton.

– Je crois deviner la question, dit Ralph dont les maigres jambes s'allongeaient plus loin que jamais devant son fauteuil.

– C'est bien possible. Alors, je vous en prie, répondez-y.

– Oh ! mais je n'ai pas dit que je pouvais y répondre !

– Vous êtes très intime avec lui. Vous l'avez beaucoup observé.

– C'est exact. Mais il doit sans cesse dissimuler. Pensez-y !

– Pourquoi dissimulerait-il ? Cela ne lui ressemble pas.

– N'oubliez pas que les circonstances sont assez particulières, fit Ralph, qui semblait s'amuser secrètement.

– Dans une certaine mesure, oui. Mais est-il réellement épris ?

– Très épris, je crois. Je l'ai découvert.

– Ah ! fit sèchement Isabel.

Ralph la regarda, non plus hilare mais mystifié :

– On dirait que vous êtes déçue.

Isabel se leva et lissa lentement ses gants qu'elle considérait d'un œil rêveur :

– Après tout, cela ne me regarde pas.

– Vous êtes très philosophe, constata son cousin avant de demander : Puis-je savoir de quoi vous parlez ?

– Je pensais que vous le saviez, dit Isabel, surprise. Lord Warburton me dit que son plus cher désir est d'épouser Pansy. Je vous l'ai déjà dit, sans vous arracher un mot de commentaire. Il me semble que vous pourriez en risquer un ce matin. Croyez-vous qu'il l'aime vraiment ?

– Qu'il aime Pansy ? Non ! s'écria Ralph, catégorique.

– Mais vous venez de dire exactement le contraire.

Ralph attendit un moment :

– J'ai dit qu'il vous aimait, Mrs Osmond.

Isabel hocha gravement la tête.

– C'est absurde, vous le savez !

– Bien sûr, c'est absurde. Seulement l'absurdité n'est pas mon fait mais celui de Warburton.

– Ce serait très ennuyeux, commenta Isabel d'un ton uni, qu'elle s'imaginait subtil.

– Je dois vous dire que, s'adressant à moi, il a nié la chose, repartit Ralph.

– C'est très aimable à vous d'en discuter ensemble ! Vous a-t-il également dit qu'il est amoureux de Pansy ?

– Il parle d'elle en bien… très correctement. Il m'a laissé entendre qu'il pensait qu'elle ferait très bien à Lockleigh.

– Le pense-t-il vraiment ?

– Ah ! ce que pense vraiment Warburton ! fit Ralph.

Isabel recourut de nouveau à ses gants, de longs gants souples sur lesquels elle pouvait librement passer sa nervosité. Tout à coup, elle releva la tête :

– Ah ! Ralph ! vous ne m'aidez pas ! s'écria-t-elle d'un ton passionné.

Elle avait besoin d'aide. C'était la première fois qu'elle y faisait allusion et la véhémence de l'appel fit tressaillir son cousin. Un long soupir lui échappa, de soulagement, de pitié, de tendresse ; il lui sembla qu'une passerelle était enfin jetée par-dessus l'abîme qui les séparait, une impression qui le fit s'exclamer :

– Comme vous devez être malheureuse !

A peine avait-il parlé qu'elle retrouvait son sang-froid dont elle fit aussitôt usage pour feindre de n'avoir rien entendu :

– Quand je vous parle de m'aider, je dis une absurdité, fit-elle avec un sourire fugace. Moi, venir vous assommer avec mes embarras domestiques ! En fait, la question est toute simple. Lord Warburton doit mener lui-même son affaire ; je ne peux intervenir dans son jeu.

– Il devrait arriver facilement à ses fins, dit Ralph.

– Oui, concéda Isabel, encore qu'il n'y soit pas toujours parvenu.

– C'est vrai. Toutefois, vous savez que cela n'a jamais cessé de me surprendre. Miss Osmond est-elle capable de nous surprendre ?

– La surprise viendra plutôt de lui. J'ai l'impression qu'en définitive, il abandonnera l'affaire.

– Il ne fera rien qui manquerait à l'honneur, dit Ralph.

– J'en suis sûre. La conduite la plus honorable de sa part serait de laisser en paix la pauvre enfant. Elle en aime un autre et c'est cruel d'essayer de l'acheter par des offres magnifiques pour l'y faire renoncer.

– Cruel pour l'autre soupirant, peut-être, celui qu'elle aime. Mais Warburton n'est pas obligé de prendre en considération cet aspect de la question.

– Non, cruel pour Pansy, corrigea Isabel. Elle serait très malheureuse si elle se laissait convaincre d'abandonner le pauvre Mr Rosier. L'idée paraît vous amuser ; bien sûr, vous n'êtes pas amoureux de lui. Pour Pansy, il a le mérite d'être amoureux... de Pansy. Alors qu'il lui suffit d'un regard pour savoir que Lord Warburton ne l'est pas.

– Il serait très bon pour elle, dit Ralph.

– Il l'est déjà. Heureusement, il n'a pas dit un mot qui aurait pu la troubler. Il pourrait venir demain lui faire ses adieux sans manquer à la bienséance.

– Comment votre mari prendrait-il la chose ?

– Elle ne lui plairait pas du tout, et peut-être à juste titre. Seulement, c'est à lui d'obtenir satisfaction.

– Vous a-t-il chargée de ce soin ? demanda Ralph, non sans audace.

– Il était naturel que, liée d'amitié depuis plus longtemps que Gilbert avec Lord Warburton, je m'intéresse à ses intentions.

– A ce qu'il y renonce, voulez-vous dire.

Sourcils légèrement froncés, Isabel hésitait :

– Expliquez-vous : est-ce sa cause que vous plaidez ?

– Pas du tout. Je suis très heureux qu'il ne devienne pas le mari de votre belle-fille. Cela créerait une parenté vraiment singulière avec vous ! fit Ralph en souriant. Mais je me sens un peu nerveux à l'idée que votre mari pourrait estimer que vous ne l'avez pas assez incité.

Isabel trouva la force de répondre au sourire de son cousin :

– Il ne comptait pas vraiment sur moi pour l'inciter, il me connaît trop pour cela. Je pense que lui-même n'a pas l'intention de pousser à la roue. Je n'ai pas peur de ne pouvoir me justifier ! conclut-elle d'un ton léger.

Son masque était tombé quelques secondes mais elle l'avait aussitôt rajusté. Infiniment déçu, Ralph, qui avait saisi la vision fugitive de son visage au naturel, désirait ardemment le sonder. Il éprouvait un désir presque forcené d'entendre Isabel se plaindre de son mari et dire qu'elle serait tenue pour responsable de la défection de Lord Warburton. Ralph était certain de ce qu'était sa situation ; il pressentait d'instinct la forme que prendrait le mécontentement d'Osmond face à un tel événement : la plus basse et la plus cruelle, fatalement. Ralph aurait voulu prévenir sa cousine, lui faire savoir au moins ce qu'il en pensait et ce qu'il en savait. Il ne s'encombrait pas du fait qu'Isabel sût mieux que lui à quoi s'en tenir; c'était pour sa propre satisfaction plus que pour celle de sa cousine qu'il mourait d'envie de lui montrer qu'il n'était pas dupe. Il tenta désespérément de l'amener à trahir Osmond; il se sentait froid, cruel et presque vil, ce faisant. Après tout, quelle importance puisqu'il échoua. Mais, en ce cas, quelle raison l'avait amenée et pourquoi semblait-elle pratiquement lui offrir une chance de violer leur convention tacite? Pourquoi lui demander son avis si elle ne lui donnait pas la liberté de lui répondre? Comment parler ensemble de ses embarras domestiques, comme elle se plaisait à les désigner avec humour, s'il fallait en passer sous silence le facteur principal? Ces contradictions témoignaient de son désarroi et l'appel au secours qu'elle avait lancé juste avant était la seule chose dont Ralph devait tenir compte.

– Vous allez tout de même vous trouver en désaccord, dit-il et, comme elle ne répondait pas et paraissait ne pas comprendre, il poursuivit : Vous allez vous trouver dans des états d'esprit très différents.

– Ce sont des choses qui arrivent souvent chez les couples les plus unis ! dit-elle.

Elle saisit son ombrelle. Ralph la sentait nerveuse, effrayée de ce qu'il pourrait dire.

– C'est cependant un sujet à propos duquel nous avons peu de chance de nous disputer car il intéresse essentiellement Osmond. C'est bien naturel. Après tout, Pansy est sa fille, pas la mienne, conclut-elle en lui tendant la main pour lui dire au-revoir.

En son for intérieur, Ralph se jura de ne pas la laisser partir sans lui signifier qu'il savait tout; on ne saurait gâcher une si belle occasion.

– Savez-vous les mots que son intérêt lui dictera? demanda-t-il en lui prenant la main.

Elle fit non de la tête ; le geste était sec mais ne décourageait pas. Il poursuivit :

– Il lui fera dire que votre manque de zèle est dû à la jalousie.

Il s'arrêta, effrayé par le visage d'Isabel.

– La jalousie ?

– Votre jalousie à l'égard de sa fille.

Écarlate, elle rejeta la tête en arrière :

– Vous n'êtes pas gentil, dit-elle d'une voix qu'il ne lui connaissait pas.

– Soyez franche avec moi et vous verrez, répliqua-t-il.

Sans répondre, elle retira la main qu'il s'efforçait de retenir et quitta rapidement la pièce.

Elle avait résolu de parler à Pansy, ce qu'elle fit le jour-même. Avant le dîner, elle alla trouver la jeune fille dans sa chambre. Pansy était déjà habillée ; elle était toujours en avance, un comportement qui semblait illustrer sa patience aimable et la gracieuse placidité avec laquelle elle savait attendre. Ce qu'elle faisait pour l'instant, assise près du feu et fraîchement parée. Sa toilette achevée, elle avait éteint les bougies, selon les habitudes d'économie inculquées au cours de son éducation et qu'elle observait toujours avec la même minutie, si bien que sa chambre était éclairée par la lueur d'une paire de bûches. Comme toutes les nombreuses pièces du *palazzo* Roccanera, le refuge virginal de Pansy était une immense salle coiffée d'un plafond sombre aux poutres épaisses. Dans ce décor, la minuscule maîtresse des lieux faisait l'effet d'un atome d'humanité et lorsqu'elle se leva vivement, par déférence, pour accueillir Isabel, celle-ci fut plus que jamais frappée de sa sincérité timide. Isabel affrontait une tâche difficile ; l'essentiel était de l'accomplir le plus simplement possible. Pleine d'amertume et de colère, elle s'était mise en garde contre le danger de trahir ses sentiments. Elle craignait même de paraître trop grave, ou du moins trop sévère ; elle avait peur de semer l'inquiétude. Mais Pansy semblait avoir deviné qu'elle était venue vers elle comme un confesseur car, après avoir approché du feu le fauteuil où s'assit Isabel, elle-même s'agenouilla à ses pieds sur un coussin puis, levant les yeux, posa ses mains jointes sur les genoux de sa belle-mère. Le but d'Isabel était d'apprendre de la bouche de Pansy que Lord Warburton n'occupait pas son esprit ; mais, si elle souhaitait obtenir cette assurance, elle ne se sentait en aucun cas libre de la provoquer. Le père de la jeune fille aurait qualifié pareille tentative de perfidie caractérisée ; Isabel savait en effet que si la plus infime disposition à encourager Lord Warburton germait dans le cœur de Pansy, le devoir de sa belle-mère serait de tenir sa langue. Il était difficile d'interroger sans paraître suggérer ; la simplicité absolue de Pansy, son innocence plus totale encore qu'Isabel ne l'avait estimée jusqu'alors donnaient à toute question, fût-elle préliminaire, une allure de remontrance. Agenouillée, nimbée par la lueur du feu dont les reflets jouaient sur sa jolie robe, ses mains jointes en une attitude à la fois implorante et soumise, son doux regard empreint de la gravité de la situation, Pansy regardait Isabel comme une jeune martyre parée pour le sacrifice et qui ose à peine espérer y échapper. Lorsque Isabel eût expliqué à sa belle-fille que, si elle ne lui avait jamais encore parlé des circonstances qui pourraient l'amener au mariage, son silence n'était dû ni à l'indifférence ni à l'ignorance, mais au seul désir de lui laisser sa liberté, Pansy se pencha vers elle, approcha son visage du sien autant qu'il était possible et, dans un murmure où s'exprimait manifestement un désir profond, répondit avoir beaucoup espéré que Mrs Osmond lui parlerait et la pria de la conseiller à présent.

– Il m'est difficile de vous conseiller, répondit Isabel, et je ne sais comment m'y prendre. C'est l'affaire de votre père ; il faut lui demander son avis et, surtout, vous y conformer.

Pansy baissa les yeux et fit attendre sa réponse.

– Je crois que je préférerais avoir votre avis plutôt que celui de papa, murmura-t-elle.

– Les choses ne se passent pas ainsi, dit froidement Isabel. Je vous aime beaucoup mais votre père vous aime mieux encore.

– Ce n'est pas parce que vous m'aimez, c'est parce que vous êtes une femme, dit Pansy d'un air entendu. Une femme est mieux faite qu'un homme pour conseiller une jeune fille.

– Alors je vous conseille de respecter de votre mieux les désirs de votre père.

– Oh ! oui, dit la jeune fille avec ferveur. C'est mon devoir.

– Si je vous parle à présent de mariage, reprit Isabel, ce n'est pas dans votre intérêt mais pour moi. Si j'essaie d'apprendre de vous quels sont vos attentes et vos désirs, c'est seulement pour que je puisse agir en conséquence.

– Vous ferez tout ce que je voudrai ? questionna vivement Pansy surprise.

– Avant de dire oui, il faut que je sache ce dont il s'agit.

Pansy lui dit aussitôt que son seul désir dans la vie était d'épouser Mr Rosier. Il le lui avait demandé et elle avait répondu qu'elle l'épouserait si son papa l'y autorisait. Seulement son papa n'y consentait pas.

– Dans ce cas, c'est impossible, déclara Isabel.

– Oui, c'est impossible, répéta Pansy sans un soupir, son lumineux petit visage tendu par l'attention.

– Vous devez penser à autre chose, poursuivit Isabel, à qui Pansy répondit entre deux soupirs qu'elle avait tenté cet exploit sans aucun succès.

– On pense à ceux qui pensent à vous, dit-elle avec un mince sourire. Je sais que Mr Rosier pense à moi.

– Il ne devrait pas le faire, déclara Isabel, méprisante. Votre père l'a expressément prié de ne pas le faire.

– Il ne peut s'en empêcher car il sait que je pense à lui.

– Vous ne devez pas penser à lui. Peut-être a-t-il quelque excuse, mais vous n'en avez aucune.

– J'aimerais que vous tentiez d'en trouver une, s'écria la jeune fille comme si elle priait la Vierge.

– Je m'en voudrais d'essayer, répondit la Vierge avec une rigueur inaccoutumée. Si vous saviez qu'un autre pense à vous, penseriez-vous à lui ?

– Personne ne peut penser à moi comme le fait Mr Rosier ; personne n'en a le droit.

– Et moi, je récuse ce droit à Mr Rosier, s'écria Isabel dans un bel élan d'hypocrisie.

Pansy la regardait, manifestement perplexe; profitant de son avantage, Isabel entreprit de lui décrire les funestes conséquences qu'entraînerait une désobéissance aux désirs paternels. Pansy l'interrompit en l'assurant que jamais elle ne lui désobéirait, que jamais elle ne se marierait sans son consentement. Puis elle annonça d'un ton simple et serein que, même si elle n'épousait jamais Mr Rosier, elle ne cesserait jamais de penser à lui. Elle semblait avoir accepté l'idée d'un éternel célibat, dont Isabel était évidemment libre de douter qu'elle en saisît toutes les implications. Pansy était parfaitement sincère; elle était prête à renoncer à son soupirant. Cette disposition d'esprit aurait pu sembler une étape importante, propice à la recherche d'un autre soupirant mais pour la jeune fille, évidemment, elle ne mènerait pas dans cette direction. Pansy n'éprouvait pas d'amertume à l'égard de son père et n'en avait pas au fond du coeur : seuls persistaient en elle la douceur de sa fidélité à Edward Rosier et l'étrange, l'exquis pressentiment qu'elle en donnerait une preuve encore meilleure en demeurant célibataire plutôt qu'en l'épousant.

– Votre père souhaiterait que vous fassiez un plus beau mariage, dit Isabel. Mr Rosier n'a pas beaucoup de fortune.

– Que voulez-vous dire par « plus beau » si celui-ci est déjà « beau » ? J'ai moi-même si peu d'argent; pourquoi irais-je chercher une fortune ?

– Le fait d'en avoir si peu est une raison pour en chercher davantage.

En tenant ce propos, Isabel bénissait la pénombre qui dissimulait son visage qu'elle croyait marqué par sa hideuse duplicité. Voilà ce qu'elle faisait pour Osmond ! Voilà ce que l'on devait faire pour Osmond ! Rivé au sien, le regard solennel de Pansy l'embarrassait; elle avait honte d'avoir pris tellement à la légère le choix de la jeune fille.

– Que voudriez-vous que je fasse ? demanda doucement celle-ci.

La question était redoutable et Isabel se réfugia dans une imprécision timorée.

– Vous rappeler le plaisir qu'il est en votre pouvoir de donner à votre père.

– Vous voulez dire en épouser un autre, s'il me le proposait?

La réponse se fit attendre un bon moment puis, dans la tranquillité qui semblait émaner de l'attention de Pansy, Isabel s'entendit proférer :

– Oui, en épouser un autre.

Les yeux de la jeune fille devenaient plus pénétrants; Isabel crut que Pansy doutait de sa sincérité, une impression qui se renforça lorsqu'elle la vit se relever lentement et se figer devant elle, les bras ballants, avant de murmurer d'une voix tremblante :

– J'espère que personne ne me demandera en mariage!

– Il en a été question pourtant. Quelqu'un d'autre aurait été prêt à demander votre main.

– Je ne pense pas qu'il y était prêt, dit Pansy.

– Ç'aurait été le cas... s'il avait été sûr du succès.

– S'il avait été sûr? Alors il n'était pas prêt!

Impressionnée par la perspicacité de cette repartie, Isabel, avant d'y répondre, contempla songeusement le feu.

– Lord Warburton vous a témoigné beaucoup d'attention, dit-elle, car vous avez certainement compris que c'est de lui que je parle.

Contre son attente, elle se trouvait pratiquement placée dans une position où elle était tenue de se justifier, ce qui l'avait conduite à faire intervenir ce gentleman plus brusquement qu'elle n'aurait voulu.

– Il a été très aimable avec moi et je l'aime beaucoup. Mais si vous croyez qu'il va demander ma main, je crois que vous vous trompez.

– C'est possible. Mais votre père en serait très heureux.

Pansy hocha la tête avec un sourire entendu.

– Lord Warburton ne va pas demander ma main uniquement pour faire plaisir à papa.

– Votre père souhaiterait que vous l'encouragiez, poursuivit machinalement Isabel.

– Comment puis-je l'encourager?

– Je l'ignore; c'est à votre père de vous le dire.

Pansy continuait simplement et silencieusement de sourire, comme si elle détenait une brillante certitude qu'elle finit par exprimer.

– Il n'y a pas de danger ! Pas le moindre danger !

Elle prononça ces mots avec tant de conviction, de foi, de félicité qu'ils ajoutèrent au malaise d'Isabel. Elle se sentait accusée de malhonnêteté et l'idée lui était odieuse. Pour panser son amour-propre, elle fut tout près de repartir qu'à en croire Lord Warburton il y avait un danger. Mais elle ne le fit pas ; dans son embarras si éloigné de la vérité, elle observa seulement qu'il avait sûrement été très gentil et très amical.

– Oui, il a été très gentil, répondit Pansy. C'est ce que j'aime chez lui.

– Dans ce cas, pourquoi la difficulté vous paraît-elle si grande ?

– J'ai toujours senti qu'il sait que je ne veux pas – qu'avez-vous dit que je devais faire ? – ah ! oui, l'encourager. Il sait que je ne veux pas me marier et il veut que je sache que, par conséquent, il ne m'importunera pas. Voilà ce qu'est sa gentillesse. C'est comme s'il me disait : « Je vous aime beaucoup mais si cela ne vous plaît pas, je n'en parlerai plus jamais ! » Je trouve cela très beau et très noble, dit Pansy avec une assurance croissante. C'est tout ce que nous nous sommes dit. Et il ne m'aime pas. Ah non ! il n'y a pas de danger.

L'intuition profonde dont cette jeune fille soumise était capable stupéfia Isabel ; effrayée soudain par la sagacité de Pansy, elle entama presque une retraite :

– Vous devez dire tout cela à votre père, fit-elle remarquer d'un ton réservé.

– Je préférerais ne pas le faire, repartit Pansy, désinvolte.

– Vous ne pouvez lui laisser de faux espoirs.

– Peut-être pas ; mais ce serait bien pour moi qu'il en ait. Tant qu'il croira que Lord Warburton a des intentions du genre que vous avez décrit, papa ne proposera rien d'autre. Pour moi, c'est un avantage, conclut Pansy avec lucidité.

Il y avait même un brio certain dans cette lucidité ; Isabel soupira profondément car elle la soulageait d'une lourde responsabilité. Pansy voyait très clair par ses propres moyens tandis qu'Isabel sentait ses réserves de clairvoyance proches de l'épuisement. Néanmoins, elle se raccrochait à l'idée qu'elle devait être loyale à l'égard d'Osmond et qu'elle était engagée sur l'honneur dans ses relations avec sa fille. Sous l'empire de ce sentiment, elle lança l'ultime argument, grâce auquel elle pourrait se dire qu'elle avait fait de son mieux :

– Votre père compte fermement que vous souhaitiez au moins épouser un aristocrate.

Pansy se tenait dans l'embrasure de la porte dont elle avait tiré le rideau pour laisser passer Isabel.

– Pour moi, Mr Rosier en est un ! fit-elle observer avec gravité.

46

Pendant plusieurs jours, l'on ne vit pas Lord Warburton dans le salon des Osmond et Isabel nota bien sûr que son mari ne lui avait pas parlé d'une lettre qu'il aurait reçue de lui. Il ne lui échappait pas non plus qu'Osmond vivait dans l'expectative ; bien qu'il lui fût très désagréable de le laisser paraître, il estimait que leur noble ami le faisait attendre trop longtemps. Au bout de quatre jours, il fit allusion à son absence.

– Qu'est devenu Warburton ? A quoi rime cette manière de traiter les gens comme des commerçants qui présentent leur note ?

– Je n'ai pas eu de ses nouvelles depuis notre rencontre vendredi dernier au bal des Allemands, répondit Isabel. Il m'a dit ce soir-là qu'il avait l'intention de vous écrire.

– Il n'en a rien fait.

– C'est ce que j'ai pensé, étant donné votre silence.

– C'est un drôle de lascar, fit Osmond d'un ton significatif.

Et comme Isabel ne répondait pas, il relança la discussion en demandant s'il fallait cinq jours à Sa Seigneurie pour rédiger une lettre :

– Éprouve-t-il une telle difficulté à tracer ses mots ?

– Je l'ignore, répondit Isabel laconique. Je n'ai jamais reçu de lettre de lui.

– Jamais reçu de lettre ? Il me semblait que vous aviez échangé à une époque donnée une correspondance très intime.

Isabel repartit que tel n'avait pas été le cas et laissa tomber la conversation. Mais le lendemain, lorsqu'il entra au salon en fin d'après-midi, son mari revint à la charge :

– Quand Lord Warburton vous a fait part de son intention d'écrire, que lui avez vous dit ? demanda-t-il.

– Je crois lui avoir dit de ne pas oublier de le faire, fit-elle d'une voix mal assurée.

– Pensiez-vous qu'un tel oubli fût possible ?

– Comme vous l'avez dit, c'est un drôle de lascar.

– Apparemment, il a oublié, dit Osmond. Ayez l'amabilité de le lui rappeler.

– Souhaiteriez-vous que je lui écrive ?

– Je n'y vois aucune objection.

– Vous attendez trop de moi.

– Eh oui, j'attends beaucoup de vous.

– Je crains de vous décevoir, dit Isabel.

– Mes espoirs ont survécu à nombre de déceptions.

– Je ne le sais que trop bien. Imaginez à quel point j'ai dû me décevoir moi-même ! Si vous voulez vraiment mettre la main sur Lord Warburton, il faut agir par vous-même.

Osmond ne réagit pas aussitôt. Mais, après deux minutes de silence, il reprit :

– Ce ne sera pas facile, déclara-t-il, alors que vous travaillez contre moi.

Isabel tressaillit et fut prise de tremblement. La façon qu'il avait de la regarder à travers ses paupières mi-closes, comme s'il pensait à elle sans même la voir, lui semblait inspirée par une intention prodigieusement cruelle. Il semblait déceler en elle un sujet de réflexion désagréable et nécessaire, tout en l'ignorant en tant que personne. Jamais encore l'effet n'avait été aussi intense.

– Je pense que vous m'accusez d'intentions très basses, répliqua-t-elle.

– Je vous accuse d'être indigne de confiance. Si, en fin de compte, il ne fait pas sa demande, ce sera parce que vous l'en aurez empêché. J'ignore si l'intention est basse : c'est un genre de chose qu'une femme pense toujours pouvoir faire. Je ne doute pas que vous ayez sur ce sujet des idées très subtiles.

– Je vous avais dit que je ferais ce que je pourrais, repartit-elle.

– Oui, pour gagner du temps.

A ces mots, elle fut empoignée par l'idée qu'autrefois elle l'avait trouvé beau :

– Quel désir forcené de vous assurer de lui ! s'exclama-t-elle.

A peine avait-elle refermé la bouche qu'elle réalisait la portée réelle de ce propos dont elle n'avait pas eu pleine conscience en l'exprimant. Il établissait une comparaison entre Osmond et elle-même ; il rappelait le fait qu'elle avait un jour disposé du trésor convoité et s'était sentie assez riche pour y renoncer. Une jubilation passagère la saisit, la joie affreuse d'avoir blessé Osmond dont l'expression lui disait à la seconde même que son exclamation avait porté de toute sa puissance. Il n'accusa le coup d'aucune autre manière mais acquiesça très vite, d'un ton uni :

– Oui, je le désire profondément.

A cet instant, un domestique vint annoncer un visiteur ; il fut bientôt suivi de Lord Warburton qui, de toute évidence, fut surpris de voir Osmond. Son regard passa rapidement du maître à la maîtresse de maison, mouvement qui semblait dénoter ses réticences à l'idée de les interrompre, voire même l'intuition qu'il arrivait dans des circonstances peu favorables. Puis il les aborda dans son style tout britannique, nuancé d'une vague timidité, témoignage de bonne éducation, dont le seul défaut était une difficulté à ménager les transitions. Osmond, embarrassé, ne trouva rien à dire mais Isabel, fort à propos, déclara qu'ils étaient justement en train de parler de leur visiteur. Osmond enchaîna en disant qu'ils se demandaient ce qu'il était devenu et craignaient même qu'il fût parti.

– Non, répondit Lord Warburton en souriant à Osmond, je suis seulement sur le point de le faire.

Il ajouta qu'il venait d'être rappelé en Angleterre de façon inopinée et partirait le lendemain ou le surlendemain.

– Je suis terriblement désolé de laisser derrière moi le pauvre Touchett, acheva-t-il.

Ses interlocuteurs gardaient le silence ; carré au fond de son fauteuil, Osmond écoutait et Isabel n'avait pas besoin de le regarder pour deviner son expression. Elle ne quittait pas du regard le visage du visiteur, qu'elle était d'autant plus libre d'observer que celui de Sa Seigneurie évitait soigneusement le sien ; elle n'en était pas moins persuadée qu'elle le trouverait singulièrement expressif si elle parvenait à le rencontrer.

– Vous feriez mieux d'emmener le pauvre Touchett avec vous, reprit Osmond d'un ton détaché.

– Il est préférable qu'il attende le beau temps, répondit Lord Warburton. Je ne lui conseillerais pas de voyager en ce moment.

Il fit salon pendant un quart d'heure, bavardant comme s'il ne devait pas les revoir avant longtemps, à moins qu'ils ne viennent en Angleterre, un projet qu'il recommandait chaudement. Pourquoi pas à l'automne ? Il trouvait l'idée merveilleuse et serait ravi de faire pour eux tout ce qui était en son pouvoir. Qu'ils viennent donc passer un mois chez lui. Osmond, de son propre aveu, avait mis une seule fois les pieds en Angleterre. Quel dommage de la part d'un homme tellement doué et qui disposait de tant de loisirs. C'était un pays fait pour lui, où il se trouverait sûrement très bien. Puis, s'adressant à Isabel, Lord Warburton voulut savoir si elle se souvenait de son heureux séjour là-bas et s'enquit de l'envie qu'elle pourrait avoir d'y retourner. Aimerait-elle revoir Gardencourt ? Un si beau domaine ! Touchett en négligeait un peu l'entretien mais c'était exactement le genre d'endroit que l'on ne risquait pas d'abîmer en l'abandonnant à lui-même. Pourquoi ne pas venir faire une visite à Touchett ? Ils les avait sûrement invités. Non, il n'en avait rien fait ? Quel malotru ! Lord Warburton promit de rappeler vertement au maître de Gardencourt ses devoirs d'hospitalité. D'ailleurs, il s'agissait sûrement d'une distraction. Touchett serait enchanté de les recevoir. Un mois à Gardencourt, un mois à Lockleigh, une tournée de visites à tous leurs amis de là-bas... Quel séjour ! Miss Osmond, elle aussi, jouirait infiniment du voyage, poursuivit Lord Warburton. Elle lui avait dit n'être jamais allée en Angleterre et il l'avait assurée que la grande île valait la peine d'être vue. Bien sûr, Miss Osmond n'avait pas attendu l'Angleterre pour être admirée. Où qu'elle soit, où qu'elle aille, elle serait admirée : c'était son sort, sa destinée. Mais l'Angleterre, elle, lui ferait un triomphe. N'était-ce pas là une autre incitation au départ ? A ce propos, enchaîna Lord Warburton sans reprendre haleine, Miss Osmond était-elle à la maison ? Pouvait-il lui dire adieu ? Non, très franchement, il n'aimait pas les adieux ; il les redoutait. La dernière fois qu'il avait quitté l'Angleterre, il n'avait fait d'adieux à personne. Il avait d'ailleurs été tenté de quitter Rome sans importuner Mrs Osmond par une dernière visite. Qu'y a-t-il de plus lugubre que les visites d'adieu ? On ne dit jamais les choses que l'on veut dire et qui vous reviennent vainement à l'esprit une heure trop tard. En revanche, on raconte d'ordinaire toute sorte de banalités inutiles pour la seule raison que l'on a l'impression qu'il faut dire quelque chose. Cette impression dérangeante vous trouble les esprits. Il l'éprouvait en ce moment, il en ressentait les effets. Si Mrs Osmond s'étonnait de ses propos désordonnés, elle devait les mettre au compte de son agitation car il n'était jamais indifférent de prendre congé de Mrs Osmond. Il était vraiment désolé de partir. Il avait pensé lui écrire au lieu de venir la voir ; quoi qu'il en soit, il lui écrirait ce dont il serait sûrement assailli dès qu'il aurait quitté le *palazzo*. Il fallait que ses hôtes songent sérieusement à venir à Lockleigh.

Si cette visite et l'annonce de son départ étaient pour Lord Warburton une performance délicate, il n'en laissa rien voir. Il parla de son agitation sans la manifester d'autre manière et Isabel put constater qu'une fois déterminé à se retirer, il était capable de le faire noblement. Elle en était heureuse pour lui car elle l'aimait assez pour souhaiter qu'il parût se tirer à son honneur de la situation, ce qu'il faisait en toutes circonstances, non par impudence mais simplement parce qu'il était accoutumé au succès, faculté dont Isabel sentait qu'il n'était pas dans les pouvoirs de son mari de la faire échouer. Une opération complexe occupa son esprit pendant tout ce temps ; d'une part, elle écoutait leur visiteur et lui fournissait les répliques appropriées, tout en lisant de son mieux entre les lignes de son discours et en s'interrogeant sur ce qu'il aurait dit s'il l'avait trouvée seule. De l'autre, elle avait pleine conscience de l'émotion d'Osmond. Elle se sentait presque navrée pour lui ; il était condamné à la souffrance aiguë de la perte, sans le soulagement de l'injure. Il avait eu un grand espoir et, alors même qu'il le voyait s'évanouir en fumée, il était contraint, au fond de son fauteuil, de sourire en se tournant les pouces. Non qu'il prît la peine d'afficher un sourire radieux; il présentait à leur ami un visage aussi absent qu'un homme intelligent pouvait se le permettre. Une des astuces d'Osmond, en effet, consistait à paraître parfaitement impassible. Toutefois, sa physionomie en cet instant n'était pas l'aveu d'une déception; elle faisait simplement partie du système habituel d'Osmond qui était d'afficher une indifférence proportionnelle à l'intensité de ses intentions secrètes. D'emblée, il avait avidement voulu sa proie mais jamais il n'avait laissé la convoitise irradier son fin visage. Il avait traité son gendre éventuel comme il traitait tout le monde, de l'air de s'intéresser à lui de façon tout à fait altruiste, sans avantage possible pour l'homme largement et parfaitement pourvu qu'était Gilbert Osmond. Il ne manifesterait d'aucune façon la rage profonde née de l'échec d'un projet lucratif : pas le plus mince indice n'en transparaîtrait. Isabel en était sûre mais ce n'était pas une satisfaction; elle souhaitait que Lord Warburton triomphât de son mari et souhaitait également que son mari fût très supérieur en présence de Lord Warburton. A sa façon, Osmond était admirable; comme leur visiteur, il bénéficiait de l'avantage d'une habitude acquise qui n'était pas celle du succès mais qui la valait presque : celle de l'absence d'initiative. Calé dans son fauteuil, écoutant distraitement les propositions amicales et les explications refoulées de Lord Warburton – comme s'il était de bon ton de les croire destinées surtout à sa femme –, il avait, faute de mieux, la consolation de penser qu'il avait réussi à se tenir en dehors de l'affaire et que l'indifférence affectée dont il portait à présent le masque ajoutait à son personnage la beauté de la cohérence. En l'occurrence, c'était une gageure de savoir se comporter comme si les faits et gestes du visiteur étaient sans effets sur son état d'esprit. Lord Warburton jouait bien son rôle, certainement; mais la performance d'Osmond était en elle-même plus accomplie. Après tout, la situation de Lord Warburton était facile : rien au monde ne pouvait l'empêcher de quitter Rome. Il avait manifesté des penchants bienveillants qui n'avaient pas mûri ; il ne s'était jamais engagé et son honneur était sauf. Osmond semblait prendre un intérêt modéré à l'incitation au voyage et à l'invitation de Lord Warburton et ne réagit pas plus à l'allusion au succès que Pansy rencontrerait là-bas. Il murmura des remerciements mais laissa Isabel expliquer qu'il s'agissait là d'un projet qui méritait mûre réflexion. Tout en parlant, Isabel contemplait la perspective grandiose qui venait soudainement de s'ouvrir dans l'esprit de son mari et la silhouette menue de Pansy qui la remontait d'un pas décidé.

Lord Warburton avait demandé l'autorisation de dire adieu à Pansy, mais ni Osmond ni Isabel n'avait fait un geste pour l'envoyer chercher. Assis au bord d'une petite chaise, son chapeau à la main, Lord Warburton avait gardé l'attitude du visiteur pressé ; mais, à présent, il s'incrustait et Isabel se demandait ce qui le retenait. Elle ne croyait pas que ce fût le désir de voir Pansy ; elle avait même l'impression que, finalement, il s'en passerait très volontiers. C'était elle, bien entendu, qu'il souhaitait voir seule ; il avait quelque chose à lui dire. Isabel n'avait aucune envie de l'entendre car elle redoutait qu'il s'agît d'une explication et pouvait très bien s'en passer. Quelques instants plus tard, ce fut Osmond qui se leva, comme un homme bien élevé qui vient de s'aviser qu'un visiteur aussi tenace peut souhaiter dire un dernier mot aux dames.

– J'ai une lettre à écrire avant le dîner, fit-il. Veuillez m'excuser. Je vais voir ce que fait ma fille et, si elle est libre, je lui dirai que vous êtes ici. Bien entendu, lorsque vous reviendrez à Rome, vous passerez nous voir. Mrs Osmond vous parlera de l'expédition anglaise ; c'est elle qui décide de ces choses.

Le signe de tête dont il ponctua ces derniers mots, sans tendre la main à son hôte, était peut-être assez désinvolte en guise d'adieu mais, tout bien considéré, les circonstances n'exigeaient pas davantage, réfléchissait Isabel. Après le départ d'Osmond, Lord Warburton n'aurait aucune raison de dire : « Votre mari est furieux », ce qui lui aurait été extrêmement désagréable. Néanmoins, s'il l'avait dit, elle aurait répondu : « Ne vous inquiétez pas. Il ne vous en veut pas; c'est moi qu'il hait ! »

Lorsqu'ils se retrouvèrent seuls, son vieil ami manifesta enfin quelque embarras : il commença par changer de siège, puis s'empara de deux bibelots à portée de sa main avant de déclarer brusquement :

– J'espère que Mr Osmond va nous envoyer la petite fille. J'ai vraiment envie de la voir.

– Je suis heureuse que ce soit pour la dernière fois, dit Isabel.

– Moi aussi. Elle ne m'aime pas.

– Non, elle ne vous aime pas.

– Cela ne me surprend pas, répliqua-t-il avant d'ajouter tout à trac : Vous viendrez en Angleterre, n'est-ce pas ?

– Je ne pense pas que ce soit souhaitable.

– Mais vous me devez une visite ! Rappelez-vous : vous deviez venir à Lockleigh et vous n'y êtes jamais venue.

– Tout a changé depuis, fit Isabel.

– En ce qui nous concerne, pas pour le pire. Vous voir sous mon toit – la phrase demeura en suspens quelques secondes – serait pour moi une vive satisfaction.

Isabel, qui avait redouté des explications, n'en eut pas d'autre à subir. Ils étaient en train de parler de Ralph lorsque Pansy entra, habillée pour le dîner et les joues colorées d'une petite tache rouge. Elle serra la main de Lord Warburton et le regarda bien en face avec un sourire figé dont Isabel savait – mais Sa Seigneurie ne le sut sans doute jamais – qu'il était précurseur d'une crise de larmes.

– Je m'en vais, dit-il, et je voulais vous dire adieu.

– Adieu, Lord Warburton, dit-elle d'une voix tremblante.

– Et je voulais vous dire combien je souhaite que vous soyez très heureuse.

– Merci, Lord Warburton, répondit Pansy.

Il médita un instant et son regard se porta vers Isabel.

– Vous devriez être très heureuse; vous avez trouvé un ange gardien !

– Je suis sûre que je serai heureuse, dit Pansy, du ton d'une personne dont les certitudes sont toujours riantes.

– Cette conviction vous mènera très loin. Mais si jamais elle vous abandonne, rappelez-vous, rappelez-vous… balbutia Lord Warburton. Pensez à moi de temps en temps ! acheva-t-il avec un rire léger.

Puis, en silence, il serra la main d'Isabel et se retira.

Isabel s'attendait à voir sa belle-fille fondre en larmes dès qu'il aurait franchi la porte mais Pansy lui réservait une réaction très différente :

– Je pense que vous êtes mon ange gardien ! s'exclama-t-elle gentiment.

– Je n'ai rien d'un ange ! protesta Isabel en secouant la tête. Je suis tout au plus votre grande amie.

– Et très bonne aussi pour avoir demandé à papa d'être si gentil avec moi.

– Je n'ai rien demandé à votre père, fit Isabel interloquée.

– Après m'avoir dit de descendre au salon tout à l'heure, il m'a embrassée très tendrement.

– Ah ! fit Isabel, quelle bonne idée il a eue !

Elle saisissait parfaitement l'intention, très caractéristique d'Osmond, et se préparait à en affronter bien d'autres. Même à l'égard de Pansy, il ne pouvait tant soit peu se mettre dans son tort. Ils dînèrent dehors ce soir-là, avant d'aller au spectacle, si bien qu'il était très tard déjà lorsqu'ils se retrouvèrent seuls. Pansy embrassa son père avant d'aller se coucher et il lui rendit son baiser de façon encore plus ostentatoire que d'habitude ; Isabel se demanda s'il voulait insinuer par là que sa fille avait été blessée par les machinations de sa belle-mère. C'était en tout cas une indication partielle de ce qu'il continuait d'attendre de sa femme. Elle s'apprêtait à suivre Pansy mais il lui signifia qu'il désirait qu'elle demeurât au salon car il avait quelque chose à lui dire. Puis, tandis qu'elle attendait debout, sans retirer son manteau, il arpenta la pièce un moment.

– Je ne comprends pas ce que vous souhaitez, dit-il enfin. J'aimerais être au courant afin de savoir moi-même comment agir.

– Pour l'instant, je souhaite aller me coucher. Je suis très fatiguée.

– Asseyez-vous et reposez-vous ; je ne vous retiendrai pas longtemps. Non, pas ici ; installez-vous confortablement.

Il disposa une multitude de coussins pittoresques éparpillés en désordre sur un vaste divan. Ce ne fut pourtant pas là qu'Isabel s'assit ; elle se laissa tomber sur le fauteuil le plus proche. Le feu était mort et de rares bougies éclairaient la vaste salle. Isabel serra son manteau autour d'elle ; elle avait mortellement froid.

– Je pense que vous cherchez à m'humilier, reprit Osmond, une entreprise totalement absurde.

– Je n'ai pas la moindre idée de ce que vous voulez dire, répondit-elle.

– Vous avez joué un jeu très savant et vous l'avez admirablement conduit.

– De quel jeu parlez-vous ?

– Toutefois, vous n'en avez pas encore terminé. Nous le reverrons certainement.

Il s'arrêta devant elle, les mains dans les poches, laissant tomber sur elle son habituel regard pensif, destiné, semblait-il, à lui faire savoir qu'elle n'était pas l'objet de ses pensées mais un désagrément fortuit qui occupait provisoirement celles-ci.

– Si vous entendez par là que Lord Warburton est dans l'obligation de revenir, vous vous trompez, dit Isabel. Il n'en a aucune.

– C'est bien ce que je déplore. Mais quand je dis qu'il reviendra, je ne veux pas dire que le sens du devoir l'y amènera.

– Rien d'autre ne peut l'y conduire. Je crois qu'il a épuisé les charmes de Rome.

– Voilà un jugement très superficiel ! On n'en a jamais fini avec Rome, assura Osmond qui se remit à déambuler à travers le salon. Toutefois, sur ce point précis, il n'est pas forcément besoin de se hâter. L'idée d'aller en Angleterre me paraît excellente. N'était la crainte d'y rencontrer votre cousin, je pense que j'essayerais de vous y convertir.

– Il se pourrait que vous n'y trouviez pas mon cousin, dit Isabel.

– Je voudrais en être sûr. De quelque manière que ce soit, je le serai dans la mesure du possible. Du même coup, j'aimerais voir sa maison, celle dont vous m'avez tant parlé autrefois. Comment l'appelez-vous donc ? Ah ! oui, Gardencourt. Ce doit être une bien charmante demeure. Et puis, vous le savez, j'ai voué un culte à la mémoire de votre oncle ; grâce à vous, je me suis véritablement pris d'affection pour lui. J'aimerais connaître les lieux où il a vécu et où il est mort. Mais ce n'est qu'un détail. Votre ami a raison : il faut que Pansy découvre l'Angleterre.

– Je suis sûre qu'elle s'y plairait, dit Isabel.

– Mais ce sont là des projets à long terme ; l'automne est encore loin, poursuivit Osmond, et nous avons des sujets d'intérêt plus immédiats... Croyez-vous que je sois si terriblement orgueilleux ? questionna-t-il brusquement.

– Je vous trouve très étrange.

– Vous ne me comprenez pas.

– Non, pas même quand vous m'insultez.

– Je ne vous insulte pas, j'en suis incapable. Je parle simplement de certains faits et si cette allusion est pour vous une injure, je n'y suis pour rien. Il est absolument indéniable que vous avez manipulé toute cette affaire.

– Vous en revenez à Lord Warburton ? demanda Isabel. Je suis fatiguée de ce nom.

– Vous l'entendrez encore bien des fois avant que nous n'en ayons fini avec lui.

Elle avait accusé Osmond de l'insulter mais il lui parut soudain qu'elle avait cessé d'en souffrir. Il tombait bas, si bas... La vision de cette chute lui donnait le vertige : c'était la seule souffrance. Il était trop bizarre, trop différent ; il ne l'émouvait plus. Pourtant, le travail de sa passion morbide était extraordinaire et Isabel sentait croître en elle la curiosité de savoir sous quel éclairage il se sentait justifié.

– Je pourrais vous répondre qu'à mon sens vous n'avez rien à me dire qui vaille la peine d'être écouté, dit-elle. Mais j'aurais peut-être tort. Il y a un point sur lequel il vaudrait sans doute la peine que je vous écoute : dites-moi en termes simples ce dont vous m'accusez.

– D'avoir empêché le mariage de Pansy avec Lord Warburton. Est-ce assez simple pour vous ?

– J'ai pris la chose très à cœur, au contraire ! Je vous l'avais dit et quand vous-même avez déclaré que vous comptiez entièrement sur moi – c'est bien votre expression, n'est-ce pas ? –, j'ai accepté cette mission. C'était folie de ma part mais j'ai accepté.

– Vous avez feint de l'accepter, vous avez même simulé une certaine réticence pour mieux m'inciter à vous faire confiance. Puis vous avez déployé toute votre ingéniosité pour l'écarter.

– Je pense que je vois où vous voulez en venir, dit Isabel.

– Où est la lettre que, selon vos dires, il m'avait écrite ? demanda son mari.

– Je n'en ai aucune idée ; je ne le lui ai pas demandé.

– Vous l'avez interceptée, dit Osmond.

Isabel se leva lentement. Dans le manteau blanc qui lui tombait jusqu'aux pieds, elle aurait pu symboliser l'ange du dédain, proche cousin de celui de la pitié :

– Oh ! Gilbert, murmura-t-elle, pour un homme qui était si fin... !

– Je ne l'ai jamais été autant que vous. Vous avez fait exactement ce que vous vouliez. Vous l'avez écarté de la voie, sans avoir l'air de rien, et vous m'avez placé dans la situation où vous souhaitiez me voir : celle d'un homme qui a tâché de marier sa fille à un lord et qui a échoué de façon grotesque.

– Pansy ne l'aime pas. Elle est très heureuse qu'il soit parti, dit Isabel.

– Cela n'a rien à voir dans l'affaire.

– Et lui n'aime pas Pansy.

– Je n'en crois rien ; vous m'avez dit le contraire. J'ignore pourquoi vous teniez à cette satisfaction précise, poursuivit Osmond, vous auriez pu en choisir une autre. Il ne me semble pas avoir été présomptueux, avoir tenu pour acquises des ambitions démesurées. Je suis resté modeste et calme dans cette affaire dont l'idée, d'ailleurs, ne vient pas de moi.

Il a manifesté qu'elle lui plaisait avant même que j'y songe. Je vous avais chargée de tout.

– Oui, vous étiez très content de me laisser cette charge. Désormais, vous vous occuperez vous-même de ce genre d'affaires.

Il regarda sa femme un instant, puis s'en détourna avant de dire :

– Je pensais que vous aimiez beaucoup Pansy.

– Je ne l'ai jamais aimée autant qu'aujourd'hui.

– Votre affection s'assortit d'immenses restrictions. Après tout, peut-être est-ce naturel.

– Est-ce tout ce que vous souhaitiez me dire? demanda Isabel en prenant un bougeoir.

– Êtes-vous satisfaite? Suis-je suffisamment déçu?

– Tout bien considéré, je ne crois pas que vous soyez déçu. Vous avez eu une autre occasion d'essayer de me méduser.

– Allons donc... Mais il est prouvé que Pansy peut viser haut.

– Pauvre petite Pansy! dit Isabel en s'éloignant avec son bougeoir.

47

Isabel apprit de la bouche de Henrietta Stackpole l'arrivée à Rome de Caspar Goodwood, événement qui survint trois jours après le départ de Lord Warburton et qu'avait précédé un autre départ, de courte durée celui-là mais néanmoins d'une certaine importance pour notre amie : celui de Madame Merle, qui séjournait à Naples chez une amie, heureuse propriétaire d'une villa sur le Pausilippe. Madame Merle avait cessé de pourvoir au bonheur d'Isabel qui se demandait si, par hasard, la plus discrète des femmes ne pourrait être aussi la plus dangereuse. La nuit, parfois, elle avait d'étranges visions : il lui semblait voir son mari et son amie – l'amie d'Osmond – associés dans l'ombre de façon indistincte. Il lui semblait n'en avoir pas fini avec cette dame qui lui réservait sans doute quelque surprise. L'imagination d'Isabel travaillait activement autour de ce point insaisissable mais, de temps à autre, elle était réprimée par une terreur indicible, si bien que les absences de la charmante femme lui donnaient presque une impression de soulagement. Grâce à Miss Stackpole, elle savait déjà que Caspar Goodwood était en Europe car Henrietta l'en avait informée aussitôt après l'avoir rencontré à Paris. Mr Goodwood n'avait pas écrit à Isabel, qui estimait très possible qu'il ne désirât pas la revoir. Leur dernière entrevue, avant le mariage d'Isabel, avait présenté le caractère d'une rupture définitive; si son souvenir était bon, il avait d'ailleurs dit souhaiter ne jamais la revoir. Depuis, il était le témoin le plus discordant de son passé, le seul auquel un chagrin permanent demeurait associé. Il l'avait laissée ce matin-là en proie au sentiment d'un heurt purement gratuit, semblable à la collision de deux navires en plein jour. Il n'y avait eu ni brouillard ni courant imprévu pour excuser l'accident et Isabel s'était efforcée de gouverner au large. Caspar avait pourtant heurté sa proue, alors qu'elle tenait la barre et, pour poursuivre la métaphore, il avait causé à son esquif plus léger une avarie que trahissaient encore de temps à autre de faibles grincements. Ç'avait été affreux de le voir car il incarnait, d'après Isabel, le seul tort sérieux qu'elle eût jamais causé en ce monde; il était le seul être dont elle n'avait pas satisfait le droit à réparation. Elle l'avait rendu malheureux, elle n'y pouvait rien et ce malheur était une triste réalité. Elle avait pleuré de rage après qu'il l'eut quittée, sans bien savoir pourquoi, et s'était efforcée d'attribuer cette crise au manque de considération du jeune homme. Il était venu vers elle, chargé de son malheur, à l'instant précis de sa béatitude parfaite; il avait fait de son mieux pour assombrir le pur éclat de son bonheur. Il n'avait pas été violent et pourtant, la violence était dans l'air; issue d'on ne sait où, d'on ne sait quoi, la violence était là; peut-être avait-elle seulement résidé dans sa crise de larmes et dans l'arrière-goût de larmes qui avait persisté quelques jours.

L'effet produit par ce dernier appel s'était rapidement dissipé et, pendant l'année qui suivit son mariage, Caspar Goodwood avait disparu de sa mémoire. Le souvenir qu'en gardait Isabel était ingrat; il lui déplaisait de penser à un être qui, de son fait, était triste et sombre, et qu'elle était impuissante à soulager. Le cas de Caspar Goodwood aurait été différent si, de même qu'avec Lord Warburton, elle avait pu tabler tant soit peu sur son esprit de conciliation; malheureusement, c'était hors de question et l'aspect agressif et inflexible de l'état d'esprit de Caspar était précisément ce qui le rendait déplaisant. Jamais non plus, elle ne pouvait se dire qu'il avait trouvé des compensations à sa souffrance, ce qu'elle était en mesure de faire à propos de son soupirant anglais, car elle n'avait pas foi dans les compensations de Caspar Goodwood et ne les estimait pas. Une manufacture de coton ne console de rien et surtout pas d'une idylle manquée avec Isabel Archer. Cela mis à part, elle ne voyait pas ce qui lui restait, hormis ses qualités intrinsèques, bien entendu. Car il était très personnel et elle ne l'imaginait pas en quête de secours artificiels. S'il développait ses affaires – ce qui était, d'après ce qu'en savait Isabel, la seule forme que l'effort pût prendre chez lui –, les motifs en seraient l'audace de l'investissement ou le profit pour sa manufacture mais sûrement pas l'espoir de recouvrir le passé. Ce trait conférait à son personnage un aspect sec et dépouillé, si bien que le croiser, dans la réalité ou au fil du souvenir, provoquait fatalement une commotion ; il manquait au plus haut point de l'habillage mondain qui, à une époque hypercivilisée, amortit généralement la rudesse des contacts humains. De plus, son silence absolu, le fait qu'Isabel n'avait jamais reçu de lui signe de vie et rarement entendu parler de sa personne renforçaient l'impression qu'elle avait de sa solitude. De temps à autre, elle demandait de ses nouvelles à Lily ; mais Lily ignorait Boston et, en direction de l'est, Madison Avenue bornait son imagination. Avec le temps, Isabel s'était mise à penser plus souvent à Caspar, et avec moins de restrictions ; elle avait eu plusieurs fois l'idée de lui écrire. Jamais elle n'avait parlé de lui à Osmond ; jamais elle n'avait fait allusion à sa visite à Florence ; au début, cette réserve n'avait pas été inspirée par un manque de confiance en Osmond ; Isabel avait estimé simplement que la déconvenue du jeune homme était son secret personnel et qu'il serait inacceptable de sa part de livrer à une tierce personne un secret qui ne lui appartenait pas ; d'ailleurs, les histoires de Mr Goodwood présentaient de prime abord peu d'intérêt pour Gilbert. Parvenue à cette conclusion, elle ne lui avait jamais écrit ; il lui semblait, étant donné son chagrin, que le mieux qu'elle avait à faire était de le laisser en paix. Malgré tout, elle aurait été heureuse de se rapprocher de lui. Non qu'il lui fût jamais venu à l'esprit qu'elle aurait pu l'épouser ; même lorsque les conséquences de son mariage lui étaient apparues dans leur sombre éclat, cette réflexion téméraire n'avait jamais pris corps, bien qu'elle s'en fût permis tant d'autres. Mais lorsque les difficultés commencèrent pour elle, le jeune homme devint membre du cercle des gens parmi lesquels elle souhaitait vivre en bonne intelligence. J'ai déjà mentionné son besoin impérieux de se convaincre qu'elle n'était pas responsable de son malheur. Elle n'avait aucune envie de mourir prématurément et, cependant, elle désirait faire sa paix avec le monde, mettre en ordre ses affaires spirituelles. Elle se rappelait parfois qu'il lui restait un compte à solder avec Caspar et se sentait disposée – ou capable – de le faire à des conditions plus libérales pour lui que jamais auparavant. Elle fut pourtant effrayée quand elle apprit qu'il venait à Rome ; il lui serait plus désagréable qu'à quiconque de déchiffrer la confusion profonde de ses affaires, car il ne manquerait pas de la déchiffrer, comme il le ferait d'un bilan falsifié ou de quelque autre document douteux. Isabel avait au fond du cœur l'intime certitude qu'il avait tout investi dans le bonheur d'Isabel alors que les autres n'avaient investi qu'en partie. C'était un autre proche auquel il lui faudrait cacher sa détresse. Elle se rassura bientôt, cependant, car, une fois arrivé à Rome, il y passa plusieurs jours sans venir la voir.

Henrietta Stackpole, on l'imagine, était plus ponctuelle et Isabel bénéficiait abondamment de sa présence. Elle s'y abandonna même, car, à présent qu'elle s'était donné pour objectif de déblayer sa conscience, c'était une façon de prouver qu'elle n'avait pas été superficielle ; d'autant que les années, dans leur fuite, avaient plus enrichi qu'elles n'avaient érodé les singularités de Henrietta, si souvent critiquées, non sans humour, par des personnes moins partiales qu'Isabel, singularités assez accentuées pour donner à la loyauté un parfum d'héroïsme. Henrietta était aussi vive, aussi ardente et aussi fraîche que jamais, aussi nette, blonde et pétillante. Ses yeux remarquablement ouverts brillaient comme de grandes verrières ; ses atours n'avaient rien perdu de leur apprêt, ses opinions rien de leur tonalité nationale. Elle avait un peu changé, cependant, et Isabel était déroutée qu'elle fût devenue si distraite. Jamais elle ne l'avait été ; elle pouvait entreprendre simultanément plusieurs enquêtes et s'arranger pour les mener à fond dans le même style incisif. Elle n'agissait jamais sans un motif précis et son cerveau agile fourmillait de sages raisons. Lorsqu'elle était venue pour la première fois en Europe, c'était dans l'intention de connaître le Continent mais, à présent qu'elle l'avait vu, elle n'avait plus cette excuse. Pas une fois elle ne prétexta que le désir d'étudier ses civilisations décadentes fût le mobile de cette nouvelle expédition ;

son voyage exprimait son indépendance à l'égard du Vieux Monde bien plus qu'un engagement supplémentaire. « Ce n'est rien de venir en Europe, expliqua-t-elle à Isabel. Il ne me semble pas que l'on ait besoin de tant de raisons pour cela. En revanche, c'est vraiment quelque chose de rester chez soi ; c'est autrement important. » Henrietta n'était donc pas encombrée du sentiment d'accomplir un geste important en s'offrant un nouveau pèlerinage à Rome ; elle avait déjà vu et soigneusement exploré la ville ; ce nouveau séjour témoignait simplement de sa familiarité et de sa bonne connaissance de Rome, tout en affirmant son droit d'y résider au même titre que n'importe qui. Il n'y avait rien à redire à tout cela ; néanmoins, Henrietta était agitée. A vrai dire, si l'on va par là, c'était également son droit le plus strict. Mais elle avait une raison plus sérieuse de venir à Rome que le peu d'intérêt que Rome lui inspirait. Isabel eut tôt fait de déceler cette raison et d'apprécier du même coup à sa juste valeur la fidélité de son amie qui avait affronté, au pis de l'hiver, les tempêtes atlantiques parce qu'elle avait pressenti qu'Isabel était triste. Henrietta avait beaucoup d'intuition mais rarement l'avait-elle exercé avec autant d'à-propos. Les satisfactions d'Isabel étaient rares à l'époque mais, auraient-elles été plus nombreuses, elle se serait personnellement réjouie de constater que la belle et fidèle opinion qu'elle avait de Henrietta était pleinement justifiée. Elle avait fait d'importantes concessions à l'égard de son amie et avait toujours soutenu que, malgré certaines limitations, c'était une femme de valeur. Ce n'était pas son triomphe personnel qu'elle savourait, cependant, mais le simple soulagement de se confier à cette confidente, la première personne devant qui elle avait reconnu qu'elle n'avait pas du tout la vie facile. Henrietta elle-même avait abordé le sujet dans les plus courts délais et l'avait accusée de plein fouet d'être malheureuse. Henrietta était une femme, elle était une sœur ; elle n'était ni Ralph, ni Lord Warburton, ni Caspar Goodwood, et Isabel pouvait parler.

– Oui, je suis malheureuse, dit-elle très doucement.

Il lui était odieux de se l'entendre dire ; elle essaya de le faire du ton le plus impartial.

– Que te fait-il ? demanda Henrietta en fronçant les sourcils comme si elle enquêtait sur les manigances d'un médecin charlatan.

– Il ne fait rien. Mais il ne m'aime pas.

– Il est difficile ! s'écria Miss Stackpole. Pourquoi ne le quittes-tu pas ?

– Je ne peux pas changer d'avis comme cela, dit Isabel.

– Pourquoi pas ? Je voudrais bien le savoir. Tu ne veux pas reconnaître que tu t'es trompée ? Tu es trop orgueilleuse.

– Trop orgueilleuse ? Je n'en sais rien. Mais je ne peux proclamer mon erreur. Je trouve que cela manque de décence. J'aimerais mieux mourir.

– Tu n'en jugeras pas toujours ainsi, dit Henrietta.

– Je ne sais à quoi pourrait m'amener le comble du malheur mais il me semble que j'en aurais toujours honte. On est toujours responsable de ses actes. Je l'ai épousé à la face du monde ; j'étais parfaitement libre et n'aurais pu agir de façon plus délibérée. On ne peut pas changer d'avis comme cela, répéta Isabel.

– En tout cas, toi tu as changé, malgré cette impossibilité. Tu ne vas tout de même pas me dire que tu l'aimes encore !

Isabel réfléchit :

– Non, je ne l'aime pas, dit-elle après un instant de réflexion. Je peux te le dire parce que je suis fatiguée de porter mon secret mais cela n'ira pas plus loin. Je ne peux le crier sur tous les toits.

– Tu ne crois pas que tu as vraiment un peu trop d'égards ? demanda Henrietta en riant.

– Je n'en ai pas envers lui mais envers moi, répondit Isabel.

Il n'était pas surprenant que Gilbert Osmond ne trouvât aucun réconfort dans la personne de Miss Stackpole ; son instinct l'avait spontanément dressé contre une jeune personne capable de conseiller à sa femme de déserter le domicile conjugal. Lorsqu'elle était arrivée à Rome, il avait dit à Isabel son espoir qu'elle tiendrait à l'écart son amie journaliste et Isabel avait répondu que lui, du moins, n'avait rien à craindre de ce côté. Puis elle avait expliqué à Henrietta qu'étant donné le manque de sympathie de Gilbert elle ne pourrait l'inviter à dîner mais qu'elles auraient bien d'autres occasions de se voir. Isabel recevait à sa guise son amie dans son salon personnel et l'emmenait souvent promener en voiture, en compagnie de Pansy qui, légèrement penchée en avant sur le siège opposé, dévorait des yeux la célèbre femme de lettres, avec une attention respectueuse dont Henrietta s'agaçait parfois. Elle se plaignit à Isabel que Miss Osmond avait l'air d'enregistrer tout ce qu'elles disaient. «Je ne veux pas qu'on se souvienne de mes propos en l'air, déclara Miss Stackpole. Je considère que ma conversation n'a trait qu'à l'instant présent, comme les journaux du matin. Ta belle-fille, sur son siège, donne l'impression de conserver tous les vieux numéros pour les publier un jour contre moi!» Elle ne pouvait se résoudre à se faire une idée positive de Pansy, dont le manque d'initiative, de conversation et de projets personnels lui semblait anormal, voire même troublant chez une fille de vingt ans. Isabel s'aperçut bientôt qu'Osmond aurait aimé qu'elle plaide de nouveau devant lui la cause de son amie et insiste un peu pour qu'il la reçoive afin qu'il puisse paraître souffrir au nom des bonnes manières. En acceptant sans discuter ses objections, sa femme l'avait mis dans son tort de façon trop visible, un des inconvénients d'exprimer son mépris étant que l'on ne peut simultanément jouir du crédit d'exprimer sa sympathie. Osmond tenait à son crédit et tenait aussi à ses objections, autant d'éléments difficiles à concilier. Le mieux eût été que Miss Stackpole vînt dîner une ou deux fois au *palazzo* Roccanera afin que, malgré la courtoisie superficielle mais si parfaite d'Osmond, elle pût juger par elle-même le mince plaisir qu'il en retirait. Toutefois, dès l'instant que les deux dames étaient si peu complaisantes, Osmond n'avait plus qu'à souhaiter le départ de la jeune New-Yorkaise. La somme ridicule de satisfactions que lui apportaient les amis de sa femme était réellement surprenante, comme il prit soin de le faire remarquer un jour à Isabel.

– Vous n'avez vraiment pas de chance avec vos intimes et je souhaite que vous renouveliez votre collection, lui dit-il un matin, sans le moindre prétexte et sur un ton mûrement réfléchi qui ôtait à cette remarque toute trace de brutalité. On dirait que vous avez pris la peine de ramasser de par le monde les gens avec qui j'ai le moins de points communs. Votre cousin, par exemple, je l'ai toujours tenu pour un crétin prétentieux, pour l'animal le plus disgracié que je connaisse. Il est insupportablement agaçant de ne pouvoir lui dire ses vérités et d'avoir à le ménager du fait de sa santé. Si vous voulez mon avis, c'est encore sa santé qu'il a de mieux : elle lui assure d'inestimables privilèges. S'il est si désespérément malade, il n'a qu'une façon de le prouver, mais il n'a pas l'air d'en avoir envie. Je n'ai pas mieux à dire du grand Warburton. Quand on y réfléchit, la froide insolence de son tour de piste est quelque chose d'exceptionnel. Il arrive et regarde ma fille comme on inspecte un appartement à louer; il essaie les boutons de porte, regarde par les fenêtres, frappe les murs et se dit tout prêt à louer. Seriez-vous assez aimable pour rédiger le contrat? Puis, tout bien considéré, il décide que les pièces sont trop petites; il pense qu'il ne pourrait habiter un troisième étage; il va se mettre en quête d'un *piano nobile.* Et le voilà parti, après avoir logé pendant un mois sans bourse délier dans le pauvre petit appartement. Mais votre plus merveilleuse trouvaille, c'est encore Miss Stackpole! Elle me fait l'effet d'une sorte de monstre. Il n'est pas de nerf dans l'organisme qu'elle ne fasse frémir. Vous le savez, je n'ai jamais admis qu'elle fût une femme. Savez-vous à quoi elle me fait penser? A une plume d'acier neuve, l'objet le plus exécrable qui soit. Elle parle comme une plume d'acier neuve, et je parierais volontiers qu'elle écrit ses articles sur du papier réglé. Elle pense, elle bouge, elle marche et elle regarde exactement comme elle parle. Vous pourriez dire qu'elle ne me fait aucun mal puisque je ne la vois pas. Je ne la vois pas mais je l'entends, et je l'entends du matin au soir. J'ai sa voix dans les oreilles et ne peux m'en débarrasser. Je sais exactement ce qu'elle dit, je connais d'avance toutes les inflexions du ton sur lequel elle le dira. Elle raconte à mon sujet des choses charmantes dont vous vous délectez. Je n'aime pas du tout penser qu'elle parle de moi : je ressens alors ce que je ressentirais si je savais que le valet de pied portait mon chapeau.

Comme Isabel le lui assura, Henrietta parlait beaucoup moins de Gilbert Osmond qu'il ne se le figurait. Elle disposait de bien d'autres sujets, parmi lesquels deux au moins peuvent retenir particulièrement notre intérêt. Elle avait laissé entendre à son amie que Caspar Goodwood avait découvert par ses propres moyens qu'elle était malheureuse, bien que, dans sa candeur, elle fût incapable de discerner quel réconfort il espérait lui apporter en allant à Rome sans venir la voir. Les deux amies le rencontrèrent deux fois dans la rue mais il ne parut pas les voir ; elles étaient en voiture et lui regardait droit devant lui, selon son habitude, comme s'il était déterminé à ne voir qu'une chose à la fois. Isabel aurait pu s'imaginer l'avoir rencontré la veille ; ce devait être exactement avec le même visage et la même allure qu'elle l'avait vu franchir la porte de Mrs Touchett après leur dernière rencontre. Il était vêtu rigoureusement de la même manière ce jour-là, Isabel se rappelait la couleur de sa cravate. Néanmoins, en dépit de cet aspect familier, sa silhouette était marquée d'une certaine étrangeté qui lui faisait ressentir à nouveau ce qu'il pourrait y avoir de terrible à ce qu'il fût venu à Rome. Il avait l'air plus large et plus dominateur que jamais et il était clair qu'à ce moment-là il visait haut. Isabel observa que les gens qu'il croisait se retournaient pour le regarder ; mais il allait tout droit devant lui, promenant au-dessus des passants un visage pareil à un ciel de février.

Le second thème de Miss Stackpole, très différent, concernait Mr Bantling, dont elle relata les dernières nouvelles. Il s'était rendu l'année précédente aux États-Unis et elle était heureuse de dire qu'elle avait pu lui consacrer beaucoup de son temps. Elle ignorait à quel point il avait joui de son séjour mais pouvait affirmer que le séjour lui avait fait du bien ; il n'était plus, au retour, le même homme qu'à son arrivée. Le voyage lui avait ouvert les yeux et montré que le monde ne se réduisait pas à l'Angleterre. La majorité des gens l'avaient beaucoup apprécié et jugé extrêmement simple, plus simple qu'on ne l'attend généralement d'un Anglais. Certaines personnes l'avaient trouvé maniéré; Henrietta ignorait si elles voulaient dire que sa simplicité était de l'affectation. Il posait parfois des questions par trop décourageantes; il croyait que toutes les femmes de chambre étaient filles de fermiers ou que toutes les filles de fermiers étaient femmes de chambre, Henrietta ne se souvenait plus au juste si c'était l'un ou l'autre. Il n'avait pas compris grand-chose au système scolaire, dont l'ampleur le dépassait, et, dans l'ensemble, il s'était comporté comme un homme débordé par un monde si foisonnant qu'il n'en pouvait maîtriser qu'une infime partie. Les deux secteurs qu'il avait privilégiés étaient l'organisation hôtelière et la navigation fluviale. Les hôtels l'avaient séduit et il avait fait collection des photographies de ceux qu'il avait expérimentés. Mais les bateaux à vapeur l'avaient intéressé par-dessus tout et son plus opiniâtre désir était de naviguer sur les grands vapeurs. Ils avaient voyagé ensemble de New York à Milwaukee, faisant halte dans les villes les plus attrayantes et, chaque fois qu'ils repartaient, il exprimait le vœu d'embarquer sur un vapeur. Apparemment, il n'avait pas la moindre notion de géographie; d'après lui, Baltimore était une ville de l'Ouest et il s'attendait sans cesse à parvenir aux rives du Mississipi. Il n'avait jamais, semblait-il, entendu parler d'un autre fleuve américain et n'était pas disposé à reconnaître l'existence de l'Hudson, dont il fut obligé d'admettre qu'il valait largement le Rhin. Ils avaient passé des heures agréables dans les wagons-salons où il commandait toujours des glaces au nègre de service. Il ne pouvait se faire à l'idée qu'il fût possible d'obtenir des glaces dans un wagon. Bien entendu, cela ne se trouvait pas dans les wagons anglais, tout aussi démunis d'éventails, de bonbons ou de quoi que ce fût. La chaleur l'accablait et Henrietta lui avait dit qu'elle s'attendait en effet à ce qu'elle fût la plus forte qu'il eût jamais subie. A présent, il était en Angleterre où il faisait « la tournée des chasses », selon l'expression de Miss Stackpole. En Amérique, ces plaisirs-là étaient réservés aux Peaux-Rouges et les Blancs les avaient délaissés depuis belle lurette. On croyait en Angleterre que les Américains s'affublaient de tomahawks et de plumes, un accoutrement en réalité beaucoup plus en harmonie avec les coutumes britanniques. Mr Bantling n'aurait pas le temps de la rejoindre en Italie mais il comptait la retrouver à Paris lorsqu'elle y repasserait. Il avait très envie de revoir Versailles car il était un chaud partisan de l'*Ancien Régime.* Tous deux étaient en désaccord sur ce point mais Henrietta aimait aussi Versailles car on y constatait de ses yeux que l'*Ancien Régime* en avait été balayé. Disparus les ducs et les marquis; en revanche, Henrietta se souvenait avoir dénombré cinq familles américaines en promenade dans le parc. Mr Bantling désirait beaucoup qu'elle se remît à écrire sur l'Angleterre et pensait qu'elle réussirait mieux à présent, car le pays avait beaucoup évolué depuis deux ou trois ans. Il était déterminé, si elle s'y rendait, à aller voir sa sœur, Lady Pensil, et à faire en sorte que, cette fois, l'invitation parvienne sans délai à Henrietta. Le mystère de la première n'avait jamais été élucidé.

Caspar Goodwood parut enfin au *palazzo* Roccanera; au préalable, il avait écrit à Isabel pour lui demander une autorisation qui lui avait été promptement accordée : Mrs Osmond serait chez elle à six heures cet après-midi. Elle passa la journée à s'interroger sur les raisons de sa visite et sur ce qu'il en espérait. Il s'était toujours affirmé comme un homme absolument réfractaire aux compromis et résolument fidèle à la formule du tout ou rien. Mais l'hospitalité d'Isabel ne soulevait pas de questions et elle réussit sans trop de peine à paraître assez heureuse pour l'abuser. Elle était persuadée d'avoir fait illusion et de l'avoir conduit à se dire qu'il avait été mal informé. Mais elle crut voir aussi qu'il n'était pas déçu, alors que bien d'autres auraient pu l'être en pareil cas; bref, il n'était pas venu à Rome en quête d'une occasion. Elle ne put découvrir le motif de sa venue et, comme lui-même n'offrait aucune explication, la seule raison, à la fois simple et plausible, était son désir de la voir. Autrement dit, il était venu pour se distraire. Isabel édifia ce raisonnement avec beaucoup d'enthousiasme, ravie d'avoir trouvé une formule qui exorciserait le fantôme des vieux griefs de ce gentleman. Qu'il fût venu à Rome pour le plaisir répondait précisément à ses vœux personnels; s'il songeait à s'amuser, c'est qu'il avait surmonté sa peine. S'il avait surmonté sa peine, tout était rentré dans l'ordre et c'en était fini de la responsabilité d'Isabel. A vrai dire, Mr Goodwood se livrait à ses divertissements avec quelque raideur mais il n'avait jamais été ni léger ni décontracté, et Isabel avait tout lieu de croire qu'il était satisfait de ce qu'il voyait. Henrietta n'était pas dans ses confidences, bien qu'il fût dans les siennes, si bien qu'Isabel ne bénéficiait pas d'aperçus de seconde main sur son état d'esprit. Il se mêlait rarement aux discussions sur des sujets d'ordre général et elle se souvint avoir dit de lui, des années plus tôt : « Mr Goodwood parle beaucoup mais ne cause pas. » A présent, il parlait beaucoup et causait aussi peu que jamais, si l'on considérait tous les sujets de conversation que Rome pouvait inspirer. Son arrivée ne simplifiait pas les rapports d'Isabel avec son mari, car Mr Osmond n'aimait pas les amis de sa femme et Mr Goodwood, le plus ancien d'entre eux, ne disposait pas d'autre atout pour retenir son attention. Isabel ne trouvait rien d'autre à en dire : il était le premier de tous, et cette maigre synthèse épuisait les faits. Elle avait été obligée de le présenter à Gilbert et il était impossible de ne pas l'inviter à ses dîners du jeudi, qui l'ennuyaient à présent mais auxquels son mari tenait toujours, non pour le plaisir d'inviter certaines relations mais pour celui de n'en pas inviter d'autres.

Solennel et un peu trop ponctuel, Mr Goodwood ne manquait jamais ces soirées qu'il semblait considérer avec un sérieux déconcertant. Isabel avait parfois des bouffées de colère : pourquoi fallait-il qu'il prît ainsi tout au pied de la lettre ? Comment ne comprenait-il pas qu'elle ne savait que faire de lui ? Dieu sait pourtant qu'il n'était pas stupide ; il était à des lieues d'être stupide ; il était seulement extraordinairement honnête et pareille honnêteté faisait d'un homme un être très différent de la majorité des autres. A un homme aussi honnête, on ne pouvait répondre que par une égale honnêteté, se disait Isabel, au moment même où elle se flattait de l'avoir convaincu qu'elle était la plus joyeuse des femmes. Il n'émettait jamais le moindre doute sur ce point et ne lui posait pas de questions indiscrètes. Contre toute probabilité, il s'entendait bien avec le maître de maison. Être imprévisible faisait partie intégrante du système d'Osmond qui, dans un cas semblable, éprouvait l'irrésistible besoin de tromper l'attente des autres. En vertu de ce principe, il s'offrit le divertissement de s'enticher du Bostonien tout en hauteur dont on s'attendait qu'il le traitât fraîchement. Il demanda à Isabel si Mr Goodwood, lui aussi, avait demandé sa main et se montra surpris qu'elle ne l'eût pas accepté. C'eut été une excellente chose, comme d'habiter au pied d'un grand beffroi qui sonne toutes les heures et provoque très haut dans les airs d'inquiétantes vibrations. Il déclara qu'il aimait parler avec le grand Goodwood; les débuts étaient malaisés; il fallait escalader un escalier interminable pour atteindre le sommet de la tour mais l'on profitait alors d'une large vue et d'une brise fraîche et légère. Osmond avait des qualités charmantes dont il déploya toute la gamme au profit de Mr Goodwood. Isabel s'aperçut bientôt que le jeune Américain pensait plus de bien de son mari qu'on ne l'avait jamais espéré : lors de ce matin à Florence, il lui avait paru imperméable à une bonne impression. Gilbert l'invitait très souvent à dîner, puis Mr Goodwood fumait un cigare avec lui; il avait même demandé à voir ses collections. Gilbert avait dit à sa femme qu'il était très original : il avait la robustesse et le chic d'une valise anglaise, pourvue d'une masse de courroies, de boucles inusables et d'une serrure dûment brevetée. Caspar Goodwood avait pris goût aux randonnées équestres dans la campagne romaine; il y consacrait ses loisirs et voyait généralement Isabel en fin de journée. Au cours d'une soirée du jeudi, Isabel s'avisa de lui dire que, s'il le désirait, il pourrait lui rendre un service. Elle ajouta en souriant :

– Je ne sais, toutefois, si j'ai le droit de vous demander un service.

– Vous êtes celle qui a tous les droits, répondit-il. Je vous ai donné des assurances que vous seule avez jamais reçues de moi.

Ce service consistait à rendre visite à son cousin Ralph, seul et malade à l'Hôtel de Paris, et de lui témoigner autant d'amabilité que possible. Mr Goodwood ne l'avait jamais vu mais devait connaître de réputation le pauvre garçon qui l'avait autrefois invité à Gardencourt. Caspar se souvenait parfaitement de l'invitation et, bien qu'il passât d'habitude pour un homme dénué d'imagination, il en avait assez pour se mettre à la place d'un malheureux gentleman qui se mourait à Rome, dans un hôtel. Il se présenta donc à l'Hôtel de Paris et fut introduit auprès du maître de Gardencourt, puis découvrit Miss Stackpole, assise à côté de son sofa. Un changement singulier était survenu dans les rapports entre Ralph et la jeune femme. Isabel n'avait rien suggéré à celle-ci mais, ayant appris que Ralph était trop souffrant pour sortir, Henrietta, de sa propre initiative, s'était immédiatement rendue près de lui. Depuis, toujours aussi convaincue qu'ils étaient ennemis irréductibles, elle rendait chaque jour visite à Ralph qui lui confirmait cette prémisse avec une égale conviction : « Oh ! oui, nous sommes ennemis intimes », et l'accusait franchement – aussi franchement que le permettait l'ironie de la chose – de venir là pour le faire périr d'ennui. En réalité, ils étaient devenus excellents amis et Henrietta n'en revenait pas de ne pas avoir apprécié plus tôt le cousin d'Isabel. Quant à lui, il l'aimait autant qu'il l'avait toujours aimée et n'avait jamais douté un instant qu'elle fût un excellent camarade. Ils parlaient de tout et ne s'entendaient sur rien, sauf sur Isabel, sujet qui déclenchait automatiquement chez Ralph le geste de porter son maigre index sur ses lèvres. Mr Bantling s'avérait en revanche une ressource inépuisable, capable d'alimenter pendant des heures la discussion entre Ralph et Henrietta. L'inévitable divergence de leurs opinions stimulait les débats, Ralph ayant malicieusement fondé son argumentation sur le fait que le candide ex-officier de la Garde était un véritable Machiavel. Caspar Goodwood n'était pas en mesure d'apporter quelque contribution à pareil débat mais, une fois seul avec Ralph, il s'aperçut qu'ils pouvaient aborder des sujets très divers. Il faut admettre que la jeune femme qui venait de les quitter n'en faisait pas partie. Caspar reconnaissait d'office les qualités de Miss Stackpole mais n'avait pas d'observation complémentaire à faire à son propos. Après quelques allusions initiales, les deux hommes ne s'étendirent pas davantage sur le sujet de Mrs Osmond, thème en lequel Goodwood percevait autant de dangers que Touchett. Le Bostonien éprouvait une profonde compassion pour ce personnage inclassable ; il supportait difficilement qu'un homme agréable, très agréable malgré ses bizarreries, fût au-delà de tout secours. Pour Goodwood, il y avait toujours quelque chose à faire, ce qu'il prouva en réitérant sa visite à l'Hôtel de Paris. Isabel avait l'impression d'avoir été très adroite en disposant avec finesse de l'inutile Caspar. Elle lui avait trouvé une occupation en le transformant en garde-malade de Ralph et projetait de le renvoyer avec lui vers les pays du Nord dès que les premiers beaux jours le permettraient. Lord Warburton avait amené Ralph à Rome et Mr Goodwood le ramènerait chez lui. Ce double mouvement procédait, semblait-il, d'une heureuse symétrie et Isabel désirait à présent le départ de Ralph. Elle craignait constamment qu'il ne meure sous ses yeux et frémissait d'horreur à l'idée que cet événement pût se produire à l'hôtel, près de sa porte qu'il avait si rarement franchie. Ralph devait sombrer dans l'éternel repos au sein de sa chère vieille maison, dans une des chambres obscures et profondes de Gardencourt où le lierre sombre s'accrochait aux arêtes des fenêtres lumineuses. A cette époque, Gardencourt recelait aux yeux d'Isabel quelque chose de sacré ; aucun chapitre de son histoire n'était à ce point irrécupérable. Elle ne pouvait penser aux mois qu'elle y avait passés sans que les larmes lui montent aux yeux. Elle se flattait, je l'ai dit, de son ingéniosité et dut bientôt la mobiliser tout entière car il lui fallut faire front à plusieurs événements irritants. La comtesse Gemini arriva de Florence, dans un charivari de malles, robes, caquetage, mensonges et frivolités, sans parler de la légende étrange et impie du nombre de ses amants. Edward Rosier, disparu depuis un moment on ne savait où – Pansy elle-même l'ignorait –, reparut à Rome et commença de lui écrire de longues lettres, auxquelles elle ne répondit jamais. Enfin, Madame Merle, sitôt revenue de Naples, salua Isabel d'un sourire et d'une singulière question :

– Que diable avez-vous donc fait de Lord Warburton ?

A croire réellement que cela la regardait !

48

Un jour de fin février, Ralph Touchett décida de repartir pour l'Angleterre. Il avait, pour prendre cette résolution, des raisons personnelles qu'il n'était pas tenu de communiquer, mais Henrietta Stackpole, lorsqu'il lui fit part de son intention, se flatta de les avoir devinées. Elle se garda pourtant de les exprimer mais, au bout d'un moment, une fois installée près du sofa de Ralph, elle dit simplement :

– Vous savez bien, j'imagine, que vous ne pouvez repartir seul.

– Ce n'est pas dans mes intentions, répondit Ralph. J'aurai des gens avec moi.

– Qu'entendez-vous par « des gens » ? Des domestiques que vous payez ?

– Mon Dieu ! fit Ralph sur le mode plaisant, après tout, ce sont des êtres humains !

– Y a-t-il des femmes dans le nombre ? insista Miss Stackpole.

– Vous parlez comme si j'en avais une douzaine ! Non, je l'avoue, je n'ai pas de soubrette à mon service.

– Eh bien, dit calmement Henrietta, vous ne pouvez pas aller comme cela jusqu'en Angleterre. Il vous faut les soins d'une femme.

– Vous vous êtes si bien occupée de moi depuis quinze jours que cela me soutiendra un bon moment.

– Je ne vous ai pas encore assez soigné, fit Henrietta. J'ai décidé de partir avec vous.

– Partir avec moi ? fit Ralph en se levant péniblement de son sofa.

– Parfaitement. Je sais très bien que vous ne m'aimez pas mais j'irai quand même avec vous. En attendant, il vaudrait beaucoup mieux pour votre santé que vous vous étendiez.

Avant d'obtempérer, Ralph la considéra un instant :

– Je vous aime beaucoup, dit-il.

Miss Stackpole éclata de rire, ce qui lui arrivait rarement.

– N'allez pas croire que vous allez me soudoyer avec de telles sornettes ! J'irai avec vous et, qui plus est, je prendrai soin de vous.

– Vous êtes une femme merveilleuse, dit Ralph.

– Attendez que je vous aie ramené sain et sauf chez vous pour dire cela. Ce ne sera pas facile. Néanmoins, vous faites bien de partir.

Avant qu'elle le quitte, Ralph lui demanda :

– Vous voulez réellement dire que vous prendrez soin de moi ?

– Je veux dire en tout cas que je ferai de mon mieux.

– Alors, je vous avertis que je me soumets. Oh ! oui, je me soumets !

Ce fut peut-être en signe de soumission qu'après le départ de Henrietta, quelques minutes après qu'il se fut retrouvé seul, Ralph eut un bruyant accès de rire devant une telle incongruité ! Lui, Ralph, traverser l'Europe sous la tutelle de Miss Stackpole : était-il preuve plus concluante de son abdication totale, de son renoncement à tout agissement, à toute entreprise personnels ? Et le plus singulier de l'histoire était que ce projet lui souriait ; il s'abandonnait avec gratitude et volupté. Il était même impatient de partir, immensément désireux de revoir sa maison. La fin de toutes choses était proche ; il lui semblait n'avoir qu'à tendre la main pour toucher le but. Mais il voulait mourir chez lui ; c'était le seul vœu qui lui restât : s'allonger dans la grande chambre paisible où il avait vu son père reposer pour la dernière fois et fermer les yeux par une aube d'été.

Caspar Goodwood vint le voir ce même jour et Ralph l'informa que Miss Stackpole s'était chargée de le reconduire en Angleterre.

– Dans ce cas, fit Caspar, je crains bien de jouer la cinquième roue du carrosse. Mrs Osmond m'a également fait promettre de vous accompagner.

– Dieu du ciel ! C'est l'Age d'or ! Vous êtes tous trop aimables.

– C'est pour lui être agréable que je le fais. Ce n'est pas pour vous.

– Dans ce cas, c'est elle qui est aimable, fit Ralph en souriant.

– De vous procurer des compagnons de route ? Oui, c'est une forme d'amabilité, répondit Goodwood, sans se prêter à la plaisanterie. Pour ma part, ajouta-t-il, j'ose dire que je préfère de beaucoup voyager avec vous et Miss Stackpole que seul avec Miss Stackpole.

– Mais à l'une et l'autre formule, vous préféreriez rester ici, dit Ralph. Il n'y a vraiment aucune nécessité à ce que vous veniez. Henrietta est extraordinairement efficace.

– J'en suis sûr. Mais je l'ai promis à Mrs Osmond.

– Vous vous ferez aisément relever de cette promesse.

– Non, jamais elle n'y consentira. Elle veut que je m'occupe de vous mais ce n'est pas la vraie raison. En fait, ce qu'elle veut réellement, c'est que je quitte Rome.

– Allons donc ! Vous vous faites des idées ! protesta Ralph.

– Je l'ennuie, poursuivit Goodwood ; elle n'a rien à me dire et elle a inventé ce prétexte.

– Dans ce cas, si cela l'arrange, je vous prends avec moi. Encore que je ne voie pas en quoi cela peut lui être utile, ajouta Ralph.

– Elle s'imagine que je la surveille, dit Caspar Goodwood avec simplicité.

– Que vous la surveillez ?

– Que j'essaie de savoir si elle est heureuse.

– Rien de plus facile, fit Ralph. Elle est visiblement la femme la plus heureuse que je connaisse.

– Exactement. Je n'en demande pas plus, répondit sèchement Goodwood qui, passé ce coup d'humeur, avait encore à dire : Je l'ai observée ; je suis un de ses vieux amis et il me semble que j'en ai le droit. Elle simule le bonheur ; elle avait décidé d'être heureuse et je voulais me rendre compte par moi-même à quel point elle l'était. A présent, je sais à quoi m'en tenir, dit-il d'un ton âpre, et ne tiens pas à en savoir plus. Je suis prêt à partir.

– J'ai bien l'impression qu'il est temps pour vous de le faire, confirma Ralph, et sur cette remarque se conclut le seul échange qu'ils eurent à propos d'Isabel Osmond.

Henrietta faisait ses préparatifs de départ et jugea qu'il serait correct d'aller dire quelques mots à la comtesse Gemini qui lui avait rendu, dans sa pension romaine, la visite que Henrietta lui avait faite à Florence.

– Vous vous trompiez à propos de Lord Warburton, fit-elle remarquer à la comtesse. Je crois qu'il est juste que vous le sachiez.

– A propos de la cour qu'il fait à Isabel ? Ma pauvre amie, il était chez elle trois fois par jour ! Il a laissé des traces de son passage ! s'écria la comtesse.

– Il voulait épouser votre nièce. C'est pour cette raison qu'il allait chez Isabel.

La comtesse éclata d'un grand rire plutôt malvenu :

– C'est donc ce que raconte Isabel ! Ce n'est pas si mal trouvé, vu les événements... Mais s'il veut épouser ma nièce, dites-moi, je vous prie, ce qui l'en empêche. Serait-il par hasard allé acheter les alliances pour revenir dans un mois quand je serai partie ?

– Lord Warburton ne reviendra pas. Miss Osmond ne veut pas l'épouser.

– Comme elle est complaisante ! Je savais qu'elle aimait Isabel mais n'imaginais pas que ce fût à ce point.

– Je ne vous comprends pas, dit froidement Henrietta en réponse à la perversité déplaisante de la comtesse. Et je maintiens ce que j'ai dit : Isabel n'a jamais accueilli favorablement les attentions de Lord Warburton.

– Ma chère amie, qu'en savons-nous, vous et moi ? Nous savons une seule chose, c'est que mon frère est capable de tout.

– J'ignore ce dont votre frère est capable, dit Henrietta avec dignité.

– Je ne reproche pas à Isabel d'avoir encouragé Warburton mais de l'avoir congédié. J'avais particulièrement envie de le connaître. A votre avis, pensait-elle que je l'aurais séduit ? insista hardiment la comtesse. Quoi qu'il en soit, elle ne fait que le garder, cela se sent. Il hante la maison, il est partout. Oh ! oui, il a laissé des traces. Je suis sûre de l'y voir un jour !

– Eh bien, fit Henrietta, mue par une inspiration de la veine qui faisait le succès de ses lettres à l'*Interviewer*, peut-être aura-t-il plus de chance près de vous que près d'Isabel.

Lorsqu'elle informa son amie de la proposition qu'elle avait faite à Ralph, Isabel répondit que rien n'aurait pu lui faire plus de plaisir. Elle avait d'ailleurs toujours été persuadée que Ralph et son amie étaient faits pour s'entendre.

– Peu m'importe que nous nous entendions ou pas, repartit Henrietta, pourvu qu'il ne rende pas l'âme dans le train.

– Il ne fera pas une chose pareille, dit Isabel en secouant résolument la tête.

– Il ne le fera pas si je peux l'en empêcher. Mais, si je comprends bien, tu cherches à te débarrasser de nous tous. Où veux-tu en venir exactement ?

– Je veux être seule, dit Isabel.

– Tu ne le seras pas tant que vous recevrez tout ce monde chez vous.

– Bah ! Ils font partie de la comédie. Vous, vous êtes les spectateurs.

– Tu oses parler de comédie, Isabel Archer ! s'exclama rudement Henrietta.

– Parlons de tragédie, si tu préfères. Vous êtes tous là, en train de m'observer ; cela me met mal à l'aise.

L'espace d'un instant, Henrietta joua le jeu de son amie :

– Je vois... Tu es la biche blessée qui cherche l'ombre profonde... Seigneur ! Tu me donnes l'impression d'être si totalement impuissante !

– Je ne suis pas du tout impuissante. J'ai l'intention de faire beaucoup de choses.

– Je ne parle pas de toi. Je parle de moi. Je suis venue exprès pour toi et je repars en te laissant dans l'état où je t'ai trouvée. C'est un peu raide.

– Tu te trompes ; tu me laisses revigorée, dit Isabel.

– Drôle de potion : une limonade aigre ! Je veux que tu me fasses une promesse.

– N'y compte pas. Je ne ferai plus jamais de promesse. J'en ai fait une, solennelle, il y a quatre ans, et je l'ai bien mal tenue.

– On ne t'a pas encouragée. Moi, en revanche, je t'apporterai tout mon appui. Quitte ton mari sans attendre le pire. Voilà la promesse que j'attends de toi.

– Le pire ? Qu'appelles-tu le pire ?

– Sans attendre que ton caractère se dégrade.

– Tu veux dire mon tempérament ? Je ne le laisserai pas se dégrader, répondit Isabel avec un sourire. J'en prends bien soin. Je suis abasourdie, ajouta-t-elle en se détournant, de la désinvolture avec laquelle tu conseilles à une femme de quitter son mari. On voit que tu n'en as jamais eu !

– Voyons, fit Henrietta sur le ton dont on lance un débat, c'est monnaie courante dans nos villes occidentales et c'est vers elles, après tout, qu'il faut nous tourner à l'avenir.

Toutefois, sa thèse ne concerne pas cette histoire dont nombreux sont les fils qui restent à débrouiller. Le lendemain, Henrietta annonçait à Ralph Touchett qu'elle était prête à quitter Rome par le premier train qu'il choisirait et il rassembla toutes ses forces pour se préparer au départ. Isabel vint le voir au dernier moment et il énonça, lui aussi, la remarque déjà émise par Henrietta : il était saisi de constater le rare bonheur d'Isabel à l'idée de se débarrasser d'eux trois.

Pour toute réponse, elle posa doucement la main sur la sienne et, avec un rapide sourire, elle lui dit à voix basse :

– Mon cher Ralph... !

Réponse éloquente dont il fut presque heureux. Mais il reprit, sur le même ton candide et enjoué :

– Je vous ai vue moins que je ne le souhaitais mais cela vaut mieux que rien. D'ailleurs, j'ai beaucoup entendu parler de vous.

– Étant donné la vie que vous avez menée, j'ignore de qui il peut s'agir.

– Du génie des airs et de nul autre ! Je ne permets jamais à personne de me parler de vous. Les gens vous disent toujours « charmante », ce que je trouve plat.

– J'aurais sûrement pu vous voir davantage, dit Isabel, mais les gens mariés ont tant à faire.

– Heureusement, je ne le suis pas. Quand vous viendrez me voir en Angleterre, je pourrai me consacrer à vous avec la belle liberté d'un célibataire.

Il poursuivit sur ce ton, comme s'ils étaient assurés de se retrouver bientôt, et parvint à donner à cet espoir un tour presque crédible. Il ne fit aucune allusion à l'approche de ses derniers jours, au fait probable qu'il ne passerait pas l'été. S'il préférait qu'on en parlât ainsi, Isabel était consentante; inutile de jalonner la conversation de poteaux indicateurs; la réalité était assez claire. Ils avaient eu leur nécessité aux premiers temps de leurs relations, bien qu'en ce domaine comme en tout ce qui le concernait Ralph n'eût jamais été égocentrique. Isabel évoqua son voyage, les différentes étapes qu'il avait prévues et les précautions à prendre.

– Ma précaution suprême est Henrietta, dit-il. Son sens du devoir est sublime.

– Elle sera sûrement très consciencieuse.

– Elle sera? Elle l'a été! C'est uniquement pour obéir à son sens du devoir qu'elle m'accompagne. C'est une conception de son devoir envers vous.

– Oui, une conception très généreuse, dit Isabel, qui me rend profondément honteuse. C'est moi qui devrais vous accompagner.

– Votre mari n'apprécierait pas du tout.

– Effectivement. Mais je pourrais passer outre.

– L'audace de votre imagination m'effraie. Imaginez seulement que je puisse être une cause de discorde entre époux!

– C'est la raison pour laquelle je ne vous accompagne pas, dit Isabel, avec simplicité à défaut de lucidité.

Ralph, cependant, en savait assez pour comprendre :

– Je crois bien, avec toutes ces occupations dont vous parlez.

– Ce n'est pas cela. J'ai peur..., dit Isabel qui, après une pause, répéta : J'ai peur..., moins pour Ralph, semblait-il, que pour s'entendre dire ces mots.

Cette fois, son cousin eut du mal à saisir ce qu'indiquait son ton, à la fois étrangement délibéré et apparemment vide d'émotion. Voulait-elle s'accuser publiquement pour une faute dont elle n'avait pas été déclarée coupable? Ou ses propos étaient-ils simplement une tentative éclairée d'autoanalyse? Quoi qu'il en fût, Ralph ne put résister à une occasion si propice.

– Peur de votre mari?

– Peur de moi-même ! dit-elle en se levant. Elle resta un instant immobile, puis ajouta : Si j'avais peur de mon mari, ce ne serait que mon devoir. C'est ce que l'on attend des femmes.

– Ah ! oui, répondit Ralph en riant, mais il y a toujours, en contrepartie, un malheureux terrifié par une femme !

Elle ignora la plaisanterie et détourna la conversation.

– Avec Henrietta à la tête de vos troupes, dit-elle brusquement, il ne restera rien à faire pour Mr Goodwood.

– Ah ! ma chère Isabel, répondit Ralph, il en a l'habitude. Il ne reste jamais rien pour Mr Goodwood.

Elle rougit et fit rapidement observer qu'elle devait le quitter. Ils s'attardèrent un instant, debout tous les deux, ses mains dans les siennes.

– Vous avez été mon meilleur ami, dit-elle.

– C'était pour vous que je voulais... que je voulais vivre. Mais je vous suis inutile.

C'est alors que le sentiment poignant qu'elle ne le reverrait plus la submergea. Elle ne pouvait accepter cela ; elle ne pouvait le quitter ainsi.

– Si vous m'envoyez chercher, je viendrai, dit-elle enfin.

– Votre mari ne l'acceptera pas.

– Oh ! si. Je m'arrangerai.

– Je garderai cela comme dernière joie ! fit Ralph.

Pour toute réponse, elle l'embrassa. C'était un jeudi et, ce soir-là, Caspar Goodwood se rendit au *palazzo* Roccanera. Il était arrivé parmi les premiers et passa un bon moment à converser avec Gilbert Osmond, qui assistait presque toujours aux réceptions de sa femme. Loquace, communicatif, expansif, Osmond semblait possédé par une forme de gaieté intellectuelle. Jambes croisées avec nonchalance, il se prélassait et bavardait sans trêve, tandis que Goodwood, agité mais sans entrain, changeait constamment de position, jouait avec son chapeau et arrachait des craquements plaintifs au petit sofa qui le supportait. Un sourire acéré, agressif barrait le visage d'Osmond, celui d'un homme dont les perceptions viennent d'être stimulées par une bonne nouvelle. Il dit à son interlocuteur combien tous regrettaient de le voir partir et que lui-même s'en désolait particulièrement. Il voyait si peu d'hommes intelligents; ils étaient curieusement rares à Rome. Il fallait vraiment que Goodwood revînt; pour l'Italien invétéré qu'était Osmond, il y avait quelque chose de très rafraîchissant à parler avec un véritable étranger.

– J'ai beaucoup d'amour pour Rome, poursuivait le maître de céans, mais j'aime par-dessus tout m'entretenir avec des gens qui ont échappé à cette superstition. Après tout, le monde moderne a sa beauté. Ainsi, vous-même êtes tout à fait moderne et, cependant, vous n'avez rien d'ordinaire. On en voit tant de ces modernes qui n'ont rigoureusement rien dans le ventre. Si ce sont là les enfants de l'avenir, je demande à mourir jeune. Bien sûr, les anciens sont souvent ennuyeux. Ma femme et moi aimons tout ce qui est vraiment nouveau, qui n'en a pas que l'apparence. Il n'y a rien de nouveau, hélas, dans l'ignorance et la stupidité. On en rencontre beaucoup sous des formes qui se donnent pour une révélation du progrès et des lumières. Révélation de vulgarité, oui! Il y a une forme de vulgarité qui est, je crois, réellement neuve et dont je ne pense pas qu'elle ait jamais eu d'équivalent autrefois. En fait, je ne vois nulle part de vulgarité avant le siècle présent. On en perçoit ici ou là une faible menace au XVIIIe mais, de nos jours, l'air est devenu tellement épais que les choses délicates sont littéralement méconnaissables. Vous, vous nous avez plu...

Il eut une brève hésitation, posa doucement la main sur le genou de Goodwood et, souriant avec un mélange d'assurance et d'embarras, il reprit :

– Je vais vous dire quelque chose d'extrêmement déplaisant et condescendant, mais il faut m'accorder la satisfaction de l'exprimer. Vous nous avez plu parce que vous nous avez un peu réconciliés avec l'avenir. S'il doit y avoir des hommes de votre trempe, *à la bonne heure!* Je parle au nom de ma femme aussi bien qu'au mien. Ma femme parle pour moi. Pourquoi n'en ferais-je pas de même? Nous sommes unis, voyez-vous, comme le chandelier et ses mouchettes. Je pense ne pas trop m'avancer en disant que je crois avoir compris que vos occupations ont été... commerciales? Ces activités présentent un danger, vous le savez, mais c'est précisément la façon dont vous l'avez évité qui nous a frappés. Pardonnez-moi si ce petit compliment vous semble d'un goût exécrable ; heureusement, ma femme ne m'entend pas ! Ce que je veux dire, c'est que vous auriez pu être... un... ce que je viens précisément de décrire. Tout le monde américain conspirait pour vous rendre tel. Mais, vous avez résisté, vous avez en vous ce qui vous a sauvé. Et pourtant, vous êtes si moderne, si moderne, l'homme le plus moderne que nous connaissions ! Nous serons toujours enchantés de vous revoir.

J'ai dit qu'Osmond était de bonne humeur et ces propos en témoignent. Ils étaient infiniment plus personnels que ceux qu'il se donnait la peine d'émettre d'habitude et, si Caspar Goodwood y avait prêté plus d'attention, il aurait pu penser que la cause de la délicatesse était en d'étranges mains. Libre à nous de croire, cependant, qu'Osmond savait très bien ce qu'il faisait et que, s'il avait adopté un ton condescendant et un sans-gêne dont il n'était pas coutumier, ces frasques verbales avaient leur raison. Quant à Goodwood, il avait la vague impression qu'Osmond en rajoutait plus qu'il n'était besoin et il se souciait très peu de son verbiage. En fait, c'est à peine s'il en saisissait la teneur ; il voulait être seul avec Isabel et cette idée dominait de très haut la voix parfaitement timbrée du mari. Il regardait Mrs Osmond parler à ses invités, se demandait quand elle en serait libérée et s'il pourrait alors lui proposer de passer avec lui dans un salon voisin. Son humeur n'était pas aussi aimable que celle d'Osmond ; une rage maussade influait sur sa perception des choses. Jusqu'à ce jour, il n'avait pas éprouvé d'aversion pour Osmond, à titre personnel ; il voyait en lui un homme très bien informé, obligeant et plus proche qu'il n'aurait imaginé du type d'homme qu'Isabel Archer aurait naturellement pu épouser. Son hôte avait pris publiquement sur lui un grand avantage et Goodwood était trop loyal pour se laisser aller à le sous-estimer pour cette seule raison. Il n'avait pas vraiment cherché à l'apprécier ; même aux jours où il était près de se réconcilier avec les événements révolus, Goodwood était parfaitement incapable d'une telle envolée de bienveillance sentimentale. Il acceptait Osmond comme un représentant plutôt brillant de l'amateurisme, affligé de loisirs excessifs qu'il s'amusait à tuer en petits raffinements de langage. Mais il ne lui faisait qu'à demi confiance et ne comprenait pas pourquoi diable il se mettait en frais pour lui, surtout en ce domaine. Il suspectait Osmond d'y trouver un mystérieux plaisir et ce soupçon renforçait son impression générale : une touche de perversité entrait dans la nature de son rival triomphant. Il savait en effet qu'Osmond n'avait aucune raison de vouloir lui nuire; il n'avait rien à craindre de lui. Il avait remporté l'avantage suprême et pouvait se permettre d'être aimable avec un homme qui avait tout perdu. Il est vrai que Goodwood avait par moments furieusement souhaité qu'il fût mort; il aurait aimé le tuer; mais Osmond ne pouvait s'en douter car la pratique avait porté à la perfection chez le jeune homme l'art de paraître inaccessible aux émotions violentes. Il cultivait cet art pour se tromper lui-même, mais les autres étaient les premiers pris au piège. Il le cultivait de plus avec un succès limité, dont la meilleure preuve fut l'irritation sombre et profonde qui obnubila son âme lorsqu'il entendit Osmond parler des sentiments de sa femme, comme s'il était mandaté pour en répondre.

Des propos de son hôte, ce soir-là, c'était tout ce à quoi il avait prêté l'oreille; il observa qu'Osmond s'ingéniait plus que jamais à évoquer l'harmonie conjugale qui régnait au *palazzo* Roccanera. Plus que jamais, il avait pesé ses mots, pour donner l'impression qu'en toutes choses sa femme et lui vivaient en tendre communion d'esprit et qu'il leur était tout naturel de dire « nous » plutôt que « je ». On devinait derrière cela une intention bien faite pour intriguer et irriter notre pauvre Bostonien, qui pouvait seulement se dire, en guise de consolation, que les relations de Mrs Osmond avec son époux ne le regardaient pas. Il n'avait pas la moindre preuve qu'Osmond donnât une image fausse de sa femme, et, s'il jugeait Isabel en se fiant aux seules apparences, il était bien contraint de croire qu'Isabel aimait son existence. Jamais elle n'avait laissé poindre devant lui le moindre signe de mécontentement. Miss Stackpole lui avait dit qu'Isabel avait perdu ses illusions mais l'habitude d'écrire pour les journaux avait aiguisé l'appétit de Miss Stackpole pour le sensationnel. Elle était trop avide des dernières nouvelles. De plus, depuis son arrivée à Rome, elle se tenait sur ses gardes et avait pratiquement cessé de braquer sur lui sa lanterne. Précisons, à son honneur, que Henrietta ne l'aurait fait qu'à son corps défendant. Elle avait à présent saisi la réalité de la situation d'Isabel, ce qui lui inspirait une légitime réserve. En admettant même que l'on pût tenter de l'améliorer, la forme d'assistance la plus utile ne consistait sûrement pas à exacerber chez ses anciens soupirants le sentiment qu'ils avaient de ses torts. Miss Stackpole continuait de s'intéresser vivement aux états d'âme de Mr Goodwood mais le manifestait désormais par l'envoi de coupures de presse, humoristiques ou autres, extraites des journaux américains que lui apportait chaque courrier et qu'elle parcourait une paire de ciseaux à la main. Elle classait les articles choisis dans une enveloppe adressée à Mr Goodwood, qu'elle déposait de sa main à son hôtel. Jamais il ne la questionna au sujet d'Isabel : n'avait-il pas parcouru cinq mille miles pour se rendre compte des choses par lui-même ? Rien, par conséquent, ne lui permettait de penser que Mrs Osmond fût malheureuse mais cette absence même d'autorisation agissait sur lui comme un irritant et entretenait la rigueur avec laquelle, en dépit d'une indifférence théorique, il reconnaissait à présent que, s'agissant d'Isabel, l'avenir n'avait plus rien à lui offrir. Il n'avait même pas la satisfaction de connaître la vérité ; apparemment, on ne l'estimait même pas capable de respecter Isabel si elle était malheureuse. Il était sans espoir, impuissant, inutile. Elle avait d'ailleurs attiré son attention sur ce dernier trait grâce au plan ingénieux ourdi pour lui faire quitter Rome. Il ne voyait pas d'objection à faire ce qu'il pourrait pour le cousin d'Isabel mais que, de tous les services dont elle aurait pu le charger, elle se fût empressée de choisir celui-là le faisait grincer des dents. Il n'y avait pas à craindre qu'elle en eût choisi un de nature à le retenir à Rome.

Ce soir-là, il ressassait l'idée qu'il devait partir le lendemain et n'avait rien gagné à ce voyage, si ce n'était la confirmation que l'on se souciait aussi peu de lui que jamais. Sur

Isabel, il n'avait rien appris; elle était imperturbable, hermétique et impénétrable. Il sentait remonter dans sa gorge la vieille amertume qu'il s'était si rudement efforcé de ravaler et il savait que certaines déceptions durent aussi longtemps que la vie. Osmond parlait toujours; Goodwood était vaguement conscient qu'il était revenu au thème de son intimité parfaite avec sa femme. Il lui sembla tout à coup que l'homme était habité par une imagination démoniaque; comment aurait-il pu, sans malveillance, choisir un thème si particulier? Mais après tout, quelle importance qu'il fût ou non démoniaque, que sa femme l'aimât ou le haït? Elle pouvait le haïr mortellement sans bénéfice pour qui que ce soit.

– A propos, dit Osmond, vous repartez avec Ralph Touchett. J'imagine que le voyage sera lent.

– Je n'en sais rien. Je ferai exactement comme il lui plaira.

– Vous êtes très accommodant. Laissez-moi vous dire bien sincèrement que nous vous sommes très obligés. Ma femme vous a sans doute déjà exprimé nos sentiments. Touchett nous a tracassés tout l'hiver et l'on a craint à plusieurs reprises qu'il ne quitterait jamais Rome. Il n'aurait jamais dû y venir. Pour un homme en pareil état, voyager est pis qu'une imprudence, c'est une indélicatesse. Pour rien au monde je ne voudrais avoir à l'égard de Touchett une obligation semblable à celle qu'il a contractée envers ma femme et moi. L'entourage est contraint de s'occuper de lui et tout le monde n'est pas aussi généreux que vous.

– Je n'ai rien d'autre à faire, dit sèchement Caspar.

Osmond lui lança un coup d'œil oblique :

– Vous devriez vous marier, ce qui vous donnerait quantité d'occupations! Dans ce cas, il est vrai, vous ne seriez plus aussi disponible pour les œuvres de charité.

– Trouvez-vous que votre qualité d'homme marié soit tellement absorbante? demanda machinalement le jeune homme.

– C'est que, voyez-vous, être marié est une occupation en soi. Elle n'est pas toujours active, elle est même souvent passive mais n'en exige que plus d'attention. Et puis ma femme et moi faisons beaucoup de choses ensemble. Nous lisons, nous travaillons, nous faisons de la musique, nous nous promenons à pied ou en voiture. Et nous parlons aussi, comme aux premiers jours. La conversation de ma femme m'enchante toujours... Si jamais vous vous ennuyez, suivez mon conseil et mariez-vous. Dans ce cas, il se pourrait, bien sûr, que votre femme vous ennuyât mais vous ne vous ennuieriez plus seul. Vous auriez toujours quelque chose à vous dire à vous-même, toujours un sujet de réflexion.

– Je ne m'ennuie pas, dit Goodwood, et j'ai beaucoup de sujets de réflexion.

– Plus que vous n'en avez à proposer aux autres ! s'exclama gaiement Osmond. Où irez-vous ensuite ? Je veux dire après avoir remis Touchett aux mains de ses gardiens naturels. Je crois que sa mère a fini par rentrer pour s'occuper de lui. Cette petite dame est superbe ; elle néglige ses devoirs avec un tel panache ! Peut-être passerez-vous l'été en Angleterre.

– Je n'en sais rien. Je n'ai pas de projet.

– Heureux homme ! La perspective est un peu vide mais elle est dégagée.

– Oui, je suis très libre.

– Libre de revenir à Rome, je l'espère, dit Osmond qui surveillait l'arrivée de nouveaux invités dans le salon. Souvenez-vous alors que nous comptons sur vous !

Goodwood était venu dans l'intention de partir de bonne heure mais la soirée se déroulait sans lui laisser l'occasion de parler à Isabel autrement que mêlé à un groupe d'interlocuteurs. Il y avait quelque chose de pervers dans l'obstination qu'elle déployait pour l'éviter et l'intarissable rancune de Goodwood découvrait une intention là où les apparences n'en montraient aucune. Elle croisait son regard et son clair sourire, charmant d'hospitalité, semblait presque lui demander de venir l'aider à s'occuper de ses invités. Mais il opposait à ces suggestions une raideur impatiente. Il allait, venait et attendait ; il parla aux quelques personnes qu'il connaissait et qui le surprirent pour la première fois en flagrant-délit d'auto-contradiction. Il était en effet rare que Goodwood s'embrouillât dans ses arguments, ce qui ne l'empêchait pas de contredire les autres.

On donnait souvent de petits concerts, au *palazzo* Roccanera, et ils étaient généralement très bons. Sous l'influence de la musique, Caspar réussit à se maîtriser mais, à la fin de l'audition, lorsqu'il vit que les gens commençaient à partir, il s'approcha d'Isabel et lui demanda à voix basse s'il ne pourrait lui parler dans un autre salon dont il venait de s'assurer qu'il était vide. Elle eut le sourire qu'il fallait pour dire qu'elle souhaitait lui être agréable mais qu'elle en était absolument empêchée.

– J'ai peur que ce ne soit impossible. Mes invités font leurs adieux et il faut qu'ils puissent me trouver.

– Alors j'attendrai qu'ils soient tous partis.

– Voilà qui serait très gentil! s'exclama-t-elle après une courte hésitation.

Et il attendit, bien qu'il lui fallût longtemps attendre. Les derniers invités semblaient rivés au tapis. La comtesse Gemini, qui ne se sentait jamais elle-même avant minuit, disait-elle, ne semblait pas s'apercevoir que la réception était terminée; devant la cheminée, elle retenait autour d'elle un petit cercle d'hommes qui, de temps à autre, éclataient de rire avec un bel ensemble. Osmond avait disparu; il ne disait jamais adieu à personne et, comme la comtesse élargissait son auditoire, selon sa coutume à cette heure tardive, Isabel avait envoyé Pansy se coucher. La jeune femme était assise un peu à l'écart; elle aussi semblait souhaiter que sa belle-sœur baissât un peu le ton et laissât partir en paix les derniers traînards.

– Ne puis-je vous dire un mot à présent? demanda Goodwood.

Souriante, elle se leva aussitôt :

– Certainement. Allons ailleurs, voulez-vous?

Ils s'éloignèrent côte à côte, laissant la comtesse à son petit cercle, et, après avoir passé le seuil, ils restèrent un moment silencieux. Isabel ne voulut pas s'asseoir; elle se tenait au milieu de la pièce et s'éventait doucement; elle avait la grâce familière que Goodwood lui avait toujours connue. Elle semblait attendre qu'il parlât. A présent qu'il était seul avec elle, la passion qu'il n'avait jamais étouffée déferlait à travers tous ses sens; elle embrumait ses yeux et faisait tournoyer les objets. Elle plongeait dans une obscurité confuse le salon lumineux et déployait un voile à travers lequel il croyait distinguer Isabel qui flottait devant lui, les yeux brillants et les lèvres mi-closes. S'il avait vu plus distinctement, il se serait rendu compte que son sourire était figé, contraint, qu'elle était terrifiée de ce qu'elle-même voyait sur son visage à lui.

– J'imagine que vous voulez me faire vos adieux, dit-elle.

– Oui, mais c'est à contre-cœur. Je ne veux pas quitter Rome, répondit-il avec une franchise douloureuse.

– Je le crois volontiers. C'est merveilleusement gentil de votre part. Je ne peux vous dire combien j'apprécie votre amabilité.

Il garda un moment le silence.

– Il vous suffit de ces quelques mots pour me faire partir.

– Un jour ou l'autre vous reviendrez, fit-elle gaiement.

– Un jour ou l'autre ? Vous voulez dire : le plus tard possible ?

– Non, ce n'est pas cela que je veux dire.

– Alors, que voulez-vous dire ? Je ne comprends pas ! Mais j'ai dit que je partirai et je pars, déclara Goodwood.

– Revenez dès que vous en aurez envie, dit Isabel avec une légèreté affectée.

– Je me moque royalement de votre cousin ! éclata Caspar.

– Est-ce cela que vous souhaitiez me dire ?

– Non ! non ! Je n'avais rien à vous dire. Je voulais vous poser une question… Il hésita avant de poursuivre : Qu'avez-vous réellement fait de votre vie ? dit-il très vite, d'une voix sourde. De nouveau il s'arrêta, comme s'il attendait une réponse mais comme elle ne disait rien, il reprit : Je n'arrive pas à comprendre. Je n'arrive pas à pénétrer vos pensées ! Que dois-je croire ? Que voulez-vous que je pense ?

Elle se taisait toujours et elle le regardait mais, cette fois, elle ne feignait plus d'être à son aise.

– J'ai entendu dire que vous êtes malheureuse et, si vous l'êtes, je veux le savoir. Ce serait au moins quelque chose pour moi. Mais vous dites vous-même que vous êtes heureuse et vous êtes si calme, si paisible, si dure ! Vous avez changé du tout au tout. Vous cachez quelque chose. Je n'ai même pas pu vous approcher vraiment.

– Vous êtes très près, dit Isabel d'une voix douce qui était aussi un avertissement.

– Et pourtant je ne vous émeus pas. Je veux savoir la vérité. Avez-vous réussi ?

– Vous en demandez trop.

– Oui, j'ai toujours trop demandé. Bien sûr, vous ne me le direz pas. Et si vous pouvez l'empêcher, je ne saurai jamais rien. D'ailleurs, cela ne me regarde pas.

Jusqu'alors, il s'était visiblement efforcé de se contrôler afin de donner une forme raisonnable à un état d'esprit déraisonnable. Mais le sentiment qu'il courait là sa dernière chance, qu'il l'aimait et l'avait perdue et qu'elle le prendrait pour un imbécile, quoi qu'il pût dire, ce sentiment le cingla subitement et anima d'une vibration profonde sa voix basse.

– Vous êtes absolument impénétrable, reprit-il, ce qui me fait croire que vous avez quelque chose à cacher. Je vous ai dit que je me moque pas mal de votre cousin mais je ne voulais pas dire qu'il me déplaît. Je veux dire que ce n'est pas par amitié pour lui que je l'accompagne. Je le ferais s'il était idiot et si vous me l'aviez demandé. Si vous me le demandiez, je partirais demain pour la Sibérie. Pourquoi voulez-vous que je m'en aille ? Vous devez avoir quelque raison à cela; si vous étiez aussi heureuse que vous prétendez l'être, cela vous serait égal. Même si elle est odieuse, je préfère savoir la vérité sur vous au fait d'être venu pour rien. Je ne suis pas venu pour cela. Je pensais que cela me serait égal. J'étais venu parce que je voulais m'assurer par moi-même qu'il était vain que je pense à vous plus longtemps. Je n'avais pensé à rien d'autre et vous avez raison de vouloir m'expédier ailleurs. Mais, puisque je dois partir, quel mal y a-t-il à ce que je m'épanche ici un moment ? Aucun, n'est-ce pas ? Si vous êtes réellement blessée, s'il vous fait souffrir, rien de ce que je peux dire ne vous atteindra. Quand je vous dis que je vous aime, c'est simplement parce que je suis venu pour cela. Je croyais venir pour autre chose; mais c'était pour cela. Je ne le dirais pas si je ne pensais ne jamais vous revoir. C'est la dernière fois : laissez-moi cueillir une seule fleur ! Je n'ai pas le droit de dire cela, je le sais; et vous n'avez pas le droit d'écouter. Mais vous n'écoutez pas, vous n'écoutez jamais; vous pensez toujours à autre chose. Après cela, je dois partir, bien sûr; j'aurai au moins une raison. Que vous me le demandiez n'est pas une raison, pas une vraie raison. Je ne peux me faire une idée d'après les dires de votre mari, poursuivit-il, sautant du coq à l'âne, incohérent. Je ne le comprends pas. Il me dit que vous vous adorez. Pourquoi m'a-t-il dit cela? En quoi cela me regarde-t-il? Mais vous prenez un air étrange quand je vous dis cela. Mais vous avez toujours cet air-là. Oh! oui, vous avez quelque chose à cacher. Bien sûr, ce ne sont pas mes affaires. Bien sûr! Mais je vous aime, dit Caspar Goodwood.

Ainsi qu'il l'avait dit, Isabel avait un air étrange. Elle avait les yeux tournés vers la porte par laquelle ils étaient entrés et leva son éventail comme pour l'avertir.

– Vous vous êtes si bien comporté. Ne gâchez pas tout! dit-elle doucement.

– Personne ne m'entend. Les efforts que vous avez faits pour me rebuter sont réellement prodigieux. Je vous aime comme je ne vous ai jamais aimée.

– Je le sais. Je l'ai su lorsque vous avez accepté de partir.

– Vous n'y pouvez rien, naturellement. Vous feriez quelque chose si vous le pouviez mais, malheureusement, vous n'y pouvez rien. Malheureusement pour moi, je veux dire. Je ne demande rien... rien que je ne doive pas demander. Je sollicite une seule satisfaction : que vous me disiez... que vous me disiez...

– Que je vous dise quoi?

– Si je peux vous plaindre.

– Cela vous ferait-il vraiment plaisir? demanda Isabel en s'efforçant de sourire.

– De vous plaindre? Énormément, j'en suis certain. Cela au moins servirait à quelque chose. Je donnerais ma vie pour cela!

Elle leva son éventail de façon qu'il dissimulât son visage, à l'exception de ses yeux. Son regard rencontra le sien :

– N'y consacrez pas votre vie mais pensez-y de temps à autre.

Là-dessus, Isabel alla retrouver la comtesse Gemini.

49

Madame Merle n'avait pas fait son apparition au *palazzo* Roccanera au cours de la soirée du jeudi. Isabel avait remarqué son absence, sans pourtant s'en étonner. Des incidents étaient survenus entre elles qui n'étaient pas faits pour encourager les relations. Il faut, pour les apprécier, revenir au jour où, peu après le départ de Lord Warburton, Madame Merle, à son retour de Naples, s'enquit dès sa première visite à Isabel des faits et gestes de ce gentleman, dont elle semblait tenir sa chère amie pour responsable.

– Ne me parlez pas de lui, je vous en prie, répondit Isabel. On n'en a que trop parlé ces derniers temps.

Madame Merle pencha légèrement la tête de côté, en guise de protestation, puis esquissa son joli sourire en coin.

– Pour vous, peut-être, mais rappelez-vous qu'à Naples, je n'étais au courant de rien. J'espérais le trouver ici et pouvoir féliciter Pansy.

– Vous pouvez toujours féliciter Pansy, mais pas de ses fiançailles avec Lord Warburton.

– Comme vous dites cela ! Auriez-vous oublié combien j'avais pris la chose à cœur ? s'enquit Madame Merle avec une fougue qui n'excluait pas une touche de bonne humeur.

Déconcertée, Isabel opta délibérément pour la bonne humeur :

– Dans ce cas, vous n'auriez pas dû partir pour Naples. Vous auriez dû rester ici pour surveiller l'affaire.

– Je vous ai trop fait confiance. Croyez-vous qu'il soit trop tard ?

– Vous feriez mieux de questionner Pansy, dit Isabel.

– Je lui demanderai ce que vous lui avez dit.

Ces mots semblaient justifier la réaction défensive adoptée par Isabel dès qu'elle avait perçu l'attitude critique de sa visiteuse. Madame Merle avait été très discrète jusqu'alors; elle ne s'était jamais permis de juger et craignait au plus haut point de s'immiscer dans leurs affaires. Apparemment, elle s'était seulement réservée pour cette occasion car son regard se déplaçait avec une rapidité dangereuse et son aisance admirable n'était même plus en mesure de transmuter son air irrité. Elle venait de subir une déception qui excitait d'autant plus vivement l'étonnement d'Isabel que celle-ci ne savait rien de l'ardent intérêt de son amie pour le mariage de Pansy et que cette amie dévoilait sa déception d'une façon bien faite pour alarmer Mrs Osmond. Plus clairement que jamais, Isabel entendait la voix froide et moqueuse, montée d'on ne sait quelle profondeur des ténèbres sans fond qui l'entouraient, susurrer que cette mondaine brillante, forte, précise, cette incarnation du sens pratique, de l'individualisme et de l'instantané était un agent puissant de sa destinée. Madame Merle était plus proche d'elle qu'Isabel ne l'avait soupçonné et, contrairement à ce qu'elle avait longtemps imaginé, cette proximité n'était pas due à un charmant hasard. Sa croyance au hasard avait expiré le jour où l'avait frappée la façon dont la merveilleuse dame et son propre mari se comportaient dans l'intimité. Aucun soupçon défini ne s'était encore substitué à cette croyance mais l'impression produite avait été suffisante pour qu'elle considérât désormais Madame Merle d'un œil différent et pour l'amener à la réflexion que la conduite passée de cette dame avait été sous-tendue par beaucoup plus d'intentions qu'elle ne lui en avait alors prêtées. Oh ! oui, que de calculs, de prévisions, d'objectifs ! se disait Isabel, avec l'impression de s'éveiller d'un long cauchemar. D'où lui était venu le soupçon que les desseins de Madame Merle pouvaient ne pas être bienveillants ? Rien de précis ne l'avait éveillé, rien si ce n'est la méfiance qui avait pris corps récemment et se mêlait à présent à l'étonnement provoqué par l'interpellation de sa visiteuse au nom de la pauvre Pansy. Isabel avait décelé dans ce défi quelque chose qui, d'emblée, suscita sa défiance, une véhémence indéfinissable dont elle s'apercevait que les professions de prudence et de délicatesse de son amie avaient été exemptes. Madame Merle avait toujours répugné à intervenir, certainement, mais seulement aussi longtemps qu'il n'y avait pas eu lieu de le faire. Il peut sembler qu'Isabel, sur un simple soupçon, avait tôt fait de douter d'une sincérité dont témoignaient des années de bons offices. Elle céda rapidement au doute, en effet, à juste titre, car une vérité troublante infiltrait son esprit. L'intérêt de Madame Merle était identique à celui d'Osmond ; cela suffisait.

– Je pense que Pansy ne vous dira rien qui puisse vous irriter davantage, fit-elle en réponse à la dernière observation de sa visiteuse.

– Je ne suis pas du tout irritée. J'éprouve seulement un vif désir de rétablir la situation. Estimez-vous que Warburton nous ait quittés pour toujours ?

– Je ne saurais vous le dire. Et je ne vous comprends pas. Cette histoire est terminée ; alors, de grâce, n'en parlons plus. Osmond m'en a longuement entretenue et je n'ai plus rien à dire ou à entendre sur le sujet. Je suis certaine, ajouta Isabel, qu'il sera heureux d'en discuter avec vous.

– Je sais ce qu'il en pense ; il est venu me voir hier soir.

– Dès votre retour ? Alors, vous saviez tout de cette histoire et n'aviez pas besoin de venir me demander des informations.

– Ce ne sont pas des renseignements que je cherche. Au fond, c'est de la sympathie. Ce mariage me tenait à cœur. Contrairement à beaucoup de choses, il comblait l'imagination.

– La vôtre, sans doute, mais pas celle des intéressés.

– Vous voulez dire par là que je ne suis pas intéressée ? Bien sûr, pas directement. Mais une vieille amie comme moi ne peut s'empêcher de participer. Vous oubliez que je connais Pansy depuis longtemps. Et, bien entendu, ajouta Madame Merle, vous vous rangez au nombre des intéressés.

– Non, je n'ai rien voulu dire de tel. Et je suis excédée de cette histoire.

Madame Merle hésita :

– Ah ! oui, votre travail est terminé.

– Faites attention à ce que vous dites ! dit très gravement Isabel.

– Oh ! j'y prends garde ; peut-être surtout quand il n'y paraît rien. Votre mari vous juge très sévèrement.

Isabel ne répondit pas aussitôt; elle suffoquait, aux prises avec l'amertume. Le plus choquant n'était pas l'insolence de Madame Merle lui révélant qu'Osmond était venu se plaindre à elle de sa femme, car elle ne comprit pas aussitôt que c'était de propos délibéré. Madame Merle était très rarement insolente, et seulement lorsque c'était strictement nécessaire. Or ce n'était pas nécessaire à ce moment ou, du moins, pas encore. Ce qui atteignit Isabel comme une goutte d'acide sur une plaie ouverte, ce fut d'apprendre qu'Osmond la déshonorait en paroles aussi bien qu'en pensées.

– Voulez-vous savoir comment je le juge, lui? demanda-t-elle enfin.

– Non, car vous ne me le diriez jamais. Et il me serait pénible de le savoir.

Le silence tomba et, pour la première fois depuis qu'elle avait fait sa connaissance, Isabel trouva Madame Merle importune et souhaita la voir partir.

– Songez à la séduction de Pansy et ne désespérez pas, dit-elle brusquement dans l'espoir de clore ainsi l'entretien.

Mais la présence envahissante de Madame Merle ne supportait pas la contrainte. La visiteuse serra son manteau, répandant autour d'elle un parfum subtil et agréable.

– Je ne désespère pas; je me sens encouragée. Et je suis venue non pour vous gronder mais pour apprendre la vérité, si possible. Je sais que vous me la direz si je vous la demande. Avec vous, c'est une bénédiction, on peut compter là-dessus. Vous ne pouvez savoir quel réconfort j'y trouve.

– De quelle vérité parlez-vous? demanda Isabel, intriguée.

– Simplement ceci : Lord Warburton a-t-il changé d'avis de sa propre volonté ou parce que vous le lui avez conseillé? Pour son agrément ou pour le vôtre? Pensez à la confiance que je dois avoir en vous, bien que j'en aie un peu perdu, pour vous poser une telle question! continua Madame Merle avec un sourire.

Elle observa son amie pour évaluer l'effet de ses propos, puis reprit :

– Allons, ne soyez pas héroïque, ne soyez pas déraisonnable, ne jouez pas les offensées! Il me semble que je vous fais honneur en vous parlant ainsi. Je ne connais pas d'autre femme avec qui je l'oserais. Je n'en connais aucune dont je pourrais attendre la vérité. Et ne voyez-vous pas l'intérêt qu'il y aurait à ce que votre mari la connût? Il est vrai qu'il ne semble pas avoir manifesté le moindre tact en essayant de l'arracher, qu'il s'est livré à des suppositions gratuites. Cela ne change rien au fait que savoir exactement ce qui s'est passé entraînerait une modification de son point de vue quant aux espérances de sa fille. Si Lord Warburton s'est simplement lassé de la pauvre enfant, l'affaire est entendue, et c'est dommage. S'il a renoncé à elle pour vous faire plaisir, c'est encore dommage bien que tout différent. Car, dans ce cas, vous vous résigneriez peut-être à renoncer à votre plaisir… et à voir simplement votre belle-fille mariée. Libérez-le! Laissez-le nous!

Madame Merle s'était exprimée d'un ton délibéré, le regard fixé sur son interlocutrice et considérant selon toute apparence qu'elle pouvait sans danger aller de l'avant. Au fil de son discours, Isabel n'avait cessé de pâlir et ses mains s'étaient crispées sur ses genoux. Sa visiteuse avait enfin estimé que le moment était venu d'être insolente mais ce n'était que la face la plus apparente d'une pire horreur.

– Qui êtes-vous? Qu'êtes-vous donc? murmura Isabel. Qu'avez-vous à faire avec mon mari?

Étrangement, en cet instant, elle se rapprochait d'Osmond, comme si elle l'aimait.

– Ah! Ainsi vous le prenez sur le mode héroïque. J'en suis très désolée. Ne croyez pas cependant que j'en ferai autant.

– Qu'avez-vous à faire avec moi? poursuivit Isabel.

Sans quitter des yeux le visage d'Isabel, Madame Merle se leva lentement et, caressant son manchon, répondit:

– Tout!

Clouée sur son fauteuil, Isabel la regardait en silence; malgré elle, pourtant, son visage implorait des éclaircissements. Mais les yeux de cette femme n'étaient qu'obscurité.

– Dieu! quelle horreur! murmura Isabel qui se jeta en arrière et couvrit son visage de ses mains.

A la façon d'une vague déferlante, la vérité venait de frapper: Mrs Touchett avait vu juste. Madame Merle l'avait mariée. Lorsque Isabel découvrit son visage, cette dame avait quitté la pièce.

Isabel sortit seule ce jour-là ; elle souhaitait partir très loin sous le ciel, descendre de voiture et marcher parmi les marguerites. Elle avait depuis longtemps fait de la Rome antique sa confidente, car dans un monde en ruine, la ruine de son bonheur semblait moins anormale. Elle reposait sa lassitude sur les vestiges toujours debout d'édifices écroulés depuis des siècles ; elle laissait sa tristesse secrète s'écouler dans le silence de lieux solitaires où son actualité se dépouillait et gagnait en objectivité, de sorte que lorsqu'elle s'asseyait dans un recoin ensoleillé en hiver ou se réfugiait, l'été, dans une église vieillotte et désertée, elle arrivait presque à sourire et à réaliser combien elle était infime. Car sa tristesse était vraiment infime face à la grandeur de l'héritage romain, et le sentiment obsédant qu'elle avait de la continuité de la condition humaine l'emportait aisément de l'infime au grandiose. Elle s'était profondément et tendrement familiarisée avec Rome ; et Rome s'alliait à sa passion et la modérait. Elle en était venue à la concevoir essentiellement comme une ville où des êtres avaient souffert. Cette vision s'imposait à elle dans les églises ascétiques dont les colonnes de marbre, provenant de décombres païens, semblaient lui offrir une compagnie dans l'épreuve, et dont les relents d'encens évoquaient des prières anciennes, jamais exaucées. On n'aurait pu imaginer hérétique mieux disposée et moins logique qu'Isabel. Le fidèle le plus déterminé, en adoration devant un retable noirci ou un bouquet de cierges, n'aurait pu ressentir plus intimement le pouvoir de suggestion de ces objets ; il n'aurait pu être en de tels instants plus susceptible d'une visitation spirituelle. Pansy, nous le savons, accompagnait presque toujours Isabel, et, depuis peu, la comtesse Gemini, balançant son ombrelle rose, prêtait son éclat à leur équipage ; néanmoins, au gré de son humeur, Isabel préservait sa solitude et choisissait les lieux qui lui étaient propices. Elle disposait de plusieurs sites dont le plus accessible était le parapet bas, longeant le vaste espace herbu qui s'étend devant la façade haute et froide de Saint-Jean-de-Latran, et d'où la vue, par-delà la Campagne romaine, si riche de vestiges des événements qui s'y déroulèrent, s'étend jusqu'aux contours lointains des monts Albains. Après le départ de son cousin et de ses compagnons, elle vagabonda encore plus que de coutume et promena ses tristes pensées de l'un à l'autre de ses sanctuaires familiers. La présence de Pansy et celle de la comtesse ne l'empêchaient pas de sentir celle d'un monde disparu. Une fois franchie l'enceinte de Rome, la voiture roulait par des chemins étroits, où le chèvrefeuille sauvage escaladait les haies, ou s'arrêtait à sa demande auprès de champs reposants; alors elle marchait, plus loin, toujours plus loin dans l'herbe parsemée de fleurs; ou s'asseyait sur une pierre, qui avait eu jadis son utilité, et contemplait à travers le voile de sa tristesse personnelle la tristesse splendide du paysage, la lumière chaude et dense, les dégradés lointains, le fondu délicat des couleurs, les bergers immobiles dans leurs attitudes de solitaires et les collines où l'ombre des nuages se posait, légère comme un fard.

L'après-midi dont je parle, elle avait décidé de ne pas penser à Madame Merle, mais sa résolution était vaine et l'image de cette dame flottait sans relâche devant elle. Elle se demanda, avec une horreur presque puérile, si cette amie intime et de si longue date méritait l'épithète historique d'infâme. Elle n'avait jamais croisé cette notion que dans la Bible et dans quelques œuvres littéraires et, si loin qu'elle s'en souvînt, elle-même n'avait jamais rencontré personnellement l'infamie. Elle avait aspiré à un vaste savoir sur la vie humaine et, bien qu'elle estimât l'avoir cultivé avec un réel succès, ce privilège élémentaire lui avait été refusé. Peut-être l'adjectif infâme, au sens historique du terme, ne convenait-il pas pour qualifier une duplicité profonde, la duplicité infiniment profonde, basse et souterraine de Madame Merle. Cette découverte, sa tante Lydia l'avait faite depuis longtemps et l'avait dite à sa nièce; mais, à l'époque, Isabel s'enorgueillissait d'avoir une vision beaucoup plus riche des choses que la pauvre Mrs Touchett si raide d'esprit, en particulier du naturel de son évolution personnelle et de la noblesse de ses interprétations. Madame Merle avait accompli ce qu'elle voulait, l'union de ses deux amis, et l'on ne pouvait manquer de s'interroger sur les raisons qui la lui avaient fait souhaiter. Il y a des marieuses invétérées, passionnées, tout comme il y a les dévots de l'art pour l'art ; mais, si grande artiste fût-elle, Madame Merle n'était pas de celles-là : elle jugeait trop sévèrement le mariage et la vie en général. Elle avait désiré ce mariage-là, à l'exclusion de tout autre. C'est donc qu'elle y voyait un avantage et Isabel se demanda quel type d'avantage elle en attendait. Il lui fallut naturellement longtemps pour le découvrir, et encore sa découverte fut-elle imparfaite. Il lui revint à l'esprit que Madame Merle, qui avait paru l'aimer dès leur première rencontre à Gardencourt, avait redoublé d'affection pour elle après la mort de Mr Touchett et après avoir appris que sa jeune amie avait fait l'objet de la générosité de l'aimable gentleman. Son avantage n'avait pas pris la forme grossière d'un emprunt d'argent mais s'était concrétisé dans le projet plus raffiné de faire accéder un de ses intimes à la prospérité nouvelle et candide de la jeune fille. Bien entendu, elle avait élu son plus proche ami et il était déjà trop évident pour Isabel que Gilbert occupait ce rang. C'est ainsi qu'Isabel vint buter sur la certitude que l'homme, dont l'idée ne l'avait jamais effleurée qu'il pût être indélicat, l'avait épousée pour son argent, comme un vulgaire aventurier. Chose étrange, cette idée ne lui était encore jamais venue ; elle avait porté sur Osmond des jugements très sévères mais ne lui avait jamais fait cette injure. C'était la pire chose qu'elle pût imaginer et elle s'était dit que le pire était encore à venir. Un homme était parfaitement en droit d'épouser une femme pour son argent, cela se faisait couramment. Mais il devait au moins le lui dire. Puisque Gilbert avait voulu son argent, se dit Isabel, il pourrait peut-être s'en contenter. Consentirait-il à garder l'argent et à la laisser partir ? Ah ! si la générosité de Mr Touchett pouvait l'aider aujourd'hui, quelle bénédiction ce serait ! Très vite, une autre préoccupation surgit. Si Madame Merle avait voulu rendre service à Gilbert, la reconnaissance de son mari envers cette dame pour une telle faveur avait dû perdre sa chaleur. Quels pouvaient être aujourd'hui ses sentiments à l'égard de sa bienfaitrice trop zélée ? Quelle expression avaient-ils revêtue dans la bouche du maître de l'ironie ? Fait singulier mais caractéristique, avant de prendre le chemin du retour après sa promenade solitaire, Isabel, rompant le silence environnant, s'exclama doucement :

– Pauvre, pauvre Madame Merle !

Sa compassion aurait peut-être trouvé sa justification si, ce même après-midi, Isabel avait pu se cacher derrière un des précieux rideaux de damas fanés par le temps qui ornaient l'intéressant petit *salon* de la dame en question. Il était six heures du soir ; dans la pièce joliment disposée, où le discret Mr Rosier avait été reçu, Gilbert Osmond était assis et son hôtesse debout devant lui, dans l'attitude qui avait frappé Isabel lors d'une circonstance précédente, relatée avec la force exigée par son importance.

– Je ne crois pas que vous soyez malheureux ; je crois que aimez votre état, dit Madame Merle.

– Ai-je dit que je suis malheureux ? demanda Osmond avec une gravité propre à faire croire qu'il aurait pu l'être.

– Non, mais vous ne dites pas le contraire, comme le voudrait une gratitude élémentaire.

– Ne parlez pas de gratitude... répliqua-t-il sèchement. Et ne m'agacez pas ! ajouta-t-il.

Madame Merle s'assit lentement, croisa les bras et disposa ses mains blanches de façon à les mettre l'une et l'autre en valeur. Elle semblait délicieusement calme et d'une tristesse impressionnante.

– De votre côté, n'essayez pas de m'effrayer. Je me demande si vous imaginez certaines de mes pensées.

– Je m'en soucie le moins possible. J'ai déjà bien assez des miennes.

– Sans doute parce qu'elles sont agréables.

Osmond posa la tête contre le dossier de son fauteuil et scruta son amie d'un air cynique, peut-être dû en partie à la fatigue.

– Vous m'irritez délibérément, fit-il observer. Je suis très fatigué.

– *Et moi donc !* s'écria Madame Merle.

– En ce qui vous concerne, vous vous fatiguez à plaisir ! Moi, ce n'est pas ma faute.

– Quand je me fatigue, c'est pour vous. Je vous ai donné un sujet d'intérêt. C'est un beau cadeau.

– Vous appelez cela un sujet d'intérêt ? s'enquit Osmond d'un ton détaché.

– Bien sûr, puisqu'il vous aide à tuer le temps.

– Le temps ne m'a jamais paru plus long que cet hiver.

– Vous n'avez jamais été aussi bien, aussi agréable, aussi étincelant.

– Au diable mes étincelles ! murmura-t-il d'un air morose. Tout compte fait, vous me connaissez bien peu !

– Je vous connais sur le bout des doigts, répondit Madame Merle avec un sourire. Vous savourez un succès complet.

– Je ne le connaîtrai pas avant que vous ayez cessé de me juger.

– C'est fait depuis longtemps. Je parle de vieille expérience. Mais vous-même vous exprimez plus.

– Et moi, je voudrais que vous vous exprimiez moins !

– Vous voulez me condamner au silence ? Souvenez-vous, je n'ai jamais été une pie grièche. Quoi qu'il en soit, il y a trois ou quatre choses que je voudrais d'abord vous dire. Votre femme ne sait à quel saint se vouer, reprit-elle sur un autre ton.

– Pardonnez-moi, elle sait parfaitement ce qu'elle fait. Sa ligne de conduite est nette ; elle entend bien réaliser ses projets.

– Aujourd'hui, ses projets doivent être très remarquables.

– Certainement. Elle a plus d'idées que jamais.

– Devant moi, ce matin, elle a été incapable d'en exprimer une seule, dit Madame Merle. Elle avait l'air d'une simple d'esprit, presque stupide. Elle était en pleine confusion.

– Dites tout de suite qu'elle était pathétique.

– Ah ! non. Je ne tiens pas à vous encourager plus qu'il ne faut.

Il avait toujours la tête appuyée sur le coussin de son dossier, une cheville posée sur un genou. Sans abandonner cette posture, il finit par dire :

– Je voudrais savoir ce qui vous prend subitement.

– Ce qui me prend… Ce qui me prend… ! Madame Merle s'arrêta net. Puis avec une passion soudaine, comme un coup de tonnerre dans un ciel estival, elle explosa : Il me prend que je donnerais n'importe quoi pour pouvoir pleurer et que je ne le peux pas !

– Quel bien cela vous ferait-il de pleurer ?

– Cela me ferait sentir comme je sentais avant de vous connaître.

– Si j'ai tari vos larmes, c'est toujours ça. Mais je vous ai vue en verser.

– Oh, je crois que vous me ferez encore pleurer. Hurler comme une louve, plutôt. Je l'espère infiniment ; j'en ressens le besoin. J'étais vile, ce matin, j'étais atroce, dit-elle.

– Dans l'état de stupeur où vous l'avez décrite, Isabel n'a pas dû s'en rendre compte, répondit Osmond.

– C'est justement ma noirceur qui l'a sidérée. Je ne pouvais y résister, j'étais la proie du mal. Peut-être était-ce une bonne chose, je ne sais. Vous n'avez pas seulement tari mes pleurs, vous avez aussi desséché mon âme.

– Ce n'est donc pas moi qui suis responsable de l'état de ma femme, dit Osmond. Il est plaisant de songer que je jouirai du bénéfice de votre influence sur elle. Quant à l'âme, ignorez-vous qu'elle soit un principe immortel ? Comment pourrait-elle subir quelque altération ?

– Je ne crois pas que ce soit un principe immortel et je crois qu'elle peut être détruite. C'est ce qui est arrivé à la mienne, qui était bonne au départ, et c'est vous que je dois remercier de ce service. Vous êtes très méchant, insista-t-elle avec gravité.

– Est-ce ainsi que nous devons en finir ? demanda Osmond avec la même froideur étudiée.

– J'ignore comment nous en finirons. J'aimerais le savoir ! Comment finissent les méchants ? ... surtout s'agissant de leurs crimes partagés. Vous m'avez faite aussi méchante que vous.

– Je ne vous comprends pas. Vous me semblez bien assez bonne, dit Osmond, dont l'indifférence voulue aiguisait les propos.

En revanche, le sang-froid de Madame Merle tendait à décroître ; contre toute attente, elle était près de le perdre :

l'éclat de ses yeux s'assombrissait et son sourire trahissait un douloureux effort.

– Assez bonne pour ce que j'ai fait de moi-même ? Je suppose que c'est ce que vous voulez dire.

– Assez bonne pour être toujours charmante ! s'exclama Osmond en souriant lui aussi.

– Oh ! Dieu ! murmura son amie qui, offerte à ses regards dans sa fraîche maturité, recourut au geste qu'elle avait provoqué ce matin même chez Isabel ; elle inclina la tête et couvrit son visage de ses mains.

– Allez-vous finir par pleurer ? s'enquit Osmond ; et, comme elle demeurait immobile, il poursuivit : Me suis-je jamais plaint à vous ?

Vivement, les mains de Madame Merle retombèrent :

– Non, vous vous êtes vengé autrement : vous vous êtes vengé sur elle.

La tête encore plus rejetée en arrière, Osmond contempla si longtemps le plafond qu'on aurait pu l'imaginer conversant librement avec les puissances célestes.

– Oh ! l'imagination des femmes ! Au fond, elle est toujours vulgaire. Vous parlez de vengeance comme un romancier de troisième ordre.

– Évidemment, vous ne vous êtes pas plaint. Vous étiez trop occupé à savourer votre triomphe.

– Je suis curieux de savoir ce que vous appelez mon triomphe.

– Vous vous êtes fait craindre de votre femme.

Osmond changea de position ; il se pencha en avant, les coudes sur les genoux et le regard posé sur le beau et vieux tapis persan, étendu sous ses pieds. Il avait l'air de rejeter l'opinion des autres sur tous les sujets, même sur le temps, et de préférer s'en tenir à son point de vue personnel, particularité qui faisait parfois de lui un interlocuteur exaspérant.

– Isabel n'a pas peur de moi et je ne le souhaite d'ailleurs pas, dit-il enfin. A quoi prétendez-vous me pousser en disant des choses aussi provocantes ?

– J'ai pensé à tout le mal que vous pourriez me faire, répondit Madame Merle. Votre femme a eu peur de moi ce matin mais, en fait, c'est vous qu'elle redoute à travers moi.

– Il se peut que vous lui ayez dit des choses de très mauvais goût; je n'en suis pas responsable. Je ne voyais pas d'utilité à ce que vous alliez la voir; vous êtes tout à fait capable d'agir sans elle. Je n'ai pas su, semble-t-il, me faire craindre de vous, poursuivit-il, alors, comment y aurais-je réussi avec elle? Vous êtes au moins aussi courageuse. Je me demande où vous avez bien pu ramasser de telles inepties. On aurait pu s'attendre, depuis le temps, à ce que vous me connaissiez un peu mieux.

Tout en parlant, il s'était levé et dirigé vers la cheminée devant laquelle il s'arrêta, l'œil fixé, comme s'il la voyait pour la première fois, sur la collection de ravissantes porcelaines dont elle était ornée. Il saisit une petite tasse et, le bras appuyé sur la cheminée, il continua :

– Toujours et partout, vous en voyez trop. Vous exagérez. Vous perdez de vue la réalité. Je suis beaucoup plus simple que vous ne pensez.

– Je crois que vous êtes très simple, dit Madame Merle, l'œil rivé sur sa tasse. Avec le temps, j'en suis venue à cette conviction. Comme je vous l'ai dit, autrefois je vous jugeais, mais c'est seulement depuis votre mariage que je vous ai compris. J'ai vu ce que vous avez été pour votre femme mieux que je n'ai jamais vu ce que vous étiez pour moi. Je vous en prie, faites attention à ce précieux objet.

– Il porte déjà la trace d'une minuscule fêlure, dit sèchement Osmond en reposant la tasse. Si vous ne m'aviez pas compris avant que je me marie, il était cruel et téméraire de votre part de me mettre dans ce pétrin. Toutefois, j'ai pris goût à mon pétrin, et m'attendais à y trouver mes aises. Je demandais très peu. Je demandais seulement qu'elle m'aimât.

– Qu'elle vous aimât énormément.

– Énormément, bien sûr. En pareil cas, on demande le maximum. Qu'elle m'adore, si vous voulez. Oh! oui, c'cst ce que j'espérais.

– Moi, je ne vous ai jamais adoré, dit Madame Merle.

– Peut-être, mais vous le prétendiez.

– Il est vrai que vous ne m'avez jamais accusée de vous procurer vos aises.

– Ma femme a refusé… refusé de rien faire de ce genre, fit Osmond. Si vous êtes déterminée à en faire une tragédie, ce n'est pas elle la victime.

– C'est moi qui suis la victime ! s'écria Madame Merle qui se leva, soupira longuement et jeta un coup d'œil sur sa fragile collection. Il semble que je vais être durement initiée aux inconvénients d'une… fausse position.

– Vous vous exprimez comme un manuel de rédaction. Il faut chercher son réconfort là où on peut le trouver. Si ma femme ne m'aime pas, du moins ai-je une enfant qui m'aime. J'essaierai de me consoler auprès de Pansy. Heureusement, je ne lui connais pas de défaut.

– Ah ! dit doucement Madame Merle, si j'avais un enfant !

Osmond attendit avant de laisser tomber d'un ton conventionnel :

– Les enfants des autres peuvent être très intéressants, proféra-t-il.

– Là, je crois que vous me battez en matière de lieux communs. Finalement, quelque chose nous lie encore l'un à l'autre.

– Serait-ce l'idée du mal que je peux vous faire ? demanda Osmond.

– Non, c'est l'idée du bien que je pourrais faire pour vous. C'est cela, poursuivit Madame Merle, qui m'a rendue si jalouse d'Isabel. Je veux que ce soit mon œuvre, ajouta-t-elle tandis que son visage, qui s'était fait dur et amer, se détendait et retrouvait sa douceur habituelle.

Osmond saisit son parapluie et son chapeau, auquel il donna quelques coups du revers de sa manche, avant de conclure :

– En définitive, je pense que vous feriez mieux de me laisser agir.

Après son départ, le premier soin de Madame Merle fut d'aller prendre sur la cheminée la petite tasse où il avait signalé une fêlure, mais elle la regarda d'un air distrait.

– Ai-je donc été si vile pour rien ? gémit-elle.

50

Comme la comtesse Gemini ne connaissait pas les monuments antiques, Isabel proposait de temps à autre de lui faire découvrir l'un de ces intéressants vestiges et de donner un but archéologique à leur promenade de l'après-midi. La comtesse, qui affirmait tenir sa belle-sœur pour un prodige de science, n'élevait jamais d'objections et contemplait les amoncellements de briques romaines aussi patiemment que s'il s'était agi de monceaux de soieries à la dernière mode. Elle n'avait pas le sens de l'histoire, bien qu'en certains domaines elle appréciât l'anecdotique et, concernant sa personne, l'apologétique, mais, dans son ravissement d'être à Rome, elle ne demandait qu'à s'abandonner au fil du courant. Elle aurait joyeusement passé chaque jour une heure dans l'obscurité humide des thermes de Titus[1] si telle avait été la condition de son séjour au *palazzo* Roccanera. Isabel, cependant, n'était pas un *cicerone* sévère et la visite des ruines avait pour elle l'avantage appréciable de détourner la conversation des histoires d'amour des dames de Florence dont sa belle-sœur n'était jamais lasse de la tenir informée. Ajoutons que, pendant ces visites, la comtesse s'interdisait toute forme d'exploration personnelle ; elle préférait rester assise dans la voiture et s'extasier de là sur tout ce qui l'entourait. C'est ainsi qu'elle avait jusqu'alors examiné le Colisée, au grand regret de Pansy qui, avec tout le respect qu'elle devait à sa tante, ne voyait pas ce qui l'empêchait de descendre de voiture et de pénétrer dans le monument. Pansy avait très peu d'occasions de gambader ; sa vision de la situation n'était pas entièrement désintéressée et l'on comprendra facilement son

1. Situés sur l'Esquilin, au-dessus du Colisée, près des grands thermes de Trajan, ils furent construits sur les ruines de la Maison Dorée de Néron. Rien n'en subsiste de nos jours. *(N. d. T.)*

secret espoir qu'une fois dans l'enceinte, la comtesse pourrait être incitée à grimper jusqu'au sommet des gradins. Le jour vint où la comtesse annonça qu'elle était prête à entreprendre cet exploit, un jour de mars doux et venteux, agrémenté de bouffées printanières. Les trois dames entrèrent ensemble dans le Colisée mais Isabel quitta ses compagnes pour parcourir seule les lieux. Elle avait fait souvent l'ascension de ces travées dévastées d'où la foule romaine hurlait son enthousiasme et dont les fleurs sauvages, dans la mesure où on les tolérait, tapissaient à présent les profondes crevasses ; ce jour-là, elle était fatiguée et beaucoup plus disposée à s'asseoir dans l'arène nue. Ce serait aussi un répit car la comtesse demandait l'attention d'autrui plus souvent qu'elle n'offrait la sienne et Isabel estimait que, seule avec sa nièce, elle laisserait un instant retomber la poussière sur les anciens scandales de l'Arnide. Elle s'installa donc en bas, tandis que Pansy guidait la démarche hasardeuse de sa tante vers le raidillon de brique, au pied duquel le gardien leur ouvrit la lourde porte de bois. L'immense enceinte était à moitié dans l'ombre ; venue de l'ouest, la lumière avivait le rouge pâle des grands blocs de travertin, dont la nuance sourde était seule à figurer la vie dans ces ruines immenses. Çà et là, quelques touristes et paysans déambulaient, les yeux levés vers l'horizon lointain où, dans la quiétude limpide, une multitude d'hirondelles tournoyaient ou plongeaient. Isabel prit brusquement conscience qu'un visiteur, planté au milieu de l'arène, avait fixé sur elle son attention ; son port de tête, elle s'en souvint, lui avait paru quelques semaines plus tôt révélateur d'un désir contrarié mais indestructible. Mr Edward Rosier, c'était bien lui, prouva qu'il était effectivement en train d'étudier la question de savoir s'il allait venir lui parler. Après s'être assuré qu'elle était seule, il s'approcha résolument, car, fit-il remarquer, le fait qu'elle ne voulût pas répondre à ses lettres ne signifiait pas forcément qu'elle ferait la sourde oreille si elle se trouvait confrontée à son éloquence verbale. Isabel répondit que sa belle-fille était dans les parages et qu'elle ne pouvait de ce fait lui accorder plus de cinq minutes ; là-dessus, Mr Rosier sortit sa montre et s'assit sur un fût brisé.

– L'histoire est courte, dit Edward Rosier ; j'ai vendu tous mes bibelots !

Isabel laissa échapper un cri d'horreur, comme s'il lui avait confié s'être fait arracher toutes les dents.

– Je les ai vendus aux enchères, à l'hôtel Drouot, poursuivit-il. La vente a eu lieu il y a trois jours et l'on vient de me télégraphier le résultat. Il est magnifique.

– J'en suis heureuse mais j'aurais préféré que vous gardiez vos beaux objets.

– A la place, j'ai de l'argent : cinquante mille dollars. Mr Osmond m'estimera-t-il assez riche maintenant ?

– Est-ce pour cela que vous l'avez fait ? demanda doucement Isabel.

– Quelle autre raison aurais-je eue ? Je ne pense qu'à cela. Je suis allé à Paris et j'ai pris toutes les dispositions. Je n'aurais pu assister à la vente. Je n'aurais pu supporter de les voir disparaître. Je crois que cela m'aurait tué. Mais je les avais remis en de bonnes mains et ils ont atteint des prix élevés. Je dois vous dire pourtant que j'ai conservé mes émaux. A présent que j'ai les poches pleines, Mr Osmond ne pourra plus dire que je suis pauvre ! s'exclama le jeune homme sur le ton du défi.

– Il dira maintenant que vous n'êtes guère avisé, objecta Isabel, comme si Gilbert n'avait pas déjà formulé ce reproche.

Rosier lui lança un coup d'œil pénétrant :

– Voulez-vous dire que, sans mes bibelots, je ne suis rien ? Qu'ils étaient le meilleur de moi-même ? Des gens me l'ont déclaré à Paris ; ils n'ont pas mâché leurs mots. Mais ils ne l'ont jamais vue !

– Mon cher ami, vous méritez de réussir, fit Isabel avec beaucoup de gentillesse.

– Vous dites cela d'un ton aussi triste que si vous me disiez le contraire.

Son regard anxieux interrogeait celui d'Isabel. Il avait l'air d'un homme qui, sachant avoir été pendant une semaine à Paris l'homme dont on parle, croit avoir grandi d'une demi-tête, sans se libérer pour autant du pénible pressentiment qu'en dépit de cette stature accrue, quelques pervers continueront de le trouver très petit.

– Je sais ce qui s'est passé ici pendant mon absence, reprit-il. Qu'espère Mr Osmond à présent que Pansy a éconduit Lord Warburton ?

Isabel hésita :

– Qu'elle épousera un autre aristocrate.

– Quel autre aristocrate ?

– Celui qu'il choisira.

Rosier se leva et remit sa montre dans son gousset.

– Vous vous moquez de quelqu'un mais, cette fois, je ne crois pas que ce soit de moi.

– Je n'avais pas l'intention de me moquer de qui que ce fût, dit Isabel. Cela m'arrive rarement. A présent, vous feriez mieux de partir.

– Je me sens en sécurité ! déclara Rosier sans bouger.

C'était très possible mais, de toute évidence, Mr Rosier ressentait plus vivement ce sentiment en le proclamant à voix forte, en se balançant avec une certaine complaisance sur la pointe des pieds et en saluant du regard le Colisée tout entier comme s'il était bourré de spectateurs. Tout à coup, Isabel le vit changer de couleur ; il y avait plus de spectateurs qu'il n'en avait supposé. En se retournant, elle vit sa belle-sœur et Pansy qui revenaient de leur expédition.

– Il faut vraiment vous en aller, dit-elle vivement.

– Ah ! chère madame, ayez pitié ! murmura Edward Rosier sur un registre bien différent de celui de sa déclaration précédente. Puis, comme un homme dans la détresse, soudain saisi d'une heureuse inspiration, il ajouta ardemment : Cette dame est-elle la comtesse Gemini ? J'aimerais beaucoup lui être présenté.

Isabel le regarda :

– Elle n'a aucune influence sur son frère.

– Ah ! quel monstre vous en faites ! s'écria Rosier en accomplissant un demi-tour.

Précédant Pansy de quelques pas, la comtesse s'avançait avec une animation partiellement due peut-être au fait qu'elle avait vu sa belle-sœur conversant avec un très joli jeune homme.

– Je suis heureuse que vous ayez gardé vos émaux ! redit Isabel en quittant Rosier pour se diriger droit vers Pansy qui, à la vue du jeune homme, s'était arrêtée court et avait baissé les yeux.

– Nous allons remonter en voiture, dit gentiment Isabel.

– Oui, il est déjà tard, acquiesça Pansy avec plus de douceur encore.

Et elle s'éloigna sans un murmure, sans une hésitation, sans un regard derrière elle.

Isabel, à qui cette liberté n'était pas refusée, fut témoin des échanges qui s'instaurèrent immédiatement entre la comtesse et Mr Rosier. Il avait ôté son chapeau et s'était incliné en souriant pour se présenter lui-même tandis que le dos expressif de la comtesse exécutait sous le regard d'Isabel une gracieuse inclination. Les faits ultérieurs échappèrent à la vue de notre héroïne, qui, suivie de Pansy, avait regagné sa place dans la voiture. Pansy, qui faisait face à sa belle-mère, commença par regarder fixement ses genoux, puis elle releva la tête et ses yeux s'arrêtèrent sur ceux d'Isabel. Il émanait de son regard un petit rayon mélancolique, l'étincelle d'une passion timide qui toucha Isabel jusqu'au cœur. Au même instant, une vague d'envie déferla dans son âme tandis qu'elle comparait le désir tremblant et l'idéal si sûr de la jeune fille à la sécheresse de son désespoir.

– Pauvre petite Pansy ! dit-elle affectueusement.

– Oh ! ne vous inquiétez pas ! dit Pansy d'un ton qui signifiait : « Veuillez m'excuser. »

Le silence retomba ; la comtesse se faisait attendre.

– Avez-vous tout montré à votre tante ? reprit Isabel. Croyez-vous que cela l'ait intéressée ?

– Oui, je l'ai menée partout et je crois qu'elle a été très contente.

– Vous n'êtes pas trop fatiguée, j'espère ?

– Pas du tout, je vous remercie.

La comtesse ne reparaissant pas, Isabel demanda au valet de pied d'aller jusqu'au Colisée pour l'avertir qu'on l'attendait. Il revint presque aussitôt annoncer que la *Signora Contessa* les priait de ne pas l'attendre. Elle rentrerait en fiacre !

Une semaine environ après que les sympathies primesautières de cette dame se furent gagné la personne de

Mr Rosier, Isabel, qui rentrait un peu tard dans ses appartements afin de s'habiller pour le dîner, trouva Pansy dans sa chambre. Assise sur une chaise basse, la jeune fille qui semblait l'attendre se leva :

– Pardonnez-moi d'avoir pris cette liberté, murmura-t-elle. Ce sera la dernière fois… avant quelque temps.

Sa voix était étrange et ses yeux dilatés disaient à la fois la peur et l'excitation.

– Vous ne nous quittez pas ! cria Isabel.

– Je vais au couvent.

– Au couvent ?

Pansy s'approcha d'Isabel, elle s'approcha jusqu'à pouvoir l'enlacer et poser la tête sur son épaule. Elle demeura un moment dans cette attitude, sans faire un mouvement, mais Isabel la sentait trembler. Le frémissement de son corps mince exprimait tout ce qu'elle ne pouvait dire. Isabel pourtant la pressa :

– Pourquoi allez-vous au couvent ?

– Parce que papa pense que c'est mieux. Il dit que c'est excellent pour une jeune fille de faire de temps en temps une petite retraite. Il dit que le monde, toujours le monde, est très néfaste pour elle. C'est juste l'occasion d'un petit moment de solitude, de réflexion, expliqua Pansy qui parlait par courtes phrases hachées, comme si elle avait peine à croire à ce qu'elle disait ; puis, avec un sang-froid triomphant, elle ajouta : Je pense que papa a raison ; j'ai tellement pratiqué le monde cet hiver !

Cette nouvelle avait produit sur Isabel une impression bizarre ; elle y discernait une signification qui débordait largement celle dont la jeune fille était avertie.

– Quand cette décision a-t-elle été prise ? demanda-t-elle. Je n'ai entendu parler de rien.

– Papa me l'a dit tout à l'heure ; il pense qu'il était préférable de ne pas trop en parler à l'avance. Madame Catherine vient me chercher à sept heures et quart et je n'emporte que deux robes. Il s'agit seulement de quelques semaines et je suis sûre que tout ira bien. Je vais retrouver toutes ces dames qui ont toujours été si gentilles pour moi, et je verrai les petites filles qu'on élève au couvent. J'aime beaucoup les petites filles, dit Pansy, réduisant ainsi l'importance du fait. Et j'aime beaucoup aussi mère Catherine. Je serai très tranquille et je penserai beaucoup.

Isabel l'écoutait en retenant son souffle. Elle était frappée de stupeur.

– Pensez à moi de temps en temps, dit-elle.

– Ah ! venez bien vite me voir ! s'écria Pansy sur un ton très différent de celui des observations héroïques qu'elle venait de proférer.

Isabel ne put rien ajouter ; elle n'y comprenait rien ; elle sentait seulement combien elle connaissait peu son mari. Sa réponse à la fille d'Osmond fut un baiser long et tendre.

Une demi-heure plus tard, sa femme de chambre l'informa que Madame Catherine était arrivée en fiacre et repartie avec la *Signorina.*

Lorsqu'elle descendit au salon avant le dîner, la comtesse Gemini s'y trouvait seule et, pour qualifier l'épisode, avec un magnifique mouvement de tête, la tante de Pansy s'exclama : *En voilà, ma chère, une pose !* Mais s'il s'agissait d'une pose, Isabel était en peine de comprendre l'effet que recherchait son mari. Elle percevait seulement de façon très obscure qu'il avait plus de traditions qu'elle n'avait cru. C'était devenu chez elle une habitude si bien ancrée de peser tout ce qu'elle lui disait que, si curieux que cela puisse paraître, après qu'il eut fait son entrée, elle tergiversa plusieurs minutes avant de faire allusion au départ inopiné de Pansy. Elle s'y décida quand ils furent à table ; comme elle s'était interdit de jamais questionner Osmond, elle ne pouvait avancer qu'une affirmation et celle qui lui vint à l'esprit n'était que trop naturelle :

– Pansy va beaucoup me manquer.

La tête penchée, il contempla un moment la corbeille de fleurs qui servait de milieu de table.

– C'est vrai, dit-il enfin, j'y ai pensé. Vous devez aller la voir, bien entendu, mais pas trop souvent. Je suppose que vous vous demandez pourquoi je l'ai envoyée chez les religieuses mais je doute de pouvoir vous le faire comprendre. Peu importe ; ne vous inquiétez pas. C'est pour cela que je n'en ai pas parlé. Je ne pensais pas que vous y souscririez. Mais c'est chez moi une idée bien ancrée ; j'ai toujours estimé que cela fait partie de l'éducation des filles. Une jeune fille doit être fraîche et belle ; elle doit être, aussi, douce et innocente. Mais, étant donné les manières de l'époque, elle risque de se défraîchir et de prendre la poussière. Pansy est un peu poussiéreuse, un peu chiffonnée ; elle a été trop ballottée. Il faut la soustraire de temps à autre à cette racaille grouillante et agitée qui se désigne elle-même du nom de société. Les couvents sont très paisibles, très commodes, très salutaires. J'aime l'imaginer dans le vieux jardin, sous les arcades, au milieu de ces femmes tranquilles et vertueuses. Beaucoup d'entre elles sont bien nées, plusieurs issues de la noblesse. Pansy aura ses livres, ses dessins et son piano. J'ai pris des dispositions très libérales. Il n'y aura rien d'ascétique dans sa retraite, juste assez pour lui inspirer une légère impression de séquestration. Elle aura le temps de penser, en particulier à un sujet auquel je veux qu'elle réfléchisse.

Osmond parlait de façon raisonnable et mesurée, la tête toujours penchée, comme s'il regardait la corbeille de fleurs. Son ton n'était pas celui que l'on emprunte pour fournir une explication mais celui que l'on adopte pour formuler en phrases ou, mieux encore, en images, une chose dont on souhaite soi-même voir à quoi elle ressemble. Il contempla un moment le tableau qu'il venait d'évoquer et en parut profondément satisfait. Puis il reprit :

– Les catholiques sont très sages, en somme. Le couvent est une grande institution dont nous ne saurions nous passer ; il correspond à un besoin essentiel des familles et de la société. C'est une école des bonnes manières, une école de sérénité. Oh ! je ne veux pas détacher ma fille du monde, ajouta-t-il. Je ne veux pas faire en sorte que ses pensées se tournent vers un autre monde. Celui-ci fait très bien l'affaire, tel qu'elle devrait le prendre, et elle peut y penser à loisir. Seulement, elle doit y penser de la bonne façon.

Isabel avait écouté avec une extrême attention ce petit exposé qui l'instruisit singulièrement. Il lui découvrait, semblait-il, jusqu'où le désir de produire de l'effet pouvait conduire son mari : jusqu'au point d'agir sur la nature délicate de sa fille au moyen de stratagèmes théoriques. Sans saisir entièrement son dessein, elle le pénétrait mieux qu'il ne le supposait, ou ne le souhaitait, dans la mesure où elle était persuadée que tout le processus était une mystification élaborée, qui la visait personnellement et devait agir sur son imagination. Il avait voulu poser un acte soudain et arbitraire, absolument inattendu et raffiné ; pour marquer la différence entre ses affinités et les siennes et montrer que, s'il considérait sa fille comme une précieuse œuvre d'art, il était naturel qu'il se montrât plus soigneux que jamais au moment d'y apporter les touches finales. S'il avait désiré faire de l'effet, il avait réussi : l'épisode avait glacé le cœur d'Isabel. Dès sa tendre enfance, Pansy avait fait l'expérience du couvent, et elle y avait été heureuse ; elle aimait les religieuses qui le lui rendaient bien et son sort présent n'était donc pas vraiment rigoureux. Elle n'en avait pas moins été effrayée et l'impression que son père avait voulu produire ne manquerait pas d'être sévère. La vieille tradition protestante était demeurée vivace dans l'imagination d'Isabel et, tandis que ses pensées tournaient autour de cet exemple saisissant du génie de son mari – elle regardait comme lui la corbeille de fleurs –, la pauvre petite Pansy devenait une héroïne de tragédie. Osmond voulait que l'on sût qu'il ne reculait devant rien et sa femme avait peine à feindre d'avaler quoi que ce fût. Elle éprouva un certain soulagement en entendant la voix haute et tendue de sa belle-sœur qui, après avoir mûrement réfléchi à la situation, était parvenue à une conclusion visiblement différente de celle d'Isabel.

– Il est absurde, mon cher Osmond, dit-elle, d'inventer tant de charmantes raisons pour exiler la pauvre Pansy. Pourquoi ne pas dire tout net que vous voulez la soustraire à mon influence ? N'auriez-vous pas découvert que je pense beaucoup de bien de Mr Rosier ? C'est un fait : je le trouve *simpaticissimo*. Il m'a fait croire à l'amour, le vrai. Je n'y avais jamais cru jusqu'alors ! Et, bien sûr, vous avez décidé qu'ayant de telles convictions, je suis un danger pour Pansy.

Osmond but une gorgée de vin ; il semblait d'humeur exquise :

– Ma chère Amy, répondit-il avec un sourire d'une charmante bonne grâce, je ne sais rien de vos convictions mais, si je les imaginais susceptibles d'aller à l'encontre des miennes, il serait beaucoup plus simple de vous exiler, vous.

51

La comtesse ne fut pas exilée mais elle dut méditer la précarité de sa situation sous le toit hospitalier de son frère. Une semaine après cet épisode, Isabel reçut une dépêche d'Angleterre, postée de Gardencourt et marquée du sceau télégraphique de Mrs Touchett :

RALPH NE PEUT TENIR PLUSIEURS JOURS ET SI CONVIENT AIMERAIT VOUS VOIR – SOUHAITE QUE JE VOUS DISE VOUS VENIEZ SEULEMENT SI PAS AUTRES DEVOIRS. DIS MOI-MÊME VOUS AVEZ BEAUCOUP PARLÉ À PROPOS VOTRE DEVOIR ET VOUS ÊTES INTERROGÉE SUR SA NATURE ; SERAIS CURIEUSE VOIR SI VOUS AVEZ TROUVÉ RÉPONSE. RALPH VRAIMENT MOURANT – PAS AUTRE COMPAGNIE PRÉSENTE.

Ayant reçu de Henrietta Stackpole un compte rendu détaillé de son voyage en Angleterre avec son malade reconnaissant, Isabel était préparée à cette nouvelle. Ralph avait débarqué plus mort que vif mais Henrietta avait réussi à le conduire jusqu'à Gardencourt, où il s'était aussitôt alité ; pour ne plus jamais se relever, avait écrit Miss Stackpole. Elle ajoutait avoir eu, en réalité, non pas un, mais deux malades sur les bras, car Mr Goodwood, qui n'avait été d'aucune utilité pratique, était à sa manière aussi souffrant que Mr Touchett. Peu après, Henrietta avait fait savoir qu'elle avait dû céder le terrain à Mrs Touchett qui venait de rentrer d'Amérique et lui avait très vite fait comprendre qu'elle ne voulait pas d'interviews à Gardencourt. De son côté, peu après l'arrivée de Ralph à Rome, Isabel avait écrit à sa tante pour l'informer de l'état critique de son cousin et lui suggérer de hâter son retour en Europe. Mrs Touchett avait accusé réception par télégramme de son avertissement ; les seules nouvelles que, depuis lors, Isabel avait reçues d'elle étaient le second télégramme en question.

Isabel resta un moment immobile, les yeux fixés sur le message ; puis elle le mit dans sa poche et se dirigea vers le bureau de son mari. Devant la porte, elle fit une nouvelle pause, puis elle ouvrit et entra. Assis à sa table près de la fenêtre, Osmond consultait un volume in-folio, appuyé contre une pile de livres. L'ouvrage était ouvert à une page illustrée de petites gravures en couleurs et Isabel vit que son mari avait copié l'une d'elles, la reproduction d'une monnaie antique. Une boîte d'aquarelle et des pinceaux fins étaient posés devant lui, et il avait déjà reporté sur une feuille immaculée le disque délicat et ses teintes raffinées. Il tournait le dos à la porte mais reconnut sa femme à son pas.

– Pardonnez-moi de vous déranger, dit-elle.

– Quand je viens chez vous, je frappe toujours, répondit-il sans interrompre son travail.

– J'ai oublié. Je pensais à autre chose. Mon cousin est mourant.

– Je n'en crois rien, dit Osmond en examinant son dessin à la loupe. Il était déjà mourant quand nous nous sommes mariés. Il nous enterrera tous.

Isabel ne prit ni le temps ni la peine d'apprécier le cynisme étudié de cette déclaration. Tout à son sujet, elle poursuivit rapidement :

– Ma tante vient de me télégraphier. Je dois partir pour Gardencourt.

– Pourquoi devriez-vous aller à Gardencourt? s'enquit Osmond sur le ton de la curiosité impartiale.

– Pour voir Ralph avant sa mort.

Il ne répondit pas et, pendant un bon moment, il concentra son attention sur son aquarelle, une tâche qui ne souffrait pas la moindre négligence.

– Je n'en vois pas la nécessité, dit-il enfin. Il est venu vous voir ici. Ce qui m'a déplu; sa présence à Rome était à mon avis une grave erreur. Je l'ai tolérée parce que ce devait être la dernière fois que vous le voyiez. Et à présent, vous me dites que ce n'était pas la dernière. Ah! vous me remerciez mal!

– De quoi devrais-je vous remercier?

Osmond posa ses instruments, souffla sur son dessin pour en chasser une poussière, se leva lentement et, pour la première fois, regarda sa femme :

– De n'être pas intervenu lorsqu'il séjournait ici.

– Oh ! je vous en remercie. Je me rappelle parfaitement que vous m'avez laissé clairement entendre combien vous étiez contrarié. J'étais très heureuse de le voir partir.

– Alors, laissez-le tranquille. Ne courez pas derrière lui.

Isabel détourna les yeux de son mari et son regard se posa sur la petite aquarelle.

– Je dois aller en Angleterre, dit-elle, pleinement consciente que son ton pourrait passer pour de l'entêtement stupide aux yeux d'un homme de goût.

– Cela me déplairait que vous y alliez, déclara Osmond.

– Pourquoi m'en préoccuperais-je ? Vous ne serez pas plus satisfait si j'y renonce. Rien ne vous plaît de ce que je fais ou ne fais pas. Vous feignez de croire que je mens.

Osmond se retourna ; il était un peu pâle et souriait froidement :

– C'est donc pour cela que vous voulez partir. Ce n'est pas pour voir votre cousin, non, mais pour vous venger de moi.

– Je n'ai aucune idée de vengeance.

– Moi, si, dit Osmond. Ne m'en donnez pas le prétexte.

– Vous n'avez que trop envie d'en trouver. Vous souhaitez passionnément que je commette quelque folie.

– Dans ce cas, je serais ravi que vous me désobéissiez.

– Que je vous désobéisse ? répéta Isabel d'une voix si basse qu'elle en paraissait douce.

– Soyons clairs : si vous quittez Rome aujourd'hui, ce sera un acte d'opposition éminemment délibéré et calculé.

– Comment s'agirait-il d'un acte calculé ? Le télégramme de ma tante m'est parvenu il y a trois minutes.

– Vous calculez vite, c'est un grand talent. Je ne vois pas pourquoi nous prolongerions cette discussion ; vous connaissez mon désir, acheva-t-il sans bouger, comme s'il attendait que sa femme se retirât.

Mais elle ne bougeait pas ; aussi étrange que cela puisse paraître, elle ne pouvait faire un mouvement. Elle voulait encore se justifier ; il détenait à un degré extraordinaire le pouvoir de lui faire éprouver ce besoin. Il y avait dans l'imagination d'Isabel, contre son jugement même, un élément auquel Osmond pouvait toujours faire appel.

– Vous n'avez pas de raison d'éprouver ce désir, dit-elle, et moi, j'ai toutes les raisons de partir. Je ne peux vous dire à quel point je vous trouve injuste. Mais je pense que vous le savez. C'est votre opposition, la vôtre, qui est calculée. Elle est malveillante.

Jamais encore elle n'avait exprimé ses pires pensées devant son mari et c'était évidemment pour lui une sensation nouvelle de les entendre. Mais il ne manifesta aucune surprise et sa froideur prouvait apparemment qu'il avait cru sa femme incapable de résister jusqu'au bout à ses habiles efforts pour la faire sortir de ses gonds.

– Elle en est alors d'autant plus intense, répondit-il, pour ajouter presque aussitôt, comme s'il lui donnait un conseil d'ami : C'est une question très importante.

Pleinement consciente de la gravité de l'heure, elle n'ignorait pas le fait; elle savait qu'ils abordaient ensemble une crise dont la sévérité l'incitait à la prudence. Elle ne dit rien et il poursuivit :

– Je n'ai pas de raison, dites-vous? J'ai la meilleure raison qui soit : je déteste du plus profond de mon âme ce que vous avez l'intention de faire. Je trouve cela déshonorant, déplacé, indécent. Votre cousin ne m'est rien et je n'ai envers lui aucune obligation. Je lui ai déjà fait de très généreuses concessions. Vos relations avec lui, lorsqu'il était ici, m'ont mis sur des charbons ardents mais je n'ai pas bronché car, de semaine en semaine, j'attendais toujours son départ. Je ne l'ai jamais aimé et il ne m'a jamais aimé. C'est pourquoi vous l'aimez, parce qu'il me hait, dit Osmond dont la voix trembla de façon à peine perceptible. J'ai une conception élevée de ce que ma femme doit et ne doit pas faire. Elle ne doit pas traverser seule l'Europe, au mépris de mes vœux les plus chers, pour s'installer au chevet d'autres hommes. Votre cousin n'est rien pour vous, il n'est rien pour nous. Ce « nous » dans ma bouche suscite chez vous un sourire expressif mais je vous assure, Mrs Osmond, que je ne connais que ce « nous ». Je considère notre mariage avec sérieux; vous semblez avoir trouvé le moyen de ne pas le faire. A ma connaissance, nous ne sommes ni divorcés ni séparés, car nous sommes indissolublement unis.

Vous êtes plus proche de moi qu'aucun être humain et je suis l'être le plus proche de vous. Il se peut que cette proximité soit déplaisante; elle résulte, quoi qu'il en soit, de notre choix délibéré. Vous n'aimez pas que l'on vous rappelle cela, je le sais, mais je suis parfaitement prêt, parce que... parce que... Il s'arrêta un instant comme s'il avait à dire quelque chose de tout à fait pertinent : Parce que je pense que nous devons accepter les conséquences de nos actes et parce que, dans la vie, j'estime par-dessus tout le respect d'un usage !

Il parlait avec gravité, avec ménagement presque; sa voix avait perdu son ton sarcastique et ce fut cette gravité qui freina l'émotion impétueuse de sa femme; la résolution dont elle était habitée lorsqu'elle était entrée dans la pièce se trouvait prise dans un réseau de fils ténus. Les derniers propos d'Osmond n'étaient pas un ordre mais une sorte d'appel; Isabel avait beau sentir que toutes les expressions de respect de la part de son mari procédaient forcément d'un raffinement d'égotisme, elles relevaient d'une transcendance absolue, comme le signe de la croix ou le drapeau national. Osmond parlait au nom d'une tradition précieuse et sacrée : l'observance d'une forme magnifique. Sentimentalement, ils étaient aussi éloignés l'un de l'autre que le furent jamais amants aux illusions perdues; mais, dans les faits, jamais ils ne s'étaient encore séparés. Isabel n'avait pas changé; sa vieille passion pour la justice l'habitait encore et, à présent, alors qu'elle démêlait le nœud touffu des sophismes blasphématoires de son mari, cette vieille passion se mit à vibrer sur un air qui faillit un instant assurer la victoire d'Osmond. Elle songea qu'il était après tout sincère dans son désir de sauver les apparences et que, dans une certaine mesure, ce désir était méritoire. Dix minutes plus tôt, elle avait éprouvé la joie de l'action irréfléchie, un sentiment qui lui était devenu depuis si longtemps étranger; mais l'action, dénaturée par l'influence d'Osmond, s'était soudainement muée en un lent renoncement. Elle renoncerait, donc, mais lui ferait savoir cependant qu'elle était moins dupe que victime.

–Je sais que vous êtes maître dans l'art de l'ironie, dit-elle. Comment pouvez-vous parler d'union indissoluble ? Comment pouvez-vous vous dire satisfait? Qu'en est-il de notre union quand vous m'accusez d'être fausse? Où est votre bonheur alors que votre cœur n'abrite que méfiance?

– Il consiste à vivre ensemble convenablement malgré toutes ces difficultés.

– Nous ne vivons pas ensemble convenablement! protesta Isabel.

– En effet, si vous allez en Angleterre.

– C'est sans importance. Ce n'est rien! Je pourrais faire bien plus.

Il leva légèrement les sourcils et haussa les épaules, une mimique adoptée à force de vivre en Italie :

– Si vous en venez aux menaces, je préfère ma peinture, dit-il en retournant vers sa table; il y prit la feuille où il avait peint la médaille pour examiner son travail.

– Je suppose que si je pars, vous ne vous attendrez pas à me voir revenir, dit Isabel.

Il se retourna si brusquement qu'Isabel perçut que ce geste, du moins, n'avait pas été calculé. Il la regarda un moment :

– Avez-vous perdu l'esprit? demanda-t-il.

– Comment pourrions-nous éviter une rupture, surtout si ce que vous dites est exact? reprit Isabel, incapable d'envisager une solution autre que la rupture mais sincèrement désireuse pourtant d'une autre possibilité.

Osmond s'assit à sa table :

– Je ne peux réellement pas discuter avec vous l'hypothèse que vous me mettiez au défi, déclara-t-il en reprenant ses pinceaux.

Elle s'attarda juste le temps d'envelopper du regard sa silhouette délibérément indifférente et pourtant si expressive, puis quitta rapidement la pièce. Ses facultés, son énergie, sa passion, de nouveau, tout partait à vau-l'eau; elle avait l'impression d'être cernée par une brume froide et sombre. Osmond détenait au suprême degré l'art de mettre à nu les faiblesses.

En regagnant sa chambre, elle tomba sur la comtesse Gemini à l'entrée d'une petite pièce où étaient réunis un ramassis de livres disparates. La comtesse parcourait un ouvrage qui, semblait-il, n'avait pas éveillé chez elle un profond intérêt car elle releva vivement la tête en entendant venir Isabel.

– Ah! ma chère, dit-elle, vous qui êtes si cultivée, indiquez-moi un livre amusant! Tout cela est d'un tel ennui! Croyez-vous que celui-ci soit bon pour moi?

Isabel regarda le titre du volume que la comtesse lui tendait mais sans le lire ni réaliser ce qu'il signifiait.

– J'ai peur de ne pouvoir vous conseiller. Je viens de recevoir de mauvaises nouvelles. Mon cousin, Ralph Touchett, est mourant.

La comtesse Gemini laissa tomber le livre :

– Ah! il était si *simpatico*. J'en suis vraiment navrée pour vous.

– Vous seriez encore plus navrée si vous saviez.

– Qu'y a-t-il à savoir? Vous avez bien mauvaise mine, ajouta la comtesse. Vous deviez être avec Osmond!

Une demi-heure plus tôt, Isabel aurait accueilli très fraîchement la suggestion qu'elle pourrait aspirer à gagner la sympathie de sa belle-sœur, et l'on ne saurait trouver preuve plus concluante de son désarroi présent que la façon dont elle se saisit de la question distraite de la comtesse.

– Oui, je viens de parler avec lui, acquiesça-t-elle, ravivant l'éclat des petits yeux brillants de sa belle-sœur.

– Je suis sûre qu'il a été odieux! fit celle-ci. A-t-il manifesté sa joie d'apprendre que le pauvre Mr Touchett est mourant?

– Il dit qu'il est impossible que je parte pour l'Angleterre.

La comtesse avait l'esprit agile quand ses intérêts étaient en jeu; elle vit aussitôt s'éteindre l'éclat de son séjour romain. Ralph Touchett allait mourir, Isabel prendrait le deuil et c'en serait fini des dîners et des soirées. Cette perspective déclencha d'abord une grimace sur le visage expressif de la comtesse mais ce pittoresque jeu de physionomie fut aussi fugace que sa déception. Après tout, songea-t-elle, la partie était presque terminée et elle avait abusé déjà de l'hospitalité offerte. Et puis aussi, elle prenait assez à cœur le chagrin d'Isabel pour oublier le sien. Or, elle s'en rendait compte, le chagrin de sa belle-sœur était profond, très profond. La mort d'un cousin ne suffisait pas à en rendre compte et la comtesse rapprocha sans hésiter l'expression des yeux de sa belle-sœur de la personnalité exaspérante de son frère. Son cœur battait d'un espoir presque joyeux car elle avait souhaité voir Osmond dominé et les circonstances actuelles se présentaient sous un jour favorable. Bien entendu, dans l'hypothèse où Isabel partirait pour l'Angleterre, elle-même quitterait immédiatement le *palazzo* Roccanera; rien ne pourrait l'inciter à y demeurer avec Osmond. Néanmoins, elle éprouvait l'immense désir d'entendre Isabel annoncer son départ.

– Pour vous, ma chère, rien n'est impossible, dit-elle d'un ton caressant. A quoi vous servirait-il sans cela d'être riche, intelligente et bonne?

– A quoi, en effet? Je me sens stupidement faible.

– Pour quelles raisons Osmond s'oppose-t-il à ce voyage? demanda la comtesse sur un ton qui disait assez qu'elle ne pouvait le concevoir.

Mais, dès l'instant où sa belle-sœur entama son interrogatoire, Isabel se rétracta; elle retira sa main dont la comtesse s'était affectueusement saisie mais répondit à sa question avec une franchise amère :

– Parce que nous sommes si heureux ensemble que nous ne pouvons nous séparer, fût-ce pour une quinzaine.

– Ah! s'écria la comtesse, quand je veux faire un voyage, mon mari me dit simplement qu'il ne me donnera pas d'argent!

Revenue dans sa chambre, Isabel la parcourut de long en large pendant une heure. Il peut sembler qu'elle se créait bien des tourments et il est certain que, pour une femme de caractère, elle se laissait aisément arrêter. Il lui semblait mesurer pleinement pour la première fois l'entreprise grandiose de la vie conjugale. Le mariage signifiait que, dans un cas comme celui-ci, si l'on avait à choisir, le choix se faisait bien entendu en faveur de son mari.

«J'ai peur… Oui, j'ai peur…» se dit-elle à plusieurs reprises, interrompant chaque fois ses allées et venues. Mais ce qui l'effrayait n'était pas son mari, sa colère, sa haine, sa vengeance ; ce n'était même pas le jugement qu'elle porterait un jour sur sa propre conduite, considération qui l'avait souvent aidée à se maîtriser ; c'était seulement la violence qu'il y aurait à partir alors qu'Osmond souhaitait qu'elle restât. Un gouffre de divergences s'était creusé entre eux ; néanmoins, il désirait qu'elle restât et, pour lui, son départ eût été l'horreur. Elle savait avec quelle nervosité extrême il pouvait ressentir une contradiction. Ce qu'il pensait d'elle, elle le savait ; ce qu'il était capable de lui dire, elle l'avait éprouvé ; cependant, ils étaient mariés, pour le meilleur et pour le pire, et le mariage signifiait qu'une femme s'attachait à l'homme près de qui, devant l'autel, elle avait prononcé des vœux terrifiants. Elle finit par s'affaler sur un sofa et enfouit son visage entre les coussins.

Quand elle releva la tête, la comtesse Gemini était devant elle. Elle était entrée avec une discrétion remarquable ; un sourire jouait sur ses lèvres minces et son visage était devenu en une heure une prémonition lumineuse. Elle vivait à la fenêtre de son esprit mais se penchait à présent aussi loin qu'elle le pouvait.

– J'ai frappé, dit-elle, mais vous ne m'avez pas répondu. Si bien que je me suis risquée. Voilà un bon moment que je vous regarde. Vous êtes très malheureuse.

– Oui, mais je ne crois pas que vous puissiez me consoler.

– Voulez-vous me permettre d'essayer ?

La comtesse prit place sur le sofa, près d'Isabel. Elle continuait de sourire et son expression jubilatoire avait quelque chose de communicatif. Elle semblait avoir beaucoup à dire et Isabel, pour la première fois, sentit d'intuition que sa belle-sœur pouvait exprimer des sentiments très humains. Celle-ci jouait de ses yeux étincelants qui exerçaient une fascination troublante.

– Tout compte fait, reprit-elle bientôt, je dois vous dire pour commencer que je ne comprends pas votre état d'esprit. Vous semblez avoir tant de scrupules, tant de raisons, tant d'entraves. Quand j'ai découvert il y a dix ans que le plus cher désir de mon mari était de me rendre malheureuse – depuis quelque temps, il me laisse simplement tranquille –, quelle merveilleuse simplification ce fut! Ma pauvre Isabel, vous n'êtes pas assez simple!

– Non, je ne suis pas assez simple, dit Isabel.

– Il y a quelque chose que je veux que vous sachiez, déclara la comtesse, parce que je pense que vous devez le savoir. Peut-être le savez-vous déjà. Peut-être l'avez-vous deviné. Si c'est le cas, tout ce que je peux dire est que je comprends encore moins pourquoi vous ne feriez pas ce qui vous plaît.

– Que voulez-vous me faire savoir? demanda Isabel, étreinte par un pressentiment qui accélérait les battements de son cœur.

La comtesse était sur le point de s'expliquer, et cela seul était capital. Elle était néanmoins disposée à jouer un moment avec son sujet :

– A votre place, j'aurais deviné depuis longtemps. N'avez-vous vraiment jamais eu de soupçon?

– Je n'ai rien deviné. Qu'aurais-je soupçonné? Je ne sais pas ce que vous voulez dire.

– C'est parce que vous êtes un abominable pur esprit! Je n'ai jamais rencontré une âme aussi limpide! s'écria la comtesse.

Isabel s'était levée :

– Vous allez me dire quelque chose d'horrible.

– Appelez cela comme vous voudrez, répondit la comtesse, qui se leva, elle aussi, et l'horreur des secrets pervers que sa mémoire avait engrangés se raviva.

Elle s'immobilisa un instant, dans la lumière crue de son dessein et, songea Isabel, de sa laideur, puis elle dit :

– Ma première belle-sœur n'a pas eu d'enfant.

Isabel la regarda fixement, déconcertée par cette annonce prosaïque.

– Votre première belle-sœur?

– Je suppose que vous savez au moins, s'il est permis d'y faire allusion, qu'Osmond a été marié avant de vous épouser! Je ne vous ai jamais parlé de sa femme. Il me semblait que ç'aurait été manquer à la décence et au respect. Mais des gens moins délicats ont dû le faire. La pauvre jeune femme a vécu trois ans à peine après son mariage ; elle est morte sans enfant. C'est seulement après sa mort que Pansy est arrivée.

Isabel avait le front plissé et la stupeur entrouvrait ses lèvres pâles. Elle s'efforçait de suivre mais il y avait, semblait-il, trop à comprendre pour qu'elle le pût.

– Alors Pansy n'est pas la fille de mon mari ?

– De votre mari, bien sûr que si ! Mais pas celle du mari de l'autre. De la femme d'un autre. Ah ! ma bonne Isabel, s'écria la comtesse, avec vous, il faut mettre les points sur les *i*.

– Je ne comprends pas. La femme de qui ? demanda Isabel.

– La femme d'un Suisse, petit, affreux, qui est mort il y a douze à quinze ans, je dirais. Il n'a jamais reconnu Miss Pansy, et, sachant ce qu'il en était, n'a jamais voulu entendre parler d'elle ; il n'y avait d'ailleurs aucune raison pour qu'il le fît. C'est Osmond qui l'a fait, ce qui valait mieux, bien qu'il ait eu par la suite à mettre au point toute une comédie : prétendre que sa femme était morte en couches, et que lui-même, dans son horreur et son chagrin, avait banni de sa vue aussi longtemps que possible la petite fille avant de la reprendre à sa nourrice et de la ramener chez lui. En réalité, n'est-ce pas, sa femme n'était morte ni de cette façon, ni dans cet endroit, mais au Piémont, à la montagne où ils étaient allés passer le mois d'août parce que sa santé semblait réclamer l'air pur, mais où son état empira soudain et prit un tour fatal. L'histoire passa sans anicroches ; elle concordait à peu près avec les apparences, pour autant que personne n'y regardât de trop près. Bien entendu, je savais ; je n'avais pas besoin de faire de recherche, poursuivit la comtesse, d'un ton lucide, et, vous le comprenez bien, sans qu'un mot fût échangé entre nous, je veux dire entre Osmond et moi. N'avez-vous jamais remarqué la façon dont il me regarde en silence pour régler la question ? Autrement dit, il me réglerait mon affaire si jamais je disais quoi que ce soit. Croyez-moi si vous le pouvez, je n'ai rien dit, jamais, pas un mot à âme qui vive. Sur mon honneur, ma chère, je vous parle aujourd'hui de cette affaire et après si longtemps sans l'avoir jamais, jamais évoquée. Au début, il me suffisait que l'enfant fût ma nièce, puisqu'elle était la fille de mon frère. Quant à sa véritable mère... !

Sur ces mots, la merveilleuse tante de Pansy se tut, malgré elle, littéralement médusée par l'expression dont étaient empreints le visage et surtout les yeux de sa belle-sœur.

Elle n'avait pas prononcé de nom et, cependant, Isabel ne put que retenir sur ses lèvres l'écho de celui qu'elle avait tu. Elle s'effondra sur son siège, tête basse :

– Pourquoi me dites-vous cela ? demanda-t-elle d'une voix méconnaissable.

– Parce que je n'en pouvais plus à l'idée que vous ne saviez rien. Franchement, ma chère, j'étais empoisonnée de ne vous avoir rien dit. Stupidement. Comme si, depuis le temps, je n'avais pu trouver moyen de le faire ! Permettez-moi de vous le dire : que vous ayez paru réussir à ignorer tout ce qui se passait autour de vous, sincèrement, *cela me dépasse.* C'est une sorte de sauvetage, d'aide à l'ignorance innocente que je tente ; j'y ai toujours été assez maladroite. Quant à la nécessité de me taire pour mon frère, j'ai de toute façon épuisé mes réserves de courage. De plus, il ne s'agit pas d'un mensonge éhonté, croyez-le, ajouta la comtesse dans son style inimitable. Les faits sont exactement tels que je vous les ai dits.

– Je n'avais aucun soupçon, dit Isabel en regardant sa belle-sœur d'une façon qui allait de pair avec la stupidité apparente de cet aveu.

– C'est ce que je pensais, encore que ce soit difficile à croire. Il ne vous est jamais venu à l'esprit qu'il avait été son amant ?

– Je ne sais pas. Des choses me traversaient l'esprit. Peut-être était-ce cela qu'elles signifiaient.

– Elle a été merveilleusement habile, elle a été prodigieuse avec Pansy ! s'écria la comtesse, tout à sa vision personnelle.

– Non, aucune idée n'a jamais revêtu cette forme définie, poursuivait Isabel, qui semblait occupée à déchiffrer pour elle-même ce qui avait été et ce qui n'avait pas été. Pour l'instant, je ne comprends pas.

Elle parlait comme une personne troublée, intriguée, alors que la pauvre comtesse avait attendu, semblait-il, de ses révélations des effets plus spectaculaires. Elle pensait allumer un brasier et recueillait une étincelle. Isabel avait l'air à peine plus impressionnée que n'importe quelle jeune femme imaginative l'eût été par le récit de quelque potin mondain, subtil et sinistre.

– Ne voyez-vous pas, reprit la comtesse, que l'enfant ne pouvait passer pour celui de son mari, c'est-à-dire auprès de M. Merle lui-même ? Ils étaient séparés depuis trop longtemps pour que ce fût possible et lui était parti très loin, dans quelque pays d'Amérique du Sud, je crois. Si jamais elle avait eu des enfants, ce dont je ne suis pas sûre, elle les avait perdus. Les circonstances permettaient, sous la contrainte – je veux dire par là devant une nécessité si fâcheuse –, qu'Osmond pût reconnaître la petite fille. Sa femme était morte, c'est vrai ; mais elle n'était pas morte depuis assez longtemps pour ne pas permettre d'accommoder un peu les dates, étant donné, je veux dire, que nul ne soupçonnait rien ; ce à quoi ils veillèrent soigneusement. Vu de loin et pour des gens qui ne s'embarrassaient pas de vétilles, quoi de plus naturel que la pauvre Mrs Osmond eût laissé derrière elle, *poverina*, le gage du si court bonheur qui lui avait coûté la vie ? Grâce à un changement de résidence – Osmond, qui vivait à Naples à l'époque de leur séjour dans les Alpes, quitta en temps opportun et définitivement cette ville –, l'histoire se propagea avec succès. De sa tombe, ma pauvre belle-sœur ne pouvait protester, et la véritable mère, pour sauver sa peau, renonça à tout droit visible sur l'enfant.

– Pauvre, pauvre femme ! s'écria Isabel qui subitement fondit en larmes.

Cela faisait longtemps qu'elle n'en avait versé ; ses pleurs lui avaient valu des réactions sévères. Mais ils se répandaient à présent avec une abondance qui fut pour la comtesse Gemini un nouvel objet d'embarras.

– C'est très aimable à vous de vous apitoyer sur son sort ! dit-elle avec un rire incongru. Décidément, vous ne faites rien comme tout le monde.

– Il a dû très vite tromper sa femme, dit Isabel reprenant brusquement son contrôle.

– Voilà maintenant que vous prenez le parti de sa première femme ! Il ne manquait plus que cela ! s'exclama la comtesse. Mais je suis entièrement de votre avis : c'était beaucoup trop tôt.

– Et moi, et moi ?

Isabel hésitait, comme si elle n'avait pas entendu ; comme si sa question – bien qu'elle fût si présente dans son regard – s'adressait à elle seule.

– Vous a-t-il été fidèle à vous ? Tout dépend, ma chère, de ce que vous entendez par fidélité. Quand il vous a épousée, il n'était plus l'amant de l'autre femme, l'amant qu'il a pu être, *cara mia*, coincé entre les dangers et les précautions aussi longtemps que leur liaison a duré ! Cet état de choses n'était plus ; la dame s'était repentie ou, en tout cas, elle s'était retirée pour des raisons personnelles : elle avait toujours, elle aussi, intensément vénéré les apparences, au point que même Osmond avait fini par en être excédé. Vous pouvez donc imaginer ce qui arrivait quand il ne pouvait ajuster commodément cette vénération aux apparences auxquelles lui-même se consacre ! Mais tout le passé était entre eux.

– Oui, répéta machinalement Isabel, tout le passé est entre eux.

– Oh ! le passé récent ne compte guère. Mais pendant cinq ou six ans, je le répète, leur histoire s'est poursuivie.

– Pourquoi donc a-t-elle voulu qu'il m'épouse ? demanda Isabel après un silence.

– Ah ! ma chère, c'est là qu'est sa supériorité ! Parce que vous aviez de l'argent et parce qu'elle croyait que vous seriez bonne pour Pansy.

– Pauvre femme ! Et dire que Pansy ne l'aime pas ! s'écria Isabel.

– C'est précisément la raison pour laquelle elle a cherché quelqu'un que Pansy pourrait aimer. Elle le sait. Elle sait tout.

– Saura-t-elle que vous m'avez raconté tout cela ?

– Cela dépend de ce que vous lui direz. Elle y est préparée. Savez-vous sur quoi elle compte fonder sa défense ? Sur votre conviction que je mens. Si tel est le cas, ne vous donnez pas la peine de le dissimuler. Seulement, il se trouve que, cette fois, je ne mens pas. J'ai raconté des quantités de petits mensonges idiots mais ils n'ont jamais blessé que moi.

Isabel contemplait l'histoire relatée par sa belle-sœur comme s'il s'agissait du bric-à-brac fantastique qu'un gitan aurait déballé à ses pieds sur le tapis.

– Pourquoi Osmond ne l'a-t-il jamais épousée ? demanda-t-elle enfin.

– Parce qu'elle n'avait pas d'argent, repartit la comtesse qui avait réponse à tout et qui, si elle mentait, mentait très bien. Personne ne sait, personne n'a jamais su de quoi elle vit, ni comment elle s'est procuré son superbe mobilier. Je crois qu'Osmond lui-même l'ignore. D'ailleurs, elle ne l'aurait pas épousé.

– Alors, comment peut-elle l'avoir aimé ?

– Elle ne l'aime pas de cette façon. Elle a dû l'aimer au début et, à ce moment-là, je pense qu'elle l'aurait épousé ; mais, à l'époque, son mari était encore de ce monde. Lorsque M. Merle eut rejoint ses ancêtres – c'est une façon de parler car, à mon avis, il n'en a jamais eu –, ses relations avec Osmond avaient évolué et ses ambitions beaucoup grandi. De plus, elle ne s'était jamais fait d'illusions sur son intelligence, poursuivit la comtesse, sans tenir compte du tressaillement douloureux d'Isabel à cette évocation. Elle espérait pouvoir épouser un grand homme : c'était chez elle une obsession. Elle avait attendu, surveillé, intrigué, prié ; elle n'y est jamais parvenue. Je ne considère pas Madame Merle comme une femme qui a réussi. J'ignore ce qu'elle peut accomplir à l'avenir mais, pour l'instant, elle n'a pas grand-chose à exhiber. Le seul résultat tangible que je lui connaisse – mis à part le fait qu'elle s'est débrouillée pour connaître tout le monde et séjourner gratuitement chez les gens –, c'est de vous avoir réunis, Osmond et vous. Oh ! si, ma chère, inutile de me regarder comme si vous en doutiez, c'est son œuvre. Je les ai guettés pendant des années ; je sais tout, tout ! On me prend pour une écervelée mais j'ai eu suffisamment de suite dans les idées pour surveiller ces deux-là. Elle me hait et sa haine s'exprime par sa façon ostentatoire de prendre ma défense. Si l'on dit que j'ai eu quinze amants, elle proteste, horrifiée, que pour une bonne moitié d'entre eux, rien n'est prouvé. Elle a eu peur de moi pendant des années et toutes les choses basses et fausses que les gens ont dites sur moi l'ont beaucoup réconfortée. Elle craignait que je ne la démasque ; un jour même, elle m'a menacée. C'était au moment où Osmond commençait à vous faire la cour, dans sa villa près de Florence, l'après-midi où elle vous y avait amenée. Vous souvenez-vous ? Nous avions pris le thé dans le jardin. Elle m'avait fait savoir que, si je voulais raconter des histoires, nous serions deux à jouer à ce jeu. Elle prétend qu'il y a beaucoup plus à dire sur mon compte que sur le sien. De fait, la confrontation ne manquerait pas de piquant ! Je me soucie comme d'une guigne de ce qu'elle peut dire pour la simple raison que je sais que vous ne vous en souciez pas plus. On ne saurait se tracasser de moi moins que vous ne le faites déjà ! Si bien qu'elle peut se venger comme il lui plaira ; je doute qu'elle puisse vous effrayer beaucoup. Depuis toujours, elle rêve d'être parfaitement irréprochable, un lis pleinement épanoui, la bienséance incarnée. C'est le dieu qu'elle a toujours adoré. La femme de César ne saurait être soupçonnée, n'est-ce pas, et, je vous l'ai dit, elle a toujours espéré épouser César. Une des raisons pour lesquelles elle n'a pas épousé Osmond est la peur qu'en la voyant avec Pansy, les gens ne fassent le rapprochement, qu'ils ne leur trouvent une ressemblance. Elle était terrifiée à l'idée que la mère ne se trahît. Mais elle a été merveilleusement prudente ; la mère ne s'est jamais trahie.

– Oh ! si, elle s'est trahie au moins une fois, dit Isabel dont le visage avait tant pâli depuis que parlait sa belle-sœur qu'il était à présent blafard. Elle s'est trahie devant moi l'autre jour, sans que je m'en sois rendu compte. L'occasion d'un grand mariage semblait se présenter pour Pansy ; la chose ne s'est pas faite et sa contrariété fut telle qu'elle a failli laisser tomber le masque.

– Bien sûr ! C'est sur ce point qu'elle-même s'est enferrée ! s'exclama la comtesse. Son échec personnel a été si affreux qu'elle est déterminée à ce que sa fille le compense.

Isabel sursauta en entendant la comtesse parler sur un ton si familier de « sa fille ».

– Tout cela est incroyable, murmura-t-elle, sous l'empire d'une impression d'étrangeté si forte qu'elle en perdait presque le sentiment d'être atteinte par cette histoire.

– Vous n'allez pas à présent vous retourner contre cette pauvre enfant innocente ! poursuivit la comtesse. Elle est extrêmement gentille, en dépit de sa déplorable origine. Moi, j'aime Pansy, non parce qu'elle est sa fille mais parce qu'elle est devenue la vôtre.

– Oui, elle est devenue la mienne. La pauvre femme a dû souffrir en voyant cela ! s'exclama Isabel qui rougit.

– Je ne crois pas qu'elle en ait souffert mais au contraire qu'elle s'en est réjouie. Le mariage d'Osmond a fait sortir Pansy du trou où elle vivait et lui a fait gravir plusieurs échelons. Savez-vous ce qu'espère sa mère ? Que vous vous entichiez de l'enfant au point de faire quelque chose pour elle. Osmond, bien sûr, ne pouvait la doter ; il était réellement très pauvre ; mais, là-dessus, je ne vous apprends rien. Ah ! ma chère, s'écria la comtesse, pourquoi avez-vous hérité ?

Elle se tut un moment, comme si elle avait lu sur le visage d'Isabel une expression singulière.

– Ne me dites pas que vous allez lui offrir une *dot* ! Vous en êtes capable mais je me refuse à le croire. N'essayez pas d'être trop bonne. Soyez plus décontractée, plus naturelle, un peu méchante ; pour une fois dans votre vie, offrez-vous le luxe d'être mauvaise !

– Tout est si étrange, répéta Isabel. Je pense qu'il fallait que je le sache, mais je suis navrée. Je vous suis reconnaissante.

– Ah ! oui, vous en avez l'air ! ironisa la comtesse. Peut-être l'êtes-vous, peut-être pas. Vous ne prenez pas les choses comme je m'y attendais.

– Comment aurais-je dû les prendre ? demanda Isabel.

– A mon avis, comme une femme qui a été manipulée.

Isabel ne répondit pas et, comme elle semblait toujours disposée à écouter, la comtesse reprit :

– Ils ont toujours été très liés et le sont restés après la rupture, dont j'ignore lequel des deux l'a provoquée. Mais il avait toujours représenté davantage pour elle qu'elle pour lui. Quand leur petit carnaval prit fin, ils convinrent d'un marché : chacun laisserait à l'autre son entière liberté mais chacun également ferait ce qui était en son pouvoir pour aider l'autre. Vous vous demandez peut-être comment je l'ai su. Je l'ai déduit de la façon dont ils se conduisaient. Et là, j'ai vu combien les femmes valent mieux que les hommes! Elle a trouvé une femme pour Osmond mais Osmond n'a jamais levé le petit doigt pour elle. Elle s'est mise en peine pour lui, elle a intrigué, elle a souffert; à plusieurs reprises, elle lui a trouvé de l'argent, et, pour finir, il s'est lassé d'elle. Elle n'est plus qu'une vieille habitude; par moments, il a besoin d'elle mais, tout compte fait, sa disparition ne l'affecterait pas. Et, qui plus est, aujourd'hui elle le sait. Allez, vous n'avez pas besoin d'être jalouse! conclut la comtesse avec humour.

Isabel se leva; elle se sentait meurtrie, le souffle lui manquait et sa tête bourdonnait sou l'effet de ce qu'elle venait d'apprendre.

– Je vous suis très reconnaissante, dit-elle à nouveau, avant d'ajouter brusquement, sur un ton inusité : Comment savez-vous tout cela?

Cette question parut froisser la comtesse plus que ne la satisfaisait l'expression de gratitude d'Isabel. Sans sourciller, elle lança :

– Admettons que j'aie tout inventé!

Mais aussitôt, changeant subitement d'attitude, elle posa une main sur le bras d'Isabel, et, d'un ton pénétré, avec un vif et brillant sourire, elle demanda :

– Et maintenant, avez-vous toujours l'intention de renoncer à votre voyage?

Isabel tressaillit et se détourna. Elle était épuisée au point qu'elle dut poser un bras sur la cheminée pour ne pas s'effondrer. Elle resta un instant immobile dans cette position, les yeux fermés, les lèvres décolorées, puis, prise de vertige, laissa tomber la tête sur son bras.

– J'ai eu tort de parler ; je vous ai fait mal ! s'écria la comtesse.

– Ah ! il faut que je voie Ralph ! gémit Isabel ; sans rien du ressentiment ou de la fureur passionnés qu'attendait la comtesse mais sur un ton d'indicible, d'infinie tristesse.

52

Il y avait un train pour Turin et Paris ce soir-là. Après le départ de la comtesse, Isabel eut un entretien rapide et décisif avec sa femme de chambre, personne discrète, efficace et dévouée. Cela fait, et mis à part son voyage, il ne lui restait qu'une préoccupation : aller voir sa belle-fille car, de Pansy, elle ne pouvait se détourner. Elle ne l'avait pas encore vue, Osmond lui ayant fait comprendre qu'il était trop tôt pour les visites. A cinq heures, elle descendit de voiture devant un porche, dans une rue étroite du quartier de la *piazza* Navona, et fut reçue par la tourière du couvent, obséquieuse et souriante. Isabel connaissait déjà l'institution où elle avait accompagné Pansy venue voir les religieuses. Elle les savait bienveillantes, tout comme elle savait que les chambres étaient nettes et agréables et que le jardin, bien aménagé, offrait du soleil en hiver et de l'ombre au printemps. Mais elle n'aimait pas cet endroit qu'elle ressentait comme un lieu menaçant et presque effrayant; pour rien au monde, elle n'y aurait passé une nuit. Ce jour-là, il lui fit plus que jamais l'impression d'une prison bien équipée, car il était impossible de prétendre que Pansy était libre d'en sortir. L'innocente jeune fille venait de lui être présentée sous un jour nouveau, impitoyable, mais l'effet secondaire de cette révélation la mettait hors de sa portée.

La tourière l'introduisit dans le parloir du couvent, puis partit annoncer qu'une visite attendait la chère petite demoiselle. Vaste et froid, le parloir était garni d'un mobilier moderne, d'un grand poêle de porcelaine blanche éteint, de fleurs de cire sous des globes de verre et d'une série de gravures d'inspiration religieuse accrochées aux murs. Lors d'une visite précédente, Isabel avait eu l'impression d'être à Philadelphie plutôt qu'à Rome, mais, ce jour-là, le parloir ne lui inspira aucune réflexion; il lui parut seulement très vide et très silencieux. Au bout de quelques minutes, la tourière reparut pour introduire une autre personne. Isabel se leva, car elle s'attendait à voir une des dames de la communauté, mais, à son extrême surprise, elle se trouva face à face avec Madame Merle. L'effet produit sur Isabel fut singulier : Madame Merle occupait déjà de façon si prégnante sa pensée que son apparition, en chair et en os, suscita l'effroi qu'aurait provoqué une image peinte qui, subitement, se serait mise en mouvement. Depuis des heures, Isabel pensait à elle, à sa fausseté, sa témérité, son habileté, ses souffrances probables, et toutes ses basses œuvres parurent s'illuminer d'un éclat soudain lorsqu'elle entra dans la pièce. Sa seule présence en ce lieu revêtait le caractère des preuves hideuses, des lettres et des reliques profanées, de tous les objets sinistres que l'on produit devant les tribunaux. Isabel se sentit défaillir; l'aurait-il fallu, elle n'aurait pu prononcer un mot. Mais cette nécessité ne s'imposait pas; en fait, il lui semblait qu'elle n'avait absolument rien à dire à Madame Merle. Dans les relations avec cette dame, les obligations absolues n'existaient pas; elle avait une façon d'être qui faisait passer non seulement ses défaillances mais aussi celles des autres. Mais, en cette occasion, elle se comporta différemment : elle fit son entrée à pas lents derrière la tourière et Isabel perçut aussitôt qu'elle ne pourrait probablement pas se fier à ses ressources habituelles. Pour Madame Merle aussi, la circonstance était exceptionnelle, et elle avait entrepris d'y faire face selon l'inspiration du moment. D'où sa gravité inhabituelle; elle n'affecta même pas de sourire et, tout en discernant que, plus que jamais, elle jouait un rôle, Isabel avait l'impression que, jamais non plus, cette femme étonnante n'avait été si naturelle. Madame Merle regarda sa jeune amie de la tête aux pieds, sans dureté ni provocation; avec une gentillesse froide plutôt et totalement oublieuse de la teneur de leur dernière entrevue. Comme si elle souhaitait établir un *distinguo*. Ce jour-là, elle était irritée; à présent, elle était réconciliée.

– Vous pouvez nous laisser, dit-elle à la sœur; Madame sonnera dans cinq minutes pour vous appeler.

Puis elle se tourna vers Isabel qui, une fois faites ces observations, avait détourné les yeux et laissait son regard errer aussi loin que le permettaient les limites de la pièce. Elle souhaitait ne plus jamais regarder Madame Merle.

– Vous êtes surprise de me trouver ici, dit cette dame, et je crains que vous n'en soyez contrariée. Vous ne voyez pas pourquoi j'aurais dû le faire ; c'est comme si j'avais voulu vous devancer. J'avoue que j'ai été un peu indiscrète ; j'aurais dû vous demander votre permission.

Aucune ironie sournoise ne se dissimulait sous ces propos, exprimés avec douceur et simplicité ; mais Isabel, qui surnageait bien loin sur son océan de stupeur et de douleur, n'aurait pu définir l'intention qui les dictait.

– Mais je ne suis pas restée longtemps avec Pansy, continuait Madame Merle. Je suis venue la voir car l'idée m'est apparue cet après-midi qu'elle devait être un peu seule et, qui sait ? un peu triste. C'est peut-être bon pour une jeune fille ; mais je connais si peu les jeunes filles que je ne saurais dire. En tout cas, c'est un peu lugubre. Alors je suis venue, à tout hasard. Je savais bien sûr que vous viendriez, ainsi que son père ; toutefois, l'on ne m'avait pas dit que les autres visites étaient interdites. Cette aimable femme – comment s'appelle-t-elle donc ? – ah ! oui, Madame Catherine – n'a fait aucune objection. J'ai passé vingt minutes avec Pansy qui a une charmante petite chambre, pas du tout monacale, avec un piano et des fleurs. Elle l'a délicieusement arrangée ; elle a tant de goût ! Évidemment, tout cela ne me regarde pas mais je me sens soulagée de l'avoir vue. Elle peut même avoir une femme de chambre si elle le désire ; mais, bien sûr, elle n'a aucune occasion de s'habiller. Elle est charmante dans sa petite robe noire. Ensuite, je suis allée voir mère Catherine qui a une très belle chambre, elle aussi. Je vous assure que je trouve ces pauvres religieuses bien peu monacales. Mère Catherine dispose d'une table de toilette très coquette et, sur cette table, d'un objet qui ressemble étonnamment à un flacon d'eau de Cologne. Elle parle merveilleusement de Pansy ; elle dit que c'est un grand bonheur de l'avoir. C'est une petite sainte du ciel et un modèle pour les plus âgées d'entre elles. Au moment où je quittais Madame Catherine, la tourière est venue lui dire qu'il y avait une dame pour la *signorina.* Bien sûr, j'ai compris que ce devait être vous et je lui ai demandé de me laisser vous recevoir à sa place. Elle s'y est fortement opposée, je dois dire, assurant qu'il était de son devoir d'en avertir la mère supérieure; il était de la plus haute importance que vous soyez traitée avec considération. Je lui ai enjoint de laisser la mère supérieure tranquille et lui ai demandé comment, à son avis, j'allais vous traiter!

Ainsi parlait Madame Merle, avec le brio d'une femme depuis longtemps passée maître dans l'art de la conversation. Mais, dans son discours, certaines phases et certaines nuances n'avaient pas échappé à l'oreille d'Isabel dont les yeux cependant évitaient le visage de son ancienne amie. Madame Merle ne s'était pas encore beaucoup avancée lorsque Isabel décela une cassure soudaine de sa voix, une chute dans son débit qui, à elles seules, signifiaient un drame absolu. Cette modulation subtile marquait une découverte capitale : la perception d'une attitude entièrement nouvelle chez son interlocutrice. En une fraction de seconde, Madame Merle avait deviné que tout était fini entre elles; une seconde encore, elle savait la raison de cette rupture. La femme debout devant elle n'était pas celle qu'elle avait connue jusque-là, mais une personne très différente, une personne qui connaissait son secret. La découverte était redoutable et, de l'instant où elle la fit, cette femme du monde parmi les plus accomplies chancela et perdit courage. Un instant, pas plus. Le flot contrôlé de ses manières parfaites repartit de lui-même et s'écoula aussi calmement qu'il était possible jusqu'à la fin. Mais ce fut uniquement la certitude de cette fin qui permit à Madame Merle de tenir bon. La blessure dont elle était atteinte la faisait trembler et il lui fallut toute la vivacité de sa volonté pour réprimer son agitation. Sa seule chance de salut était de ne pas se trahir. Elle y parvint, mais sa voix alarmée refusa de s'améliorer – elle n'y pouvait rien – tandis qu'elle s'entendait tenir des propos qu'elle ne maîtrisait guère plus. Comme la marée, sa confiance se retirait, et elle fut tout juste en mesure de se couler dans le port, non sans racler légèrement le fond.

Isabel suivit ce déroulement aussi distinctement que sur un miroir limpide. Ç'aurait pu être pour elle un grand moment, celui de son triomphe. Madame Merle avait perdu courage et voyait se dresser devant elle le fantôme du scandale ; la chose en soi était une revanche, elle était en soi la promesse, ou presque, de jours plus heureux. Et pendant un moment, à demi tournée vers la croisée, feignant de regarder dehors, Isabel jouit de cette certitude. Sous ses yeux s'étendait le jardin du couvent mais elle ne le voyait pas, elle ne voyait rien de la végétation qui bourgeonnait ni de l'après-midi rayonnant. A la lumière crue de cette révélation, déjà devenue partie intégrante de son expérience, à qui seule la fragilité du vase dans lequel on la lui avait offerte donnait une valeur intrinsèque, elle contemplait un fait sec et aveuglant : elle avait été un instrument utilisé, manipulé, raccroché, aussi commode et aussi stupide qu'un outil de fer et de bois. Toute l'amertume de cette constatation lui remontait au cœur ; il lui semblait sentir sur ses lèvres le goût du déshonneur. A ce moment, si elle s'était retournée pour parler, ses propos cinglants auraient sifflé comme un coup de fouet. Mais elle ferma les yeux et la vision hideuse se dissipa. Il ne restait, debout, à quelques mètres d'elle, qu'une femme suprêmement intelligente qui ne savait plus que penser. La vengeance d'Isabel, la seule, fut de garder le silence, de laisser Madame Merle dans cette situation sans précédent. Elle l'y maintint pendant un temps qui dut paraître long à cette femme car elle finit par s'asseoir, geste qui était en soi un aveu d'impuissance. Alors Isabel baissa lentement les yeux et la regarda. Madame Merle était très pâle ; ses yeux étaient braqués sur le visage d'Isabel. Elle pouvait y voir ce qu'elle voulait mais, pour elle, le danger n'était plus. Jamais Isabel ne l'accuserait ni ne lui ferait de reproches ; peut-être pour ne jamais lui donner l'occasion de se défendre.

– Je suis venue faire mes adieux à Pansy, dit enfin la jeune femme. Je pars ce soir pour l'Angleterre.

– Ce soir, pour l'Angleterre ! répéta Madame Merle, les yeux levés vers elle.

– Je vais à Gardencourt. Ralph Touchett est mourant.

– Ah ! quel malheur pour vous ! s'écria Madame Merle, à qui l'occasion d'exprimer sa sympathie rendit ses esprits. Vous partez seule ?

– Oui, sans mon mari.

Madame Merle émit à voix basse un murmure confus, une sorte d'hommage à la tristesse générale des choses.

– Mr Touchett ne m'a jamais aimée, dit-elle. Cependant, je suis désolée qu'il soit mourant. Pensez-vous voir sa mère ?

– Oui, elle est revenue d'Amérique.

– Elle était autrefois très aimable avec moi, mais elle a changé. D'autres aussi ont changé ! dit Madame Merle, avec un noble et paisible émoi ; après un silence, elle reprit : Alors vous allez revoir ce cher vieux Gardencourt ?

– Je n'en profiterai pas beaucoup, répondit Isabel.

– Naturellement, dans votre peine... Mais, de toutes les demeures que je connais, et j'en connais beaucoup, c'est celle où j'aurais préféré vivre. Je ne me risque pas à adresser un message à ses occupants mais j'aimerais que vous disiez mon affection à la maison.

Isabel se détourna :

– Je ferais mieux d'aller voir Pansy. Je n'ai pas beaucoup de temps.

Tandis qu'elle cherchait du regard la sortie, la porte s'ouvrit devant une religieuse qui s'avança avec un sourire discret, en frottant doucement sous ses longues manches flottantes des mains blanches et charnues. Isabel reconnut Madame Catherine et la pria de la faire conduire sans attendre près de Miss Osmond. Madame Catherine parut redoubler de discrétion mais, avec un sourire affable, elle déclara :

– Cela lui fera du bien de vous voir. Je vais vous conduire moi-même.

Puis elle dirigea vers Madame Merle sa clairvoyance aimable et vigilante.

– Puis-je rester ici un moment ? demanda cette dame. On est si bien chez vous.

– Vous pouvez y rester pour toujours si vous en avez envie ! répondit la religieuse avec un rire entendu.

Elle guida Isabel le long de nombreux corridors et d'un large escalier, également massifs et nus, clairs et nets, comme ceux des grands pénitenciers, songea Isabel. Madame Catherine ouvrit doucement la porte de Pansy et introduisit la visiteuse ; puis, les mains croisées, elle assista souriante à leurs retrouvailles.

– Elle est heureuse de vous voir, cela va lui faire du bien, répéta-t-elle.

Avec sollicitude, elle avança la meilleure chaise pour Isabel mais ne s'assit pas et semblait prête à se retirer.

– Quelle mine trouvez-vous à cette enfant ? demanda-t-elle à Isabel.

– Je la trouve pâle, répondit Isabel.

– C'est la joie de vous voir. Elle est très heureuse. *Elle éclaire la maison,* déclara la religieuse.

Comme l'avait dit Madame Merle, Pansy portait une petite robe noire ; peut-être était-ce cette teinte qui accentuait sa pâleur.

– Tout le monde est très gentil pour moi ; on pense à tout ! s'exclama-t-elle avec empressement, soucieuse comme toujours de s'accommoder de tout.

– Nous pensons toujours à vous car vous êtes pour nous une charge très précieuse, fit observer Madame Catherine sur le ton d'une femme chez qui la bienveillance était une habitude et dont la conception du devoir était de consentir à porter toutes les obligations. Isabel eut l'impression fugitive qu'une chape de plomb s'abattait sur ses épaules tant l'idéal évoqué par la religieuse semblait représenter l'autorité de l'Église et le renoncement à toute personnalité.

Dès que Madame Catherine les eût quittées, Pansy s'agenouilla, cacha son visage sur les genoux de sa belle-mère et demeura un moment dans cette position, tandis qu'Isabel lui caressait doucement les cheveux. Puis elle se redressa et, sans regarder Isabel, promena les yeux tout autour de la pièce.

– J'ai bien arrangé ma chambre, vous ne trouvez pas ? J'ai tout ce qu'il me faut, comme à la maison.

– C'est très joli et vous êtes très bien ici, balbutia Isabel qui ne savait trop que dire.

Elle ne pouvait laisser croire à Pansy qu'elle était venue s'apitoyer sur son sort mais, par ailleurs, ç'eût été dérisoire de feindre de se réjouir avec elle. Aussi se contenta-t-elle d'ajouter, après un moment de silence :

– Je suis venue vous dire adieu. Je pars pour l'Angleterre.

Le petit visage blanc de Pansy vira au rouge :

– Pour l'Angleterre ? Pour toujours ?

– J'ignore quand je reviendrai.

– Oh ! je suis désolée ! soupira faiblement Pansy.

Elle parlait comme si elle n'avait pas le droit de critiquer mais son accent exprimait un abîme de déception.

– Mon cousin, Mr Touchett, est très malade ; il va probablement mourir et je veux le revoir, expliqua Isabel.

– Ah ! oui, vous m'aviez dit qu'il allait mourir. Bien sûr, il faut que vous partiez. Papa y va-t-il aussi ?

– Non, je pars seule.

La jeune fille se tut. Isabel s'était souvent demandé ce qu'elle pensait des rapports apparents de son père et de sa belle-mère ; mais jamais Pansy n'avait laissé transparaître, à travers un regard ou une allusion, qu'elle les estimait défectueux derrière l'intimité apparente. Elle y réfléchissait certainement et devait savoir que d'autres couples étaient plus unis. Mais Pansy n'était pas indiscrète, même en pensée ; jamais elle n'aurait osé juger sa gentille belle-mère ni critiquer son magnifique père. Son cœur s'en serait pratiquement immobilisé, comme si elle avait surpris les deux saints du grand tableau de la chapelle en train de tourner leur tête peinte pour se saluer mutuellement. Mais, dans ce dernier cas, jamais elle n'aurait révélé le redoutable phénomène ; elle l'aurait tu, de la même façon qu'elle enfouissait tout savoir sur les secrets des personnes plus importantes qu'elle.

– Vous serez très loin ! dit-elle simplement.

– Oui, je serai loin, mais cela n'a pas grande importance, expliqua Isabel, car, tant que vous êtes ici, on ne peut dire que je sois près de vous.

– C'est vrai, mais vous pouvez venir me voir, bien que vous ne soyez pas venue souvent.

– Je ne suis pas venue parce que votre père l'a défendu. Et aujourd'hui, je n'ai rien apporté pour vous distraire.

– Je ne suis pas là pour me distraire. Ce n'est pas ce que veut papa.

– Alors, peu importe que je sois à Rome ou en Angleterre.

– Vous n'êtes pas heureuse, Mrs Osmond, dit Pansy.

– Pas très. Mais c'est sans importance.

– C'est ce que je me dis moi aussi : quelle importance? Mais je voudrais sortir d'ici.

– Je le voudrais aussi pour vous.

– Ne me laissez pas ici ! reprit doucement Pansy.

Isabel garda le silence un instant; son cœur battait très vite :

– Voulez-vous venir avec moi maintenant? proposa-t-elle.

Pansy la regarda d'un air suppliant :

– Est-ce papa qui vous a dit de m'emmener?

– Non. C'est moi qui vous le propose.

– Alors, je crois que je ferais mieux d'attendre. Papa vous a-t-il confié un message pour moi?

– Je ne crois pas qu'il soit au courant de ma visite.

– Il pense que je n'en ai pas encore eu assez, dit Pansy. Mais si. Les dames sont très aimables pour moi et les petites filles viennent me voir. Il y en a de toutes petites, des enfants délicieuses. Et ma chambre, vous la voyez. Tout cela est charmant mais j'en ai eu assez. Papa voulait que je réfléchisse un peu et j'ai beaucoup réfléchi.

– A quoi avez-vous réfléchi?

– Au fait que je ne dois jamais contrarier papa.

– Vous le saviez déjà.

– Oui, mais je le sais encore mieux. Je ferai n'importe quoi... n'importe quoi...

Lorsque Pansy s'entendit prononcer ces derniers mots, une rougeur pure et ardente envahit son visage. Isabel en comprit la signification : elle vit que la pauvre jeune fille avait été vaincue. Il était heureux que Mr Edward Rosier eût conservé ses émaux! Isabel regarda Pansy dans les yeux; elle y lut surtout une prière : la jeune fille demandait qu'on la traite avec ménagement. Isabel posa une main sur la sienne pour lui faire savoir qu'elle lui gardait toute son estime; car l'effondrement de sa résistance passagère, muette et modeste, n'était que le tribut versé à la vérité des choses. Pansy ne se permettait pas de juger autrui mais elle s'était jugée elle-même et avait constaté la réalité. Elle n'était pas faite pour se battre contre une coalition; dans la solennité de la séquestration, une force inconnue l'avait terrassée. Elle courbait sa jolie tête devant l'autorité en lui demandant seulement d'être miséricordieuse. Oui, décidément, il était fort bon qu'Edward Rosier eût gardé quelques pièces de sa collection !

Isabel se leva; elle était pressée par le temps.

– Adieu, donc ! Je quitte Rome ce soir.

Pansy la saisit par sa robe; un changement soudain avait bouleversé son visage.

– Vous avez l'air étrange. Vous m'effrayez.

– Oh ! je suis très inoffensive, dit Isabel.

– Peut-être ne reviendrez-vous pas ?

– Peut-être pas. Je ne peux le dire.

– Ah ! Mrs Osmond, vous n'allez pas m'abandonner !

Isabel comprit qu'elle avait tout deviné :

– Chère Pansy, que puis-je faire pour vous ? demanda-t-elle.

– Je ne sais pas mais je suis plus heureuse quand je pense à vous.

– Vous pouvez toujours penser à moi.

– Pas quand vous êtes si loin. J'ai un peu peur, dit Pansy.

– De quoi avez-vous peur ?

– De papa... un peu. Et de Madame Merle. Elle est venue me voir tout à l'heure.

– Il ne faut pas dire cela, fit observer Isabel.

– Oh ! je ferai tout ce qu'ils voudront. Seulement, si vous étiez ici, cela me serait plus facile.

Isabel réfléchit :

– Je ne vous abandonnerai pas, dit-elle enfin. Adieu, chère Pansy.

Elles s'embrassèrent silencieusement, enlacées comme deux sœurs, puis Pansy accompagna Isabel jusqu'au sommet de l'escalier.

– Madame Merle est venue me voir, dit-elle à nouveau, et, comme Isabel ne répondait pas, elle ajouta brusquement : Je n'aime pas Madame Merle !

Isabel hésita, puis s'arrêta :

– Vous ne devez jamais dire que vous n'aimez pas Madame Merle.

Pansy la regarda avec surprise mais, chez elle, l'étonnement ne menait pas à l'insoumission :

– Je ne le dirai jamais plus, assura-t-elle avec une douceur exquise.

En haut de l'escalier, elles durent se séparer car la discipline imposée à Pansy, aimable mais nettement définie, lui interdisait de descendre. Parvenue au pied de l'escalier, Isabel la vit penchée sur la rampe :

– Vous reviendrez ? cria la jeune fille d'une voix qu'Isabel n'était pas près d'oublier.

– Oui, je reviendrai.

Madame Catherine vint au-devant de Mrs Osmond et la conduisit jusqu'à la porte du parloir ; elles s'entretinrent un instant.

– Je n'entre pas, dit la religieuse, Madame Merle vous attend.

A ces mots, Isabel se raidit ; elle fut tout près de demander si le couvent avait une autre sortie mais sa raison lui dit que mieux valait ne pas trahir devant la digne sœur son désir d'éviter l'autre amie de Pansy. Madame Catherine lui prit très doucement le bras et, fixant sur elle son regard sagace et bienveillant, dit en français sur un ton presque familier :

– *Eh bien, chère madame, qu'en pensez-vous ?*

– De ma belle-fille ? Oh ! ce serait bien long à expliquer.

– Nous pensons que cela suffit, déclara nettement Madame Catherine avant d'ouvrir la porte du parloir.

Madame Merle était assise dans la position où l'avait laissée Isabel, tellement absorbée dans ses pensées qu'elle n'avait pas remué un petit doigt. Une fois la porte refermée, elle se leva et Isabel sut qu'elle avait médité quelque nouveau dessein. Elle avait retrouvé son équilibre et la pleine possession de ses moyens.

– J'ai voulu vous attendre, dit-elle sur un ton mondain. Mais ce n'est pas pour parler de Pansy.

Isabel se demanda de quoi il pouvait s'agir et, malgré la déclaration de Madame Merle, elle répondit après un instant :

– Madame Catherine dit que cela suffit.

– Oui, c'est aussi mon avis. Je voulais vous demander une dernière chose à propos du pauvre Mr Touchett : avez-vous lieu de croire qu'il soit vraiment à la dernière extrémité ?

– Je n'ai d'autre information qu'un télégramme. Malheureusement, il confirme cette éventualité.

– Je vais vous poser une question bizarre, annonça Madame Merle. Aimez-vous beaucoup votre cousin ? s'enquit-elle avec un sourire aussi singulier que sa question.

– Oui, beaucoup. Mais je ne vous comprends pas.

– Ce n'est pas facile à expliquer, reprit Madame Merle après avoir marqué un temps d'arrêt. Je me suis avisée d'un fait qui vous a peut-être échappé et dont je souhaite vous faire bénéficier. Votre cousin vous a autrefois rendu un grand service. L'avez-vous jamais deviné ?

– Il m'a rendu de nombreux services.

– Oui, mais l'un d'eux surpasse de loin tous les autres. Il a fait de vous une femme riche.

– Il a fait de moi... ?

Voyant poindre le succès, Madame Merle poursuivit d'un ton triomphant :

– Il vous a donné l'éclat supplémentaire, indispensable pour faire de vous un brillant parti. Au fond, c'est lui que vous devez remercier.

Elle s'interrompit, faute de saisir ce que révélaient les yeux d'Isabel.

– Je ne vous comprends pas. Il s'agissait de la fortune de mon oncle.

– Oui ; c'était la fortune de votre oncle, mais l'idée, elle, venait de votre cousin. C'est lui qui a décidé son père. Ah ! ma chère, la somme était énorme !

Isabel était abasourdie ; elle avait l'impression de vivre ce jour-là dans un monde illuminé de fulgurances macabres.

– J'ignore pourquoi vous dites de pareilles choses. J'ignore ce que vous savez.

– Je ne sais rien de plus que ce que j'ai deviné. Mais cela, je l'ai deviné.

Isabel gagna la porte qu'elle ouvrit, puis s'arrêta quelques secondes, la main sur la poignée.

– Je croyais que c'était vous que je devais remercier ! dit-elle, et ce fut son unique vengeance.

Debout, immobile, dans l'attitude d'une pénitente orgueilleuse, Madame Merle baissa les yeux :

– Vous êtes très malheureuse, je le sais. Mais je le suis encore plus.

– Oui, je le crois. Je pense que je voudrais ne jamais vous revoir.

Madame Merle releva les yeux :

– Je vais partir pour l'Amérique, dit-elle calmement pendant qu'Isabel sortait.

53

Ce fut sans surprise mais animée d'un sentiment qui, en d'autres circonstances, eût été proche de la joie qu'Isabel tomba dans les bras, ou du moins entre les mains, de Henrietta Stackpole lorsqu'elle descendit de la malle de Paris à la gare de Charing Cross. Elle avait télégraphié de Turin à son amie et, sans compter fermement que Henrietta viendrait la chercher, elle sentait bien que sa dépêche ne resterait pas sans effet. Au cours du long voyage qui l'avait amenée de Rome, son esprit avait sombré dans le flou ; elle était incapable d'envisager l'avenir. Elle avait accompli le trajet en aveugle et traversé sans plaisir des régions parées d'une fraîche opulence printanière. Ses pensées suivaient leur cours à travers d'autres contrées d'apparence inquiétante, plongées dans le clair-obscur, dénuées de routes et où la ronde des saisons avait, semblait-il, cédé devant la tristesse éternelle de l'hiver. Elle avait beaucoup à penser mais son esprit semblait inapte à la réflexion comme à l'examen conscient d'un sujet. Des scènes décousues le traversaient, des bribes soudaines d'espoir ou de souvenirs émoussés. Le passé et l'avenir alternaient à leur guise, mais elle-même n'en voyait que des images intermittentes qui se dressaient et s'effondraient selon leur logique propre.

C'était extraordinaire tout ce dont elle se souvenait. A présent qu'elle était dans le secret, qu'elle savait cette chose qui la concernait de si près et dont l'éclipse avait rendu sa vie comparable à une partie de whist engagée avec un jeu de cartes incomplet, la vérité des faits, leurs rapports réciproques, leur signification et l'horreur de la plupart d'entre eux s'érigeaient devant elle avec une grandeur architecturale. Elle se rappelait mille vétilles qui surgissaient, vivaces, aussi spontanées qu'un frisson. Sur le moment, elle les avait traitées comme des bagatelles ; elle comprenait à présent qu'elles étaient chargées de plomb. Et pourtant, maintenant encore, ce n'étaient après tout que des vétilles, et que gagnait-elle à les comprendre ? A présent, tout semblait inutile. Projets et objectifs étaient suspendus ; et de même les désirs, excepté le désir unique d'arriver au plus hospitalier des refuges. Gardencourt avait été son tremplin et retrouver la quiétude du lieu serait au moins une solution temporaire. Elle en était partie forte ; elle y revenait affaiblie, et si, à l'origine, la maison avait été un abri, elle serait désormais un sanctuaire. Elle enviait Ralph d'être aux portes de la mort, car, pour qui songe au repos, il n'en est pas de plus parfait. Cesser d'être, renoncer à tout et ne plus rien savoir, l'idée était aussi douce que la vision, dans un pays torride, d'une vasque de marbre emplie d'eau fraîche au fond d'une salle obscure.

Au cours du long voyage entamé à Rome, elle connut des moments presque aussi bons que la mort. Assise dans son coin, immobile, passive, abandonnée à la seule sensation d'être portée, détachée de tout espoir et de tout regret, elle se faisait penser aux statues mortuaires des Étrusques, allongées sur le réceptacle de leurs cendres. Il n'y avait à présent plus rien à regretter, tout était fini : le temps de sa folie et celui de son repentir étaient loin. La chose à regretter était que Madame Merle eût été tellement… mettons tellement inimaginable. Sur ce point, son intelligence butait, littéralement incapable de dire ce qu'avait été Madame Merle. Quoi qu'il en fût, c'était à Madame Merle de le regretter ; ce qu'elle ferait sans aucun doute en Amérique où elle avait dit qu'elle irait. Cela ne regardait pas Isabel qui avait seulement l'impression qu'elle ne reverrait jamais Madame Merle. Cette impression l'emportait vers l'avenir dont elle distinguait de temps à autre un aperçu fragmentaire. Elle se voyait des années plus tard, toujours dans la position d'une femme dont la vie est devant elle, une suggestion en contradiction avec son état d'esprit actuel. Il pourrait être désirable de partir réellement, de s'en aller très loin, bien au-delà de la petite Angleterre grise et verte, mais ce privilège devait évidemment lui être refusé. Au fond de son cœur, en deçà de l'aspiration au renoncement, subsistait le sentiment que la vie l'occuperait encore longtemps. Et cette conviction lui insufflait par moments des bouffées d'inspiration et d'animation. C'était une preuve de force, la preuve qu'un jour elle pourrait à nouveau être heureuse. Il n'était pas concevable qu'elle dût vivre pour souffrir uniquement ; après tout, elle était encore jeune et tant de choses pouvaient encore lui arriver. Elle avait trop de valeur et trop de dons pour vivre dans la souffrance permanente, pour ressentir sans cesse, réitérées, aggravées, les blessures de la vie. Puis elle se demanda s'il était vain et stupide d'avoir pour elle tant d'estime. La valeur avait-elle jamais été une garantie ? L'histoire n'était-elle pas sans cesse ponctuée de saccages d'œuvres d'art ? Un être beau n'avait-il pas de grandes chances de souffrir ? Ce qui impliquait peut-être l'aveu que l'on était, par certain côté, vulgaire ; mais Isabel perçut, lorsqu'elle passa devant ses yeux, l'ombre floue et fugitive d'un long avenir. Elle ne fuirait jamais ; elle tiendrait jusqu'au bout. Puis les années de la maturité l'enveloppèrent à nouveau et le rideau gris de son indifférence se referma sur elle.

Henrietta l'embrassa, comme Henrietta embrassait toujours, comme si elle redoutait d'être surprise en flagrant délit. Puis Isabel resta plantée au milieu de la foule, en quête d'elle-même, en quête de sa femme de chambre. Elle ne demandait rien et désirait attendre. Elle perçut soudain qu'elle recevrait de l'aide. Elle était heureuse que Henrietta fût venue ; cette arrivée à Londres l'éprouvait terriblement. La voûte élevée de la gare, obscure et enfumée, l'éclat livide de la lumière et les bousculades dans la foule dense et sombre lui inspiraient une peur nerveuse, et elle glissa son bras sous celui de son amie. Elle se souvenait d'avoir apprécié, la première fois, toutes ces particularités car elles participaient du spectacle puissant qui l'avait impressionnée. Et se rappelait avoir, cinq ans auparavant, au sortir de la gare d'Euston, arpenté seule des rues bondées par un crépuscule d'hiver. Elle n'aurait pu le faire ce jour-là, et l'incident lui apparut comme la prouesse de quelqu'un d'autre.

– C'est magnifique que tu sois là ! dit Henrietta en regardant Isabel comme si elle la croyait prête à contester cette opinion. Si tu n'étais pas venue… Si tu n'étais pas venue… Je ne sais vraiment pas ce qui…

Miss Stackpole se tut sur cette allusion menaçante à son pouvoir réprobateur.

Isabel cherchait vainement du regard sa domestique. Ses yeux se posèrent sur une silhouette, confusément familière, puis sur le visage aimable de Mr Bantling. Il attendait à l'écart, sans qu'il fût au pouvoir de la multitude houleuse de lui faire céder un pouce du terrain qu'il s'était assigné pour se dérober discrètement aux regards pendant que les deux dames s'embrassaient.

– Voilà Mr Bantling, annonça doucement Isabel que, dès lors, le sort de sa femme de chambre parut beaucoup moins tracasser.

– Certainement; Mr Bantling m'accompagne partout. Venez, Mr Bantling, appela Henrietta.

Le galant célibataire vint vers elles avec un sourire tempéré par la gravité des circonstances.

– N'est-ce pas merveilleux qu'elle soit là? demanda Henrietta, qui ajouta aussitôt : Il est au courant de tout et nous en avons beaucoup discuté. Mr Bantling disait que tu ne viendrais pas et je soutenais le contraire.

– Je pensais que vous étiez toujours d'accord, répondit Isabel avec un sourire.

Elle sentait à présent qu'elle pouvait sourire; elle avait lu instantanément dans les yeux bienveillants de Mr Bantling qu'il lui apportait les nouvelles qu'elle espérait. Son regard disait aussi qu'il souhaitait qu'elle se rappelât qu'il était un vieil ami de Ralph, qu'il comprenait, que tout était bien. Isabel lui tendit la main; son imagination en faisait un beau chevalier sans peur et sans reproche.

– Oh! moi, je suis toujours d'accord! déclara Mr Bantling. C'est Miss Stackpole qui ne l'est pas.

– Je t'ai pourtant dit bien souvent que les femmes de chambre sont des fléaux! s'exclama Henrietta. Ta jeune personne a dû rester en rade à Calais.

– Peu importe! dit Isabel qui regardait Mr Bantling avec plus d'intérêt qu'elle ne lui en avait jamais accordé.

– Restez avec Mrs Osmond pendant que je vais aux nouvelles, ordonna Henrietta en s'éloignant.

Il y eut d'abord un silence entre ses deux amis, puis Mr Bantling demanda comment s'était passée la traversée de la Manche.

– Très bien. Non, je crois que c'était plutôt mouvementé, répondit Isabel à son interlocuteur perplexe, avant d'ajouter : Vous êtes allé à Gardencourt, n'est-ce pas ?

– Comment le savez-vous ?

– Je ne sais que vous dire, si ce n'est que vous avez l'air d'une personne qui est allée à Gardencourt.

– Alors vous devez me trouver l'air affreusement triste. Car c'est l'air qui règne là-bas.

– Je ne crois pas que vous paraissiez jamais terriblement triste. Vous avez l'air terriblement aimable, dit Isabel avec une franchise généreuse qui ne lui coûta aucun effort.

Il lui semblait que jamais plus elle ne se sentirait embarrassée par les convenances superficielles. Mais le pauvre Mr Bantling en était encore à ce stade inférieur. Il rougit très fort, rit, et déclara qu'il broyait souvent du noir et qu'en pareil cas il devenait féroce.

– Demandez à Miss Stackpole, vous verrez. Je suis allé à Gardencourt avant-hier.

– Avez-vous vu mon cousin ?

– Bien peu. Mais il avait eu des visites et Warburton était venu la veille. Ralph est égal à lui-même ; si ce n'est qu'il est au lit, qu'il a l'air atrocement mal et qu'il ne peut parler. Mais il est tout de même drôle et gai, poursuivit Mr Bantling, et n'a rien perdu de sa vivacité d'esprit. C'est abominablement triste.

Sur fond de gare bruyante et encombrée, cette simple esquisse ressortait avec intensité.

– Était-ce en fin de journée ? demanda Isabel.

– Oui, j'y suis allé exprès. Nous pensions que vous aimeriez savoir.

– Je vous en suis très reconnaissante. Puis-je y aller ce soir ?

– Ah ! je doute qu'elle vous laisse partir, dit Mr Bantling. Elle veut vous garder un peu. J'avais fait promettre au domestique de Touchett de me télégraphier aujourd'hui et j'ai trouvé il y a une heure sa dépêche à mon club. «Calme et reposé», dit le télégramme qui est daté de deux heures. Donc, vous le voyez, vous pouvez attendre demain. Vous devez être horriblement fatiguée.

– Oui, je suis horriblement fatiguée. Et je vous remercie encore.

– Nous savions bien que vous aimeriez avoir les nouvelles les plus récentes, répéta Mr Bantling, et Isabel nota distraitement au passage que Henrietta et lui semblaient plutôt bien s'entendre.

Sur ces entrefaites, Miss Stackpole reparut en compagnie de la femme de chambre qu'elle avait surprise en pleine démonstration d'efficacité. Loin de s'égarer dans la foule, cette excellente personne s'était occupée des bagages de sa maîtresse, si bien qu'Isabel pouvait quitter la gare sans plus attendre.

– Il n'est pas question que tu repartes ce soir, déclara Henrietta. Peu importe qu'il y ait un train ou non. Tu vas venir tout droit chez moi à Wimpole Street. Il n'y a pas une chambre d'hôtel libre à Londres, mais je t'en ai trouvé une tout de même. Ce n'est pas un palais romain, mais, pour une nuit, elle fera l'affaire.

– Je ferai tout ce que tu voudras, dit Isabel.

– Alors, je t'emmène et tu répondras à quelques questions; c'est tout ce que je te demande.

– Elle n'a pas parlé de dîner, n'est-ce pas, Mrs Osmond? s'enquit Mr Bantling d'un ton jovial.

Henrietta fixa sur lui un regard méditatif.

– Je vois que vous avez hâte d'aller prendre le vôtre. Vous serez à la gare de Paddington demain matin à 10 heures.

– Ne vous dérangez pas pour moi, Mr Bantling, dit Isabel.

– C'est pour moi qu'il viendra, déclara Henrietta en poussant son amie dans un fiacre.

Plus tard, dans la pénombre du salon de Wimpole Street où, soyons justes, un dîner était préparé, la jeune femme posa les questions qu'elle avait annoncées à la gare.

– Ton mari a-t-il fait une scène à propos de ton voyage? s'enquit-elle en premier lieu.

– Non, je ne peux dire qu'il ait fait une scène.
– C'est donc qu'il n'y voyait pas d'objection.
– Il en voyait beaucoup. Mais ce n'était pas ce que l'on appelle communément une scène.
– Alors, comment appelles-tu cela ?
– Une conversation très paisible.
Henrietta regarda son amie.
– Un véritable enfer ? suggéra-t-elle.
Isabel ne nia pas que la conversation avait été un véritable enfer, mais elle se borna à répondre aux questions de Henrietta, ce qui était facile dans la mesure où elles étaient précises. Pour le moment, elle ne lui offrait pas d'informations inédites.
– Bien, dit enfin Miss Stackpole, je n'ai qu'une critique à faire. Je ne vois pas pourquoi tu as promis à la petite Miss Osmond de retourner là-bas.
– Pour l'instant, je ne suis pas sûre de le savoir moi-même, répondit Isabel. Mais, sur le moment, je le savais.
– Si tu as oublié ta raison, peut-être ne repartiras-tu pas.
Isabel attendit un moment.
– Peut-être en trouverai-je une autre.
– Tu n'en trouveras certainement jamais de bonne.
– A défaut de mieux, le fait de m'y être engagée suffira, suggéra Isabel.
– Oui, et c'est pourquoi cela me hérisse.
– N'en parlons plus pour l'instant. J'ai un peu de temps devant moi. Mon départ a été une complication, mais qu'en sera-t-il du retour ?
– Après tout, rappelle-toi bien qu'il ne te fera pas de scène ! dit Henrietta d'un ton lourd de sous-entendus.
– Malgré tout, il en fera, répondit gravement Isabel. Ce ne sera pas une scène passagère mais une scène qui durera jusqu'à mon dernier jour.
Pendant quelques minutes, les deux jeunes femmes contemplèrent en silence le reste de la vie d'Isabel, puis, pour changer de sujet comme son amie en avait émis le vœu, Henrietta annonça tout à trac :
– J'ai fait un séjour chez Lady Pensil !

– Ah ! l'invitation a fini par t'arriver !

– Oui, au bout de cinq ans. Mais, cette fois, elle voulait me voir.

– C'est assez naturel.

– Plus naturel que tu n'imagines, dit Henrietta, le regard perdu au loin ; là-dessus, elle fit brusquement demi-tour et lança : Isabel Archer, je te demande pardon. Tu ne vois pas pourquoi ? Parce que je t'ai critiquée alors que je m'avance encore plus loin que toi. Mr Osmond, du moins, est né de l'autre côté !

Il fallut un moment à Isabel pour percer le sens des propos de son amie tant il était modestement, ou du moins ingénieusement voilé. Notre héroïne n'était guère portée en ce moment à considérer la vie sous un angle comique mais accueillit pourtant par un bref éclat de rire le tableau qu'avait esquissé son amie. Elle reprit d'ailleurs aussitôt son sérieux pour questionner avec la gravité solennelle qui s'imposait :

– Henrietta Stackpole, songerais-tu à renoncer à ton pays ?

– Oui, ma pauvre Isabel, j'y songe et ne cherche pas à le nier ; je regarde la chose en face. Je vais épouser Mr Bantling et habiter ici, en plein Londres.

– Quelle étrange nouvelle ! dit Isabel qui souriait, à présent.

– Oui, j'imagine qu'elle peut l'être. J'y suis venue petit à petit. Je crois savoir ce que je fais mais je ne sais comment l'expliquer.

– On ne peut expliquer son mariage, répondit Isabel, et le tien n'a pas besoin d'explication. Mr Bantling n'est pas une devinette.

– Non, il n'a rien d'un mauvais jeu de mots, ni même d'un génial trait d'humour américain. Il a une belle nature. Voilà plusieurs années que je l'étudie et je lis à travers lui. Il est aussi limpide que le style d'un prospectus bien rédigé. Ce n'est pas un intellectuel mais il apprécie l'intelligence. D'un autre côté, il ne surestime pas ce que l'on peut en attendre, contrairement à ce que nous faisons, je crois, aux États-Unis.

– Vraiment ! dit Isabel. Tu as bien changé ! C'est la première fois que je t'entends critiquer ton pays natal.

– Je dis simplement que nous sommes trop béats d'admiration devant l'intelligence ; après tout, ce n'est pas un défaut vulgaire. Mais, en effet, j'ai changé. Une femme doit changer beaucoup pour se marier.

– Je te souhaite d'être très heureuse. Et tu finiras par découvrir, comme tu le voulais, des aperçus sur la vie profonde des Anglais.

Henrietta poussa un petit soupir lourd de sens :

– Voilà, je crois, la clef du mystère. Je ne supportais plus d'être tenue à l'écart. A présent, j'ai autant de droits que n'importe qui ! conclut-elle avec une joie naïve.

Isabel se réjouissait, comme il se devait, sans pouvoir se défendre pourtant d'une certaine mélancolie. Henrietta, qu'elle avait toujours considérée comme une flamme ardente et claire, comme une voix désincarnée, Henrietta finalement avait reconnu qu'elle était un être humain, qu'elle était une femme. Il était décevant de lui découvrir des sentiments personnels, de la savoir soumise aux passions communes et d'apprendre que son intimité avec Mr Bantling n'était finalement pas si originale. Il y avait un manque d'originalité au fait qu'elle l'épousât, voire une sorte de sottise, et, l'espace d'un instant, la tristesse du monde s'intensifia. Quelques minutes encore et elle songeait que Mr Bantling, du moins, était original. Mais elle ne voyait pas comment Henrietta pourrait jamais renoncer à son pays. Elle-même avait laissé se dénouer les liens qui l'y attachaient mais elle ne l'avait jamais autant aimé que Henrietta. Elle demanda à son amie si elle avait apprécié son séjour chez Lady Pensil.

– Oh ! oui, dit Henrietta. Elle ne savait que penser de moi.

– Et tu as trouvé cela plaisant ?

– Très amusant, parce qu'elle est censée être un cerveau. Elle croit tout savoir mais ne comprend rien à la femme moderne que je représente. Elle aurait été moins embarrassée si j'avais été ou mieux ou pire. Elle est très intriguée : je crois qu'elle estime qu'il est de mon devoir de commettre un acte immoral. Elle estime qu'il est immoral que j'épouse son frère, mais, tout compte fait, que cela ne l'est pas assez. Elle ne comprendra jamais ma tournure d'esprit. Jamais !

– Alors, elle n'est pas aussi intelligente que son frère, dit Isabel. Lui fait l'effet d'avoir compris.

– Jamais de la vie ! s'écria Miss Stackpole avec décision. J'ai vraiment l'impression qu'il veut m'épouser précisément dans le but de percer le mystère et de l'explorer. C'est une idée fixe, chez lui, une espèce de fascination.

– C'est très gentil à toi de t'y prêter.

– Oh ! dit Henrietta, j'ai moi aussi beaucoup à explorer.

Isabel comprit à son ton qu'elle n'avait pas renié son allégeance mais qu'elle se préparait à l'attaque. Elle était enfin bien placée pour en venir aux mains avec l'Angleterre.

Le lendemain, à la gare de Paddington où les deux amies retrouvèrent Mr Bantling, Isabel se rendit compte que ce gentleman supportait d'un cœur léger ses perplexités. S'il n'avait pas tout compris, du moins avait-il découvert l'essentiel : l'initiative ne ferait jamais défaut à Miss Stackpole. Il était manifeste que, dans le choix de sa femme, il s'était soigneusement prémuni contre l'apathie.

– Henrietta m'a parlé et je suis très heureuse, dit Isabel en lui tendant la main.

– Cela doit vous paraître terriblement bizarre, répondit Mr Bantling, appuyé sur un élégant parapluie.

– Oui, cela me paraît très bizarre.

– Pas aussi bizarre qu'à moi, certainement. Mais, voyez-vous, j'ai toujours été anticonformiste, expliqua sereinement Mr Bantling.

54

L'arrivée d'Isabel à Gardencourt, cette fois-là, fut encore plus discrète que la première. Ralph avait réduit son train de maison et les nouveaux domestiques ne connaissaient pas Mrs Osmond ; au lieu de la conduire directement dans sa chambre, on l'introduisit sans plus d'égards au salon où elle fut priée d'attendre, le temps d'annoncer sa présence à Mrs Touchett. Elle attendit longtemps ; sa tante ne paraissait pas pressée de l'accueillir. Isabel finit par s'impatienter et devint de plus en plus nerveuse et craintive, comme si les objets autour d'elle s'étaient mués en témoins conscients et grimaçants de son trouble. Il faisait gris et froid ; l'ombre avait gagné les angles de la grande pièce brune. La maison était parfaitement tranquille ; c'était, Isabel s'en souvint, ce même silence qui avait investi Gardencourt pendant les jours qui avaient précédé la mort de son oncle. Elle quitta le salon et, guidée par le hasard, se dirigea vers la bibliothèque puis vers la galerie de tableaux où, dans le profond silence, ses pas éveillèrent un écho. Rien n'avait changé ; elle reconnaissait tout ce qui lui avait été familier des années plus tôt, à croire qu'hier encore elle était là. Elle enviait la sécurité des œuvres d'art, qui ne bougent pas d'un pouce et gagnent simplement en valeur tandis que leurs propriétaires perdent progressivement jeunesse, bonheur et beauté ; elle prit alors conscience qu'elle déambulait à travers la maison exactement comme l'avait fait sa tante, le jour où elle était venue la voir à Albany. Elle avait beaucoup changé depuis ce jour où tout avait commencé. Subitement, une idée la frappa : si sa tante Lydia n'était pas apparue ce jour-là, exactement de cette façon, et ne l'avait pas trouvée seule, tout aurait pu être différent. Elle aurait pu avoir une autre existence, être une femme plus heureuse. Elle s'arrêta dans la galerie devant un petit tableau, un charmant et précieux

Bonington[1] sur lequel ses yeux restèrent longtemps posés. Pourtant, elle ne regardait pas le tableau mais s'interrogeait : aurait-elle épousé Caspar Goodwood si, ce jour-là, sa tante n'était pas venue à Albany ?

Mrs Touchett finit par arriver peu après qu'Isabel eut réintégré le grand salon désert. Elle accusait nettement son âge mais avait l'œil aussi brillant et la tête aussi droite que jamais; ses lèvres minces semblaient les dépositaires de mystères latents. Elle portait une petite robe grise, dépouillée, et Isabel se demanda, comme elle l'avait déjà fait la première fois, si sa remarquable parente ressemblait davantage à une reine mère qu'à une gardienne de prison. Ses lèvres minces ne firent qu'effleurer la joue chaude d'Isabel.

– Je vous ai fait attendre parce que j'étais près de Ralph, dit Mrs Touchett. L'infirmière était allée déjeuner et je l'avais remplacée. Ralph a un garde qui est censé veiller sur lui mais c'est un bon à rien qui passe son temps à regarder par la fenêtre, comme s'il y avait quelque chose à voir ! Je ne voulais pas bouger parce que Ralph paraissait dormir et je craignais que le bruit ne le réveille. J'ai attendu le retour de l'infirmière; je savais que vous connaissiez la maison.

– Je m'aperçois que je la connais encore mieux que je ne pensais, dit Isabel. J'en ai fait tout le tour.

Puis elle demanda si Ralph dormait beaucoup.

– Il repose les yeux fermés, sans bouger. Mais je ne suis pas sûre qu'il dorme tout le temps.

– Peut-il me recevoir ? Pourra-t-il me parler ?

Mrs Touchett ne voulut pas se prononcer :

– Vous pouvez essayer, articula-t-elle, sans se risquer plus loin, avant de proposer à Isabel de la mener à sa chambre : Je croyais que l'on vous y avait conduite; mais je ne suis pas chez moi, ici, je suis chez Ralph, et je ne sais ce que font les domestiques. Ils ont dû au moins y porter vos bagages; je suppose qu'ils sont légers. D'ailleurs, peu m'importe. Je crois qu'on vous

---

1. Richard Parkes Bonington (1801-1828), peintre anglais lié au mouvement romantique. Il fut élève de Gros et ami de Delacroix, qu'il emmena en Angleterre. *(N. d. T.)*

a donné la chambre que vous aviez déjà eue; quand Ralph a su que vous veniez, il a dit qu'il vous fallait celle-là.

– A-t-il dit autre chose?

– Ah! ma chère, il ne bavarde plus comme autrefois! s'écria Mrs Touchett qui précédait sa nièce dans l'escalier.

C'était la même chambre, et Isabel eut l'intuition que nul n'y avait couché depuis qu'elle l'avait occupée. Ses bagages s'y trouvaient; ils n'étaient pas volumineux. Mrs Touchett s'était assise et les regardait.

– N'y a-t-il vraiment aucun espoir? demanda la jeune femme, debout devant sa tante.

– Aucun. Il n'y en a jamais eu. Cela n'a pas été une vie heureuse.

– Non; elle fut simplement belle, dit Isabel, qui se surprenait déjà en train de contredire sa tante, dont la sécheresse l'irritait.

– Je ne vois pas ce que vous voulez dire par là; il n'y a pas de beauté en l'absence de santé. Vous avez choisi un costume bien singulier pour voyager.

Isabel regarda sa toilette :

– J'ai quitté Rome très rapidement; j'ai pris le premier venu.

– Vos sœurs, en Amérique, aimeraient savoir comment vous vous habillez. Cela paraît être leur principal sujet d'intérêt. Je n'étais pas en mesure de le leur dire mais il semble qu'elles en aient une juste idée : vous ne porteriez jamais rien de moins raffiné que du brocart noir.

– Elles me croient plus brillante que je ne suis et j'ai peur de leur dire la vérité. Lily m'a écrit que vous aviez dîné chez elle.

– Elle m'a invitée quatre fois et j'y suis allée une fois. Après la deuxième invitation, elle aurait dû me laisser tranquille. Le dîner était très bon et avait dû coûter très cher. Son mari a de très mauvaises manières. Si j'ai pris plaisir à mon voyage en Amérique? Pourquoi y aurais-je pris plaisir? Je n'y allais pas pour mon plaisir.

Malgré l'intérêt de ces nouvelles, Mrs Touchett quitta bientôt sa nièce qu'elle retrouva une demi-heure plus tard pour le repas de midi. Les deux dames s'assirent face à face devant une table aux proportions réduites, dans la salle à manger mélancolique. Là, il ne fallut pas longtemps à Isabel pour se rendre compte que sa tante était moins sèche qu'il n'y paraissait, et elle sentit renaître sa pitié pour l'incapacité de la pauvre dame de s'exprimer, pour son absence de regrets et de déceptions. Quelle bénédiction ç'aurait été pour elle, en un jour semblable, de reconnaître ses erreurs, de pouvoir éprouver un sentiment de défaite ou même de honte. Elle se demandait si sa tante ne ressentait pas combien lui avaient manqué ces enrichissements de la conscience et si elle ne s'efforçait pas secrètement d'obtenir quelque arrière-goût de la vie, quelques miettes du banquet, le témoignage de la souffrance ou le plaisir glacé du remords. Par ailleurs, peut-être avait-elle peur ; s'il lui arrivait de découvrir le remords, il pourrait l'entraîner trop loin. Isabel sentait cependant que sa tante s'était confusément aperçue qu'elle avait manqué quelque chose et se percevait dans les années à venir telle une vieille femme sans souvenirs. Son petit visage pincé avait l'air tragique. Elle dit à sa nièce que, jusqu'à présent, Ralph n'avait pas bougé mais qu'il serait probablement en état de la voir avant le dîner. Un peu plus tard, elle ajouta que, la veille, il avait vu Lord Warburton. La nouvelle fit tressaillir Isabel : apparemment, l'ami de Ralph était dans le voisinage et un hasard pourrait les mettre en présence l'un de l'autre. Un tel incident serait malencontreux ; Isabel n'était pas venue en Angleterre pour se battre contre Lord Warburton. Néanmoins, elle dit à sa tante qu'il avait été très gentil pour Ralph ; elle en avait été témoin à Rome.

– Il a autre chose en tête en ce moment, repartit Mrs Touchett en fixant sur sa nièce des yeux perçants.

Manifestement, Mrs Touchett voulait dire autre chose. Isabel devina aussitôt ce que sa tante avait tu. Mais sa réponse n'en laissa rien paraître ; son cœur battait trop vite, elle voulait gagner un instant :

– Ah ! oui, la Chambre des lords et tout le reste.

– Il ne pense pas aux lords mais aux dames. A l'une d'elles, du moins. Il a annoncé à Ralph ses fiançailles. Il va se marier.

– Se marier ! s'exclama doucement Isabel.

– A moins qu'il ne rompe. Il avait l'air de croire que Ralph serait heureux de l'apprendre. Le pauvre Ralph n'ira pas au mariage, qui doit avoir lieu prochainement, si j'ai bien compris.

– Et qui est la fiancée ?

– Une jeune fille de l'aristocratie : Lady Flora, Lady Felicia, quelque chose comme cela.

– J'en suis très heureuse, dit Isabel. Il a dû se décider très vite.

– Très vite, en effet ! Il a fait sa cour pendant trois semaines et les fiançailles sont déjà officielles.

– J'en suis très heureuse, répéta Isabel, avec plus de chaleur encore.

Elle savait que sa tante la regardait, guettant les signes d'un dépit supposé, et le désir d'éviter que Mrs Touchett pût surprendre le moindre indice fit qu'elle s'exprima sur le ton d'une personne vivement satisfaite, voire soulagée. Sa tante Lydia adhérait bien entendu à la croyance traditionnelle que les femmes, même mariées, considèrent comme une offense personnelle le mariage de leurs anciens soupirants. Le premier soin d'Isabel fut donc de montrer que, si répandue que fût cette attitude, elle-même ne se sentait pas offensée. Son cœur n'en continuait pas moins de battre trop vite mais le silence pensif qu'elle s'accorda – elle avait oublié que Mrs Touchett l'observait – n'était pas dédié à l'admirateur perdu. Ayant franchi la moitié de l'Europe, son imagination venait de s'arrêter, haletante, et même un peu tremblante, dans la ville de Rome. Isabel s'entendait annoncer à son mari que Lord Warburton allait conduire une fiancée à l'autel, sans se rendre compte bien sûr de la pâleur extrême de son visage, au moment où elle fournissait cet effort intellectuel. Mais elle se reprit rapidement et dit à sa tante :

– Cela devait forcément lui arriver un jour ou l'autre.

Mrs Touchett se taisait. Subitement, elle hocha la tête :

– Ah ! ma chère, vous me dépassez ! s'écria-t-elle.

Le déjeuner se poursuivit en silence ; Isabel avait l'impression que l'on venait d'annoncer la mort de Lord Warburton.

Elle n'avait connu de lui que le prétendant et, à ce titre, il n'était plus rien pour elle. Il était mort pour la pauvre Pansy. Près de Pansy, il aurait pu vivre. Un domestique s'agitait autour de la table et Mrs Touchett lui demanda de les laisser seules. Elle avait achevé son repas et immobilisé ses mains croisées sur le bord de la table.

– J'aimerais vous poser trois questions, dit-elle quand le domestique fut parti.

– Trois questions ? C'est beaucoup.

– J'ai bien réfléchi et ne peux faire à moins. Ce sont des questions judicieuses.

– C'est bien ce qui me fait peur. Les questions judicieuses sont les pires de toutes, répondit Isabel.

Mrs Touchett avait repoussé sa chaise ; sa nièce se leva de table et se dirigea vers une fenêtre, consciente du regard qui la suivait

– Vous arrive-t-il de regretter de ne pas avoir épousé Lord Warburton ? demanda Mrs Touchett.

Isabel secoua la tête d'un geste lent et léger :

– Non, ma chère tante.

– Parfait. Je vous préviens que j'ai l'intention de croire ce que vous me dites.

– Une telle confiance est aussi une terrible tentation, répondit Isabel, toujours souriante.

– Seriez-vous tentée de me mentir ? Je ne vous le conseille pas ! Lorsqu'on me trompe, je deviens aussi dangereuse qu'un rat empoisonné. Je n'ai pas l'intention de chanter victoire à vos dépens. La deuxième...

– ... C'est mon mari qui ne s'entend plus avec moi, dit Isabel.

– J'aurais pu lui dire que tel serait le cas. Et je n'appelle pas cela chanter victoire, dit Mrs Touchett qui ajouta : Aimez-vous toujours Serena Merle ?

– Pas comme je l'aimais autrefois. Mais c'est sans importance car elle part pour l'Amérique.

– Pour l'Amérique ? Elle a dû faire quelque chose d'ignoble.

– Oui, d'ignoble.

– Puis-je vous demander de quoi il s'agit ?

– Elle a abusé de moi.

– Ah ! s'écria Mrs Touchett, elle en a fait de même à mon égard ! Elle abuse de tout le monde.

– Elle abusera de l'Amérique, dit Isabel souriante et soulagée d'en avoir terminé avec les questions de sa tante.

Le soir, elle put enfin voir son cousin. Il avait somnolé toute la journée, à moins qu'il ne fût seulement demeuré sans conscience. Le docteur était venu, et reparti au bout d'un moment ; c'était le médecin du pays qui avait soigné le vieux Mr Touchett et que Ralph aimait bien. Il s'intéressait beaucoup à son malade et passait le voir trois ou quatre fois par jour. Ralph avait reçu les soins de Sir Matthew Hope mais s'était lassé du célèbre praticien et avait demandé à sa mère de lui annoncer son décès et l'inutilité définitive de conseils médicaux. Mrs Touchett avait simplement écrit à Sir Matthew que son fils ne l'aimait pas. Le jour de l'arrivée d'Isabel, Ralph ne donna pendant des heures aucun signe de conscience, mais, vers le soir, il se souleva et dit qu'il savait qu'elle était arrivée. D'où le savait-il ? Apparemment, rien ne l'expliquait, car, de peur de l'agiter, personne ne l'en avait informé. Isabel entra dans sa chambre et s'assit à son chevet, dans la pénombre ; une bougie, dont on avait masqué la flamme, brûlait dans un coin de la pièce. Elle dit à l'infirmière qu'elle pouvait s'en aller ; elle-même resterait près du malade toute la soirée. Ralph avait ouvert les yeux, il l'avait reconnue et avait bougé sa main, qui reposait inerte sur le lit, afin qu'elle pût la prendre. Mais il était hors d'état de parler ; il referma les yeux et demeura parfaitement immobile, la main d'Isabel dans la sienne. Elle resta longtemps près de lui, jusqu'au retour de l'infirmière ; mais il n'esquissa pas d'autre signe. Il aurait pu trépasser pendant qu'elle le regardait ; il avait déjà le visage et le modelé de la mort. A Rome, elle l'avait cru très proche de la fin mais son état actuel était pire ; il n'y avait plus à présent qu'un seul changement possible. Son visage était empreint d'une tranquillité inconnue ; on aurait dit le couvercle d'une boîte, accompagné d'un simple paquet d'os ; lorsqu'il ouvrit les yeux pour la saluer, Isabel ressentit l'impression de sonder un espace incommensurable. L'infirmière ne revint pas avant minuit mais les heures n'avaient pas paru longues à Isabel; c'était exactement pour cela qu'elle était venue. Et si elle était venue simplement pour attendre, l'occasion lui en fut largement donnée car Ralph demeura trois jours dans une sorte de silence plein de gratitude. Il reconnaissait Isabel et semblait par moments vouloir parler; mais il ne disposait pas de sa voix. Alors, il refermait les yeux comme si, lui aussi, attendait quelque chose, quelque chose qui arriverait certainement. Il était si absolument tranquille qu'Isabel croyait parfois que ce qui devait survenir était déjà arrivé; et cependant, elle ne perdait jamais le sentiment qu'ils étaient encore ensemble. Mais ils ne l'étaient pas toujours; elle passait des heures entières à parcourir la maison vide, l'oreille à l'écoute d'une voix qui n'était pas celle du pauvre Ralph. Elle vivait constamment dans la peur; il était possible, croyait-elle, que son mari lui écrivît. Mais il gardait le silence et elle ne reçut qu'une lettre, postée à Florence, de la comtesse Gemini. Le soir du troisième jour, pourtant, Ralph put enfin parler. Isabel était à son chevet, dans la pénombre et le silence, lorsqu'elle l'entendit tout à coup murmurer :

– Je me sens mieux ce soir. Je pense que je peux dire quelque chose.

Isabel s'agenouilla tout contre son oreiller, saisit sa maigre main dans la sienne et le supplia de ne pas faire d'effort, de ne pas se fatiguer. Le visage de Ralph était forcément grave, car le jeu musculaire du sourire outrepassait ses forces, mais son propriétaire n'avait apparemment pas perdu le sens de l'ironie.

– Quelle importance que je me fatigue alors que j'ai l'éternité pour me reposer? On ne se fait aucun tort en fournissant un effort quand il s'agit du dernier. Les gens se sentent toujours mieux juste avant la fin. Je l'ai souvent entendu dire et c'était cela que j'attendais. Depuis que vous êtes ici, je n'ai cessé de penser que ce moment viendrait. J'ai essayé deux ou trois fois; j'avais peur que vous ne vous lassiez d'être assise ici.

Il parlait lentement; sa voix, qui semblait venir de très loin, se brisait parfois douloureusement et de longues pauses s'ensuivaient. Quand il se tut, il garda le visage tourné vers Isabel et plongea dans les siens ses yeux qui ne clignaient plus.

– Comme vous êtes bonne d'être venue, reprit-il. Je l'espérais, sans en être certain.

– Je n'en étais pas sûre non plus, jusqu'à ce que je parte, dit Isabel.

– Vous avez été comme un ange près de mon lit, celui qu'on appelle l'ange de la mort, le plus beau de tous. Vous étiez ainsi, comme si vous m'attendiez.

– Je n'attendais pas votre mort. J'attendais... ceci. Ceci n'est pas la mort, cher Ralph.

– Pas pour vous, non. Nous ne nous sentons jamais plus vivants qu'au moment de voir les autres mourir. C'est la sensation de la vie, le sentiment que nous restons. Même moi, je les ai éprouvés. Mais à présent, je n'ai plus d'autre utilité que de les procurer aux autres ! Pour moi, tout est fini.

Il se tut. Isabel inclina la tête jusqu'à ce qu'elle reposât sur les deux mains qui étreignaient la sienne. Elle ne pouvait plus le voir, ainsi, mais sa voix lointaine parlait contre son oreille.

– Isabel, reprit-il brusquement, je souhaite que cela se termine pour vous.

Elle ne répondit rien mais éclata en sanglots et demeura dans cette position, le visage caché. Ralph gardait le silence et l'écoutait sangloter.

– Ah ! Qu'avez-vous fait pour moi ! gémit-il.

– Qu'avez-vous fait pour moi, vous aussi ! s'écria Isabel dont la position tempérait l'agitation extrême.

Elle n'avait plus honte à présent, plus aucun désir de dissimuler quoi que ce fût. Maintenant, il devait savoir, elle souhaitait qu'il sût tout, car ils en seraient suprêmement rapprochés et il était déjà hors d'atteinte de la souffrance.

– Vous avez fait quelque chose autrefois, vous savez laquelle. Oh ! Ralph, vous avez tout été ! Et moi, qu'ai-je fait pour vous ? Que puis-je faire aujourd'hui ? Je mourrais si cela devait vous permettre de vivre. Mais je ne souhaite pas que vous viviez ; je mourrais moi-même pour ne pas vous perdre.

Chargée de larmes et d'angoisse, sa voix était aussi brisée que celle de Ralph.

– Vous ne me perdrez pas, vous me garderez. Gardez-moi dans votre cœur ; j'y serai plus proche de vous que je ne l'ai jamais été. Chère Isabel, la vie est meilleure car, dans la vie, il y a l'amour. La mort est bonne mais elle ignore l'amour.

– Je ne vous ai jamais remercié ; je n'ai jamais rien dit ; je n'ai jamais été ce que j'aurais dû être ! poursuivait Isabel dans un besoin passionné de s'accuser et de laisser sa douleur prendre possession d'elle.

A cet instant, toutes ses angoisses se simplifiaient et se combinaient en cette peine unique.

– Qu'avez-vous dû penser de moi ? reprit-elle. Mais comment aurais-je su ? Je ne me suis jamais doutée de rien et ne le sais aujourd'hui que parce qu'il y a des gens moins stupides que moi.

– Ne vous occupez pas des gens, fit Ralph. Je suis plutôt heureux d'en finir avec eux.

Elle redressa la tête et joignit les mains ; elle avait l'air de le prier :

– Est-ce vrai ? Est-ce vrai ? demanda-t-elle.

– Vrai que vous avez été stupide ? Oh ! non ! répondit Ralph avec l'intention manifeste de faire de l'esprit.

– Que vous m'avez donné une fortune ? Que tout ce que j'ai vient de vous ?

Il détourna la tête et demeura longtemps silencieux.

– Ne parlez pas de cela. Ce n'était pas heureux, dit-il en ramenant lentement son visage vers elle, si bien que leurs yeux se rencontrèrent à nouveau. Sans cela... sans cela... Il fit une nouvelle pause avant d'ajouter dans un gémissement : Je crois que j'ai gâché votre vie.

Elle était pénétrée du sentiment qu'il était au-delà de la souffrance ; il paraissait déjà si peu de ce monde. En aurait-elle même été moins persuadée, elle aurait continué de parler car rien n'importait désormais que la seule certitude qui n'était pas pure angoisse, la certitude qu'ils cherchaient ensemble la vérité.

– Il m'a épousée pour l'argent, dit-elle, car elle voulait tout dire et craignait qu'il mourût avant qu'elle pût le faire.

Il la regarda et, pour la première fois, ses paupières cillèrent sur son regard fixe. Mais il les releva avant de répondre :

– Il était très épris de vous.

– Oui, il m'aimait. Mais il ne m'aurait pas épousée si j'avais été pauvre. Je ne vous blesse pas en vous disant cela. Comment le pourrais-je ? Je veux seulement que vous compreniez. Je me suis toujours efforcée de vous en empêcher, mais à présent, c'est fini .

– J'ai toujours compris, dit Ralph.

– C'est bien ce que je pensais et je ne le supportais pas. Mais, à présent, j'en suis heureuse.

– Vous ne m'avez pas blessé, vous m'avez rendu très heureux, dit Ralph dont la voix exprimait une joie extraordinaire, tandis qu'Isabel, de nouveau, penchait la tête et pressait ses lèvres contre sa main. J'ai toujours compris, reprit-il, bien que ce fût tellement étrange et pitoyable. Vous vouliez connaître la vie par vous-même, mais cela ne vous a pas été accordé ; vous avez été punie de l'avoir désiré. Vous avez été broyée par les meules du conformisme.

– Oh ! oui, j'ai été punie ! dit Isabel qui sanglotait.

Il l'écouta un moment avant de reprendre :

– Vous a-t-il fait payer très cher votre venue ici ?

– Il me l'a rendue très pénible. Mais cela m'est égal.

– Tout est il fini entre vous ?

– Oh ! non ! Je ne crois pas que rien soit fini.

– Allez-vous retourner vers lui ? insista Ralph.

– Je ne sais pas, je ne peux rien dire. Je resterai ici aussi longtemps que je le pourrai. Je ne veux pas y penser ; je n'ai pas besoin d'y penser. Je ne pense qu'à vous et c'est assez pour occuper le présent. Cela ne durera que peu, cependant. Ici, à genoux, tandis que vous mourez dans mes bras, je suis plus heureuse que je ne l'ai été depuis longtemps. Et je veux que vous soyez heureux, que vous ne pensiez à rien de triste ; que vous sentiez que je suis près de vous et que je vous aime. Pourquoi devrait-il y avoir de la peine ? En des heures semblables, qu'avons-nous à faire de la souffrance ? Elle n'est pas le sentiment le plus profond. Il y a plus profond qu'elle.

D'un instant à l'autre, Ralph éprouvait manifestement plus de difficulté à parler; il lui fallait attendre plus longtemps pour rassembler ses forces. Il sembla d'abord qu'il ne répondrait pas à ces derniers mots tant dura son silence. Puis il murmura simplement :

– Il faut que vous restiez ici.

– J'en serai heureuse, aussi longtemps que cela semblera bien.

– Que cela semblera bien, répéta-t-il. Vous pensez beaucoup à cela!

– Bien sûr, il le faut. Vous êtes très fatigué, dit Isabel.

– Je suis très fatigué. Vous venez de dire que la souffrance n'est pas ce qu'il y a de plus profond. Non, certes. Mais elle est très profonde. Si je pouvais rester...

– Pour moi, vous serez toujours ici, l'interrompit-elle avec douceur.

Il était facile de l'interrompre. Mais il reprit après un moment :

– Après tout, elle passe; à présent, elle est passée. Mais l'amour demeure. Je ne sais pourquoi nous devons tant souffrir. Peut-être le découvrirai-je. Il y a tant de choses dans la vie. Vous êtes très jeune.

– Je me sens très vieille, dit Isabel.

– Vous redeviendrez jeune. C'est ainsi que je vous vois. Je ne crois pas... je ne crois pas...

Il dut s'arrêter de nouveau; ses forces l'abandonnaient. Elle le supplia d'être calme à présent :

– Nous n'avons pas besoin de parler pour nous comprendre, dit-elle.

– Je ne crois pas qu'une erreur aussi généreuse que la vôtre puisse vous blesser longtemps.

– Oh! Ralph, cria-t-elle entre ses larmes, je suis très heureuse maintenant!

– Et rappelez-vous ceci : si vous avez été détestée, vous avez aussi été aimée. Ah! Isabel, adorée! soupira-t-il de façon à peine perceptible.

– Oh! mon frère! s'écria-t-elle dans un élan de ferveur encore plus profond.

55

Il lui avait dit, lors de la première soirée qu'elle avait passée à Gardencourt que, si elle vivait assez pour souffrir suffisamment, elle pourrait un jour voir le fantôme dont la vieille demeure était dûment pourvue. Sans doute avait-elle rempli la condition requise car le lendemain, dans le petit jour pâle et froid, elle vit un esprit debout près de son lit. Elle s'était allongée sans se déshabiller car elle croyait que Ralph ne passerait pas la nuit. Elle n'avait pas envie de dormir ; elle attendait et ce genre d'attente incite à la vigilance. Mais elle avait fermé les yeux ; elle pensait qu'au cours de la nuit, elle entendrait frapper à sa porte. Elle n'entendit pas frapper, mais à l'heure où l'obscurité commençait à tourner au gris, elle se dressa aussi brusquement que si elle en avait reçu l'ordre. Il lui sembla pendant un instant qu'il était là, silhouette imprécise qui flottait dans l'espace flou de sa chambre. Elle regarda fixement : elle vit son visage blanc, ses yeux tendres ; puis elle vit qu'il n'y avait rien. Elle n'avait pas peur ; simplement, elle était sûre. Elle sortit de sa chambre et, dans sa certitude, parcourut les couloirs obscurs et descendit l'escalier de chêne qui luisait dans la faible clarté venue de la fenêtre du vestibule. Devant la porte de Ralph, elle s'arrêta, l'oreille aux aguets, mais il lui sembla n'entendre que le calme dont elle était emplie. Elle ouvrit la porte d'un geste aussi doux que si elle avait dévoilé le visage d'un mort et vit Mrs Touchett assise, rigide et immobile, près du lit de son fils dont elle tenait la main. Debout de l'autre côté du lit, le docteur tenait entre ses doigts professionnels le poignet du pauvre Ralph. Les deux gardes étaient au pied du lit. Mrs Touchett ne fit pas attention à Isabel, mais le docteur la regarda bien en face ; puis il reposa doucement la main de Ralph dans une position naturelle, le long de son corps. L'infirmière aussi tourna vers Isabel un regard intense et personne n'ouvrit la bouche, mais Isabel ne voyait que ce qu'elle était venue voir. Ce visage était plus beau que Ralph ne l'avait jamais été de son vivant et empreint d'une étonnante ressemblance avec celui de son père que, six ans plus tôt, Isabel avait vu reposer sur le même oreiller. Elle alla vers sa tante, passa un bras autour de ses épaules, et Mrs Touchett qui, en règle générale, ne sollicitait pas les caresses ni ne les appréciait, se soumit un instant à celle-ci, se levant autant qu'elle pouvait pour la recevoir. Mais elle était raide ; elle avait les yeux secs ; aigu, blafard, son visage était terrible.

– Chère tante Lydia, murmura Isabel.

– Remerciez Dieu de n'avoir pas d'enfant ! dit Mrs Touchett en se dégageant.

Trois jours plus tard, au plus beau de la saison londonienne, un nombre considérable de gens trouvèrent le temps de prendre un train matinal à destination d'une gare tranquille du Berkshire, puis, après une courte marche, de passer une demi-heure dans une petite église grise. Ce fut dans le cimetière verdoyant de cet édifice que Mrs Touchett confia son fils à la terre. Elle se tenait au bord de la tombe, Isabel à son côté : le fossoyeur lui-même ne prenait pas plus d'intérêt pratique à la scène que Mrs Touchett. La cérémonie était solennelle mais sans rigueur ni pesanteur excessives ; il y avait même une certaine clémence dans l'apparence des choses. Le temps avait tourné au beau ; le jour, un des derniers du mois de mai trompeur, était chaud et tranquille, et l'air brillait de l'éclat conjugué des merles et de l'aubépine. On ne pouvait songer sans tristesse au pauvre Touchett mais cette tristesse était tempérée, car la mort avait été pour lui sans violence. Il mourait depuis si longtemps ; il était si prêt ; tout avait été tellement prévu et préparé ! Il y avait des larmes dans les yeux d'Isabel, mais pas de celles qui aveuglent. A travers elles, la jeune femme percevait la beauté du jour, la splendeur de la nature, la douceur du vieux cimetière anglais et les têtes inclinées de bons amis. Lord Warburton était là, ainsi qu'un groupe de gentlemen inconnus d'Isabel, dont elle apprit plus tard qu'ils étaient pour la majorité associés à la banque ; parmi les personnes qu'elle connaissait figuraient

Miss Stackpole, accompagnée de l'honnête Mr Bantling, et Caspar Goodwood dont la tête dominait toutes les autres et s'inclinait plutôt moins que les autres. Pendant une bonne partie du temps, Isabel fut consciente du regard de Mr Goodwood; il la regardait plus fixement qu'il ne le faisait d'habitude en public, alors que les autres assistants tenaient les yeux baissés vers la terre. Mais elle ne lui signifia pas qu'elle le voyait et s'étonna seulement qu'il fût encore en Angleterre. Il n'aimait pas le pays, Isabel s'en souvenait, et elle était persuadée qu'il en était reparti aussitôt après avoir ramené Ralph à Gardencourt. Mais il était là, nettement là, et son attitude semblait dire qu'il était là dans un but déterminé. Isabel ne voulait pas croiser son regard, très certainement plein de sympathie; il la mettait mal à l'aise. Il disparut lorsque le petit groupe se dispersa et la seule personne qui vint parler à Isabel – alors que plusieurs s'adressaient à Mrs Touchett – fut Henrietta Stackpole. Henrietta avait pleuré.

Ralph avait exprimé devant sa cousine son espoir qu'elle resterait à Gardencourt et elle ne prit pas de mesures pour quitter rapidement les lieux. Elle se disait que la charité la plus élémentaire voulait qu'elle restât un peu avec sa tante. C'était une chance pour elle de disposer d'une si bonne solution; sinon, elle aurait pu éprouver le besoin impérieux d'en trouver une. Sa mission était accomplie; elle avait fait ce pour quoi elle avait quitté son mari. Elle avait, dans une ville étrangère, un mari qui comptait les jours de son absence; dans un cas semblable, il fallait un excellent motif. Il n'était pas le meilleur des maris mais cela ne changeait rien à l'affaire. Le mariage en soi impliquait certaines obligations, tout à fait indépendantes de la quantité de plaisir que l'on en retirait. Isabel pensait le moins possible à son mari; mais, à présent qu'elle était loin de Rome, soustraite à son envoûtement, elle y pensait avec une sorte de frémissement spirituel. L'image était d'un froid pénétrant et Isabel se réfugiait dans l'ombre profonde de Gardencourt. Elle vivait au jour le jour, remettait à plus tard, fermait les yeux et s'efforçait de ne pas réfléchir. Elle savait qu'elle devait prendre une décision et ne décidait rien; sa venue elle-même n'avait pas été une décision. En l'occurrence, elle avait seulement fait un pas. Osmond ne donnait pas signe de vie et il était sûr à présent qu'il n'en donnerait pas; il se déchargeait sur elle de toute initiative. Elle ne savait rien non plus de Pansy, ce qui n'avait rien de surprenant : son père lui avait dit de ne pas écrire.

Mrs Touchett acceptait la compagnie d'Isabel mais ne lui offrait aucune aide; elle semblait absorbée dans la contemplation des nouvelles contingences de sa situation personnelle, sans enthousiasme mais avec une lucidité parfaite. Mrs Touchett n'était pas optimiste mais s'arrangeait pour tirer une certaine utilité de toutes les circonstances, y compris les plus douloureuses. Cela consistait à se dire que, tout compte fait, les décès frappaient les autres mais pas elle. La mort était désagréable mais, dans le cas présent, il s'agissait de la mort de son fils, non de la sienne; elle ne s'était jamais flattée que la sienne serait pénible pour quiconque, sinon pour Mrs Touchett. Elle était en meilleure position que le pauvre Ralph, qui avait laissé derrière lui toutes les ressources de la vie et même toutes ses garanties, car le pire aspect de la mort, selon Mrs Touchett, était de vous exposer à être exploité. Personnellement, elle occupait le terrain; il n'y avait rien de tel. Le soir de l'enterrement de son fils, elle fit part à Isabel, avec force détails, de certaines dispositions testamentaires de Ralph. Il lui avait tout dit et l'avait consultée sur tout. Il ne lui laissait pas d'argent; bien entendu, elle n'avait pas besoin d'argent. Il lui laissait le mobilier de Gardencourt, à l'exception des tableaux et des livres, et, pendant un an, la libre disposition du domaine qui serait ensuite mis en vente. Le produit de la vente constituerait une dotation destinée à un hôpital pour indigents affligés de la maladie qui avait emporté Ralph; Lord Warburton était désigné comme exécuteur testamentaire de cette partie du testament. Le reste de la fortune, retiré de la banque, était réparti en différents legs, dont plusieurs allaient à ses cousins du Vermont, envers lesquels son père s'était déjà montré si généreux. Venaient enfin quantité de petits legs.

– Certains sont très curieux, dit Mrs Touchett. Il a laissé des sommes importantes à des gens dont je ne n'ai jamais entendu parler. Il m'a donné sa liste et, quand je lui ai demandé de qui il s'agissait, il m'a dit que c'étaient des personnes qui, dans des circonstances diverses, avaient paru l'aimer. Apparemment, il pensait que vous ne l'aimiez pas puisqu'il ne vous laisse pas un penny. Il était d'avis que vous aviez été généreusement traitée par son père – ce que je suis portée à penser, moi aussi –, bien que je ne veuille pas dire que je l'aie jamais entendu s'en plaindre. Les tableaux seront dispersés ; il les a distribués un à un, comme autant de souvenirs. Le plus beau de la collection est destiné à Lord Warburton. Et savez-vous ce qu'il a fait de sa bibliothèque ? Ça m'a tout l'air d'une farce. Il la laisse à votre amie, Miss Stackpole, « en reconnaissance de ses services rendus à la littérature ». Entend-il par là le fait de l'avoir ramené de Rome ? Est-ce là un service rendu à la littérature ? La bibliothèque contient beaucoup d'ouvrages rares et précieux et, comme elle ne peut les trimballer dans ses malles à travers le monde, il lui conseille de les vendre aux enchères. Bien entendu, elle les mettra en vente chez Christie's et, avec le produit, elle lancera un journal. Croyez-vous que ce sera un service rendu à la littérature ?

Isabel se dispensa de répondre à cette question qui sortait des limites du petit interrogatoire auquel elle avait estimé nécessaire de se plier à son arrivée. De plus, la littérature la laissait absolument indifférente en ce moment, ce qu'elle vérifiait chaque fois qu'elle s'emparait sur les rayons de l'un des volumes que Mrs Touchett avait qualifiés de rares et précieux. Elle était incapable de lire et jamais elle n'avait été si peu maîtresse de son attention. Une semaine environ après la cérémonie au cimetière, elle s'évertuait vainement à la fixer sur le livre qu'elle tenait à la main, mais son regard s'évadait souvent vers la fenêtre de la bibliothèque qui donnait sur la longue avenue. C'est ainsi qu'elle vit s'avancer jusqu'à la porte un modeste véhicule dont Lord Warburton, assis dans une position inconfortable, occupait un coin. Il avait toujours été d'une courtoisie parfaite et il n'y avait rien d'étonnant, vu les circonstances, à ce qu'il eût pris la peine de venir de Londres pour rendre visite à Mrs Touchett.

C'était évidemment Mrs Touchett qu'il était venu voir et non Mrs Osmond ; afin de se prouver à elle-même la validité de sa thèse, Isabel quitta la bibliothèque pour aller se promener dans le parc. Elle était très peu sortie depuis son arrivée à Gardencourt car le temps n'était pas favorable à la visite du domaine. Ce jour-là, pourtant, la soirée était belle et elle trouva d'abord que c'était une bien bonne idée d'aller se promener. La théorie dont je parlais était très plausible mais ne la tranquillisait pas vraiment, et il suffisait de la voir arpenter les lieux pour savoir qu'elle avait mauvaise conscience. Un quart d'heure plus tard, lorsqu'elle vit Mrs Touchett qui sortait du portique, accompagnée de son visiteur, l'agitation d'Isabel ne s'était pas calmée. Manifestement, sa tante avait proposé à Lord Warburton de se mettre à la recherche de sa nièce. Isabel ne se sentait décidément pas d'humeur sociable ; avec un peu de chance, elle aurait pu se retrancher derrière un des gros arbres. Mais on l'avait vue, c'était l'évidence, et il ne lui restait plus qu'à s'approcher. Il fallait un certain temps pour traverser l'immense pelouse de Gardencourt et elle eut tout loisir d'observer l'allure rigide de Lord Warburton, qui s'avançait au côté de Mrs Touchett, les mains derrière le dos et les yeux au sol. En apparence, les deux promeneurs étaient silencieux, mais le regard acéré de Mrs Touchett, lorsqu'il se dirigeait vers Isabel, avait, même à distance, une expression et semblait dire, avec une sévérité mordante : « Voilà l'éminent gentleman que vous auriez pu épouser ! ». Les yeux de Lord Warburton, lorsqu'il releva la tête, parlaient un langage différent. « Tout cela est bien gênant, disaient-ils, et je compte sur vous pour m'aider. » Il était grave, très comme il faut et, pour la première fois depuis qu'Isabel le connaissait, il la salua sans sourire. Même à l'époque de sa détresse, il l'avait toujours abordée avec un sourire. Il semblait très embarrassé.

– Lord Warburton a eu l'amabilité de venir me voir, dit Mrs Touchett. Il ignorait que vous étiez encore ici. Je sais que vous êtes de vieux amis et, quand on m'a dit que vous n'étiez pas dans la maison, je l'ai entraîné dehors afin qu'il puisse le constater lui-même.

– J'ai vu qu'il y a un train à 6 h 40 qui me ramènera juste à temps pour le dîner, déclara Lord Warburton sans beaucoup d'à-propos. Je suis si heureux que vous ne soyez pas partie.

– Je ne suis pas ici pour longtemps, dit vivement Isabel.

– Je l'imagine volontiers, tout en espérant que vous resterez quelques semaines. Vous êtes venue en Angleterre plus tôt que… que… vous ne pensiez.

– Oui, je suis venue inopinément.

Mrs Touchett s'écarta, comme si elle s'inquiétait de l'état du gazon qui, effectivement, n'était pas ce qu'il aurait dû être ; Lord Warburton avait l'air hésitant. D'après Isabel, il avait plus ou moins été sur le point de lui demander des nouvelles de son mari, puis s'était ravisé. Il était toujours aussi grave, soit qu'il jugeât que seule cette expression convenait dans une maison que la mort venait de visiter, soit pour des raisons plus personnelles. Dans le second cas, c'était une chance pour lui de pouvoir se retrancher sous le couvert de la bienséance ; il pouvait en tirer le parti qu'il voulait. Isabel songeait à tout cela. Elle ne trouvait pas que son visage fût triste – la tristesse était autre chose – mais il manquait singulièrement d'expression.

– Mes sœurs auraient été ravies de m'accompagner, si elles avaient su que vous étiez encore ici et que vous souhaitiez les voir, reprit Lord Warburton. Soyez assez gentille pour les rencontrer avant votre départ.

– Cela me ferait grand plaisir. J'ai gardé d'elles un souvenir très amical !

– Viendriez-vous passer un ou deux jours à Lockleigh ? Vous vous rappelez peut-être votre ancienne promesse, dit Sa Seigneurie, dont le visage rougit légèrement lorsqu'il formula cette allusion, ce qui lui rendit une expression un peu plus familière. Peut-être ne suis-je pas en droit de vous parler ainsi en ce moment ; bien entendu, vous ne pensez pas à faire des visites. Mais ce ne serait pas une vraie visite. Mes sœurs doivent passer cinq jours à Lockleigh à la Pentecôte. Si vous pouviez venir à ce moment-là… Vous dites que vous êtes pour peu de temps en Angleterre… Je veillerai à ce qu'il n'y ait personne d'autre…

Isabel se demanda si la jeune fille qu'il devait épouser et sa mère seraient elles aussi éloignées mais s'abstint d'exprimer cette pensée.

– Je vous remercie beaucoup, dit-elle simplement. Je crains de ne rien pouvoir affirmer pour la Pentecôte.

– Mais j'ai votre promesse, n'est-ce pas ? Pour une autre fois.

Il y avait là une interrogation qu'Isabel laissa sans réponse. Elle regarda un instant son interlocuteur et le résultat de cette observation fut – comme cela s'était déjà produit – qu'elle se sentit navrée pour lui.

– N'oubliez pas votre train, dit-elle, avant d'ajouter aussitôt : Je vous souhaite tous les bonheurs.

Il rougit à nouveau, plus vivement cette fois, et consulta sa montre.

– Ah ! oui, 6 h 40. Je n'ai pas beaucoup de temps mais un fiacre m'attend à la porte. Merci beaucoup.

Rien ne permettait de savoir si les remerciements s'appliquaient au rappel du train ou au souhait plus sentimental.

– Au revoir, Mrs Osmond, au revoir.

Il lui serra la main, sans la regarder, puis se tourna vers Mrs Touchett qui revenait vers eux. Les adieux qu'il lui fit furent aussi brefs et les deux dames le suivirent des yeux tandis qu'il traversait la pelouse à grands pas.

– Êtes-vous sûre qu'il doive se marier ? demanda Isabel à sa tante.

– Je ne peux l'être plus qu'il ne l'est ; mais il en paraît sûr. Je l'ai félicité et il m'a remerciée.

– Ah ! j'y renonce ! dit Isabel tandis que Mrs Touchett retournait vers la maison et vers les occupations qu'avait interrompues l'arrivée de Lord Warburton.

Elle y avait renoncé mais elle y pensait toujours, elle ne faisait qu'y penser tandis qu'elle déambulait sous les grands chênes dont les ombres s'étiraient sur le gazon. Un instant plus tard, elle se trouva près d'un banc rustique dont, quelques secondes après que son regard l'eut effleuré, la vue la frappa comme celle d'un objet familier. Non seulement elle l'avait déjà vu et elle s'y était assise, mais une chose importante lui était arrivée à cet endroit et le lieu avait un air de déjà-vu. Elle se souvint alors qu'elle était assise là, six ans plus tôt, lorsqu'un domestique lui avait apporté la lettre de Caspar Goodwood l'informant qu'il l'avait suivie en Europe ; et qu'après avoir lu la lettre, elle avait levé les yeux et entendu Lord Warburton lui annoncer qu'il serait heureux de l'épouser. Oui, c'était un banc intéressant et historique ; elle le regarda comme s'il pouvait avoir quelque chose à lui dire. Elle ne pouvait s'y asseoir à présent, il lui faisait un peu peur. Elle resta donc debout devant lui et le passé reflua vers elle, porté par les vagues déferlantes d'émotion qui submergent à l'improviste les personnes sensibles. L'effet de cette agitation fut une sensation subite de fatigue extrême et, sous son influence, surmontant ses scrupules, Isabel se laissa choir sur le siège rustique. Agitée et incapable de s'occuper, elle était l'image même d'une victime de l'oisiveté. Sa pose dénotait une singulière absence de projet : ses mains se perdaient dans les plis de sa robe noire et son regard flottait vaguement devant elle. Rien ne la rappellerait à la maison ; les deux dames, dans leur retraite, dînaient tôt et l'heure du thé n'était pas fixée. Isabel aurait été incapable de dire combien de temps elle était restée dans cette position mais le crépuscule était tombé lorsqu'elle se rendit compte qu'elle n'était pas seule. Elle se redressa vivement et, regardant autour d'elle, découvrit ce qu'il était advenu de sa solitude. Elle la partageait avec Caspar Goodwood, debout, à quelques mètres, les yeux rivés sur elle ; le gazon avait étouffé le bruit de ses pas et elle ne l'avait pas entendu venir. Elle se souvint que c'était de la même façon que Lord Warburton l'avait autrefois surprise.

Elle se leva aussitôt ; dès qu'il eut compris qu'elle l'avait vu, Goodwood s'élança. Elle était à peine debout que d'un geste, qui paraissait violent mais produisit en elle un effet indicible, il la saisit par le poignet et la fit se rasseoir. Elle ferma les yeux ; il ne lui avait pas fait mal ; ç'avait été seulement un contact auquel elle avait obéi. Mais il y avait sur son visage quelque chose qu'elle souhaitait ne pas voir. Il l'avait regardée de la même façon l'autre jour, au cimetière ; mais, à présent, c'était pis. Il ne disait rien ; elle le sentait seulement près d'elle, à côté d'elle sur le banc, et tourné vers elle de façon pressante. Il lui semblait que personne ne s'était jamais trouvé si près d'elle. Cela fut d'ailleurs l'affaire d'un instant qui prit fin quand, ayant dégagé son poignet et tourné les yeux vers son visiteur, elle lui dit :

– Vous m'avez effrayée.

– Ce n'était pas mon intention, et, si vous avez eu un peu peur, c'est sans importance. Je suis arrivé de Londres par le train il y a un bon moment mais je n'ai pu venir aussitôt. Il y avait à la gare un homme qui m'a devancé. Il a pris un fiacre qui s'y trouvait et je l'ai entendu donner au cocher l'ordre de le conduire ici. J'ignore qui c'était mais je ne voulais pas venir avec lui ; je voulais vous voir seule. Alors j'ai attendu et je me suis promené ; j'ai fait toute la route à pied et je me dirigeais vers la maison quand je vous ai aperçue. Je suis tombé sur un gardien mais tout s'est bien passé parce que j'avais fait sa connaissance quand j'étais venu ici avec votre cousin. Ce gentleman est-il parti ? Êtes-vous seule ? Je veux m'entretenir avec vous.

Goodwood parlait très vite ; il était aussi excité que lors de leurs adieux à Rome. Isabel, qui avait espéré qu'il s'apaiserait, se recroquevilla sur elle-même en constatant que Caspar Goodwood était au contraire déchaîné. Elle éprouvait face à lui une sensation qu'il ne lui avait jamais inspirée, celle d'un danger. Il y avait en effet quelque chose de redoutable dans sa résolution. Elle regardait droit devant elle ; lui, les mains sur les genoux et penché en avant, scrutait son visage. Les tons du crépuscule s'assombrissaient autour d'eux.

– Je veux vous parler, répéta-t-il ; j'ai quelque chose de particulier à vous dire. Je ne veux pas vous importuner, comme je l'ai fait l'autre jour à Rome. C'était inutile et cela n'a fait que vous tourmenter. Je n'y pouvais rien ; je savais que j'avais tort. Mais aujourd'hui, je ne me trompe pas ; je vous en prie, croyez-moi.

Sa voix dure et profonde s'était muée en supplication lorsqu'il prononça ces derniers mots.

– Je suis venu dans un but précis, reprit-il. C'est très différent. C'était tout à fait vain de ma part de vous parler l'autre jour ; mais, aujourd'hui, je peux vous aider.

Était-ce parce qu'elle avait peur ou parce qu'une voix semblable dans les ténèbres semblait nécessairement une bénédiction qu'Isabel écoutait? Elle-même l'ignorait, mais elle écoutait Caspar Goodwood comme elle n'avait jamais écouté auparavant; ses mots pénétraient profondément dans son âme. Ils provoquaient dans tout son être une sorte de paix et il lui fallut un effort et un peu de temps avant de pouvoir lui répondre.

– Comment pouvez-vous m'aider? demanda-t-elle à voix basse, comme si elle prenait ce qu'il avait dit suffisamment au sérieux pour poser la question en confiance.

– En vous incitant à vous fier à moi. Maintenant, je sais; aujourd'hui, je sais. Vous rappelez-vous ce que je vous avais demandé à Rome? A ce moment-là, j'étais complètement dans le noir. Mais aujourd'hui, je sais de source sûre; à présent, tout est clair pour moi. C'était une bonne chose de m'avoir fait partir avec votre cousin. C'était un homme excellent, supérieur, un noble cœur; il m'a dit dans quelle situation vous étiez. Il m'a tout expliqué; il avait deviné mes sentiments. Il faisait partie de votre famille et il vous a confiée à mes soins, tant que vous seriez en Angleterre, dit Goodwood, comme s'il venait de marquer un point important. Savez-vous ce qu'il m'a dit la dernière fois que je l'ai vu, sur le lit même où il est mort? Il m'a dit: «Faites tout ce que vous pourrez pour elle; faites tout ce qu'elle vous permettra de faire.»

Isabel se leva brusquement:

– Vous n'aviez pas le droit de parler de moi!

– Pourquoi? Pourquoi? Dès lors que nous parlions de cette façon? demanda-t-il, saisissant à demi-mot sa pensée. Et il était mourant; quand un homme se meurt, tout est différent.

Isabel avait réprimé l'élan qui l'avait poussée à le fuir et l'écoutait plus intensément encore; en vérité, il n'était plus le même que la dernière fois. A Rome, il s'agissait d'une passion stérile et sans objet, mais, à présent, il avait un but si affirmé qu'il irradiait le corps d'Isabel.

– Peu importe, d'ailleurs! s'exclama-t-il, plus pressant encore et impitoyable, sans effleurer toutefois un ourlet de sa robe. Si Touchett n'avait pas ouvert la bouche, j'aurais tout de même su la vérité. Il m'a suffit de vous regarder à l'enterrement de votre cousin pour voir ce qui ne va pas pour vous. Vous ne pouvez plus me tromper. Au nom du Ciel, soyez honnête avec un homme qui est si honnête avec vous. Vous êtes la plus malheureuse des femmes et votre mari est un monstre, un criminel !

Elle se tourna vers lui comme s'il l'avait frappée :

– Êtes-vous fou ? cria-t-elle.

– Je n'ai jamais été plus raisonnable ; je vois la situation dans son ensemble. Ne croyez pas qu'il soit nécessaire de le défendre. D'aileurs, je ne dirai plus un mot contre lui ; je ne parlerai que de vous. Comment pouvez-vous prétendre que vous n'avez pas le cœur brisé ? Vous ne savez que faire, ni de quel côté vous tourner. Il est trop tard pour jouer un rôle ; n'avez-vous pas laissé tout cela derrière vous à Rome ? Touchett savait tout et je savais tout, moi aussi... ce qu'il vous en coûterait de venir ici. Cela vous coûtera-t-il la vie ? Dites-le ! cria Caspar, emporté par la colère, pour une fois, dites-moi la vérité ! Sachant une horreur pareille, comment puis-je m'empêcher de vouloir vous sauver ? Que penseriez-vous de moi si je me croisais les bras et vous regardais retourner vers votre récompense ? « Le prix qu'elle paiera ce voyage est affreux ! » Voilà ce que m'a dit Touchett. Je peux vous le dire, n'est-ce pas ? C'était un si proche parent ! s'écria Goodwood, revenant à son singulier et lugubre argument. Plutôt mourir que de laisser quiconque me dire cela ; mais lui était différent ; il me semblait qu'il en avait le droit. C'était après son retour chez lui, quand il a compris qu'il mourait et quand je l'ai vu, moi aussi. Je comprends toute l'histoire : vous avez peur de retourner là-bas. Vous êtes seule ; vous ne savez vers quoi vous tourner. Vous n'avez pas d'endroit où aller et vous le savez parfaitement. C'est pour cela que je veux que vous pensiez à moi.

– Penser à vous ? répéta Isabel, debout devant lui dans l'obscurité.

L'idée qu'elle avait entrevue un moment auparavant se déployait à présent. Elle renversa un peu la tête et la contempla comme s'il s'agissait d'une comète dans le ciel.

– Vous ne savez vers qui vous tourner. Venez droit vers moi. Je veux vous convaincre de me faire confiance, répéta Goodwood qui se tut quelques instants avant de reprendre, les yeux brillants : Pourquoi repartir ? Pourquoi subir l'atroce convention ?

– Pour m'éloigner de vous ! répondit-elle.

Mais elle n'exprimait ainsi qu'une partie de ses sentiments. Le reste était que jamais auparavant elle n'avait été aimée. Elle l'avait cru, mais ceci était différent ; c'était le vent brûlant du désert, dont l'approche signe l'arrêt des autres vents qui tombent, simples brises venues d'un jardin. Il l'enveloppait, il la soulevait de terre et son goût même, son goût puissant, âcre, étrange força l'obstacle de ses dents serrées.

Elle crut d'abord qu'en réponse à ce qu'elle avait dit, il éclaterait sous l'empire d'une violence accrue. Mais il se calma en un instant ; il voulait démontrer qu'il était raisonnable et qu'il avait pensé à tout.

– Je veux empêcher cela et je pense pouvoir le faire, si seulement, pour une fois, vous consentez à m'écouter. Il est trop monstrueux de votre part d'envisager de sombrer à nouveau dans cette misère, de respirer cet air empoisonné. C'est vous qui avez perdu la raison. Confiez-vous à moi comme si j'avais charge de vous. Pourquoi ne serions-nous pas heureux alors que le bonheur est là, devant nous, alors que c'est si facile ? Je suis à vous pour toujours, pour toujours et à jamais. Je suis là ; je suis solide comme un roc. A quoi êtes-vous attachée ? Des enfants peut-être auraient pu être un obstacle mais vous n'avez pas d'enfant. Non, vous n'avez à tenir compte de rien. Vous devez sauver ce que vous pouvez de votre vie ; vous ne devez pas la perdre entièrement parce que vous en avez perdu une partie. Ce serait vous faire injure d'imaginer que vous vous souciez de l'apparence de la chose, de ce qu'on en dira, de l'insondable ineptie du monde. Nous n'avons rien à en faire ; nous sommes en dehors de tout cela ; nous regardons les choses telles qu'elles sont. Vous avez franchi l'étape décisive en venant ici ; la suivante n'est rien ; elle est naturelle. Je jure, aussi vrai que je suis là, qu'une femme délibérément opprimée est en droit de tout faire dans la vie, de descendre dans la rue, si cela peut la soulager! Je sais combien vous souffrez et c'est pourquoi je suis ici. Nous pouvons faire absolument ce que nous voulons. A qui devons-nous quoi que ce soit sous le soleil? Qu'est-ce qui peut nous retenir? Qui a le moindre droit d'intervenir dans cette affaire? Cette affaire est entre nous, et dire cela c'est la résoudre. Sommes-nous nés pour croupir dans notre misère? Vivre dans la terreur? Je ne vous ai jamais vue avoir peur! Si seulement vous me faisiez confiance, vous ne seriez jamais déçue! Le monde s'offre à nous et le monde est très vaste. J'en sais quelque chose.

Isabel poussa un long gémissement, comme un être qui souffre; c'était comme s'il pesait de tout son poids sur une blessure.

– Le monde est très petit, dit-elle au hasard car elle désirait infiniment paraître résister.

Elle avait dit cela à l'aveuglette, pour s'entendre dire quelque chose, mais ce n'était pas ce qu'elle voulait dire. Le monde, en vérité, n'avait jamais paru si grand; il semblait s'épanouir autour d'elle et prendre la forme d'une mer puissante où elle flottait sur des eaux insondables. Elle avait cherché de l'aide et l'aide était là, venue sous la forme d'un torrent impétueux. J'ignore si elle croyait tout ce que disait Goodwood mais elle croyait à ce moment précis que s'abandonner dans ses bras serait l'approche de sa mort. Un court instant, cette conviction devint extase en laquelle elle sombra. Au cours de la traversée des profondeurs, il lui sembla qu'elle agitait les pieds afin de se reprendre, de trouver un point d'appui.

– Ah! soyez à moi comme je suis à vous! entendit-elle.

Gaspar Goodwood avait soudain renoncé à la discussion et sa voix semblait se dégager, dure et terrible, d'un brouhaha de sons confus.

Bien entendu, tout ceci n'était que faits subjectifs, comme disent les philosophes; la confusion, le bruit des eaux et tout le reste se passaient dans sa tête, prise de tournoiement. Elle s'en aperçut soudain.

– Rendez-moi le plus grand service qui soit, dit-elle, haletante. Je vous en supplie, partez!

– Ne dites pas cela ! Ne me tuez pas ! cria-t-il.

Elle joignit les mains ; ses yeux ruisselaient de larmes.

– Si vous m'aimez, si vous avez pitié de moi, laissez-moi !

Dans l'ombre, il darda sur elle un regard furieux puis, subitement, elle sentit ses bras autour d'elle et ses lèvres sur les siennes. Tel un éclair foudroyant, son baiser se propagea, s'étendit, puis demeura suspendu ; fait extraordinaire, aussi longtemps qu'elle le reçut, elle sentit que tous les aspects de sa rude virilité qui l'avaient rebutée, les traits agressifs de son visage, de sa silhouette et de sa présence, affirmaient intensément leur identité et se confondaient avec cet acte de possession. Ainsi, dit-on, les naufragés suivent entre deux eaux une traînée d'images avant de sombrer. Mais lorsque l'obscurité tomba, elle était libre. Sans un regard autour d'elle, Isabel s'élança. Des lumières éclairaient les fenêtres de la maison ; elles brillaient de l'autre côté de la pelouse. En un temps extraordinairement court – car la distance était considérable et elle progressait dans la nuit, sans rien voir – elle fut à la porte. Là seulement, elle s'arrêta. Elle regarda autour d'elle et tendit l'oreille un moment ; puis elle posa la main sur le loquet. Elle n'avait su vers quoi se tourner ; elle le savait à présent. La route était toute droite.

Deux jours plus tard, Caspar Goodwood frappait à la porte de la maison de Wimpole Street, dont Henrietta Stackpole occupait un appartement. A peine avait-il lâché le heurtoir que la porte s'ouvrait, encadrant Miss Stackpole en personne. Elle portait chapeau et manteau, et s'apprêtait à sortir.

– Bonjour, dit-il ; j'espérais trouver Mrs Osmond.

Henrietta le tint quelques secondes en haleine mais Miss Stackpole était très expressive, même lorsqu'elle se taisait.

– Dites-moi, je vous prie, qu'est-ce qui vous fait croire qu'elle est ici ?

– Je suis allé à Gardencourt ce matin et le domestique m'a dit qu'elle était partie pour Londres. Il pensait qu'elle allait chez vous.

De nouveau, avec les meilleures intentions du monde, Miss Stackpole le tint en suspens.

– Elle est arrivée hier et a passé la nuit chez moi. Mais elle est partie pour Rome ce matin.

Caspar Goodwood ne regardait pas son interlocutrice ; ses yeux étaient fixés sur le perron.

– Ah ! Elle est partie… balbutia-t-il.

Sans finir sa phrase ni lever les yeux, il se détourna tout d'une pièce. Mais il ne put bouger d'un pouce.

Fermant la porte derrière elle, Henrietta était sortie et s'était s'emparée de son bras :

– Écoutez-moi, Mr Goodwood, dit-elle, contentez-vous d'attendre !

Il leva les yeux vers les siens pour y lire, le cœur révulsé, qu'elle voulait simplement dire combien il était jeune. Elle se tenait près de lui, l'éclairant de son réconfort étriqué qui lui ajoutait d'un coup trente ans d'âge. Elle l'emmena pourtant à son côté, comme si elle lui avait enfin donné la clé de la patience.

Cet ouvrage a été réalisé par la
SOCIÉTÉ NOUVELLE FIRMIN-DIDOT
Mesnil-sur-l'Estrée
pour le compte des Éditions U.G.E. 10/18
en octobre 1996

Imprimé en France
Dépôt légal : novembre 1996
N° d'édition : 2706 - N° d'impression : 35675